Biographie

Chiriaeff

Danser
pour ne pas
mourir

biographie

De la même auteure

La place de la femme dans le Québec de 1967, Éditions Étendard, St-Jérôme, hiver 1967.

La notion de service essentiel en droit du travail québécois ou l'impossible définition, dans «*25 ans de pratique en relation industrielles*», C.R.I., 1990.

De la Curatelle au Curateur public, 50 ans de protection, Presses de l'Université du Québec, Québec, 1995.

Justine Lacoste-Beaubien et l'Hôpital Sainte-Justine, en collaboration, Presses HEC, Presses de l'Université du Québec, Québec, 1995.

Nicolle Forget

Chiriaeff

Danser
pour ne pas
mourir

biographie

QUÉBEC AMÉRIQUE

Catalogage avant publication de Bibliothèque et Archives Canada

Forget, Nicolle
Ludmilla Chiriaeff : danser pour ne pas mourir
Comprend des réf. bibliogr. et un index.
ISBN 2-7644-0428-X
1. Chiriaeff, Ludmilla, 1924-1996. 2. Grands ballets canadiens -
Histoire. 3. Danseurs de ballet - Québec (Province) - Biographies.
4. Chorégraphes - Québec (Province) - Biographies. I. Titre.

GV1785.C55F67 2006   792.802'8'092   C2005-942111-8

 Conseil des Arts   Canada Council
du Canada   for the Arts $\int o D \not E C$
                                                      Québec ::

Nous reconnaissons l'aide financière du gouvernement du Canada
par l'entremise du Programme d'aide au développement de l'industrie
de l'édition (PADIÉ) pour nos activités d'édition.

Gouvernement du Québec – Programme de crédit d'impôt pour
l'édition de livres – Gestion SODEC.

Les Éditions Québec Amérique bénéficient du programme de subvention
globale du Conseil des Arts du Canada. Elles tiennent également à
remercier la SODEC pour son appui financier.

Québec Amérique
329, rue de la Commune Ouest, 3e étage
Montréal (Québec) Canada H2Y 2E1
Tél. : 514 499-3000, télécopieur : 514 499-3010

Dépôt légal : 2e trimestre 2006
Bibliothèque nationale du Québec
Bibliothèque nationale du Canada

ISBN 10 : 2-7644-0428-X
ISBN 13 : 978-2-7644-0428-7

Mise en pages : André Vallée – Atelier typo Jane
Révision linguistique : Diane Martin
Conception graphique : Isabelle Lépine

©2006 Éditions Québec Amérique inc.
www.quebec-amerique.com
Imprimé au Canada

À ma fille,
Maude Schiltz

Qu'est-ce que la vie, demandez-vous? Une czardas dans la steppe, une suite d'ébauches manquées, de scènes inachevées, d'impromptus sans tête ni queue dont l'enchaînement lui-même n'apparaît qu'après coup, pour qui en reconstruit rétrospectivement la logique et la finalité.

Vladimir Jankélévitch
Magazine Littéraire
Juin 1995

Préface de Jacques Parizeau

Je garde depuis presque trente ans un grand parchemin encadré sur lequel est dessinée la silhouette d'une danseuse. Dans un désordre assez élégant, apparaissent les signatures de Ludmilla Chiriaeff, de Fernand Nault et celles des danseurs et des danseuses des Grands Ballets Canadiens de cette époque. Je ne regarde jamais ce tableau sans sourire.

Il manquait alors aux Grands Ballets l'argent nécessaire pour ajouter deux semaines aux contrats d'embauche, ce qui aurait permis aux danseurs d'avoir droit à l'assurance-chômage. C'était peu de chose et un formidable obstacle, tout à la fois. La question fut réglée, d'où l'envoi du parchemin. L'histoire est typique des difficultés d'assurer aux arts d'interprétation en général et à la danse en particulier une assise financière à peu près convenable, stable et efficace. Elle est typique aussi des obstacles, grands et petits, qu'avec une énergie prodigieuse Ludmilla Chiriaeff a dû vaincre pour donner à la danse au Québec une présence assurée, un premier encadrement et une inspiration durable.

Dans plusieurs domaines, l'après Deuxième Guerre mondiale est l'ère des pionniers. Ludmilla Chiriaeff est de ce groupe qui va faire entrer enfin le Québec dans le XXe siècle. C'est pourquoi il est bien qu'un ouvrage lui soit consacré. La biographie écrite par Nicolle Forget est cependant plus que l'histoire d'une grande artiste. Elle la situe dans deux époques, dans deux sociétés bien différentes l'une de l'autre : celle de la diaspora russe jusqu'à la guerre, puis celle du Québec en pleine révolution culturelle.

On oublie petit à petit la remarquable contribution des émigrés russes de la révolution de 1917 à la vie culturelle de l'Europe de l'Ouest. Par-delà d'innombrables bouleversements, par-delà une guerre qui va tuer des dizaines de millions de personnes et en déplacer des dizaines de millions d'autres, on a peine aujourd'hui à garder le souvenir de ces écrivains et de ces artistes, rescapés et survivants, accrochés avec une terrible volonté à la vie et à ce qu'elle a d'indestructible : la pensée, l'expression et l'art.

Dans un autre cadre, dans un autre monde, le Québec du début des années 1950, il y a quelque chose de fascinant à assister aux premiers pas d'une grande artiste, cherchant à arrimer le classicisme rigoureux de son art à un tout nouveau moyen d'expression, la télévision. On ne doit pas oublier le rôle culturel immense qu'a joué la télévision de Radio-Canada, au Québec, à cette époque. Nicolle Forget rappelle justement que, en une douzaine d'années, Radio-Canada produit alors et présente, à *L'Heure du concert*, cent trente spectacles de ballet qui vont consacrer danseurs et chorégraphes, inspirés et dirigés par Ludmilla Chiriaeff. Si les Grands Ballets Canadiens ont bien sûr été son œuvre et, pendant longtemps, le navire amiral de la danse au Québec, l'enseignement de la danse, quelle qu'en ait été la forme (et il y en eut plusieurs), fut l'instrument de sa passion. Car passionnée, elle l'était, fougueuse, mettant tout son dynamisme au service de ce qui était devenu une mission.

De tous mes souvenirs de Ludmilla Chiriaeff, il y en a un qui résume tout : à la fois son charme, sa détermination et son inépuisable passion. Le 24 juin de chaque année, le premier ministre du Québec reçoit. Cette année-là (au début des années 1980), René Lévesque avait convié ses invités à la Maison du Québec, sur l'île Notre-Dame. Un seul ascenseur amenait les invités au dernier étage, où deux terrasses s'ouvraient, l'une sur Montréal, l'autre sur la Rive-Sud. Le tout-Montréal était au rendez-vous. Alors que la réception bat son plein, les portes de l'ascenseur s'ouvrent. Elle apparaît ! Seule, vêtue de voiles diaphanes de couleur pastel, elle reste quelques instants immobile, statuesque ! Puis, elle s'élance vers moi et, d'une voix forte, avec son accent, elle me dit : « Parizeau, je coule, sauvez-moi ! » Les portes du Fonds consolidé du revenu s'entrouvrirent…

Jacques Parizeau

Introduction

Un jour de l'automne 1993, lors de la remise des prix du Gouverneur général du Canada, j'ai vu Madame Chiriaeff à la télévision, en fauteuil roulant, et j'ai pensé qu'elle allait mourir sans que l'on sache ce qu'elle avait fait pour la danse et pour le Québec.

Ma première rencontre avec Madame, comme on l'appelle encore dans le milieu de la danse, a été organisée par Christian Thibault, en novembre 1993. J'en suis revenue convaincue qu'elle n'accepterait pas facilement de se livrer et qu'il faudrait de la ténacité et une bonne dose d'ingéniosité pour l'amener à partager avec moi ses secrets les mieux gardés.

J'ai dû l'intriguer suffisamment puisqu'elle a fini par accepter de me recevoir à nouveau, d'abord, disait-elle, pour parler des personnes qui lui avaient permis de servir la danse au Québec. Et sur la question qui m'intéressait le plus : quelle sorte de petite Ludmilla faut-il être pour devenir Madame ?, pas un mot. Nous avons donc commencé nos rencontres, qui se sont échelonnées de janvier 1994 à la veille de son entrée à l'hôpital, le 14 août 1996, et qui ont donné près de cent cinquante heures d'enregistrement et plusieurs autres à échanger avec elle au téléphone ou chez elle, en prenant le thé.

En plus de la famille immédiate, j'ai interviewé une cinquantaine de personnes du milieu de la danse ou qui ont connu Ludmilla Chiriaeff durant sa carrière, au Canada et en Europe. J'ai consulté des archives, publiques et privées, ces dernières souvent rédigées en ancien russe ou en allemand. J'ai en outre compulsé des milliers de pages sur la danse, sur l'histoire des pays que ce livre rappelle et sur la vie quotidienne des gens, par exemple durant la guerre, à Berlin.

Depuis lors, j'ai pour ainsi dire «vécu» avec Ludmilla, à tenter de la rendre dans ce livre qui ne peut pas tout dire. L'histoire des êtres recèle plein de territoires. Je n'ai pas visité tous les territoires de Ludmilla, et certains de ses jardins sont tellement secrets que, même les ayant fréquentés, j'ai choisi de ne pas les dévoiler.

La Ludmilla avec qui j'ai conversé, ri, mangé, à Montréal était souvent, me semble-t-il, une petite fille qui ne voulait pas souffrir et qui préférait fréquemment ne pas se souvenir de ce qui s'était passé.

Ludmilla n'a jamais cessé de réécrire son histoire au hasard de nos rencontres et de nos conversations. Au point qu'il est difficile de départager le vrai du faux ou, plutôt, de départager ce qu'on lui a raconté de ce qu'elle a vécu, ou de ce que d'autres autour d'elle ont vécu et dont elle a été témoin, sans en être partie.

Elle chorégraphiait sa vie, sur musique et fond d'événements connus, mais y ajoutait des mouvements, des personnages qui, en lui donnant une stature, la rendront prisonnière à tout jamais d'un destin dont, vers la fin de sa vie, elle aurait voulu corriger certains tableaux.

Les derniers mois, elle me disait craindre de manquer de temps pour tout me dire «parce que je n'ai jamais encore tout raconté comme ça». Ludmilla a passé une grande partie de sa vie – la plus grande – tourmentée par les secrets dont la mort seule l'a délivrée.

Chaque fois qu'elle s'est laissé approcher, elle a payé de son âme et de son corps, violentée de toutes les façons, et par la vie et par ceux dont elle attendait le plus d'amour, prisonnière de ce monde qu'elle avait décrit comme ayant été le sien sans jamais se sentir le droit de rétablir les faits pour ne pas heurter ses proches ou ceux qui lui avaient fait confiance.

Ce livre est construit à partir de la mémoire de Ludmilla, de personnes qui l'ont connue et de faits historiques. Ce n'en fait pas pour autant l'Histoire de Ludmilla, non plus que celle des époques qu'il traverse.

Longueuil, septembre 2005

Arbre généalogique

Arbre généalogique

Côté maternel

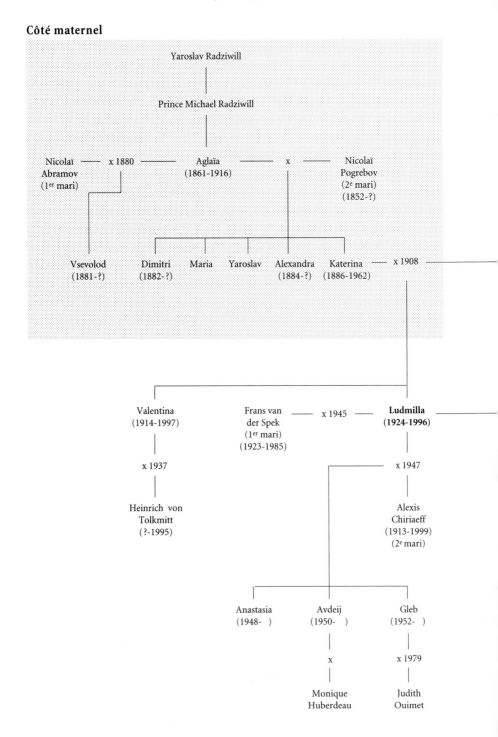

Yaroslav Radziwill

Prince Michael Radziwill

Nicolaï Abramov (1er mari) — x 1880 — Aglaïa (1861-1916) — x — Nicolaï Pogrebov (2e mari) (1852-?)

Vsevolod (1881-?) | Dimitri (1882-?) | Maria | Yaroslav | Alexandra (1884-?) | Katerina (1886-1962) — x 1908

Valentina (1914-1997) | Frans van der Spek (1er mari) (1923-1985) — x 1945 — **Ludmilla (1924-1996)**

x 1937

Heinrich von Tolkmitt (?-1995)

x 1947

Alexis Chiriaeff (1913-1999) (2e mari)

Anastasia (1948-) | Avdeij (1950-) | Gleb (1952-)

x

Monique Huberdeau

x 1979

Judith Ouimet

Côté paternel

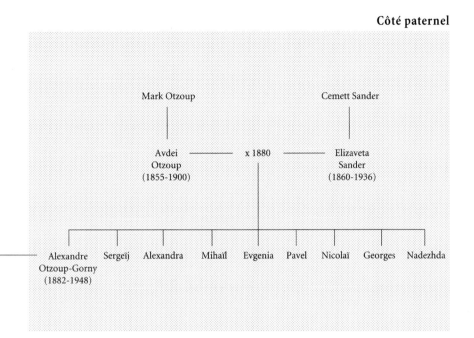

Mark Otzoup   Cemett Sander

Avdei ——— x 1880 ——— Elizaveta
Otzoup   Sander
(1855-1900)   (1860-1936)

Alexandre   Sergeïj   Alexandra   Mihaïl   Evgenia   Pavel   Nicolaï   Georges   Nadezhda
Otzoup-Gorny
(1882-1948)

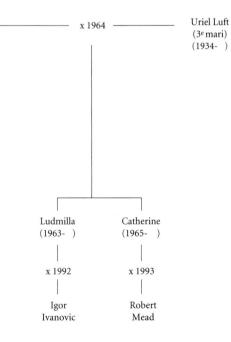

x 1964 —————— Uriel Luft
(3e mari)
(1934-)

Ludmilla   Catherine
(1963-)   (1965-)

x 1992   x 1993

Igor   Robert
Ivanovic   Mead

Remerciements

Ce livre n'existerait pas sans l'aide de nombreuses personnes envers lesquelles j'ai une infinie gratitude. D'abord la famille, et particulièrement Anastasie Chiriaeff, qui a fait le lien, pour moi, avec les autres membres des familles Chiriaeff, Luft et Otzup. Puis Avdeij Chiriaeff, qui m'a ouvert les archives familiales.

Hedwige Lämmler, qui m'a accueillie chez elle, à Moudon, en Suisse. Généreuse de son temps, elle m'a fait revoir les lieux où Ludmilla avait vécu et dansé et m'a remis quantité de photos, lettres et documents divers se rapportant à cette période.

Plusieurs archivistes m'ont donné accès à des documents de première main. Marie-Claude Berthiaume, historienne et archiviste, au Fonds d'archives Ludmilla Chiriaeff; les archivistes du canton de Vaud, de la République et du canton de Genève et ceux de la ville de Lausanne; les archivistes de la ville de Goslar (Allemagne) et ceux des villes de La Haye et de Rotterdam (Hollande); les archivistes des Archives nationales du Québec et, enfin, Denise Sicard, chef du Service de la documentation et des archives de la Société Radio-Canada, à Montréal.

Les archives de la famille Chiriaeff contiennent plusieurs centaines de lettres, la plupart en ancien russe – les plus récentes, rédigées en allemand. J'éprouve une reconnaissance particulière pour ceux qui ont bien voulu faire office de traducteurs et me permettre ainsi d'enrichir ce livre de la mémoire immédiate des correspondants. Ainsi, Julien Leroux mais surtout Aline Masson ont traduit les documents écrits en allemand. Elena Egorov a, quant à elle, traduit la correspondance souvent rédigée en russe d'avant la Révolution. En outre, Mesdames Egorov et Masson m'ont été de bon conseil pour la révision des chapitres portant respectivement sur la Russie et la Suisse, l'une étant Pétersbourgeoise et l'autre, Suissesse.

Je ne peux passer sous silence l'aide de ma libraire, Thérèse Bourcier. Elle a retrouvé pour moi des ouvrages depuis longtemps disparus des rayons mais qu'il me fallait consulter pour recréer les contextes historiques. Elle fut aussi parmi les « premiers lecteurs » de ce volume. Outre la famille, Marie Bernier, Marie-Claude Berthiaume, André Bolduc, Elena Egorov, Aline Masson et Serge Régnier m'ont fourni des commentaires utiles.

Mes remerciements vont aussi à Karine Bourdon, pour certaines recherches, et à Jacqueline Forget, qui m'a aidée dans la transcription des premières versions de ce texte. Mes remerciements vont en outre à tous ceux (voir la liste en annexe) qui m'ont accordé des entrevues, permis de consulter leurs albums de photos et parfois donné des documents qui ont rendu ce livre plus vivant. Certains nous ont malheureusement quittés, depuis ; d'autres ont demandé que leur identité ne soit pas révélée, mais leur contribution n'en est pas moins significative.

Mes remerciements vont enfin à l'équipe de Québec Amérique pour le minutieux travail de « mise en livre » du volumineux manuscrit devenu *Danser pour ne pas mourir.*

Avant-dire

Le soir du 25 janvier 1952, le *S.S. Homeland* accoste au quai 21, dans le port d'Halifax. « Quel bonheur, écrit Ludmilla à sa mère. Nous sommes arrivés. » Le bateau était si petit que même par beau temps, il était ballotté par les vagues. Ludmilla y a été malade presque tout le temps. Le lendemain, après les formalités de l'immigration, les Chiriaeff montent dans le train pour Toronto.

Dans ce train qui l'amène vers sa nouvelle vie, Ludmilla voit défiler des paysages qui lui rappellent sa Russie. Non pas qu'elle y ait vécu, ni même qu'elle y soit allée, mais son père lui en a tellement parlé que c'est tout comme. Elle s'en est fait des images qui sont comme ces champs de neige à travers lesquels ce train, aux banquettes trop dures, se fraie un passage. Elle pense à son père. Comme elle aimerait qu'il soit là, tout près...

Blottis contre elle, son fils Avdeij somnole et sa fille Anastasie (Nastia) regarde son père esquisser des paysages. Alexis Chiriaeff est peintre.

Ludmilla ne sait plus depuis combien d'heures ils ont quitté la gare d'Halifax. Il lui semble seulement que le roulis du train a remplacé le tangage du bateau. Elle ferme les yeux un moment, comme pour vérifier la concordance entre sa Russie intérieure et le paysage canadien qui bleuit, maintenant que le soir s'installe. Une fumée monte des cheminées des rares maisons égarées ici et là dans la campagne. Sauf de temps à autre, de minuscules scintillements qui, à mesure que le train s'approche, finissent par être les fenêtres éclairées des maisons groupées autour d'une petite église.

Un coup au ventre la ramène à la réalité : elle arrive en pays étranger, enceinte de huit mois. Le doute, un moment, l'effleure ; peut-être aurait-elle dû rester en Suisse, le temps au moins que naisse ce troisième enfant.

À Toronto, il était tôt le matin et dehors, il y avait gros vent. C'était dimanche et le centre-ville était vide. Ludmilla expédie un télégramme à sa mère, en Suisse, et, avant de se mettre en quête d'un hôtel, près de la gare, la petite famille mange un peu. À l'hôtel, ils prennent un bain et ressortent pour se familiariser avec les alentours. « Cette ville est bizarre, étrange, morte, avec des maisons belles mais parfois sales, avec d'horribles affiches à l'américaine aux devantures des commerces fermés. Peux-tu imaginer? Personne n'habite le centre-ville », continue-t-elle dans cette même lettre à sa mère.

Le lundi matin 28, ils ont rendez-vous aux bureaux de l'International Rescue Committee. Vers la fin de l'avant-midi, ils sont interrogés. On tente de voir ce qu'ils peuvent faire.

— *What do you want to do? I can give you jobs to clean restaurants.*
— *I want to dance,* répond Ludmilla. *Don't you have* quelque chose en français?

« Cette ville ne me semblait ni belle ni accueillante. Et ces gens qui nous posaient des questions ne montraient aucune sensibilité aux arts, à la culture. Nous étions des artistes, pas fille de table ou plongeur. Je me demande par quel incroyable instinct j'ai demandé d'être avec les français. » On lui remet l'adresse de Murray Ballantyne, à Montréal, et de l'argent, environ trois cents dollars canadiens.

À Montréal, se souvient-elle, le pianiste hongrois Charles Reiner est installé. Il lui avait écrit que les Montréalais allaient beaucoup aux spectacles, qu'il arrivait à gagner sa vie, et que la télévision allait bientôt entrer en ondes.

Les Chiriaeff montent dans le premier train pour Montréal, où ils arrivent le soir du mercredi 30 janvier. Peut-être est-ce la fin d'un long voyage?

Apatride, *Displaced Person*. Depuis sa naissance, Ludmilla n'a toujours été que ça : déplacée d'un pays à un autre. « Mais le Québec m'a adoptée. Il m'a tellement aimée! Je suis enfin chez moi », dira-t-elle souvent.

Première partie

L'Europe

La Russie

Vivre très quotidiennement au bord du gouffre. Oui, c'est ça, la Russie.

Andreï Makine
Le Testament français

Chapitre 1
L'aïeule Radziwill

Nicolaï Lvovitch[1] Abramov ne se lassait pas de regarder sa jeune femme. Le bleu de ses yeux en était parfois si profond qu'il lui faisait peur. Quand les yeux de l'aimée viraient à l'aigue-marine, comme ce jour-là, il perdait tous ses moyens. C'était une fin de journée du mois d'août, quand le soleil commence à descendre. D'habitude, il affectionnait cette heure, le temps étant comme suspendu, mais ce jour-là, l'air était trop lourd. Une indéfinissable angoisse l'habitait depuis quelque temps et lui gâchait la vie.

En face de lui, sur le grand sofa bourgogne, Aglaïa était pensive. Elle jouait distraitement dans les cheveux blonds de leur fils de dix-huit mois, Vsevolod, assis sur ses genoux. Elle se sentait bien loin du palais de Varsovie où elle était née, le 15 mai 1861.

Quand elle n'en pouvait plus de s'ennuyer, auprès de son mari elle se revoyait, petite, courant impunément dans les couloirs du palais des Radziwill, sur l'avenue Faubourg-Cracovie. C'était l'époque bénie où son grand-père Yaroslav la comblait d'attentions. En fermant les yeux, elle pouvait encore entendre le bruissement de sa robe les soirs de bal. Elle se voyait descendre le grand escalier du palais. Au bas, un jeune prince claquait des talons devant elle qui inclinait légèrement la tête. Remontant l'éventail qu'elle maniait en experte, Aglaïa plongeait un moment ses yeux bleus dans ceux du prince, et se dépêchait vers le salon des fêtes où Fryderyc Franciszck Chopin avait fait ses débuts, vers 1818. Le grand piano à queue, dont le couvercle est travaillé de dorures, est au bout, non loin du mur sur lequel les portraits de la dynastie Radziwill sont accrochés. Des chaises et des fauteuils sont sagement alignés le long des murs, de chaque côté du salon, avec d'immenses miroirs reflétant les couples qui dansent.

Les jours où, comme aujourd'hui, elle n'en peut plus de sentir sur elle le regard de Nicolaï Lvovitch, Aglaïa s'enferme dans ses souvenirs. L'ancêtre maternelle de

Ludmilla Chiriaeff fut élevée par son grand-père, le prince Yaroslav Radziwill. Il la plaça dans une institution allemande pour assurer son éducation et, ensuite, chez des amis polonais. Vieillissant, et voulant assurer l'avenir de sa petite-fille avant de mourir, il crut bon de la promettre à un noble de ses connaissances, le major Nicolaï Lvovitch Abramov, qui l'épousa en 1880. Le couple s'est installé en Estonie, sur la propriété qu'y détenait le major, près de Reval[2], dans le golfe de Finlande.

Depuis le début du printemps 1883, un lointain parent du major logeait au domaine : Nicolaï Fiodorovitch Pogrebov. Il était étudiant en géologie à Petersburg et, avec un collègue, il était venu faire des recherches sur les sources sulfureuses et sur les schistes bitumeux et oléifères qui parsèment la région du golfe. Quand ils rentraient de leurs expéditions dans les champs, la conversation donnait de la couleur à cette vie qu'Aglaïa trouvait autrement bien tranquille et hors du temps. Les jours ici se suivaient, toujours pareils à eux-mêmes, au rythme immuable des saisons et des fêtes religieuses.

Depuis quelques jours, Nicolaï Fiodorovitch Pogrebov a cessé de parler de geysers et de minerais. Avec son camarade, il discute de la nécessité d'aller vers les pauvres paysans russes et de les aider à s'affranchir du servage. Nicolaï Lvovitch Abramov signale que le bon tsar Alexandre II en a décrété l'abolition au printemps de 1861, deux ans avant que les États-Unis d'Amérique ne fassent de même avec leurs esclaves noirs. Il se souvient très bien de l'année, puisque sa femme est née à la même époque. Mais Nicolaï Fiodorovitch Pogrebov ne se gêne pas pour lui rappeler que, si le servage est aboli, ses moujiks ne sont toujours pas affranchis et que, sur le territoire de la grande Russie, il en est partout de même.

Au printemps, quand étaient arrivés Nicolaï Fiodorovitch Pogrebov et son collègue, ils avaient d'abord donné des nouvelles de ce qui se passait à Petersburg. Le major avait voulu en connaître davantage sur les circonstances entourant l'assassinat du tsar, sur l'assassin, cet Andreï Ivanovitch Jeliabov, et Nicolaï Fiodorovitch Pogrebov avait raconté. Mais il s'était bien gardé d'ajouter que, lors des rafles qui avaient suivi l'assassinat d'Alexandre II, lui, Nicolaï Fiodorovitch Pogrebov, avait été arrêté et interrogé. On le soupçonnait alors d'entretenir des liens avec un des nombreux groupes révolutionnaires qui s'agitaient à la grandeur de la Russie, la *Narodnaïa Volia*, la Volonté du peuple[3].

On ne sait rien des premières activités révolutionnaires de Nicolaï Fiodorovitch Pogrebov, qui serait né vers 1852, dans l'île Vassilievski. Il est toutefois connu que, durant la décennie 1870, le mouvement terroriste *Narodnaïa Volia* regroupait de jeunes universitaires, enfants de propriétaires terriens, de marchands et d'officiers. Le terrorisme était florissant à Petersburg à cette époque et, durant l'hiver 1877-1878, plus de deux mille personnes furent arrêtées. Il est raisonnable de penser que c'est à ce moment que Nicolaï Fiodorovitch le fut pour la première fois.

Dans le salon aux boiseries vernissées, les lourdes tentures lie-de-vin sont à demi tirées sur les fenêtres alors que s'installe la nuit nordique qui dure presque toute la journée, dès octobre. Dans un moment, un domestique apportera les lampes à pétrole, dont la flamme fera scintiller le grand lustre de cristal et viendra lécher le portrait d'Aglaïa, sur le mur du fond, près de la table à thé.

Les conversations après dîner se passaient désormais à discourir sur les conditions épouvantables dans lesquelles étaient maintenus les paysans russes par les propriétaires terriens. Le major, de plus en plus souvent, haussait les sourcils et se retenait de remettre à leur place ces étudiants peu soucieux des sentiments de leur hôte. Le sifflement du samovar venait combler le silence pesant qui s'installait alors.

Nicolaï Fiodorovitch Pogrebov émaillait ses commentaires de références à Tolstoï sur le sens de la culpabilité et de la responsabilité à l'égard des paysans. À cinquante-six ans, le comte Léon Tolstoï avait laissé la société brillante de Petersburg pour se retirer sur ses terres à Iasnaïa Poliana. Pieds nus et vêtu de la blouse du paysan[4], il travaillait aux champs, poussant la charrue, au milieu de ses moujiks. Prônant le retour à la terre et la non-violence, il dénonçait l'Église orthodoxe et consacrait une bonne partie de son temps à l'éducation des enfants du village de ses ancêtres.

Se sacrifier pour aider les paysans, s'unir pour sauver la classe pauvre des injustices dont elle était victime, instaurer des communes, changer la société en changeant la morale individuelle... Aglaïa était fascinée par le discours de ce grand gaillard roux à barbiche, vêtu comme un moujik et grasseyant les « r » à la manière de Petersburg. La voix était grave et sensuelle, le débit, rapide et passionné. Et ces yeux bleus qui suivaient le moindre de ses mouvements à elle. Pour ne pas perdre pied tout à fait, Aglaïa portait souvent la main à la poche accrochée au corsage de sa robe. Le cœur lui battait si fort, parfois, que sa main en tressautait. Son mari, qui n'avait rien raté du geste, se levait alors et, passant près du fauteuil où elle était assise, lui mettait la main sur l'épaule un moment, puis se penchait pour lui baiser le front.

La légende qui a longtemps eu cours dans la famille veut que Nicolaï Fiodorovitch Pogrebov aurait enlevé la princesse par une fenêtre d'un château et qu'ils se seraient enfuis pour cacher leur amour dans les steppes. Mais depuis l'ouverture des frontières de la Russie, des fragments du Journal d'une des filles d'Aglaïa[5] sont parvenus à Ludmilla et ont permis de reconstituer l'histoire, qui serait plutôt semblable à ceci.

Réalisant les liens qui se développaient entre sa femme et ce lointain parent, Nicolaï Lvovitch Abramov aurait laissé à Aglaïa le choix de rester ou de partir. Même si le grand-père avait arrangé cette union, Nicolaï Lvovitch aimait Aglaïa et il lui semblait qu'ils étaient heureux. Mais si elle ne l'aimait pas, il préférait la savoir heureuse avec ce Nicolaï Fiodorovitch Pogrebov plutôt que de la voir se languir auprès de lui.

Il lui a permis d'amener leur fils Vsevolod, de garder le sceau des Radziwill que le grand-père lui avait confié[6] et lui a remis cinq mille roubles or pour sa nouvelle vie. Et puis, il a promis son aide : si jamais Aglaïa était dans le besoin, elle n'aurait qu'à venir le voir. Ce qu'elle fera, hélas, plus d'une fois, quand les roubles auront disparu. Pourtant, cinq mille roubles or, à l'époque, ce n'était pas rien : quelqu'un qui possédait ce capital était considéré comme à l'aise, sinon riche.

Chapitre 2
Petersburg

Aglaïa et Nicolaï Fiodorovitch arrivent à Petersburg avec Vsevolod à l'automne 1883. Ils s'installent au 6, Perspective Bolchoï, près de la 4ᵉ ligne[7] dans l'île de Vassilievski, dans une grande maison de quelques étages, à quelques pas de l'Académie des arts. C'est là, semble-t-il, que naîtront les cinq enfants de ce couple dont l'union ne sera jamais officiellement sanctionnée[8], Nicolaï Lvovitch Abramov ayant toujours refusé le divorce à sa femme et Nicolaï Fiodorovitch refusant de faire baptiser les enfants.

L'île Vassilievski, sur laquelle habite la famille Pogrebov, regorge d'immeubles de rapport et de bâtisses lugubres, surtout à la hauteur de la 17ᵉ ligne. Ils sont, quant à eux, installés plus près du pont Nicolas, ce pont où Raskolnikov, le héros de *Crime et Châtiment*, de Dostoïevski, se suicide.

À l'époque, Petersburg, capitale de la Russie et fenêtre sur l'Europe, est la seule ville occidentale de l'empire des tsars. Née de la volonté de Pierre le Grand d'en faire le centre politique de son pays, elle est sortie des marécages de l'île de Vassilievski-Ostrov. Depuis, encerclée par les bras de la Neva, elle s'est modifiée au gré des souverains qui lui ont imposé leur architecture, leurs idées de grandeur, leurs couleurs, sans toutefois perdre son ordonnancement du départ. Bâtie sur quarante-deux îles du delta de la Neva, usée par le temps et les conflits, elle émerge des brumes pour nous offrir ses façades à colonnes blanches sur fond jaune, les bulbes de ses églises byzantines, les murailles de la forteresse Pierre-et-Paul, quelque cinq cent soixante ponts et le galbe fin de la flèche de l'Amirauté, indiquant la Perspective Nevski.

En ces premiers temps de leur amour, Aglaïa et Nicolaï Fiodorovitch organisent leur vie autour des activités de ce dernier. Alors qu'il poursuit ses études et ses activités révolutionnaires, Aglaïa s'exerce à son nouveau rôle. Et malgré les grossesses qui se succèdent, il n'est pas question d'embaucher des domestiques.

Ce serait aller contre les idées que professe Nicolaï Fiodorovitch Pogrebov : il faut servir le pauvre peuple russe et non l'utiliser comme domestique.

La mère de Ludmilla Chiriaeff, Katerina, naît le 24 août 1886. Elle est la seconde fille du couple Pogrebov. Comme pour Alexandra, née deux ans plus tôt, Aglaïa a dû se présenter chez le major pour faire reconnaître l'enfant. Tous les enfants nés de Pogrebov seront ainsi officiellement inscrits sous le nom d'Abramov.

Le premier souvenir de Katerina, c'est une grande pièce avec de hautes fenêtres donnant sur la Neva et, au milieu de la pièce, posé sur la table, un cercueil bleu avec son petit frère couché dedans. Aglaïa était triste. Drapée dans une stricte robe noire, sa longue torsade de cheveux blond cendré attachée à l'arrière de la tête, elle fixait la porte sans la voir. Cet enfant que Dieu lui reprenait, était-ce un signe dont elle devait déchiffrer le sens ? Aglaïa sentait qu'il lui aurait fallu pleurer, mais pas une larme ne venait. Le vent s'était levé sur les quais et une brume glacée envelopperait bientôt la ville. Nicolaï n'était pas rentré de son Cercle[9].

Maria, la troisième fille, se souvient d'une balançoire intérieure suspendue à la porte de la salle à manger. Aglaïa y installe un petit garçon de quatre ans, au nez retroussé, avec des boucles dorées. Elle le balance et échange des propos acerbes avec un homme de grande taille, assis près de la table à thé. Le petit garçon, c'est Yaroslav, et le grand monsieur près de la table recouverte d'un tapis vert sombre, c'est l'oncle Kolia. En fait, c'est Nicolaï Fiodorovitch Pogrebov, leur père. Mais ce mot n'est jamais prononcé dans cette maison.

Les disputes éclataient souvent dans cette maison des Pogrebov et les enfants étaient terrorisés. Mais la main qui claquait était aussi celle qui caressait, et c'était surtout celle d'Aglaïa. Si l'oncle Kolia faisait peur, c'était plutôt par sa grande taille et par sa voix. Nicolaï Fiodorovitch Pogrebov passait beaucoup de temps à son Cercle et au Comité. Très souvent, il ramenait à la maison les membres de son Cercle qui discutaient en buvant, enveloppés par les volutes du tabac, dans la lumière gris-argent des longues nuits de Petersburg. Certains soirs, les voix s'enflaient comme la Neva quand elle est trop grise et trop pleine et que les vents du sud ou du sud-ouest lui soufflent dessus – alors, elle reflue vers sa source et s'engouffre dans les habitations construites sur ses bords. Certains soirs, les voix prenaient toute la place et se brisaient contre les fenêtres épaissies par le givre avant de dévaler les escaliers et de se perdre sur les quais de la Neva. Alors, les enfants avaient peur.

Nicolaï Fiodorovitch Pogrebov a imposé une éducation excessivement sévère aux enfants. Selon Katerina, la mère de Ludmilla Chiriaeff, « il n'acceptait ni médecin, ni musique, ni chant. Pas de théâtre non plus, ce qui était l'opposé de maman. Elle adorait les arts et souffrait beaucoup de voir que ses enfants en étaient privés. Un jour, l'oncle Kolia a d'ailleurs brisé la balalaïka de Vsevolod qui en jouait dans un orchestre. Il détestait cet enfant.» Quand les enfants étaient malades, pas question de les faire voir par un médecin qui pour lui étaient tous des charlatans. Selon Maria, la troisième fille, «la seule chose qu'il faisait, c'était de nous soûler de cognac pour nous désinfecter le corps».

Quand viendra le temps de les envoyer à l'école, il interdira les cours pouvant mener à l'université. Tolstoï professait depuis un bon moment déjà que «l'enseignement officiel, fondé sur la discipline et la mémoire, était néfaste. L'enfant étant bon de naissance, il fallait le laisser s'épanouir en le préservant, dans la mesure du possible, des mensonges de la civilisation[10]». Nicolaï Fiodorovitch Pogrebov souscrivait à cela. Aglaïa inscrira ses enfants au gymnasium[11]; ils le fréquenteront en cachette jusqu'à ce que des savants de l'Institut de géologie, dont dépendait la carrière de Nicolaï Fiodorovitch Pogrebov, le convainquent de laisser ses enfants poursuivre des études supérieures.

Durant cette période, la maison ne désemplissait pas d'intellectuels de gauche que Kolia imposait à sa famille. «Ils dormaient chez nous, mangeaient et amenaient d'autres amis à eux et, nous les enfants, nous n'avions plus un coin de lit pour dormir, écrit Maria. La règle était le partage.»

Katerina se souvient de la mort d'Alexandre III, en octobre 1894. Peu de temps après, la police a perquisitionné chez eux. Nicolaï Fiodorovitch Pogrebov était soupçonné d'appartenir à des groupes qui auraient comploté contre la vie du tsar. Entre les fenêtres de l'appartement, on aurait trouvé des tracts appelant à l'assassinat du tsar et des principaux membres du gouvernement. Ces tracts donnaient même des indications sur la façon de procéder. D'après le journal de Maria, un certain Oulianov[12] livrait à Nicolaï Fiodorovitch Pogrebov du fromage, enveloppé dans ces feuilles subversives. «Dans la nuit du 21 décembre 1895, Lénine est arrêté avec d'autres camarades. Ainsi "tombe" tout le groupe principal des social-démocrates (*sic*) de Saint-Pétersbourg[13].» Cette amitié, ou cette collaboration avec Oulianov, vaudra à Nicolaï Fiodorovitch Pogrebov trois années d'exil, à Arkhangelsk, où le sol est recouvert de neige de cent soixante à deux cents jours par année. La mer Blanche garde parfois son couvert de glace jusqu'en juin. Après son départ, Aglaïa vendra ce qui reste du mobilier, trouvera un traîneau, y entassera ses enfants et leurs effets personnels, et filera vers le nord rejoindre l'homme dont elle ne peut se passer.

On ne sait à quoi Nicolaï Fiodorovitch Pogrebov occupe alors son temps mais de retour à Petersburg, après avoir été gracié, il devient bibliothécaire à l'Institut de géologie. Souvent, il travaillait tard la nuit et dormait le jour. Alors, il ne fallait pas faire de bruit dans la maison. Si par malheur quelque chose le réveillait, les engueulades et les empoignades étaient courantes. La vie était un enfer, pire qu'avant Arkhangelsk. Une nuit de 1905, la violence a été telle que les deux parents se sont retrouvés avec des blessures au visage. Au matin, tout était consommé. Nicolaï Fiodorovitch Pogrebov est parti vivre ailleurs, emportant pratiquement tout. Pour ne pas mourir de faim et subvenir aux besoins de ses enfants aux études, Aglaïa a tenté de louer des chambres à des étudiants, mais ses chambres vides n'intéressaient personne. Ses filles, dès qu'elles ont pu le faire, ont donné des leçons ; mais ce n'était pas suffisant. Il a donc fallu disperser la famille, qu'Aglaïa tentera désespérément de reformer plusieurs fois.

À cette époque, la violence n'est pas présente que chez les Pogrebov. De violentes grèves et de nombreuses manifestations étudiantes secouent les villes depuis 1899. Des émeutes ont fini par gagner les campagnes, les paysans réclamant que les terres soient à ceux qui les cultivent. Chaque fois qu'elle semble s'essouffler, l'agitation renaît là où on l'attend le moins.

Le 9 (22) janvier 1905[14] sera partout connu comme le Dimanche rouge. Ce jour-là, à la suite du pope Gapone hissant un crucifix, un immense cortège de manifestants s'était mis en branle, composé d'ouvriers pour la plupart. Les manifestants se dirigeaient vers le palais impérial, confiants de pouvoir remettre une pétition au tsar. L'armée attendait sur place, devant le palais d'Hiver déserté par Nicolas II. À travers les premières mesures de l'hymne au tsar : *Ô Dieu, sauve ton peuple*, un premier coup de feu partit suivi d'une salve, puis d'une autre et d'une autre encore. Les manifestants couraient en tous sens, certains tombant sur ceux que les balles venaient d'atteindre. La troupe à cheval et bien armée pourchassa jusque dans la ruelles obscures ceux qui pouvaient encore s'échapper.

Durant cette période de sa vie, Aglaïa loge dans des chambres dans le Petersburg des îles, où l'odeur de chou et la vermine sont le lot des « sans domicile fixe ». Un moment, elle fréquente la place aux Foins, ce marché populaire entouré des maisons de bois des marchands. Elle en est réduite à quêter pour ne pas mourir. Ses filles ne veulent plus aller quémander chez l'oncle Kolia, qui les abreuve d'injures chaque fois qu'il les voit. Maintenant qu'il s'est mis en ménage avec une autre femme, la démarche autrefois insupportable est devenue, en plus, inutile. Katerina, surtout, refuse absolument d'y aller. Son père n'a jamais pu supporter sa grande beauté ni son allure aristocratique.

Katerina étudie au collège pour filles Pokrovsky et reçoit une attestation pour l'enseignement des mathématiques. Elle fait ensuite son cours de pédagogie à l'Ermélétov. C'est à cette époque qu'elle assiste aux premiers essais du professeur Ivan Petrovitch Pavlov sur les réflexes conditionnés et sur tout un ensemble de phénomènes connexes. Ces essais étaient conduits avec l'assistant du célèbre professeur. En 1904, Pavlov avait reçu le prix Nobel de physiologie et de médecine pour ses travaux sur les glandes digestives.

Puis un jour, marchant au bord de la Neva, Katerina croise Alexandre Avdeïevitch Otzoup, le frère de son ami Sergeïj Avdeïevitch. Katerina est alors cette belle et grande châtaine aux yeux très bleus, au port altier, qui rêve d'une carrière d'enseignante. Alexandre est grand, lui aussi, plus que Katerina. Il a le front haut et large et ses moustaches sont un plus rousses que ses cheveux. Il a déjà publié un ouvrage et d'autres textes traînent sur sa table de travail. Alexandre et Katerina se marient le 20 mai 1908 à Petersburg.

Chapitre 3
Les Otzoup

Ludmilla est une Otzoup avant de devenir une Chiriaeff. Son père, Alexandre Avdeïevitch[15], descend d'une famille d'architectes et de commerçants. Il est né à Petersburg le 28 août 1882. Sa grand-mère paternelle s'enveloppait de longs voiles qui ne laissaient voir que l'amande de ses yeux. Chez elle, les coussins de soie aux couleurs d'Orient faisaient office de fauteuils et de chaises. Certains documents donnent à penser que son mari était Juif. L'aîné de leurs enfants, Alexandre Avdeïevitch, fera des études en génie. Médaillé d'or au lycée, diplômé de l'Académie royale des mines en juin 1908, il fera sans doute l'École des officiers. Capitaine de la marine, il servira dans l'armée, sera décoré des ordres de Sainte-Anne et de Saint-Stanislas et portera la médaille de l'Aigle blanc. Il affichera aussi une prédilection pour les arts et les lettres. C'est un grand roux très poilu, à front haut et moustaches, avec des yeux bleus qui, selon sa fille Ludmilla, deviennent parfois gris-vert tacheté de rouille, comme s'il y avait de l'ambre au centre.

La famille d'Alexandre habite un temps à Tsarskoïe Selo, à trente kilomètres au sud de Petersburg. Cette petite ville provinciale, poussiéreuse l'été, enneigée l'hiver, offre des maisons basses en bois qui se donnent à voir derrière des clôtures et des bosquets. Une église blanche s'ennuie sur une place déserte. Et derrière les arbres se cachent la résidence d'hiver des tsars. Ce palais à façade bleu azur, commandé par l'impératrice Élizabeth, étend ses colonnes blanches sur trois cents mètres. Derrière émergent les cinq bulbes dorés de l'église de style byzantin.

Après le décès de son père, en 1900, Alexandre s'occupera des études de ses plus jeunes frères et sœurs. Ces enfants Otzoup auront tous une destinée singulière. Mihaïl (Micha) prendra à l'occasion le nom de plume de Snarski. Marié à une Suédoise, il écrira dans les journaux, mais ce sera surtout un homme d'affaires au caractère plutôt mou qui ne bâtira jamais rien. On le retrouvera avec son frère Sergeïj, grand collectionneur d'icônes et d'objets d'art africain. Sergeïj sera aussi très présent dans le milieu cinématographique de Berlin. Il jouera un rôle actif dans la vie de Ludmilla.

L'aînée des filles, Evgenia, a épousé un médecin. Ils s'installeront à Riga, en Lettonie, où ils tiendront une clinique. Durant la Deuxième Guerre mondiale, les Allemands les fusilleront.

Pavel (Pacha) fut professeur de langues à l'université de Petersburg. Il connaissait quatorze langues, dont le chinois, le japonais et plusieurs dialectes asiatiques. Pendant la révolution, il sera fusillé par les bolcheviks pour avoir accordé l'hospitalité à un officier de l'armée blanche.

Nicolaï sera connu comme écrivain, d'abord en Russie avec le groupe des acméistes[16] et ensuite à Berlin et à Paris. Sa première femme, Diane Carène, était une actrice du cinéma muet dont la carrière n'a pas survécu à l'arrivée du cinéma parlant. Nicolaï dirigera une revue littéraire. Il rejoindra la résistance italienne durant la Deuxième Guerre mondiale.

Guiorguï (Georges), aussi connu sous le nom de plume de Georges Raïevski, a passé une trentaine d'années à Paris. Il y scénarise alors des films à partir de la littérature russe. Il scénarisera *Danse solitaire,* chorégraphié par Ludmilla et dans lequel elle danse. Il est décédé à Stuttgart en 1963.

Enfin, Nadezhda (Nadia), la révolutionnaire. Elle fréquentait le même lycée que Nina Berberova, au numéro 5 de l'avenue Vladimir, à Petersburg. Dans son autobiographie, Berberova écrit : « Le Cirque Civiselli [...] était devenu un lieu de rassemblement. J'y allais en compagnie de Natacha Chklowskaïa, inscrite au parti S-R de gauche, de Nadia Otsoup devenue bolchevik et qui serait exécutée comme trotskiste [...][17]. » La tradition orale familiale veut qu'elle ait été chef d'un kolkhose[18] et qu'elle ait été tuée lors d'un de ces grands nettoyages dont le régime avait coutume.

Plus loin dans son autobiographie, Berberova rapporte une conversation qu'elle a eue avec Nicolaï Otsoup lorsqu'elle a fait sa demande pour devenir membre de l'Union des poètes, à Petersburg. « Ils sont allés délibérer, me dit Nicolas Otsoup qui se souvenait vaguement m'avoir vue autrefois chez sa sœur. Nadia travaille maintenant dans la Tchéka[19], dit-il calmement en me regardant avec gentillesse. Elle se promène en blouson de cuir et porte un révolver. Je l'ai rencontrée l'autre jour dans la rue et elle me dit que des gens comme moi, il fallait les fusiller, ce que justement ils s'employaient à faire[20]. »

Chapitre 4
Alexandre et Katerina

Alexandre et Katerina arpentent les quais de la Neva, passant de la rive gauche à la rive droite par le pont du Palais et, longeant le quai du Palais, arrivent à l'Ermitage. Cette promenade, ils l'auront faite souvent depuis qu'ils ont décidé de se marier. Ils en connaissent tous les monuments comme posés là, pour l'éternité, par les divers souverains de Russie. « Cette ville est faite pour la marche, avec son mélange d'espaces ouverts et de rues latérales dérobées suivant les courbes des canaux[21]. »

Certains jours, ils aiment flâner sur la rive gauche de la Neva, devant le palais d'Hiver, avant d'aller se fondre dans la foule qui se presse sur la Perspective Nevski où les dames de l'aristocratie et de la bourgeoisie affichent les dernières créations de la mode parisienne. Large de trente-cinq mètres et s'étirant sur plus de cinq kilomètres, entre l'Amirauté et le Fontanka, la Nevski est bordée d'une cinquantaine d'édifices dont vingt-huit sont occupés par des banques britanniques, françaises et hollandaises.

L'année de leur mariage, Sarah Bernhardt, Eleonora Duse et Pablo Casals se produisent à Petersburg, de même que Fedor Chaliapine, et le théâtre Mariinski reçoit Anna Pavlova et Vaslav Nijinski ; ils y dansent dans une création du jeune chorégraphe Michel Fokine.

« En 1908, écrit Katerina, je me suis mariée et, temporairement, je me suis trouvée à Iekaterinoslav où mon mari dirigeait l'usine de la Société métallurgique de la Russie du midi. Après avoir mis en ordre la maison, composée de treize pièces, et après avoir donné une réception pour tous les employés et leur épouse, j'ai déclaré que je retournerais à Petersburg pour compléter mes études. »

Scandale !

Comment Katerina Nicolaïevna pouvait-elle laisser son mari après seulement quelques mois de mariage ? Et comment lui, Alexandre Avdeïevitch, pouvait-il supporter que son épouse aille vivre seule dans la capitale ? Mais elle ne vit sans doute pas seule. Un document estampillé par la Gestapo, en novembre 1933, traite d'un ancien passeport russe émis par la police de Petersburg, le 11 septembre 1909, au nom d'Alexandre Avdeïevitch Otzoup, marié, résidant dans la capitale. Quand Alexandre s'absente pour affaires, Katerina vit probablement avec Alexandra (Choura), sa sœur aînée qui faisait des études de médecine et donnait des cours du soir et des lectures publiques pour joindre les deux bouts.

Lorsque Alexandre se rend à Petersburg auprès de son épouse, il y demeure un certain temps : mille six cents kilomètres séparent les deux villes. Alors, ils vont au théâtre, à l'opéra, au ballet. C'est l'ère des Ballets russes de Diaghilev, qui fait un malheur à Paris en présentant *Prince Igor*, chorégraphié par Michel Fokine. C'est aussi l'ère d'Aleksandr Scriabine, d'Igor Stravinski et le début d'écoles littéraires avec Aleksandr Blok et Nicolaï Goumilev auxquelles Alexandre ne reste sans doute pas insensible.

En 1911, ils emménagent au 17 de la rue Poljé, à Iekaterinoslav. C'est une grande maison étagée, avec de nombreuses fenêtres, offerte à Katerina par Alexandre. Dans le salon, sur le mur du fond, une toile représentant l'Aglaïa des grands jours. Au moment de la révolution d'octobre, le portrait d'Aglaïa veillera sur les délibérations du comité des médecins dans le salon de cette maison devenue la résidence des médecins de la Croix-Rouge. Aujourd'hui, d'interminables tours d'habitation s'élèvent sur ce qui a été l'imposante propriété de Katerina Abramovna Otzoup.

Katerina revient à Iekaterinoslav pour les fêtes et les vacances scolaires. Les ouvriers de l'usine et les domestiques l'accueillent alors avec des fleurs. « Cela les impressionnait beaucoup que la jeune épouse du directeur fasse des études à l'université. Ils m'aimaient bien, à cette époque, écrira Katerina. Quand viendra le temps des bolcheviks, ils commenceront à expédier des lettres dans lesquelles ils disaient vouloir nous massacrer et nous tuer. »

Au moment de ses retours à la maison, Katerina rapporte des nouvelles de la capitale, comme sans doute celle du congédiement de Nijinski, du théâtre impérial Mariinski. La rumeur courait à Petersburg que le « dieu de la danse » entretenait une relation amoureuse avec Diaghilev, et cela aurait déplu à la famille impériale. Vaslav Nijinski sera, pour un temps, l'étoile des Ballets russes de Sergei de Diaghilev. Avant de sombrer dans la folie, il laissera au monde d'extraordinaires chorégraphies : *L'Après-midi d'un faune, Le Sacre du printemps*[22]...

À la fin de 1913, Katerina passe ses derniers examens de pédagogie et de psychologie expérimentale et rentre à Iekaterinoslav pour donner prématurément naissance, à la maison, à Valentina (Valia), le 23 janvier 1914.

À l'été 1914, Alexandre écrit : « À travers la fenêtre de la chambre d'enfant, on voyait le ciel dont la couleur et la texture étaient presque comme de la porcelaine. Les corbeaux, en croassant, passent d'un arbre à l'autre, se posent sur une branche puis sur une autre branche et quelques retardataires arrivent en criant. Et tous les corbeaux criaient, criaient, criaient[23]. »

Le 28 juin 1914, l'archiduc François-Ferdinand d'Autriche est assassiné à Sarajevo. Au début de juillet, l'Autriche lance un ultimatum à la Serbie et, depuis Sarajevo, à partir du 21 juillet, toute l'Europe va basculer dans la guerre. Le 30, c'est la mobilisation en Russie et une déclaration de guerre contre l'Allemagne s'ensuit. « C'est le plus beau cadeau fait à la révolution », aurait déclaré Lénine.

Petersburg au nom trop allemand devient Petrograd.

Anna Akhmatova écrira ces lignes prémonitoires :
> Nous allons vers des temps affreux,
> Vers la faim, la terreur, la peste ;
> Vers des charniers et des deuils nombreux,
> Vers l'éclipse des feux célestes[24].

La guerre fait rapidement des ravages. Il fallait ramasser des vêtements pour les envoyer au front, les soldats n'étant pas suffisamment vêtus pour passer l'hiver dans les tranchées et les abris de fortune. Plus tard, la nourriture aussi manquerait au front, autant pour les hommes que pour les chevaux. Plus tard encore, il n'y aurait presque plus de munitions et les ravitaillements deviendraient impossibles, les systèmes de transport par eau ou par chemin de fer étant incapables de répondre aux besoins à la fois des armées et des populations civiles.

Les Russes fuient les villes et les villages. Katerina prend en charge l'aide aux réfugiés qui affluent sur le territoire de Iekaterinoslav pour échapper à l'avance des Allemands. Ils sont affamés, malades, perdus. Katerina sera décorée de la Croix de Sainte-Anne. Si cette décoration lui vaut le salut des officiers quand ils la croisent, cela ne lui apporte que mépris de certains domestiques. La plupart sont devenus arrogants ; ils volent et s'en prennent même parfois à la personne de leurs maîtres.

Cette guerre semble ne jamais devoir finir. Pourtant, le peuple russe en est las. Déjà la rumeur veut que des paysans s'emparent des terres et que des soldats refusent de se battre. Au front, la propagande bolchevik a commencé.

Camarades soldats,
Voici deux ans que dure cette maudite guerre. Depuis deux ans vous souffrez dans les tranchées pour la défense d'intérêts qui ne sont pas les vôtres [...] Assez versé le sang de vos frères. [...] Fraternisez avec les soldats allemands et autrichiens. [...] À bas la guerre impériale! Vive l'unité indestructible des travailleurs du monde entier[25]!

Le 2 mai 1916, Aglaïa, descendante Radziwill, meurt seule et pauvre, à la clinique Pargoloïski. Elle sera enterrée dans la partie catholique du cimetière de Smolensk, sur l'île Vassilievski. Son mari, le major Abramov, était décédé le 10 octobre de l'année précédente. Quant à Nicolaï Fiodorovitch Pogrebov, il semble qu'il soit décédé durant le blocus de Leningrad, pendant la Deuxième Guerre mondiale.

Chapitre 5
Octobre 1917

Au début de 1917, la Russie était dans un état pitoyable. Il y avait pénurie de tout dans les villes et sur le front, la guerre rendant difficile l'ensemencement des terres et les récoltes. À cela s'ajoutait la désorganisation des transports par chemins de fer et de l'industrie en général. Faute d'arrivages de matières premières, les fabriques et les usines – dont l'usine d'armements Putilov – ont dû cesser la production. Des milliers d'ouvriers en chômage forcé se retrouvèrent à la rue et d'autres s'y joignirent lors des journées de grèves ponctuelles. Et pourtant, le théâtre Mariinski était plein de « beau monde » pour entendre Fedor Chaliapine dans *Boris Godounov*.

Le 2 (15) mars, Nicolas II abdiqua. En quelques jours, des drapeaux rouges flottaient un peu partout sur Petrograd ; même la statue de la grande Catherine, face au théâtre Alexandre, en était surmontée ! Le 25 octobre (7 novembre), la révolution se mit en branle au pas de *La Marseillaise* chantée en russe. Maxime Gorki écrira que la folie s'était alors emparée de la ville. La peur, aussi. « Beaucoup d'entre nous sont habités par cette peur. Elle se sentait partout [...] Dans les mains des soldats couchés sur les bipieds des mitrailleuses, dans les mains tremblantes des ouvriers serrant les fusils [...] ; elle se sentait aussi dans le regard tendu de leur yeux écarquillés[26]. »

Les combats les plus violents ont eu lieu autour de l'hôtel Astoria. Des officiers se voyaient arracher leurs épaulettes quand ils n'étaient pas abattus. C'est probablement à cette période que Pavel, le frère d'Alexandre, s'est fait descendre, alors qu'il rentrait à la maison.

Vers la fin de 1917, les soldats ont commencé à déserter le front par milliers, certaines unités abandonnant les tranchées avant même d'avoir rencontré l'ennemi ! Plusieurs craignaient que l'on partage les terres en leur absence. De partout, laissant les armes lourdes, ils prenaient d'assaut les trains, les bateaux, les routes, pour rentrer chez eux. Comme ils n'avaient ni argent ni de quoi se nourrir, les fuyards ont commencé à voler, à tirer, à tout détruire sur leur passage. À violer les femmes, aussi. C'est par un de ces trains remplis de soldats, écrira Katerina, qu'est arrivée « ma sœur Choura (Alexandra) qui était chirurgienne en chef au front. Elle est arrivée complètement affamée et mourant de froid et de peur. Son cauchemar était d'être violée et tuée par les soldats dans ces trains surpeuplés ».

Les bolcheviks étaient venus une première fois fouiller la maison de Katerina pendant qu'Alexandre était à Kiev. Ils avaient emporté les médailles et les décorations militaires. Puisqu'il devenait trop dangereux de demeurer près de l'usine qui fabriquait encore des munitions, les Otzoup ont commencé à se cacher ici et là, et d'abord chez la sage-femme qui avait officié à la naissance de Valia, la sœur de Ludmilla.

Plus aucun endroit n'était sûr et encore moins après que la nouvelle se fut répandue de l'assassinat du tsar et de sa famille. Fréquemment, des gens s'entretuaient dans la rue. C'est probablement à cette époque que Maria (Marousia), la plus jeune des sœurs de Katerina, arrive de Petrograd avec sa fille de trois ans, Nathalka. Elle s'installe chez Katerina et, pendant un moment, sympathise avec les bolcheviks. Qui plus est, elle les amène à la maison et oblige Katerina à les nourrir. Mais cela n'empêche pas un autre groupe de bolcheviks de se présenter à nouveau et de réclamer Alexandre qui est avec l'armée tsariste. « Nous avions des visiteurs ; c'était la période des fêtes. Les hommes de Petliura ont commencé à tout fouiller, à demander où se cachait mon mari. » Alors, la femme de chambre, la blanchisseuse et la cuisinière sont parties, cette dernière emportant avec elle tout ce qu'il y avait dans la chambre qu'elle occupait. Puis la femme de ménage a fait de même : les ouvriers la menaçaient puisqu'elle continuait de servir les bourgeois. Katerina s'est retrouvée à la tête d'une maisonnée de neuf personnes, sans aide. Il n'y avait presque plus de nourriture. En ville, tout était arrêté ; il n'y avait plus de pain. Ils ont commencé à dormir dans la cave.

Le pouvoir changeant de mains constamment, aux environs de Iekaterinoslav, et les tirs se faisant plus nourris et plus proches, Katerina et les siens se réfugiaient chaque soir à des endroits différents. Mais un soir qu'elle était chez elle avec sa fille, sa nièce, ses sœurs et deux jeunes filles qu'elle cachait, un détachement punitif de bolcheviks enfonça la porte. Ils étaient onze. Ils cherchaient les bourgeois. Ils se promenaient dans la maison en jurant, convaincus que des hommes s'y cachaient.

Dans le coin d'honneur[27], près de l'icône où elle se tenait, Katerina perdit alors une partie d'un sein, car elle ne put éviter le sabre qui s'avançait vers elle.

« Tu crois à cette cochonnerie ? a fait un Rouge en crachant sur l'icône. Alors, il te le fera repousser ! »

Puis une bombe tombe sur la maison, dans le jardin d'hiver, tuant les deux jeunes filles qui logeaient chez Katerina. Dehors, des gens courent en tous sens. Le sifflement des balles se mêle au bruit des calèches et des chevaux qui traversent la ville dans un nuage de poussière. Une odeur de poudre prend à la gorge. On ne sait plus si à l'horizon c'est l'aurore qui se lève ou si c'est l'artillerie qui se démène de l'autre côté du Dniepr.

Alexandra, rentrant de son service à l'hôpital, s'occupe de panser la plaie de sa sœur en train de ramasser quelques objets et souvenirs. Katerina voudrait bien convaincre Choura de fuir avec elle et Valia, mais Alexandra ne veut pas partir maintenant que les blessés arrivent par centaines. Quant à Marousia, l'action des bolcheviks la retient. Les sœurs s'étreignent. Katerina part à pied, pendant que le cocher d'un voisin belge emmène Valia et quelques valises à la gare.

Tout, autour, était dévasté. Traversant des rues soudainement désertes, la tête encore pleine du bruit des tirs, sa blessure lui faisant mal, Katerina ne savait pas où elle allait. Elle ne savait pas si elle allait jamais revoir ses sœurs, si elle allait jamais retrouver son mari, gravement blessé à Odessa, mais quelque chose lui disait qu'en partant elle échappait à une mort certaine.

À la gare, une foule compacte tentait de monter dans les wagons. Lorsque le train se mit en route, des hordes de gardes rouges commencèrent à tirer à travers les fenêtres. C'est étendus sur les banquettes ou couchés par terre, dans un train aux fenêtres trouées, que le voisin belge, Henri Queneau, Valia et Katerina sont arrivés à Rostov-sur-le-Don. Katerina y a retrouvé son mari, blessé et marchant avec une canne. Mais c'était pour être rapidement évacuée. Le typhus s'ajoutait aux fusillades. Encore le train, jusqu'à Novorossiisk – port sur la mer Noire. Monsieur Queneau avait disparu. Sans visa, Katerina réussit à embarquer sur le *Habsbourg* avec Valia. L'armée blanche n'étant pas démobilisée, Alexandre ne pouvait les suivre.

« De nouveau j'étais seule, écrira Katerina. Sur le quai, des enfants cherchaient leurs parents, des parents cherchaient leurs enfants, des maris cherchaient leur épouse et personne ne trouvait personne. C'était le chaos total. Des désespérés se jetaient à l'eau, tentant de rejoindre à la nage les bateaux qui partaient. C'était ahurissant et je pensais : n'y a-t-il pas quelque part une vie calme où il n'y a pas de bombes, pas de bolcheviks ? » Elles seront accueillies par la Yougoslavie et vivront, difficilement, à Vranska-Banja.

En avril, Alexandre à son tour laissera la Russie, pour ne plus jamais la revoir. Le bateau sur lequel il s'était embarqué n'arrivait pas à quitter le quai. On raconte dans la famille qu'Alexandre a réussi à le faire sortir du port en mettant les moteurs en marche arrière. « Alexandre a fait office de mécanicien sur ce bateau, en avril 1919[28]. » Il se retrouvera sur l'île de Chypre, où il agira comme traducteur officiel auprès de l'armée britannique jusqu'à ce qu'il s'installe à Berlin.

L'Allemagne

*Le nœud essentiel de notre vie, ce qui lui donnera,
si nous devons l'utiliser à poursuivre un but, son sens
et son centre, se forme dès notre plus jeune âge, de
manière parfois inconsciente, mais toujours précise
et juste. Et la suite ne tient pas seulement à notre
volonté : on dirait que les circonstances elles-mêmes
se conjuguent pour nourrir et développer ce noyau.*

Alexandre Soljenitsyne
La Roue rouge – août 14

Chapitre 6
La République de Weimar

L'Allemagne, sur le territoire de laquelle se réfugient alors des centaines de milliers de Russes, est un État fédéral composé de l'Alsace-Lorraine et de vingt-cinq États membres, dont vingt-deux monarchies. De tout temps, les hommes de la vieille noblesse et de l'aristocratie formaient les rangs de la députation. Pourtant, aux élections de 1912, les sociaux-démocrates deviennent le parti d'opposition le plus puissant dans l'empire créé par Bismarck.

Puis vint la Grande Guerre, qui bouleversa non seulement l'ordre politique et les frontières mais aussi les valeurs. «Tout change, tout semble aller à la dérive ; cela est vrai de la morale sexuelle, de la politique et de l'art [...][29].» Cela est aussi vrai du système économique et des échanges commerciaux. Mais ce qui est peut-être le bouleversement le plus profond est que les masses se sont fait entendre, que les mouvements ouvriers ont commencé à occuper sur l'échiquier politique de plusieurs États la place des organisations libérales. Les gouvernements doivent maintenant compter avec cette force qui prend la rue, à tout moment, laissant les usines et les manufactures improductives et silencieuses.

L'Allemagne, qui se veut victorieuse, voit naître des mouvements qui ne sont pas étrangers à ce qui se passe en Russie. Dès l'été 1917, l'agitation s'installe, et même si elle est durement réprimée, des groupements d'opposition s'organisent un peu partout. Ils prônent une paix sans annexions territoriales. En Russie, les bolcheviks ont réclamé la même chose, quelques mois plus tôt. Berlin vire au rouge et la population commence à douter de la victoire. Le 28 janvier 1918, les spartakistes[30] déclenchent un mouvement de grève qui se répand dans toute l'Allemagne.

Ce mouvement fut vite réprimé, désavoué par les syndicats libres et, un mois plus tard, l'Allemagne imposait à la Russie le traité de paix de Brest-Litovsk. La Russie perdait alors l'essentiel de son industrie sidérurgique, charbonnière et textile, et une grande partie de son réseau ferroviaire. Mais cette paix ne signifiait pas la fin de la guerre pour les Allemands. Les quatorze points, proposés en début d'année par le président des États-Unis, Woodrow Wilson, leur étaient inacceptables. Alors, les manifestations reprennent et des grèves générales éclatent. À Berlin, « des manifestants se dirigèrent vers le Reichstag et les autres sites du pouvoir, ralliant en passant les militaires des casernes[31] ». À Munich, pendant cinq jours, les gens sont dans la rue au cri de « Vive la révolution mondiale ! » On pille, on règle des comptes, on fait des discours. « Même Max Weber, l'éminent économiste, éprouve le besoin de haranguer ses concitoyens[32]. »

Dans l'Allemagne de 1918, il n'est plus question que de révolution – ou on la fait, ou on la combat. Les spartakistes étaient menés surtout par Rosa Luxemburg, « petite femme au visage pâle et aux grands yeux sombres, dotée d'une intelligence vive et d'une rhétorique subtile, (Rosa la Rouge incarnait) la révolution allemande[33] ». Déjà, des républiques socialistes sont proclamées en Bavière, en Saxe, à Berlin. Un moment, on aurait pu croire que la *November-revolution* allait prendre racine. Mais les sociaux-démocrates n'étaient pas des révolutionnaires.

Le départ de Guillaume II est réclamé pour éviter la révolution qui se dessine et sauver la monarchie. Le 9 novembre, le chancelier Max de Bade[34] publie une déclaration d'abdication de l'empereur et roi, même si Guillaume II n'a encore rien décidé ! Le lendemain, Guillaume II arrive en Hollande, où il vivra jusqu'à sa mort. Épuisés par la guerre, les empires allemand et austro-hongrois s'écroulent, et c'est par un temps pluvieux et froid que l'armistice est signé, près de Compiègne.

La veille de Noël, trois mille marins s'installent au château impérial, à Berlin. Le 30 décembre, c'est le congrès de fondation du Parti communiste allemand et le 5 janvier 1919, celui du Parti allemand des ouvriers (DAP) – dont Adolf Hitler sera le septième membre, le 16 septembre 1919[35].

Bien qu'un gouvernement de coalition se forme, l'agitation continue avec des grèves et des combats de rue dans Berlin. La capitale est paralysée. Dans le quartier des ministères, sur la Wilhemstrasse, on tire depuis les toits. Une chasse ouverte contre les spartakistes, maison par maison, logement par logement, mène à l'assassinat de Rosa Luxemburg et de Karl Liebknecht, peu avant les élections qui se tiennent dans une atmosphère de guerre civile. John Willet qualifie les journées du 5 au 11 janvier 1919 de révolte à Berlin[36], et Castellan parle de la « semaine sanglante de Berlin[37] ». Au printemps de 1919, un jeune Munichois se promène avec un portfolio d'esquisses et tente d'intéresser à ses œuvres des gens de théâtre, comme Brecht et Lion Feutchwanger. Ce dernier trouve un air idiot au jeune homme et estime qu'il ne vaut pas la peine de l'encourager[38]. Ce jeune homme s'appelle Adolf Hitler.

Dès que sont connues les conditions imposées à l'Allemagne, par le traité de Versailles qui annule le traité de Brest-Litovsk, les protestations reprennent. À la grandeur du pays, de quelque allégeance qu'ils soient, les Allemands condamnent le traité signé dans la galerie des Glaces du château de Versailles, le 28 juin 1919. L'article 231, surtout, est jugé infamant. Il rend l'Allemagne responsable des pertes et des dommages dus à la guerre. L'obligation de réparation en découlant se chiffrera à cent trente-deux milliards de marks or, plus une réparation spéciale pour la Belgique, sommes qui s'avéreront impossibles à percevoir.

Et pendant ce temps, dans la cité de Goethe, s'écrivait la Constitution de Weimar. À l'époque, une vingtaine de sociétés savantes y étaient installées. Lieu historique de Thüringen, Weimar fut l'un des grands centres culturels de l'Allemagne. Outre celui de Goethe, plusieurs grands noms de la culture allemande y sont associés : Schiller, Franz Liszt, Bach, Herder, Dingelstedt, Nietzsche...

Simple parenthèse historique pour d'aucuns, pour d'autres synonyme de modernité, de libéralisation des mœurs et de réalisations culturelles d'avant-garde, la République dure quatorze ans, jusqu'à l'instauration du Troisième Reich, sous Hitler. Elle demeure dans l'esprit de plusieurs une période d'effervescence symbolisée par les noms de Husserl, Jaspers ou Heidegger en philosophie ; Mélanie Klein, Erich Fromm, Wilhelm Reich en psychanalyse ; Thomas et Heinrich Mann, Hermann Hesse, Alfred Döblin en littérature ; Klee et Beckmann en peinture ; Arnold Schönberg et Paul Hindemith en musique ; Marlene Dietrich, Fritz Lang, Pola Negri au cinéma ; Bertolt Brecht, Max Reinhardt, Erwin Piscator, Carl Zuckmayer au théâtre ; ou par les courants expressionniste et dadaïste et l'école du Bauhaus, de Walter Gropius.

L'Assemblée constituante qui se réunit à Weimar accouche d'un régime parlementaire. Fruit d'un compromis complexe, la Constitution instaure la liberté de culte, de réunion et d'expression, l'égalité politique mais non l'égalité des droits civils ; elle donne aussi au président le pouvoir de paralyser tout le système. Ainsi, en vertu de l'article 48, le président peut prendre toute mesure d'urgence en cas de menace à la sécurité de l'État. C'est de cet article 48 que se servira Hitler dès son arrivée au pouvoir en 1933.

La Constitution entre en vigueur le 14 août 1919 et crée « un pays nouveau. Il l'est dans ses frontières, son organisation, sa culture[39]. » Petit à petit, pour les Allemands, l'État sera synonyme de Berlin, où tous les services administratifs sont concentrés. Berlin deviendra la capitale de l'Allemagne et la troisième ville du monde en importance, après New York et Londres.

Les premières années du régime seront des années de crise. Il faut transformer l'économie de guerre en économie de paix. Il faut ramener les troupes au pays, démobiliser, s'occuper des blessés de guerre et trouver un emploi à des millions de soldats. Très rapidement, dans le Tiergarten, sur Potsdamer Platz, sur Unter den Linden, près de la porte de Brandenburg, quantité d'entre eux errent, désœuvrés et menaçants. Les prix grimpent d'une façon quasi exponentielle. La population est affamée et les intellectuels sont démoralisés.

La question des réparations imposées à l'Allemagne par le traité de Versailles alimente la colère patriotique et permet aux xénophobes de tout poil de se tailler une place, en attendant le grand soir. Les communistes et les sociaux-démocrates luttent contre une droite extrémiste qui s'organise et qui, dans son offensive contre le nouveau régime, présente les dirigeants de Weimar comme d'indignes parvenus[40], quand ce n'est pas comme des «criminels de novembre». Plus tard, on aura beau jeu de dire que la République de Weimar est la «république des Juifs», le professeur Hugo Preuss, admirateur de Rousseau et secrétaire d'État à l'Intérieur, qui en a rédigé la Constitution, étant d'origine juive.

Chapitre 7
Le Berlin des émigrés russes

Alexandre Otzup[41], le père de Ludmilla Chiriaeff, a retrouvé sa femme et leur fille Valentina (Valia) par l'intermédiaire des journaux que publie la diaspora russe un peu partout dans le monde. « Dès qu'il nous a trouvées, il nous a envoyé une livre anglaise. C'était la première fois que nous mangions à notre faim », écrira Katerina dans ses mémoires. Dans le camp de Vranska Banja, la vie était difficile. Les Serbes avaient pris vingt mille réfugiés russes sous leur protection, mais ils étaient eux-mêmes appauvris et, dans les années de l'après-guerre, leur situation matérielle n'était guère enviable. Nombre de réfugiés mouraient de malnutrition.

On ne sait pas comment vivait Alexandre à l'île de Chypre, où il agissait comme traducteur auprès de l'armée britannique. Une photo du temps nous le fait voir assis, portant le costume colonial. Il continuait à écrire, comme il l'avait toujours fait, et publia une nouvelle, l'*Île d'ambre*. Il continuait aussi d'entretenir une vaste correspondance avec celles de ses connaissances qu'il avait pu retrouver.

À cette époque, Alexandre se déplace encore avec deux cannes, ses blessures de guerre lui compliquant la vie. Une première intervention, en Égypte, avait un peu amélioré sa condition, mais souvent encore il perd l'équilibre. De Berlin, où il vit avec leur mère, son frère Sergeïj l'invite à venir consulter le professeur Ferdinand Sauerbruch, chirurgien de médecine interne et ex-chirurgien en chef de l'hôpital de la Charité à Berlin. C'est sans doute vers le milieu de l'année 1922 qu'Alexandre arrive dans cette ville. Il s'installe chez son frère et subit avec succès l'intervention chirurgicale pour laquelle il a obtenu la permission de séjourner en Allemagne.

Depuis 1919, il fallait un passeport et un visa pour entrer en Allemagne ou en sortir. Les étrangers devaient, en plus, se présenter à la police, dans les quarante-huit heures de leur arrivée, pour obtenir une *Personalausweis*[42] leur permettant de se déplacer sur le territoire. Il fallait en outre obtenir un permis de résidence, valable pour au plus six mois[43]. Le permis de travail venait plus tard – quand un étranger voulait s'établir. C'était le permis le plus difficile à obtenir pour un réfugié.

À l'été 1920, « Berlin commençait seulement à devenir une des principales destinations des réfugiés qui continuaient d'affluer de Russie. Avec la diminution du coût de la vie en Allemagne [...] au cours des trois années suivantes, la colonie russe de Berlin allait se transformer en une véritable ville dans la ville [...][44]. » Et à la fin de 1921, quand les prix flambèrent en France, les émigrés qui y vivaient désertèrent Paris pour Berlin, où les étrangers pouvaient échanger leur argent à grand profit. Après la dévaluation du mark, quand la vie sera devenue très chère à Berlin, la plupart d'entre eux feront le chemin inverse, mais Alexandre, Sergeïj et Mihaïl y demeureront.

Citoyens sans pays, les *Staatenlos*, ceux qui n'auront pu obtenir la citoyenneté nulle part, seront désignés comme *DP*, « *displaced person* ». Les plus chanceux obtiendront un passeport Nansen après 1922[45]. À la fin de 1921, le gouvernement soviétique déchoit de leur nationalité tous les Russes ayant quitté la Russie sans visa, après le 7 novembre 1917, et ceux qui n'ont pas obtenu un passeport soviétique au 1er juin 1922. Mais dans les faits, il semble que jusqu'en 1924, la délégation russe, en Allemagne, ait continué d'émettre des *Ausweise* et des passeports[46]. Le dernier passeport émis au nom d'Alexandre date d'avant la révolution. Madame Chiriaeff a toujours parlé de ses parents comme de *DP* ayant bénéficié pendant un certain temps d'un passeport Nansen. Tout comme elle, d'ailleurs, et sa sœur Valia.

Au début des années 1920, le Vieux-Berlin vient d'annexer sa banlieue et compte quatre millions d'habitants, dont un million d'ouvriers. Ses réseaux de transport, de distribution et de communication se remettent à peine de la guerre. L'électrification du transport de surface, le S-Bahn, est en cours, de même que la construction de l'aéroport de Tempelhof, qui devient le centre de la navigation aérienne de l'Europe.

L'activité industrielle et commerciale est débordante, et la construction de dizaines de milliers de logements par année change la face de plusieurs quartiers du Grand-Berlin. « Débauche d'édifices, de colonnes, d'escaliers, de blocs d'immeubles, Berlin va compter les plus grandes brasseries, les plus grands hôtels, les plus grands cinémas, les plus grands théâtres de toute l'Europe[47]. » Bâtie autour d'un parc ovale, le Tiergarten, capitale de la musique et célèbre pour ses théâtres et ses cabarets, Berlin est alors le passage obligé des artistes, le centre de la vie intellectuelle en Allemagne. L'avant-garde y monte sur scène, y accroche ses tableaux, y joue sa musique, y déclame sa poésie.

Carl Zuckmayer dira que Berlin « avait le goût de l'avenir et en échange de cela, nous acceptions la saleté et le froid[48] ». Les conditions de vie n'étaient pas faciles pour tous ces jeunes qui débarquaient de province, attirés par le grand vent de changement qui soufflait sur l'Allemagne et l'ouverture aux influences internationales dont Berlin était le centre. En 1921, Heinrich Mann affirmait que « C'est à Berlin que s'esquisse l'avenir de l'Allemagne » et que « Celui qui cherche des raisons d'espérer devrait regarder par là[49]. » C'est ce que fait Bertolt Brecht, qui débarque en ville à cette époque pour s'y installer à la fin de 1924. Les ambitieux et les talentueux finissaient par y trouver la célébrité et d'aucuns, la gloire. Selon certains auteurs, il y avait à Berlin deux mille artistes qui vivaient alors de l'aide municipale, car ils n'avaient aucun revenu déclaré[50].

Berlin, c'est aussi l'Alex – comme on appelle familièrement l'Alexanderplatz –, rendez-vous des ouvriers et des petites gens ; c'est aussi la misère, la criminalité et, derrière la place, des ruelles où des vieillards portent la kippa et parlent yiddish. Certaines familles juives de Berlin se transmettaient leur maison depuis trois cents ans.

Plusieurs populations se côtoient à Berlin mais sans s'intégrer. Si elle n'est pas le fait des étrangers ou des immigrés de passage, la ségrégation sociale y est importante, entre les Allemands eux-mêmes. Ceux des quartiers ouvriers de Neukölln, Kreuzberg, Wedding, où se concentrent les communistes, doivent se contenter de regarder ceux de Charlottenburg, Schöneberg, Grünewald, la partie la plus élégante de la capitale avec ses nouvelles et riches villas.

Le Berlin des émigrés russes voit alors cohabiter toutes les tendances politiques et toutes les écoles littéraires. Selon diverses sources, entre un et trois millions de Russes ont fui les bolcheviks. Ils se sont installés le plus près possible des frontières de la Russie, d'aucuns espérant la chute du régime instauré par Lénine et le rétablissement de la monarchie. « Depuis les rares rescapés de la famille impériale jusqu'aux Cosaques du Don en passant par les grands intellectuels et les anciens cadres administratifs et politiques, toute la Russie d'avant la Révolution se retrouvait "hors frontière"[51]. » Nikita Struve ajoute qu'à l'automne 1922, un décret de Lénine « bannit plus de 150 éminents intellectuels et leur famille ; tout ce que la pensée russe comptait de valable se retrouvait d'un jour à l'autre en Occident[52] ». Ils furent expulsés par bateau, d'où le nom de *navire philosophique* donné à l'événement. Nicolaï Otzoup était de ceux-là.

La pluplart des Russes qui se sont échappés ont choisi Berlin qui, jusque vers 1924, en comptera environ cinq cent mille. De 1921 à 1928, Berlin sera la capitale de la diaspora russe. Ce sont majoritairement des Russes blancs et ils sont arrivés à Berlin avec de l'argent et souvent aussi avec des objets de valeur. Ils se sont installés dans les quartiers résidentiels cossus d'avant la guerre : Schöneberg, Friednau, Wilmersdorf et Charlottenburg. Ce quartier devint le principal foyer culturel de l'émigration russe, à un point tel que l'on ne disait plus Charlottenburg, mais Charlottengrad! On raconte que sur la ligne 8, qui allait de l'Alexanderplatz à Wilmersdorf, quand on arrivait à la Bülowstrasse sur la Nollendorfplatz, le chauffeur criait «Russie»! C'était l'entrée du quartier russe qui avait pour centre la Pragerplatz[53]. À chaque pas, on pouvait entendre parler russe.

En dehors du monde politique et culturel, des banquiers, des commerçants, des industriels et des professionnels de toute sorte se retrouvent et se regroupent dans des associations qui vont leur permettre non seulement de subsister mais de faire vivre la Sainte Russie – ne fût-ce que dans leur imaginaire. Parce qu'on est toujours chez soi dans son passé, comme l'écrira Nabokov[54]. Le père de ce dernier, Vladimir Dimitrievitch Nabokov, avait fondé et dirigeait alors le principal quotidien en langue russe, le *Roul*, et deux maisons d'édition de Berlin. En 1923, Berlin comptait trois quotidiens, cinq hebdomadaires, vingt librairies et quarante éditeurs en langue russe et il s'y publiait plus de livres en russe qu'à Petrograd et à Moscou et plus qu'il ne s'en publiait en allemand.

Des églises se remplissent à nouveau de fidèles et la Pâques russe est célébrée en grandes pompes. Trois écoles, où sont enseignées la langue et la culture russes, sont ouvertes. «[...] les émigrés portaient naturellement une attention soutenue à la langue, garante de leur identité et legs à transmettre pour que vive la Russie de toujours[55]». Et cette Russie, c'est celle que l'on vient de quitter et que l'on perpétue si bien qu'on ignorera systématiquement jusqu'en 1945 la réforme de l'orthographe pourtant adoptée en 1918[56]!

Six banques russes étaient installées à Berlin. En fait, on pouvait tout trouver en russe dans cette ville: coiffeurs, tailleurs, bottiers, notaires, sténographes, traducteurs, boutiques, théâtres, librairies, restaurants, cabarets, cinémas, cafés... Plusieurs de ces derniers s'emplissaient quotidiennement d'émigrés russes: le PragerDiele, sur la Pragerplatz, où s'entassaient les intellectuels; le Landgraf, au 75 de la Kurfürstenstrasse, où se réunissaient le dimanche les pro-soviétiques, tandis qu'au deuxième étage du café Léon, sur Nollendorfplatz, siégaient d'innombrables petites associations russes.

C'est au café Léon que se rencontraient les membres de l'Union des écrivains russes fondée en 1920, à Berlin, par le comte Aleksei Tolstoï, à qui le gouvernement de Lénine faisait miroiter les avantages qui l'attendaient s'il réintégrait la Russie. Il fallait à ce gouvernement quelques grands noms qui accepteraient de se faire les propagandistes de la bonne nouvelle auprès des intellectuels russes qui faisaient si cruellement défaut à la mère-patrie[57]. C'est aussi au café Léon qu'officiaient certains écrivains, dont Vladimir Nabokov, qui publiait alors sous le pseudonyme «Sirine». C'est là aussi que se tenait Alexandre Otzup.

Mais nulle trace de son frère, Nicolaï Otsoup, dans les souvenirs de la famille, à cette époque.

Nicolaï est pourtant à Berlin. Du moins sûrement à la fin de l'été 1922, puisque Nina Berberova l'y côtoie. Il arrive de Russie, en même temps que Boris Pasternak, «pour raisons de santé». La Russie était alors ravagée par la famine et Lénine avait banni plusieurs intellectuels. Les deux passent à la pension Krampe, où Berberova habite – de même qu'au club littéraire de Nollendorfplatz (donc au café Léon) et au restaurant russe de la Gentinerstrasse[58]. Biely y est aussi, de même que Khodassevitch[59].

Nicolaï Otsoup, poète acméiste[60], est le sixième enfant de la famille dont Alexandre est l'aîné. Sa première œuvre publiée, *Grad* (la Ville), l'est à Pétrograd, en 1921, l'année où son maître Goumilev est fusillé. En 1923, il s'installe à Paris. Auteur de nombreux ouvrages, fondateur et directeur de revues littéraires, il est aussi professeur à l'École normale supérieure. «Engagé comme volontaire dans l'armée française en 1939, il est arrêté en Italie pour antifacisme, s'échappe et combat aux côtés des résistants italiens[61].» Après la guerre, il soutiendra une thèse de doctorat sur Goumilev à l'Université de Paris.

Dans son autobiographie, Berberova dira de lui que «il est l'exemple type de quelqu'un qui a perdu ses capacités créatrices d'une manière foudroyante [...]. Il avait composé ses meilleures poésies dans les années vingt et tout ce qu'il écrivit par la suite portait la marque du déclin [...]. Durant vingt ans, mes rencontres avec lui m'ont toujours laissé l'impression pénible d'un homme cherchant désespérément à être quelqu'un d'autre[62].» Mais peut-être est-ce là le lot de tous les déracinés.

À l'occasion de l'une de nos rencontres, Madame Chiriaeff m'a raconté que, vers le milieu de sa vie, l'oncle Nicolaï n'était plus tourné que vers le mysticisme, ce que confirme Berberova. Le directeur de la revue *Tchisla* (Chiffres), écrit-elle, «Otsoup, vivait dans l'espoir d'un miracle, car il était tombé dans un mysticisme religieux excessif, allant jusqu'à comparer sa concubine au Christ. Mais le miracle n'eut pas lieu[63].»

Par ailleurs, Bryan Boyd, le dernier biographe de Nabokov, parle de Sergeï Gorny, le père de Ludmilla Chiriaeff, comme faisant partie du Vereteno, une association littéraire et artistique, avec Nabokov et quelques autres, en octobre 1922. Peu de temps après, cette association éclate, et certains de ses membres, dont Nabokov, Loukach, Kadachev, Sokolov, Gleb Struve, Yakovlev et l'humoriste Sergeï Gorny forment un cercle littéraire secret, le Bratsvo Krouglogo Stola (Confrérie de la table Ronde). Boyd ajoute que Sirine (Nabokov) restera proche de ces auteurs durant les deux années suivantes[64]. Selon Robert C. Williams[65], « *Nabokov, Sergeï Gorny, Alexander Drozdov, and other had kept*

*the emigrés reading public well informed of Soviet theatrical events in the pages
of the journals* Teatr *and* Teatr i zhizin ».

Autour de cette période, Nabokov annonçait à sa mère : « J'écris avec Loukach,
j'écris avec Gorni (*sic*)...[66]» Ils s'essayaient alors à la scénarisation. Selon
Ludmilla Chiriaeff, son oncle Sergeïj travaillait déjà dans les milieux du cinéma
à cette époque et peut-être Alexandre s'est-il laissé tenter par l'écriture pour
ce milieu. L'oncle Sergeïj aurait été employé par la UFA[67], où il se serait lié
d'amitié avec Albert Göring, le plus jeune frère d'Hermann.

On ne connaît pas la date exacte des retrouvailles physiques d'Alexandre et de
Katerina mais, dans une déclaration faite au moment de la demande pour venir
rejoindre sa fille Ludmilla au Canada, Katerina écrit qu'en 1922, elle loge avec
son mari à Berlin, au 50 de la Rheinischstrasse, chez le docteur Plauer. Dans ses
mémoires, il est plutôt question d'un visa pour une rencontre à Riga. Auquel
cas, Alexandre aurait quitté Berlin peu après le 4 avril 1923, date à laquelle il
participe à une soirée littéraire sur le thème de la Russie organisée par l'Union
des étudiants nationalistes russes, à la Schubertsaal sur la Bülowstrasse[68].

Les Otzup avaient de la famille en Lettonie et, croyaient-ils, encore des propriétés. Qu'ils y soient allés en visite à cette époque est fort plausible, d'autant
qu'ils cherchaient un lieu où s'établir. Selon Ludmilla Chiriaeff, ses parents se
sont installés chez la tante de son père, Sonejka, qui avait épousé un psychiatre.
Sonejka et son mari tenaient une grande maison psychiatrique où ils traitaient
de nombreux enfants. « Et je suis née là-bas », de dire Ludmilla. Pourtant,
aucune trace de Ludmilla dans les archives lettones.

Riga, où les Otzup arrivent, est la capitale de la Lettonie et le plus grand centre
culturel des Balkans. Le « petit Paris », comme on la nomme, est construit au
bord du golfe de Riga, sur la mer Baltique, à l'embouchure de la Daugava, le
« Rhin de la Baltique ». Au Moyen-Âge, son port était un endroit important
d'où les marchands allemands régnaient sur le commerce entre la Russie et
l'Europe du Nord. Certains quartiers de la ville témoignent encore éloquem-
ment de cette période : la vieille ville, autour du château, les maisons étroites
et pointues, la tour poudrière, les vestiges des anciens remparts et les voix qui
parlent tantôt le russe, tantôt l'allemand mais aussi le yiddish – dans le ghetto
de la Dvina. C'est que depuis le XVIIIe siècle, l'Empire russe les y a confinés.
Passant d'une domination à l'autre, la Lettonie était au XIXe siècle l'un des
principaux centres industriels de l'Empire russe. Elle souffrira de la campagne
de russification d'Alexandre III et n'obtiendra le statut de République libre et
démocratique qu'en août 1920. Réabsorbée par l'URSS, au moment du pacte
germano-soviétique de 1939, la Lettonie retrouvera finalement son indépendance le 21 août 1991.

En 1922, lorsque les Otzup y arrivent, un nouveau régime est en place et la réforme agraire met fin à la domination des « barons baltes ». Les paysans deviennent alors propriétaires des domaines seigneuriaux et les terres de la parenté de Ludmilla sont confisquées. Pour la seconde fois, ils sont dépouillés de leurs propriétés. Le séjour des Otzup à Riga a donc été de courte durée.

Chapitre 8
Marakan

Peu de temps après leur retour de Riga, les parents de Ludmilla s'installent chez l'oncle Sergeïj, au 161 de la Berlinerstrasse, à Berlin, avec leurs filles et la nounou. Il s'agissait d'un très grand appartement où logeaient aussi l'oncle Michel et la grand-mère Elizaveta. Cette dernière prenait soin de Ludmilla et lui chantonnait des berceuses, ce qui agaçait Valia.

Alexandre était très heureux de l'arrivée de cette petite fille. Il l'a dit des milliers de fois à Ludmilla. Il le lui a écrit aussi, au printemps de 1947, alors qu'elle était en Suisse «[...] et voilà ta naissance qui a mené notre vie vers le meilleur[69]». Mais cette naissance a été difficile, de même que les semaines qui ont suivi. Alexandre était hospitalisé, pour un motif resté inconnu, et Katerina a dû l'être aussi, à la suite de complications après l'accouchement. Ils étaient dans deux cliniques différentes et «ta grand-mère Elizaveta se promenait d'un hôpital à l'autre, écrira Katerina. Je n'avais pas assez de lait et tu te mourais de faim. On a commencé à te donner la bouteille[70]. »

Ludmilla aurait été baptisée à l'église russe de Berlin le 9 octobre 1924. C'est du moins ce qu'atteste un document produit, en mars 1939, pour les besoins de la Gestapo, semble-t-il. Son parrain est l'oncle Sergeïj, et sa marraine, la nounou Frau Kapitan Anastasie Feodorowna Widjakina. Madame Chiriaeff dira que l'on camouflait des choses. Par peur. «Parfois, je disais que j'étais née à Berlin parce que Riga était devenue soviétique mais en même temps, devant les autorités d'occupation, je ne voulais pas passer pour être née à Berlin, donc, de peut-être être une Allemande...[71]» Pourtant, le certificat de son premier mariage, en 1945, désigne Berlin comme lieu de naissance, et mes démarches auprès du bureau de la présidente de la Lettonie à Riga ont confirmé qu'il n'y a pas d'entrées concernant Ludmilla dans les registres de l'état civil pour la période allant de 1921 à 1927. On m'a aussi assuré que les archives étaient en bon état[72]. D'ailleurs, la lettre de Katerina citée plus haut est sans équivoque : la grand-mère Elizaveta vivait chez l'oncle Sergeïj, à Berlin. Ludmilla est née à Berlin.

À l'automne de 1924, en Allemagne, la situation politique est instable. Sur le plan économique, la production mondiale est sur le point de retrouver ses niveaux d'avant-guerre et le coût des matières premières tend à se stabiliser. Selon Berberova, «[...] les années 1920-1930 étaient une période pleine de menaces. [...] L'Angleterre se désarmait, la France était incapable de faire passer ses décisions dans les actes, les nazis s'armaient après avoir annoncé au monde entier leurs intentions, mais on ne les entendait pas et on ne les croyait pas[73]». Pour plusieurs, jusqu'au krach de 1929, ces années n'ont été que les années folles.

Pour les Otzup, il fallait à nouveau organiser la vie : trouver une école pour Valia, un logement pour la famille et du travail pour Alexandre. Valia ira en classe dans une école russe, au 10 de la Nachodstrasse, que dirigeait un Allemand extrêmement dur avec les enfants. L'école jouxtait l'église que fréquentait la communauté russe orthodoxe de Berlin. C'était en fait un immense appartement situé pas tellement loin du grand magasin à rayons *Kafahaus des Westens* (KaDeWe), sur la Wittenbergplatz, à la sortie de la première ligne de métro. Ludmilla fréquentera plus tard le jardin d'enfants rattaché à cette école. Plus tard aussi, une institutrice franco-suisse viendra à la maison lui apprendre le français, que plusieurs Russes apprenaient avant l'allemand.

Alors qu'elle commence à se traîner, et que la famille habite encore chez l'oncle Sergeïj, Ludmilla couche avec ses parents, dans un grand lit à baldaquin. Elle se déplace tellement vite sur le lit que son père s'exclame, en tentant de la rattraper : ma petite *tarrakan* (coquerelle, en russe) ! Ludmilla, qui ne savait alors que deux ou trois mots, dont *mololko* (lait), n'arrivait pas à prononcer *tarrakan* et disait «marakan», «marakan», d'une voix claire et enjouée. Son père l'a dès lors surnommée ainsi, en alternance avec Mouchka (souris), que préférait sa mère. Mais pour la grand-mère, elle sera toujours Mouchinka, «ma petite souris». Vers la fin des années quarante, quand elle sera en Suisse et lui en Espagne, son père dessinera une souris en guise de signature au bas de certaines des lettres qu'il lui adressera.

Ludmilla parle avec beaucoup de chaleur de sa grand-mère Elizaveta. «Enfant, je me cachais dans ses jupes. Elle était bonne comme du pain chaud. Mais, en même temps, elle m'inquiétait un peu : souvent elle parlait à Paul, ce fils que les bolcheviks avaient tué devant elle au début de la révolution. C'étaient des mots que je ne saisissais pas, mais sa voix était une longue plainte que j'entends encore quand j'y pense. Le lamento de toutes les mères à qui l'on arrache un enfant. Elle avait les cheveux blancs et frottait toujours ses mains sur la jupe de sa longue robe noire.»

Les premiers souvenirs de Ludmilla remontent à l'époque où ils habitent chez l'oncle Sergeïj. Elle n'a guère plus que deux ans et demi, trois ans. «Je vois un très grand appartement, très sombre aussi. À côté de l'entrée, à droite, c'était le bureau de l'oncle Sergeïj ; ensuite, une immense pièce, probablement moitié salon et moitié salle à manger. C'est là que nous mangions. Il y avait de grands divans, des fauteuils, une table basse et un chat très très précieux, en porcelaine. Quand je passais devant le chat, j'avais toujours très peur et je faisais un grand détour pour ne pas le frôler. Il y avait un piano aussi, près d'une fenêtre qui formait le coin et donnait sur une cour intérieure. Il était droit. J'y vois ma sœur, assise, tout enveloppée de bandages, ses cheveux attachés en une grande natte. Elle tente de faire ses gammes. Elle récupère des fièvres rhumatismales. »

Les parents avaient envoyé Valia dans un couvent catholique de Belgique, avec d'autres jeunes filles russes, pour apprendre le français. « J'ai appris là-bas à très bien parler le français, écrira Valia, mais après un an et demi au couvent, j'ai attrapé les fièvres rhumatismales. Il n'y avait pas de chauffage dans ce couvent. On devait se lever pour faire la prière à six heures le matin, à genoux sur les dalles humides. Rentrée à la maison, j'ai été deux ans au lit avant de recommencer l'école[74]. » Valia réussira à se rattraper tant et si bien qu'elle entrera à la *technische Hochschule* (polytechnique) de Berlin au même âge que les autres. Elle voulait devenir une autre Madame Curie. Elle sera chimiste.

Les relations entre les deux sœurs ont toujours été difficiles. Ludmilla dira que Valia était jalouse d'elle parce qu'elle était le centre de tout. Mais il faut voir. Quand Ludmilla naît, Valia a dix ans. Il y a quatre ans qu'elle n'a pas vu son père et, quelques mois après qu'elle l'a retrouvé, on lui impose une petite sœur. Valia a traversé la révolution. Elle a assisté aux perquisitions, elle a vu les bombes tomber, les maisons s'écrouler, sa mère se faire charcuter pendant qu'elle, elle était terrée sous une table, morte de peur. Elle a vécu dans différentes cachettes pour ne pas se faire attraper par les Rouges ; elle a perdu son père, l'a retrouvé blessé, puis l'a de nouveau perdu avant de se retrouver en pays inconnu – dans un camp de réfugiés. Au moment où la famille semble se reformer, où elle aura enfin un peu d'attention, à nouveau elle n'existe plus. Et à nouveau il faut déménager.

Un temps, bébé Ludmilla est un peu comme une poupée pour Valia, mais quand elle rentre de Belgique, malade, Ludmilla devient son souffre-douleur. « Elle était déjà une pré-adolescente et tout le monde s'extasiait autour de moi. Elle était jalouse parce que papa m'adorait. Elle m'a fait sentir que je n'étais rien. Elle m'a ordonné d'être son page. Je me souviens que j'avais tellement besoin de lui plaire, je voulais tellement qu'elle m'aime que je marchais sur les genoux, derrière elle, pour la servir. » Ce besoin de plaire, d'être aimée, Ludmilla l'éprouvera toute sa vie. Il lui fera faire des gestes qui paraîtront impensables pour une femme si autonome, si déterminée.

Dans ce très grand appartement plutôt sombre de Berlinerstrasse, Ludmilla se souvient qu'il y avait une porte donnant accès à un long corridor menant aux chambres et ouvrant sur la cuisine, où une dame russe faisait à manger. Elle servait aussi de nounou aux enfants. Dans une pièce tout au fond, la grand-mère Elizaveta racontait la Russie; les légendes mais aussi son enfance, Petersburg, les palais, les tsars, la Néva, Tzarskoïe Selo... Ludmilla s'en est fait des rêves qui l'habiteront toute sa vie.

Lorsque l'oncle Sergeïj travaillait dans son bureau, il ne fallait pas faire de bruit. Cela était un supplice pour Ludmilla qui aimait bien courir avec son cousin. L'oncle Sergeïj recevait parfois des vedettes de cinéma, dont Marlene Dietrich, que Ludmilla s'amusera à imiter. Et Ludmilla de prendre la pause et de chantonner l'*Ange bleu* : « Elle était assise comme cela. J'avais sept ans et je chantais comme elle. » Chaque fois que quelqu'un viendra leur rendre visite, il faudra qu'elle fasse son numéro de danse et de chant à la Dietrich. Plus tard, l'oncle Sergeïj amènera Ludmilla dans les studios de la UFA où les éclairages, les caméras, les décors et les femmes à grands chapeaux l'impressionneront beaucoup. Chez l'oncle Sergeïj, on discutait de la plupart des grands films de l'époque dans le salon où trônait le chat de porcelaine qui faisait si peur à Ludmilla. Tania, la fille de Sergeïj, raconte : « Il y avait chez nous un flot constant d'écrivains, de poètes, d'artistes, de musiciens et d'acteurs – ces derniers provenant surtout du milieu du cinéma. Des écrivains comme Vladimir Nabokov (écrivait-il alors sous le nom de Sirine, je ne sais), des chanteurs comme Benjamino Gigli (qui avait coutume de chanter pour m'endormir), Fedor Chaliapine, qui a courtisé ma mère[75*]. »

C'est aussi dans cet appartement que Ludmilla a été très malade. Elle avait pris froid et ses bronches en sont restées fragiles. « J'étais vraiment très petite, mais j'ai des souvenirs de cela. On m'a mis des cataplasmes à la moutarde sur l'estomac. J'avais très mal. On chuchotait autour de moi. » Une autre fois, alors qu'elle souffre encore des bronches, on lui enfile des chaussettes dans lesquelles on a placé des tranches d'oignon. C'est un remède qu'elle appliquera à ses enfants dès qu'ils auront la bronchite.

En 1926, Choura est venue de Russie. Elle était en mission officielle pour chercher des instruments chirurgicaux. Mariée au docteur Kouraev, la sœur aînée de Katerina était déjà réputée comme chirurgienne. Assistante de la chaire de chirurgie depuis 1919, elle a plus tard participé à la création des départements d'orthopédie et de traumatologie de l'Institut de Dnieprpetrovski (Iekaterinoslav).

On sait, depuis, qu'Alexandra a été chirurgien général, qu'elle a dirigé la chaire de chirurgie infantile orthopédique et a publié soixante-dix ouvrages scientifiques, en plus de former des milliers d'étudiants. Elle habitait le petit appartement numéro 3, dans cet immense édifice qui a remplacé, au 17 de la rue Poljé, la maison de Katerina et d'Alexandre. Les bolcheviks l'avaient réquisitionnée pour en faire la maison des médecins. L'endroit s'appelle maintenant Général Julius Foutchik.

Alexandra aurait bien voulu rester en Allemagne, auprès de sa sœur, mais son mari et son fils étaient à Dnieprpetrovski et elle craignait pour leur vie si elle n'y retournait pas. À la gare Görlitz à Berlin, les deux sœurs s'embrassent, en sanglots – répétition d'une scène qu'elles ont déjà vécue il n'y a pas si longtemps quand Katerina fuyait l'avancée des Rouges. Elles ne se reverront pas. Jusqu'à la mort de Katerina, en 1962, les deux sœurs seront même sans nouvelles l'une de l'autre, sauf une fois, durant l'Occupation. Alexandra enverra un petit mot par un interprète russe-allemand. En guise de réponse, Katerina expédiera des objets pour sa sœur et des photos de la famille. Ces photos, Ludmilla les a reçues de son cousin, le fils d'Alexandra. Il restait à Ludmilla peu de temps à vivre; ces photos lui ont permis de reconstruire une partie de l'histoire de sa famille. De faire le lien, entre autres, entre la toile au mur du salon de la maison de ses parents, à Iekaterinoslav, et la description qu'on lui a souvent faite de son aïeule Aglaïa Radziwill.

Ludmilla parlait avec fascination de cette princesse si belle qui en était venue à vendre sa chevelure pour être capable de se payer à manger. Pour elle, Aglaïa était une femme exceptionnelle. Elle avait traversé les pires difficultés et subi de grandes violences pour suivre l'homme qu'elle aimait jusque dans l'exil.

Juste un peu avant la visite d'Alexandra Kouraeva, on a proposé à Alexandre un poste d'ingénieur à la Lena Gold Field. Alexandre a accepté, bien qu'il ait eu à l'époque une carte d'invalide émise par la ville de Berlin le 22 janvier 1926. Il a été deux ans au service de cette entreprise qui avait été concédée aux Britanniques par les Russes. Les bolcheviks ont ensuite révoqué la concession, saisi l'argent et nationalisé le tout. Alexandre s'est à nouveau retrouvé sans travail.

Il continuait toutefois à écrire et à publier et, d'aussi loin qu'elle se souvienne, Ludmilla réalise que cela a été fréquemment le sujet de discussions à la maison, les efforts et l'argent étant mis sur la publication à compte d'auteur plutôt que sur la recherche d'un emploi permanent. « Pour mon père, il était plus important d'avoir les murs recouverts de tableaux et de continuer à publier que d'avoir une bonne. Ma mère se fâchait mais rien n'y faisait. » Pour Katerina, un homme devait prendre ses responsabilités et s'occuper du bien-être de la famille plutôt que de passer son temps à écrire ou à dépenser l'argent pour éditer ses livres; on ne sait pas de quoi demain sera fait. Inutile de rappeler qu'avec l'enfance difficile qu'a connue Katerina, il était compréhensible qu'elle veuille d'abord assurer le bien-être matériel de la famille. Ludmilla dit avoir hérité de son père cet aspect de sa personnalité : elle sera toujours prête à consacrer d'immenses efforts à la beauté, la culture, l'art, le reste devant venir par surcroît.

Bien qu'elle fût en bas âge à l'époque, Ludmilla se souvient de discussions sur la nécessité de déménager, même si les trois étages de l'édifice où ils comptent s'installer ne sont pas terminés. C'est que la vie ne devait pas être facile pour tout ce monde dans cet appartement où vivaient deux familles, plus la grand-mère et aussi, par moments, l'oncle Michel, qui agissait comme assistant de l'oncle Sergeïj. « L'oncle Michel avait une tête ronde, des épaules tombantes, et quand il venait, je tombais malade. Il venait avec son perroquet. Je faisais de la fièvre, mais dès qu'il partait, j'étais bien. C'est très curieux : quand j'étais insécure, je commençais à avoir de la fièvre. » Il en sera souvent ainsi, par la suite.

Ils emménagent finalement au 41 de la Geisbergstrasse, au premier étage. Ils y seront jusqu'à l'été 1928. C'était une conciergerie comme il s'en construisait des milliers, à Berlin, à cette époque. Le prix des loyers était si élevé que les Allemands ordinaires ne pouvaient se les offrir. Les Otzup pouvaient encore le faire.

Ludmilla se souvient que c'étaient encore des champs autour et qu'il y avait, tout près, des jardins potagers où les Allemands cultivaient leurs légumes. « Chaque Allemand, enfin pas tous mais plusieurs, avait son petit terrain où il cultivait des pommes de terre, des choux, de la ciboulette. À la différence des jardins communautaires d'ici[76] qui sont loués, les Allemands achetaient une parcelle de terre qui était assez grande pour y installer une maisonnette, comme une remise. Ils pouvaient y manger et parfois y dormir. Ils y venaient le dimanche, pour y travailler un peu. Certains s'asseyaient devant la maison-nette et fumaient la pipe. » Ces *Schrebergärten* étaient habituellement de vingt mètres sur vingt et, durant les périodes de rationnement des années de guerre, la production qui en sera tirée constituera un bon supplément au menu. Cet espace menait jusqu'à un immense parc où Ludmilla patinait et faisait de la luge l'hiver – ce qu'on lui interdira dès que le ballet sera devenu plus sérieux. Il y avait aussi, dans ce parc, des glands et des châtaignes dont Ludmilla se faisait des colliers. Elle en ramassera pour cinq marks le gros sac ; les Allemands en nourrissaient les cochons.

Petite, elle faisait des promenades dans ce parc où elle lâchait des ballons que son père lui achetait. Elle jouait aussi. « Mais juste un peu. J'étais trop occupée avec les classes de ballet, de russe, de français. Je me souviens d'avoir dit à papa que je n'avais pas le temps de vivre. » Pourtant, dans cet appartement où la famille vient de s'installer, Ludmilla jouait à se faire sa propre maison, sous la table. Elle tirait son matelas, depuis sa chambre jusqu'à la salle à manger, et se faisait des cachettes. D'autres fois, elle jouait à la vendeuse. Elle disposait sa marchandise sur le rebord de la fenêtre. « J'avais du sucre, du sel, de la farine et des sacs. Maman m'avait même acheté une petite balance. Papa passait de temps en temps pour m'acheter quelque chose. »

Ludmilla retrouvait avec plaisir la grand-mère Elizaveta, pour aller au *Zentral Markt halle* acheter du poisson. Deux fois par semaine, sur la place devant la mairie, il y avait le marché. « On vendait les poules encore vivantes, les lapins, les poissons. C'était impressionnant pour l'enfant que j'étais : les gens, les sons, les couleurs, tout. À l'occasion, on trouvait aussi des pots, des tapis. À l'occasion, il y avait un photographe qui prenait des photos. Puis des manèges tout au bout de la Potsdamerstrasse. »

Ludmilla parle souvent des odeurs, des couleurs, des sons – comme si les sens étaient toujours en éveil. Son père chantait, lui racontait des histoires, lui demandait de nommer les insectes, de dire la couleur et la forme des feuilles des arbustes dans le parc, cherchait pour elle un vers de Rilke, de Verlaine ou de Shakespeare qui pouvait rendre une situation dont ils venaient d'être témoins lors de leur promenade. Ainsi, elle se rappelle l'odeur du pain, quand ils passaient le matin devant la boulangerie ; de même que de l'odeur du cuir que le cordonnier étalait devant sa mère. « Une fois par année, maman faisait faire les chaussures. Le cordonnier étalait le cuir, le lissait, le caressait puis montrait ses modèles. C'était un artisan. Un créateur. »

Ludmilla avait reçu de petites tortues en cadeau. Un jour qu'il lui manquait des vers séchés pour les nourrir, et que sa mère était sortie, elle leur avait donné les vitamines qu'elle prenait chaque matin et dont on lui disait qu'elles allaient l'aider à grandir. « Je les ai trouvées sur le dos. Pour me consoler, papa a tenté de m'expliquer que, comme pour l'oiseau mort quelques jours auparavant, elles s'étaient endormies. Mais quelque chose me disait que ce n'était pas ainsi que dormaient les tortues... C'est la première fois que j'ai compris que papa me mentait pour ne pas me faire de peine. Combien d'autre fois l'a-t-il fait ? » À cette question qui lui vient tout à coup, en cette fin d'après-midi où le soleil se couche sur la rivière des Prairies, ses yeux s'embuent et le bruit des ventilateurs emplit soudainement la pièce où elle me reçoit.

Alexandre travaillait à la maison, du moins Ludmilla ne se souvient pas de l'avoir vu partir au travail. Les gens venaient plutôt chez lui. Son père représentait à lui seul tous les amis qu'elle n'aurait pas. Dire que Ludmilla aimait son père est un euphémisme. Elle l'idolâtrait. Lui avait pour elle un amour dont les contours ne sont pas clairs. Un amour exclusif et si enveloppant qu'il n'y avait de place pour rien ni personne d'autre – rien, en tout cas, qui ne venait pas de lui.

Dans son livre, *Elle et moi*, Alexandre raconte :

> A côté du lit, quelque chose fait un peu de bruit et respire. C'est elle qui s'est faufilée jusque chez moi. Les jalousies sont fermées mais je peux voir qu'elle est debout, retenant de façon un peu grotesque son petit pyjama et faisant de la tête : je peux ? Maman ne permet pas qu'elle vienne mais je laisse faire. Cette demi-heure jusqu'à ce que les autres se réveillent... Et pendant que la maison commence à bouger, à travers les bruits de verres et des portes qui se referment, nous conspirons sous la couverture [...]. Mouchka a déjà six ans. Elle se réchauffe contre moi [...]. Je sens son petit cœur battre [...] Petit corps pour lequel ça vaut la peine de vivre encore un peu...[77]

À l'âge où les petites filles jouent à la poupée et s'amusent entre elles, Ludmilla fait la poupée pour son père et cherche dans son regard la permission, à elle accordée par un hochement de tête, un clignement de l'œil, d'aller encore plus loin. Ludmilla dira souvent : « Papa et moi, nous étions tellement complices. On avait une âme qui se comprenait. Maman a dû être épouvantée de ce que mon père faisait autour de moi. »

Quand il travaillait, elle se glissait jusqu'à son bureau et jouait avec les collections de pierres et de fossiles qu'il gardait dans de petits tiroirs, dans le bas d'un meuble en bois dont le haut faisait office de bibliothèque. C'est là qu'Alexandre gardait certains livres rares, dont un des premiers publiés par Luther, un exemplaire dédicacé de Aleksei Tolstoï, de la correspondance avec Tolstoï et Gorki. Il y avait aussi du Goethe, du Rainer Maria Rilke, du Pouchkine, du Bounine, parfois empilés sur l'immense table ronde qui trônait au centre de la pièce. Les murs étaient couverts de tableaux dont certains avaient été récupérés de Russie.

Dans l'après-midi, ils allaient faire une marche jusqu'à la Bayerischerplatz. Ils retrouvaient là des visages familiers. Ils s'asseyaient sur les bancs qui entouraient le tronc des arbres et s'amusaient à deviner la profession des passants, par la physionomie ou le vêtement. « Je me souviens de la fois où papa a fait "Herr doctor" et que c'était vraiment un médecin. Il m'avait tellement épatée. » En russe, il y a deux mots pour « visage » : le physique se dit *litzo* et la radiation qui émane d'un visage, comme dans les icônes, se dit *lick*. « Toute petite, dira Ludmilla, mon père m'a appris à voir le *lick* dans le *litzo*. »

Ils s'étaient fait un ami : un mendiant à tête chauve, très bronzé par le soleil, qui souriait toujours et dont on pouvait vérifier la présence depuis une fenêtre de l'appartement. Il se tenait de l'autre côté, contre le mur de la maison d'en face, là où les petits carrés de jardin finissaient. Certains jours, quand il faisait gris ou qu'il pleuvait, Ludmilla raconte qu'elle allait une première fois avec son père donner un petit quelque chose et que, plus tard dans la journée, alors qu'on l'avait changée de robe, elle descendait donner un autre sou. « Cela dérangeait un certain membre de la famille, très riche, qui cachait son argent dans les paillassons, mais papa me disait : il vaut mieux que tu sois l'imbécile parce que tu as cru à la pauvreté de quelqu'un que de ne pas donner à une personne qui a faim. Comment est-ce que tu vas le déterminer ? Tu ne le sais pas. Alors, tu donnes avec ton cœur. » Ludmilla dira qu'il ne faut pas voir du mal partout, que ses problèmes viennent souvent du fait qu'elle ne veut pas envisager que le mal existe, et que « je ne pourrais pas vivre tout le temps sur la pointe des pieds, sans faire confiance ». Cette attitude face à la vie lui vient de son père.

Les Otzup n'habitaient pas loin de l'école russe, mais il fallait tout de même prendre le tramway pour s'y rendre, de même qu'à l'école de ballet. C'était le tramway numéro 7. Parfois, son père trichait et prenait un taxi pour l'y conduire. Alors, il avait développé un jeu pour que Ludmilla ne vende pas la mèche, autrement sa mère aurait disputé. « C'était une conspiration épouvantable. Tout le long du trajet, nous faisions des additions, des soustractions, des divisions pour arriver au chiffre 7. Comme ça, on pouvait dire qu'on était allés au ballet avec le numéro 7. »

Près de la conciergerie où logeaient les Otzup, s'alignaient la boulangerie, l'épicerie et la cordonnerie où la mère de Ludmilla commandait ses chaussures. Plus loin, la rue débouchait sur la grande place avec la mairie, le marché et la poissonnerie de la grand-mère Elizaveta. Si l'on continuait encore un peu, c'était l'école de ballet et la petite église russe. Et pas loin, la station de métro. Plus tard, quand elle rentrerait de l'école, c'est assis sur un banc, près de la bouche de métro, à deux stations du théâtre, que son père l'attendrait. Pendant la guerre, c'est dans une de ces bouches de métro qu'elle cherchera son *atik* après un bombardement particulièrement violent. Ludmilla appelait son père *atik*. Elle est bien en peine de dire d'où vient ce mot, sinon peut-être qu'en allemand « petit-père » se dit *fati* et qu'elle peut avoir laissé tomber le *f* et ajouté le *k* pour faire plus russe.

À l'été 1928, les Otzup-Gorny déménagent de nouveau. Selon les informations fournies par Katerina, leur adresse est alors le 7, Badenschestrasse, au quatrième étage. Ils sont parmi les premiers occupants de cet immeuble et Ludmilla dit se souvenir d'y avoir vécu ses premières réalités politiques. « Un jour, on a sonné à la porte, raconte-t-elle. Un gros monsieur jovial avec une femme d'une grande beauté demandaient s'ils pouvaient visiter notre appartement. Ils voulaient louer au-dessus du nôtre. Ils ont visité, nous ont remercié et sont repartis pour emménager quelque temps plus tard. Le gros monsieur, c'était Hermann Göring[78]. »

Dans l'appartement des Otzup, Ludmilla occupait la chambre tout au bout. « En face, une salle de bain et le petit corridor qui reliait ma chambre et celle de mes parents. Au bout du corridor en forme de L, il y avait une arche avec une petite porte qui séparait la salle à manger du cabinet de travail de papa qui était à l'avant, à côté du boudoir de maman, qui donnait sur le salon. Et il y avait la petite cuisine, la chambre de ma sœur et une petite chambre de bonne qui donnait sur l'escalier de service, par lequel arrivaient chaque matin les livraisons de pain et de lait. Du moins, avant la guerre.» Ludmilla utilise souvent l'adjectif «petit» dans sa conversation, mais il n'y avait rien de si «petit» dans cet appartement, que sa famille habitera longtemps. L'immeuble disposait d'une conciergerie à l'entrée et d'un garage au sous-sol, d'où les invités du bientôt célèbre locataire du dessus pouvaient prendre l'ascenseur sans se faire trop remarquer.

«On a commencé à recevoir des pierres qui finalement cassaient les vitres. Les pierres, c'étaient les communistes qui les lançaient. Et le gros monsieur du dessus, c'était Hermann Göring.» La mère de Ludmilla ne rapporte pas l'incident des vitres brisées dans ses mémoires, mais il est exact qu'Hermann Göring a habité à cet endroit, un appartement au décor rose et blanc. David Irving, un de ses biographes[79], parle de cette époque et de cet endroit. Il écrit que Carin, la comtesse suédoise von Fock, épouse de Göring, précise dans une de ses lettres que «Hermann venait de recevoir le premier versement ainsi que trois mille quatre cents Reichsmarks dont il avait besoin pour retenir un appartement encore plus grand situé dans un immeuble neuf, au 7, Badenschestrasse, dans le quartier chic de Schöneberg, à Berlin». Selon Irving, le couple Göring aurait vécu dans cet appartement de novembre 1928 jusqu'au décès de Carin, à la fin de l'été 1931. Ludmilla était beaucoup trop jeune pour savoir qui était Hermann Göring, sinon qu'il était le frère d'Albert, celui que les Otzup appelaient Bertl. Les Allemands non plus ne savaient pas grand-chose de lui à cette époque.

Hermann Wilhelm Göring est né en Bavière le 12 janvier 1893. Il était l'avant-dernier enfant du second mariage de sa mère. Celui qui dira que sa «conscience s'appelle Adolf Hitler[80]» est le père de la Gestapo. Bien qu'il soit aussi à l'origine des camps de concentration, il aurait sauvé des Juifs qui lui auraient rendu service. Ancien de l'escadrille Richthofen, durant la Première Guerre mondiale, Göring a été ensuite consultant pour Lufthansa, à Berlin, avant de devenir président du Conseil prussien, ministre du Reich, puis président du Reichstag.

Corpulent, cynique et immoral de nature, ce morphinomane aux yeux bleu acier expédiait ses rabatteurs dans toute l'Europe pour s'emparer des collections d'œuvres d'art des Juifs. Le Reichsmarshal Göring avait le goût du luxe et la folie des grandeurs. Devenu numéro deux du Reich, il entassait ses trésors à Karin Hall, la résidence qu'il avait fait ériger en mémoire de sa première femme. Il y recevait ses invités dans des tenues pour le moins surprenantes et se laissait faire la bise par ses lions qui circulaient librement. On raconte qu'il avait coutume de remuer dans de grandes coupes des diamants et des émeraudes qu'il laissait ensuite couler entre ses doigts soigneusement manucurés ou, alors, qu'il portait la main à sa poche de veston et en faisait sauter les pierres précieuses comme d'autres, de la menue monnaie.

Populaire auprès de l'armée et des Berlinois, l'entourage du führer est moins enthousiaste à son égard, surtout à partir de la fin de 1943 alors que Hitler interviendra de plus en plus souvent dans la Luftwaffe, chasse gardée de Göring. Fait prisonnier par les Américains le 7 mai 1945, il sera jugé à Nuremberg. Le 15 août 1946, à quelques heures de sa pendaison, Hermann Göring absorbera le contenu d'une des trois ampoules de cyanure qu'il avait cachées dans ses bagages lors de son arrestation.

Olga, une des sœurs d'Hermann, et leur frère cadet, Albert, joueront un rôle déterminant dans le destin de Ludmilla et de sa famille.

Chapitre 9
L'enfance

Lorsqu'elle était petite, Ludmilla improvisait des danses dès qu'il y avait de la musique. Alors, un jour, ses parents l'ont amenée à l'école de Madame Alexandra Adrianovna Nicolajeva. Elle avait six ans et demi, sept ans. Sa sœur Valia, elle, allait chez Eugénia Edouardova, diplômée de l'école de ballet de Petersburg. Edouardova avait dansé, jusqu'en 1917, au théâtre Mariinski, où elle était une des meilleures danseuses de demi-caractère[81].

Avant de prendre des leçons chez Madame Nicolajeva, Ludmilla avait pris des classes d'eurythmique. Cette méthode tendait vers l'harmonisation de tout ce que le corps peut exprimer. «On chantait et on émettait des ah ah ah en marchant avec des tambourins et on frappait des mains. Chez Nicolajeva, c'était autre chose.» Alexandra Adrianovna Nicolajeva avait son studio dans la conciergerie qu'elle habitait. Il serait plus juste de dire qu'elle habitait son studio. Un rideau, devant des portes vitrées, assurait l'intimité des pièces de l'appartement où la maîtresse de ballet vivait. C'est aussi là qu'elle permettait aux élèves de se changer. On passait ensuite les portes coulissantes, on écartait le rideau et l'on se trouvait face à Madame Nicolajeva. Elle était petite et tassée sur sa chaise, près du piano. Il y avait la barre fixe le long du mur du fond, puis une barre portative et des bancs. C'est au centre de la pièce que les élèves – cinq ou six – dansaient.

Pour ses cours, Ludmilla portait un corsage et une jupe courte plissée que la couturière lui avait confectionnés. Avec des bas longs. «J'avais une ceinture avec des jarretelles et ça tenait souvent avec une épingle de sûreté. On était peut-être cinq enfants et on faisait face à la barre pour prendre les positions de ballet. Les exercices à la barre étaient toujours les mêmes. Cela devenait une routine.»

Ludmilla travaillera peu de temps avec Madame Nicolajeva, mais la petite dame, toujours assise, lui laissera un souvenir impérissable. Cette façon qu'elle avait de dire « a-ra-bes-que » et le mouvement de la main accompagnant la modu-lation de la voix portaient tout le secret de la technique. « Sans se lever, elle faisait : " Il faut marcher, marcher, faire l'a-ra-bes-que. Tenir très fort, pencher légèrement et aller plus loin avec le bras en équilibre et la jambe en arrière... et on plie ça. " Madame Nicolajeva respirait fort et elle faisait " Ahhhhhhh ", en allongeant le bras. Je me sentais le corps partir vers l'infini. » Et pendant que Ludmilla m'explique, assise sur le bord de sa chaise, le professeur en elle prend le dessus – elle fait Ahhhhhhh, allonge le bras avec toute la grâce qu'on lui a connue, et l'on peut deviner les pieds qui prennent position et le mouvement qui un moment lui rend le souffle après lequel elle court de plus en plus.

Quand Madame Nicolajeva n'a plus été capable de donner ses cours, c'est Seda Nercessian (Zaré) qui l'a remplacée, après avoir obtenu un permis d'enseigne-ment à Berlin. De 1938 jusqu'à son arrivée au Canada, en 1950, Seda Nercessian donnera des cours, organisera des spectacles, se produira en solo ou avec d'autres danseurs.

Par ailleurs, Xenia, la fille d'Alexandra Adrianovna Nicolajeva, avait épousé Edouard Borovansky, un danseur tchèque qui faisait partie des Ballets russes du colonel de Basil. Un jour que la troupe était de passage à la Scala de Berlin, Edouard amène le maître de ballet à l'école, pour que le colonel les voie danser. De Basil retient un groupe d'élèves pour danser les monstres du grand monstre qui allait ensorceler l'Oiseau de feu. « Et il m'est arrivé quelque chose d'horrible, dira Ludmilla. Je faisais un monstre et je devais tenir la cape du grand monstre. Ce dernier m'a dit en russe : tu ne lâches jamais. Et je n'ai pas lâché. Mais comme il a fait une pirouette, j'ai volé autour de lui et il s'est écrasé par terre. Il était furieux dans les coulisses. J'ai vite dit en russe : vous aviez dit de ne pas lâcher ! » Cette représentation a dû avoir lieu au début des années trente, alors que les Ballets russes se produisaient à la Scala de Berlin. La Scala était alors le prototype inégalé du théâtre de variétés sophistiqué. Ludmilla dansera aussi dans *L'Oiseau de feu* et *Coq d'Or*, selon une lettre de Xenia Borovansky[82].

Non seulement c'était la première fois que Ludmilla participait à un spectacle, mais c'était aussi la première fois qu'elle en voyait un dans un grand théâtre. Elle avait bien dansé au bal du Nouvel An russe et dans de petits spectacles de la communauté russe, mais elle n'était jamais allée au Ballet ni à l'Opéra. Selon les mémoires de sa mère[83], « durant les années 1920-1925, le ballet n'était pas très à l'honneur en Allemagne. Il avait fallu les critiques enthousiastes qui avaient suivi le passage d'Anna Pavlova et de Nijinski pour que les écoles de danse et de ballet s'ouvrent à Berlin. »

Anna Pavlova avait fait ses début à dix-huit ans, au Théâtre impérial de Petersburg. Une des premières partenaires de Nijinski, elle se produisit avec les Ballets russes et créa à Paris et à Londres les œuvres que Michel Fokine composait pour elle. On se souvient surtout de Pavlova dansant le Cygne, sur la musique du *Carnaval des animaux* de Saint-Saëns. La première a eu lieu en 1905, lors d'une soirée de gala à Petersburg, et cette soirée à elle seule a consacré Pavlova. Le lyrisme et la légèreté de son interprétation ont fait d'elle **le** cygne. Elle quittera le théâtre Mariinski en 1913, pour se fixer à Londres où elle dirigera une compagnie dès l'année suivante.

Si Pavlova était **le** cygne, « Nijinski n'était jamais Nijinski qui dansait le *Spectre de la rose*, dira souvent Madame Chiriaeff, il était **la** rose ». La carrière de Nijinski commence aussi à Petersburg, au théâtre Mariinski. Célébré comme le plus grand danseur de son époque, le « dieu de la danse », comme on le surnommait, entretenait une relation amoureuse avec Serge de Diaghilev, dont il était l'amant. Étoile des Ballets russes, chorégraphe de *L'Après-midi d'un faune* et du *Sacre du printemps*, ses bonds sont restés célèbres. C'était un génie de la danse. Serge de Diaghilev ne s'était pas trompé en en faisant l'étoile des Ballets russes qu'il avait fondés.

Après son mariage avec Romola de Pulszky et sa rupture avec de Diaghilev, Nijinski glisse vers la folie. Il se produit encore ici et là, dont une dernière fois à Saint-Moritz en 1919. Malgré sa folie, il travaillera à un système de notation de la danse, imaginant de nouvelles chorégraphies et dessinant beaucoup.

Les parents de Serge de Diaghilev destinaient leur fils à une carrière d'avocat. Quand ils l'installent à Petersburg, tout y retient son attention sauf le droit. Serge fonde *Mir Iskousstva* (le Monde de l'art) qu'il dirige avec Alexandre Benois, costumier et décorateur. La publication de ce magazine, financée par la princesse Maria Tenisheva, cesse en 1904. Son aventure avec Nijinski entraîne sa disgrâce du théâtre impérial où il était chargé des publications.

À partir de cette époque, celui que l'on surnomme Chinchilla organisera des spectacles et des expositions à Paris, dans le but de faire connaître l'art russe. Bientôt, il greffera une troupe de ballet aux tournées de l'Opéra. Ainsi naîtront les Ballets russes. La première fois qu'il les amène à Paris, les journalistes annoncent « l'arrivée des barbares. [...] Personne n'avait présagé le coup de foudre [...] L'apparition de talents exceptionnels : Nijinski, le danseur prodige, Chaliapine aux accents de tonnerre, Pavlova, avec ses inimitables pas de deux...[84] ».

Serge de Diaghilev mettait la peinture, la musique, les costumes et les décors au service de la chorégraphie. C'est ce que Ludmilla tentera de faire au Québec, en mettant tous les arts au service de la danse. Une façon pour elle de réaliser le rêve des symbolistes russes.

Serge de Diaghilev était aussi un entrepreneur, un organisateur, un impresario. Il savait reconnaître le talent quand il le côtoyait, tout comme il était conscient de sa propre valeur. Il a révélé Serge Lifar, Igor Stravinski, Igor Markevitch... Sur la musique de Stravinski, Michel Fokine a chorégraphié *L'Oiseau de feu* et *Petrouchka.*

Il arrivait que le chorégraphe Michel Fokine descende chez les Otzup quand il venait à Berlin. Comme c'était le cas chaque fois qu'une « visite » restait à coucher, Ludmilla cédait sa chambre. Cette chambre, dont les murs étaient tapissés de papier peint, était meublée d'un secrétaire avec une chaise, d'une penderie et d'un lit recouvert d'une peau d'ours gris. Un soir, donc, que Michel Fokine est resté à coucher et qu'il s'est retiré pour la nuit, Ludmilla quitte le divan de la chambre de bonne qui lui sert temporairement de lit et va voir par le trou de la serrure ce que « l'oncle Michel » fait dans **sa** chambre. « Il était assis avec quelque chose d'immense sur les genoux – immense à mes yeux d'enfant. Comme un petit podium avec un carton surélevé et des coulisses. C'était une maquette de scène vide sur laquelle il piquait des figurines blanches. »

Fascinée par ce qu'elle voyait, Ludmilla a dû faire du bruit sans s'en rendre compte. La porte s'est ouverte et elle n'a pas eu le temps de fuir. Fokine se trouvait là, devant elle, enveloppé dans une magnifique robe de chambre.

« Que faisais-tu là ?
— Je voulais savoir ce que tu faisais dans **ma** chambre. »

Et Fokine de la faire entrer et de lui montrer comment il déplaçait les figurines sur la maquette. C'était sa façon de dessiner le parcours des danseurs. « Dans mon souvenir, c'était presque géométrique. »

C'est le premier contact de Ludmilla avec la chorégraphie. Cette rencontre avec Fokine est confirmée dans une lettre, datée du 26 mars 1947, que Katerina, la mère de Ludmilla, écrit à son « adorable Mouchinka », en Suisse. Elle lui dit son bonheur de la savoir à nouveau sur scène, en soliste, et elle ajoute : « Maintenant se sont confirmés tous les mots de Fokine qui t'a écrit ces belles paroles, dans le cahier rouge, pour que tu danses sans fin[85]. »

Gradué de l'école de ballet du théâtre Mariinski, danseur et chorégraphe, Fokine est aussi un théoricien du ballet moderne. Sa manière de concevoir la danse rompt avec ce que Marius Petipa[86] avait imposé. Il veut réformer le ballet. Pour Fokine, chaque ballet commande sa technique, son style, sa musique, sa cohérence dramatique, une époque à réinterpréter et non des conventions à appliquer mécaniquement. « *Fokine [...] really invented the ensemble in ballet. Fokine took a small ensemble and designed interesting strange things for it*[87]. » Grand professeur, mais pas vraiment grand danseur, il est le premier partenaire d'Anna Pavlova. Il fera école pendant une vingtaine d'années, jusqu'à la mort de l'impresario de Diaghilev, en 1929. Il travaillera ensuite pour les Ballets suédois, et Rolf de Maré. En trente-sept ans, il a chorégraphié plus de quatre-vingts ballets, mais on se souvient surtout de *Prince Igor, L'Oiseau de feu, Petrouchka, Le Spectre de la rose, Les Sylphides*; ce dernier ballet, aussi connu sous le nom de *Chopiniana,* aurait été dansé la première fois à Kislovodsk, à l'été 1917. Michel et Vera Fokine y auraient dansé le pas de deux devant l'élite de Moscou et de Petersburg qui, malgré la Révolution, passait l'été dans cette ville d'eau du Caucase[88].

Durant toutes ces années d'enfance, Ludmilla fut entourée de Russes perpétuant une certaine vision de la Russie. Son père recevait souvent des membres de l'intelligentsia et des artistes ayant fui comme lui la Sainte Russie. C'était alors des après-midi et des soirées à réciter des poèmes ou à discourir sur les nouvelles tendances philosophiques ou politiques. Une odeur de tabac flottait dans l'air et une légère fumée effleurait les icônes et les tableaux recouvrant les murs du salon-bureau d'Alexandre-Sergeï. Katerina apportait des gâteaux, et le sifflement du samovar ramenait tout ce monde à Petersburg. Alors, Ludmilla se blottissait contre la jambe de son père et n'avait pas assez d'yeux ni d'oreilles pour suivre tout ce qui se passait. Parfois, elle distribuait des cigarettes. « Mon père avait une boîte dans laquelle il y avait des cigarettes russes. Elle était noire, laquée comme les objets chinois, avec un oiseau en métal dessus. Si quelqu'un voulait fumer, j'apportais la boîte. Il y avait un bouton sur lequel j'appuyais et la boîte s'ouvrait. L'oiseau ouvrait le bec et tombait toujours sur la bonne cigarette. Cela me fascinait de voir l'oiseau toujours prendre la bonne cigarette. »

Chez les Otzup, l'on fêtait la nouvelle année avec le champagne, les chapeaux sur la tête et les pétards que l'on allumait sur le balcon. « Mais Noël surtout était un événement, avec un vrai arbre et de vraies bougies que l'on allumait juste avant que l'on commence à chanter. Des guirlandes en papier étaient accrochées dans le salon et des biscuits avec une pomme et une orange étaient retenus dans un filet. Ça, c'était le Noël de tout le monde, le Noël des cadeaux. L'odeur de l'arbre sous la chaleur des bougies... ça sentait dans toute la maison. On chantait *Stille Nacht* et *O Tannenbaum* et on se préparait pour attendre le Noël russe. Ç'a été longtemps mon problème... pourquoi est-ce que je ne suis pas comme les autres ? Pourquoi est-ce que je n'ai pas de patrie ? Pourquoi est-ce que je suis une étrangère ? On a terriblement envie d'appartenir... Mais, à cette époque, la question était plutôt : pourquoi est-ce que nous, c'est saint Nicolas qui remplit notre chaussure de friandises ? »

Dès son entrée à l'école, les journées de Ludmilla ont été bien remplies. Il y avait les classes de huit heures du matin à une heure de l'après-midi, même le samedi. En rentrant, elle prenait une collation et de là, vite, elle allait au ballet trois fois par semaine et, deux fois par semaine, au cours de piano. Une dame suisse venait aussi deux fois par semaine pour les cours de français; dans l'aristocratie et la haute bourgeoisie russes, le français était la deuxième langue parlée. Il y avait en plus les cours de chant et d'art dramatique, mais ceux-là semblent plus intégrés à la formation générale, comme d'ailleurs les exercices de gymnastique deux fois par semaine, le midi.

Pour Ludmilla, aller à l'école est une occupation qui la prive de ce qui se passe d'intéressant à la maison, c'est-à-dire des échanges avec son père et les visiteurs qui viennent nombreux, jusque vers le milieu des années trente. Ce qu'elle voulait par-dessus tout, c'était garder l'attention de son père et être à la hauteur des aspirations de ce dernier. « J'ai perçu comme un devoir d'être à la hauteur. »

Ludmilla a fait tôt l'apprentissage de l'écriture avec son père. Pour s'exercer, elle écrivait des lettres à sa grand-mère, avec l'aide d'Alexandre. Selon ce dernier, Ludmilla avait une écriture avec de grandes lettres qui glissaient un peu de travers, tantôt se gonflaient, tantôt s'écartaient pour se ramasser à la fin de la phrase ou de la ligne et un tout petit peu en descendant. Un jour que son père avait voulu éponger l'encre alors que Ludmilla tenait encore fièrement la feuille dans ses mains, le buvard avait glissé sur les lettres qui s'étaient embrouillées. Le regard qu'elle lui avait fait alors! « Babouchka ne comprendra pas! Tu as barbouillé le **t**. »

Ludmilla est offensée et, chez elle, l'offense se loge toujours dans la gorge, selon son père. « C'est comme cela que les sanglots se ramassent, plus tard, dans la vie [...] Elle se fait pitié à elle-même et les larmes se ramassent sur le bout du nez et se logent là...[89] »

L'offense est tellement grande et la blessure si intolérable que rien de ce que son père offrira comme solution ne trouvera grâce aux yeux de Ludmilla. Elle demeurera de glace, le regard au loin, évitant de rencontrer les yeux de son père. « C'est la future femme qui donne des ordres après avoir été piquée ou blessée. Elle a tout à coup des gestes de reine [...] Elle écarte la feuille avec une indifférence et un sang-froid dont certains acteurs pourraient être jaloux. Non. Laisse comme cela[90]. » Et elle quitte la pièce, sans se retourner, légèrement plus vite que d'habitude, laissant son père seul avec son crime : la lettre à babouchka dont il a massacré le **t** si amoureusement tracé.

Alexandre avait développé avec sa fille une relation très intense. Marakan était son élève, sa confidente, son auditoire. Il lui faisait découvrir les arts, il lui apprenait à observer les êtres et les choses, il l'intégrait à sa vie de grande personne. Mais, en même temps, il la surprotégeait, érigeant entre elle et le monde réel un monde d'enchantement qui lui laissera un petit côté naïf. Ludmilla n'avait pas d'amis de son âge, mais la complicité avec son père l'occupait beaucoup, lui suffisait, la comblait même. « Je ressentais ce bonheur d'être. C'était relié à beaucoup de tendresse, à la richesse de la découverte des odeurs : hum, ça sent le lilas ; des couleurs : que ce jaune est riche ; des sons : écoute comme cette voix est mélodieuse. » La relation avec son père est exclusive ; personne d'autre n'y a sa place.

Une ou deux fois par année, les Otzup s'installaient à Swinemünde, pas loin de Ahlbeck, dans des pensions de famille qu'ils préféraient aux hôtels. Swinemünde était aussi près de Stettiner Haff, sur les bords de la Baltique, entre l'Allemagne et la Pologne. Ils y venaient en famille, c'est-à-dire aussi avec la bonne. Un jour que son père se préparait à partir, Ludmilla lui dit :

« Tu pars ? » Tu es venu à la campagne juste pour un jour et tu pars déjà ?
— Oui. Il faut que je parte gagner la vie, gagner des pfennings.
— Mais pourquoi tante Nastia (la nounou de Ludmilla) ne peut pas aller à ta place ? Tu resteras au bord de la mer avec moi et elle ira travailler.
— Mais les dames ne peuvent pas aller travailller à la place des messieurs.
— Seulement les messieurs peuvent gagner la vie ?
— Mais oui, seulement les messieurs. »

Ludmilla s'est éloignée, s'est assise et a un peu joué avec le sable.

« Je sais. Je sais ce qu'on peut faire pour que tu restes. Nastia n'a qu'à mettre des pantalons. Tout le monde pensera qu'elle est un monsieur. Elle ira travailler à ta place et toi, tu resteras avec moi[91]. »

Les matins, Ludmilla les passait alors avec sa mère. Vêtue d'un kimono qu'elle portait sur un pantalon noir, Katerina allait pieds nus, une ombrelle la protégeant du soleil à toute heure du jour. Elles allaient tôt sur la plage, avant le petit déjeuner, ramasser des coquillages et des pierres qui offraient un attrait particulier. Ludmilla cherchait toujours la pièce rare qu'elle pourrait ajouter à la collection de son père. La mer, dans cette région du monde, rejette souvent de l'ambre et il arrive que, dans certaines pièces, une bestiole, mouche ou araignée, soit emprisonnée. « Une fois, mon cœur s'est arrêté de battre tellement j'étais contente. Je croyais avoir trouvé **la** bibite pétrifiée, enfermée dans la pierre… Revenue à la maison, je vidais des boîtes d'allumettes dans lesquelles je collais mes pierres avec une "sauce" faite de farine et d'eau. C'était pour plaire à papa. Évidemment. » Bien que les « bibites » pétrifiées fussent toutes plus ordinaires les unes que les autres, Alexandre ne les rangeait pas moins dans ses tiroirs.

Alexandre n'aimait pas la plage. Il lui arrivait d'y aller, mais il préférait se promener et flâner sur la place ou au marché. Un jour que Ludmilla refusait d'aller au marché avec lui, parce que ça sentait trop le poisson, il l'a giflée. Le soir, « j'ai reçu tout ce que je voulais tellement il se sentait coupable ».

Après la plage, sa mère la lavait, la frottait avec de la crème et l'habillait. Comme une poupée. Elles allaient ensuite marcher dans les jardins de fleurs puis se rendaient manger. « C'était dehors et j'étais toujours triste parce que les oiseaux se cognaient contre les grandes fenêtres de l'hôtel. »

Dans ce livre, dont un extrait est cité plus haut, Alexandre relate certains de ces moments à la plage et se demande d'où sa fille tient ce qu'elle semble faire d'instinct :

> Voilà ce qu'il y a. Sa grand-mère est une Radziwill de naissance. [...] Il n'y a pas si longtemps, nous étions au bord de la mer. [...] Mouchka avait imaginé le jeu et elle donnait les ordres [...]. Pourquoi, assise sur un trône, il y avait dans les gestes de Mouchka une assurance et de la grandeur – comme si elle avait déjà tenu ce rôle des centaines de fois auparavant ? [...]
>
> Je fermai les yeux quelques secondes et je voyais tout. Sa grand-maman, et encore plus loin, le fauteuil qui ressemblait à un trône ; les tentures lourdes entourant les fenêtres d'un immense château à Varsovie [...][92].

Dans *Elle et moi*, publié en 1933, Alexandre confirme les « origines princières » de Madame Chiriaeff. Au moment de son mariage avec Katerina, Aglaïa, la « princesse déchue », vivait encore. De même que bien des témoins de son ancienne grandeur. Il faut donc tenir pour certaine l'ascendance Radziwill de Katerina.

Petite, Ludmilla avait toujours des rhumes et sa mère craignait pour les poumons de sa fille. Elle lui interdisait de manger de la crème glacée ou toute chose sortant d'une glacière. En plus, Katerina s'assurait que Ludmilla avait sa ration quotidienne de vitamines. Le matin, elle lui préparait une purée de pommes crues additionnée de jus de citron qu'elle devait prendre avant le jus d'orange et le gruau. Régulièrement, le gruau était remplacé par un œuf. « J'étais toujours anémique, alors maman me préparait du foie de veau rapé (haché) avec des oignons. Je devais manger cela cru, en tartinade, sur du pain beurré. »

Avant l'entrée au gymnasium, Ludmilla a souffert d'une appendicite. Lors de l'opération, Alexandre eut peur de perdre sa fille. Tellement qu'une vingtaine d'années plus tard, alors qu'elle est en Suisse et que quelque chose lui dit qu'il ne la reverra plus, il lui écrit ceci :

> Le professeur Roudneff t'a préparée, on t'a roulée devant moi dans le corridor vers la salle d'opération. On t'a endormie à l'éther. Un visage rouge, rouge, rouge, comme enflé. C'était désagréable à voir. Il s'est finalement passé cinquante minutes et tu ne sortais toujours pas de la salle d'opération. J'étais face à la fenêtre et je pensais très sérieuse- ment : si Roudneff l'a massacrée, il faudra m'élancer de cette fenêtre

du corridor du quatrième étage et me laisser choir dans la rue. Mais tu es revenue à la vie[93].

Quelques jours avant l'opération, Ludmilla était très fiévreuse et il avait fallu l'emmener rapidement à cette clinique sur Bayerischerplatz. Une semaine plus tard, son père est venu la prendre en taxi pour la ramener à la maison. Il lui apportait une robe qu'il avait achetée chez KaDeWe. C'était la première fois qu'elle portait quelque chose qui n'était pas fait à la maison, par la couturière qui venait toutes les semaines. «On rentre à la maison dans cette robe que papa m'a achetée et maman s'écrie : "Ah! Quelle honte, notre fille fagotée comme une femme de chambre! Quelle horreur!" Papa est devenu furieux; moi, j'ai pleuré parce que je voulais garder cette horreur et, finalement, j'ai gagné. J'étais très fière de cette horreur. Évidemment : elle venait de papa.»

Alexandre aidait Ludmilla à faire ses devoirs. En fait, il les faisait et elle les recopiait. «J'arrivais pas. L'école était moins difficile qu'ennuyante parce que, de toute évidence, j'étais ailleurs.» Et ça n'avait pas l'air important pour son père que Ludmilla termine le gymnasium et fasse de longues études universitaires. Alors que Valia, sa sœur aînée, deviendra une scientifique, Ludmilla n'obtiendra pas de diplôme. «J'ai longtemps eu un complexe : ma sœur était instruite et je ne l'étais pas. Mon père m'avait retirée tôt de l'école pour me permettre de danser. Il me disait que ce n'était pas grave si je ne savais pas si c'était le Nil ou la Neva qui coulait à Petersburg. Une carrière de danseur est si courte, il fallait en profiter, disait-il.»

Il m'apparaît plutôt que si Ludmilla n'a pas terminé le gymnasium, c'est que le système scolaire s'était profondément modifié. Depuis Bismarck, les Allemandes étaient confinées aux trois K : *kinder, kirche und küche* (les enfants, l'église et la cuisine). Avec l'arrivée au pouvoir de Hitler, et surtout à partir de 1936, une réforme de l'enseignement vient renforcer cela et remettre en cause les structures primaires et secondaires; pratiquement toutes les écoles confessionnelles seront fermées l'année suivante, donc les écoles russes où sont allées les filles Otzup. En outre, le gymnasium, passage obligé vers l'université, était considéré – les universités aussi, d'ailleurs – comme un moyen de perpétuation des anciennes élites, dont il fallait abolir les privilèges. Et comme, en plus, l'idéologie nazie valorisait le rôle reproducteur des femmes, une série de mesures ont été prises pour les éliminer des professions libérales. «Pour tarir le courant qui portait de plus en plus de filles vers l'enseignement supérieur, le ministère leur supprima le latin pendant les cinq premières années du Gymnasium et les sciences durant les trois dernières, y substituant l'enseignement ménager et les langues vivantes[94].» Aussi les filles n'avaient-elles plus accès à la plupart des programmes universitaires. Finalement, selon la biographe d'Albert Speer, il fallait appartenir au Parti pour faire des études universitaires[95]. Et ni Madame Chiriaeff ni son père ne semblent avoir été membres du Parti.

Son père lui enseignera mille et une choses. Par exemple, Alexandre, qui parlait plusieurs langues, expliquait à Ludmilla que chaque peuple invente les mots dont il a besoin, selon sa façon de vivre. « Et la façon de vivre, c'est la culture... comment tu dors, comment tu manges et comment tu crées. Parce que c'est le reflet de ce que l'on vit, de ce que l'on projette, de ce que l'on montre de nous aux autres. »

Si Alexandre permettait tout à sa fille, au contraire Katerina était très sévère avec Ludmilla. « Dans ma petite tête d'enfant, je pensais qu'elle n'était pas ma maman mais seulement la maman de ma sœur. Elle pouvait être très stricte et j'avais peur d'elle par moments. Ma mère, c'était l'ordre, l'organisation, le devoir. Évidemment, je ne me souviens que des choses injustes et, enfant gâtée, j'avais probablement mérité les punitions qu'elle m'infligeait. Heureusement qu'elle m'a imposé une discipline ; je serais devenue un être impossible, une personne absolument détestable. Je pouvais exploser dans toutes les directions. J'ai fini par apprendre qu'il faut marcher sans heurter les autres. »

Alors que Ludmilla fait ses premiers pas, et avant même qu'elle s'essaie à jouer à la ballerine ou à la Marlene Dietrich, des hordes de jeunes bottés, vêtus de la chemise brune et portant la croix gammée, s'amusent à courir le Rouge et le Juif dans un Berlin où se concentrent « tous les conflits et les incohérences d'une société. Toutes les difficultés d'un régime né dans la tourmente et qui ne tardera pas à sombrer dans l'horreur[96]. »

Pour ces jeunes, rien ne semble plus exaltant que d'investir une brasserie où se réunissent les membres d'une cellule communiste et de provoquer une bagarre d'où quelques Rouges sortiront sérieusement amochés. Certains jours, ce sont plutôt les commerces tenus par des Juifs qui sont la cible de ces jeunes défenseurs du *Volk*, de l'aryanité. Non contents de briser des vitrines et de dévaliser les étalages, il leur arrive de pourchasser des commerçants, ou de simples passants, qu'ils soupçonnent d'être Juifs.

Toutes ces expéditions, ce chahut, ces exactions se font impunément. Le Feld-marschall von Hindenburg est à la présidence de la République, et les associations nationalistes et monarchistes ont beau jeu. La police ferme un œil et garde l'autre ouvert sur la gauche, dont la moindre velléité de manifestation est durement réprimée et compte son lot de morts. Des combats de rue éclatent souvent entre le *Roter Frontkämpferbund* (Ligue des combattants communistes) et la *Reichsbanner* (bannière républicaine). On meurt beaucoup de mort violente et le peuple allemand commence à s'y habituer.

De 1924 à 1929, l'Allemagne jouit d'une certaine stabilisation des prix, d'un regain de prestige à l'étranger et son économie affiche une relative prospérité. Pourtant, la classe moyenne, qui a tout perdu durant les années d'inflation et d'instabilité politique, appelle à des actions qui vont permettre à l'Allemagne de redevenir une puissance européenne.

L'Allemand ordinaire rend la République de Weimar responsable de tous les maux qu'il subit, ce qui inclut, pour plusieurs, l'humiliant traité de Versailles et ses conséquences désastreuses sur l'économie. Le gouvernement est installé à Berlin et, du Sud comme de l'Ouest, les Allemands se méfient de cette ville à la réputation sulfureuse. Peu d'entre eux auraient publiquement supporté la droite radicale, bien que plusieurs se retrouvent dans des associations d'anciens combattants, dans les *Freikorps* (les Corps francs), le *Stahlelm* (casque d'acier), ou sont à l'origine d'organisations politiques qui s'activent maintenant sur le territoire entier. Bon nombre rêvent de voir l'Allemagne se lever comme un seul homme et il n'est pas difficile de trouver des bras prêts à se rallier sous n'importe quel drapeau. C'est qu'il ne reste plus grand monde pour croire que la République peut mener le pays à bon port.

Durant toute la période de Weimar, l'idéologie *Völkisch* fait son chemin en prônant la suprématie de l'ethnie allemande enracinée dans le sol et le sang allemands. Ce sont des revues plutôt marginales qui s'en font d'abord les propagandistes. Les plus fanatiques avancent qu'il faut nettoyer l'Allemagne des corps étrangers dans lesquels ne coule pas le pur sang aryen et le ton devient rapidement antisémite. Au milieu des années 1920, l'antisémitisme est plus qu'une animosité, c'est pour plusieurs une conception du monde. Quelques rares peuples étaient considérés par Hitler comme des porteurs de culture, dont les Japonais ; les Juifs, eux, faisaient partie de la catégorie des « destructeurs » de culture. Ils sont des *Untermenschen*, des sous-hommes ; les Slaves aussi.

À partir de 1929, « les hordes brunes prennent l'habitude d'envahir les quartiers ouvriers, de saccager en toute impunité les permanences communistes et sociales-démocrates, de s'en prendre aux associations juives, et de molester les passants qui font mine de désapprouver leur comportement[97] ». Les bagarres de rue sont tellement nombreuses que les universités doivent fréquemment fermer leurs portes.

Après un bel été, l'automne 1929 est froid, venteux et pluvieux, et il flotte « dans l'air quelque chose d'oppressant qui ne venait pas des conditions météorologiques[98] ». Le 24 octobre 1929, vendredi noir à la Bourse de New York. Dès le lendemain, « les banques étrangères exigent le paiement immédiat des emprunts à court terme investis par Berlin dans des projets à long terme[99] ». La construction de logements, de routes, du métro – tout s'arrête. Sauf le réarmement. Le chômage augmente, la classe moyenne s'affaiblit, la violence s'accroît et le gouvernement fonctionne par décrets. Même si cette crise allait devenir mondiale, pour des millions d'Allemands elle signifiait la fin des illusions et le rejet d'un système qui n'arrivait pas à leur assurer du pain et un toit. Les

sans-abri et les sans-emploi constituent un vaste terreau dans lequel la propagande de Goebbels et les discours d'Hitler prendront racine. Plusieurs d'entre
eux, surtout les jeunes, « travailleront » à la construction du Troisième Reich.

Si les prêteurs étrangers rapatrient leurs fonds de l'Allemagne, il n'en est pas
de même des « tycoons » allemands qui financent Hitler. Fritz von Thyssen, le
magnat de l'acier, et Gustav Krupp, entre autres, continuent de soutenir généreusement l'organisation du NSDAP, dont le siège social est établi à l'hôtel
Kaiserhof, sur la Wilhelmplatz. Mais en juillet 1931, la Darmstadt National
Bank s'effondre et, malgré les efforts du gouvernement pour éviter que tout
le système ne s'écroule, les autres banques ferment, de même que la Bourse.
Quand les transactions reprendront dans les banques et à la Bourse, Hitler
sera déjà sur la voie de la Chancellerie. Lors d'un grand rassemblement au
Sportpalast, Goebbels avait annoncé la candidature d'Hitler à la présidence de
la République et peu après, l'ex-héritier de la couronne, le prince Friedrich
Wilhelm, avait laissé savoir qu'il appuyait cette candidature.

Hindenburg, qui a quatre-vingt-trois ans, préside la République depuis six ans
et devra subir une élection l'année suivante. Entre l'élection et le rappel du
Reichstag, le mardi 31 janvier 1933, Alois Schicklgruber (alias Adolf Hitler),
« ce petit peintre dont on a ri, cet Autrichien sans grade naturalisé Allemand
depuis un an à peine[100] » sera devenu le maître de l'Allemagne.

Chapitre 10
Les années d'insouciance

Madame Chiriaeff n'a pas de souvenirs de l'arrivée au pouvoir de Hitler. Il est vrai qu'elle n'avait que neuf ans, mais pour elle qui aimait déjà les mises en scène, ce devait être impressionnant, cette svastika noire sur fond rouge et blanc qui flottait à l'infini sur Berlin. Elle se souvient par contre de l'incendie du Reichstag, parce que c'est après cet événement que, pour la première fois, elle a entendu parler, à la maison, d'une possibilité de déménagement à l'étranger. Si le communisme s'installait, disaient les parents, il faudrait de nouveau fuir. Mais le nazisme a pris le dessus.

Le 30 janvier 1933, le thermomètre marque dix degrés au-dessous de zéro et c'est sous un ciel blême que Hitler prête serment, à onze heures dix-sept. Ce lundi, les Berlinois vaquent à leurs occupations dans une ville devenue silencieuse. Mais à la tombée du jour, la foule s'entasse sur les places publiques, puis reflue vers la Wilhelmstrasse, pour tenter de voir Hitler derrière les hautes fenêtres de la Chancellerie, et ensuite se diriger vers Unter den Linden. À la lueur de milliers de torches, les membres du parti national-socialiste défileront durant quatre heures. Dix ans plus tard, des centaines de milliers d'hommes, de femmes et d'enfants défileront, souvent pieds nus dans le froid, sous les miradors et aux aboiements des chiens et des SS. Mais ce soir, des Allemands de toute souche sont au coude-à-coude dans ces rues qui forment le cœur du Berlin politique, industriel et financier.

Si Alexandre et Katerina ne discutent pas de l'événement devant Ludmilla, ils ne peuvent pas ne pas se rappeler d'autres mouvements de masse qui ont mené la Russie à son effondrement et à leur exil. Et puis, chez eux défilent des intellectuels, et pas seulement ceux provenant de la diaspora russe. Arthur Luther, le traducteur du russe à l'allemand des œuvres d'Alexandre, notamment, fréquentait la famille depuis au moins 1933. Albert Göring, quant à lui, était souvent chez l'oncle Sergeïj et venait à la rescousse des Otzup dès que celui-ci lui téléphonait.

Il est difficile de croire qu'une certaine inquiétude ne régnait pas, certains jours, dans l'appartement du 18, Speyererstrasse. D'autant qu'une série de « papiers » sont dès lors amassés, quand ils ne sont pas tout simplement fabriqués. De certains documents qu'elle me montre, en mars 1996, Ludmilla dira : « Vous savez, ces documents sont complètement faux », comme celui daté de novembre 1933, qui se veut une traduction du dernier passeport russe valide d'Alexandre. Cette traduction est certifiée par un « notaire de la Kunstitorium de l'Église évangélique luthérienne ». Il déclare l'avoir visée à Riga. Une notice biographique est de la même eau, mais elle est manifestement rédigée après la guerre puisque l'on y fait mention de l'arrestation d'Alexandre par la Gestapo. Dans cette notice, les Otzup n'ont qu'une fille : Ludmilla.

Le 27 février 1933, c'était le Lundi des Roses, un soir de grand bal d'avant carême. Dans plusieurs villes, le carnaval se déroulait sans interruption jusqu'au mercredi des Cendres. Erika et Klauss Mann rapportent que « ce fut une fête exubérante et folle ; [...] Nous mettions une sorte de rage à nous amuser, non pas pour faire nos adieux au carnaval mais à la vie que nous avions menée dans une Allemagne libre...[101] » Puis, au milieu de la fête, quelqu'un a chuchoté à l'oreille de quelqu'un d'autre : le Reichstag brûle ! Et la nouvelle s'est faufilée entre les couples de danseurs, sans que la fête ne s'arrête. « Le nom d'Hermann Göring fut prononcé à voix basse chaque fois que l'incendie du Reichstag était mentionné » mais, selon un biographe de Goebbels, ce serait plutôt ce dernier qui en aurait été l'instigateur[102].

Nous sommes à une semaine des élections qui ont été annoncées comme « les dernières pour longtemps » et les nazis ne tarderont pas à exploiter l'événement qu'ils imputent aux communistes. Dès le lendemain, une ordonnance était affichée qui « supprimait pour les personnes privées la liberté d'opinion, le secret postal et téléphonique, donnant à la police les pleins pouvoirs pour perquisitionner, confisquer, arrêter[103] ». Le matin du 28, des centaines de personnes avaient déjà été arrêtées et des milliers d'autres le seraient dans les jours qui suivraient. On ouvrira trois prisons où l'on torturera les prisonniers politiques ; quand les prisons seront pleines, le jeudi 9 mars, on créera Dachau, près de Munich, le premier d'une tristement célèbre série de camps.

Hitler prendra prétexte de l'incendie du Reichstag, « *intended to be the signal for a bloody uprising, and civil war*[104] », pour suspendre les règles démocratiques et les libertés fondamentales. Invoquant la protection du peuple et la sécurité de l'État, désormais il gouvernera par décrets. Il en promulguera quatre cents en quelques mois, dont certains auront un impact sur la vie des Otzup-Gorny. À commencer par celui exigeant que les Russes obtiennent, auprès de la police ou du Bureau des passeports Nansen, un permis de résidence en Allemagne. À ce moment, il reste à Berlin une dizaine de milliers de Russes dont certains n'apprécient guère le fait que les Allemands versent encore douze mille marks par mois au général Paul Skoropadsky, ancien chef révolutionnaire de l'Ukraine, que les Otzup ont bien connu au temps de la révolution russe[105]. La plupart partiront peu après. Les parents de Ludmilla, non. Toute la famille était épouvantée. « Il y a eu un conseil de famille : devait-on à nouveau fuir ? Si c'est le communisme, oui, mais où ? Au fond, mes parents n'avaient pas le courage de tout abandonner et de tout recommencer. Je pense que mon père en avait marre et qu'il s'est dit que ça allait passer. La seule chose qui lui faisait peur, c'était les communistes, et les nazis les pourchassaient. Il y a aussi que mes parents étaient des sans-papiers et que les sans-papiers ne sont bienvenus nulle part. »

Georges, un des frères d'Alexandre, qui troquera le nom Otsoup contre celui de Raïevsky, est à Paris depuis longtemps. Raïssa, sa première femme, était Juive. Il aurait écrit qu'il était fier d'être marié à une Juive et qu'il serait heureux de tuer lui-même les maudits nazis qui s'amèneraient. Inutile de dire qu'il valait mieux pour lui ne pas se montrer trop souvent sur le territoire ! Nikita Struve dit de Georges qu'il « émigre à Paris au début des années vingt et adhère au groupement poétique *Perekrestki* (Carrefour). Ses trois recueils traduisent, au-delà des vicissitudes de l'histoire, une acceptation religieuse de la vie[106]. » Après la guerre, Ludmilla retrouvera l'oncle Georges à Paris, puis à Genève où il viendra avec l'équipe de tournage de *Danse solitaire*, en 1950. Il a écrit le scénario de ce film dans lequel danse Ludmilla Chiriaeff. Sergeïj, lui, restera encore un temps, mais préparera son exode vers l'Espagne. Il s'installera à Madrid où il vivra jusqu'à sa mort.

Il est difficile de reconstituer la vie de Ludmilla, à Berlin, à partir de cette époque. Non seulement les archives ont été dispersées ou détruites, de même que les quartiers où des événements de sa vie se sont produits, mais les noms des rues ont parfois changé, sans compter le fait que les survivants se raréfient et, quand ils n'ont pas tout simplement décidé d'oublier, leur mémoire des faits s'estompe. Selon Ludmilla, l'on parlait beaucoup de la révolution russe, de ce que les Rouges avaient fait aux Russes blancs et des dangers que couraient les membres de la famille si quelque chose de ce genre se produisait en Allemagne. Pour le reste, du moins jusqu'à la guerre, son père semblait au-dessus de cela.

Par ailleurs, comme Ludmilla me le répétera souvent, il se peut fort bien que l'on se soit abstenu de discuter de la situation politique devant elle pour éviter qu'elle ne s'échappe à l'école ou encore pour éviter qu'elle n'en vienne innocemment à parler de ces conversations et des personnes concernées. Puis, des événements qui après coup nous apparaissent tellement signifiants, parce qu'analysés à la lumière de ce qui nous a été révélé depuis, pouvaient sembler à l'époque comme étant localisés et devant se résorber. Il reste que, pour des gens qui avaient fui la révolution en Russie et dont un proche était un ami du frère du numéro deux du régime nazi, cela paraît difficilement compréhensible.

Il y avait partout des jeunes hommes en uniforme brun. Partout. Dans le Tiergarten, on avait parfois l'impression d'une armée, tellement il y en avait. Puis le tambour, la fanfare et les marches militaires. Et un beau jour, à côté des publicités pour les cinémas, « les affiches rouges qui annonçaient les exécutions, presque chaque matin[107] ».

Ludmilla n'a pas le souvenir que des vitrines de commerces tenus par des Juifs ou propriétés de Juifs aient été marquées « Jude », mais elle se rappelle avoir vu, très jeune, des gens courir dans la rue et se faire frapper. « Puis tout à coup, tout est rentré dans l'ordre et j'ai vécu dans une espèce de cocon, en sécurité, à l'intérieur de notre famille... »

Par contre, comme elle me le dira plus tard – ce qui est d'ailleurs confirmé par la littérature sur cette période –, les Allemands ont été soulagés par l'arrivée au pouvoir du national-socialisme. Un certain ordre a rapidement régné. Hitler avait promis de sortir les Allemands de la misère et l'économie s'est remise en marche. Il y avait bien sûr une série de lois et d'interdits qui dérangeaient mais, en même temps, plusieurs mesures permettaient à l'Allemand moyen de trouver du travail, un logement et de profiter de vacances et de services dont il était privé depuis la guerre de 1914. En quelques mois, de grands chantiers s'ouvraient partout, garantissant de grosses commandes aux industries. Un vent d'optimisme s'est mis à souffler sur l'Allemagne. « L'indéniable mieux-être économique dont bénéficiera la majeure partie de la population allemande après 1933 la disposa à supporter, dans les deux premières années, la suppression de la liberté d'expression et de la liberté de la presse, et de fermer les yeux sur l'arbitraire et les illégalités[108]. » Ludmilla dira que « c'était une euphorie de voir tout à coup la prospérité totale et que le monde ne pouvait voir à quel prix c'était ».

Les Otzup-Gorny étaient Russes mais pas encore soupçonnés d'être Juifs ni montrés du doigt. Ils ont eux aussi profité de l'amélioration des conditions de vie. Il reste que l'inquiétude devait s'être installée dans leur esprit et chez plusieurs de leurs amis. Le boycott, puis le pillage des commerces tenus par des Juifs et l'emprisonnement de plusieurs d'entre eux, la loi sur l'aryanisation de la fonction publique et « [...] peu à peu, dans les journaux pourtant discrets, la liste des faillites, des attentats divers, des morts inexpliquées, des suicides, s'étend comme une pluie noire[109] ». Rien pour rassurer ceux qui ont été pourchassés par des révolutionnaires de tout acabit. Surtout quand Hitler annonce dans sa politique de « dépeuplement » que ce sera « l'une des tâches essentielles... que d'arrêter par tous les moyens la prolifération des Slaves[110] ». La relation des Allemands avec les Russes est compliquée parce qu'ils ont beaucoup de choses en commun. « On oublie souvent que depuis le XVIIIe siècle, les Russes ont toujours invité les Allemands pour coloniser cet immense pays qu'est la Russie. Il y avait des Allemands partout – surtout dans la bourgeoisie et dans les armées[111]». Et jusqu'à l'épouse du dernier tsar de Russie, Alexandra Federovna, qui était Allemande.

Bien qu'elle ne se souvienne pas de l'événement, Madame Chiriaeff raconte que, des livres publiés par son père, à Berlin, ont été brûlés par les nazis. Mais rien n'indique que les écrits de Sergeï Gorny aient été sur la liste constituée par les services de la Ligue de combat. D'ailleurs, si tel avait été le cas, Arthur Luther, son traducteur, l'aurait signalé dans la lettre qu'il adresse aux autorités de l'International Rescue Committee, pour soutenir la demande de dédommagement faite par Ludmilla et sa mère, à titre de « personnes déplacées » ayant souffert sous les nazis. Le docteur Erich Schrötter[112] situe au début de 1940 les démêlés des Otzup-Gorny avec la Gestapo. Il reste que les non-aryens seront interdits de publication en allemand dès 1933, et à partir de mars 1938, les contrats de publication avec des non-aryens sont annulés. Il faut être inscrit auprès de la Kulturkammer pour avoir le droit d'exister comme artiste, quoique là-dessus les opinions divergent. Selon Arthur Luther, Sergeï Gorny se le fera refuser. En outre, il n'avait plus le droit d'être annoncé dans les journaux, et ses œuvres ne pouvaient plus être ni discutées, ni traduites ni critiquées. Finalement, ses livres ont disparu des librairies[113].

Le 10 mai 1933, il pleut sur Berlin. Des étudiants en uniforme et munis de torches « se rendent en cortège au lieu de l'autodafé, devant le Kroll Oper à Berlin. Le feu est mis au bûcher ; les livres arrivent et sont jetés au feu par les étudiants selon un cérémonial bien ordonné. Une voix clame le nom de l'auteur dont les livres seront détruits et des paroles de condamnation sont prononcées contre lui[114] ». Marx, Engels, Mann, Freud, Remarque, Heine... Heinrich Heine à qui l'on prête la citation suivante : *Dort wo man Buecher brennt, verbrennt man Ende auch Menschen.* (Là où l'on brûle les livres, à la fin on brûle aussi les humains.)

À l'occasion de cet autodafé, le *Der Angriff* du vendredi 12 mai 1933 rapporte une déclaration de Goebbels aux étudiants :

> L'ère de l'excès d'intellectualisme juif est révolue et la percée de la révolution allemande a rouvert la voie à l'âme allemande. Vous faites bien de livrer aux flammes en cette heure nocturne le démon du passé. C'est un acte fort, grand et symbolique, qui doit proclamer au monde entier : ici s'écroulent les fondements intellectuels de la République de Weimar [...][115].

Göring s'est emporté contre l'autodafé qui, d'ailleurs, n'a pas plu aux Berlinois ; plusieurs artistes et intellectuels ont dès lors commencé à quitter l'Allemagne. Plus de soixante-quinze ans plus tard, là où tous ces ouvrages ont été brûlés, Micha Ullman, un artiste israélien, a voulu que le monde entier se souvienne. Sous les pavés de Bebelplatz, il a rivé dans le sol une large plaque de plexiglas qui «laisse entrevoir une bibliothèque aux rayons vides, d'une capacité de vingt mille ouvrages, soit le nombre détruit ce jour-là[116]».

De toutes les conversations que j'ai eues avec Madame Chiriaeff, et de toutes les recherches menées auprès de personnes qui l'ont connue ces années-là, il ressort que les Otzup ont vécu dans ce qu'il est convenu d'appeler «la petite Russie», à Berlin. Ils recevaient les Russes de passage et se mêlaient peu à la vie allemande. Il faut dire que Katerina, la mère de Ludmilla, détestait les Allemands et qu'elle refusait systématiquement de parler leur langue. Ce n'est pas qu'elle ne le pouvait pas; elle ne le voulait pas. Sauf pour se faire comprendre au marché ou dans les gestes de la vie courante, elle évitait de parler l'allemand. Même dans les années 1950, elle ne pourra s'empêcher d'écrire dans ses mémoires «les Allemands qui n'ont pas de cervelle ont suivi Hitler comme des moutons [...]. Ont commencé alors ces temps d'assassinats et de tortures du sadique Hitler, un raté autrichien, un simple peintre de profession [...]. Il y a plus d'Allemands qui ont été des meurtriers, et qui vivent avec de l'argent volé en Amérique du Sud, alors que les autres ont péri de façon épouvantable dans les camps [...]. Tout à fait comme notre Lénine qui vivait sur l'argent ramassé à Genève[117].»

La mère de Ludmilla rouspétait tout le temps, de l'aveu de sa fille. «On l'emprisonnait, dans la chambre de la bonne, quand elle rouspétait trop. D'abord, c'était dangereux : maman s'emportait contre les Allemands et les voisins pouvaient nous dénoncer. On en avait assez. Enfin, puisque papa en avait assez, moi aussi. Et puis, c'était pour moi un jeu. On faisait une marche dans le corridor. On lisait un texte invisible l'accusant de ceci ou de cela ; on la prenait sous les bras, on la soulevait de terre, et en chantant une marche militaire, on avançait vers la chambre, en arrière. On l'enfermait à clef dans la chambre de la bonne et on faisait Heil Hitler ! Très fort. De temps à autre, on lui portait de la nourriture qu'elle refusait : elle boudait. Plus tard, on revenait, papa secouait les clefs et demandait si la punition avait été suffisante. Dès qu'elle promettait de ne plus nous mettre à la gêne devant les gens, on la libérait. C'était avant la guerre. Pour moi, c'était un jeu.» Il y avait beaucoup de dénonciations à cette époque. Il arrivait même que des enfants dénoncent leurs parents. Une fois sous «l'œil» de la Gestapo, le suspect était coupable et ne lui échappait plus, les proches non plus.

Durant une bonne partie des années 1930, les parents de Ludmilla sont encore actifs au sein de la communauté artistique russe de Berlin. Valia et Ludmilla ont dû faire le tour des bals de charité d'émigrés russes pour vendre des rafraîchissements et de menus objets, comme c'était la coutume. Les dames de la société organisaient de somptueux bals de charité, où les jeunes Russes faisaient leur début. Ludmilla a présenté un numéro de ballet à l'un d'entre eux. Sa mère raconte dans ses mémoires qu'il y avait un théâtre miniature, sans doute le Der blaue Vogel, et ensuite un grand théâtre, avec un ballet classique et de caractère où se produisaient les artistes russes. « En travaillant là, nous avons fait connaissance avec Boris Romanov et sa femme, la merveilleuse ballerine Smirnova. Ce théâtre romantique avait un immense succès mais a dû fermer ses portes après cinq ans, faute d'argent. » Durant toute sa vie professionnelle, Madame Chiriaeff se heurtera aussi à ce problème. Il lui faudra souvent « quêter » pour assurer la survie de ses œuvres.

Madame Chiriaeff a souvent répété qu'ils étaient pauvres. Sans doute est-ce là le souvenir qu'elle garde de certaines années, mais rien ne nous indique que cela ait été tout le temps le lot de la famille. Alexandre avait un appareil photo et il adorait prendre des photos de Ludmilla, dont certaines ont survécu à la guerre. Les photos d'elle et de ses parents, au début des années 1930, portent plutôt à penser qu'il s'agit d'une famille bourgeoise à l'aise. La crise les a sûrement atteints, comme tout le monde, mais pas encore au point d'annuler les cours de ballet de Ludmilla, non plus que de les empêcher d'aller en excursion ou en vacances dans les stations balnéaires de la Baltique, ni d'avoir un professeur de français qui venait à la maison, une bonne, un bottier ou une couturière. Et un chien.

Il y avait à Berlin des lieux où l'on pouvait enregistrer des disques et, pour s'amuser, Valia et Ludmilla enregistreront une chanson populaire. Le résultat n'étant pas trop mauvais, Ludmilla fera graver ensuite des poèmes de son père pour un disque qu'elle lui offrira comme cadeau d'anniversaire. En 1947, il lui écrit : « [...] tu faisais des discours et tu lisais des poèmes que j'écrivais et tu les enregistrais sur un disque...[118] » Ils avaient depuis longtemps un gramophone, pour lequel le père achetait des disques. Alexandre écrit encore que, lorsqu'ils ont donné un disque à Ludmilla, qui est alors toute petite, « elle a frappé des mains, elle a dansé un peu et après trois fois, elle chantonnait absolument juste avec les dièses et les bémols[119] ». L'oreille était déjà impeccable.

Avec sa mère et sa sœur, elles allaient parfois à la montagne, en train. Elles faisaient ensuite plusieurs villages à pied. « Une fois, on était près de Goslar et ma sœur voulait absolument aller jusqu'à l'auberge, tout en haut, pour manger de cette crème épaisse que l'on y servait. Ma mère rageait parce qu'on a manqué le train quand on est redescendues. Je n'oublierai jamais maman qui se lamentait. Elle devait en avoir marre de nous deux. »

C'est au cours d'une expédition de ce genre, en Saxe, que Ludmilla fera sa première découverte « amoureuse ». Il y avait là un jeune garçon qui boitait. Il était laid, mais il écrivait des poèmes. « Et j'en suis devenue complètement folle. Il faisait beau ; il faisait chaud ; c'était l'été et moi, j'avais trouvé un génie qui écrivait ! » Ludmilla a recopié tout ce qu'il avait écrit et l'a apporté à son père. Elle ne se souvient plus de ce qu'il en a fait. Mais elle se souvient que cet été-là, tout était beau. Elle dévalait les collines, se roulait dans les clairières et, en cachette, embrassait les arbres. C'était comme un grand moment d'amour avec la vie. Et les chemises brunes croisées ici et là sur les routes n'ébranlaient en rien son bonheur.

À l'école, il y avait un autre garçon dont Ludmilla rêvait. Il avait des yeux incroyablement bleus. Ludmilla lui écrivait de petites lettres, mais il ne voulait rien savoir d'elle. « Ses yeux me faisaient penser à des pierres sur un costume, mais c'était un amour platonique. Je venais d'un milieu intellectuel, protégé par les parents. » Cela ne l'a jamais empêchée de chercher à plaire, peut-être parce qu'elle avait besoin de retrouver dans le regard des autres l'admiration qu'elle lisait dans le regard que son père portait sur elle.

Un jour, alors que Ludmilla commençait le gymnasium, arriva de Grèce un moine orthodoxe, le père Jean. Ludmilla fut très attirée par cet aristocrate qui avait été dans la cavalerie russe juste avant la révolution. Il racontait qu'à cette époque de grande licence chez la noblesse, il avait une nuit rêvé que son escadron traversait un village ravagé par le feu et dont même l'église avait été détruite. Au tournant de la rue principale, son cheval mettait le sabot sur quelque chose qui le faisait tomber et il s'avérait que ce quelque chose était une icône de la vierge. Quelques jours plus tard, après une fête où il avait passé la nuit dans un cercueil rempli de champagne, le même rêve lui était revenu dès qu'il avait été endormi. Lorsqu'il l'avait raconté à la caserne, il avait fait l'objet de moqueries dans son milieu de « hussards ». Mais un jour qu'il traversait un village avec quelques-uns de ses hommes, le sabot de son cheval écrasa quelque chose. Il s'arrêta, descendit et mit le pied sur une icône. Il déserta immédiatement l'armée, fuit en Grèce et s'enferma dans un monastère pour s'y faire moine.

Les Otzup-Gorny n'étaient pas pratiquants. La mère allait à la messe de minuit à Pâques, mais sans plus ; le père pouvait réciter des chapitres entiers de la Bible mais n'avait pas d'intérêt pour l'église. Enfant, Ludmilla s'agenouillait devant l'icône qu'on lui avait donnée pour une « petite discussion avec le bon Dieu », qu'elle avait peur de décevoir. Quand sa grand-mère Elizaveta est décédée, l'icône est devenue le lieu où rendre visite à grand-mère.

Avant de rencontrer le père Jean, Ludmilla avait souvent mauvaise conscience.

> Il m'a appris que dans notre père au ciel, il y avait de tout, surtout de la bonté, de l'amour, du pardon. Il fallait juste être à l'écoute : c'est extraordinaire que Dieu pardonne. Dans les moments difficiles, quand les douleurs m'assaillent, je me souviens ; je respire et j'écoute ce qui pèse sur mon âme. Je dis la prière qu'il m'a apprise et je vous jure, je sens comme une radiation. Il y a une force indicible dans l'harmonie rythmique et la sonorité des mots, en russe. Ce qui pèse sur l'âme en roule comme une cascade, les doutes s'éloignent et tout devient léger,

léger, léger. Ça libère de tous les nœuds ; rien que pour cette prière, je suis reconnaissante de parler le russe.

À Berlin, Ludmilla aimait aller à l'église.

> Tu entres à l'église et personne ne te regarde. Tu sors et tu rentres quand tu veux. Tu peux t'isoler dans un coin – te déplacer. Tu es debout, de toute façon. Les flammes des cierges illuminent les dorures et les icônes. En fermant les yeux, je pouvais entendre les voix graves des officiants, même quand l'office était terminé. J'étais encore bercée par ces chants envoûtants. Je sentais quelque chose éclater tellement ça venait me chercher à l'intérieur. Ce grand mystère qui faisait fonctionner la vie avec un V majuscule. Parfois, je me disais que là résidait tout ce que j'avais de cette Russie dont on me disait qu'elle était ma patrie et vers laquelle on devait retourner.

Avec le recul, elle se demande si ce n'est pas le fait d'être une enfant étrangère chez les Allemands qui l'a précipitée là, puis elle s'empresse d'ajouter : « Non, c'est mon Église. Il y a énormément de luminosité orientale qui dilate l'âme dans le cérémonial orthodoxe, de la chaleur aussi dans les chants. » La religion catholique qu'elle a trouvée au Québec, avec la crainte de Dieu, les péchés mortels et les punitions, l'a étonnée. Elle n'en revient toujours pas que l'on ait enseigné que Dieu est si méchant. Pour elle, Dieu est pardon. « Et pardonner est beaucoup plus fort que de ne pas oser faire de mal. Je trouve le Québec extraordinaire d'avoir survécu à cela. »

À la suite de sa rencontre avec le père Jean, Ludmilla pendant longtemps ira prier toutes les semaines. « Devant le père Jean, je sentais le mystère, une pulsation. J'avais l'impression que la spiritualité l'avait rendu transparent. » Elle gardera toute sa vie un lien avec l'Église et une relation particulière avec Christ. Elle parle de la messe de minuit à Pâques, où l'on fait trois fois le tour de l'église, avec des cierges, pour aller chercher Christ ressuscité. Il lui arrivait, alors, de regarder le ciel et d'imaginer que le bon Dieu allumait des milliers de lampions, juste pour elle. Pendant quelques secondes, elle avait l'impression de sortir de son corps, pour se fondre dans les étoiles. « Après cette messe, il faut absolument rentrer à la maison et allumer le lampion sous l'icône. »

Ludmilla avait quelques superstitions. Elle s'était mis dans la tête que, si elle apercevait le chef de train avant d'entrer dans le wagon du métro qu'elle prenait pour aller à l'école, il lui arriverait malheur. Chaque fois que, émergeant de la bouche de métro, sur le quai, elle voyait le chef de train levant le bras pour actionner la manette qui le faisait démarrer, toute sa journée était foutue. « Je me disais : je vais glisser, je vais tomber ; je vais faire une mauvaise dictée ; je vais me disputer... Chaque fois que je le voyais, j'avais des problèmes. Peut-être me suis-je mis cela dans la tête pour m'expliquer ce qui m'arrivait... » Elle tire de cela une conclusion dont elle reparlera plusieurs fois au cours des nombreux entretiens que nous avons eus : pour elle, il y a des êtres de qui émanent des énergies – positives ou négatives. Quand on se retrouve dans un même lieu, on sent cette énergie. « Quand tu regardes, tu dis ah !, ça vient de cette tête, là-bas. Très souvent, j'ai eu l'impression du mal... de tout le négatif qui habitait cette tête, là-bas. Mais on ne peut pas toujours éviter ces têtes, là-bas ! »

Quand Valia eut terminé ses classes, juste avant d'entrer à l'université, les parents ont décidé que la mère ferait un tour d'Europe pour aller présenter leur fille aînée et, qui sait, lui trouver un mari. On lui a confectionné une garde-robe de circonstance et, pendant un mois ou deux, Ludmilla ne se souvient plus trop bien, on a montré sa sœur aux amis et aux connaissances. La France, l'Angleterre, l'Italie et même la Grèce ont été visitées, chez le poète-ci et l'ingénieur-ça, dans la société des Russes blancs et chez les gens avec qui l'ingénieur Otzup faisait des affaires. Cela n'a rien donné. Au grand dam de son père, Valia s'est entichée d'un Allemand, premier assistant de son professeur de chimie. « Il a fait une crise comme je n'en avais jamais vu. Dans la société de mes parents, il fallait choisir un mari aux filles, et ma sœur transgressait les règles. En plus, il avait fallu qu'elle s'amourache d'un Allemand. »

Pendant ce voyage, Ludmilla avait son père à elle tout seule et jouait à remplacer sa mère. Elle aidait à faire le ménage et la cuisine et il semble que ce fut plutôt désastreux. Alors, le père l'a amenée manger au restaurant pendant quelque temps. Selon Ludmilla, il s'agissait d'un restaurant végétarien, sur Bayerischerstrasse, qui utilisait tellement de sel de céleri qu'ils en ont eu de gros boutons sur le visage. « Et je me souviens qu'à son retour, maman faisait une tête de cauchemar : qu'est-ce que tu as fait à mon enfant ? » criait-elle à mon père. Mais il se pourrait bien que le problème ait relevé davantage de la qualité des aliments, servis à cette époque, que de la quantité de sel de céleri. Entre 1933 et 1936, les cas d'empoisonnement alimentaire rapportés ont plus que doublé, en Allemagne[120].

Puis, grand-mère Elizaveta est décédée, en 1936. Ses funérailles ont eu lieu à l'église de Tegel, à Berlin. À l'église, grand-mère était étendue dans un cercueil ouvert, comme c'est la coutume chez les orthodoxes. À la fin de la cérémonie, chacun allait lui baiser le front. Ludmilla a été très impressionnée par le cérémonial. Sans doute aussi par la rencontre avec l'oncle Nicolaï et l'oncle Georges qu'elle voyait pour la première fois. Elizaveta repose dans le grand cimetière jouxtant l'église, pas tellement loin de Vladimir Nabokov, le père de l'écrivain du même nom.

Ludmilla devait avoir douze ou treize ans quand son père a demandé une audition pour elle à David Lichine, le maître de ballet des Ballets russes de Monte-Carlo, de passage à Berlin. Il les a reçus. Une fois l'audition terminée, il l'a détaillée – de la tête au pieds et des pieds à la tête. Et le verdict est tombé : elle avait un joli corps, mais elle ne pourrait jamais gagner sa vie avec la danse. Il valait mieux qu'elle fasse autre chose : elle était trop grande !

« J'avais commencé à pleurer. Je me suis précipitée dans le couloir du théâtre et mon père m'a prise dans ses bras. Il me disait que ce n'était pas grave, que si j'aimais la danse, j'allais continuer, pour la servir ; que si je dansais juste parce que je voulais être Odette ou Odile dans le *Le Lac des cygnes*, ou la princesse Aurore dans *La Belle au Bois dormant*, alors c'était autre chose. Il fallait que j'y réfléchisse. »

Pour Ludmilla, la danse était déjà tout. En dehors de son père, il n'y avait que cela. Elle ne concevait pas de vivre sans danser. L'école n'avait pas grand intérêt pour elle. La couture, la cuisine et le ménage non plus. Qu'aimait-elle vraiment de la danse à l'époque ? Peut-être était-ce déjà ce besoin d'être en représentation, d'attirer le regard, de se faire confirmer que l'on est aimée.

Bien que Ludmilla fût trop grande, et encore davantage sur les pointes, elle a choisi de servir la danse. Et parce que « les phrases de Lichine m'avaient fait si mal, j'ai toujours fait attention quand je me retrouvais avec des élèves qui n'avaient pas le physique de l'emploi. Je m'arrangeais pour qu'ils puissent servir la danse d'une autre façon. Je m'en suis fait un devoir. »

Ludmilla était appelée à revoir David Lichine. Trente cinq ans plus tard, alors qu'elle préside aux destinées des Grands Ballets Canadiens, Ludmilla Chiriaeff fera venir David Lichine à Montréal pour qu'il y monte *Le Bal des cadets*, en 1963.

Danseur et chorégraphe d'origine russe, David Lichtenstein (Lichine) a étudié à Paris, avant de se joindre aux Ballets russes de Monte-Carlo, en 1932. Cette compagnie était alors sous la direction de Vassili Voskressenski, dit colonel de Basil. Ancien officier cosaque, de Basil organise d'abord des concerts à Paris, avant de diriger les saisons de comédie au Théâtre de Monte-Carlo. Il fonde les Ballets russes de Monte-Carlo, auxquels se joindra David Lichine.

Durant les années 1930, Lichine reprendra le *Beau Danube*, les *Présages* de Léonide Massine et créera entre autres *Francesca*, *Le Fils prodigue*, *Le Bal des cadets*. Il s'installera ensuite aux États-Unis avec sa femme, la ballerine Tatiana Riabonchinska. Il créera pour l'Américain Ballet Theatre, où Fernand Nault fera carrière, de même que pour de nombreuses autres compagnies. En 1952, il s'installera à Los Angeles où il ouvrira une école de danse avant de fonder le Ballet de Los Angeles.

Ludmilla continue d'aller en classe, mais la danse prend de plus en plus de place dans sa vie. Cependant, ce n'est plus tout à fait la danse classique de tradition russe. Il y avait d'ailleurs peu d'écoles de danse privées de cette tradition : Nicolajeva, Edouardova, les Soski... La danse, en Allemagne, est alors influencée par les mouvements modernes plus proches de la gymnastique artistique et du courant expressionniste.

Mais Ludmilla veut danser dans la compagnie de Basil même si Lichine ne l'a pas retenue. Alors elle suit des cours. C'est Borovanski qui lui apprendra ce qu'il faut. Elle sera de la distribution de la *Boutique fantasque* et de *Casque d'Or*. Quand elle voudra entrer à l'Opéra de Berlin, ce sera une autre histoire. Les Allemands dansaient de façon expressive, théâtrale, dans un vocabulaire moderne que Ludmilla ne connaissait pas. Il lui fallut, là aussi, suivre des cours pour se préparer à l'audition. Et c'est avec Alexander von Swaine qu'elle le fera.

Mais avant de songer aux auditions pour l'Opéra de Berlin, il y a le gymnasium à terminer, puis les onzième jeux Olympiques qui se tiendront en août 1936. Toute la jeunesse allemande est conviée au dépassement, et dans les écoles, les gymnastes en herbe se dépensent sans compter. Ludmilla aime ces exercices que l'on fait deux fois par semaine et qui dressent le corps. Elle excelle d'ailleurs aux barres parallèles et au saut à la perche. À l'ouverture des Jeux, le matin du samedi 1er août, cent mille jeunes Allemands danseront et offriront des démonstrations de gymnastique, dans un stade monumental qui rappelle les grandes constructions de l'empire romain.

Même si, ailleurs dans le monde, les protestations s'élèvent contre l'exclusion des Noirs et des Juifs des compétitions, il ne semble pas que Ludmilla en ait été consciente ou même informée. Sa vie se déroule encore dans une espèce de cocon. Bien sûr, elle a vu des Juifs se faire arracher les *peyots* (papillotes) par de jeunes nazis. Bien sûr aussi, elle se souvient de s'être fait tirer les cheveux à l'école, par des garçons lui criant qu'elle n'était qu'une *mischilinge*, une personne dont les ancêtres avaient du sang juif. Mais c'était quelques années plus tôt et puis elle s'était défendue. Comment osait-on soutenir que la descendante de la princesse Aglaïa Radziwill pouvait avoir du sang juif dans les veines ? Il s'agissait d'un grossier mensonge. Pour un temps, il n'en a plus été question.

Les premières lois raciales de Nuremberg avaient été édictées en septembre 1935 et s'appliquaient avec rigueur, du moins dans certains coins d'Allemagne. Il s'en ajouterait jusqu'à la veille de la guerre. Ensuite, *Close your hearts to pity. Act brutally*[121] tiendra lieu de cadre juridique. Au loin, il y a Franco et la guerre civile en Espagne. Tout près, il y a la visite de Mussolini, le 20 avril 1936. Pour la première fois, la troisième division blindée fait défiler cinq cents panzers. L'Allemagne se réarme. Bientôt, elle mobilisera des troupes en vue de l'expansion nécessaire à la création du *Lebensraum*. Depuis l'avènement d'Hitler au pouvoir, tous les jours, à midi, il y avait parade pour le changement de la garde dans Unter den Linden. « Devant les soldats marchait une fanfare aux cuivres luisants, menée par un immense tambour-major. Une foule d'admirateurs s'assemblait chaque jour et suivait le défilé sur plus d'un kilomètre[122]. »

En septembre 1936, les émigrés russes sont soumis à un recensement. Depuis mai, le chef de département nazi des Affaires émigrées est le général russe Biskoupski – celui qui a assassiné le père de Vladimir Nabokov, en mars 1922. Bien qu'il ne fût « pas difficile de se soustraire à l'immatriculation, la mesure n'augurait rien de bon[123] ». Les Otzup-Gorny se sont soumis aux formalités de recensement pour que Ludmilla puisse obtenir un permis de danser.

La venue des Olympiques a apporté une certaine accalmie : l'antisémitisme devait être moins apparent. Même les livres de Heine, de Proust et d'autres auteurs rejetés par le régime ont fait une courte réapparition. Reste que Berlin changeait. Une fois les athlètes rentrés chez eux, on y flâne moins. Les grands hôtels sont désertés par les étrangers. De plus en plus souvent, la nuit est perturbée par des bruits de bottes que l'on est soulagé d'entendre s'éloigner. À la mi-juin 1937, de grandes rafles ont lieu dans les cafés et sur les grandes artères de Berlin. On arrête les Juifs, certes, mais aussi les piétons qui s'aventurent sur la chaussée sans respecter les règlements de la circulation. Ces personnes sont relâchées au bout de quelques jours – fichées à tout jamais. Sauf les Juifs, dont mille cinq cents seront alors expédiés au camp de Buchenwald. « Tout à coup, on apprenait que quelqu'un était disparu, mais je n'ai pas tout de suite compris de quoi il s'agissait. » La vie continuait : l'école, la danse, les vacances avec les marches en montagne et quelques semaines à la mer.

Le dernier séjour de la famille à la mer a lieu vraisemblablement en 1938. Quoi qu'il en soit, ce séjour près de la Baltique sera celui des grandes expériences : Ludmilla s'initiera à ce qu'elle appelle le ski aquatique (!). Plus jeune, on lui permettait de se « saucer » jusqu'à ce qu'elle finisse par apprendre à nager. Mais à quatorze ans, elle voulait essayer cet engin bizarre formé de cylindres rappelant les tubes dans lesquels on insère les cigares. En France, on appelait cela des pantoufles aquatiques. « Personne ne me croit, mais je te jure que c'est vrai. On était debout sur deux tuyaux longs comme ça, avec un aviron pour pagayer. La première fois, il n'y avait presque pas de vagues, mais la force que ça prenait pour se sortir de l'eau quand je suis tombée avec ces tuyaux attachés aux pieds ! La seconde fois, la vague était là, j'ai avalé de l'eau, alors j'ai tout abandonné. » Les adolescents s'amusaient sur ces engins, et se lancer dans l'aventure lui permettait de s'intégrer au groupe. De combler ce terrible besoin d'appartenir, de ne plus être une étrangère. D'être comme tous les adolescents du monde. Ce que Ludmilla n'a pas connu, en ville. Traîner sur la place, se raconter n'importe quoi, se moquer des autres, parler fort, rire à gorge déployée même quand rien n'est drôle, flirter, mais aussi, sûrement, échapper pour quelques heures à la seule compagnie de ses parents qui commençait à lui peser. Celle de sa mère, surtout.

Dans ce lieu de villégiature où les Otzup étaient descendus, comme dans tous les principaux endroits touristiques de l'Allemagne d'alors, il y avait le parc et les vérandas pour les touristes. Ces vérandas étaient couvertes, avec des tables où manger « et toujours plein, plein de mouches que les oiseaux venaient attraper », se souvient Ludmilla. De l'autre côté, c'était l'estrade pour l'orchestre et la piste de danse qui ouvrait sur la plage. On louait des pelles, des chaises, des paniers d'osier grands comme des bancs dans lesquels mettre les maillots de bain. On s'en servait aussi pour s'asseoir et sécher les serviettes.

Il y avait partout dans la ville des jardins de fleurs, qui sentaient bon ; à la plage, le sable était doux et tiède, le temps aussi, et les nuages politiques qui s'amoncelaient sur le monde n'avaient pas encore rejoint Ludmilla qui, cet été-là, gagnera le concours de « beauté ». Au bal, elle était la plus belle. Comme elle était longue, mince, qu'elle avait le visage fin avec des yeux bleus et un port de reine, on se retournait facilement sur son passage. Sa mère ne tenait pas vraiment à ce qu'elle fraie avec tous ces jeunes gens mais puisque, quelques jours plus tard, ce serait Berlin à nouveau, elle l'avait laissée s'inscrire et devait maintenant vivre avec le fait que plusieurs jeunes hommes prétendaient au titre de « prince consort ».

Le dimanche, « papa a invité un jeune garçon. Je ne me souviens plus à quoi nous avons passé le temps, mais quand ce jeune homme est parti, papa m'a juste dit comme ça : "J'espère que tu ne le verras pas très souvent. J'ai vu, il t'a déshabillée avec ses yeux." Je me suis sentie nue. » Ludmilla a tout oublié de ce jeune homme mais pas la sensation physique de cette phrase de son père. Cette phrase et le regard qu'il a porté sur elle alors auront un impact sur toute sa vie de femme. Le regard du père, comme permission d'être.

Le 23 juin 1937, Valia épouse Heinrich von Heinz Tolckmitt (Henry Tolkmith), à l'église russe de Tegel, dans la banlieue nord-ouest de Berlin. La sœur de Ludmilla a les cheveux clairs et une stature imposante. Avec son mari, elle rêve d'une carrière scientifique. « Je voulais absolument marcher sur les traces de la merveilleuse Madame Curie, écrira-t-elle, mais à cause de la guerre et d'autres circonstances, rien n'est allé aussi loin[124]. » Heinrich, de quatre ans son aîné, fut son professeur de chimie à la polytechnique de Berlin. Leur petit-fils, John E. Torres, rapporte que « *grandfather Henry often told me Valia was his best and most challenging pupil[125]* ».

Madame Chiriaeff se souvient du jour où sa sœur était entrée, rayonnante, à la maison. Au laboratoire, il avait été question de la grande nouvelle scientifique :

le chimiste allemand Otto Hahn venait de réaliser la division de l'atome. « Papa a dit : quoi ? Elle a répété : on peut diviser l'atome. Otto Hahn vient de le faire. Et paf ! Il l'a giflée. Diviser l'infiniment petit, ça ne se pouvait pas. Ce devait être son Allemand de mari qui lui montait la tête... » En 1944, Otto Hahn, du Kaiser Wilhelmen Institut, obtiendra le prix Nobel pour sa théorie sur la fusion de l'uranium.

Alexandre n'était pas heureux du mariage de sa fille avec un Allemand, tout brillant professeur d'université qu'il fût. « Papa a fait une crise quand il a appris que ma sœur voulait épouser son professeur de chimie. Et puis, c'était un Allemand. » Mais au-delà de cette union, Valia était une étrangère pour Alexandre. Le courant ne passait pas entre eux. Comme il semble que le courant ait eu aussi plus de difficulté à passer entre Ludmilla et sa sœur, et Ludmilla et sa mère. Peut-être est-ce parce que, pour Ludmilla, deux et deux font quatre plus l'imprévu plus le miracle. Pour sa sœur et sa mère, deux et deux font quatre. Jamais de fantaisie, jamais de merveilleux. Ou si peu.

Mais il fallait bien que dans cette maison quelqu'un ait les pieds sur terre. Il y avait longtemps que la plupart des bijoux cousus dans les vêtements, avant la fuite éperdue à travers la vieille terre russe, avaient été écoulés. De même que les fonds placés dans les banques russes et étrangères. De quoi vivaient-ils ? De quelques entrées de droits d'auteur pour les ouvrages publiés longtemps avant ? De fonds provenant de l'oncle Sergeïj ? Des activités d'import-export ? Ludmilla elle-même ne le savait pas. Mais ils ne manquaient de rien.

Les photos prises pendant le mariage de Valia, le 23 juin 1937, n'ont rien de misérable : les femmes sont en robe longue, même Ludmilla qui n'a que treize ans. Le marié et son témoin arborent un haut-de-forme. La réception s'est tenue dans un grand hôtel de Berlin. Ludmilla se souvient que la table était impressionnante avec une variété de mets qu'elle avait rarement vue auparavant – sauf peut-être quand ils étaient invités chez le docteur Roudneff, où le repas durait plusieurs heures et où elle avait goûté à la vodka pour la première fois. Il y avait aussi des musiciens à la réception. Et le regard que son beau-frère portait sur elle, comme s'il la cherchait constamment.

Chapitre 11
1939

L e 12 mars 1938, Hitler entre triomphalement dans Linz, sa ville natale. C'est sa revanche sur le règlement financier imposé à l'Allemagne à la suite de la guerre de 1914-1918. Les Autrichiens peuvent à nouveau rêver de grandeur. Mais pas tous. Le samedi suivant, les Juifs commenceront à être harcelés. La veille, déjà, les vitrines de leurs commerces auront été fracassées.

À la fin de septembre, Hitler se tourne vers la Tchécoslovaquie, dont il annexe le territoire des Sudètes où vivent plus de trois millions d'Allemands. Dès lors, les Hermann Göring Werke contrôlent les grandes usines d'armement comme Skoda[126], la fabrique Brno, les usines métallurgiques Poldi et les aciéries de Witkowitz. Göring nommera son frère Albert, ingénieur en mécanique, directeur commercial de Skoda. Celui que l'on nomme « la brebis galeuse » de la famille s'était installé en Autriche dès l'arrivée au pouvoir des nazis. Albert, on s'en souviendra, était lié par affaires, sinon par amitié, avec l'oncle Sergeïj, le frère du père de Madame Chiriaeff.

La nuit du 9 au 10 novembre 1938, les vitrines de ce qui restait en Allemagne de magasins tenus par des Juifs sont brisées. Vingt mille Juifs seront sortis de leur lit, arrêtés, battus et certains tués durant ce que l'Histoire a nommé la *KristallNacht*. Près d'un millier de synagogues seront aussi incendiées, dont celle sur Fasanenstrasse et celle sur Oranienburgerstrasse. Les Juifs devront payer pour nettoyer les dégâts faits par les nazis et le remplacement des vitrines des magasins de Potsdamerstrasse, Kurfürstendamm, Tauentzienstrasse, dont les débris jonchaient les rues.

Jusqu'à cette nuit, selon Jean Marabini[127], il semble que plusieurs Berlinois ne voyaient pas le problème. Mais ce 10 novembre au matin, la plupart des gens étaient épouvantés par ce déchaînement de cruauté planifiée qui s'était déroulé avec une rapidité terrifiante. Lorsque les troupes défileront devant Hitler, depuis la porte de Brandebourg, sur la Wilhelmstrasse, avant leur départ pour la frontière tchèque, les Berlinois ne seront pas au rendez-vous. Ils auront préféré rester chez eux.

À l'occasion de certains de nos entretiens, Madame Chiriaeff m'a donné à penser qu'elle savait, alors, ce qui se passait, mais quand je cherchais à la faire préciser, elle me répondait qu'elle n'était qu'une enfant et qu'elle ne se souvenait pas du tout de discussions sur la situation politique. « Je me souviens uniquement de ces moments de peur et de drame qui touchaient notre famille. J'étais trop jeune pour m'impliquer. » Trop jeune pour s'impliquer ? Sans doute, surtout si la famille ne l'est pas. Mais tout de même... Déjà, autour d'eux, des gens avaient disparu. Il arrivait qu'un élève ne revienne plus en classe. Personne n'osait poser de questions, mais tous « savaient » bien un peu quelque chose.

Le centre de Berlin avait tellement changé qu'à moins de n'y pas mettre les pieds, on ne pouvait pas ne pas se demander ce qui se passait. Et Ludmilla y circulait, à pied, en métro. Elle faisait toujours des marches avec son père. Depuis la « nuit de cristal » les bancs, dans les parcs, portaient en jaune l'inscription *Juden verboten*, « interdit au Juifs ». Curieuse comme elle l'était, Ludmilla a certainement posé des questions. Et puis chez elle, des valises étaient prêtes, avec des vêtements et d'autres effets de première nécessité. Mais il y a de ces choses que Ludmilla préfère ignorer, ne pas dire, comme si le seul fait de les nommer leur conférait une existence si forte qu'elle risque d'en être submergée. Il en sera de même à plusieurs moments de sa vie et, entre autres, durant les premiers mois de 1996. Comme si ne pas nommer la maladie qui la rongeait faisait que cette maladie n'existait pas.

Après l'invasion de la Tchécoslovaquie en 1938, la sœur de la seconde femme de Sergeïj s'est installée chez ce dernier. C'est d'ailleurs à cette époque que Sergeïj prépare l'envoi de ses collections vers l'Espagne. Il possédait des pièces d'art africain et près de six mille icônes dont certaines remontaient au début de la Russie. Selon la correspondance d'Alexandre à Ludmilla, en 1948, Sergeïj a continué d'exercer le métier d'antiquaire, à Madrid.

Noël 1938 sera le dernier que célébreront ensemble les familles d'Alexandre et de Sergeïj, auquel l'oncle Michel (Mihaïl) se joindra. Dans la grande maison du 34, Landschuterstrasse, où la réception a lieu, vivent aussi Eugénie, la première femme de Sergeïj, et leur fils Peter. La fête durera toute la nuit, avec une abondance de mets que les plus jeunes délaissent pour des chants et des jeux. Tania, la fille de Sergeïj, n'a que trois ans et ne se souvient de rien. Son demi-frère Peter et ses cousines, Ludmilla et Valia, d'une à deux décennies plus âgés, semblent avoir aussi oublié l'atmosphère qui régnait alors. Sauf que les hommes parlaient à voix basse dans le bureau de l'oncle Sergeïj, leur conversation comme emprisonnée dans le nuage opaque que créait la fumée des cigares et des cigarettes russes. Si Ludmilla a beaucoup oublié, elle sent encore sur elle le regard insistant de son beau-frère Heinrich. Un regard qui la déshabillait des yeux.

Le lundi de Pâques 1939, Hitler entre dans Prague. À la même époque, Mussolini prend l'Albanie et Franco s'empare de Madrid. Franco décidera de rester neutre quand Hitler déclarera la guerre à l'Europe. Madrid deviendra le siège de nombreuses firmes d'import-export, savant camouflage pour les espions de toute nature. Sergeïj y installera une entreprise : Fomento y Auxilio al Comercio y la Industria.

Un peu avant la fin de l'année scolaire, au printemps de 1939, Ludmilla se prépare pour les auditions au théâtre. Il s'agissait d'un concours de fin d'année, où les écoles et les professeurs inscrivaient leurs meilleurs élèves en vue de les qualifier pour les auditions d'entrée que tenaient plus tard les maisons d'opéra auxquelles était souvent attaché un corps de ballet. Les auditions se tenaient dans une grande salle où siégeait un jury composé de plusieurs membres venant de certains théâtres et maisons d'opéra.

Madame Chriaeff a un moment d'humeur quand je lui demande de m'expliquer comment les choses se passaient alors. On a souvent répété, au Canada, qu'elle n'avait pas de formation en danse et qu'au mieux elle avait fait carrière dans les cabarets pendant la guerre. « La Scala. C'était très sophistiqué. Dans l'est, il y avait des cabarets *cheap* mais pas la Scala. » La dernière requête d'une journaliste anglophone lui demandant d'établir son circuit de ballet, en Allemagne, l'avait mise en fureur. « Pourquoi est-ce qu'on ne me croit pas ? Je ne suis tout de même pas née en courant sur des pointes ! » me lance-t-elle. Malade, d'une maladie dont elle sait qu'elle est terminale, elle veut rétablir les faits. Nous sommes en avril 1996, le 18. Avec les lettres de son père et de sa mère sur le tabouret à ses pieds, des télécopies et des notes manuscrites étalées sur la table ronde, dans ce qui lui sert de salon-salle-à-manger-bureau, elle entreprend de refaire pour moi son parcours de formation en danse.

En Allemagne, à cette époque, pour pouvoir espérer frapper à la porte d'un directeur de théâtre ou de maison d'opéra, il fallait d'abord réussir l'épreuve de fin d'année et être remarqué par le jury. Il fallait ensuite auditionner dans chaque institution et, avant de pouvoir être engagé, obtenir une carte de membre de la Reichskulturkammer (RKK).

Dès le début de 1933, Goebbels avait créé la (RKK), qui comprendra six sections, dont le théâtre et la musique. « [...] En créant la Chambre nationale de la culture, énorme appareil de contrôle avec ses subdivisions par disciplines, par professions, il (Goebbels) veillait à ce que personne ne pût désormais publier ni exposer sans apporter la preuve de sa loyauté[128]. » Et le 14 juillet, il avait créé la Reichsfilmkammer (RFK). « Bientôt, tous les travailleurs, dans quelque industrie qu'ils soient, seront obligés de prouver que non seulement leurs parents mais aussi leurs grands-parents sont des aryens[129]* ». Personne n'échappera aux contrôles qui seront mis en place et, plus tard, aux listes et dossiers soigneusement confectionnés par Hans Hinkel, l'assistant du ministre de la Propagande et de l'Information. Selon la biographe d'Albert Speer, Gritta Sereny, Goebbels était « incapable de retenir sa main devant une jolie femme, et en particulier devant les actrices qui, comme il était le grand patron du théâtre et du cinéma, dépendaient largement de sa faveur ». Même la célèbre cinéaste Leni Riefenstahl, si appréciée du führer, devra s'y soumettre.

Mais avant d'avoir affaire à cette machine, Ludmilla a favorablement impressionné Lizzie Mandrik, qui fut chorégraphe à l'Opéra de Berlin et directrice de la Staatsoper, sur laquelle Hermann Göring exerce un contrôle politique. Elle a aussi impressionné Sabine Ress, une chorégraphe qui, de 1938 à 1944, aura une école de danse et était, selon Madame Chiriaeff, rattachée au Nollendorftheater, une maison d'opérette.

Madame Mandrik offrit à Ludmilla de venir auditionner au DeutscheStaatsoper. Cette maison était la plus importante et la plus ancienne. Située dans Unter den Linden, elle formait et engageait des danseurs classiques. Ludmilla y suivra quelques classes mais n'y restera pas. « La barre était classique, c'était très physique et l'on dansait sur les pointes, athlétiquement. À l'époque, il fallait être fort sur les pointes. Je pourrais dire que c'était plus proche de ce que l'on nomme maintenant la nouvelle danse que du classique que je connaissais. Plus physique. »

Chaque maison d'opéra avait son orchestre, des chœurs et un corps de ballet. « Il n'existait pas de compagnies comme on en connaît en Amérique. Un danseur était attaché à une maison d'opéra et y passait sa carrière, sinon, il n'avait pas de pension. » On engageait des solistes, à l'occasion, mais il y avait toujours un maître de ballet en résidence, qui était aussi parfois un créateur. Quand la saison était d'importance, il y avait, en plus, un assistant maître de ballet et un chorégraphe. Par ailleurs, à chaque saison un chorégraphe était invité.

Des « écoles » s'affrontaient alors, selon lesquelles soit la danse était davantage l'exaltation, l'explosion du corps, pour le libérer de ses contraintes et atteindre à l'extase ou, à l'opposé, le corps étant une mécanique, le danseur devait en conséquence reproduire les mouvements d'une machine[130]. Ludmilla n'élabore pas davantage sur son court passage au DeutscheStaatsoper, et je ne peux déceler si elle a été soulagée ou attristée de ne pas avoir été retenue. L'emploi était pourtant à plein temps, et c'est ce qu'elle recherchait.

Elle auditionna ensuite dans un théâtre dont elle n'est plus certaine du nom, peut-être le Theater des Westens. On y recherchait des danseurs pour *Till*

Eulenspiegel, un ballet tiré d'une légende qui s'apparente au Ti-Jean des légendes québécoises. Il s'agissait de tableaux amusants qui n'étaient pas dansés sur les pointes et le contrat ne valait que pour un mois, le temps prévu pour les représentations. Dans ce théâtre, il aurait fallu auditionner pour chaque programme ; donc toujours être à la merci des événements. Ce théâtre offrait une variété de programmes allant du théâtre conventionnel à l'opéra en passant par l'opérette. Les œuvres de Bertolt Brecht et de Kurt Weill y ont été présentées. Quand le Städtischeoper sera détruit par un effroyable bombardement, le Theater des Westens accueillera ses productions.

Ludmilla ira aussi voir le Deutschetheater où se produit maintenant la Deutscheoper de Berlin. Sur Bismarckstrasse, près de la station de métro de Potsdam, cette maison d'opéra portera le nom de Städtischeopernhaus et sera complètement détruite durant la guerre. Reconstruite, elle portera le nom de Deutscheoper. Il semble que là ce fut Goebbels qui exerçait un contrôle politique.

Quand Ludmilla revenait des auditions, elle avait l'impression qu'elle avait des ailes. Danser. Son rêve allait enfin se réaliser. Puis, rien. Elle n'avait pas été retenue. Son père s'efforçait de la réconforter. «Si elle savait persévérer, lui disait-il, un jour viendrait où la danse occuperait toute sa vie.»

C'est finalement vers Sabine Ress que Ludmilla se tournera. Sabine Ress, maîtresse de ballet et chorégraphe, a reçu sa formation classique de Madame Edouardova et a dansé pour les soirées que cette dernière organisait. Selon Galina Brunot, Sabine Ress a hérité de l'école d'Edouardova quand cette dernière a laissé l'enseignement[131]. Elle a chorégraphié pour le cinéma, la UFA Filmen, et plus tard pour la télévision. Elle était assistée de Margot Rewendt durant la période où Ludmilla a été son élève et sa protégée. Sabine Ress aurait été rattachée au Nollendorftheater de 1938 à 1944[132].

Sabine Ress, dira Madame Chiriaeff, était purement classique et ses chorégraphies étaient esthétiquement plus proches de la formation donnée par Madame Nicolajeva que de celle de Mandrik et des autres. Elle était sévère aussi, quant au travail sur les pointes. Avec elle, la danse moderne ou du travail classique orienté vers la création avaient une touche très dansante plutôt que rude et physique et une grande harmonie de mouvements.

Ludmilla commencera donc à travailler avec Sabine Ress, en vue d'une audition pour le Nollendorftheater. Mais le jour de l'audition, il y avait une improvisation moderne ajoutée au programme. Ludmilla se souvient du rideau qui se lève, de la pénombre devant elle et dans laquelle se perdaient les sièges en velours rouge, de la scène au-dessus de laquelle pendait un immense lustre. Elle se voit prendre position et la musique commence. «C'était un choc. Je n'avais jamais fait de moderne. J'ai exécuté une danse caucasienne et, à ma grande surprise, j'ai été admise pour un an. »

Selon les règles de la RKK, chaque théâtre, chaque maison d'opéra, devait respecter un quota d'artistes étrangers, c'est-à-dire non aryens. « Je suis convaincue que c'est grâce à ce quota que j'ai été retenue. J'ai signé. J'avais un emploi et un revenu assuré pour un an. Sabine Ress était merveilleuse. J'allais danser, la vie était belle. Sauf que... » Sauf qu'il lui fallait soumettre son passeport, son permis de danser, déclarer son appartenance politique et, surtout, faire la preuve qu'elle était de race pure, donc pas Juive au terme du paragraphe 5 de la première version de la Loi du 14 novembre 1935 sur la citoyenneté du Reich. Déjà en septembre 1935, deux catégories de citoyens avaient été créées : *Reichsbürger*, c'est-à-dire de race allemande pure, et *Staatsangehoriger*, sujets de l'État mais impurs, donc non citoyens. « Par ailleurs, dès octobre 1935, les artistes juifs ne pouvaient plus se produire que devant des publics juifs et rien de ce qu'un juif écrivait, dessinait ou peignait ne pouvait être imprimé ou exposé[133]. » Exclus à tout jamais de la vie culturelle allemande, qu'ils fussent Juifs allemands ou Juifs vivant en Allemagne, et quelle que fût leur réputation – même internationale.

Alors commença la recherche des documents : certificat de naissance, baptistaire, passeport, diplômes, permis, etc. Il fallait remonter plusieurs générations de chaque côté des parents, au moins jusqu'aux grands-parents des parents. Ludmilla commença la saison au théâtre sans avoir tous les documents exigés. Elle avait dû promettre de déposer tout ce qu'elle allait trouver. Les papiers du père, il y en avait. De sa mère, non. Abramov, qu'elle s'appelait. Alors, ils ont commencé à penser qu'elle était Juive : Abramov, Abraham.

Et, dès lors, la recherche se transforme en course effrénée aux papiers. À partir de septembre 1939, plusieurs documents fournis, que nous avons pu consulter, sont des faux, de l'aveu même de Ludmilla. Des certificats de naissance ont été fabriqués, de même que des documents notariés qui ne font foi de rien, des lettres d'officiers du culte, comme cet extrait de l'Église russe de Berlin, qui ne fait pas mention de sa sœur Valia et qui est daté du 2 septembre 1940.

> Il est connu que l'écrivain Otzup-Gorny et sa femme Katerina depuis leur arrivée à Berlin sont et ont toujours été membres de l'Église orthodoxe de même que leur fille Ludmilla dont je me suis occupé de l'évolution spirituelle. Ludmilla est entourée de parents qui professent l'esprit de Christ [...]
>
> Avec beaucoup de satisfaction, je peux professer que Ludmilla est vraiment exemplaire dans sa façon d'aider le prochain et de vivre dans la communauté. [...][134]

Comme plusieurs avaient tendance à définir les Juifs par l'appartenance religieuse des ascendants, il fallait déclarer n'avoir jamais été d'aucune façon relié
à quelqu'un de foi juive.

Et il n'y avait pas que l'Église russe à se prêter à ce genre d'exercice. Le comte
Helmut James von Moltke, avocat formé à Berlin et à Londres, et membre du
service de l'intelligence allemande (Abwehr), a travaillé à contrer la déportation
et l'assassinat de Juifs de même que l'exécution de soldats prisonniers de guerre.
Arrêté le 1er janvier 1944, et accusé de trahison, il sera exécuté le 23 janvier 1945.
De sa correspondance avec sa femme[135], on peut conclure que toutes les Églises
ont joué un rôle important dans l'aide active aux Juifs, aux personnes sans statut
et aux prisonniers de guerre. Les Églises étaient pour la plupart en contact avec
des résistants en Allemagne et dans les pays occupés et souvent même avec des
hauts gradés dans les ministères du Reich.

Plusieurs Juifs se convertissent, croyant ainsi échapper aux nazis, mais c'est
contre la race que ces derniers en ont, et que l'on soit d'une religion ou d'une
autre n'y change rien. Les Otzup, eux, fréquentaient par intermittence l'Église
orthodoxe russe, à quelques rues de l'école de leurs filles. Outre ce que m'en a
dit Ludmilla, cela m'a été confirmé par Tania, la fille de Sergeïj Otzoup.

Ludmilla dépose donc certains documents et promet un dossier complet dès
que les recherches généalogiques sur les ancêtres Abramov seront terminées.
Si jusque-là Ludmilla n'avait pas tout à fait conscience de ce qui se passait
autour d'elle, elle ne pouvait plus ignorer la chasse sans merci faite à certaines
personnes : le régime l'atteignait. Dans ce bureau de l'État civil, situé au 25 de
la Passauerstrasse, elle se heurte pour la première fois à l'appareil répressif.
Après lui avoir crié d'entrer, on lui ordonne de rester debout pendant que l'on
jette un œil distrait sur les documents qu'elle vient de déposer sur le bureau
derrière lequel un être au regard d'acier la dévisage.

« Des hommes d'une brutalité qui me figeait. Je sentais que s'ils décidaient de me
battre, là, de me tuer, cela n'avait aucune importance pour eux. Je me sentais
comme un insecte qu'on pouvait tout à coup trouver amusant d'écraser. » Ces
hommes étaient de la Gestapo.

Créée par Hermann Göring, la *Geheime Staatspolizei* (Gestapo) a ses quartiers
généraux au 8 de la Prinz Albrecht Strasse, dans un édifice de quatre étages
qui abritait un musée. Dès ses premiers jours, elle devint « le symbole de la
terreur et le cœur du système totalitaire[136] ». En avril 1934, Göring fait de
Heinrich Himmler, cet homme préoccupé par la pureté de la race, « *shy with
strangers, considerate of his elders, polite to a fault*[137] », le chef de la police politique
de l'Allemagne.

Sous lui, Reinhard Heydrich, qui, depuis 1931, s'occupe déjà de l'organisation de l'intelligence et du contre-espionnage (*Sicherheitsdienst*). Parce qu'il admirait les services secrets britaniques, Heydrich tente d'organiser son service comme eux. Il recrute ses premiers agents parmi les intellectuels et les universitaires, qu'ils soient ou non du Parti, mais le temps viendra où cette appartenance sera d'abord considérée. De trente-cinq agents à sa création, la Gestapo en emploiera vingt mille au plus fort de ses activités, et les qualifications recherchées au départ auront assez rapidement fait place à d'autres habiletés... Jean Marabini[138] écrira de Heydrich qu'il était un faussaire et « secrètement » le maître de la pègre allemande. Selon Rauschning[139], « c'est un trait caractéristique du régime que cette sélection de la pègre pour l'accomplissement de certaines besognes politiques ».

Depuis la prise du pouvoir par les nazis, un décret du führer donne à cette police le droit de perquisitionner partout, de confisquer les propriétés des ennemis de l'État et d'arrêter sans mandat. « Tant que les policiers agissent selon les règles édictées par leurs supérieurs jusqu'au plus haut niveau, ils ne peuvent être accusés d'agir illégalement, selon le Gestapo's WernerBest[140]*. »

Pendant que les autorités étudient le dossier de Ludmilla, l'été s'étire. Elle prend tous les jours des leçons avec Sabine Ress et se prépare à embrasser la carrière de danseuse. Il ne semble pas qu'il y ait eu de vacances à la mer ni d'excursion en montagne. Ils seront bien allés marcher dans la forêt de Grunewald mais sans doute pas flâner dans Unter den Linden. Cette avenue n'est plus ce qu'elle était. Commençant avec la Charlottenburgchaussee, elle sera élargie sous les directives de Speer, l'architecte d'Hitler, et des colonnes de marbre ornées d'aigles viendront remplacer les tilleuls centenaires qui faisaient la fierté des Berlinois. Déjà, pour la construction de la station de métro Unter den Linden, en prévision des jeux Olympiques, plusieurs tilleuls avaient été coupés. Après protestations, ils avaient été remplacés par de jeunes arbres entre lesquels s'élèvent les lampes de rues (Biedermeier). Les Berlinois ont alors rebaptisé la Linden, Unter die Lanterne[141].

De mes conversations avec Madame Chiriaeff, il ne m'apparaît pas non plus qu'il y ait eu des visites d'amis ou de membres de la famille. Par exemple, je n'ai même pas pu trouver où habitent sa sœur Valia avec son mari ni où ni à quoi ils travaillent à ce moment-là. Le cercle semble se refermer sur eux et ne s'ouvre que pour ce qui touche à la danse.

Le mardi 15 août, l'Allemagne décrète une mobilisation générale et, le 28, la France et l'Angleterre font de même. Le monde est en état de choc. Pourtant, les observateurs étrangers n'ont pas pu ne pas se rendre compte que « Toute la journée, un flot ininterrompu de bombardiers allemands survolent la ville et que le personnel de la Luftwaffe continue d'installer des batteries anti-aériennes dans les parcs, les terrains de jeu, dans chaque chaque place publique à travers la ville[142*] ».

La troisième semaine d'août, il fait chaud et humide à Berlin. Les cafés sont vides et les Berlinois ne savent pas trop à quoi s'attendre – pendant qu'à Moscou, Staline boit à la santé d'Hitler, scellant le pacte de non-agression qui lui garantit les États baltes et la moitié de la Pologne.

Le jeudi 31 août 1939, premier exercice d'alerte aérienne. En quelques minutes, les rues sombres se vident et les Allemands se réfugient chez eux, derrière des fenêtres recouvertes de papier, bleu ou noir. Elles resteront ainsi maquillées jusqu'à ce que les bombes les fassent éclater ou que la guerre se termine. Le vendredi 1er septembre, un peu avant cinq heures du matin, les armées d'Hitler envahissent la Pologne.

Ce jour-là, il faisait beau ; le ciel était bleu, sans un nuage. Sur le balcon, Alexandre a pris Ludmilla dans ses bras et lui a dit : « Maintenant tu es dans la guerre. » Et pour elle, c'était comme si le temps s'était arrêté... « comme si le temps saisissait le souffle pour arrêter la respiration, le mouvement, la vie. L'air m'était tout à coup devenu irrespirable. »

Ludmilla a quinze ans. La guerre, pour elle, c'est ce que ses parents lui en ont dit : celle de 1914-1918, en Russie, suivie de la révolution. Il lui apparaît que cela n'est pas possible et que la vie vient de s'arrêter. La guerre. Que va-t-elle devenir ? Pourra-t-elle encore danser ? Ses parents devraient-ils quitter l'Allemagne ? Seront-ils tous refoulés vers la Russie ? De quoi vont-ils vivre ? Tellement de questions se bousculent dans sa tête pendant que la famille s'installe au salon.

Ludmilla se colle à son père, sur le canapé, tandis que sa mère s'assied toute droite sur la chaise près de l'appareil radio, pour tâcher d'en savoir davantage, mais la Berliner Rundfunk ne transmet que ce que crachent les haut-parleurs installés dans les parcs et sur les places publiques. Depuis une semaine, la radio se résume à des marches militaires entrecoupées de rares bulletins d'informations et des extraits de discours de Goebbels : si la guerre vient, elle sera terrible... Ces mots entendus quelques jours plus tôt résonnent encore aux oreilles de Ludmilla, tandis qu'Alexandre, les yeux pleins d'eau, la serre contre lui.

Ce soir-là, à dix-neuf heures, deux avions polonais approchent de Berlin, ce qui déclenche la première alerte du temps de guerre. Ce soir-là aussi, un décret rend passible d'exécution ceux qui seront surpris à écouter les émissions diffusées par la BBC de Londres. Le 3 septembre, peu avant midi, l'Angleterre déclare la guerre à l'Allemagne. Quatre heures plus tard, la France fera de même, suivie par le Canada, le 10 septembre.

Les Berlinois sont stupéfaits ; on leur a tellement chanté ces derniers temps que personne ne se porterait à la défense de la Pologne. Ce dimanche 3 septembre, sous le soleil qui brille sur les rues de leur ville, ils se rendent à leur jardin ou pique-niquer dans les parcs. Ils n'osent faire de commentaires, la Gestapo étant partout. Ils n'en pensent pas moins que la guerre s'est installée. Et qu'elle va durer. Des cartes de rationnement leur ont été distribuées dès le 28 août par des policiers frappant aux portes. Sans ces cartes, il est dorénavant impossible d'acheter de la nourriture, des vêtements et des chaussures, du savon, du charbon... Chaque mois, s'ajouteront d'autres restrictions. À partir de septembre, le savon à barbe devra durer un mois ; en octobre, le dimanche deviendra jour du « plat unique » ; en novembre, les impôts augmenteront, de même que le prix de la bière, de l'alcool et des cigarettes.

Depuis la fin d'août, il est impossible de faire des appels interurbains et le service de téléphonie internationale est interrompu. Il n'est plus possible de prendre l'avion ou le train, pour sortir de Berlin, sauf pour ceux dont le déplacement est commandé par la sécurité nationale ou l'effort de guerre. Les ressortissants étrangers se précipitent à la gare de Stettin, la seule permettant de quitter la capitale, et les membres du personnel diplomatique français et britannique, sur un pied d'alerte, font la navette entre la Chancellerie, leur ambassade et leur capitale.

Il y a eu réunion de famille chez l'oncle Sergeïj pour décider quoi faire maintenant que la guerre était déclarée. Il fallait faire vite : les Otzup étaient déchus de la citoyenneté russe, sous passeport Nansen et sans protection puisque sous enquête de la Gestapo, pour le permis de danser demandé par Ludmilla. L'oncle Sergeïj partira pour l'Espagne en laissant derrière lui sa première femme et leur fils Peter ainsi que sa deuxième femme, Alexandra Sorina, et leur fille Tania[143]. Il s'installera à Madrid, où il continuera sa grande collection d'œuvres d'art. « Contrairement à la Suisse, réputée si humaniste, l'Espagne n'a jamais refoulé les Juifs qui fuyaient la Gestapo[144]. »

Jusqu'à la fin de 1939, il y aura cinquante-deux alertes aériennes. Pourtant, aucun avion ennemi ne survole la ville. Chaque fois, les Allemands se précipitent dans l'abri le plus près, chacun avec son masque à gaz et sa trousse de survie. Là, tout est réglé comme une chorégraphie ; un responsable de l'abri explique les règles à suivre : s'asseoir tranquille et parler à voix basse, bien se rappeler où est la sortie d'eau en cas d'incendie et la sortie de secours en cas d'évacuation. Les Juifs, eux, doivent s'entasser dans un coin. Pour le moment. Plus tard, ils n'auront plus droit aux abris. Et plus tard encore, ceux qui vivent encore à Berlin se cacheront constamment.

Les premières semaines de la guerre, la vie est comme désordonnée, si ce terme peut s'appliquer aux Allemands. En tout cas, ils doivent s'habituer à un nouvel ordre des choses. Les horaires de travail s'ajustent à la rigueur du couvre-feu en vigueur depuis le 1ᵉʳ septembre, et en fonction du rationnement qui s'organise dans les commerces. Plus tard, le marché noir sera florissant.

Pour les Berlinois, une fois la surprise passée, la vie reprend ses droits et « nous avons continué de vivre sans trop de changements les premières années de la guerre », m'écrira Galina Brunot, une danseuse de ballet. Galina, Galia pour les intimes, raconte que « les théâtres, les opéras, les salles symphoniques, les cabarets, les boîtes de nuit, étaient pleins de vie. On dansait, on visitait les musées et les galeries d'art comme d'habitude ; on allait au cinéma pour voir les films étrangers qui continuaient d'arriver à Berlin ; on allait nager ou canoter dans le Wannsee ou le Mueggelsee ou piqueniquer dans le (bois) de Grunewald et le Tiergarten, faisant peu d'attention à ce qui se passait en dehors de ça[145]. »

Pour Ludmilla et sa famille, ce n'est pas tout à fait cela. Ludmilla ne peut toujours pas danser « officiellement » puisqu'elle n'a pas de permis. L'hiver s'annonce difficile ; en décembre, le mercure descend à quinze degrés au-dessous de zéro et, comme les canaux sont gelés, le charbon n'arrive plus. Le 15 décembre 1939, Ludmilla décide de déposer une demande d'autorisation temporaire de danser au Nollendorftheater.

Mais avant tout cela, Madame Chiriaeff dit avoir dansé dans un film dont le titre, croit-elle se souvenir, était *Captain Girl.* Je n'ai rien retrouvé sous ce titre. Il existe toutefois un film, produit par Spiel et Haupr et présenté comme le film musical de l'année 1939 : *Wir tanzen um die Welt* (Danse autour du monde). Selon la distribution, Ludmilla Gorny y tient le rôle d'Ursula. Ludmilla m'a raconté qu'avec l'argent qu'elle avait tiré de ce film, elle s'était acheté un manteau de pluie en gabardine et elle avait invité sa mère pour une fin de semaine au bord de la mer. Il faut donc que ce film ait été tourné avant le déclenchement de la guerre puisque, depuis la fin d'août 1939, les déplacements des Allemands sur le territoire sont interdits ou strictement contrôlés. Sans « titre clair » quant à son « aryanité », et sans permis de la RKK, Ludmilla n'aurait pu ni danser dans un film ni sortir de Berlin pour aller à la mer avec sa mère dont, à l'époque, on soupçonnait l'ascendance juive. Ludmilla n'obtiendra son permis que le 22 juillet 1940. Il porte le numéro 1063 et il est émis par la Reichsfilm-kammer, une division de la Reichskulturkammer. Les recherches généalogiques ne donneront rien du côté des Radziwill ni du côté des Abramov, et Ludmilla a commencé à danser officiellement au Nollendorftheater qui produisait à l'époque de l'opéra et de l'opérette, sur Nollendorfplatz.

Ludmilla parle avec beaucoup de chaleur de Sabine Ress avec qui elle gardera le contact même une fois installée à Montréal. « Ce qui m'a plu chez elle, c'est qu'un mouvement amenait l'autre, un geste pénétrait l'autre... ce que j'ai appliqué plus tard dans mes chorégraphies. » Ludmilla devra se faire au « moderne » et suivra aussi des leçons avec Margot Rewendt qui partageait un studio avec Alexander von Swaine, près du Deutscheoper. Situé sur l'Opernplatz, ce théâtre était le plus traditionnel et l'un des deux plus importants de la capitale. Ludmilla n'y dansera pas mais y assistera à plusieurs représentations. Même sous les bombardements, ce théâtre a continué d'offrir des représentations jusqu'à sa destruction complète, dans la nuit du 22 au 23 novembre 1943.

Sabine Ress et Margot Rewendt seront, pour Ludmilla, les professeurs de ballet les plus importants qu'elle ait eus. Elle leur gardera une affection qui ne se démentira pas. J'ai retrouvé dans ses archives de la correspondance avec elles jusqu'à peu de temps avant son décès. J'ai aussi retrouvé des avis d'exécution d'ordre de paiements mensuels à Margot Rewendt, à Berlin, pour l'année 1955.

Chapitre 12
La guerre

S'installe-t-on dans la guerre ? Quand donc la guerre devient-elle tangible, quand on ne l'a jamais connue, que l'on a quinze ans et que l'on ne rêve que de danse, de rideaux qui s'ouvrent et se referment sur des applaudissements nourris ? Les cartes de rationnement que l'on va chercher chaque mois sont un rappel que quelque chose a changé, de même que le couvre-feu et les exercices vers les abris, mais pour le reste, la guerre semble encore irréelle pour la plupart des habitants de la capitale.

Ludmilla travaillait studieusement sous la direction de Sabine Ress et de son groupe. Dans sa tête d'adolescente déterminée, rien ni personne ne l'empêche-rait de devenir la danseuse qu'elle rêvait d'être. Elle travaillait aussi chez elle, dans cette pièce du fond qui avait été une chambre de bonne et que son père a fait aménager pour elle en salle d'exercice. Combien d'heures par jour ? Elle n'en a pas le souvenir. Sauf que pour elle, la vie n'a toujours été dédiée qu'à la danse. On l'a vu plus tôt, elle n'avait pas vraiment d'amis d'enfance, bien que certains élèves des classes du gymnasium l'aient appelée affectueusement Lucinka. Au théâtre, ses collègues la surnommeront Mila ou encore Mileshka.

Le travail, donc, le travail, encore et toujours le travail. Ainsi forme-t-on le corps : on le plie, le déplie, l'étire, le dompte, l'asservit jusqu'à ce qu'il se soumette aux exigences du maître. La danse est une discipline qui met une distance entre le corps, instrument de travail du danseur, et le corps sexué, enveloppe de l'être – de l'âme. Chez certains il y a dissociation permanente, une quête inces-sante de réappropriation du corps sexué. Au théâtre, le corps joue un person-nage que les yeux peuvent déshabiller à loisir sans le risque toujours présent de perdre l'amour du père. Un temps, Ludmilla vivra difficilement avec le côté «femme» de son corps. C'est le mot qu'elle emploiera en entrevue – les femmes qui ont un comportement «femelle» sous le regard des hommes. «Il te déshabillait des yeux», lui avait dit son père.

En cet automne 1939, Ludmilla n'en est pas encore à ces réflexions. Son seul objectif est d'obtenir son permis de danser, qui signifiera non seulement une chance de carrière mais un contrat et des revenus, alors que les emplois pour les étrangers sans papiers ne sont pas légion et se trouvent surtout dans le service domestique.

Les premières nouvelles du front rapportent la défaite de la Pologne le 23 septembre. Les notices nécrologiques sont remplies de noms de soldats allemands tombés pour le führer et la patrie. Goebbels, dans sa propagande, évite de parler de la résistance des Polonais et de Varsovie, qui a tenu quatre jours sous les bombardements incessants de l'aviation allemande. De ce jour, Katerina a commencé à avoir peur. Varsovie, c'est le lieu de naissance de sa mère Aglaïa, la Radziwill morte dans le plus complet dénuement à Petersburg. Elle ira consulter sa fille Valia sur ce qu'il faut faire : après tout, le mari de cette dernière est bien vu dans la communauté allemande et devrait être de bon conseil.

Au seul nom d'Heinrich, Ludmilla sent son être se raidir. Elle veut chasser les images et les sensations qui lui viennent. Que sa mère parte et aille retrouver Valia et son mari ; elle restera avec son père et veillera sur lui. Quand la mère revient de voir sa fille, on se dépêche de sélectionner les objets que l'on voudrait mettre à l'abri, au cas où la vraie guerre s'installerait. Au cas, donc, où l'ennemi bombarderait sérieusement Berlin. Pour le moment, rien de tout cela ne se dessine. Au contraire, des rumeurs selon lesquelles les Britanniques souhaiteraient parler d'armistice donnent plutôt à penser que la guerre pourrait se terminer rapidement.

Katerina prépare tout de même des listes et convainc Alexandre de retenir un espace dans une succursale de la Deutsche Bank. À la fin de la guerre, cette banque sera sous le contrôle de la Russie, avant de se retrouver derrière le mur, à Berlin-Est. Quand les bombardements commencent sérieusement, ils déposent à cette banque des bijoux, des tableaux, certains livres rares (le *Journal* de Schopenhauer, un exemplaire d'une Bible ayant appartenu à Martin Luther), un pastel de Katerina et un petit portrait d'Aglaïa, entre autres. Malgré les recherches de Katerina, en 1952, et de Ludmilla, en 1995, la famille ne retrouvera jamais ce qui avait été ainsi remisé à l'époque.

Même s'il n'y a pas de raisons apparentes de maintenir le rationnement, à la mi-novembre il s'étend aux vêtements. Au fur et à mesure de l'avancement de la guerre, quand les bas de soie seront devenus introuvables, on verra les femmes dessiner sur l'arrière de leurs jambes une longue ligne rappelant la couture du bas. Par temps froid, elles porteront les pantalons de leurs maris ou de leurs fils partis à la guerre et quand ces pantalons ne tiendront plus, elles s'en fabriqueront dans tout ce qu'elles pourront trouver, ce qui inclura les tentures récupérées d'appartements bombardés.

Ludmilla ne parle pas de difficultés de cette nature. Certaines photos de cette période montrent qu'elle arrivait toujours à s'habiller coquettement. Ce dont elle se souvient, par ailleurs, c'est que très tôt, les Allemands ont remplacé les boutons de leurs vêtements par des boutons lumineux, dont certains de formes très « design » ; inutile de dire qu'il y avait majoritairement des svastikas. Ces boutons lumineux (phosphorescents) étaient très pratiques dans le noir absolu de certaines parties de la ville et permettaient d'éviter d'entrer en collision avec un autre marcheur.

Il n'était pas rare, non plus, de voir des bandes blanches cousues sur le devant et l'arrière des vêtements, pour les mêmes raisons. Les gens marchaient à l'aveuglette, tendant les mains vers l'avant ou touchant les murs, quand il y en avait encore. Un soir, revenant du théâtre, Ludmilla s'entend crier et son cri est couvert par un cri au son plus grave. Elle tient dans sa main une barbe qu'elle tire et n'arrive pas à lâcher, tellement la peur l'habite. L'homme à barbe dira quelque chose en yiddish. Ludmilla s'excusera. Le cœur lui battant à tout rompre, elle arrivera chez elle mais passera un bon moment sous le porche, le temps de reprendre ses esprits. Il n'était pas question que les concierges la voient dans cet état ; il n'était pas question surtout d'inquiéter son père.

Cet hiver 1939-1940 est le plus froid qu'ait connu l'Allemagne depuis le début du siècle. Certains jours, quand elle entre chez elle, son père porte des gants pour écrire et sa mère se promène d'une pièce à l'autre avec son manteau sur le dos.

Le 27 janvier 1940, Ludmilla obtient un permis temporaire de danser. « Jusqu'à l'éclaircissement de votre affaire », stipule le document de la RKK sous la signature du directeur Hans Hinkel. Ce n'est pas l'exaltation, mais presque. L'éclaircissement de son affaire : sa grand-mère est une princesse, alors qu'on lui fiche la paix ! Mais elle est bientôt convoquée au Bureau principal de la race et du peuplement, où l'on entreprend de la mesurer, photographier, analyser, sans compter les interrogatoires. « Imagine, me dira-t-elle, des techniciens examinateurs de la race (*Rassenprüfer*) en uniforme blanc vérifiaient la couleur des yeux pour faire la preuve d'une descendance asiatique, la largeur du crâne ou la forme des oreilles pour te déclarer Juif. » Elle retournera trois fois à ce Bureau, à quelques mois d'intervalle. Avec toujours, pour elle et sa famille, l'obligation de démontrer ce qu'elle n'était pas. Bien qu'elle crânât sur le moment, elle rentrait chez elle dans un état d'insécurité absolue. « L'impression qu'on vous fouille jusque dans l'âme. Comment dire que je n'étais pas Juive ? Démontrer ce que l'on n'est pas – qui est-ce que l'on est, alors ? » La quête sans fin de l'identité.

Le Nollendorftheater, où elle retrouve Sabine Ress, est sous la direction de Harald Paulsen. Ce théâtre, situé sur la Nollendorfplatz, a été dessiné par

Gropius, à la demande de Piscator. Ouvert en 1927, il présentait diverses revues montées à l'aide de chorégraphes et de librettistes. Une station de métro débouchait sur cette place où un cinéma et une banque faisaient encore de bonnes affaires. C'est de cette bouche de métro que Ludmilla sortait le matin, après quinze à vingt minutes de trajet, pour se rendre aux classes de pointes données par Sabine Ress.

À s'exercer, elle ressentait vite des élancements dans les jambes et lever ou abaisser la jambe n'y faisait rien. D'autant qu'il fallait remonter sur les pointes. La douleur grimpait des orteils jusqu'aux mollets. Et c'est les orteils en sang qu'il lui est arrivé de rentrer chez elle et de plonger ses pieds dans l'eau froide jusqu'à ne plus les sentir. Elle ne voulait pas se plaindre, de crainte d'être renvoyée – jusqu'à ce que l'infection se mette de la partie. Alors, elle reste à la maison et lit *Les Frères Karamazov* [146]. « Après plus de cinquante ans, j'ai encore très présentes à l'esprit les conversations que tient sur la vie et sur Christ le sage du village, cet incroyable vieillard, et celles avec Aliocha, très pur et très naïf. »

De retour au théâtre, elle a beau s'appliquer, il lui semble que les professeurs ne sont jamais satisfaits. Elle non plus, comme professeure, ne le sera jamais. Il faut toujours aller plus loin, ne jamais flancher, même si le corps est distendu. Alors, recommençons. Un, deux, trois, quatre – pliez... Discipline de fer.

En avril, un décret ordonne aux propriétaires de prévoir une *Ausgang* (sortie) additionnelle à partir d'un abri, dans la cave, de telle sorte qu'au cours d'un bombardement on puisse circuler sans sortir des abris, d'une maison à une autre, dans tout un pâté de maisons. Même si le ciel allemand est exempt de bombardements, des tranchées étroites sont creusées dans les parcs de Berlin.

En mai, l'Allemagne occupe la Hollande, la Belgique et le Luxembourg. Elle attaque la France, qui capitule le 14 juin. Malgré ces victoires, les Allemands ne sont pas dans la rue, même si l'été est très chaud et que le ciel est calme. Ils stockent plutôt ce qui n'est pas encore rationné et se préparent pour des jours difficiles. Le 1er juillet, Riga est aux mains des Allemands. Chez les Otzup, c'est l'angoisse. Evguenia, la sœur d'Alexandre, y vit avec son mari et il n'y a aucun moyen de savoir s'ils sont toujours en vie.

En août, commence la bataille d'Angleterre. En réplique à une première attaque sur Londres, les Anglais envoient quatre-vingt-neuf bombardiers sur Berlin dans la nuit du 26. La veille, ils ont déversé sur la ville des feuillets affirmant : « La guerre commencée par Hitler durera aussi longtemps qu'Hitler lui-même [147]*. » Et la vraie guerre commence. Les Allemands bombardent le palais de Buckingham et la cathédrale Saint-Paul. Les Anglais répliquent en bombardant les cours de triage au nord des stations Stettiner et Lehrter, les voies ferrées de Charlottenburg et de Schöneberg, de même que des installations industrielles.

Le ministre de la Propagande et de l'Information écrit que les Allemands se sont vengés, qu'ils ont bombardé Londres et détruit la RAF. La nuit même où cette propagande circule, Berlin est bombardée de plus belle. Les Berlinois deviennent cyniques. Ils ne dorment plus que quelques heures par nuit et la vie quotidienne en souffre. Katerina, la mère de Ludmilla, refuse maintenant de se déshabiller pour aller au lit, à côté duquel elle garde toujours une caissette contenant ses objets les plus précieux. Certains jours, Ludmilla trouve sa mère sur le balcon, emmitouflée dans ce qu'elle a de plus chaud, sa caissette à côté d'elle, scrutant le ciel et maudissant les Allemands. Même après la guerre, elle gardera près de son lit ses objets les plus précieux.

Le 19 décembre, les journaux annoncent des rations spéciales pour les fêtes : trois fois la ration normale de fèves, lentilles et pois et davantage de sucre, de marmelade et de clous de girofle. Mais pas de décorations de Noël sur les places publiques : les lumières sont interdites et il fait noir à seize heures.

En revenant des cours de ballet, Ludmilla se retrouve parfois face à l'église, sans avoir eu l'intention d'y aller. En cette fin de décembre 1940, elle y entre. Pourquoi? Pour l'odeur de l'encens qui flotte encore dans l'air, pour les voix chaudes qui psalmodient en slavon, pour la flamme des bougies qui danse, pour rêver d'un monde de lumière et d'amour. Ici, pas de sirènes sonnant l'alerte, pas de bruits de camion qui s'arrêtent brusquement, pas de martèlement de bottes ni de hurlements. Ici, elle se sent enveloppée, bercée, transportée.

Chapitre 13
Danser

Les fêtes du Nouvel An seront sobres. Les Otzup n'ont pas la « chance » d'avoir un proche militaire qui vient en permission depuis les pays conquis. Ces militaires rapportent des bas de soie, des parfums, du champagne, du cognac, de l'armagnac et du vin. Les « surplus » sont écoulés au marché noir, mais Ludmilla ne se souvient pas qu'ils aient eu recours au marché noir, au début de la guerre.

Réunis chez la seconde femme de l'oncle Sergeïj qui, lui, est installé à Madrid, Alexandre, Katerina et Ludmilla oublient pour un moment les difficultés du quotidien, comme les longues files d'attente pour obtenir les rations qui leur sont allouées, comme l'inquiétude de voir son appartement défoncé et de se faire intimer sans raison l'ordre de sortir, comme le fait d'avoir froid. Les premiers jours de janvier 1941, il fait vingt degrés au-dessous de zéro. Le charbon est rare. Il est vaguement question d'une visite que devrait faire sous peu Albert Göring, parrain de sa cousine Tania. On jongle avec la possibilité de lui demander de l'aide pour éloigner Alexandre et Katerina de Berlin. Mais c'est Pedro, le fils de Sergeïj, et sa mère d'ascendance juive, Eugénie, la première femme de Sergeïj, qui partiront. Albert leur obtiendra des papiers qui leur permettront de quitter Berlin pour la Suisse, par un train de nuit.

Ludmilla dira d'Albert Göring qu'il avait les cheveux bruns, le teint olivâtre, une petite moustache dans un visage plein de bonté, et l'accent des montagnards. Dernier d'une famille de dix enfants, Albert est ingénieur en thermodynamique. Un temps il a été actif dans les milieux du cinéma allemand. Lors de la prise du pouvoir par les nazis, il s'est installé en Autriche avec sa femme. Ses sœurs, Olga et Paula, ont d'ailleurs épousé des Autrichiens.

Albert mènera une intense activité de résistance contre le régime nazi. En tant que directeur commercial de l'usine d'armements Skoda en Tchécoslovaquie, il peut se déplacer facilement sur les territoires sous contrôle nazi. Il ouvre des

comptes de banque en Suisse[148] dans lesquels il invite certaines personnes à
retirer des fonds pour aider des réfugiés juifs à s'enfuir. Il utilise le papier à
lettres de son frère Hermann, dont il imite la signature. Selon un documentaire
produit par la BBC[149], qui reproduit une liste de noms fournis par Albert pour
sa défense à Nuremberg, il a aidé la famille Serge Otzoup, et une certaine Frau
Alexandra Otzoup a travaillé à l'usine Skoda, en 1942.

Selon Tania, Albert Göring

> affectueusement nommé Bertl [...] était un être profondément reli-
> gieux et aimé des enfants. Il m'a appris à prier et c'est avec lui que j'ai
> pour la première fois entendu parler de la réincarnation. Je pense qu'il
> y croyait même si cela venait en contradiction avec sa foi catholique.
> À cause d'Albert, plusieur familles juives ont pu fuir l'holocauste,
> parmi eux Franz Lehar, le compositeur et sa famille. Plus tard, Franz
> Lehar a composé une œuvre musicale en hommage à Albert. Albert
> passait plusieurs de ses soirées chez nous. Selon ce que ma mère m'a
> raconté, il s'asseyait au secrétaire et émettait des documents permet-
> tant à des gens, majoritairement des Juifs, de quitter l'Allemagne pour
> la Suisse. Ces documents étaient signés du nom de son frère Hermann
> Göring, des faux qui ont sauvé quantité de vies[150*].

À partir de la mi-mars, les Anglais bombardent Berlin durant plus d'un mois.
Les Berlinois vivront des nuits écourtées et le jour, en plus de la fatigue qui se
lit sur les visages qu'ils croisent dans la rue, ils se retrouveront devant des murs
qui ne sont que des squelettes d'une vie qui hier encore semblait éternelle.
Ainsi en est-il de la Deutsche Opernhaus, dont il ne reste plus que les murs
extérieurs.

Katerina, qui avait une ouïe déficiente depuis l'enfance, craignait de ne pas
entendre les alertes. Au début, c'était le cauchemar. Il fallait qu'elle soit toujours
prête à paraître devant les étrangers. Alors, elle se frisait, plaçait une résille sur
ses cheveux, enfilait ses vêtments et s'asseyait parmi des valises qu'elle ordonnait
à Ludmilla et à Alexandre de descendre à l'abri dès qu'ils entendaient l'alerte.
Ludmilla se rappelle ses mouvements d'humeur, alors : « Ça m'énervait. Moi,
je pouvais mourir, alors ses valises, tu comprends... Puis fallait remonter tout
cela, après l'alerte. Quatre étages. Et parfois plusieurs fois par nuit. »

Alexandre a décidé que Katerina irait chez Valia pour un temps, à Breslau. Le
mari de Valia était Allemand et c'était risqué pour un Allemand de garder une
Russe. On a donc caché Katerina, qui ne sortait jamais. Sa réclusion était sans
doute adoucie par les moments passés avec son petit-fils Peter, qui était né en
1939. Heinrich, Valia et leur fils vivaient dans une zone à accès restreint depuis
qu'Heinrich était devenu chef de la division des composés des organophosphorés,

chez I.G. Farben. À partir de ce moment, et jusqu'à la fin de la guerre, il leur sera très difficile d'échanger des nouvelles avec la famille Otzup.

Née de la fusion des grandes compagnies de l'industrie chimique, I.G. Farben est associée à la production de carburants de synthèse et de caoutchouc synthétique dès 1925 et est le numéro un mondial de la chimie jusqu'en 1945[151]. C'est cette compagnie qui fournira le Zyklon B, dont les cristaux seront jetés dans les conduits d'aération des chambres à gaz de certains camps et extermineront quantité de détenus de toutes sortes. C'est aussi I.G. Farben qui construisit l'usine Monowitz 111, située à huit kilomètres du camp principal à Auschwitz. Myriam Anissimov écrit qu'il s'« agit d'un gigantesque complexe chimique, appelé la Buna [...] Il avait été construit [...] afin de bénéficier d'une main-d'œuvre composée d'esclaves à un prix dérisoire[152] » et Paul Hilberg dit de cette entreprise qu'elle n'est pas « une simple firme mais [...] une composante importante de l'appareil de destruction[153] ». En mars 1958, I.G. Farben sera condamnée à verser une trentaine de millions de deutschmarks aux survivants qui avaient été mis aux travaux forcés dans la Buna-Werke, près d'Auschwitz.

Katerina rentre finalement à Berlin, peinée d'être à nouveau séparée de sa fille et de son petit-fils. C'est comme si elle n'avait connu que cela, dans sa vie, des séparations. Cela a commencé à Petersburg, quand elle était toute petite et qu'il a fallu suivre l'oncle Kolia en exil. Une longue vie d'arrachements. Certains jours, Katerina se sent si lasse qu'elle se prend à souhaiter qu'un bombardement mette fin à tout cela.

En mai, la Hongrie entre en guerre aux côtés des Allemands et un décret interdit de vendre de la bière, sauf entre onze heures trente et quinze heures et puis entre dix-neuf heures et vingt-deux heures. On peut jouer de la musique dans les boîtes de nuit, mais il est interdit d'y danser parce que les soldats allemands sont au front ! Les théâtres sont bondés, tous les soirs. Certains, comme la Scala, ont de la difficulté à trouver des artistes allemands et doivent se rabattre sur les étrangers, dépassant ainsi les quotas alloués. Les cinémas d'État (UFA) ont l'obligation de montrer des films contre les Juifs ou des films de guerre. Ils sont à moitié déserts. On peut le comprendre : quand on vit les bombardements chez soi, on préfère sûrement voir des comédies, ce que les autres cinémas, qui sont pleins à craquer, offrent au public.

Ludmilla continue d'aller aux classes de Sabine Ress, qui a proposé son nom pour un film à être tourné en Hongrie durant l'été. Elle n'en souffle mot à personne. Les Allemands viennent de bombarder le parlement de Londres dont une partie a été détruite. Selon son père, qui a syntonisé la BBC, la guerre sera longue. Tout peut arriver. D'autant que, le dimanche 22 juin, les Allemands auraient lancé une offensive contre la Russie. Chez les Otzup, c'est à nouveau l'inquiétude : où sont Marousia (Maria) et Choura (Alexandra), les sœurs de

Katerina? Pour sûr, maintenant, elle ne les reverra jamais. Devant l'icône, dans le coin d'honneur, Katerina allume le lampion. Ce geste, pour Ludmilla, sera toujours la Russie de sa mère, la Russie de la révolution, la Russie qui a laissé Katerina amputée d'une partie d'un sein. Pour une fois, Ludmilla se surprend à souhaiter que les Allemands gagnent. Son père lui a expliqué que l'on ne peut réduire les Allemands au nazisme et pas davantage les Russes au communisme. Et que la guerre, c'est la guerre. Ce qu'elle souhaite, alors, c'est vraiment que les Allemands l'emportent sur les communistes. Elle n'est pas la seule à penser ainsi. Les Allemands craignent l'instauration d'un régime communiste si leur pays vient à perdre la guerre.

Le mois de juin est chaud et ensoleillé à Berlin, et les samedis, quand on ne va pas au parc, on s'évade vers le Wannsee ou le Nikolassee pour se rafraîchir. Vers la fin du mois, Ludmilla se rend à Siebenbuergen, en Hongrie, pour une partie du tournage de « *Der Tanz mit dem Kaiser* » (La danse avec l'empereur). Un splendide château du temps de Marie-Thérèse en est le décor. Sous la direction de Georg Jacoby, qui épousera Marika Rökk, la vedette de ce film, la distribution comprend aussi Jockel Stahl, alors premier danseur du Deutschesopernhaus, à Berlin, Wolf Albach-Retty (père de Romy Schneider), Lucie Englisch et Galina Brunot.

Selon Galina, qui dansait avec Ludmilla :

> Notre ensemble, précédé par Marika et Jockel, dansait la danse typique, et très élégante, de Siebenbuergen, paloutache (danse de Pâques) et était tournée dans le chateau splendide du temps de Marie-Thérèse; d'autres danses en costumes folkloriques de Siebenbuergen étaient tournées dans la cour du château autour de la fontaine. Je ne crois pas que ce film a été montré dans d'autres pays excepté peut-être en Hongrie, la patrie de Marika[154].

Marika Rökk a commencé sa carrière au Deutschestheater de Munich. Elle est vite devenue la reine de la revue. Elle s'est produite dans plusieurs films et les plus populaires sont ceux dirigés par Georg Jacoby. Ludmilla disait d'elle qu'elle était belle et talentueuse. Pendant des mois, elle pouvait ne pas suivre de classes et tout à coup, quand la caméra se posait sur elle, elle prenait sa jambe, la levait jusqu'à sa tête et descendait comme ça, sur une jambe, un grand escalier. Elle était la vedette du cinéma hongrois et avait un immense succès, même en Allemagne.

Quand à Jockel Stahl, Ludmilla a donné comme information à la Canadian Dance Data Bank qu'il avait créé pour elle un rôle de paysanne dans *Der Zerbrochene Krug*. Elle situe ce fait en 1940-1941[155]. Je n'ai retrouvé aucune autre information concernant un contrat qu'elle aurait signé avec l'Opéra de Berlin. À l'époque, Ludmilla est au Nollendorftheater.

Avant de rentrer à Berlin, Ludmilla s'achète des vêtements et, de retour à la maison, elle veut gâter ses parents. Mais avant de les inviter au restaurant, elle change ce qu'il lui reste en billets de un mark et les dispose tout autour de la table ronde dans le bureau d'Alexandre. « La table en était couverte. J'étais tellement fière de moi. »

Pour Ludmilla, la saison reprend à la fin d'août. Il faut se tenir prêt pour les numéros de danse dans les opéras et les opérettes qui sont montés : *La Chauve-Souris, Les Noces de Figaro, Les Nuits de Venise.* Lors d'une matinée, peu après le début du spectacle auquel assistaient quelques hauts gradés d'une entreprise berlinoise, les SS sont entrés et ont fait évacuer la salle. Et le lustre au milieu du théâtre s'est effondré. Attentat ou accident ? Toujours est-il que le théâtre a été fermé une partie de l'automne. Ludmilla serait alors allée remplacer une soliste au Staatsoper. On y produisait l'opéra *Orphée*, de Glück.

À la mi-septembre, la RAF détruit la Potsdamerplatz, le Tiergarten, le zoo et l'hôtel Eden. Dans certaines rues, des rangées de maisons sont entièrement écroulées. Quand on s'y promène, il faut contourner des tas de pierres et de briques et, le soir, éviter de marcher sur les débris de verre, pour ne pas attirer l'attention.

C'est à l'automne 1941 que les Allemands subissent leurs premières défaites et Berlin est tout à coup obligée de s'occuper de tous ces blessés qui rentrent au pays, un bras ou une jambe en moins. Pourtant, à la radio, Goebbels continue de distiller sa propagande à heure fixe. Cela commence toujours par une marche militaire, ensuite on annonce systématiquement, chaque semaine, que l'on a gagné deux batailles. De quoi rendre les Berlinois cyniques. Mais voilà que maintenant, le discours change : en plus de gagner deux batailles par semaine, on doit faire face à un ennemi plus difficile que tous ceux que l'Allemagne a jamais affrontés ! Pour cause, la Russie contre-attaque. Le dimanche 7 décembre, le Japon attaque Pearl Harbor et Hitler déclare la guerre aux États-Unis. C'est aussi le 7 décembre que le décret *Nacht und Nebel* (Nuit et brouillard) est promulgué. À partir de là, les « opposants » au régime sont envoyés secrètement dans les camps, ce qui fait cesser à peu près toute résistance de la part de leur famille, celle-ci craignant de n'avoir jamais plus de nouvelles des siens.

Quelque part cet automne-là, Alexandre est amené pour un interrogatoire. À cause des papiers, dira-t-il en rentrant à la maison. Il était blême et ses mains tremblaient. Il n'a rien voulu dire d'autre. Quelqu'un l'avait-il dénoncé ? Depuis quelque temps, Alexandre avait accepté de cacher des Juifs, pour la nuit. Ludmilla se souvient de trois ou quatre personnes, professeurs de piano et écrivains. Ils arrivaient par l'escalier de service par où le boulanger faisait, avant la guerre, ses livraisons. Qu'arriverait-il maintenant ? Katerina avait peur. Ludmilla aussi. Pendant un temps, plus personne n'est venu par l'escalier de service.

Revenue au théâtre en décembre, Ludmilla prépare *La Veuve joyeuse* et *Barbe-bleue*. Il y avait toute une série de superstitions chez les danseurs ; entre autres, on disait que mettre une chaussure sur la table portait malheur. « Dans le vestiaire, j'ai pris un soulier de danse de chacun des danseurs, je les ai remplis de friandises de Noël et je les ai déposés, en cercle, sur une table à l'arrière du décor. Puis on est rentré chacun chez soi pour les fêtes de Noël. On verrait bien si c'était sérieux, cette superstition ! »

Ce 1ᵉʳ janvier 1942, il fait froid. Très froid. Mais cela n'empêche pas les cabarets et les théâtres d'être pleins. Il y a des arbres de Noël, malgré le black-out, et les trains circulent avec des lanternes recouvertes. Chez les Otzup, la tension est un peu tombée. Après la période des fêtes, Ludmilla retourne au théâtre. Toujours la même routine. Un soir que, d'un pas pressé, elle traverse le petit parc pour prendre le dernier tram, quelqu'un lui court après. Alors, elle court aussi, mais elle est rattrapée par le gardien du théâtre qui l'accuse d'avoir volé quelque chose. Elle s'en défend. Il la plaque sur un mur et la fouille. Elle, voleuse. Le tram est passé. Le gardien s'en retourne. Elle rentre, seule dans le noir, sentant encore sur elle ces mains aux mille doigts fouineurs.

Durant les rares promenades qu'il faisait cet hiver-là, Alexandre notait qu'il y avait de plus en plus de travailleurs étrangers qui circulaient en ville. Personne ne savait encore que, le 20 janvier, dans une villa au bord du lac de Wannsee, un des beaux quartiers des environs de Berlin, une conférence s'était tenue qui prétendait régler définitivement la question juive. La « solution finale » commande que les Juifs qui travaillent encore dans les usines soient graduellement remplacés par des travailleurs venant des territoires occupés. Bientôt, ces travailleurs (STO) seront des centaines de milliers au service du Reich. Au fur et à mesure que leurs conditions de vie se détérioreront, la résistance et le sabotage s'installeront dans les usines – au risque de tortures ou de fusillades pour tous les travailleurs de l'atelier contrôlé par la Gestapo.

Alexandre avait décidé de se rendre aux arguments de Katerina et de ne plus ouvrir sa maison à ceux qui vivaient dans la clandestinité. Des valises étaient toujours bouclées, rangées près de la porte principale. On ne sait jamais. Une nuit, un camion s'arrête devant l'entrée de leur conciergerie. Des portes claquent, le martèlement des bottes recouvre à peine les voix rauques, que l'on entend jusqu'au quatrième.

L'ascenseur démarre. On retient son souffle. L'ascenseur oublie de s'arrêter au quatrième. Ouf ! Puis, le bruit des crosses contre une porte que l'on enfonce. Un bruit sourd comme quelque chose qui tombe. Des cris. À nouveau le martèlement des bottes. L'ascenseur redémarre. On retient son souffle. L'ascenseur s'arrête en bas. Ouf ! On ose un œil derrière le rideau du salon : un vieux monsieur est soulevé de terre et jeté à l'arrière d'un camion – qui aussitôt tourne le coin. Il est trois heures du matin. On pourrait croire que l'on a rêvé tout cela. D'autant que ce printemps, les lilas sont en fleurs et que les rossignols et les grives sont revenus dans les parcs. Mais la chasse aux Juifs s'intensifie.

À la mi-juin, quand Ludmilla arrive au théâtre, le directeur lui interdit de se rendre au vestiaire. Il n'est pas question qu'elle salisse la scène plus longtemps, lui crie-t-il. Harald Paulsen ne la touche même pas et se tient à bonne distance d'elle. Il ordonne au concierge de porter les effets de cette sale Juive à la porte arrière du théâtre. Cela n'empêchera pas Paulsen, lorsque, quelques années plus tard, la vague de dénazification l'atteindra, d'écrire à Katerina pour lui demander d'intervenir en sa faveur.

> Je serais reconnaissant, chère madame, si vous vouliez bien, à une instance devant laquelle je dois me présenter, écrire quelques lignes pour attester que je me suis conduit correctement envers Ludmilla, tel qu'un être bien devait se conduire dans les circonstances pareilles. Cette demande m'est très difficile parce que je ne la trouve pas humaine mais vous savez vous-même qu'il y a des moments dans la vie qui sont plus forts que nous.

Alexandre écrira aussi. Il demandera à Ludmilla d'adresser un mot au *Spruchskammer* (tribunal procédant à la dénazification des institutions) pour dire que Paulsen a été correct avec elle, même si elle a dû quitter le théâtre. Paulsen avait été de la distribution du film de 1939, avec Ludmilla. Il y tenait un des premiers rôles. Alexandre joint la lettre que Paulsen vient de lui adresser.

> Je vous remercie très sincèrement pour votre écrit. En même temps, je félicite Ludmilla pour sa carrière. Elle mérite cette carrière qui enfin va commencer réellement. Si la vie me le permet, je lui écrirai parce que je veux la féliciter personnellement. Voilà l'adresse de Sabine Ress. Avec mes hommages à votre épouse[156].

« La vie a de ces revers, vous ne trouvez pas ? Dès l'arrivée des Alliés, plein d'Allemands ont soutenu qu'ils avaient été contre les nazis, qu'ils avaient tenté d'aider les Juifs, qu'ils ne les avaient pas maltraités. Mais quand ont commencé les procès, il fallait des preuves... C'était leur tour d'en chercher. Désespérément », se souvient Ludmilla. Ironie du sort, on était prêt à payer le gros prix pour une authentique « étoile jaune » ; on croyait qu'en l'exhibant, on obtiendrait plus de sympathie de la part des Alliés. Un grand nombre d'Allemands se découvraient tout à coup des origines juives.

Plutôt que de rentrer chez elle, Ludmilla se rend au studio de Sabine Ress – qui tente de la rassurer. Son permis est-il révoqué ? Non ? Alors, elle peut encore danser. Il n'y a que son contrat au Nollendorf qui vient de prendre fin. Il faut garder le moral. Sabine Ress lui fait promettre de revenir la voir dans une semaine, peut-être aura-t-elle quelque chose pour elle. Mais pour Ludmilla, c'est comme si la vie venait de prendre fin. Il lui fallait danser pour ne pas mourir. La danse était son gagne-pain mais aussi sa respiration.

À la maison, c'est la consternation. D'abord on ne comprend pas. Puis, Alexandre prend Ludmilla dans ses bras. Il se met à pleurer et lui demande pardon. Lors du dernier interrogatoire qu'il a subi, il a craqué. Il a admis il ne sait plus quoi, pour que cela cesse. Il n'en pouvait plus d'être debout, une lumière aveuglante dans les yeux; il n'en pouvait plus du martèlement des questions, de l'officier de la Gestapo qui lui braquait un revolver sur la tempe, sur la poitrine, dans le cou. « Je sais ce que c'est, dira Ludmilla. Le papier est là pour que tu signes; on le pousse sous tes yeux, puis on te le retire, puis on le glisse à nouveau et, si tu fais mine de flancher, on referme le dossier à grand bruit, on frappe sur le bureau, on te braque à nouveau une lumière aveuglante dans les yeux, on te crie par la tête et tu ne sais plus où tu en es. »

Katerina était assise, toute raide, sur la chaise près du poste de radio. Elle regardait dans le vide. Alexandre s'était recroquevillé dans le fauteuil, le dos à la fenêtre, et sanglotait. Pour la première fois, Ludmilla réalisait que, si elle ne prenait pas les choses en mains, ils allaient tous périr. Alors, elle ordonne à son père de ne plus sortir pour un temps et surtout, surtout, de ne plus ouvrir à quiconque. Elle s'assure que rien de compromettant ne pourrait être trouvé dans l'appartement s'il y avait une fouille. Elle court chez la tante Alexandra, la femme de Sergeïj, pour lui demander de joindre Bertik (Albert Göring). Il faut faire vite; n'importe quoi peut arriver maintenant.

Si, les premières fois, Ludmilla est allée naïvement soutenir qu'il était injuste qu'on lui refuse la permission de danser, cette fois, l'inconscience fait place à une peur qui gagne tout son corps et lui intime la prudence. Il ne s'agit plus de pouvoir danser ou non, il en va de la vie de toute la famille. Alors, plus question de braver, de tenir tête.

Albert a téléphoné à sa sœur Olga et Ludmilla a été avisée d'aller la rencontrer à son pied-à-terre, à l'arrière d'une des ailes de la porte de Brandenburg. Dans cet appartement, où Ludmilla est retournée quelques fois, Olga avait fait venir Albrecht Haenlein. Il a vite saisi la nature du dossier, a expliqué qu'il allait prendre contact avec le docteur Schrötter, au bureau de l'oncle Hermann, et que d'ici à ce que Ludmilla ait de ses nouvelles, il ne fallait rien dire, ni rien faire. « Il m'a reconduite à la porte, m'a serré la main et m'a remis une enveloppe que j'ai ouverte une fois dehors : elle contenait beaucoup de marks. J'étais épouvantée et je l'ai vite glissée dans mon corsage. »

Ludmilla reverra Albrecht, à nouveau chez Olga. Assis dans le salon et buvant du thé, il fera lecture du document émis le 6 juin par le Reichsfippenamtes.

Décret de descendance de Ludmilla Otzup, née à Berlin-Charlottenburg, le 10 janvier 1924. Selon la loi du 14 novembre 1935, la descendance est ci-après prouvée :

Le sujet, Ludmilla Otzup, fille de l'ingénieur Alexandre Otzup et de sa femme Katerina Otzup née Abramowa (bureau de l'État Civil, Berlin Charlottenburg, numéro 63).

Le père du sujet est né à St-Petersburg le 8.7.1882, fils de l'architecte Avdei Otzup (né à St-Petersburg le 22.6.1858) et de sa femme Elizabetha (née Sander à Niga le 22.6.1864). Les documents de naissance du père et du grand-père paternel du sujet n'existent pas et ne peuvent être prouvés.

Avdei Otzup est le fils de l'architecte juif Mathias Otzup et de sa femme Gulmaj, née Nias.

Elizabeth Otzup née Sander est la fille de Semion Sander et de sa femme Maria née Richnew. Leur certificat de naissance n'ont pas pu être consultés.

Il existe cependant une photo d'elle et de son père.

Rien ne prouve donc que le sujet n'est pas de sang allemand ou apparenté. Les grands-parents maternels du sujet étaient de sang allemand. Il semble donc que le sujet est un métis juif de deuxième degré[157].

Albrecht explique que *Mischling* au deuxième degré signifie non-aryen mais ni juif ni allemand. Comme en plus ni elle ni ses parents ne pratiquent la religion juive, ils sont exclus de l'application des lois raciales, pour le moment. Elle ne devrait donc pas s'inquiéter outre mesure. Mais, compte tenu du fait qu'Alexandre a signé un document dont on ne connaît pas la teneur, le docteur Schrötter a tout de même jugé bon de demander à voir le dossier et il prendra contact avec elle. Selon Paul Hilberg, « les *Mischling* au deuxième degré devaient être considérés, sans exception, comme Allemands mais restaient soumis aux restrictions touchant leur catégorie[158] ».

Quand Ludmilla raconte cet épisode, le 6 mai 1996, elle est à quelques mois de la fin de son parcours. Elle cherche son souffle et, par moments, ses mains tremblent. Puis elle se met à pleurer. « Pourquoi est-ce que vous voulez savoir tout cela ? Mon histoire n'intéresse personne. Si c'était pas pour votre livre, je n'aurais plus jamais touché à ça. Vous savez pas ce que c'est... j'ai été très brave... j'ai vécu ça... et j'ai pensé que l'humanité ne serait jamais plus comme cela, mais voyez comment est le monde... » Et elle replie le papier pelure, fort amoché, dont la transcription est certifiée exacte à la date du 22 juillet 1942 par un certain Paul Appuha. Le tout avec les armoiries du Troisième Reich. Je sens que je l'oblige à descendre au fond d'elle-même, à retrouver la jeune fille qu'elle a été, à revivre des moments qu'elle croyait enfouis à tout jamais.

Ludmilla est encore dégoûtée par l'attitude des nazis et elle ne comprend toujours pas. Il y avait devant elle des gens qui étaient dans l'appareil administratif et qui étaient bons. Elle se souvient que son père répétait souvent qu'Allemand n'égalait pas nazi, parce qu'une nation qui avait produit Goethe et Rilke ne pouvait pas être nazie. Le pire et le meilleur de l'homme se côtoyaient, comme durant toutes les guerres, et tout n'était jamais noir ou blanc. Des décennies plus tard, Ludmilla dira : « J'ai pardonné, mais je n'ai pas oublié. J'ai des moments d'insécurité incontrôlable qui me viennent de là. C'est très étrange : comme si toutes les cellules de mon corps avaient gardé le souvenir de certains événements. »

Selon Ludmilla, une fois le dossier Otzup en sa possession, le docteur Schrötter usera de toutes les astuces pour ne pas avoir à le retourner. Le docteur Schrötter deviendra vite un habitué de la maison, bien que tout cela eût comporté certains risques pour lui. Il viendra discuter littérature avec son père. Il a toujours gardé contact avec la famille. J'ai retrouvé dans les dossiers du Fonds d'archives Ludmilla Chiriaeff de la correspondance signée Schrötter et datant de novembre 1992.

Un jour, le docteur Schrötter confirme à Ludmilla qu'elle a toujours un permis temporaire pour danser. Elle ne peut se présenter au Nollendorf mais, qu'à cela ne tienne, elle a la promesse de Sabine Ress. Et la merveilleuse Sabine arrange les choses. Ludmilla, pendant un temps, travaillera avec Margot Rewendt. Pas officiellement son assistante mais l'assistante tout de même. Pas payée, mais c'était remettre les pieds dans le milieu, continuer d'apprendre. Ludmilla venait tôt, le matin, et elle chauffait le studio en attendant que les élèves arrivent. Elle enfilait ses chaussons... piqué arabesque, fondu, pas de bourré, fini cinquième... Juchée sur ses pointes, Ludmilla oubliait tout, jusqu'à ce que le bruit des casiers des vestiaires la rappelle à l'ordre. Vite, elle enlevait ses chaussons et se faisait toute petite derrière la maîtresse de ballet. Quand des gens posaient des questions sur sa présence, Margot répondait : « Elle regarde. Un jour vous pourrez l'engager. »

N'eût été des rations qui devenaient encore plus petites et plus rares, et de certains édifices éventrés, on aurait fini par oublier la guerre. Bien sûr, il y avait la propagande de Goebbels, mais on y prêtait de moins en moins attention. D'autant qu'il y avait une année que le ciel n'avait vu aucun avion ennemi. Alexandre tentait d'écrire. Il passait aussi beaucoup de temps à convaincre Katerina qu'elle pouvait se déshabiller pour se mettre au lit. Certains jours, il lui arrivait de réussir.

Mais à la fin de l'été, la guerre recommence. Le 30 août, sept cents avions anglais bombardent Berlin. Il s'agit cette fois de *phosphorblättchen* (bombes au phosphore) qui soufflent tout sur leur passage. Après un an, il faut se réhabituer au sommeil entrecoupé de descentes aux abris. Le 19 septembre, la RAF est à nouveau sur Berlin et l'automne s'installe. Froid et angoissant. Toute forme de cérémonie religieuse est interdite. De plus en plus de gens disparaissent de Berlin. Les passants pressent le pas et regardent par terre quand ils ne scrutent pas le ciel.

La fin de l'année 1942 est triste. On est sans nouvelles de Valia, dont on sait juste qu'elle attendait son deuxième enfant. Alexandre a pris un coup de vieux depuis ce passage aux bureaux de la Gestapo. Il n'a plus cet éclair dans l'œil, non plus que cet humour que Ludmilla aimait tellement. Il ne la réveille plus, quand la nuit est calme, pour lui lire des poèmes. En fait, il n'écrit plus. Même pas de lettres : la correspondance est surveillée. Il sort peu. Où irait-il ? La plupart de ses relations se sont depuis longtemps réinstallées en Suisse ou en Amérique latine. Ses journées se passent à attendre le retour de Ludmilla.

Les Berlinois ne le savent pas encore, mais les nouvelles du front sont mauvaises. De la Baltique jusqu'à la mer Noire, les Russes ont lancé une grande offensive. Outre-Atlantique, Roosevelt et Churchill exigent une capitulation inconditionnelle de l'Allemangne. Pour les Alliés, Berlin est le prochain objectif.

La nuit des 16 et 17 janvier, la RAF lance un nouveau type de bombes sur Berlin, et Goebbels continue de crier qu'aucun édifice n'a été atteint. Mais le 30, alors qu'Hitler prononce un discours à la radio pour le dixième anniversaire de son règne, Berlin est victime d'un raid en plein jour. Les « mosquitos » de la RAF volent bas et vite. Comme pour narguer le haut commandement nazi, ils reviennent quelques minutes plus tard, quand le maréchal de l'air Göring commence son discours à la gloire du führer, et reviennent encore enterrer cette fois la voix de Goebbels.

Chez les Otzup, c'est la nouvelle entendue à la BBC qui présente le plus d'intérêt : Stalingrad serait libérée. Alexandre ne sait pas trop s'il faut se réjouir de cette nouvelle qui laisse présager une avancée des Russes, peut-être jusqu'à Berlin. Qu'adviendra-t-il d'eux, alors ? Tout plutôt que de tomber aux mains des communistes.

Cette fois, Goebbels ne peut cacher aux Allemands la défaite qu'ils viennent d'essuyer à Stalingrad. Il y a trop de morts, trop de blessés et trop d'Allemands faits prisonniers – dont les familles entendront parler. Il décrète un deuil national de trois jours durant lequel tous les lieux d'amusement seront fermés. Et Ludmilla qui se préparait à réintégrer le Nollendorftheater !

Dès les premiers jours de janvier, Sabine Ress avait laissé savoir à Ludmilla que Paulsen avait quitté la direction du théâtre et qu'elle pouvait revenir si elle le souhaitait, le nouveau directeur étant disposé à la reprendre. Revenir ? Quelle question ! Je n'ai pas retrouvé la copie du contrat du temps où Paulsen diri-geait le théâtre. J'ai toutefois pu consulter la copie d'un contrat, dont les bords s'effritent et qui stipule que l'engagement commence le 1er septembre 194 – (le dernier chiffre manque, avec le reste de la page). Il est passé entre Herr Intendanten Rudolf Scheel, du Theater am Nollendorfplatz, et Ludmilla Gorny. Ludmilla y est engagée comme danseuse et soliste[159]. Je ne suis pas en mesure d'établir si ce contrat est antérieur au renvoi de Ludmilla, s'il y fait suite ou s'il fait suite à un premier contrat signé par Scheel.

Le retour de Ludmilla sera fêté par quelques-uns, qui lui feront promettre de ne jamais plus mettre de souliers sur une table. Certains danseurs n'y sont plus, partis un soir et jamais revus. Cela donne froid dans le dos à Ludmilla, dont cela aurait pu être le sort. Mais elle ne veut pas y penser. Elle est heureuse. Heureuse, même si elle ne sait pas comment elle va s'y prendre pour faire vivre ses parents. Heureuse, parce qu'elle retrouve l'odeur du théâtre, la camaraderie de la troupe, la routine des pratiques. Heureuse, aussi, parce que le décorateur y est toujours.

Cet homme plaît beaucoup à Ludmilla et, un jour, elle accepte son invitation à monter chez lui. Autour d'un *Ersatzkaffee* et de « Johnnies », les cigarettes que Ludmilla fume à la chaîne, ils parlent d'abord de tout et de rien : puis, il insiste pour qu'elle couche avec lui. « J'étais en adoration devant lui. J'étais naïve et je ne suis pas certaine que j'avais tout à fait compris. Je me suis mise à rire. Comme il me serrait contre lui, la phrase de papa m'est revenue et je me suis sentie nue. Il m'a dit : vous ne serez jamais une grande artiste si vous ne couchez pas avec moi. J'ai ramassé mes affaires et je suis partie. »

C'était la deuxième fois qu'une telle expérience lui arrivait. « Comment ça, il fallait coucher avec un homme pour devenir une artiste ? » Elle n'avait besoin de personne pour devenir quelqu'un. Et elle le prouverait à la terre entière ! Ludmilla n'a plus jamais reparlé au décorateur et quand il lui arrivait de le croiser, elle regardait au plafond. Et pourtant, me confia-t-elle, « j'avais une envie folle de me jeter dans ses bras ».

Jusqu'au printemps, Berlin n'est pas vraiment ravagée. Il est encore possible de nettoyer certains quartiers et de réparer les fenêtres après les bombardements. Les problèmes commencent vraiment en mars. Une nuit, la RAF déverse des bombes incendiaires sur Wilmersdorf et sur les banlieues du sud-ouest. La Pragerplatz est détruite. Des toits sont en flammes sur la Friedrichstrasse : vingt mille immeubles seront touchés. Même le ministère de l'Air écope[160]. Berlin est recouverte d'une épaisse fumée. Il flotte dans l'air une odeur de brûlé et des cendres se déposent un peu partout. Ce qu'il y a de plus terrifiant, ce sont les bombes à retardement qui continuent d'éclater ici et là quand on ne s'y attend plus.

Il faut maintenant surveiller constamment autour de soi. Pas juste la Gestapo[161]. Il faut aussi composer avec les voleurs. La nuit, les rues sont devenues dangereuses. Des soldats en permission organisent des viols de groupe, favorisés en cela par le black-out. Seule la lumière bleue du train électrique éclaire par moments ; les voitures roulent sans phares. Même allumer une cigarette est interdit.

Pour sauver le coût d'un passage, depuis le début de la guerre, Ludmilla voyageait à bicyclette dès l'arrivée des beaux jours. Mais elle apprécie le fait de trouver une voiture à la porte du théâtre, certains soirs de spectacle. Albrecht Haenlein s'affiche comme son protecteur. Beau, jeune, donnant des soirées pour le tout Berlin mondain, il sera suspecté d'être un résistant.

Ludmilla se sent en sécurité avec lui. Il est ingénieur, comme son père. Il est marié, avec des enfants. Chez lui, on parle librement, on écoute du jazz, et des livres défendus circulent, Heine et Goethe, entre autres. Quand il vient chez Ludmilla, il monte par l'escalier de service. Ludmilla dira de sa relation avec Albrecht qu'elle était innocente. « J'ai passé à travers cela comme une imbécile. Il m'embrassait, me donnait de l'argent. J'avais confiance mais, en même temps, j'avais peur. Pendant la guerre, je n'avais pas le choix. Et je ne voulais pas que l'on touche à mon père, alors... » J'aurai beau vouloir la faire préciser, je ne saurai rien de plus. Ludmilla est ainsi. Elle commence des phrases et ne les finit que rarement. Elle s'arrête souvent, reprend le sujet sur un autre tempo, le sert avec des variantes qui lui donnent meilleur jour et puis, comme frôlant le précipice, elle s'arrête. Après quelques mois, voire quelques années, il lui arrivera de compléter une explication. Ludmilla Chiriaeff ne donnait que ce qu'elle voulait – et à son heure. Quand enfin elle aurait accepté de donner davantage, il était trop tard. Il lui aura manqué du temps pour dévoiler la part secrète en elle.

Jusqu'en août 1943, la vie est encore supportable. Il y aura bien une douzaine de raids par les « mosquitos » de la RAF, mais davantage pour démoraliser les Berlinois que pour ravager la ville. Durant cette période, toutefois, les logements commencent à être réquisitionnés. Il y a longtemps que ceux des Juifs sont occupés, la plupart par les apparatchiks du parti ou leurs amis. Mais il en faut encore beaucoup pour les Allemands qui sont déplacés depuis les pays occupés et sommés de s'installer dans le *Lebensraum,* la « mère patrie ».

Sauf qu'au fur et à mesure des bombardements sur Berlin, le stock de logements habitables diminue. Tous les concierges se voient obligés de remplir un formulaire déclarant le nombre d'appartements, le nombre de pièces par appartement et le nombre de personnes vivant dans chaque appartement. La règle étant une pièce par personne, n'importe qui pouvait être forcé de loger quelqu'un.

Les Otzup se dépêchent de mettre en lieu sûr ce qui n'a pas encore été déposé à la Deutsche Bank. Ils vivront, dès lors, avec le strict minimum.

Une nuit de juillet, Alexandre entend à la BBC que Mussolini est renversé et il se met à rêver qu'il verra peut-être la fin de cette guerre. À Ludmilla, il recommence à réciter les quelques vers qu'il vient d'écrire, comme aux meilleurs jours, alors qu'elle n'avait que quatre ou cinq ans et que, tout excité, il la réveillait pour lui lire ses derniers écrits.

Tôt, le dimanche 1er août, les Berlinois reçoivent de la RAF une pluie de feuillets intimant l'ordre aux femmes et aux enfants de quitter la ville. Cette fois, Goebbels organise rapidement l'évacuation, qui inclut aussi les adultes qui ne sont pas requis pour la production de guerre. Un million et demi de Berlinois partiront, mais pas les Otzup. Pourquoi? Ludmilla ne le sait pas. Peut-être, simplement, parce qu'ils ne savaient pas où aller, mais peut-être aussi parce qu'il vient un moment où il est trop tard pour partir.

Continuer d'aller au théâtre, alors que l'on évacue une partie de la population, semble incongru. Mais les Berlinois y vont encore et les maisons d'opéra et les théâtres resteront ouverts jusqu'à ce qu'ils soient détruits ou jusqu'à leur fermeture, par ordre de Goebbels, le 1er septembre 1944. Pour Ludmilla, le théâtre est un espoir auquel se rattacher, la preuve que le beau existe encore. «Ça paraîtra invraisemblable à ceux qui n'ont pas connu la guerre, mais à Berlin les bombes tombaient, tout tombait. On sortait avec les costumes. Il y avait des bouts de décor dans les branches des arbres et des groupes de musique de chambre jouaient.» Invraisemblable? Peut-être pas davantage que ces couples en tenue de soirée qui émergeaient des abris après un bombardement.

Depuis le début du mois d'août, dès le coucher du soleil, les Berlinois sont en attente d'une alerte. Et plus le temps passe, plus l'attente devient insupportable. Dans la nuit du 23 au 24, c'est l'enfer. Dès le début de l'alerte, Ludmilla pousse ses parents dans l'escalier pour se rendre à la cave, dans l'abri qui communique avec les conciergeries voisines. Quatre étages, à pied. Sa mère passe devant avec sa précieuse caissette qui ne la quitte jamais, les cheveux retenus dans une résille; son père suit et se plaint qu'il va mourir parce qu'une goutte de sang perle au bout de l'index de sa main droite, qui a dû frôler une poutre à l'entrée de l'abri. «Quelle scène, dira Ludmilla, ma mère jouant les princesses et mon père rechignant comme un enfant.»

Dans l'abri, les chocs sont fortement ressentis. L'air se fait rare et à chaque coulée de bombes, on se sent poussé contre le mur. Quand les sept cent vingt-sept bombardiers auront vidé leur contenu sur le centre de Berlin, et que les bruits deviendront de plus en plus lointains, personne ne bougera dans l'abri, jusqu'à ce qu'un urgent besoin d'uriner presse le concierge vers la sortie.

Au petit matin, ce sera la consternation. Une épaisse fumée recouvre la ville. Des gens tentent de sortir ce qu'ils peuvent de leur logement en flammes. D'autres fouillent les ruines pour en dérober ce qu'ils trouvent, dépouillant même les morts. Des survivants, en état de choc, les vêtements noircis par la suie, cherchent les leurs. À la station Anhalter, une interminable file attend le prochain train. Il est impossible de circuler à certains endroits, les rues sont encombrées d'arbres tombés et de carcasses de voitures et de tram brûlées.

Les faubourgs de Berlin ont été détruits, mais la rue où habitent les Otzup ne l'est pas, bien que le quartier Schöneberg ait été très touché. Ludmilla et ses parents se rendent chez la tante Alexandra, la femme de Sergeïj, dont l'appartement est toujours intact. On prend le thé et on s'inquiète pour la prochaine fois. On se demande où on logera si le quartier est détruit, parce qu'on a maintenant la conviction que des jours terribles sont à venir. Des parties entières de Berlin n'ont plus d'eau ni d'électricité, les approvisionnements en nourriture et en charbon, déjà fort rationnés, sont de plus en plus difficiles. Quand les voies ferrées n'ont pas été endommagées, elles servent d'abord au transport de troupes et de matériel militaire. Après la guerre, on apprendra que, durant l'année 1942, les trains de marchandises étaient réquisitionnés pour le transport des Juifs vers les camps.

Fin août début septembre, Ludmilla est encore au théâtre quand l'alerte sonne. Trop tard pour courir chez elle, elle prie pour que ses parents soient descendus à l'abri. Dès la fin de l'alerte, elle se précipite au métro où, sur les quais, s'entassent des centaines de personnes. Quelques visages connus mais surtout des gens qui y vivent en permanence et dont certains sont prêts à tout pour un morceau de pain. Elle enjambe des corps et des valises et voudrait déjà se voir dehors. La promiscuité et l'odeur d'égout lui lèvent le cœur.

À la sortie de la station Nollendorfplatz, sur le coin d'un banc, elle trouve son père regardant le ciel. Elle lui prend les mains et lui parle doucement :

« Mon *atik* chéri.
— Tu vois, Mouchinka, j'étais là quand ils sont arrivés. Je les ai vus descendre, raser les toits, et c'était tout à coup comme du Wagner. Puis les flammes se sont mises à courir sur les cadres des fenêtres et j'ai pensé à Mozart... Ne parle de cela à personne, surtout pas à maman, elle va penser que je suis devenu complètement fou. »

Ludmilla aide Alexandre à se relever et, bras dessus, bras dessous, ils se fraient un chemin parmi les débris qui jonchent la rue. Ludmilla n'ose pas demander où est sa mère. Vaut mieux laisser son père exorciser l'horreur en lui substituant des images poétiques dans un décor surréaliste. Ils traversent la Potsdamerstrasse, où les flammes lèchent les fenêtres des édifices dont les vitres viennent se fracasser sur le sol. Quand ils arrivent près de chez eux, ils ont un soupir de soulagement; vue de face, la conciergerie est toujours là. Ils trouvent Katerina dans le salon, assise sur la chaise près du poste de radio, une résille enveloppant ses cheveux parfaitement frisés, ses mains gantées tenant la précieuse caissette posée sur ses genoux.

Ludmilla ne sait plus que faire. Comment s'assurer que ses parents sont en sécurité quand elle n'est pas là? Elle a beau leur faire promettre de se rendre aux abris à chaque alerte, elle est toujours angoissée quand elle doit quitter la maison. Et il faut bien qu'elle aille au théâtre – autrement, où trouveront-ils le peu d'argent qu'elle en tire?

Le lundi 22 novembre, le ciel est nuageux et il pleut. Les Berlinois pensent que la RAF ne viendra pas. Ludmilla rentre du théâtre, transie. Elle jette un châle sur ses épaules et entreprend de faire chauffer l'eau pour le thé. Un peu après dix-neuf heures, les sirènes se mettent à rugir; chacun ajoute une épaisseur aux vêtements qu'il porte déjà, prend la valise qui l'attend près de la porte et se dirige vers l'escalier. Il faut faire vite. On entend déjà le sifflement des premières bombes.

Ils sont les derniers à prendre place dans l'abri où se retrouvent coude à coude les occupants de la conciergerie. Pendant vingt minutes, les explosions se succèdent. D'abord le bruit des avions, lointain, ensuite plus proche et ensuite comme juste à côté. Le sifflement, puis un moment de silence, puis l'impact. Assourdissant. L'abri tremble. La pression de l'air coupe le souffle. La poussière tombe des murs de l'abri. Et ça recommence. D'abord le bruit lointain, ensuite plus proche, le sifflement, un silence de quelques secondes et le fracas à vous rendre sourd. Au-dessus d'eux, la nuit rougeoie. Des murs s'écroulent, des portes volent dans les airs, des maisons s'affaissent. Un vent venu d'on ne sait où pousse des étincelles vers les maisons dont les vitres des fenêtres ont volé en éclats. Tout flambe!

Au bout d'une heure et demie, quand l'alerte est terminée, personne n'ose bouger, si ce n'est pour secouer ce qui lui est tombé dessus durant le bombardement. Puis, un homme se lève et chuchote à l'oreille de sa femme qu'il est temps de rentrer. Le concierge tente d'allumer, mais il n'y a plus d'électricité. Ceux qui ont des lampes de poche éclairent la sortie, où la porte ne veut pas s'ouvrir. On tente alors la sortie menant vers l'autre conciergerie. La porte cède et un air chaud, étouffant, s'engouffre dans l'abri.

Ludmilla pousse ses parents dehors. Son père d'abord. Et les valises, et sa mère. Puis l'horreur la rejoint. Tout flambe autour d'eux et le bruit est infernal. L'effroi est si grand qu'elle ne sent même pas le vent chaud qui lui lèche le visage et la brûle. Où qu'elle pose le regard, ce n'est qu'un gigantesque incendie.

Comme si Berlin tout entière brûlait. En cette seule nuit, qui marque le début de la bataille de Berlin, un million et demi de Berlinois se retrouvent à la rue. Dont les Otzup. Ribbentrop et Goebbels ont beau visiter les quartiers dévastés, ils ne sont d'aucun secours. Pendant plusieurs jours, il n'y a plus ni eau, ni électricité, ni gaz. Il n'y a plus de pain ni de nourriture. Seules des soupes à l'eau claire et au chou sont offertes, ici et là, aux nombreuses personnes qui errent à la recherche d'un proche ou d'un abri.

Où logent les Otzup les jours suivants? Ludmilla n'en conserve aucun souvenir. Ou peut-être a-t-elle rayé ces jours de sa mémoire. Elle se rappelle juste que les nuits ont continué d'être infernales et que le cœur de Berlin était détruit, notamment les édifices des ministères et une partie du métro. Un millier de personnes, qui avaient trouvé refuge à la station Nollendorf, ont été brûlées vives.

Ludmilla se souvient des pluies de cendres, des rues éventrées, de l'eau jaillissant des conduites crevées, des enfants qui courent dans les rues et des bénévoles qui offrent gratuitement de la soupe chaude, de l'*Ersatzkaffee* et des sandwichs. Des cigarettes, aussi. Tout le monde essaie d'avoir des cigarettes. Les rations ont encore diminué et le troc s'est installé. Les cigarettes sont devenues une monnaie d'échange plus sûre que le mark. Ludmilla se rappelle surtout que, là où ils vivaient depuis une quinzaine d'années, il n'y avait plus qu'un cratère caché par un mur et quantité de briques et d'objets calcinés.

C'est à cette époque que les autorités militaires et politiques ont quitté Berlin, devenue une ville de femmes, de vieillards et de ruines, surveillée par une Gestapo omniprésente et sans pitié. Le moral de chacun était atteint. On ne parlait plus que des bombardements qui avaient lieu de jour comme de nuit : ceux dont on s'était sortis indemnes, ceux qui avaient détruit les alentours, ceux qui avaient dévasté l'appartement que l'on habitait, ceux que l'on subirait peut-être le jour même, ceux... ceux... Il n'y avait plus de *Bombenlosenacht*, de nuit sans bombardement, bien que ce fût là le souhait de tout un chacun.

La vie des Berlinois est ainsi réglée : alerte, course aux abris, bombardement, quelques heures de travail, alerte, course aux abris, bombardement, quelques heures de sommeil, recherche de nourriture, nettoyage des débris, alerte, course aux abris, bombardement... Quantité de Berlinois, valise à la main, cherchent un lieu où se loger : un coin d'étage qui tient encore, un escalier, une cave. Les Berlinois ont les yeux cernés, ils crèvent de faim. Il leur faut attendre des heures dans le froid pour avoir un tout petit peu de quelque chose. Il faut constamment se réenregistrer pour avoir droit aux cartes de rationnement : le système exige que l'on s'approvisionne à des endroits précis qui changent maintenant au hasard des bombardements. Goebbels a beau venir lui-même servir le café dans les quartiers le lendemain d'un bombardement, cela n'est pas d'un grand réconfort. « Un jour, il était si près de moi que j'aurais pu le toucher. L'idée m'est venue que j'aurais pu le tuer. » Et Ludmilla ajoute : « Tu sais, à l'instant de sauver sa peau, on devient capable de tout. »

Ici et là, sur des murs encore debout, des messages à la craie : « parti vers l'ouest », « nous sommes vivants », « me rejoindre chez Heinrich »... Ludmilla écrira : « me voir au théâtre ». Elle laissera aussi un message chez Albrecht Haenlein. Ici et là, également, les listes des morts et des blessés des derniers bombardements.

Ludmilla ne se souvient même pas de Noël 1943 ni du moment où la tante Alexandra et sa fille Tania se sont installées à l'extérieur de Berlin. « S'il n'y avait pas eu le théâtre, j'aurais complètement perdu la notion du temps. C'était déjà toute une occupation que d'organiser la survie. »

Un machiniste du théâtre offre d'héberger Ludmilla et ses parents pour un temps. Le soir, ensuite, ils écoutent la BBC et Radio-Moscou. Ainsi, ils apprennent que les Russes sont entrés en Pologne, qu'ils ont libéré Leningrad. Cette nouvelle est presque pire que la reprise des bombardements. Les Russes, pour Alexandre et Katerina, ce sont les communistes, c'est la peur d'être ramenés en Russie. Mieux vaudrait mourir.

C'est probablement lors d'un des derniers bombardements du printemps que le théâtre est touché. Il y avait une répétition et l'alerte a retenti. « Tout le monde s'est précipité à la cave. Le bruit était tel que je me suis dit : cette fois, ça va être fini. Quand nous sommes sortis dans la cour qui menait à la rue, les maisons autour étaient effondrées. » Ludmilla s'est aventurée vers les escaliers qui menaient aux vestiaires, a ouvert la porte qui donnait accès à la scène et s'est retrouvée devant un trou. Au fur et à mesure que les collègues montaient derrière elle, c'était le même choc.

Le théâtre n'avait pas brûlé, il avait éclaté ; la scène avait disparu. La conciergerie est cependant intacte. Ludmilla y laisse un message pour Albrecht et part avec le machiniste, dans l'appartement duquel logent aussi ses parents. Cet appartement a été partiellement détruit et Alexandre ne veut plus y habiter. Mais où aller ? Les premiers jours, ils se terrent sous un escalier menant à la cave de ce qui a été leur conciergerie. Mais c'est l'hiver et cela ne peut pas durer. Ludmilla finit par croiser la mère d'un garçon qui a été son collègue au théâtre. Cette femme avait deux fils dont un était au front. « Je n'en peux plus, dit-elle à Ludmilla. Je pars, voici les clefs. J'habite ici, au troisième. »

Ludmilla et ses parents s'installent dans cet appartement, au bout du corridor d'une conciergerie presque à moitié détruite. Il n'y a pas d'électricité, et l'eau n'est pas toujours là quand on en a besoin. Mais on a un toit, de vrais lits, de vraies couvertures, de la vaisselle – c'est presque le luxe. Il vivront ainsi trois ou quatre semaines. Tous les deux ou trois jours, Ludmilla sort, cherche de la nourriture mais, surtout, elle se rapporte au théâtre. Autrement, son salaire lui sera coupé. Puis, un matin, une clef dans la serrure. Un jeune Allemand en uniforme des SS demande où est sa mère. Il ne croit pas l'explication que lui donne Ludmilla et part en claquant la porte. Ludmilla ordonne à ses parents de ramasser leurs effets et ils se rendent à la conciergerie du théâtre, où elle les laisse, le temps d'aviser elle-même Albrecht.

Quand on n'a pas vécu de tels événements, on a peine à s'imaginer que le plus petit moment d'accalmie ramène des comportements où se côtoient les plus beaux gestes comme les pires lâchetés, où la solidarité alterne avec la délation.

Après quelques jours dans une chambre de ce qui pourrait être « une pension de famille », la Gestapo les retrouve et embarque Alexandre. « Pour une vérification. » Ludmilla est tellement inquiète que, au mépris de toute prudence, elle court chez le docteur Schrötter, avocat rattaché au bureau de Göring. Elle lui demande de faire venir tout de suite l'oncle Bertik (Albert Göring) pour qu'il les sorte de là. Mais Albert n'est pas corvéable à tout moment et il est lui-même dans la mire de la Gestapo, qui l'a déjà arrêté quelques fois. Son frère Hermann a toujours réussi à le tirer de là, mais la popularité du Maréchal de l'Air est en baisse au sein de la hiérarchie nazie depuis que l'aviation allemande perd du terrain. Schrötter la renvoie rapidement, en lui promettant de faire son possible. Il lui remet un petit paquet, qu'il enveloppe dans du papier journal. « Un morceau de porc, dira Ludmilla, que j'ai glissé sous ma chemise. » Il y avait une éternité qu'ils n'avaient pas mangé une seule bouchée de viande. Aussi se hâte-t-elle vers la conciergerie, car elle craint de se le faire voler en route. Ou, pire, de se faire accuser de marché noir – un acte punissable d'internement et de mort.

Au bout de quelques interminables jours, Ludmilla est convoquée chez Schrötter, qui lui remet de l'argent et une enveloppe renfermant un ordre de mission pour Alexandre, sous la fausse signature de Hermann Göring. Ainsi, le traducteur Alexandre Gorny[162] devait se rapporter à Goslar dans les plus brefs délais. Schrötter a avisé Ludmilla de mettre ses parents sur le premier train à partir vers l'Ouest et de faire promettre à Alexandre de détruire le sauf-conduit dès qu'ils arriveront à Goslar[163]. Quant à elle, elle doit rester là et se rapporter au théâtre comme si de rien n'était. Il lui donnera des instructions en temps et lieu, par les circuits déjà utilisés, c'est-à-dire Albrecht Haenlein et la conciergerie du théâtre. Je ne sais quand Ludmilla a donné à Erich Schrötter une croix sur laquelle étaient gravés ces mots : « cette croix va te garder » mais à la fin d'octobre 1946, quand il a rendu visite aux parents de Ludmilla, à Goslar, il leur a montré cette croix qu'il portait encore[164]. Je ne sais pas non plus s'il y avait des liens plus intimes entre Ludmilla et Schrötter.

À la gare de Potsdam, les gens courent dans tous les sens. Des visages tourmentés, au regard inquiet, se tournent au moindre bruit. Des gens en guenilles, serrant contre eux leurs maigres effets, se tassent sur les quais, près de voyageurs bien mis. Le retard des trains ajoute à l'angoisse d'être repéré dans la foule ou qu'il n'y ait tout simplement pas de trains. Quand enfin il y en a un qui entre en gare, le mouvement de foule est si compact que les passagers qui veulent descendre n'y arrivent pas. Plusieurs personnes entrent par les fenêtres des wagons déjà bondés. Ludmilla étreint ses parents et les pousse dans un wagon. Le train s'ébranle et elle reste sur le quai. Longtemps après, le moindre sifflement de train lui rappellera ce départ, sur le quai de la gare de Potsdam. Comme, des années plus tard, une sirène, une voiture arrêtant la nuit devant chez elle faisait revivre la crainte d'être amenée pour interrogatoire.

Que faire, maintenant, et où se loger? La dame qui les hébergeait n'aime pas voir arriver la Gestapo chez elle et refuse à Ludmilla d'y dormir même une seule nuit. Albrecht et Schrötter prennent leurs distances pour ne pas se retrouver eux-mêmes entre les mains de la Gestapo, qui semble maintenant «avoir des yeux et des oreilles» partout. Par chance, c'est l'été. Elle passe quelques semaines à la conciergerie du théâtre. Ludmilla se souvient d'avoir trouvé bon de se promener sous la pluie. Cette eau qui nettoyait le corps et les vêtements, peut-être pouvait-elle aussi laver l'âme, effacer le mal...

Au cours de l'un de ses vagabondages dans les rues de Berlin, Ludmilla se retrouve dans le quartier Schöneberg. Elle se rend dans Speyererstrasse, jusqu'au coin où un mur de la conciergerie qu'ils habitaient masque le cratère creusé par les bombes. Sautant d'un tas de débris à un autre, elle descend dans ce qui était une partie de la cave qui les abritait pendant cette horrible nuit de novembre. Et que ne voit-elle pas, au milieu des restes de ce qui fut une imposante construction? Une plante qui pousse bravement sa tête vers la lumière, un pied de patate. «J'ai compris alors qu'il fallait continuer, qu'il fallait se battre, que la vie était en avant, qu'elle ne s'arrêtait jamais. Et je me suis juré que j'allais danser à nouveau et pour le reste de mes jours. Parce que la danse, c'est le mouvement, et que le mouvement, c'est le souffle qui me tient en vie.»

Le 20 juillet, à midi quarante-deux, attentat contre Hitler. Manqué! Mais à partir de là, la Gestapo sera partout, fouillant, arrêtant, questionnant. Personne n'est plus en sécurité, surtout quand un membre de la famille a été arrêté – tous les autres risquent de l'être. Ludmilla se dit qu'ils la trouveront et qu'il vaut mieux tenter de prendre le premier train pour n'importe où que de rester sous les escaliers du théâtre à attendre d'être bêtement cueillie. Alors, elle se dirige vers la gare, une petite valise à la main. À Potsdam, il y a un train qui démarre. Elle court le long d'un wagon pour attraper un marchepied, mais deux mains l'empoignent par-derrière : contrôle des papiers. Ludmilla n'a que son passeport

Nansen, son permis provisoire de danser et son contrat avec le Nollendorf. On l'embarque.

Chemin faisant, elle pense que c'est trop bête d'être tuée maintenant. Paris est libérée, les Russes et les Américains marchent sur Berlin ; dans un mois ou deux, qui sait, ce sera la fin de la guerre, et pourquoi cela lui arrive-t-il ? Après qu'elle a attendu une éternité, debout dans un corridor, on lui enjoint de revenir le lendemain matin. Comme presque tous les artistes, elle est réquisitionnée pour le travail dans les usines d'armements. Maintenant, elle est seule. Plus personne ne peut quoi que ce soit pour elle, quoiqu'elle reste convaincue que Schrötter sait où elle est. « Si ç'avait été juste la Gestapo, je serais partie dans un vrai camp, plus loin, où il n'y avait pas de chance de revenir. »

Malgré ce que l'on en a dit, et qu'elle n'a pas démenti, Ludmilla n'a pas été internée dans un camp de concentration. Quand je lui parle des camps installés au pourtour de Berlin, à proximité d'usines d'armements, elle hésite. À force de recherches et de conversations avec elle, je finis par apprendre qu'il s'agissait d'une usine d'armements, située au nord de Berlin, dans laquelle travaillaient aussi des étrangers du STO[165] et des prisonniers de guerre russes. Dans une notice biographique rédigée à Genève, et datée du 27 juillet 1951, elle écrit : « [...] la GESTAPO l'a empêchée de continuer tout travail professionnel en raison de ses convictions démocratiques et peu après l'a condamnée aux travaux forcés dont elle s'est évadée[166*] ». Un document, daté du 23 juillet 1946, à en-tête du Jewish Welfare Committee, demandé pour solliciter des fonds des organisations d'aide aux victimes du régime nazi, comporte donc quelques inexactitudes : Ludmilla n'a pas été internée au camp d'Oranienburg mais a travaillé dans une usine d'armements située près du camp, à quinze milles au nord de Berlin ; elle n'est pas une « mixture » du premier degré, selon les lois de Nuremberg, mais du second degré. « Je n'ai jamais voulu parler de cela pour ne pas jouer à la victime. Je n'ai pas été tatouée, non. Mais on m'a jetée hors du théâtre. Ça aurait pu être bien pire, je sais. »

Dans cette usine, on fabriquait des obus et des mitrailleuses sur des tours à fer. Il fallait couper, amincir et polir les canons de mitrailleuses au centième de millimètre près. L'eau chassant la poussière de fer, le bruit des machines, la tension qui montait avec les cadences accélérées, les commandements hurlés par les gardes armés, faisaient de certaines journées un enfer guère plus supportable que les bombardements.

Pour tenir le coup, Ludmilla se répétait que la vie, ce n'était pas cela, que quelque chose ailleurs l'attendait. Certains jours, elle dansait dans sa tête : piqué arabesque, fondu, pas de bourré, fini cinquième... Pendant que le moteur tournait et que la poussière de fer lui piquait les doigts, elle entendait la foule applaudir et le rideau de scène se refermer sur elle, les bras chargés de fleurs.

En évoquant cela, ce 22 février 1996, Ludmilla repousse la tasse de ce thé qu'elle affectionne et dit : « Je vais vous dire, j'ai bâti tout cela en prenant force au lieu de me dénaturer avec tout ça. Je sens que chaque fois qu'on touche trop à ça, ça me bouleverse. Et de toute façon, qu'est-ce que ça change ? Je faisais ce qu'il fallait faire. » Et elle est prise d'une quinte de toux comme cela lui arrive de plus en plus souvent, maintenant, au cours de nos rencontres.

Ludmilla soutient que ses problèmes pulmonaires remontent à cette époque où la poussière métallique lui emplissait les bronches. « Je toussais et je crachais le fer », dira-t-elle. Elle se souvient des gardiens armés se promenant derrière les rangées de travailleurs penchés sur les établis. « Ça donnait froid dans le dos, parce qu'à la moindre défaillance, les coups de crosse pleuvaient. » Pourtant, elle se souvient aussi qu'il y avait une forme de sabotage très répandue qui consistait à amincir un peu trop l'intérieur du canon. On s'en rendait compte à l'atelier de montage mais, par solidarité, on ne disait rien.

Les Allemands n'avaient pas le droit d'avoir des contacts avec les travailleurs étrangers, sauf quant à ce qui était requis pour le travail. Il était strictement interdit de parler même avec des Polonais ou des Russes, et encore moins dans leur langue. Dans l'atelier où elle était assignée, il y avait des travailleurs hollandais et de jeunes femmes russes. Pour Ludmilla, qui n'avait jamais rencontré une Russe de son âge, venant de Russie, c'était un événement. S'adressant à l'une d'elles en russe, Ludmilla avait voulu savoir si elles étaient prisonnières ou si, comme elle, elles avaient été réquisitionnées pour le travail en usine. « Pour toute réponse, j'ai reçu un coup de poing en pleine face. Je me suis fait crier : parle allemand et je m'en suis tirée avec une dent cassée. » Chanceuse, Ludmilla. Cette transgression pouvait lui valoir l'emprisonnement.

Ce souvenir en rappelle un autre. Pendant une tournée, alors qu'elle est déjà au Canada, elle se fait cracher à la figure à Windsor, en Ontario. « *Speak white, lady* », lui crie-t-on, tandis qu'elle converse en français avec les siens. « Je l'ai engueulé en russe, je ne peux pas te dire à quel point. Tu en as marre finalement dans la vie qu'on te fasse sentir coupable de quelque chose dont tu sais que tu n'es pas coupable », conclura-t-elle.

Chapitre 14
Fuir

À la conciergerie du théâtre, il n'y a plus de messages pour Ludmilla, et le seul qu'elle ait laissé est pour informer qu'elle travaille en usine. Berlin est triste, défaite. Tous ceux qui ont pu le faire ont fui. Il est dorénavant interdit à quiconque de quitter la ville sans un permis spécial qui est rarement émis mais qui s'obtient à gros prix sur le marché noir[167].

Les derniers hommes disponibles sont conscrits, les registres centraux de l'administration ont été transportés à l'extérieur de la ville et les rations de nourriture sont à nouveau réduites. C'est maintenant confirmé, les Russes déferlent sur la haute Silésie. À la fin de janvier, ils avaient traversé l'Oder et s'approchaient de Breslau, et les rumeurs les plus invraisemblables circulent sur eux, comme le fait qu'ils violent même les vieilles femmes et qu'ils clouent les enfants sur les portes de granges.

À l'usine, Ludmilla s'est liée avec un Hollandais, Frans van der Spek. Quand ils peuvent se parler, après le travail, ils forment le projet de s'évader. Mais vers où? Et comment? Ludmilla ne rêve que de retrouver ses parents à Goslar. Frans veut retourner chez lui, ce serait à mi-chemin vers la frontière de la Hollande. Alors, va pour Goslar, mais comment? Il faudra profiter d'un événement, chercher un point de rencontre, s'y retrouver et apporter peu de choses pour ne pas éveiller les soupçons.

Ils repèrent une cachette, près de la voie ferrée, à l'extérieur de Spandau, et y déposent chacun une petite valise. Ce sera le lieu de rendez-vous. La règle alors établie est que, si l'un n'y est pas au bout d'une dizaine de minutes, l'autre part en suivant la voie ferrée le plus longtemps possible. Rendez-vous ultime : sur la place du marché, devant l'hôtel de ville de Goslar. C'est à la faveur d'un des raids importants de l'aviation américaine contre les usines d'armements de la région de Spandau et d'Oranienburg que Ludmilla et Frans se sauvent.

Il y avait quelques jours, déjà, que Ludmilla sentait quelqu'un lui mettre la main sur l'épaule. Puis une voix l'appelait : Mouchinka. Elle avait beau se retourner, chercher, personne. Puis un jour, quand l'alerte commence, « J'entends : va, va Mouchinka. Va. Tout le monde a commencé à courir, les Allemands allaient vers les abris et notre groupe vers des tranchées. » Ludmilla se dirige plutôt vers la sortie où les wagons attendent pour être chargés. Et les bombes commencent à pleuvoir. « J'ai eu peur, le cœur me battait à tout casser, mais la voix de grand-mère me revenait : va, va Mouchinka. Je me suis mise à ramper entre les rails, ne songeant qu'à mes jambes – jusqu'à ce qu'un nuage de fumée recouvre l'usine. Et j'ai couru à notre cachette. »

Le sac de Frans n'y est plus. Elle vérifie le contenu de sa valise : sac à dos, chemise, jupe, parapluie, tambourin. Tout y est. Ludmilla se change et se met en route. La peur l'habite. Elle pense que tout le monde sait qu'elle s'est évadée. Elle échafaude toutes sortes de réponses à donner si elle est arrêtée. Comme « je m'en vais donner un spectacle pour les soldats, voyez j'ai mon tambourin ».

C'est la nuit qu'elle craint le plus. Déjà, à Berlin, les nuits étaient dangereuses, même pour les hommes. Elle ne connaît pas les lieux qu'elle traverse. Le jour, même si elle est seule dans les champs ou sur la route, elle peut voir venir, même demander innocemment son chemin. Après tout, elle peut être l'un des dix millions de réfugiés qui fuient Berlin et les alentours – mais la nuit... Un temps, elle se joint à un groupe de personnes qui vont vers l'Ouest et elle finit par aboutir à une petite gare, au pied des montagnes du Harz. Elle sait qu'elle touche au but, elle reconnaît le paysage. Plus jeune, elle venait avec sa sœur et sa mère faire de la marche en montagne. Elle grimpe dans un train et, plusieurs heures plus tard, elle descend à Goslar.

Située en Basse-Saxe, la ville de Goslar est un lieu touristique important. Ville médiévale, autrefois résidence des empereurs saxons, elle conserve des bâtiments anciens que la guerre a complètement épargnés. Ludmilla n'en revient pas – sa grand-mère l'a conduite ici. Mais comment retrouver ses parents, maintenant, dans cette ville qui fourmille de monde ? Si seulement ils ont pu arriver jusqu'ici. Comment savoir si Frans n'a pas pris une autre direction ? Si même il est encore vivant ? Ludmilla se dirige vers un édifice sur lequel flotte le drapeau de la Croix-Rouge. Là, elle sait qu'on lui donnera à manger et qu'elle trouvera où se loger en attendant de retrouver ses parents. Et Frans.

Pouvoir se laver, s'étendre sur un matelas, manger, recommencer à vivre comme un humain. « Ceux qui n'ont pas connu la guerre, ou les interrogatoires, ou la prison – ne peuvent pas comprendre », disait-elle souvent. Tous les jours, pendant une semaine, elle vient sur la place du marché près de l'hôtel de ville, dans l'espoir d'y apercevoir Frans. Rien. Mais un après-midi, elle se retrouve face à face avec son père, devant le bureau de poste. « Le miracle de te retrouver à Goslar, devant le bureau de poste, avec un sac à dos et un parapluie», lui écrira Alexandre quand elle sera en Suisse[168].

Il ne pouvait pas y croire. Katerina non plus. Ludmilla était là, saine et sauve. Les embrassades, les larmes, les questions. Il y avait du temps à rattraper et des angoisses à calmer. Il y avait qu'à nouveau, il fallait organiser la vie, la survie, d'abord. Alexandre avait épuisé tous ses contacts du temps de Berlin. Si Ludmilla ne pouvait les sortir de là encore une fois, il ne restait plus d'espoir. L'hiver 1944-1945 ayant été incroyablement rude, on peut penser que la vie était pénible. Ils logeaient dans un sous-sol, pratiquement sans chauffage, très inquiets de savoir que les Russes approchaient. «Avoir échappé aux hordes de Lénine, avoir échappé à la Gestapo et aux bombardements et venir mourir dans un sous-sol de Goslar aux mains des Rouges de Staline... disait Katerina. Ou, pire, être traînés dans les prisons soviétiques.»

Depuis le 1er janvier 1945, les Russes n'ont cessé d'avancer vers Berlin. La Hongrie est libérée, Varsovie aussi et bientôt Breslau, où habite Valia dont on est toujours sans nouvelles. Les Russes ont même traversé l'Oder et le samedi 27 janvier, en pleine tempête de neige, ont découvert Monowitz (Auschwitz). À la nouvelle de l'arrivée des Russes, quantité d'habitants de Breslau se sont rués sur les trains roulant en direction de Berlin, qui continue d'être bombardée.

Albert Göring a tout juste le temps de venir en aide à la tante Alexandra, à Tania et leurs amis qui fuiront Berlin le 19 février 1945. Albert aide «en émettant des passeports espagnols sous prétexte que, comme citoyens espagnols, nous devions rentrer en Espagne[169]*». Albert Göring sera de nouveau arrêté par la Gestapo, pour «propos et comportements anti-nazis[170]». Il sera libéré sur l'intervention d'Hermann, qui le prévient que c'est vraiment la dernière fois qu'il peut l'aider.

Le 16 avril, dans ce Berlin où les fleurs n'osent plus éclore, l'Orchestre philharmonique de la ville donne sa dernière représentation, pendant que l'avancée des chars russes fait trembler le sol et que la ville sent la mort et les corps mal lavés. Au programme : Beethoven, Bruckner et le finale du *Crépuscule des dieux*, de Richard Wagner. Dans la nuit du 30 avril, le drapeau russe flotte sur le Reichstag. L'Allemagne du Nord est occupée par les Britanniques, et les Américains ont rejoint les montagnes du Harz, près de l'endroit où se trouvent maintenant Ludmilla et ses parents.

Que fait Ludmilla de ses premières journées? Elle n'en a plus le souvenir, sauf que durant cette période elle se fait arrêter pour avoir tenté de voler des cigarettes dans un wagon stationné à la gare. Il y avait plein de gens sur les toits des wagons qui sortaient des boîtes et des boîtes. Ludmilla a pensé que c'était de la nourriture. Elle a pris deux boîtes et s'est mise à courir entre les rails. Puis, longeant le Café de la Gare, elle se retrouve face à deux pistolets pointés sur elle. « J'ai lâché les boîtes, levé les yeux et dit en mauvais anglais : je suis étrangère. » On l'a amenée dans une cave, interrogée, puis relâchée quelques heures plus tard. On lui a permis de conserver quelques paquets de cigarettes. Elle s'est alors mise au service de la municipalité. L'Oberstadtdirektor des Stadtkreises a écrit : « [...] elle a généreusement rendu un grand service aux personnes qui se retrouvaient libérées par les Alliés. Son travail consciencieux a soulagé plusieurs souffrances et aidé un grand nombre d'entre eux en situation d'urgence[171]*. »

Quand retrouve-t-elle Frans ? Ludmilla ne sait plus. Elle est mal à l'aise quand je la questionne au sujet de Frans. Les circonstances de leur rencontre me restent encore nébuleuses et j'ai rapporté ici la version qui me semble la plus plausible, parmi celles que Ludmilla m'a données. Frans van der Spek est né à Apeldoorn, en Hollande, le 28 février 1923. Quand Hitler envahit la Hollande, le 10 mai 1940, il est apprenti pâtissier-boulanger. Il sera conscrit pour le STO et se retrouvera à Berlin probablement vers la deuxième moitié de 1942. Il travaillera en usine avant de se retrouver à Goslar, sans doute au début de 1945. À Goslar, il est logé dans un camp pour personnes déplacées, en attendant d'être rapatrié en Hollande. Ces camps, sous la direction de la Croix-Rouge, abritent des personnes de plusieurs nationalités et sont débordés : des milliers de réfugiés continuent d'affluer depuis l'avancée des Russes vers Berlin.

Ludmilla et Frans se sont mariés le 15 mai 1945. Du temps qu'il faisait, de la robe qu'elle portait, de ce qui s'est passé au sortir de la mairie, ce 15 mai, je ne saurai rien. Sinon que « c'était pas un vrai mariage. C'était juste pour avoir des papiers. » Ludmilla dira qu'elle voulait sérieusement échapper à l'Allemagne occupée parce qu'elle avait très peur, elle fille d'un tsariste, d'être rapatriée en Russie. Cela explique aussi pourquoi, ajoutera-t-elle, son certificat de mariage désigne Berlin comme son lieu de naissance !

Depuis avril, Ludmilla travaillait à « l'Agence mise sur pied pour prendre en charge les nombreux étrangers qui affluaient dans la région[172]* ». À partir du 5 juillet, elle sera employée par le Military Government Detachment, à Goslar, « d'abord comme interprète puis secrétaire de l'Officier dirigeant le personnel civil[173]* ».

La guerre est terminée, mais, sauf pour le soir qui s'illumine à nouveau un peu partout, il n'y a pas grand-chose de changé. Le rationnement, le couvre-feu, l'impossibilité de circuler où l'on veut, les constants contrôles d'identité, la délation rappellent les premières années du conflit. Il en sera ainsi longtemps encore. Les Allemands sont passés de l'omniprésence des chemises brunes à l'omniprésence des armées d'occupation.

Peu de temps après son mariage, Ludmilla est convoquée au bureau du Gouvernement militaire. L'officier britannique vers lequel elle est amenée veut connaître les liens qu'entretenait Frau Ludmilla van der Spek avec le maréchal Göring. « J'étais tellement naïve. J'avais claironné partout que les Göring étaient des amis, qu'Albert venait à la maison, qu'il avait fait des faux papiers, que j'avais pris le thé chez Olga... J'ai été dénoncée et accusée de collaboration. Quand il faut sauver sa peau, on utilise tous les moyens à sa disposition. J'aurais pu tuer pour sauver mon père. »

Ce que Ludmilla ne sait pas, c'est que le 7 mai, les Américains avaient arrêté Hermann Göring et que la chasse aux criminels de guerre et à leurs collaborateurs était commencée. Depuis, il n'était plus très bon d'afficher ses liens avec le régime qui s'écroulait. Ludmilla mettra du temps à expliquer la situation. Il lui faudra déployer tout son art pour convaincre monsieur l'officier de son innocence. « Cela est pure invention », soutiendra-t-elle. Si elle a été dénoncée, c'est par jalousie. Il s'agit sûrement de ce jeune homme blond qu'elle a refusé d'épouser pour lui préférer son compatriote van der Spek. Et Ludmilla d'exhiber le certificat de son récent mariage. « L'officier a fait : *I see*, et je suis rentrée à la maison. Mais j'ai eu peur. Je n'étais d'ailleurs pas très contente de moi. »

Selon Ludmilla, Frans était un vrai bon gars, toujours prêt à aider, défendant les jeunes filles et les femmes. Mais il n'était qu'un copain et ce mariage ne devait servir qu'à leur permettre, à elle et à ses parents, de fuir l'Allemagne. Frans adorait Alexandre et voulait les installer en Hollande. Mais il fallait des sous et personne n'en avait. Et tout ce qui paraissait simple s'est compliqué. Des convois étaient organisés pour que rentrent au plus vite dans leur pays ceux qui avaient été réquisitionnés pour le STO. Maintenant qu'ils étaient mariés, Frans et Ludmilla pouvaient partir, mais les parents de Ludmilla, non. Ludmilla ne voulait pas laisser ceux-ci. Alors Frans est parti tout seul. Quand? « Je ne me souviens pas. Je ne peux même plus me souvenir de son visage. Il avait promis de venir me chercher. Il ne l'a jamais fait. » Frans se remaria en 1950, à Den Haag, où il vivra jusqu'à son décès, le 28 octobre 1986. Il ne laissera aucun descendant.

Au-delà de son travail pour le Gouvernement militaire, Ludmilla aide la municipalité. Au début de l'été 1945, quarante-cinq millions de personnes étaient sur les routes, en Europe, et cherchaient à retourner chez elles[174]. Souvent, un soldat viendra chercher Ludmilla pour qu'elle serve d'interprète auprès de Russes qui ne voulaient pas rentrer en Russie. « Chacun était un cas, une souffrance, dira Ludmilla, et méritait une main qui caresse, des yeux qui te regardent. Tu en as tellement besoin dans cette mer de désespoir, où même ton dieu semble t'avoir abandonné. Je voyais bien que le mal engendre le mal, mais je ne pouvais pas croire que la vie soit cela. Il faut faire très attention, parce qu'une fois que tu as perdu confiance, tu ne t'en sors pas. »

Le vendredi 6 octobre 1945, Ludmilla a donné un récital de danse au Club des officiers de la treizième brigade. « J'ai préparé cette soirée pour endimancher la vie laide qui nous entourait. » Elle danse sept courts ballets. Entre ceux-ci, le pianiste de concert et compositeur Friedrich Karl Grimm présente ses œuvres[175].

Alexandre avait entrepris des démarches pour obtenir des visas de sortie de l'Allemagne. Il voulait se rendre en Espagne, chez son frère Sergeïj, ce qui n'était pas une mince affaire. L'Allemagne était maintenant dirigée par des administrations militaires qui ne s'entendaient pas toujours entre elles. Et même une fois acquis les visas de sortie – qui valaient pour une durée de trois mois –, il fallait encore obtenir la permission d'entrer en Espagne et faire coïncider le tout. Ludmilla, elle, tentait sa chance par la Suisse. Une fois là, croyait-elle, il serait plus facile de faire entrer ses parents en Espagne.

Le 26 juillet 1946, Ludmilla quittera l'Allemagne pour ne plus jamais y revenir. « Je serais incapable d'y retourner. Vous savez, dans la vie, on a des cicatrices. Je n'ai pas besoin de mettre de l'iode dessus et de gratter pour les ouvrir tout le temps. Ce serait cela, revoir Berlin. »

Les trains n'étaient plus ceux qu'elle avait connus quand, avec Valia et leur mère, elle partait en excursion, depuis Berlin jusqu'aux montagnes du Harz. Les wagons sont abîmés et surchargés. Pour la plus grande partie du trajet, les passagers sont pauvrement vêtus, et leurs yeux tristes se perdent dans les paysages qui défilent. Elle-même est perdue dans ses rêveries, bercée par le mouvement régulier des roues du train. Elle mettra près de deux jours pour se rendre jusqu'aux frontières de la Suisse.

La Suisse

Quand on raconte son passé, on ne le revit pas, on le reconstruit. Ce qui ne veut pas dire qu'on l'invente.

Boris Cyrulnik
Un merveilleux malheur

Chapitre 15
Le goût de la liberté

«Mes chers, mes adorés, mes merveilleux, Les mots ne me suffisent pas pour décrire tout ce qui est arrivé du moment où je suis restée seule et que j'ai fait un pas, un seul simple pas de la frontière de l'enfer au paradis ou bien de la mort vers la vie[176].»

Ludmilla vient d'arriver à Bâle, où passe la frontière germano-suisse; on est le 28 juillet 1946. Elle écrit à ses parents. Elle raconte tout. D'abord, la Police des frontières. «[...] ressentant l'attitude humaine, j'ai pleuré, quel est le mot pour dire quand toute l'âme sort?, parce qu'à nouveau, après les longues années de souffrance sous le régime national-socialiste, j'ai aperçu la vie.» Ludmilla a passé la première étape. La Police des frontières est le cauchemar des apatrides, partout dans le monde. Si elle prononce l'interdiction de séjour, il n'y a plus qu'à retourner d'où vous venez; ou alors elle peut vous détenir jusqu'au moment de vous remettre aux autorités d'un pays voisin.

> Mon Dieu! Est-ce qu'on peut croire que n'ayant pas un seul pfenning suisse, quelqu'un viendra me chercher en voiture à partir de la frontière, et m'amènera à la gare de Bâle; qu'on me portera mes bagages dans la chambre du docteur des frontières qui doit me voir...

La gare était probablement comme n'importe quelle gare d'avant-guerre, avec l'odeur d'huile sur les rails, les jets de vapeur qui finissaient en nuages de fumée emportant le sifflement du train. Avec aussi un Café où s'attablaient les voyageurs, parmi les habitués qui prenaient leur café. Et puis, une cabine téléphonique et, au bout d'un couloir, des latrines.

Un employé de la Police des frontières l'amènera jusqu'à

> [...] l'autre gare d'où part le train pour Lausanne. Cette même personne m'a mise dans le restaurant de la gare pour m'offrir un goûter et m'a donné 20 FS pour le voyage, me faisant confiance que je les lui rendrais. Dans ce restaurant, rempli de merveilleuses fleurs, des gens riaient, souriaient, habillés à la dernière mode, sentant les parfums. Est-ce

qu'on peut croire que je pouvais être assise là et commander des plats, appeler le garçon pour choisir des cigarettes à mon goût, surveiller les gens qui arrivaient et partaient ? Je sentais les garçons qui surveillaient chacun de mes gestes...

Ludmilla n'a pas assez d'yeux pour tout ce qu'il y a à voir.

[...] ces multiples journaux venus du monde entier, ces vitrines avec des fruits, des chocolats, des bonbons et tout ce qui peut être agréable à l'âme et au corps. Je ne pouvais pas ne pas pleurer et pleurer. Le choc était trop grand. Surtout pensant à vous, à mes amis que j'ai laissés et qui ont réussi à se libérer de ces salauds mais qui sont encore étampés par les horreurs du vécu, du passé et surtout je pensais à vous et à tous ceux qui ne savent pas et ce que moi-même je ne savais pas il n'y a que quelques heures... Il y a encore de la vie. Il y a encore des gens et il y a encore de la dignité humaine.

Dans ce train qu'elle prend, et qui la mène d'abord à Berne, Ludmilla fait connaissance avec des voyageurs qui se rendent aussi à Lausanne. Ils l'inviteront à souper et lui remettront de l'argent pour couvrir la course en taxi jusque chez cette dame Rimathé où elle doit loger pour un temps. L'entrée en gare de Lausanne, en fin de soirée, et à nouveau l'émerveillement : on l'attend. L'employé de la Police des frontières a prévenu de son arrivée. Mais on l'attend aussi parce que Madame Rimathé est la mère de Jacques De Bonneville, l'officier du Gouvernement militaire pour qui elle a travaillé, à Goslar.

Les premières vingt-quatre heures, Ludmilla les passe à regarder ce qui l'entoure, ensuite à s'informer. Puis elle écrit cette longue lettre à ses parents, de laquelle sont tirées les citations ci-dessus, et qu'elle termine ainsi :

Mes chers, mes uniques, je prie pour vous. Encore un peu de souffrances et nous serons à nouveau ensemble. Même si une incroyable beauté m'entoure, je ne peux être heureuse. Je ne me sens pas le droit de l'être jusqu'à ce que vous aussi il vous soit donné de regarder la vraie vie dans les yeux, en face, et que vous ne respiriez l'air pur et béni des lacs et des montagnes. Dites à tout le monde que je n'ai pas la force d'écrire à chacun, que je leur souhaite de vivre et de pouvoir affirmer que la vie bénie n'est pas morte dans cet univers. Que Dieu vous garde, mes bien-aimés.

Il était temps qu'elle quitte l'Allemagne, puisque son permis de sortie allait expirer le 10 septembre 1946. Il lui fallait maintenant obtenir une autorisation temporaire de séjour, émise par la Police des étrangers[177], si elle voulait non seulement pouvoir circuler librement mais se trouver du travail. C'est une démarche qui ne lui plaît guère, encore traumatisée qu'elle est par la sensation d'être d'avance coupable. «Après les nazis, on avait peur de tout ; ça nous collait à la peau. Mais je ne savais pas que je vivrais toute ma vie ainsi... me sentir coupable d'être coupable de je ne sais quoi.»

Quelques jours après avoir reçu cette autorisation, Ludmilla télégraphie à l'oncle Sergeïj, à Madrid. Elle entreprend aussi des démarches auprès des autorités fédérales, à Berne, afin d'obtenir un visa de transit pour faire venir ses parents en Suisse en attendant qu'ils puissent entrer en Espagne. «L'argent, écrit Ludmilla à son père, je l'obtiendrai de tes hommes d'affaires riches qui, selon Sergeïj, font tout pour gâcher nos démarches puisqu'ils ont peur qu'on leur demande l'argent qu'ils te doivent...[178]» Elle rêve d'aller ensuite avec ses parents de Zurich à Madrid mais pas en avion. Parce que les avions lui rappellent la guerre. «C'est comme un oiseau qui m'a fait du mal.» Selon cette correspondance, la Suisse ne serait donc, pour elle aussi, qu'un lieu de passage vers l'Espagne.

Mais il y a loin du rêve à la réalité. Ces «hommes d'affaires», dont elle parle, la reçoivent plutôt mal, quand encore ils daignent lui donner rendez-vous. Certains écriront à son père combien ils ont été déçus de ne pas être là quand Ludmilla a sonné chez eux. Mais ce n'est que façade. Quand elle sonnera à nouveau à leur porte, ils la feront sortir du côté des domestiques pour ne pas avoir à la présenter à leurs invités. «Je ne savais pas que, dans un certain monde, on n'est plus rien quand on perd tout. J'ai fait tout le ballet *Pierrot de la lune* pour dire que si tu es malheureux, vaut mieux ne pas le montrer, autrement, on va te chasser. Alors, tu te consoles en dansant avec la poupée mécanique, avec le soldat au tambour, avec le clown...»

D'autres, comme Georg Von Schultness, écriront qu'ils ont été touchés par le récit de Ludmilla de ce que la famille a dû traverser : «Nous, en Suisse, ne pouvons que tenter de comprendre tout ce que cela a impliqué. Nous n'avons jamais vécu cela et pouvons seulement compatir avec vous, et seulement de très loin[179].» De la compassion, certes, mais rien de plus. Ludmilla ne va pas tarder à réaliser que la Suisse est telle qu'elle a toujours été : propre, policée, protestante, fermée sur elle-même, réfractaire aux étrangers. Ce petit pays à ressources limitées, et dont l'espace habitable est exigü, ne se considère pas comme un pays d'immigration. Quantité d'étrangers transitent sur son territoire, mais peu d'entre eux obtiennent la citoyenneté, qu'il faut d'abord demander à la commune. Si cette dernière l'accorde, il faut encore obtenir l'autorisation du canton[180].

Ludmilla fera plusieurs voyages à Zurich durant le mois d'août. Elle prend contact avec les relations d'affaires de son père, mais elle rencontre aussi certains de ceux qui gravitaient autour de la famille Otzup durant les années difficiles, à Berlin. Entre autres, Schrötter et Haenlein[181]. Chaque fois que Ludmilla raconte ce qu'elle et ses proches ont vécu en Allemagne, avec la mise en scène dont on la sait capable, cela ne peut que susciter un sentiment d'inconfort chez ses interlocuteurs, et particulièrement chez ceux qui doivent de l'argent aux Otzup-Gorny. Je n'ai pas trouvé à quoi rattacher ces dettes, mais on se souviendra qu'Alexandre faisait dans l'import-export et nul doute que, plus la guerre durait, moins il lui a été possible de continuer son commerce et de se faire payer les montants dus.

Il y a aussi que certains Suisses se rappellent les débats sur la neutralité de leur pays – le rôle que les institutions suisses ont joué ou refusé de jouer durant cette guerre que viennent de traverser des millions de personnes d'une grande partie de l'Europe. La Suisse clame sa neutralité depuis la fin des guerres napoléoniennes, mais cette neutralité ne vaut que pour les armées. Dès 1940, des voix se sont élevées, en Suisse, pour dire que commercer avec l'Allemagne et les pays de l'Axe était une question de survie pour ce petit pays de quatre millions d'habitants complètement encerclé par les nazis. D'autres voix ont souligné que garder sa neutralité ne voulait pas dire refouler plus de trente mille réfugiés juifs ni non plus fermer complètement son territoire aux Juifs allemands, dès 1942.

À l'automne 1939, l'Allemagne avait fait pression sur la Suisse pour qu'elle cesse ses échanges économiques avec l'Angleterre, faute de quoi la Suisse se verrait privée de livraisons de fer et de charbon. Dépendante de l'étranger pour ses approvisionnements, la Suisse d'alors soutenait qu'il lui fallait faire avec les intérêts politiques du moment. En août 1940, la Suisse s'est vue contrainte de signer un accord avec l'Allemagne. Ce geste fut très mal accueilli, non seulement à Londres mais aussi par bon nombre de Suisses. Aujourd'hui, le gouvernement suisse reconnaît qu'en commerçant avec les pays de l'Axe comme avec les Alliés, elle a « veillé à ses intérêts » et, ce faisant, s'est livrée à des affaires douteuses dont ne dépendait pas sa survie[182].

Pour certains, donc, Ludmilla est comme un reproche vivant des privations et des souffrances qu'il aurait été possible d'éviter à bon nombre, quand ce n'est pas simplement la mort, et l'on se dépêche de lui trouver un job de plongeuse, dans une brasserie, de gardienne d'enfants ou même de bonne à tout faire pour un vieux monsieur bougonneux. Mais ce n'est pas ce que cherche Ludmilla. Elle veut des visas, des permis temporaires de séjour pour ses parents et de l'argent. Et, comme toujours, elle va remuer mer et monde pour y parvenir.

Pour s'établir à Lausanne, un étranger doit déposer six mille francs suisses au canton de Vaud. Cette somme lui est remise quand il quitte définitivement le canton. Ludmilla n'a pas cet argent et s'engage à payer ce montant par mensualités. Elle vend d'ailleurs des timbres rares d'une partie de la collection que son père lui a donnée lorsqu'elle a quitté Goslar. Elle se rend à Zurich où un certain Turjanskiy, cinéaste russe et ami de Sergeïj, doit lui remettre cinq cents dollars américains provenant de l'oncle Sergeïj, mais même avec cela on est loin du compte. Turjanskiy, qui promet d'user de son influence, n'en fera rien et ne remet que vingt-cinq francs suisses à Ludmilla, qui rentre à Lausanne par le premier train.

Parallèlement aux démarches pour faire venir ses parents en Suisse, Ludmilla fait le tour des théâtres. Elle décroche un contrat avec le Théâtre municipal de Lausanne[183]. Construit sur ce qui fut le Pré-Georgette, d'où le nom de Théâtre Georgette qu'on lui donne parfois, le Théâtre municipal sera rebaptisé Opéra de Lausanne en 1983. Ce théâtre, qui est avant tout un lieu de divertissement, possède un corps de ballet dirigé de 1942 à 1946 par Mara Dousse. Quand Ludmilla y vient, c'est Jacques Béranger qui dirige le théâtre. Patron autoritaire et exigeant, il monte une revue annuelle. De 1936 à 1959, ses revues attireront jusqu'à soixante mille spectateurs, venus par autobus et trains spéciaux, de tous les coins du canton de Vaud et parfois même au-delà.

Préparer une revue demande de sept à huit mois de travail, une orchestration de divers groupes d'artistes et un rodage du spectacle qui, ensuite, tiendra l'affiche de quatre à six semaines avant de prendre la route pour la tournée. «Toute Revue doit comprendre quatre ballets, deux en première partie et deux en seconde, d'une durée moyenne de quatre minutes[184].»

Ludmilla est engagée le 10 septembre, à titre de danseuse et soliste, sous le nom de Ludmilla Gorny. Jacqueline Farelly, qui vient de succéder à Mara Dousse, est la maîtresse de ballet. Son studio est situé dans les locaux du «Municipal». Elle y forme des danseurs, comme plus tard Ludmilla le fera, à Genève, puis à Montréal.

Très vite, Farelly fera de Ludmilla sa première danseuse classique, la soliste de la troupe du Municipal, et lui offrira la possibilité de chorégraphier de courts ballets. «La collaboration avec Jacqueline m'a ouvert une porte sur la chorégraphie et cela a été très important pour la suite des choses. Je me souviens de cette période de création comme des moments magiques qui demeurent, même à ce jour, inoubliables.»

Aux termes du contrat de septembre, Ludmilla est Lettone, sans religion, et demeure au numéro 11 du chemin Mornex à Lausanne. Elle devra se présenter au Théâtre municipal, sachant son rôle, le 13 octobre, à quatorze heures. Le contrat comprend des représentations à Zurich, du 7 novembre au 23 décembre, une tournée du 28 décembre 1946 au 12 janvier 1947 et la revue, à Lausanne, du 11 février 1947 à la fin de la saison. Les répétitions pour la revue commencent le 23 janvier 1947. Pour la durée du contrat, Ludmilla sera payée six cents francs suisses par mois : vingt francs par jour de représentation et quinze francs par jour de répétition. Selon l'article 2, elle «doit à la Direction l'usage exclusif de son talent». Elle ne peut pas se produire gratuitement ni même à des soirées privées sans une autorisation expresse de la direction du Théâtre[185].

À l'automne 1946, Serge Lifar est à Lausanne et Alexandre presse Ludmilla de le rencontrer : «[...] il faut que tu le rencontres», lui écrit-il. Je ne sais si elle l'a fait. Et comme dans chacune de ses lettres, Alexandre joint des timbres pour sa collection, dont il ne sait pas qu'elle est train d'être liquidée. Plus tard, Alexandre lui demande d'écrire des lettres à faire certifier devant notaire « pour libérer les gens qui n'ont pas été trop méchants avec toi au théâtre ». Ou encore pour aider Bert Göring et Haenlein concernant Nuremberg[186].

L'opération de dénazification, commandée par les autorités d'occupation, commençait ; elle ne sera terminée qu'en 1952. Les Alliés avaient décidé à la conférence de Potsdam qu'il fallait éradiquer toute trace de nazisme et en conséquence seraient arrêtés, internés et poursuivis tous ceux qui avaient tenu un rôle public ou semi-public ou même occupé un poste important dans le commerce et l'industrie. Il était toutefois prévu qu'« une considération spéciale devait être accordée à tous les prévenus qui pouvaient faire état de leur démission du parti, de leur opposition, d'une pratique religieuse suivie, de bonnes actions, de persécution pour des raisons politiques et (dans le cas de ceux nés avant le premier janvier 1919) de leur jeunesse[187] ». En janvier 1947 commencerait la deuxième vague des procès de Nuremberg.

Quand Ludmilla se joint au Théâtre municipal de Lausanne, les chorégraphies pour la revue du printemps 1947 sont en voie d'être réglées. Jacqueline Farelly lui demande de l'assister et Ludmilla signera avec elle la chorégraphie de *Comme une boîte à musique*, dans laquelle elle tiendra aussi le rôle d'Arlequin. Au programme, Ludmilla est en outre première danseuse dans deux autres ballets : *Hawaï* et *Impression*. La *Feuille d'Avis* de Lausanne rapporte, dans son édition du vendredi 14 février 1947, que «La première danseuse, Ludmilla Gorny, est d'une souplesse, d'une légèreté magnifiques. On peut s'en rendre compte tout particulièrement dans les ballets *Comme une boîte à musique* et *Impression*.» Du 18 janvier au 18 février, Ludmilla touchera sept cent vingt francs suisses pour la préparation et l'exécution de ballets et, à partir du 19 février jusqu'à la fin de la revue, la rémunération passe à sept cents francs par mois[188]. Dans le programme il y a aussi le nom d'Alexis Chiriaeff, pour les maquettes des costumes et des décors. Il est au Théâtre depuis un certain temps puisqu'il a signé les décors et les costumes de quelques productions de 1945 et de 1946.

Selon les entrevues qu'elle accorde, Ludmilla fait varier de quelques mois le moment de sa rencontre avec Alexis de même que le moment de leur mise en ménage. Que ce soit Béranger ou Farelly qui les ait présentés l'un à l'autre, ou qu'ils se soient croisés au Théâtre, dans le petit escalier menant au studio de danse, ou au Chat Noir, ce café qui fait face à l'entrée des artistes, peu importe.

À partir de ce moment, on les verra beaucoup ensemble. Dès novembre, elle a dû en parler à ses parents puisque Katerina lui écrit : «Tout d'abord, je t'embrasse. Je te souhaite le véritable bonheur que vous devez créer vous-mêmes. J'ai toujours espéré que tu trouves un compagnon de route qui te permettrait de prolonger ce qu'a été ton enfance, les rêveries, les espoirs, les merveilles de la scène, de la musique, de l'art, et qui permette ton évolution spirituelle [...] Je suis infiniment contente pour toi[189].»

Est-ce à cause de la «tournée» qui commence durant la période des fêtes ou est-ce pour répondre aux exigences des autorités compétentes qu'il leur faut afficher publiquement leur statut? En décembre, ils s'avouent fiancés. «Je ne croyais pas que je pourrais trouver quelqu'un d'aussi intéressant que papa et pan! Je suis tombée sur ce Russe, peintre extraordinairement doué et qui parlait un français impeccable.» Roland Lorrain dira d'Alexis qu'il «était un homme raffiné, parlant un français exquis non exempt de préciosité, préférant, par exemple, dire Helvétie plutôt que Suisse; un artiste véritable possédant toutes les qualités et les défauts du dix-neuvième siècle romantique[190]».

Quand Alexandre apprend que sa fille est fiancée, il écrit qu'il lui faut d'abord réprimer en lui tout sentiment de jalousie avant de réagir sur les tempêtes et ouragans qui ont bouleversé sa vieille âme, amoureuse de Ludmilla jusqu'à la folie.

> Ma chère, mon adorée, j'aurais voulu te mettre sous une cloche de verre, comme une madone, pour que non seulement aucune main ne te touche ni te violente mais pour que même la plus petite poussière ne se pose sur toi – que tu te développes sans que personne ne puisse t'atteindre. [...] Ton âme, ton corps, tes talents [...] Toute cette richesse vers laquelle je n'ai pas envie de laisser s'approcher personne.

Et plus loin, dans cette longue lettre, il ajoute :

> Bien entendu, il y a des points positifs dans ta rencontre de cet être qui est russe. Il se peut que ce soit plus familier comme atmosphère de l'esprit et du rythme [...] Et de notre âme très spéciale qui ne ressemble à rien d'autre [...] Peut-être, et je l'espère, il comprendra ta richesse d'âme, il comprendra que Dieu t'a embrassée à ta naissance et qu'en toi habitent les couleurs, les sons, les pensées, le mouvement... Qu'il puisse t'aider à trouver le cadre de ta vie et qu'il ne cherche pas seulement à puiser son inspiration chez toi[191].

De la correspondance avec ses parents, à cette époque, il ressort que Ludmilla suit des cours de français et d'anglais. «J'imagine comment est ton français, maintenant», écrit Katerina. Son père, lui, s'enquiert de ce qui arrive de ce professeur de littérature anglaise qui lui demande de rester après les cours[192]. Ludmilla dira que les premiers temps, en Suisse, elle avait de grandes difficultés à suivre les conversations en français. Surtout avec les amis d'Alexis. Alors, elle faisait semblant de comprendre. « Il ne fallait pas que cela se voie. Comment la fille de papa pouvait-elle ne pas savoir quelque chose ! » Alexis sera un guide, pour Ludmilla, une espèce de Pygmalion. Ce qu'elle refusera toujours de reconnaître. À l'entendre, certains jours, c'était elle qui avait « fait » Alexis.

Le 23 décembre 1946, sur papier à en-tête du Théâtre municipal de Lausanne, contresigné par Francis Marthales, secrétaire général du Théâtre, Alexis certifie : « Je suis artiste peintre au Théâtre de Lausanne et je m'engage à supporter Madame et Monsieur Otzup-Gorny, parents de ma fiancée, Mademoiselle Ludmilla Gorny, durant leur séjour en Suisse[193]* ». Ludmilla signe un document similaire où elle est désignée comme soliste au théâtre.

Le même jour, de Madrid, oncle Sergeïj répond enfin à Ludmilla, qui s'inquiétait de son long silence :

> Le voyage que j'ai entrepris en Afrique du Nord et aux îles Canaries a duré plus longtemps que je ne l'avais prévu : au lieu de dix jours, il a duré des semaines. Ma santé va bien et le commerce que j'ai ouvert se solidifie peu à peu. Ton père va trouver ici, lorsqu'il viendra, une grande sphère d'activités. J'ai pris des dispositions pour que tes parents puissent continuer leur voyage, aussitôt qu'ils seront chez toi. Cette fois-ci, ce sont des personnes fiables et qui ne font pas de promesses vides à la Turjanskiy...[194]

Ludmilla fête à nouveau Noël sans ses parents mais avec Alexis et des gens de leur âge et du milieu artistique. Elle se rappelle comment c'était chez elle, quand on allumait les bougies sur les branches du sapin. Sa mère lui écrit pour lui offrir ses bons vœux : « On va allumer le sapin et on va penser à toi. Tu te souviens comme tu as toujours eu peur de brûler... cela nous enlevait notre plaisir à la fin[195]. »

La troupe de la revue part en tournée ; selon la tradition, elle a dû se produire à La Chaux-de-Fonds durant la période des fêtes. À partir du 28 décembre, ce sera dans les villes de Neuchâtel, Yverdon, Bienne et Fribourg. Comme cela arrivait fréquemment, la troupe a dû se produire aussi à Vevey, Montreux ou Genève. La tournée s'est terminée à la mi-janvier. C'est alors que commencent, sur la scène du Théâtre, les répétitions d'ensemble, et c'est après la générale que seront apportés les derniers correctifs. Comme pour tous les autres spectacles présentés au Municipal, il faudra l'imprimatur du conseil d'administration pour en changer ne fût-ce qu'un mot[196].

En 1947, la première de la revue *Ah ! Viens-z'y !* a lieu le 11 février. Selon les archives de la Ville de Lausanne, la revue a tenu l'affiche jusqu'au 31 mars de la même année. Le 26 mars, Katerina écrit à sa fille : « Quelle joie, quel bonheur, tu es enfin de nouveau sur scène comme soliste dans un théâtre. [...] Je suis fière de toi. Maintenant se sont confirmés tous les mots de Fokine [...] Pour que tu danses sans fin. Il fallait être danseuse, artiste et même philosophe et tu es tout cela en même temps.» Ludmilla sera aussi première danseuse dans la revue *Y a d'la Joie!*, au Théâtre municipal. Selon le programme (non daté), elle danse quatre fois durant la représentation. Alexis a réalisé les maquettes des décors et des costumes.

L'hiver est très froid en Europe et la longue période de gel n'allège en rien la famine qui sévit en Allemagne. Dans la même lettre, Katerina écrit que «tout est arrêté [...] Les gens meurent de froid mais tes paroles nous réchauffent même si le plafond coule et l'appartement est glacé.» Alexandre ajoute «les gerçures sur les mains de ta mère vont légèrement mieux. Mes doigts et mes talons aussi. Il faisait tellement froid. J'ai mis de la vaseline. Qu'est-ce qu'il recommande, le docteur Roudneff?» Roudneff, on l'a vu, est ce médecin qui s'occupait de la famille, à Berlin. Il est maintenant établi à Lausanne. Dans la même lettre, Alexandre demande : «As-tu écrit un gentil mot à Mlle Göring (Olga) qui m'a félicité pour mon récit? Réponds s'il te plaît.»

En Suisse aussi l'hiver est difficile et le rationnement n'est pas encore chose du passé. Il y a un problème aigü de logements, dont plusieurs sont insalubres. Quantité d'Européens déplacés par la guerre continuent de demander un permis temporaire de résidence. Ludmilla vit toujours chez Madame Rimathé et ne sait comment prévenir ses parents que la vie ne sera pas facile à Lausanne. Il n'est pas clair si c'est elle qui fait des pressions sur Sergeïj pour qu'il prenne ses parents ou si c'est lui qui, l'ayant offert à la fin de 1946, se trouve maintenant pris à remplir sa promesse. Il semble toutefois, des lettres d'Alexandre à sa fille, que Sergeïj s'active – mais lentement... Il faut arrimer les décisions administratives de l'Allemagne, pour la sortie de ce pays, de l'Espagne, pour la résidence, et de la Suisse en plus du canton de Vaud, pour qu'ils puissent passer quelque temps chez Ludmilla. Cela fait bien des fils à attacher. Quand un pays donne son accord, le second n'est pas encore prêt; les visas étant pour une durée précise, il arrive qu'ils soient expirés quand la réponse de l'autre pays arrive.

Alexandre écrit presque tous les jours à sa fille. «Ma petite souris, Amour de ma vie, *My only love*», ainsi commencent ses lettres. Une partie de sa correspondance affiche un ton exalté, avec des accents poétiques et philosophiques, parfois même mystiques. Il y est question de Dieu, de l'âme, la sienne et celle de la Russie. «J'ai reçu ta lettre, écrit-il le 22 octobre 1946. Je peux vivre encore. Ton silence me faisait m'imaginer les pires choses. De noires pensées habitaient mon âme et je voulais mourir.» Ou encore «Mon immortelle, mon âme vole jusqu'à la tienne. Ton âme est la seule chose qui me supporte, qui m'aide.» Il encourage Ludmilla, l'exhorte même, à conserver le culture et la langue russes. Cette langue qu'utilise Alexandre est celle de la classe supérieure du temps des tsars. Il a choisi de la perpétuer à travers Ludmilla – un peu comme pour assurer la pérennité de ce pays tant aimé qui n'existe plus que dans ses rêves.

La revue a été un succès et Ludmilla signe un nouveau contrat avec le Théâtre municipal le 31 mars. Elle dansera dans le ballet du Théâtre de Lausanne, comme soliste, et participera à la chorégraphie des ballets, du 1er avril au 10 mai 1947. Elle recevra neuf cents francs suisses par mois. Selon ce contrat, qu'elle signe Ludmilla Gorny, elle réside encore au 11 du chemin Mornex[197].

Ludmilla est arrivée à Lausanne au moment où la vocation du Théâtre municipal changeait pour ne se limiter qu'à la présentation de spectacles. Il n'y a plus de troupe permanente au Théâtre. Il lui faut donc constamment être à la recherche d'un contrat. Pendant cette période, Ludmilla suit aussi des leçons de toutes sortes. En janvier 1947, son père lui écrit qu'elle fait des erreurs grammaticales quand elle lui écrit en anglais. Et il ajoute qu'il est inacceptable qu'elle en fasse aussi en russe. Il lui corrige sa copie[198]! Ludmilla a toujours souffert de ne pas avoir terminé ses études. Depuis son arrivée en Suisse, où tous les amis d'Alexis parlent français, elle se sent souvent exclue des conversations. Elle mettra les bouchées doubles pour acquérir une culture française, «l'esprit français», comme elle disait.

Elle continue les démarches pour sortir ses parents d'Allemagne. Sa mère lui écrit combien elle a hâte de la revoir ; comme elles vont se parler beaucoup et longtemps ; comme elle est fière de voir que ses spectacles, avec les décors d'Alexis, vont bien et que «vous vous complétez, Aliosha et toi[199]».

Et Ludmilla se marie. La *Feuille d'Avis* de Lausanne publie, le 25 mars 1947, une promesse de mariage faite le 3 du même mois entre «Chiriaeff Alexis, artiste peintre d'origine russe, actuellement sans nationalité déterminée, à Lausanne et Otzup-Gorny Ludmilla, d'origine russe, actuellement sans nationalité déterminée, à Goslar (Allemagne), en séjour à Lausanne».

Chapitre 16
Alexis

Quand Ludmilla rencontre Alexis, il habite avec sa mère au 12, rue Édouard Payot, à Lausanne. Il a trente-trois ans. Les Chiriaeff sont arrivés en Suisse, le 11 novembre 1921, depuis Moscou et Nice, où Alexis est né le 7 octobre 1913[200]. Sa mère, Maria Petrovna Matouskoff, serait née à Kiev le 19 mars 1892 et son père, Piotr Alexandrovitch Chiriaeff, à Tombow, en 1887.

La petite histoire veut que les parents d'Alexis aient été des révolutionnaires qui auraient été emprisonnés à la forteresse Pierre-et-Paul pour avoir lancé des bombes sur le tsar. Ils auraient ensuite été envoyés en Sibérie. Ils auraient pu en sortir grâce à l'argent du grand-père paternel d'Alexis. Ils se seraient réfugiés à Nice où Alexis est né. Rien ne me confirme l'emprisonnement. Il reste que Maria Petrovna fait fréquemment des discours enflammés en l'honneur des révolutionnaires. Quand les parents de Ludmilla vivront chez elle, pendant leur passage à Lausanne, elle leur servira de longues tirades sur Staline et défendra la terreur soviétique.

D'après ce que l'on a conté à Ludmilla, le grand-père paternel était un paysan. Il ne savait ni lire ni écrire et signait d'une croix. Il était devenu très riche en faisant le commerce de la farine durant une famine qui avait ravagé la Russie. La farine était légèrement avariée… Outre ses moulins à farine, il exploitait une fabrique d'allumettes. Tout le monde connaissait les Chiriaevskii spitchki, d'autant que les jeunes filles se servaient des boîtes d'allumettes, qui étaient rouges, pour s'en frotter les joues. Un «blush» avant l'heure!

Selon la famille, les parents d'Alexis sont fréquemment allés sur la Côte d'Azur, lieu de villégiature des familles fortunées d'Europe. Un album de photos laisse voir une famille bourgeoise dans des demeures et des jardins magnifiques. Lors d'un de ces voyages, Maria aurait donné naissance à Alexis, et la famille aurait décidé d'y séjourner plus longuement qu'à l'accoutumée.

Après l'assassinat de l'archiduc François-Ferdinand d'Autriche, à Sarajevo, le 28 juin 1914, il semble que le tsar aurait rappelé sous les drapeaux tous les hommes en âge de servir. Ainsi, un bateau serait venu à Nice cueillir les hommes de même que les femmes sans enfant, les femmes avec enfants devant attendre le transport suivant. La guerre ayant été déclarée en août, aucun bateau ne serait venu.

Quelle qu'en fût la raison, Maria est restée avec son fils Alexis, né en territoire français. Elle qui aimait follement son Piotr ne lui pardonnera jamais de l'avoir abandonnée. Elle entourera Alexis d'un amour étouffant qui alternera avec toute la haine qu'elle ne pouvait déverser sur son mari, dont elle attendait désespérément le retour.

Les Archives suisses[201] rapportent que le père d'Alexis aurait été ruiné par la révolution de 1917 et qu'il serait décédé après sa libération de plusieurs années passées dans les prisons soviétiques. Cette note provient d'une déposition faite par Alexis lors d'une demande pour l'obtention de la citoyenneté suisse, qui lui sera refusée.

Selon Ludmilla, lorsque, après d'intenses recherches, sa belle-mère a finalement retrouvé des traces de son mari, il était remarié et s'occupait d'immenses troupeaux de chevaux en Sibérie. S'il n'avait pas été remarié, il est certain que sa belle-mère aurait tenté l'impossible pour le rejoindre, même au risque d'être refoulée par les autorités soviétiques. Maria Petrovna aurait appris la nouvelle de la mort de Piotr Alexandrovitch en 1926.

Mes recherches dans les Archives suisses indiquent que la grand-mère maternelle d'Alexis, Hélène Radietzka Matouskoff, habitait Lausanne, avec son fils Paul, depuis 1916. Ce dernier a été refoulé vers la France en 1923, et sa mère est allée l'y rejoindre en 1926. Jean, un autre oncle maternel d'Alexis, habite Lausanne à partir de 1919 jusqu'en 1930, lorsqu'il s'installe à Thonon, du côté français du lac de Genève. C'est lui qui verse la caution exigée par les autorités pour permettre à Maria Petrovna et à son fils de vivre en Suisse. Alexis ira fréquemment lui rendre visite. Il a huit ans quand il arrive en Suisse avec sa mère. Ils s'installent alors chez l'oncle Jean, qui est ingénieur. Du printemps 1922 jusqu'à l'automne 1936, sa mère donnera diverses adresses de résidence à Lausanne au moment des enregistrements réglementaires auprès de la Police des étrangers.

La vie devait être très difficile. En 1927, lorsqu'elle fait sa demande pour l'obtention d'un certificat Nansen, ils logent dans un « Home russe ». Maria Petrovna se déclare négociante. Elle travaille à la maison de couture Roselyne, place Saint-François, près de l'imposant vestige d'un couvent de Franciscains construit aux alentours de 1260. C'est aussi place Saint-François qu'est la maison où naquit

Benjamin Constant. L'avenue du même nom relie d'ailleurs la place à l'ancien quartier Saint-Pierre. Lausanne s'est construite sur trois collines séparées par de petits vallons. Elle est traversée par deux cours d'eau, le Flon et la Louve. Cette ville, dont il faut monter ou descendre les rues étroites et tortueuses pour aller où que ce soit, a depuis toujours été le refuge des exilés et des expatriés.

Plus tard, Maria Petrovna ouvrira sa « maison » de couture, la Maison Olga, au 38 de l'avenue d'Ouchy, près du collège La Croix où Alexis est inscrit. Alexis y fera tout son primaire. Il fera ensuite les quatre années du Collège scientifique puis un an au gymnasium de Lausanne. Alexis se souvient d'une pension de famille tenue par Mademoiselle Lücher et Madame Lulette, où sa mère et lui logeront plusieurs années, le Boccage.

> Je revois la petite grille avec sa plaque émaillée, et sa touffe de lilas de Perse, l'allée menant à la cuisine... j'entends la clochette à la porte d'entrée. C'est midi. Les pensionnaires sont à table. [...] Quelques fois, après le repas, alors qu'on en était au café autour de la table d'hôte, Ginette [...] se mettait au piano, on faisait de la musique [...] Et plus d'une fois j'entendis Mademoiselle Lücher nommer Igor Stravinsky qui venait voir son ami X et qui ne payait pas ses dettes[202].

Ouchy a été un tranquille hameau de pêcheurs avant de devenir « l'agréable extension riveraine d'une ville toute en escaliers[203] ». Ce quartier de Lausanne ouvre sur le lac Léman. Sur les quais, l'activité portuaire voisine des promenades bordées de platanes, des jardins et des hôtels. En face, de l'autre côté, les eaux vertes du lac, les montagnes bleues et blanches de Savoie. Le Château d'Ouchy, sur la place du Port, fut le lieu de la signature du traité de paix de 1923. À deux pas, l'Auberge de l'Ancre (maintenant Hôtel d'Angleterre) a reçu Lord Byron, qui y rédigea son célèbre *Prisonnier de Chillon*. Un peu plus loin, le Beau-Rivage Palace où fut ratifié le traité de Lausanne qui, croyait-on alors, mettrait fin aux différends concernant les réparations à payer à la suite de la guerre de 1914-1918.

Ces beaux endroits, que fréquentent encore les millionnaires et quelques princes déchus, ne sont pas pour Maria Petrovna. Elle n'en a ni le temps ni les moyens. Il lui faut trimer dur pour réussir à joindre les deux bouts. D'autant plus quand on est comme elle une étrangère dans un pays qui peut vous reconduire aux frontières en tout temps. En Suisse, un étranger est soumis à des enquêtes périodiques. « Ses moyens d'existence, ses mœurs, ses opinions politiques sont des objets légitimes d'investigation, et le peu d'étendue du pays permet à la police de surveiller assez complètement la vie de l'étranger[204]. »

La crise de 1929-1936 a été difficile partout. La Suisse, pays d'exportation, n'a pas été épargnée. Alexis doit laisser le gymnasium pour aider sa mère. Il fait de petits travaux, puis, par un ami qui est dans le milieu, il tente une incursion dans le monde des assurances mais se rend rapidement compte que cette vie n'est pas pour lui. Au fond, une seule chose l'intéresse, la peinture, même s'il touche un peu à tout. Il fait un peu de théâtre et de radio et donne des leçons privées[205]. Il suit des cours de dessin et vend quelques pièces ici et là, mais les relations avec sa mère se détériorent et il demande un visa pour la France. Il y passe un mois, à l'été 1934. Il semble qu'il s'y soit essayé aux esquisses de théâtre en plus de perfectionner son dessin. De retour à Lausanne, il vit d'expédients tout en persistant à travailler son dessin. Il exposera quelques pièces, qui seront toutes vendues, et commencera à s'intéresser à la scène. Sa mère, qui continue de le critiquer, a retrouvé une certaine clientèle et Alexis songe de nouveau à partir. Il passe peu de temps à la maison, préférant hanter les cafés, pour échanger avec d'autres artistes en devenir, ou les bars des grands hôtels. Ainsi, il va au Coup de Soleil, centre de la culture lausannoise durant la guerre, au Lyrique et au Chat Noir, où les artistes se retrouvent après les spectacles – de même qu'au Central, grande brasserie « à côté de laquelle tous affirment que le Flore n'était rien. Les écrivains et les musiciens y rencontrent les peintres qui, eux, espèrent y trouver l'amateur éclairé[206]. »

Grand, mince, la chevelure brune et abondante, des yeux bruns dans un visage régulier et fin, Alexis ne laisse personne indifférent. Surtout pas les femmes. Il aurait d'ailleurs suivi à Florence une aristocrate italienne qu'il aurait rencontrée au Beau-Rivage Palace. Alexis fera deux séjours dans cette ville, d'abord à l'automne 1936 et ensuite à l'été 1938. La riche Florentine l'aurait accueilli dans son palais et se serait assurée qu'il suive des cours à l'Académie de peinture de Florence. Les Archives de la famille Chiriaeff conservent un carnet d'étudiant, émis au nom d'Alexis, pour l'année académique 1936-1937, à la Scuola del Nudo à Florence[207], de même qu'un carton d'invitation pour une exposition des œuvres d'Alexis au Palazzo Antinori, du 20 mai au 5 juin 1937. Il aurait fréquenté l'Accademia di Belle Arti en 1937. Son séjour à Florence lui aura permis de se familiariser avec les grands peintres italiens et l'aurait mis en contact avec les artistes de l'époque.

Rentré en Suisse, il retourne chez sa mère, qui ne tarde pas à se remettre à critiquer chaque mouvement de son fils. Ils habitent alors un petit appartement au 4 de l'avenue de Solange, qu'ils quitteront pour à peine plus grand, à l'été 1939. Alexis ouvre un atelier-galerie où il expose non seulement ses œuvres mais aussi celles d'amis peintres. Il y donne des cours, dessine des affiches et des maquettes de costumes de théâtre.

Le 31 décembre 1938, Alexis dépose une demande d'acquisition d'un droit de cité cantonal et communal (naturalisation). Malgré un rapport favorable émis le 18 avril 1939, on lui refusera l'autorisation parce que « tout candidat à l'indigénat doit avoir résidé en Suisse de façon ininterrompue et effective pendant les deux années qui précèdent sa requête[208] ». Alexis ne présentera jamais de nouvelle requête.

Et c'est la guerre, avec la mobilisation générale dans toute l'Europe, le 2 septembre 1939. Alexis se sent citoyen de nulle part, bien qu'il soit né en territoire français. Je n'ai rien trouvé qui m'indique que la France ait tenté de le retrouver – ou l'ait déclaré déserteur – ni non plus que la Suisse l'ait inquiété, même un tant soit peu. La fermeture des frontières interdit désormais toute escapade en France ou en Italie.

Alors, il peint. Il va au Central où, avec d'autres artistes, il règle le sort de l'Europe. Mais personne n'avait prévu que les 1er et 4 juin 1940, cinq bombardiers allemands survoleraient le territoire suisse avant d'être abattus. Ni surtout qu'une douzaine de jours plus tard des avions anglais bombarderaient Genève. Par erreur ! Les Alliés devaient traverser le territoire suisse pour attaquer Milan et d'autres villes italiennes. Personne n'avait non plus imaginé que la France capitulerait le 17 juin.

L'hiver 1940-1941 sera difficile. Il fait froid et l'on manque de charbon. Puis, l'on n'est pas encore habitué au remplacement des viandes par des légumineuses plusieurs fois la semaine. Comment peindre dans ces conditions ? De 1940 à 1944, Alexis réussira tout de même à produire suffisamment pour monter une exposition annuelle dont une, rapportent les Archives suisses, au chic Lausanne Palace. « Ses tableaux furent assez rapidement jugés de façon élogieuse par les critiques locaux[209]. »

Bien qu'il ait la chance de vendre chaque fois toutes les œuvres exposées, cela ne suffit pas pour vivre selon les attentes de sa mère. Mais c'est la guerre. L'atelier de couture a de moins en moins de commandes et Maria Petrovna doit fermer. Périodiquement, on rappelle que la Suisse est encerclée et qu'elle peut facilement être envahie. À la fin de 1942, les troupes italiennes étaient aux frontières du canton de Genève. Plus tôt, les boulangeries avaient été prises d'assaut parce que le bruit avait couru que le pain serait rationné.

La relation d'Alexis avec sa mère sera difficile jusqu'à la fin. Dès qu'il fait une exposition, dès qu'il vend, elle est fière de lui. Puis, elle se met en colère. Elle tient Alexis responsable de tout. Surtout de sa pauvreté. Depuis le départ de son mari, elle est profondément blessée et blesse en retour ceux qui l'approchent. Selon Ludmilla, elle était devenue méchante et poussait Alexis sur le même chemin.

Je ne sais en quelle année Alexis commence à produire des maquettes de décors, mais en 1945[210], il signe les décors de *Jules César*, de Shakespeare. Cette pièce est présentée par le Théâtre du Château. Durant toute la période de la guerre, ce Théâtre, dirigé par son ami Paul Pasquier, donne des représentations sur la place du Château. Parallèlement, on l'a vu au chapitre précédent, Alexis est sous contrat avec le Théâtre municipal de Lausanne. Selon Roland Lorrain[211], Alexis aurait quitté le Théâtre municipal par suite d'une querelle avec le directeur. Des notes manuscrites d'Alexis, sur certains programmes et sur des coupures de presse rapportant des spectacles présentés à cette époque, rappellent qu'il est l'auteur des décors ou des costumes ou des deux mais que son nom a été omis – oublié? Il a fini par éclater et claquer la porte. Si Maria Petrovna était acariâtre de l'avis de tous, Alexis n'était pas facile non plus.

Chapitre 17
La vie commune

Ludmilla et Alexis se sont mariés civilement le 24 mars 1947[212]. Quel jour était-ce ? Quel temps faisait-il ? Comment étaient-ils habillés ? Qui leur servait de témoins ? Qui assistait à la cérémonie ? Qu'ont-ils fait par la suite ? Étrangement, Ludmilla n'a conservé aucun souvenir de cette journée.

Dans une lettre qu'il écrit alors à ses beaux-parents[213], Alexis raconte qu'ils ont fait une demande pour un mariage civil le 22 mars, et que le 24 mars, ils étaient à la mairie, avec témoins. Il demande de les excuser pour ne pas avoir attendu leur arrivée pour un mariage religieux. Il continue : « Et on a dit oui. Il pleuvait mais c'est un signe de bonheur pour la vie familiale. » Ils ont mangé et se sont ensuite rendus chez Maria Petrovna qui n'en savait rien.

> Elle a blêmi puis nous a embrassés [...] À 4 heures (p.m.), on est allés à la bijouterie pour acheter les bagues. Ludmilla y tenait beaucoup. Comme le mariage d'ailleurs. Et nous sommes allés au cinéma. Nous étions seuls sous la pluie. Je tenais la main de ma femme. [...] Elle portait un foulard bleu sur sa tête et avait des fleurs blanches à la main. Elle avait l'air d'une madone avec son visage illuminé. Elle était pâle et pleurait en silence. Un moment, nos âmes se sont jointes.

Il est curieux que, comme pour son premier mariage, Ludmilla ait complètement rayé de sa mémoire ce moment-là de sa vie. Au point même de ne pas se rappeler qu'elle s'est mariée avec Alexis sans que son mariage avec Frans ait été annulé. La cause sera entendue deux jours plus tard, le 26 mars, et l'annulation prononcée le 2 mai 1947.

D'après les requêtes que j'ai pu consulter, il est difficile de dire qui, de Ludmilla ou de Frans, a entrepris les procédures, mais dès le 27 mars 1946 une pièce est déposée par Frans déclarant que « le mariage avec la danseuse Ludmilla Otzup-Gorny n'est qu'un mariage d'apparence et je voudrais l'annuler[214] ». Le mariage est annulé pour deux raisons : d'abord pour violation de la loi sur le domicile conjugal, les époux vivant chacun dans un pays différent, et ensuite parce qu'il n'aurait été contracté qu'« afin que Ludmilla van der Spek obtienne le nom de famille et la nationalité de Frans van der Spek[215] ».

Pour se marier, il faut habituellement déposer certains documents prouvant que l'on est qui l'on prétend être. Ludmilla se présente devant le notaire Charles Isoz, à Lausanne, le 22 février 1947, et y justifie son identité en déposant deux certificats ; l'un émis par le Comité National Letton et le second par l'Église orthodoxe russe de Berlin. Ces documents ont été fabriqués, le second pour les besoins de la Gestapo et le premier, pour servir de base à une nouvelle identité. Elle dépose aussi le permis militaire de sortie émis par l'Office interallié tripartite de sécurité de la circulation, en Allemagne. Deux témoins accompagnent Ludmilla chez le notaire Isoz : le professeur en médecine Sergej *(sic)* Michaelowitch Roudneff et Lidia Lachowicka. Les deux déclarent avoir parfaitement connu Ludmilla. Le docteur Roudneff atteste qu'à « [sa] connaissance Ludmilla Otzup-Gorny n'a jamais été mariée et est actuellement encore célibataire et dès lors habile à contracter mariage en toute validité légale[216] ». Et tout ce monde signe, incluant Ludmilla !

Ludmilla a rencontré Alexis à peine six mois plus tôt. L'aime-t-elle ? « J'étais emballée par la personne que j'épousais et très attirée par le côté qui m'était neuf, sa culture française. J'avais trouvé un Russe, qui faisait de la peinture, un intellectuel comme papa. Jamais je n'aurais cru qu'après avoir eu un père comme le mien, j'allais rencontrer quelqu'un de cultivé, intelligent et Russe, en outre d'avoir du talent. Et il était malheureux en plus, j'allais donc pouvoir l'aider. J'allais travailler, m'occuper de tout ; il pourrait peindre. J'étais merveilleusement naïve et, Dieu merci, parce que si on savait ce qui nous attend, on ne ferait jamais rien. » Quand je lui demande si elle était amoureuse, elle répond : « J'étais en amour avec la vie, parce que tout était là : le ballet, la peinture, la littérature, l'apprentissage de la langue française. On était dans une bulle de bonheur. »

La saison de la revue *Ah ! Viens-z'y !* se terminant le 31 mars, on peut imaginer que la troupe leur aura préparé une fête au Chat Noir. Les artistes et même les spectateurs ont coutume de se retrouver dans ce Café qui fait face à l'entrée des artistes. Même à l'entracte on passe au Chat, comme on appelle familièrement le Café qui, par une sonnerie reliée au théâtre, avise les spectateurs qu'il est temps de regagner leur siège.

Ludmilla emménage dans une conciergerie, au 12, avenue Édouard Payot, chez la mère d'Alexis. Il s'agit d'un appartement de deux chambres à coucher avec une cuisine au centre. Une promiscuité qui ne sera pas de nature à aider les relations entre les deux femmes. Quelques semaines avant leur mariage, Alexis a écrit à son beau-père pour lui parler du caractère difficile de sa mère. Alexandre a été bouleversé par cette lettre et écrit à sa fille que cela lui « a fait mal de lire les mots d'Alexis. Je ne sais pas de quoi il parle, mais je suis sûr que ce n'est pas drôle pour toi. Pourquoi tu n'écris pas au sujet des relations avec ta belle-mère ? Est-ce qu'elle est contre votre mariage ? Réponds sur-le-champ[217]. »

Ludmilla n'apporte pas grand-chose : quelques vêtements, des chaussures, des produits de première nécessité et les lettres de son père. Ce dernier écrit de façon assidue à sa fille. Il ne cesse de lui enjoindre de s'occuper de l'obtention des visas pour que lui et Katerina puissent enfin venir en Suisse. Un jour qu'il apprend que le visa pour l'entrée en Suisse n'arrivera pas avant que son permis de sortie de l'Allemagne ne soit expiré, Alexandre écrit à sa fille que, après tout, ce serait peut-être mieux qu'ils restent à Goslar. Une autre fois, quand on lui confirme que le visa pour la Suisse ne sera que pour douze semaines, il songe de nouveau à rester en Allemagne plutôt que de risquer de se faire refouler après cette période et de ne pas savoir où aller – si l'Espagne ne les accueille pas. Dans une autre lettre, les parents de Ludmilla disent souhaiter la revoir bientôt mais si c'est pour ajouter aux difficultés qu'elle vit, alors il vaut mieux renoncer.

Ludmilla doit se présenter tous les mois à l'Office cantonal de contrôle des habitants et de police des étrangers pour y faire valider son Autorisation provisoire de séjour pour étranger, retirer ses Titres de rationnement et payer la taxe de deux francs alors exigée. En mars 1947, « L'intéressée est autorisée provisoirement à travailler comme danseuse dans le ballet du Théâtre municipal ». Il est aussi indiqué, dans ce carnet, que Ludmilla est une apatride d'origine russe, qu'elle est mariée, domiciliée au 12, avenue Édouard Payot et qu'elle a retiré ses Titres de rationnement jusqu'à la fin de mars 1947.

Avenue Édouard Payot, l'atmosphère devient vite irrespirable. Maria Petrovna fait des scènes à son fils. La voix haut perchée, elle le traite de tous les noms et le gifle devant sa belle-fille – « parce qu'il ne nous faisait pas vivre comme il faut. Elle passait toute sa frustration sur son fils. Elle était vraiment méchante avec lui. » Quand Ludmilla décrit à ses parents la vie qu'elle mène à Lausanne, ces derniers sont choqués. Peut-être avait-elle jusque-là enjolivé les choses ou peut-être n'avait-elle relaté que les bons moments, mais quand elle leur dit qu'il lui arrive de ne pas manger à sa faim, ils répondent qu'ils ne pensaient pas « que tu vivais comme cela, dans des conditions aussi difficiles ». Dans cette même lettre du 26 mars 1947, Alexandre annonce que c'est « aujourd'hui, à Braunschweig, l'audition de la demande de divorce » d'avec Frans.

Le 22 avril 1947, elle signe un contrat avec la Société du Théâtre du Jorat pour « assurer la mise en place des ballets (solistes et danseurs) pour le spectacle de *La Lampe d'argile* en qualité de choréauteur ». La première est prévue pour le 31 mai et les représentations continueront tout le mois de juin[218]. Pour ce contrat, elle touchera un forfait de deux cents francs suisses et ses frais de déplacement seront couverts, entre Lausanne et Mézières, au tarif d'un abonnement de train.

La *Feuille d'Avis* de Lausanne, sur cinq colonnes de son édition du lundi 2 juin 1947, fait une longue description de l'événement.

> Une représentation à Mézières, surtout une première, est située dans un cadre très particulier, sous un climat que rien n'égale et qui ne se retrouve nulle part ailleurs. Il y a tout d'abord le paysage admirable, les foins hauts, le joli village qui nous accueille avant que l'on serre des mains autour de l'étrange construction de bois où se retrouvent les représentants de nos autorités fédérales, cantonales et tout ce que l'on compte de personnalités des arts et des lettres chez nous. [...] Dès 14 heures, samedi, automobiles, cars, trains du Jorat, ordinaires et spéciaux, déversèrent-ils à Mézières des centaines de personnes souvent venues de fort loin pour prendre part à cet événement qu'est incontestablement, et traditionnellement, une première au théâtre du Jorat.

Plus loin, après avoir parlé de la distribution féminine, elle ajoute : « La chorégraphie avait été parfaitement réglée avec un goût sûr par Madame Ludmilla Gorny. » C'est la deuxième critique parue sur le travail de Ludmilla. En mai, une coupure de presse, non signée et qui porte sur les répétitions en cours pour le spectacle, rapporte que « Le deuxième acte de *La Lampe d'argile* sera animé par un divertissement chorégraphique qui sera réglé par Mlle Gorny, du Corps de ballet du Théâtre municipal. » Le journaliste poursuit : « Elle a composé d'originales danses de caractère antique pour deux solistes et un petit groupe de danseurs et de mimes qui présentent ainsi la danse de l'épée, la danse de Galathée et la danse bachique. » Ludmilla me dira : « C'était important pour ma carrière d'être rapidement remarquée, surtout qu'il venait là des gens de tous les milieux et d'un peu partout en Suisse. »

Alexis est venu rejoindre Ludmilla, sous les cerisiers du parc aux Biches, pour la traditionnelle réception qui suit les premières. Ils rentreront ensuite à Lausanne par le train. Tant que dureront les représentations, Ludmilla fera, seule la plupart du temps, les allers-retours Lausanne-Mézières, ce qui ne plaît pas à Alexis. Durant le trajet, elle révise dans sa tête quelques mouvements qu'elle fera répéter le lendemain. « Il faut toujours rectifier pour que ce soit le plus près possible de ta vision. Tout à coup, l'éclairage sur l'un des danseurs n'est pas du tout ce que tu voulais, ou alors le mouvement du bras ne va pas jusqu'au bout. Ce n'est pas que ce soit mauvais mais cela change le message que tu voulais livrer, alors, tu corriges. »

Ludmilla dira qu'après avoir vu le grand Fokine, elle ne croyait pas pouvoir un jour réaliser des chorégraphies. « Pour moi, il fallait être un tel génie... » Elle juge très important le contrat au Théâtre du Jorat. Bien sûr, les revenus provenant de ce contrat lui ont permis de participer aux frais de son ménage, avenue Édouard Payot, mais surtout cela la confortait dans l'idée qu'elle pouvait chorégraphier et régler des ballets et établissait ce fait auprès d'une multitude de personnes, dont les gens du milieu artistique suisse. Ce que Ludmilla ne dit pas, c'est dans quelles circonstances elle a obtenu le Jorat et, surtout, comment elle a quitté le Théâtre municipal de Lausanne. Selon les documents retrouvés, Ludmilla eu recours à de faux motifs pour se libérer de ses engagements.

Et la direction le prend mal. Le 15 avril, alors qu'elle vient d'accepter de faire la saison du printemps avec ce Théâtre qui lui a accordé une place dès son arrivée en Suisse, Ludmilla invoque des problèmes de santé pour ne pas partir en tournée. Selon le procès-verbal des échanges entre la direction et Ludmilla, cette dernière soutient être « dans un état de fatigue tel que des vacances et un repos prolongé [lui] étaient devenus impérieusement et immédiatement indispensables[219] ». Or, pendant ce temps, Ludmilla signe un contrat avec le Kursaal de Genève. Je ne sais si elle s'imaginait que Béranger et Farelly n'en sauraient rien, mais le milieu de la danse est petit et Béranger, le directeur, écrit : « Je savais depuis quelques jours déjà que vous étiez en pourparlers avec le Kursaal de Genève. Madame Farelly, à laquelle (*sic*) le poste de maîtresse de ballet fut offert avant vous, vint spontanément me trouver...[220] »

Ludmilla se défend. Et finit par dire : « Tout ce que je vous ai écrit est la vérité. Je suis mariée maintenant et cela change pour moi beaucoup de choses. Vous savez que ce n'est pas uniquement en raison de ma santé que je n'ai pas pu aller ailleurs, mais aussi à cause de mon mari [...] Il tient à ce que je le suive partout[221]. »

Monsieur Béranger laissera partir Ludmilla non sans lui rappeler que

> [...] en dépit de ces sentiments de reconnaissance que vous avez affirmés à plus d'une reprise et de votre finesse naturelle [...] vous avez dissimulé vos pourparlers avec un autre établissement... Lorsque vous m'avez demandé de renouveler votre engagement, j'étais si conscient de vos qualités et de votre valeur que j'ai immédiatement accepté d'augmenter votre salaire... J'ai eu pour vous la plus grande estime et la plus grande sympathie et j'ai beaucoup de peine à vous voir dans cette situation et sous des influences qui vous brisent[222].

Des influences qui la brisent. Comme cela est élégamment dit. Et Béranger de convoquer Alexis pour le 28 avril à neuf heures trente. Il ne se présente qu'à onze heures quinze et claque la porte peu de temps après le début de la rencontre[223]. Alexis avait ses griefs contre le Théâtre et il semble qu'il ait entraîné Ludmilla dans son sillage. Ni l'un ni l'autre ne remettront les pieds au Théâtre municipal de Lausanne.

Ludmilla était sans doute fatiguée, mais l'était-elle jusqu'à l'épuisement ? En mai, déjà, elle est au Kursaal de Genève avec quelques-uns de ses élèves. Le *Courrier* de Genève signale « la qualité du petit ballet dansé à la scène de la clairière par les artistes de Ludmilla Gorny[224] » dans l'opérette *Toi, c'est moi*. Le programme annonçait : « Ludmilla Gorny : maîtresse de ballet ». C'est d'ailleurs elle qui signe les contrats avec les danseurs au nom de la maison[225]. À la fin de juin, une publication du Kursaal de Genève[226] rapporte qu'il

> [...] y a un petit ballet charmant réglé par Madame Gorny. La seule critique que l'on pourrait lui adresser, c'est d'être trop court pour la joie des spectateurs. Ce n'est donc pas une critique, c'est à vrai dire un compliment à l'adresse de la maîtresse de ballet, des délicieuses danseuses pour qui l'art des pointes semble une seconde nature.

Et le *Journal de Genève*, lui, se prononçant sur le « nouveau ballet » :

> [...] il nous promet sans doute de belles soirées, car sa première et trop brève apparition a prouvé son excellente technique et son impeccable préparation. Sous les ordres de Madame Ludmilla Gorny, il conquit bien vite son public[227].

Pendant que Ludmilla est au théâtre, Alexis donne des cours et peint quand il ne traîne pas dans les cafés. Il correspond aussi avec Alexandre et traduit quelques documents en français, entre autres des encarts pour annoncer les publications de son beau-père. Il fait probablement aussi une exposition parce que Alexandre le remercie pour la copie d'une critique reçue sur le bon travail de son gendre.

Les lettres d'Alexandre, dès le printemps 1947, reflètent une angoisse qui, un peu plus tard, fera place à de longues litanies de demandes avant d'être carrément des commandes et des blâmes parce qu'on n'a pas donné suite à ses nombreuses requêtes. À la même époque, et souvent au verso des lettres de son mari, Katerina écrit quelques lignes d'encouragement ou de félicitations. Mais l'un et l'autre mettent de la pression sur Ludmilla pour qu'elle les sorte d'Allemagne, où la vie est insupportable. « Les Allemands, à qui appartenaient la maison que tu habitais avant de partir, nous en veulent d'avoir dû la partager avec des étrangers qui ont souffert [...] Ils nous regardent de façon méchante. »

Durant une de ses périodes d'angoisse, Alexandre est convaincu que sa vie est en train de se terminer. Il écrit à Ludmilla que cette vie n'est maintenant plus remplie que de peur et de souffrances – comme avant la naissance de Ludmilla ; que rien de vraiment bon ne lui arrive quand Ludmilla n'est pas là ; qu'il se sent mal ; que quelque chose lui dit qu'il ne la reverra plus jamais... « Je ne peux penser que je ne te reverrai plus. Je ne peux vivre sans toi. » Cela mine le moral de Ludmilla, qui reprend contact avec l'oncle Sergeïj.

Puis, tout débloque. En pleine saison du Théâtre du Jorat, Katerina et Alexandre débarquent à Lausanne. Le 11 juin, ils s'installent chez la mère d'Alexis qui, avec sa femme, déménage dans une chambre meublée. Ils y seront jusqu'à leur départ pour Genève, en septembre. La vie sera difficile pour tout le monde, à cause de l'exiguïté des logements, des volte-face de l'oncle Sergeïj quant à son intention de recevoir son frère et sa belle-sœur et du caractère de Maria Petrovna. D'abord gentille, elle devient agressive puis carrément insupportable. « Chaque jour est pire que le précédent. Elle répète quarante fois les mêmes insanités. Il faut comprendre Alexis et beaucoup l'aimer pour avoir été capable de survivre à cela », écrit Alexandre à sa fille[228].

On peut penser que Ludmilla aura amené ses parents au théâtre et qu'Alexis leur aura fait visiter des galeries, entre autres là où ses œuvres sont exposées. Ils auront profité des concerts gratuits à la cathédrale et visité Lausanne. Le quartier d'Ouchy, certes, mais aussi la vieille ville avec sa partie médiévale. Ils seront montés en bus ; Alexandre souffrant d'un problème d'équilibre, il ne peut que difficilement descendre les escaliers du marché. Ils auront aussi fait le trajet depuis la place Saint-François, par la rue du même nom et la rue du Grand Pont, la place de la Palud pour venir place de la Riponne.

Le docteur Roudneff les recevra. Il habite Ouchy, à quelques pas du collège La Croix. Il organisera pour eux des rencontres où seront conviées les anciennes connaissances que l'on aura pu retrouver. Ce sera alors comme les belles années à Berlin. La magnificence en moins. Roudneff était très proche des Otzup-Gorny. Non seulement agissait-il comme médecin de famille, mais il était aussi dans le cercle des premiers lecteurs des textes d'Alexandre. Le 3 octobre 1946, Alexandre demandait à sa fille si elle avait bien lu, chez les Roudneff, les poésies de son *atik*. Il l'informe que d'autres textes lui ont été envoyés pour qu'elle les lise chez les Roudneff avant de les expédier au professeur Haenlein. Le professeur Haenlein est le père d'Albrecht, qui venait chercher Ludmilla au théâtre, pendant la guerre, à Berlin.

Le 1er août, ils auront observé les feux d'artifice pour la fête nationale suisse. Peu après, Ludmilla est malade. Déchirée entre ses parents, son mari, les disputes avec sa belle-mère et la nécessité de gagner sa vie, il lui vient parfois l'idée de laisser tomber le ballet. Sa mère s'installera chez elle la première semaine d'août et l'accompagnera chez le médecin. On ne sait pas de quoi elle souffre, mais son père lui écrit que sa mère peut rester le temps qu'il faudra, même si c'est plus d'une semaine. Il ajoute « ne faites rien pour mon anniversaire, il n'y a pas de raison de fêter : c'est comme le dernier acte d'une tragédie...[229] »

Ludmilla a retrouvé l'oncle Georges, à Paris. Elle lui écrit pour s'enquérir des autres membres de la famille mais aussi des possibilités de travail pour elle. Il écrit à Alexandre qu'il a été très heureux de la lettre de Marakan, tellement «convaincue spirituellement», et qu'il aimerait l'aider.

Après le mariage de Ludmilla avec Alexis, une publicité annonçant une revue, présentée au Théâtre Beaulieu, à Lausanne, parlait de Ludmilla, mais Ludmilla n'y est plus Gorny, elle est Chiriaeff. Alexandre sermonne sa fille. Il comprend, écrit-il, que pour la police, la banque, les affaires en général, elle soit Madame Ludmilla Chiriaeff, mais pour la scène, il faut «toujours être Ludmilla Gorny. Tu dois aimer et faire tien ton nom de scène». Il ajoute qu'il a été choqué de voir la publicité pour le prochain spectacle où l'on annonce Ludmilla Chiriaeff[230]. Est-ce un conseil d'artiste qui sait comment user d'un nom de plume ou est-ce la réaction du père «aimant» qui sent que sa fille est en train de le remplacer par son mari...?

Je ne sais pas de quel spectacle il s'agit, mais peut-être est-ce le même dont parle Roger d'Ivernois[231], qui situe l'événement en 1945, sauf qu'à cette époque Ludmilla n'a pas encore de permis de sortie d'Allemagne. Il faut donc parler plutôt de l'automne 1947 ou du début de 1948. «La revue comprenait un tableau où l'on devait jouer *La Mort du cygne* de Tchaïkovski. Un morceau si bien interprété que même le pompier de service pleurait.» Dirigée par le chef d'orchestre René Pignolo, «on y trouvait notamment des artistes comme Bradès, Ambreville et Ludmilla Chiriaeff, la belle et talentueuse maîtresse de ballet qui devait, quelques années plus tard, créer le Ballet national canadien». On aura compris que d'Ivernois parle ici des Grands Ballets Canadiens.

Vers le début de septembre 1947, il se passe quelque chose entre Ludmilla et Alexis, et c'est suffisamment grave pour qu'elle téléphone à son père et lui demande conseil. Elle est triste. Sa voix au téléphone est défaite et Alexandre tente de la réconforter. Il lui écrit une longue lettre, marquée «confidentielle» en gros caractères, soulignés. Il commence par lui rappeler combien il l'aime et que s'il était possible de l'aimer davantage, parce qu'elle souffre, il le ferait. Qu'elle est sa princesse et qu'il a mal quand elle a mal. Il commente le comportement de la mère d'Alexis. «Je sais qu'elle est très malade. Génétiquement malade. Son père était alcoolique et s'est suicidé. Elle est elle-même psychiquement malade, sans espoir.» Puis il parle d'Alexis, un être raffiné, un artiste, vivant beaucoup de sentiments contradictoires. «Tu dois être très gentille avec Alexis. Tu dois comprendre qu'il est très dépendant de sa mère et qu'il lui est difficile de faire la paix en son âme. Il a subi la mauvaise influence de sa mère, ce qui explique pourquoi, de temps en temps, il est agressif. Il deviendra plus fort parce que tu es là[232].»

La vie chez Maria Petrovna n'est pas drôle non plus pour les Otzup. Ils ne peuvent recevoir personne. Elle est fréquemment à la fenêtre pour voir qui entre et qui sort de l'immeuble. Quand Alexandre revient avec un sac de provisions, elle crie qu'il y a une bombe dedans. « Je suis responsable, responsable, responsable, de cet appartement », hurle-t-elle de sa voix haut perchée. Puis elle retourne à la fenêtre et oublie la scène qu'elle vient de faire[233]. Il arrive qu'elle ne leur adresse pas la parole pendant plusieurs jours ou, alors, elle est tellement dure avec Katerina que lorsque Alexandre trouve cette dernière en larmes dans la cuisine, il décide de faire des démarches afin d'obtenir des visas pour l'Espagne. Et de façon urgente. Il ne leur est plus possible de continuer de vivre sous le même toit que quelqu'un qui claque les portes de rage, qui les traite de sales Juifs et qui leur interdit d'inviter un prêtre. « Je ne suis pas très religieux, mais je crois en quelqu'un au-dessus de nous. Elle a interdit au père Igor de faire une liturgie dans la chambre pour l'anniversaire du décès de ma mère. » Il est surtout difficile pour Alexandre d'entendre Maria Petrovna gueuler contre Ludmilla. Il est peiné aussi pour Alexis d'avoir une mère qui critique et insulte son fils du matin au soir. Et il trouve héroïque que son gendre ait réussi à créer dans un tel contexte. Maria Petrovna est décidément un cas.

Chapitre 18
Genève

Ce sont les contrats avec le Kursaal de Genève qui amènent Ludmilla et Alexis à s'installer dans cette ville en 1947. Les nombreux allers-retours à Genève, depuis le printemps, auront convaincu Ludmilla que sa carrière doit maintenant s'y poursuivre.

Métropole calviniste, chef-lieu de la République et du canton de Genève, la ville est parcourue par l'Arve et le Rhône, ce dernier se perdant dans le lac avant de reprendre sa route vers le midi. Le lac, celui de Jean-Jacques Rousseau, de Voltaire, de Byron et de Lamartine, c'est le Léman. Ses rives françaises baignent Évian et Thonon-les-Bains. Du côté suisse, le lac mouille, entre autres, les villes de Genève, Lausanne et Montreux, où ses eaux prennent la couleur du bleu méditerranéen. Le lac est encore une voie de navigation et les bateaux qui y circulent desservent une quarantaine de ports.

Sur la rive gauche du lac, c'est la ville haute, la vieille ville, avec ses rues étroites et montantes, la cathédrale Saint-Pierre, l'hôtel de ville, les institutions financières et les maisons de Calvin, de Jean-Jacques Rousseau, de Saussure. La ville neuve, elle, s'étend sur la rive droite avec la gare Cornavin, le quartier des Pâquis, le Kursaal, le quai du Mont-Blanc. Quand les Chiriaeff y arrivent, Genève est en pleine transformation. D'une ville de commerçants et de banquiers, elle devient industrielle et abritera bientôt de nombreuses organisations internationales.

Les Chiriaeff devront s'habituer au léger brouillard qui enveloppe souvent les tours de Saint-Pierre, aux grandes bises d'octobre, à la froideur et à l'indifférence des Genevois, à la respectabilité des apparences, au comportement « comme il faut », aux règlements « pareils pour tous ». Comme si le principe de neutralité extérieure commandait aussi une espèce de neutralité intérieure – une espèce d'ignorance volontaire de ce qu'est l'autre, sous couvert du respect des convictions de chacun.

Ils vivront d'abord dans des appartements d'une chambre où Alexis pose son chevalet et étale ses tubes de couleurs dans la pièce qui sert aussi de salon-salle-à-manger-cuisine. « Les toiles étaient partout sur les murs ; ça sentait la térébenthine jour et nuit. Les petits réchauds pour cuisiner... Je ne sais pas si j'étais plus malheureuse ou plus heureuse. On était en train de construire quelque chose. Même si on n'arrivait pas à vendre des ballets, on rêvait des œuvres qu'on préparait : tout de suite venaient les pas, les dessins. Si j'ai un message à laisser à l'humanité, c'est : il faut se trouver un but en quoi croire pour vivre – se donner une raison de rêver la vie pour la réaliser. Je venais de sortir de l'Allemagne ; c'était un grand pas. » Alexis et Ludmilla vivront quelques mois dans le quartier des Pâquis, quartier multiethnique qui s'étend de la gare jusqu'au casino et aux hôtels posés le long du lac. Professionnellement, de 1948 à 1950, Ludmilla est domiciliée au 3-5, rue de la Cloche, la porte voisine de l'entrée des artistes du Kursaal.

Le contrat avec le Kursaal fait de Ludmilla une entrepreneure avant l'heure – un terme qu'elle a toujours détesté. Le théâtre fournit les costumes ; elle doit fournir tout le reste. On lui octroie un montant qui couvre aussi le salaire qu'elle doit verser aux danseurs, au répétiteur, au pianiste. Elle pose comme condition qu'Alexis réalise les décors. Il concevra même le rideau d'avant-scène. « Il fallait que j'engage, que je fasse les payes, que j'administre en plus d'être chorégraphe et maîtresse de ballet. » Ludmilla venait de changer de statut. « C'était toute une affaire et toute une expérience, mais Alexis et moi, on avait tellement d'idées. On a commencé à écrire des ballets ensemble ; tout ce que l'on discutait, on pouvait l'appliquer. Je crois que ce théâtre nous a accrochés parce que nous pouvions être nos propres maîtres et bâtir et réaliser nos rêves. » Quand je lui dis qu'il y avait déjà en elle la leader et la « développeure », elle me foudroie du regard. Elle n'a jamais voulu qu'on parle d'elle en ces termes. Elle est une artiste, un point c'est tout. « Je n'ai jamais pensé à une affaire. »

Elle monte de petits ballets d'une dizaine de minutes : *La Belle et la Rose, Fantaisie sur pointes* et règle toutes les danses de la revue 1947[234]. Son nouveau rôle l'oblige à passer ses après-midi et ses soirées au théâtre. Elle supervise les répétitions et, de la coulisse, suit ses danseurs, pendant les spectacles, en matinée et en soirée. « Il fallait être bons, parce qu'il commençait à y avoir un public venant des organisations internationales et qui en avait vu d'autres. » La critique est bonne.

Les cours privés le matin, les répétitions au théâtre l'après-midi et les demandes de son père occupent tout le temps de Ludmilla. Les visas accordés à ses parents expirent bientôt et elle décide de les faire venir à Genève avec l'intention de les y établir. Sauf que les règles du canton de Vaud ne s'appliquent pas au canton de Genève. Même les Suisses sont soumis à ces règles. Elle est elle-même assujettie au permis de résidence temporaire à Lausanne, même si elle travaille à

Genève. Il faut donc tout reprendre à zéro, pour elle et pour ses parents qui seront bientôt obligés de rentrer en Allemagne. Retourner dans ces lieux où ils ont tant souffert, croiser dans les rues ceux-là même qui les ont dénoncés, ce serait au-dessus de leur force. Alors, Alexandre veut bien tenter de rejoindre Sergeïj à Madrid. Ce frère est riche ; il est plus jeune et en bonne santé, il doit aider l'Alexandre vieillissant qui, après la mort de leur père, a payé les études pour l'établissement des plus jeunes de la famille Otzup.

Pendant les tractations avec les oncles Micha et Sergeïj, il faut assurer la subsistance pour quatre personnes. Alexandre et Katerina sont maintenant à Genève, leur autorisation de tolérance ayant été prolongée jusqu'au 10 novembre, en attendant le visa de sortie pour l'Espagne[235]. Ludmilla les a installés tout à côté, dans un meublé qui ressemble à celui qu'elle habite avec Alexis.

Alexandre reprend ses écrits et continue les activités d'import-export commencées à Lausanne mais, cette fois, il n'en parle pas à Ludmilla pour ne pas l'inquiéter. Alexandre est en « visite » chez sa fille et ne peut s'adonner à des activités commerciales. Ludmilla vient le chercher, parfois, l'après-midi pour aller marcher le long du quai du Mont-Blanc. Certains jours, ils achètent des marrons chauds, près du pont du Mont-Blanc, et vont s'asseoir sur un banc pour les manger. Des feuilles sèches traînent ici et là. Sur le lac, les cygnes semblent immobiles à l'heure où le soleil descend lentement vers la montagne. Ludmilla ne peut pas dire combien ces moments la comblent et l'attristent tout à la fois. Elle a son père à elle toute seule, comme lorsqu'elle était petite, à Berlin. Il lui récite des poèmes, lui parle des couleurs que prend le lac, selon la position du soleil et d'où vient le vent. Il lui fait remarquer la crête austère du Salève et les parois bleues du Jura. Puis il lui redit combien il l'aime, comme il a peur de la perdre, comme la vie loin d'elle perd de son intérêt. Il comprend qu'il leur faut partir, Katerina et lui ; il voit bien qu'elle ne peut pas s'occuper d'eux comme autrefois. Un moment, le silence s'installe entre eux. Ludmilla pose la tête sur l'épaule de son *atik* et ferme les yeux pour enfermer à jamais ces minutes bénies. Puis ils rentrent rue de la Cloche – parce que maman va s'inquiéter, parce qu'Alexis voudra manger, parce qu'il le faut bien…

À l'automne 1947, Ludmilla règle des danses pour des soirées littéraires et dansantes à Genève[236]. Elle fait aussi paraître une publicité qui annonce des cours qu'elle entend donner. Tout porte à croire qu'elle s'est entendue avec la direction du Kursaal pour y ouvrir une école puisque la publicité va comme suit :

> École de Danse du Kursaal
> Prof : Madame Ludmilla Chiriaeff-Gorny
> Cours du soir pour débutants
> Cours d'enfants, débutants et avancés
> Cours supérieurs

Classique
Caractère
Moderne
Chorégraphie.
Pour tous renseignements, s'adresser chez le concierge du Kursaal de
Genève, rue de la Cloche (entrée des artistes)[237].

Le jeudi 16 octobre, paraît dans le *Curieux* une critique signée Serge Gorny
(Alexandre Otzup), portant le titre «Alexis Chiriaeff, le visionnaire». Selon
son beau-père, Alexis est «un symboliste. Par toute sa technique, son école,
son pinceau soigneux, amoureux du contour et de la ligne [...] Pourtant, son
talent est multiface et s'amuse dans les maquettes de théâtre, les figurines de
ballets, les décors...» Durant cette période, Alexis peint son beau-père. Entre
autres, quand Alexandre fait la sieste sur un balcon.

À la fin d'octobre, Ludmilla prépare le départ de ses parents pour l'Espagne.
Le fait de savoir que l'oncle Sergeïj prend la relève la rassure, mais ce départ
lui déchire le cœur. Son père adoré, qu'elle avait un peu retrouvé, lui est à
nouveau enlevé. Le train, jusqu'à Zurich, permet de retarder l'heure de la séparation. Ils ont parlé. Ils se sont embrassés. Ils ont pleuré. Son père l'a bénie,
peut-être pour la dernière fois. «Je prie pour qu'Alexis t'aide», lui a-t-il dit.
Et elle les a regardés monter dans l'avion. L'arrachement à ceux qu'elle aime,
combien de fois lui faudra-t-il encore le vivre? Elle promet de tout faire pour
aller les rejoindre. Elle est enceinte, mais n'en a rien dit.

À compter du 7 novembre, Ludmilla honore un contrat avec le Théâtre national
de Zurich, contrat pour lequel elle sera payée quinze francs suisses par jour,
pour les répétitions. Après la guerre, le Théâtre de Zurich a déployé une grande
activité. Il a, d'une certaine façon, profité du nazisme. Hedwige Lämmler[238]
me dira que «c'était une période extraordinaire parce que beaucoup d'artistes
allemands ou venant des pays occupés se sont installés en Suisse. Il y avait,
durant toute la guerre, un ou deux ballets par an, à l'Opéra de Zurich, sous la
direction de Richard Strauss. Il avait quatre-vingt-deux ans. J'y ai dansé le rôle
principal dans la *Légende de Joseph*. Plusieurs *premières* ont été données chez
nous à cette époque.»

Les premières lettres d'Espagne donnent à penser que Ludmilla pourra enfin se
consacrer uniquement à ses cours et au développement de son école en une
troupe de danseurs de bon calibre. D'autant qu'Alexandre lui fait part d'une
visite d'Otto Stanzel à l'oncle Sergeïj. Stanzel était autrefois à la Scala de Berlin;
il est maintenant à Madrid. Il serait intéressé à ce que Ludmilla vienne avec des
danseuses – à condition qu'elle apporte certains décors. Un projet de contrat est
discuté; Alexis pourrait aussi agir comme conseiller artistique. Il est question
de huit à dix spectacles à Barcelone, cinq à sept à Madrid et deux à Saragosse.

Les ballets seraient ceux qu'elle a déjà montés : *Cendrillon, Hawaï* et *Melodie in Blue*[239]. Mais Ludmilla est enceinte et très fatiguée. Elle veut bien produire une tournée avec ses meilleures élèves, mais elle ne veut pas danser. Le directeur du théâtre, à Madrid, insiste pour avoir onze danseuses et refuse de signer le contrat si Ludmilla n'est pas **la** première ballerine. Malgré les efforts d'Alexandre qui, depuis Madrid, se démène pour aider sa fille et Alexis, il n'y aura pas de suite à ce projet. Alexandre lui écrit :

> Comment pourrais-je t'en vouloir ? Tu es mon unique bonheur. Comme j'aurais aimé pouvoir t'embrasser ici, mais la direction était si déçue de votre télégramme qui annonçait que tu ne pourrais débuter avant juin 1948 que tous les pourparlers ont été immédiatement rompus. Tu connais aussi le caractère de ton oncle Sergeïj. Il était, lui, déçu que l'on ne puisse pas faire entrer Alexis en fraude, comme étant ton secrétaire[240].

L'hiver est pénible. Il fait froid et elle doit assurer elle-même le chauffage du local qu'on lui a loué au Kursaal. Mais elle n'a guère le choix. Les quelques francs que lui vaut chaque leçon qu'elle donne lui sont absolument nécessaires pour tenir le coup jusqu'à un prochain contrat ; elle ne pourra bientôt plus se produire sur scène : elle doit accoucher en juin. Et la saison d'été 1948 est aussi fichue.

Alexis laisse des toiles en consignation dans des galeries et quelques-unes se vendent bien. Il prépare une exposition, mais il faudrait plus que cela pour subvenir aux besoins de la jeune famille. Quand le bébé arrivera, il faudra plus grand pour se loger. « Cette époque n'était pas celle des vaches grasses, tant s'en faut, écrit Brigitte Monneyron[241] ; mais ces deux êtres remarquablement doués semblaient planer et dans leurs yeux pleins de rêve, il y avait l'espoir, la certitude qu'un jour toutes les réalisations seraient possibles. » Reste que certains jours Ludmilla n'y croit plus. Et quand elle s'en ouvre à son père, il lui écrit que « même si ton amour du ballet meurt, je vais t'aimer. Tu es mon bonheur. Tu seras toujours ma joie[242]. »

Ludmilla sert de relais pour son père, entre les anciennes relations d'affaires, les amis, les éditeurs. Pour Noël 1947, elle doit envoyer au professeur Luther cinq paires de lacets pour des bottes noires, de longueur moyenne, parce qu'il n'y en a plus dans toute la zone américaine en Allemagne[243].

Leur Noël est tristounet. Ludmilla n'est pas en forme et cela crée des tensions dans son ménage. « Monsieur Chiriaeff ne voulait pas être dérangé dans son art et, en plus, il était jaloux. » Ludmilla se sent seule. Tellement seule ! Ses parents n'ont d'ailleurs pas passé un temps des fêtes plus joyeux. Ils lui écrivent, le 1er janvier 1948 : « Hier, à minuit, nous avons rempli nos verres avec de l'eau et pensé à toi et à Genève. »

À la fin de janvier 1948, Ludmilla sent bouger son bébé et cela la comble de joie. « Tu dis que tu as déjà senti la nouvelle vie en toi [...] Cela est plus important que tout le reste, lui écrit sa mère. Tu verras quel bonheur c'est, le premier sourire d'un premier enfant[244]. »

Durant les premiers mois de 1948, Alexandre explique à Ludmilla, dans de longues lettres, le style de vie de Sergeïj et comment, parfois, la situation à Madrid lui fait regretter Goslar. Il découvre un frère qu'il ne connaissait pas : un trafiquant et un entremetteur pas très respectable, qui ment, même à son frère aîné. Que du vent, toutes les promesses de Sergeïj ! Alors qu'elle se débat pour survivre, Ludmilla apprend que l'oncle Sergeïj éprouve des difficultés financières sérieuses et qu'il ne pourra pas continuer à s'occuper de ses parents. « Sergeïj parle de fuir hors de l'Espagne. Mais où irons-nous ? écrit Alexandre à sa fille. Ta mère parle de retourner à Goslar. Nous avons même pensé au suicide[245]. »

Sergeïj écrit aussi à Ludmilla, une longue lettre en français :

> Je suis contraint de te donner, par la présente, une nouvelle qui n'est point, du moins pour moi, agréable : il s'agit de la rentrée en Suisse de tes chers parents.
>
> En effet, ma situation a été complètement bouleversée au cours de la semaine qui vient de s'écouler. Ma tâche dans ma Société devient dorénavant, par décision du Conseil d'administration, celle d'effectuer des voyages un peu partout dans les divers continents, et de ce fait je deviens obligé, ne pouvant supporter les frais, de liquider ma maison particulière. Ainsi donc, tes parents ne pourront pas, bien contre toute ma volonté et malgré mon plus vif regret, rester à Madrid et il faut faire tout le possible afin qu'ils puissent venir en Suisse à tes côtés.
>
> [...]
>
> Il devient donc indispensable qu'avant que j'entreprenne la tournée – et ce ne sera pas plus tard que d'ici un mois – tu arranges toutes les formalités d'entrée en Suisse pour que, avant mon départ, je puisse m'occuper d'obtenir leurs places et effectuer tout le nécessaire pour leur voyage...[246]

À nouveau prendre en charge tout le monde. Et ce bébé qui l'alourdit et rend difficile son quotidien. Rentrant chez elle, après les cours, Ludmilla se repose de longs moments sur un banc, face au lac. Un cygne nage à contre-courant dans le soir qui descend sur l'eau. Quai du Mont-Blanc, il y a quelques mois, elle discutait avec son père. Elle refait dans sa tête les conversations qu'ils ont tenues. Même si elle est lasse de toujours être la responsable, le retour de son père lui serait d'un réconfort certain.

Les autorités ne sont pas prêtes à émettre des visas. D'abord, Ludmilla a de la difficulté à faire face à ses obligations en tant qu'étrangère et elle est enceinte. Son mari a lui aussi des revenus aléatoires. Comment peuvent-ils, l'un et l'autre, s'engager à subvenir aux besoins de deux autres personnes ? Mais Ludmilla ne s'en active pas moins. Ses parents ne peuvent tout de même pas retourner en Allemagne.

C'est dans ce contexte que, le 2 juin 1948, Anastasie naîtra, dans une clinique privée de Chênes-Bougeries. L'accouchement sera très long et très difficile. Il semble que le médecin n'était pas habitué à accoucher des danseuses. « Ma fille est née et je ne savais pas comment ça se passait. Je découvrais au fur et à mesure. J'aurais préféré en savoir un tout petit peu plus et, entre autres, que quelqu'un qui est sportive ou danseuse ne devrait pas donner la vie en collant les genoux derrière les oreilles parce que les muscles montaient au lieu de pousser. » Il aurait mieux valu qu'elle accouche debout ou à genoux et non en position gynécologique.

Pendant que Ludmilla récupère à la clinique, Alexis doit vider la pièce qu'ils habitaient. La propriétaire a clairement laissé savoir qu'il n'est pas question qu'ils reviennent avec un bébé. Pas d'enfant et pas de chien. Il y a une telle rareté de logements salubres que les propriétaires ont beau jeu. L'explosion des organisations internationales, qui payent davantage la plus simple secrétaire qu'un classique employé de banque, n'arrange pas les choses.

À la clinique, Ludmilla parle de ses difficultés à une dame Morin venue rendre visite à sa voisine de chambre. Le mari de cette dame Morin est médecin et ils habitent une villa en banlieue de Genève. Pour quelques semaines, Madame Alice Morin offre à Ludmilla de s'installer dans la maison de leur jardinier, le temps des vacances de ce dernier.

Alexis, Ludmilla et bébé Anastasie emménagent dans ce chalet de quatre pièces à l'entrée de la propriété des Morin, à Vandœuvres. « Tout était magnifique, dans ce lieu, avec au loin le massif du Mont-Blanc. Alors qu'on ne savait toujours pas où aller et qu'on n'avait pas toujours de quoi bien manger, je peux dire que Dieu nous a tout le temps aidés. » Cette dame Morin était tombée du ciel. Elle a convaincu le vieux Monsieur Dunant, le neveu du fondateur de la Croix-Rouge, de faire une place aux Chiriaeff dans l'immense maison qu'il habitait, seul, sur la colline. C'est ainsi que, moyennant quelques travaux, les Chiriaeff se sont installés sous les toits, dans deux pièces mansardées. Madame Morin a aussi obtenu du propriétaire du café de la place de laisser Ludmilla donner des leçons à quelques élèves, en après-midi, quand le café se vidait de ses clients. Ludmilla et Alexis pouvaient en outre y prendre le repas du midi. « C'était beau, dira Ludmilla, mais très rustique. Avec des vignes et des fleurs tout autour. »

Un jour, le patron du café lui dit qu'on la demande au téléphone. Une voix féminine la cherche sur recommandation de Gilles Varny, un danseur que connaît Ludmilla depuis le Théâtre municipal de Lausanne. Cette personne veut continuer son entraînement, après avoir dansé à Zurich et à Lucerne. Récemment installée à Genève, cette ex-soliste et première danseuse du Théâtre de Zurich veut prendre des cours de maître pour ne pas perdre la forme. Mais aussi, comme elle me le dira en entrevue : « J'avais besoin de mouvement et je pouvais mieux m'exprimer par la danse que par la parole[247]. »

La première rencontre de Madame Lämmler (Hadu pour les intimes) et de Ludmilla a lieu au café. Hadu s'y était rendue à bicyclette.

J'arrive dans une campagne, à l'extrémité de Genève. Quelle horreur ! L'adresse qu'on m'a donnée est celle d'un bistrot. L'odeur de tabac et de cuisine, des chaises renversées sur des tables rangées le long des murs, une barre improvisée. J'ai trouvé une jeune femme, une adorable jeune femme et, par terre, dans une corbeille à linge, un poupon. J'ai expliqué ce que je cherchais. Elle m'a fait faire quelques mouvements pour m'évaluer et finalement m'a donné une leçon. J'ai payé deux ou cinq francs, je ne sais plus. Puis elle a dit : vous permettez ? Elle a pris le poupon et l'a allaité. C'était Nastia (diminutif de Anastasie). J'ai décidé de continuer.

Hadu Lämmler avait vingt-huit ans quand elle a rencontré Ludmilla. Elle dansait depuis sa jeune adolescence. Selon Ludmilla, elle avait fait partie d'une des premières distributions, en Suisse, du ballet de Kurt Jooss, *Der grüne Tisch* (la Table verte). Hadu me dira : « Vous savez, Ludmilla a une énorme fantaisie. Elle m'a déjà présentée en disant des choses que je n'avais pas faites, alors... non, je n'ai pas dansé *La Table verte*. J'ai auditionné pour faire partie de la troupe que Jooss constituait, en 1942, pour une tournée dans les Amériques. J'étais alors à Lucerne, où je venais de remplacer Jacqueline Farelly comme première danseuse-soliste. J'ai suivi des classes avec Jooss et il m'a offert un contrat. C'était une tentation énorme que cette offre de tournée. Mais j'étais jeune mariée et je voulais des enfants. Puis mon mari est tombé malade. J'ai choisi de rester en Suisse. Voilà mon histoire avec *La Table verte*. Mais c'était un ballet extraordinaire. »

Née dans le canton d'Appenzel, Hadu avait été obligée de lutter contre la pauvreté des moyens et les traditions. Dans ce canton, seuls les hommes ont le droit de vote, lequel se fait à main levée sur la place publique[248]. Très jeune, Hadu s'est vu proposer d'aller à Vienne, dans une grande école de danse, mais elle n'avait même pas l'argent qu'il fallait pour prendre le train. « Et dans le milieu d'où je viens, on ne doit pas emprunter quoi que ce soit à quelqu'un. Ç'a été ma plus grande surprise avec Ludmilla, elle quêtait. Moi, j'aurais marché dix kilomètres, mais l'idée ne me serait pas venue de demander vingt centimes. Si on l'a pas, on l'a pas. »

Deux ou trois fois par semaine, Hadu enfourchait sa bicyclette et roulait vers Vandœuvres. Elle y prenait sa leçon et, avant de partir, se penchait sur bébé Anastasie. Certains jours, elle apportait des provisions et grimpait la colline chez Dunant, avec Ludmilla et le bébé. Quelquefois, elle montait l'escalier jusqu'à la mansarde d'où, de la fenêtre, on pouvait voir le jardin avec les nombreux arbres fruitiers et un peu de la campagne aux alentours. Alexis se joignait alors à la conversation. Ils dissertaient sur Botticelli, El Greco, la danse, la philosophie, sur tout et rien. « C'étaient des heures pleines d'espoir, riches d'étincelles », conclura Hadu.

Durant cette période, Heinrich Lämmler, le mari de Hadu, bras droit de l'organisation de la Migros, travaille à la consolidation du magasin coopératif ouvert l'année précédente, aux Pâquis, rue de la Cloche, juste derrière le Kursaal. Quand Hadu lui parle des Chiriaeff, il décide de mettre à leur disposition un espace vacant au-dessus du magasin. Alexis y installe son atelier en septembre. L'endroit est devenu une galerie où Ludmilla a même organisé une exposition pour les œuvres de son mari. Alexis y a vraisemblablement donné des cours de peinture. Il arrivait aussi à Ludmilla de donner des leçons privées dans ce local. De cette époque subsistent de nombreux dessins d'Alexis représentant Ludmilla.

Une affiche, conservée au Fonds d'archives Ludmilla Chiriaeff, à Montréal, fait la promotion de ses cours, à partir de l'automne 1948 :

> Pour nos enfants
> Une âme saine
> dans un corps sain
> Migros Genève
> un cours de danse de Ballet
> dir. Madame le professeur Chiriaeff
>
> Ce cours aura lieu au Kursaal de Genève
> tous les jeudis et samedis de 17 à 18 heures
> Prix du cours Fr 7.50 pour enfants coopérateurs
> Fr 12. pour enfants non-coopérateurs
> Les enfants non inscrits peuvent se présenter
> samedi 30 crt au Kursaal de Genève à
> 17 heures (entrée rue de la Cloche, 3e étage, Mme Chiriaeff)
> Bulletins d'inscription dans tous nos magasins[249].

Dans les locaux du Kursaal, Ludmilla donne jusqu'à dix cours par jour. Rapidement, le nombre d'élèves augmente. Elle en aura bientôt vingt, dont Hadu, qui habite route de Meyrin. Ludmilla est épuisée, voudrait reprendre son souffle, mais elle ne peut s'arrêter : Monsieur Chiriaeff peint ; à elle de faire vivre la famille !

Puis, alors que les feuilles préparent déjà l'automne et qu'un brouillard froid et humide enveloppe la ville, Ludmilla apprend le décès de son père, à Madrid. Il était âgé de soixante-six ans. « Cet appel, le 17 septembre, vous ne pouvez pas savoir, ça m'a coupé le souffle. Là, dans la poitrine, j'avais tellement mal que je ne pouvais même pas pleurer. » Une crise cardiaque lui a ravi son *atik* chéri, quelques heures plus tôt, sans qu'elle ait pu le caresser, l'embrasser, lui chuchoter encore et encore combien elle l'aimait. Face au lac, quai du Mont-Blanc, Ludmilla ira s'asseoir sur le banc où, avec son père, elle venait manger des marrons chauds. Ses yeux bleus s'accrochent au cygne majestueux qui se laisse bercer par le courant. Puis, tout s'embrume et des larmes tombent sur les mains de Ludmilla, posées sur ses genoux.

Maria Petrovna viendra de Lausanne, mais elle ne sera pas d'un grand réconfort. Nastia, qu'elle n'avait pas encore vue, fera l'objet de son attention. « Elle regardait tout le temps les oreilles de la petite pour voir si elle était Juive, si elle ressemblait à cette vadrouille rouge – comme elle appelait mon père. Je voulais me sauver avec l'enfant. »

Un jour, Monsieur Dunant est obligé de casser maison. La mansarde était plutôt insalubre, mais c'était un toit. « Tout le monde appelait Dunant l'avare de Vandœuvres, mais il m'a accueillie. C'est là que j'ai appris le décès de mon père. » Et les yeux de Ludmilla s'embuent. Elle en veut aux autorités suisses de ne pas lui avoir permis de faire venir ses parents d'Espagne. Monsieur Lämmler leur dénichera un logement, dans la ville haute, au 16 de la Grand-Rue. C'est plus grand mais guère mieux que chez Dunant. Par ailleurs, c'est plus près de ce qui est devenu leur lieu de travail.

> Vous ne pouvez pas savoir ce que c'était, me dira Hadu. Un trou de souris. Les murs coulaient. Alexis les a tapissés avec du papier journal et mon mari a trouvé du bois pour chauffer la grande cheminée de la pièce centrale. Mais même en chauffant jour et nuit, Alexis devait peindre avec des gants. On ne la croit peut-être pas quand elle parle de misère, mais je l'ai vue. La grande misère. C'était intenable dans cet appartement.

Il fait froid. Le climat de Genève est tout en sautes d'humeur, bien connues de ses habitants. À cette époque, Ludmilla est pauvre. Très. La jeune famille d'alors doit souvent se contenter de pommes de terre fricassées, de chou bouilli et d'un peu de viande. Ludmilla n'est pas bien habillée et porte peu souvent des bas. Elle fait avec le peu qu'elle a pour être toujours présentable. « Dans ces milieux, il ne fallait pas que cela paraisse qu'on était pauvre si l'on voulait être admis dans le cercle des maisons bourgeoises du vieux Genève où je voulais recruter une clientèle », raconte Ludmilla.

Au 16 Grand-Rue, même s'il fait froid, c'est enfin quelque chose qui peut ressembler à un chez-soi. « Mais j'avais tout le temps l'impression d'y voir apparaître mon père. C'est comme si, en ouvrant la porte, j'allais le voir monter l'escalier. » Elle a beau maudire les autorités suisses, la santé de son père ne cessait de se détériorer depuis la guerre. C'était sans espoir. Quant à sa mère, il n'est pas clair si Sergeïj veut la garder encore un moment ou si les autorisations à obtenir des différents pays sont la cause de son retard à rentrer à Genève.

Mais tout n'est pas que pénible dans la vie des Chiriaeff. Ils sont invités au théâtre et à l'opéra. Ils assistent à des concerts. Ainsi, au moment du passage, à Genève, du Metropolitan Ballet de Londres, ils verront les prestations de Celia Franca et d'Eric Hyrst. Quelques années plus tard, la première dirigera le Ballet national du Canada, à Toronto, et Eric Hyrst dansera avec les Grands Ballets Canadiens et produira plusieurs chorégraphies pour eux.

L'appartement des Chiriaeff se trouve à quelques rues de la place Neuve où est situé le Grand Théâtre de Genève. Construit en 1879, il rappelle l'Opéra de Paris par son architecture. Ludmilla aura l'occasion d'y danser quelques fois, de même que certains de ses élèves. Alexis y dessinera aussi des décors. Le 1er mai 1951, le théâtre sera détruit par un incendie et continuera ses activités au Grand Casino. Hadu me confiera que le ballet, au Grand Théâtre, n'avait pas bonne réputation. « À Zurich, on était horrifié de la piètre qualité de ce qui se donnait à Genève ; voilà pourquoi je cherchais un maître de ballet, et que j'ai trouvé Ludmilla. »

La Grand-Rue, où les Chiriaeff habitent, est une rue austère. Certaines des maisons datent de plusieurs siècles. Jean-Jacques Rousseau y est né, au numéro 40. Située sur la rive gauche, dans la ville haute, cette rue devient rue de l'Hôtel-de-Ville, à quelques portes du numéro 16, et se perd place du Bourg de Four, cette place dont on dit qu'elle porte chance.

Quand elle termine les classes qu'elle donne dans les locaux de la Migros, Ludmilla traverse le pont de l'île, rejoint la rue de la Cité et monte la Grand-Rue jusque chez elle, cette rue qu'ont empruntée Nietzsche et Thomas Mann. Parfois, la Clémence, le vieux bourdon de Saint-Pierre, sonne l'heure quand elle arrive à la Grand-Rue. Alors, Ludmilla presse le pas. Il est temps de coucher bébé Nastia, dont Alexis se sera chargé durant son absence. Ce qui fait d'ailleurs parfois l'objet d'âpres discussions entre eux. L'enfant dérange l'artiste. Ludmilla se prend à souhaiter que sa mère arrive pour jouer son rôle de *babouchka*.

Même si elle travaillait comme une folle, Ludmilla était toujours sereine, magnifique, selon Hadu. Elle ne voulait pas faire carrière, mais elle voulait que la danse vive et trouve sa place. Elle avait une façon d'inspirer un élève, de le corriger – mais jamais elle ne m'a diminuée, jamais elle ne m'a dit ce que tu fais est mal. J'ai beaucoup appris avec elle. Enfin, j'avais un maître.

Qui deviendra une amie.

Le dimanche 26 décembre 1948, à la salle de la Réformation, «les enfants du cours de Madame Chiriaeff» donnent une représentation, à quinze heures, pendant la «Chalande à l'arbre de Noël», réservée aux enfants coopérateurs de la Migros de Genève. La pianiste, Mademoiselle Graebuer, sera payée vingt-cinq francs, pour l'occasion. Ludmilla? Sans doute rien, puisque ses élèves ne payaient que pour les leçons prises.

Au cours de l'année 1948, Valia, ses enfants et son mari se sont installés à Midland, au Michigan (É.-U.). Henry venait d'y être embauché comme spécialiste des insecticides chez Dow Chemicals. Il y sera vingt-cinq ans. Dans certaines publications, Henry est qualifié de «*prolific creator*» et «*almost 100 US patents and about 50 foreign patents*[250]» seront portés à son crédit. Il est aussi souvent rappelé que, de 1938 à 1945, «*he was a chemist and head of a product group at I.G. Farben Company*», en Allemagne. C'est par Katerina que Ludmilla a des nouvelles des Tolkmith.

En cette fin de 1948, la Russie commence le blocus de Berlin-Ouest, mais cela n'entre pas dans les préoccupations de Ludmilla. Elle a fait une croix sur l'Allemagne. À tout jamais.

Dès les premiers jours de janvier 1949, la Migros de Genève annonce que «Notre cours de danse de ballet pour enfants [...] reprendra ses leçons, à dix-sept heures, au Kursaal de Genève, sous la direction de Madame Chiriaeff». Le prix des cours est de sept francs cinquante par mois pour les membres de la coopératives et de douze francs pour ceux qui ne le sont pas. Et bien sûr cette publicité sollicite de nouvelles inscriptions.

Ludmilla garde mention des horaires de cours. Peut-être a-t-elle commencé avant, mais depuis mars 1948, elle note au début d'un cahier cartonné, ce que l'on pourrait considérer comme ses entrées de fonds : une page par élève, où sont déclinés nom, adresse, numéro de téléphone, les leçons prises avec celles dont les frais ont été acquittés et celles qui sont dues. Même s'il est noté une heure, tous ceux qui ont travaillé avec Madame peuvent rappeler que l'on savait quand le cours commençait mais jamais quand il se terminerait. C'était l'obtention du résultat à atteindre qui déterminait le moment de mettre fin à la leçon.

Hadu allait tous les jours voir Ludmilla. Elle raconte que « le matin, on prenait le café, puis c'étaient les leçons. On travaillait ensemble. Elle aimait ce que je faisais même si je n'étais pas entièrement satisfaite de mon travail. Elle m'a fait le " coaching " pour mon rôle de la nymphe Eco, à Montreux. Des années plus tard, elle pouvait encore raconter exactement comment j'exécutais tel ou tel mouvement dans telle ou telle chorégraphie ou encore quand je tenais le rôle de la nymphe Eco. »

En février, Ludmilla prépare un voyage à Paris. L'oncle Georges a offert son aide et elle a décidé d'aller y voir de plus près. Elle demande d'abord un certificat d'identité qui lui sera émis pour un an par les autorités de Berne, le 21 février. En mars, il lui faudra aussi obtenir un renouvellement de son permis de séjour à Genève – qui lui sera accordé jusqu'au 31 août.

Pour justifier sa demande, Ludmilla déclare ce qui suit :

1. Je dois entrer personnellement en contacte (*sic*) avec quelques professeurs de danse classique de Paris, auxquels j'adresse depuis longtemps les éléments les plus doués de mon école pour leur assurer une carrière.

2. D'autre part je désire établir une possibilité plus suivie d'échange (*sic*) dans l'idée de développements ultérieurs.

3. Je part (*sic*) également pour rendre visite à l'un de mes oncles auprès duquel je suis chargée de messages de famille, qui nécessitent une entrevue personnelle.

4. Je dois également entrer en contact avec quelques relations de mon mari, au sujet de ses affaires.

   N.B. Ces raisons nécessiterons (*sic*) probablement de ma part plusieurs voyages durant l'année[251].

Le 2 septembre 1949, Ludmilla obtient un permis pour un court séjour à l'étranger, valide jusqu'au 30. Elle quitte Genève le 8, bien que sa mère vienne d'arriver. Elle sera une dizaine de jours en France, « pour tourner ce film qui était à l'affiche, à Montréal, quand je suis arrivée. C'est tout à cause de mon oncle Georges. » Ce film, c'est *Danse solitaire*. Il s'agit d'un court métrage de trente et une minutes, tourné en France et en Suisse par Forces et Voix de France, sous la direction du commandant Paul Legros. Alexis a laissé des cahiers de croquis et des dessins de ce tournage.

Ludmilla a répété tant et plus que, le soir de leur arrivée à Montréal, à travers les bancs de neige, elle a vu son nom en grosses lettres sur la marquise d'un cinéma où *Danse solitaire* était à l'affiche. Dans une des entrevues qu'elle accorde en mars 1983, Ludmilla dit qu'il s'agissait du cinéma Parisien. Ma recension du journal *La Presse*, du 12 octobre 1951 au 31 mars 1952, ne m'a pas permis de découvrir dans quel cinéma ce film aurait été présenté, mais le Bureau de la censure du cinéma de la province de Québec a visionné le film le 11 octobre 1951 et a autorisé la Compagnie cinématographique canadienne limitée à en diffuser une copie originale.

À cette époque, le Bureau de la censure devait visionner tous les films à être diffusés au Québec. Même la Ville de Westmount avait besoin d'un visa pour annoncer sa Fire Prevention Campaign, en 1952. Le Bureau émettait un visa pour l'original et pour chacune des copies en circulation. Ce Bureau censurait aussi, exigeant des compagnies qu'elles retirent de leurs films les scènes ou les conversations jugées par les censeurs comme pouvant porter atteinte à l'ordre public et aux bonnes mœurs. *Danse solitaire* a obtenu son visa sans censure.

Quand Ludmilla parle de ce film, elle dit « mon petit film » et, à lire le générique[252], on s'aperçoit que ça ressemble à une histoire de famille : scénariste, Georges Raevsky (*sic*) (oncle) ; chef décorateur, maquettes des costumes, Alexis Chiriaeff ; choréauteur et danseuse étoile, Ludmilla Chiriaeff ; interprétation, Ludmilla Chiriaeff, Gabriel Dalieu, Christiane Forget et Yvette Gindrat, ces deux dernières étant alors des élèves de Ludmilla. Les contrats sont datés du 18 août 1949. Le budget de cette production est de trois millions cinq cent mille francs suisses, dont la moitié proviennent d'intérêts suisses qu'Alexis a levés en tant que coproducteur.

Selon un catalogue de courts-métrages, l'argumentaire du film se lit comme suit : « Une petite orpheline qui admire une danseuse tente de la rejoindre, mais son tuteur l'en empêche[253]. » Pour Ludmilla, il s'agit d'une histoire sur « une enfant aveugle qui par l'amitié d'une jeune femme commence à voir. Cette femme, elle danse, alors elle fait un ballet sur le miracle de l'amitié. » Le scénario que j'ai consulté, de même que les coupures de presse, racontent autre chose. Selon ce qu'en dit Georges Raïevski à un journaliste, « une petite fille entre au théâtre pendant une répétition de ballet (et) est touchée par une sorte de grâce qui lui procure d'un coup la révélation de la danse[254] ».

Une partie du tournage aura lieu au Kursaal de Genève, avec les élèves de Ludmilla, dont Hadu. Cette dernière me dira : « J'ai dansé dans ce film, mais c'était tellement farfelu. Ce Georges vient. Je lui ai donné la main. On m'a fait courir deux ou trois fois comme dans une brume et c'était fini. Je n'ai jamais vu ce film. Je ne sais même pas s'il a été terminé. C'était vraiment éphémère, ce tournage. »

Après le tournage de la partie française, à Saint-Cloud, l'oncle Georges fait visiter à Ludmilla ceux de la famille qui habitent Paris, puis les Legros les amènent se balader dans la campagne française.

On a roulé longtemps, longeant une rivière et des villages à moitié détruits par la guerre. On a dû faire un détour parce qu'un pont n'était pas réparé et qu'il fallait traverser la rivière. Puis, je ne sais comment, nous nous sommes retrouvés devant un portail, et une plus petite porte, que Monsieur Legros a ouvert avec une grosse clef. Et là, un jardin et l'atelier de Claude Monet. Je me souviens d'estampes japonaises d'un raffinement extraordinaire et de petites toiles représentant des nénuphars. Sur les murs, il y avait des lattes sur lesquelles s'appuyaient de très grands tableaux. Un chat mal nourri est sorti de nulle part et m'a fait peur.

Au retour de Paris, Ludmilla se cherche un pianiste pour les répétitions. Elle fait paraître une annonce au Conservatoire de musique. Charles Reiner se présente. Il était venu en Suisse en 1948, après s'être qualifié pour une bourse lors d'un concours à Budapest. D'une certaine façon, on peut dire que c'est le scherzo en mi bémol mineur de Brahms qui a été son passeport pour le monde puisque l'interprétation de cette pièce lui a valu l'émission d'un passeport par le gouvernement de la Hongrie. Reiner s'est ensuite inscrit au Concours international d'exécution musicale de Genève et y a obtenu, en 1949, un premier prix de virtuosité.

« Madame Chiriaeff cherchait un pianiste qui pouvait lire la musique et aussi improviser. Elle m'a engagé[255]. » Selon le souvenir de Reiner, Ludmilla avait alors une vingtaine d'élèves et lui-même devait être là trois fois par semaine. « Il fallait que j'improvise mais généralement, il y avait des partitions. J'adore ça, lire et improviser, comme pianiste, alors c'était bien. J'étais probablement payé deux ou trois francs. »

Ludmilla invitait assez souvent Charles Reiner pour souper. Ce dernier ne se souvient « pas très bien si c'était dans la vieille ville de Genève ou en bas, mais il y avait une très grande pièce et le lavage était presque toujours suspendu là. Du moins, c'est le souvenir que j'ai conservé de ce lieu. À ce moment-là, et même plus tard, Ludmilla était une des plus belles femmes que j'aie connues dans ma vie. Et c'était encore un très beau couple avec Alexis. »

Un peu avant Noël, Katerina quitte Madrid pour s'installer à Genève. Elle vivra au 15, rue Dr Alfred Vincent, chez sa fille. Pour ce Noël, Ludmilla fait des décorations en papier et les suspend dans la maison. Il n'y a pas d'arbre de Noël, mais l'odeur des plats traditionnels russes, que mère et fille préparent, flotte dans l'air, et l'on se prend à rêver d'un avenir moins difficile. Un résumé des comptes de l'année 1949, retrouvé dans un des carnets de l'époque suisse, montre un revenu net, pour l'année, de deux mille huit cent cinquante-deux francs cinquante pour Alexis et de deux mille trois cent cinquante-huit francs quatre-vingts pour Ludmilla. Il s'agit d'une année avec des rentrées de fonds exceptionnelles.

D'après la correspondance et les coupures de presse, *Danse solitaire* était « destiné à servir d'expérience dans le domaine de la télévision. En effet, ce court-métrage sera – pour la première fois dans les annales de la télévision – télévisé par les postes américains[256] ». Alexis s'était improvisé coproducteur de cinéma et, très tôt, les Chiriaeff devront faire face à des questions qui les dépasseront. Ne fût-ce que l'obligation de recueillir les fonds suisses et de s'en porter garant. Puis, Alexis n'est pas content du déroulement du tournage en France. Comme il ne peut séjourner à Paris, il se nomme des fondés de pouvoir mais les démet de leur fonction au bout de quelques mois. Il s'immisce dans des questions administratives et financières qui ne sont pas de son ressort, ce qui ajoute aux difficultés éprouvées pendant le tournage à Genève et le montage à Paris.

Paul Legros écrit à Alexis :

> [...] vous ne connaissez certainement pas toutes les difficultés du cinéma et c'est à mes yeux votre grande excuse. [...] Ne rendez pas dramatique une situation qui ne l'est pas, mais qui aurait pu l'être si je ne m'étais pas employé personnellement à mettre au point toutes les questions qui, à Genève, auraient pu retarder, sinon démolir toute la production[257].

Alexis a fait une crise. De retour à Paris, Paul Legros écrit à Ludmilla : « J'étais désespéré de partir mercredi soir dans une pareille ambiance [...] je suis sûr que depuis il s'est calmé [...][258] » Sans doute pas, puisque Alexis se prend un avocat, croyant pouvoir faire réécrire les contrats dont j'ai trouvé plusieurs versions rédigées de sa main. Il voulait aussi revoir les contrats avec Export-Film-Association. Voici ce qu'on lui répond alors :

> D'après votre lettre je m'aperçois que vous croyez avoir dans la rédaction de votre contrat pris toutes les précautions [...]
>
> Il faut que nous soyons bien clairs l'un et l'autre. – Premièrement comme je l'ai déjà dit à Mme Chiriaeff, votre affaire ne m'intéresse pas du tout, et ce ne sera pas la première fois que des gens perdraient de l'argent dans le cinéma. Toutefois [...] vu la gentillesse de votre dame, et surtout son air de pauvre victime perdue dans une caverne de brigands, j'ai accepté de me charger de votre affaire, uniquement pour pouvoir établir un contrat qui soit un contrat de garantie, pour annuler certaines idioties qui ont été faites au départ [...] mais ce que je veux surtout, c'est que vous ne veniez pas plus tard dire que mon intervention aurait porté atteinte, comme vous dites, aux conditions prioritaires de remboursement tel qu'il avait été énoncé dans votre première convention[259].

Ludmilla n'a probablement jamais imaginé qu'elle et Alexis se retrouveraient coproducteurs d'un film, avec tout ce que cela comporte d'obligations. Paul Legros rappelle à Ludmilla que

Lorsque nous avons fait notre accord, c'est assurément votre mari qui a signé, mais, du fait qu'il était fatigué par ses travaux nocturnes, toutes les décisions ont été prises avec vous personnellement. C'est d'ailleurs à votre nom aussi qu'était ouvert le compte à la banque où vous aviez déposé les fonds. [...] N'oubliez pas que vous avez plus la position de coproducteurs que de salariés, et dans ce cas on doit faire cause commune[260].

Sans doute Alexis et Ludmilla cherchaient-ils désespérément des façons de gagner leur vie, et ce film en était une – d'autant qu'il était présenté comme le premier d'une série d'autres devant être produits pour la télévision. Mais dans l'Europe de l'après-guerre, l'industrie cinématographique du court-métrage ne semble pas avoir la cote. « Comme je vous l'ai dit, il est bien plus facile de mettre sur pied un grand film qu'un petit comme le vôtre, et notre court-métrage n'est pas un test valable pour un grand film où le financement et les rentrées sont beaucoup plus faciles et rapides[261] », leur écrit Paul Legros. Malgré toutes les difficultés de cette aventure, et les tensions que l'on peut imaginer que cette aventure a provoquées entre Alexis et Ludmilla, *Danse solitaire* a fini par voir le jour et même se retrouver à Montréal. Ce film sera le dernier, pour Ludmilla.

Installés dans un nouvel appartement, sa mère de retour, Ludmilla peut enfin songer à s'ouvrir un studio et à fonder une troupe – avec les meilleurs élèves provenant des classes privées et de celles organisées avec l'aide de la Migros. Mais il lui faudra participer à bien des récitals et présenter ses élèves dans de nombreux spectacles comme celui du 28 janvier 1950 si elle veut compenser les pertes occasionnées par *Danse solitaire*.

C'est vers Jeanne Hatt-Simon qu'elle se tourne. À la Cour Saint-Pierre, celle-ci a ouvert deux petits théâtres avec, entre eux, des salles de grandeurs diverses et, au centre, une grande pièce pouvant accueillir des réceptions et des expositions. Alexis y accrochera ses œuvres. Ludmilla, elle, installera ses Ballets du Théâtre des Arts dans une des salles disponibles. « C'était beaucoup plus petit que la grande salle du Kursaal, mais d'être là, c'était comme monter en grade. Le public était d'un autre niveau. » Une publicité de l'époque annonce que Madame Ludmilla Chiriaeff, professeur, a repris ses cours de danse et que l'on peut s'adresser à la Maison des Arts au Théâtre de la Cour Saint-Pierre, au numéro 3 de la rue de l'Évêché, les mardi et vendredi après-midi, au troisième étage[262].

Jeanne Hatt aurait acheté la maison de Franz Liszt, à l'arrière de la cathédrale, pour en faire le Théâtre de la Cour Saint-Pierre. La cathédrale Saint-Pierre, construite au XIIᵉ siècle, est le haut lieu du protestantisme depuis Calvin. Avec ses deux tours et sa flèche, elle veille sur la vieille ville. Son bourdon, la Clémence, rappelle à chacun ses devoirs. C'est une église austère et froide. Comme Genève et les Genevois.

Un document non daté, mais qui est inséré dans un programme des Ballets du Théâtre des Arts, commente Ludmilla et ses Ballets :

> Peut-on concevoir qu'une si jeune femme puisse avoir, non seulement l'autorité, mais le génie créateur de tant de belles choses ? En effet, Ludmilla Gorny[263] est d'une essence rare. Elle appartient à la lignée des grands créateurs de ces ballets russes qui firent courir le monde : Nijinsky (*sic*), Fokine, Lifar, etc. La création d'un ballet chez Ludmilla Gorny est une merveille. Ses grands yeux bleus, miroir de sa pensée, fixent un point qui pour nous est vague, et tout à coup, l'idée jaillit, impétueuse au point que nulle force au monde ne peut s'en rendre maître, et c'est vraiment la danse dans toute sa splendeur. B.B.[264]

Au printemps, nouveau déménagement. Cette fois, les Chiriaeff emménagent dans la maison des Lämmler. Située au 27 de la route de Meyrin, dans ce qui est alors une cité satellite de Genève, cette maison de quatre chambres s'ouvre sur un jardin entouré de chênes. « Il y avait là tellement d'oiseaux qu'on aurait dit une volière », se rappelle Hadu. Une partie de l'année précédente, Heinrich Lämmler avait travaillé à l'implantation d'une succursale de la Migros à Lausanne, en plus de superviser l'organisation de Genève. Maintenant, les Lämmler s'installent à Lausanne. Et c'est en train que Hadu viendra suivre ses cours auprès de Ludmilla. Elle en profitera aussi pour assister à des spectacles, chaque fois que ce sera possible. Elle a pris l'habitude d'y amener Ludmilla, et, parfois, Alexis se joint à elles. « Heureusement que j'avais Ludmilla, dira Hadu. Mon mari n'était jamais là, l'organisation l'occupait complètement et quand enfin il venait au concert, il s'endormait tellement il était fatigué. »

Ce changement tombe à point : Ludmilla est à nouveau enceinte. Mais, cette fois, elle n'aura pas à tout organiser ; Katerina prendra en charge la réinstallation et s'occupera de Nastia. Même si Ludmilla doit s'habituer à vivre avec sa mère, elle n'a plus à se faire du souci pour l'heure des repas, le bain de la petite, le ménage. Quand elle rentre, exténuée, de ses cours, il règne à la maison un certain ordre. Un ordre certain, serait plus juste. Katerina a toujours été la gardienne de l'ordre établi, des bonnes manières, du rang à tenir en société, et entend bien qu'il en soit ainsi dans cette maison.

Pour Alexis, l'arrivée de sa belle-mère le libère de certaines corvées qu'il jugeait néfastes à la liberté du créateur, de l'artiste qu'il est. Il se remet à la peinture. Les expositions qu'il fait alors lui amènent des critiques inégales et moins dithyrambiques que celles d'une décennie plus tôt. On semble lui reprocher d'accepter des commandes. « Et voici les commandes... Faites-nous ceci et cela... L'artiste, même le génie, est perplexe [...] On peint alors n'importe comment... De telles contraintes tuent l'art au profit du métier[265]. » Selon Ludmilla, si elle n'avait pas été là pour organiser les expositions de son mari, les œuvres de ce dernier seraient inconnues. Hadu dit aussi que Ludmilla organisait des expositions, qu'elle faisait n'importe quoi pour que ça marche. Il reste qu'avant de rencontrer Ludmilla, Alexis exposait, même en Italie, et vendait.

À la fin de mars, Ludmilla obtient un permis pour un an autorisant un nombre illimité de voyages à l'étranger. Elle se rend en France et, selon toute vraisemblance, c'est au cours de l'un de ses séjours qu'elle rencontre Roussane Sarkissian. Cette Arménienne, née à Bakou, était installée à Paris depuis 1920. Elle y avait une école et était reconnue comme l'un des plus célèbres professeurs russes de la capitale française. Elle a eu comme élèves, entre autres, Violette Verdy et Maurice Béjart. Ludmilla aurait voulu que Madame Roussane – comme on l'appelait – vienne à Genève, mais cela ne s'est pas produit. Elle a donc pris des cours de maître avec elle, pour la mise au point d'un court ballet que Ludmilla devait danser par la suite. « Il y avait un concert avec Ansermet, puis une pièce de théâtre, et on m'avait demandé de créer une danse, sur une musique originale, comme ouverture de cette pièce. J'ai choisi de danser dans cette grande robe bleue qui m'a servie plusieurs fois par la suite, au Canada. C'est cette chorégraphie que j'ai travaillée avec Roussane Sarkissian. » Cette grande robe bleue, Ludmilla la porte aussi sur la toile d'Alexis qu'elle a voulu léguer au Musée des beaux-arts de Montréal. Le Musée n'a pas accepté cette pièce.

Pendant l'été, Ludmilla profite du jardin derrière la maison. À l'ombre des chênes, elle raconte des histoires à Nastia, lui chante des comptines et lui invente des jeux. Du perron, Katerina les observe, ses cheveux retenus par une fine résille. Les journées coulent plutôt lentement et Ludmilla tente de s'habituer à ce rythme qui n'est pas le sien. Même avec cette seconde grossesse, dont le terme approche, Ludmilla est la première levée et la dernière couchée. Elle est douée d'une énergie peu commune.

Le 17 août, à la clinique du Bois-Gentil, à Genève, Ludmilla accouche d'un fils, qu'ils prénomment Avdeij, du nom du grand-père paternel de Ludmilla.

À la fin de septembre, Ludmilla reprend les classes et la préparation des solos pour les spectacles à la Cour Saint-Pierre. Elle prépare aussi une tournée dans les villes où la Migros a des salles communautaires. Ces mini-tournées permettent de payer les danseurs de la troupe des Ballets de la Maison des Arts. « Je ne pouvais pas faire vivre la troupe autrement. C'était une très bonne préparation pour tout le monde. Moi y compris. » En 1950, les revenus bruts que Ludmilla obtient des cours de ballet qu'elle dispense s'établissent à cinq mille sept cents francs.

Alors que les classes recommencent, Ludmilla songe à s'établir à l'étranger. Depuis quelque temps, une de ses élèves, secrétaire à l'ONU, lui parle de programmes mis en place par les organisations internationales pour les « DP », les personnes déplacées par la guerre. Patricia[266] est Britannique. De son poste, elle voit plein de gens venir réclamer de l'aide pour une relocalisation à l'étranger. Elle explique à Ludmilla qu'étant donné ce dont elle a souffert en Allemagne, elle n'aura aucune difficulté à se qualifier. Ludmilla a d'abord refusé qu'on l'aide. «J'avais beau avoir tout perdu pendant la guerre, je voulais réussir par moi-même.» Mais l'idée était semée.

Une autre de ses élèves, Ellen de Rothschild Apostol, lui parle de la Nouvelle-Zélande, de l'Australie et de l'Amérique du Sud. Ludmilla écrit un peu partout pour s'enquérir des possibilités de travail à l'étranger. Puis, un soir, elle accepte une invitation chez Patricia. Il y a là un couple dont le mari travaille aussi à l'ONU. Ce Monsieur Perrier est Suisse, mais il a connu le père de Ludmilla à Tsarskoïe Selo. Il a offert de l'aider. Alors commence une série de démarches, d'abord pour s'assurer de l'admissibilité de Ludmilla à l'aide du Fonds de réparation de l'Organisation Internationale pour les Réfugiés[267] (IRC) et, ensuite, auprès de pays susceptibles d'accueillir un couple d'artistes, avec deux enfants et la mère de Ludmilla.

Entre les cours qu'elle donne et les productions qu'elle monte, Ludmilla passera l'année 1951 à faire des démarches pour quitter la Suisse. Elle suppute leurs chances de gagner leur vie ailleurs, chacun dans leur métier. Les réponses aux premières demandes sont négatives. En Nouvelle-Zélande, la situation du ballet n'est pas très encourageante. «Il y a un certain type de ballet enseigné par des profeseurs privés mais pas d'école de ballet comme vous l'entendez. Cela veut dire que vous devrez bâtir votre école à partir de rien[268]*». Le 16 juillet, ils ont déposé une demande à l'American Foreign Service, au consulat de Zurich, pour être placés sur la liste d'attente des Intending Immigrants[269].

Le mari de Madame Rothschild Apostol fait parvenir des télégrammes depuis Sao Paulo : «Nous vous confirmons par la présente que vous êtes contractée (*sic*) pour travailler à notre firme.» Puis des lettres selon lesquelles Alexis serait engagé comme «responsable pour toute la correspondance en langue étrangère (français, anglais, allemand) [...] Nous vous demandons de faire vos arrangements de voyage avec un minimum de délai[270].» Ellen Apostol songeait à reprendre la danse et n'aurait pas détesté que Ludmilla aille ouvrir une école au Brésil.

Le 20 février, Ludmilla fait baptiser ses deux enfants. «Mon mari n'était pas très croyant mais, pour moi, c'était très important.» Ils ont fait venir le pope et le baptême a lieu dans la maison, route de Meyrin. Nastia aura comme marraine Céline Hatt, la fille de Jeannine, et comme parrain, Heinrich Lämmler. Pour Avdeij, la marraine était Ellen de Rothschild Apostol et le parrain, Carlos Wright.

Hadu raconte que le pope est arrivé avec un bassin sur lequel on a placé des bougies. «Les enfants étaient nus parce que dans la religion russe, on prend l'enfant et on le met dans l'eau. Avdeij a crié, mais Nastia était comme un poisson. On ne comprenait rien à ce que le pope disait et mon mari était fatigué de tenir Nastia au-dessus de l'eau. Elle avait plus de deux ans. Quand tout a été terminé, on a habillé les enfants de blanc et ç'a été la fête.» Ludmilla avait réuni beaucoup de gens autour de plats, de musique et de chants russes.

Quelques jours après le baptême, Ludmilla recevait une lettre de l'IRC de Genève.

> Chère madame,
>
> Par la présente nous avons le plaisir de vous informer que la réponse reçue à votre sujet de la part du Centre de Documentation à Berlin a été satisfaisante. En conséquence, vous, votre mère et vos deux enfants pourront être considérés comme illigibles (*sic*) pour le Fonds de Réparation, ceci dès que vos projets d'émigration auront pris une forme plus précise.
>
> Nous espérons qu'à ce moment de nouveaux capitaux seront devenu (*sic*) disponibles au Fonds de Réparation qui permettront de couvrir les frais de votre émigration et de réétablissement dans un pays d'outre-mer.
>
> Nous avons écrit à votre sujet à notre représentant au Brésil et espérons de pouvoir vous donner sous peu des informations sur les possibilités qui s'offriraient pour vous dans ce pays[271].

À cette lettre était attachée une copie de la lettre que Erich Schrötter avait écrite en 1947 pour Alexandre, et dont il a déjà été fait mention précédemment. Cette lettre rappelle, entre autres, les dénonciations à la Gestapo et le fait que Ludmilla a été renvoyée du théâtre à Berlin.

Dès les premiers jours de mars, la Délégation, pour la Suisse, de l'Organisation Internationale pour les Réfugiés, certifie qu'Alexis, Ludmilla, leur fille Anastasie et leur fils Avdeij «sont considérés comme réfugiés tombant sous le mandat de l'Organisation Internationale pour les Réfugiés. Ils sont éligibles pour la protection légale et politique seulement[272].» Cela veut-il dire que la lettre du 21 février doit être oubliée? et qu'il n'y aura pas d'aide monétaire? Pourquoi le nom de Katerina n'est-il pas mentionné cette fois? Comment se fait-il que le Brésil n'ait pas répondu? Vers quel pays se tourner si ça ne fonctionne pas? Quelqu'un lui parle du Canada. Or, à l'exception de Charles Reiner, qui s'y est installé quelques mois plus tôt, Ludmilla ne connaît personne dans ce pays. Tout ce qu'elle sait du Canada, c'est que les soldats canadiens se sont battus avec les Alliés pour libérer l'Europe et que les pommes reinettes[273], que sa mère achetait à Berlin, en provenaient. Ludmilla dépose une demande pour émigrer au Canada. En mai, le Bureau des permis de séjour renouvelle leurs passeports.

Il s'agit de passeports pour étrangers, valables jusqu'au 23 mai 1952, pour lesquels ils déboursent quarante francs suisses.

De son côté, Alexis présente à la galerie La Paix, à Lausanne, ce qui sera sa dernière exposition en Suisse. Si, selon le journaliste de la *Tribune de Lausanne*, cette exposition est une bonne surprise pour les Lausannois, la critique n'est plus aussi louangeuse qu'elle le fut jadis.

> Le souvenir que nous avait laissé Chiriaeff était celui d'un artiste habile et raffiné [...] Vue aujourd'hui, après quelques années d'absence, la production de l'artiste ne nous semble pas avoir évolué dans le sens que nous avions espéré. [...] Si nous ajoutons que la technique de l'huile ne semble pas lui être très favorable, nous aurons dressé de l'œuvre récente de Chiriaeff un bilan assez pessimiste. Heureusement qu'il nous reste les aquarelles[274].

Le 1er juin, la directrice de la division suisse de l'IRC, Alida de Jager, confirme au bureau de New York que : «Madame Ludmilla Chiriaeff, ses deux enfants, Anastasie et Avdeij, sa mère, Madame Katharina Otzup-Gorny, sont éligibles au Fonds de réparation pour l'émigration et la relocalisation.* » Quelques jours plus tard, un officier de police de la République et du canton de Genève versera au dossier un certificat de bonne conduite.

«Le soussigné certifie que Madame Chiriaeff Ludmilla, née Gorny, le 10-1-1924 à Riga anc. (*sic*) originaire de Russie, est domiciliée dans notre canton depuis le 27-5-47, sans permis d'établissement et qu'à sa connaissance sa conduite n'a donné lieu à aucune plainte[275].»

Puisqu'il se pourrait que le projet d'émigration se confirme dans les douze prochains mois, Ludmilla ne renouvelle pas son bail pour le studio des Ballets de la Maison des Arts. Elle s'entend plutôt avec Youra Tcheremissinoff pour partager le grand studio qu'il a à Genève. Il est le beau-frère de Simone Prior, qui veille sur le studio quand le danseur est absent de la ville.

Ludmilla travaille avec Pignolo, qui a fait la musique de *Danse solitaire* et qu'elle connaît depuis le Théâtre municipal de Lausanne. Elle crée des solos pour ses meilleurs élèves et pour elle-même. Ces morceaux sont présentés pendant la tournée qu'elle fait au cours de l'été. René Pignolo les accompagne. Il est au piano durant les représentations. Alexis s'occupe du peu de décors que l'on peut transporter et s'assure du lever de rideau. «C'était plutôt style récital», dira Ludmilla.

Pignolo était chef d'orchestre aux théâtres de Genève et de Lausanne, au Kursaal de Genève et à la Radio Suisse Romande. Selon d'Ivernois, il arrivait que le groupe se rende «à Lausanne dans le carosse de Pignolo, une Citroën qui avait déjà pris quelques rides. [...] et sur la route de Suisse, il fallait attaquer toutes les côtes vaudoises à reculons[276]».

Mais Ludmilla est à nouveau enceinte. Cette fois, cela complique d'autant les choses qu'il n'est pas évident qu'elle pourra voyager si sa grossesse est trop avancée lorsque les autorisations seront émises. Pour le moment, les réponses de la plupart des pays où ils ont fait des demandes sont négatives. En juillet, les Chiriaeff effectuent une démarche auprès des États-Unis. Avoir à demander à sa sœur et à son beau-frère de se porter garants pour eux ne plaît guère à Ludmilla. Mais maintenant qu'elle s'est faite à l'idée de quitter la Suisse, si le Brésil ou le Canada ne veulent pas les accueillir, il restera toujours les États-Unis. Et puis, pour Katerina, vivre avec Valia serait préférable : ces deux-là se sont toujours bien comprises.

Quand finalement ils sont informés qu'ils pourront venir au Canada, la fébrilité s'installe à la maison et chez les amis proches. Il faut faire mille choses dans le peu de temps qu'il reste et, d'abord, obtenir un certificat médical pour chacun des aspirants immigrants. «Je n'ai jamais l'air enceinte avant les tout derniers mois, mais il fallait quand même déclarer que je l'étais.» C'est encore une fois une élève de Ludmilla qui trouve le contact. «Elle s'appelait Yvette, mais j'ai oublié son nom de famille, dira Hadu. C'était une Juive qui avait fui la France, toute seule, pendant la guerre. Elle venait suivre des cours chez Ludmilla. Le jour, elle était réceptionniste au bureau du docteur Hermano Shapira, le médecin à la mode alors, à Genève.» Grâce à l'intervention d'Yvette, le docteur Shapiro fournit, à la fin de décembre, une attestation pour une grossesse de six mois, bien que Ludmilla en fût déjà au septième. Autrement, elle ne pourrait pas prendre le bateau. Elle se demande tout de même à nouveau s'il ne vaudrait pas mieux attendre la naissance du bébé. Ils décideront – elle décidera? – de partir quand même. «Venir dans un autre pays avec un bébé de quelques mois, en plus des deux enfants déjà là, je me suis dit que je n'aurais jamais l'élan pour recommencer. Nous sommes partis en falsifiant le nombre de mois de ma grossesse.»

Mais tout n'était pas encore gagné sur ce front puisqu'il y avait aussi une visite médicale, au moment de l'embarquement. La politique de la Compagnie Homeland était la suivante : «En ligne (*sic*) générale, l'embarquement de ces passagères est autorisé jusqu'au sixième mois; notre compagnie laisse toutefois cette question au jugement de l'Officier sanitaire au moment de la visite médicale, à l'embarquement, lequel, se basant sur les conditions physiques de la future maman, peut donner l'autorisation d'embarquement[277].» Ludmilla me dira qu'elle avait une peur bleue d'être refoulée. «Je rentrais mon ventre, je te jure.»

Puis, le Service des visas de la Légation du Canada à Londres écrit :

Par la présente, j'ai le plaisir de vous faire savoir que je suis en mesure de vous accorder le visa demandé pour le Canada. Il est cependant important que votre certificat d'identité soit muni d'un visa de retour pour la Suisse, valable jusqu'au 21 janvier 1953[278].

Ce qu'Alexis s'assurera d'obtenir. Préparer le départ, c'est aussi voir ce qu'il adviendra de ses élèves. Ludmilla correspond avec les maisons d'opéra et les théâtres afin de tenter d'obtenir des auditions ou des contrats pour ses élèves les plus prometteurs. Le Théâtre national de Zurich lui répond qu'il « est pour l'instant impossible de dire si nous aurons des rôles disponibles dans notre prochain ballet. Dans le cas où nous en aurions, il nous ferait évidemment plaisir de rencontrer vos deux étudiantes[279]. » Au Canada aussi, elle se préoccupera du sort de ses élèves même jusqu'à quelques semaines avant son décès. « Ils sont un peu mes enfants, voyez-vous. »

Si Ludmilla essaie de placer les meilleurs de ses élèves, elle s'occupe aussi d'obtenir, pour elle-même, des lettres attestant de son activité artistique. Du 1er janvier 1952, j'ai retrouvé, sous la signature de Jeanne Hatt-Simon, et sur papier du Théâtre de la Cour Saint-Pierre, ce qui suit : « La soussignée [...] certifie avoir connu Ludmilla Chiriaeff-Gorny, cette dernière a donné des cours de Ballet au Théâtre de la Cour Saint-Pierre qui ont été hautement appréciés et a apporté une collaboration très précieuse à la mise en scène de spectacles. »

Non daté, cette fois, sur papier à en-tête de la Société Coopérative Migros-Genève, le texte suivant :

> Madame Ludmilla Chiriaeff a créé les cours de danse de ballet pour notre École-Club Migros.
>
> Dans son activité pédagogique, Madame Chiriaeff s'est montrée une parfaite pédagogue en même temps qu'une artiste de grand talent, connaissant son métier et son art à fond. Tous nos clients et coopérateurs qui ont participé à ses cours, nous ont toujours exprimé leur grande satisfaction.
>
> D'autre part, Madame Chiriaeff a monté, avec ses élèves, des spectacles qui ont obtenu un très grand succès par leur qualité et leur goût le plus sûr.
>
> Nous ne pouvons que recommander Madame Chiriaeff qui, par ses connaissances et le sérieux de son travail, a créé des cours de grande valeur.
>
> Nous regrettons vivement son départ et lui adressons, avec tous nos vœux, nos plus sincères remerciements pour sa belle collaboration.

À Genève, une certaine Larissa Mouravieff prendra sa classe et remettra dix pour cent de ses cachets à Katerina durant un an, si jamais Katerina ne peut pas partir en même temps que les Chiriaeff. Parce que, jusqu'à la fin de décembre, on ne sait si Katerina pourra partir. Alors, on met ses effets à part et l'on commence à organiser son séjour, seule, à Genève. Au cas où. Finalement, Katerina ne peut venir avec eux. Sans doute que les autorités canadiennes veulent d'abord s'assurer que les Chiriaeff seront capables de la prendre en charge. Ils ont deux enfants, un troisième à naître et rien d'autre que leur talent d'artistes. Et plein de rêves à réaliser !

Puisque Katerina ne fait pas le voyage maintenant, il y a beaucoup de choses à régler en ce qui la concerne. Par exemple, la caution à la République et au canton de Genève.

> Comme suite à notre conversation à vos guichets, je vous confirme ici mon prochain départ pour le Canada, (le premier jour de janvier). Ma mère, Madame Catherine Otzup-Gorny reste à Genève encore quelque temps, jusqu'à la venue de son visa pour les États-Unis (deux à trois mois environ). Je vous ai payé par acomptes, sur le montant de sa caution la somme de FRS600 ; le reste est garanti par une promesse de paiement de la Banque agissant au nom de l'International Rescue Committee, Genève (Directeur : Mademoiselle de Jager)[280].

Alida de Jager jouit d'une procuration d'Alexis et de Ludmilla pour

> recevoir pour eux toutes les sommes d'argent et autres valeurs qui leur sont destinées et [...] prendre en leur nom toutes les démarches qu'elle jugera nécessaires pour défendre [leurs] intérêts. [...] Cette autorisation est valable à partir du 10 janvier 1952, date de [leur] départ pour le Canada. Elle perdra sa validité le 31 décembre 1952[281].

Il y a les ententes avec Mouravieff qui semblent ne s'être réglées qu'une fois Ludmilla en route pour le Canada.

> Mademoiselle, je vous prie donc en mon absence et d'ici au moment du départ prochain de Mme Otzup d'effectuer les remboursements et mon versement pour sa caution, à Mlle de Jager. Tous les étudiants seront vôtres et je vous offre la pianiste gratuitement. J'espère que maintenant tout est ok (*sic*) entre nous. Et je vous prie de me confirmer cela par écrit à l'adresse de Alida de Jager[282].

Maintenant que la date du départ est connue, quelle effervescence route de Meyrin. Il faut faire le tri entre ce que l'on apporte avec soi et ce qui sera expédié à la compagnie maritime. Ludmilla entasse dans des caisses de bois des vêtements, des matelas, un lit d'enfant, un samovar et les choses auxquelles elle tient le plus. Alexis s'occupe de préparer ses tableaux et les met aussi dans des caisses de bois. La famille a le droit d'expédier mille livres à l'avance, par cargo, et peut apporter «tous les objets personnels qui sont en sa possession depuis six mois ou plus longtemps[283] ». Ils allaient retrouver le tout, à leur arrivée, à Halifax.

Il faut aussi préparer les effets de Katerina qui devra rester encore un temps. Ce départ différé de sa mère ne chagrine pas vraiment Ludmilla. Certes, elle lui serait utile à Toronto, où ils doivent s'installer, mais elle ne serait pas fâchée que les États-Unis, finalement, acceptent sa mère : Valia, pour une fois, se chargerait d'elle. Ludmilla s'entend avec Simone Tcheremissinoff pour qu'une des chambres, attenante au studio du beau-frère de Simone, soit mise à la disposition de sa mère, le temps que se règlent les questions d'émigration la concernant. C'est Larissa Mouravieff qui devra payer ce loyer à partir du revenu qu'elle tirera des classes de Ludmilla qui seront désormais les siennes. Hadu promet aussi de veiller sur Katerina.

Ce sera le dernier Noël en Suisse et Ludmilla le veut beau – une grande fête russe à laquelle elle convie les amis et celles de ses connaissances dont elle croit utile de s'attacher les faveurs – on ne sait jamais... Il y aura beaucoup d'embrassades, beaucoup d'adieux, dont la plupart seront définitifs.

> Je partais. J'avais fini par accepter que l'on m'aide parce que l'Allemagne nous avait tellement fait souffrir, mes parents et moi. Je partais parce que je ne voyais pas le jour où je serais acceptée en Suisse. Il me semblait que je n'atteindrais jamais le bon niveau social.

Ludmilla avait quelques bons amis suisses, mais la plupart de ses proches étaient, comme elle, des émigrés. Comme elle, ils étaient de passage. Et puis, peut être avait-elle fait le plein des apprentissages alors possibles ? « J'ai quitté la Suisse avec le grand regret de ne pas avoir réussi à y installer mes parents avant le décès de mon père. Par contre, je dois à la Suisse de m'avoir permis de développer mon art – ma méthode de travail – ce temps extraordinairement riche où, avec Alexis, on créait des scénarios, des ballets. J'ai su, dès lors, que par mes propres moyens je pouvais créer des ballets, former des danseurs, organiser des représentations qui étaient bien reçues du public. » De fait, c'est en Suisse que Ludmilla a appris le *comment* de ce qu'elle mettra en place à Montréal et qui deviendra les Grands Ballets Canadiens. « Si j'étais passée directement de l'Allemagne à Montréal, ça n'aurait jamais marché. »

Le 9 janvier, Ludmilla enfile un manteau sur lequel elle noue une écharpe. Elle prend le tram pour une dernière reconnaissance des lieux. Le paysage n'est déjà plus le même, pour elle. Au 16, Grand-Rue, les volets sont clos. Alors qu'elle se dirige machinalement vers la Cour Saint-Pierre, la Clémence sonne l'heure. Mais, si elle presse le pas, ce n'est pas pour rentrer, c'est plutôt que le froid lui mord les joues. Quand elle descend de la vieille ville, ses pas la mènent vers le Kursaal. Rue de la Cloche, quelques jeunes, qui auraient pu être ses élèves, se pressent vers l'entrée des artistes : l'École-Club de la Migros survivra[284]. Quai du Mont-Blanc, Ludmilla entend son père lui chuchoter à l'oreille combien il est fier d'elle, combien il l'aime. Et le bleu des yeux de Ludmilla vire au gris, comme le lac sur lequel la brume tarde à se lever.

Le 10 janvier 1952, il fait froid mais c'est ensoleillé. À la gare Cornavin de Genève, Hadu vient d'arriver par le train depuis Lausanne. Elle apporte des provisions pour le voyage. Simone Tcheremissinoff rassure Ludmilla – elle prendra soin de Katerina. Dans une valise de carton qui la suit depuis Berlin, Ludmilla a rangé ce qu'il faut pour Avdeij. « Ce n'était pas l'époque des couches de papier, dira Ludmilla. Il fallait langer les enfants, tout ramasser et laver les couches. Et nous ne savions pas quand nous arriverions au Canada ni dans quelles conditions. »

Alexis fait enregistrer ceux des bagages dont ils n'ont pas besoin jusqu'à Calais et il vient rejoindre sa famille et les amis, au Café de la Gare, pour un dernier café. Quand leur train entre en gare, le petit groupe est déjà sur le quai, Katerina ne retenant plus ses larmes. Encore un arrachement. Depuis Petersburg, sa vie n'aura été que cela – une suite ininterrompue d'arrachements.

Viennent les embrassades, les *à bientôt*, les *écris-moi*, les *oui-oui, dès notre arrivée* et c'est l'installation dans le wagon. Les enfants Chiriaeff sont bien jeunes, mais « Je me souviens de rentrer dans un wagon, dira Nastia, de me hisser sur un banc et, à genoux, de regarder par la fenêtre et, mon visage collé à la vitre, de voir une grande barrière se fermer devant ma grand-mère qui se tenait juste derrière. Je me souviens de cela comme d'une photo[285]. »

Ludmilla quittait la Suisse le jour de son vingt-huitième anniversaire de naissance, sans rien savoir de ce qui l'attendait – sauf qu'il faudrait encore organiser la vie. Encore recommencer...

Notes de fin de partie

1. Chez les Russes, on fait suivre le prénom du patronyme puis du nom de famille. Quand deux Russes se rencontrent, ils s'adressent l'un à l'autre en disant, par exemple, Nicolaï Lvovitch et non Monsieur Abramov.
2. Reval (aujourd'hui Tallinna) est la capitale de l'Estonie. Elle fait face à Helsinki, capitale de la Finlande, de l'autre côté du golfe du même nom.
3. Certains auteurs parlent de *Croisade vers le peuple*, de *Going to the People*, de *People's Will*, de *Narodnaïa Volia*. Les autorités suisses, dans leur correspondance de l'époque avec les Affaires étrangères de la Russie, parlent de *Volonté du peuple* comme d'un mouvement révolutionnaire qui aurait été actif de 1878 à 1881. En 1881, Jeliabov est exécuté pour avoir organisé l'assassinat d'Alexandre II. Ce mouvement perdurera et aura des activités terroristes au moins jusqu'au printemps 1887.
4. Que l'on nommera une *tolstovka*, dès lors que les intellectuels des villes la porteront.
5. Maria, une des sœurs de la mère de Ludmilla Chiriaeff. Les citations proviennent d'une traduction libre faite par Madame Chiriaeff et enregistrée sur cassette audio le 18 janvier 1996.
6. Les Radziwill sont de souche lituano-polonaise et ont acquis le rang de princes au XVIe siècle. Ils furent mêlés de près aux affaires de la Pologne. Au XIXe siècle, ils luttèrent contre l'annexion de celle-ci à la Russie. Il existe de nombreuses branches de Radziwill et il est fort difficile de préciser de quelle branche Aglaïa viendrait – d'autant que l'orthographe des noms varie selon qu'ils sont écrits à la française, à l'anglaise, à l'allemande, à la russe, à...
7. Rue droite sur l'île Vassilievski. Ce quartier était l'un des plus pauvres de Petersburg.
8. Alexandra, Katerina (mère de Ludmilla), Dimitri (Mitia), Maria et Yaroslav.
9. Il nous a été impossible de découvrir s'il s'agissait d'un groupe de discussion politique ou scientifique de même que l'endroit où le Comité avait ses quartiers.
10. Émile Tersen, « Les Russies de son siècle », dans Henri Troyat, *Tolstoï*, Paris, Hachette, 1965 p. 13.
11. L'équivalent du lycée en Allemagne, en Russie, en Suisse...

12. Vladimir Illitch Oulianov, plus tard connu sous le nom de Lénine, prendra la tête de la révolution d'octobre 1917.
13. P. Kerjentsev, *Vie de Lénine*, Paris, Éditions Sociales internationales, 1937, p. 26.
14. Depuis 1699, la Russie suit le calendrier julien et a pour ainsi dire douze jours de retard sur le reste du monde, jusqu'au XIXe siècle, et treize jours, du début du XXe jusqu'au 31 janvier 1918 où le lendemain sera le 14 février. Il faut tenir compte de ce fait quand on lit ce chapitre. La date est inscrite comme elle m'a été fournie. Il a été impossible, la plupart du temps, de préciser s'il s'agissait du calendrier julien ou du calendrier grégorien.
15. Les Allemands l'écrivent Otzup, les Français Otsoup ou Ossoup.
16. Écrivains prônant la clarté et la précision du langage poétique tout en en rejetant le mysticisme.
17. Nina Berberova, *C'est moi qui souligne*, Arles, Actes Sud, 1989, p. 95.
18. Coopérative agricole possédant la terre et les moyens de production.
19. Première police politique instaurée le 7 décembre 1917. Elle est l'ancêtre de la Guépéou et du KGB. TCHEKA est l'abréviation de Commission extraordinaire de la lutte contre-révolutionnaire, la spéculation et le sabotage.
20. Nina Berberova, *op. cit.*, p. 127.
21. Peter Watson, *Noureev*, Paris, Éditions 1, 1995, p. 19.
22. Voir la version non expurgée des *Cahiers de Nijinski* publiée chez Actes Sud/ Leméac en 1995.
23. Sergeï Gorny (Alexandre Otzoup), *Fsyakoïe Bivalo (Everything happened)*, Berlin, Éditions des écrivains de Berlin, 1927.
24. Extrait de *Juillet 1914*. Akhmatova est décédée en mars 1966. Elle avait épousé le poète Nikolaï Goumilev.
25. Mikhaïl Cholokhov, *Le Don paisible*, Paris, Omnibus, Presses de la Cité, 1991, p. 348.
26. Maxime Gorki, *Pensées intempestives, 1917-1918*, Lausanne, Éditions L'âge d'homme, 1975, p. 129.
27. Traditionnellement, l'angle de la pièce où étaient accrochées les icônes et la veilleuse, et que l'on décorait avec soin. Voir Anton Tchekhov, *L'île de Sakhaline*, Paris, Éditions Français réunis, 1971, p. 54.
28. Selon un document signé par le capitaine commandant Riabini, sur le *Shilka* de la flotte de Sibérie. Traduction Elena Egorov. Archives de la famille Chiriaeff (AFC). À moins d'indications contraires, les traductions du russe au français ont été faites par Madame Egorov et toute la correspondance entre Ludmilla, son père, sa mère et sa sœur provient des AFC.
29. Carl Grimberg, Ragnar Svanström et Geoges-H. Dumont, *Histoire universelle*, Tome 12, *De la faillite de la paix à la conquête de l'espace*, Belgique, Marabout universel, 1965, p. 5.
30. Mouvement socialiste puis communiste allemand. Le Spartakusbund a été dirigé par Rosa Luxemburg et Karl Liebknecht de 1914 jusqu'à leur assassinat en janvier 1919.
31. Alfred Whal, *L'Allemagne de 1918 à 1945*, Paris, Armand Collin, 1993, p. 10.
32. Ève Dessare, *Les Sacrifiés*, Paris, Olivier Orban, 1978, p. 51.
33. Cyril Buffet, *Berlin*, Paris, Fayard, 1993, p. 258.
34. Le prince Maximilien de Bade fut nommé chancelier le 3 octobre 1918 par Guillaume II. Le 10 novembre, il s'effacera pour laisser la place à Friedrich Ebert,

président du parti socialiste, qui deviendra le premier président de la République de Weimar.

35. Ce parti deviendra le Parti national-socialiste des ouvriers allemands (NSDAP), en décembre 1920, et Hitler en deviendra le président le 20 juillet 1921.

36. John Willet, *L'Esprit de Weimar, Avant-gardes et politique 1917-1933*, Paris, Seuil, 1991.

37. G. Castellan, *L'Allemagne de Weimar 1918-1933*, Paris, Armand Collin, 1969, p. 18.

38. John Fuegi, *Brecht & Cie*, Paris, Fayard, 1995, p. 79.

39. Lionel Richard, *La Vie quotidienne sous la République de Weimar*, Paris, Hachette, 1983, p. 9.

40. Alfred Whal, *op. cit.*, p. 26.

41. En Allemagne, Alexandre orthographiera son nom à l'allemande, Otzup au lieu de Otzoup. Pour ses publications, il sera Sergeï Gorny.

42. Carte d'identité.

43. Robert C. Williams, *Culture in Exile : Russian Emigres in Germany, 1881-1941*, London, Cornell University Press, 1972, p. 144.

44. Bryan Boyd, *Vladimir Nabokov*, Paris, Gallimard, 1990, p. 212.

45. Du nom du haut-commissaire aux réfugiés de la Société des Nations, Fridtjof Nansen. Cet explorateur du monde polaire a joué un grand rôle auprès des réfugiés. Il a proposé une carte d'identité pour les apatrides.

46. Robert C. Williams, *op. cit.*, p. 145.

47. Lionel Richard, *op. cit.*, p. 80.

48. Jürgen Schebera, « Exposition artistique et contestation », dans Berlin 1919-1933, *Autrement* n° 10, octobre 1991, p. 82.

49. Peter Gay, *Le Suicide d'une république, Weimar 1918-1933*, Paris, Calmann-Lévy, 1968, p. 165.

50. Lionel Richard, « Une identité contradictoire », dans Berlin 1919-1933, *Autrement*, n° 10, octobre 1991, p. 35.

51. Nikita Struve, *Soixante-dix ans d'émigration russe, 1919-1989*, Paris, Fayard, 1996, p. 15.

52. *Idem*, p. 15.

53. Glossaire, dans Berlin 1919-1933, *Autrement*, n° 10, octobre 1991, p. 261.

54. Vladimir Vladimirovitch Nabokov, *Autres rivages*, Paris, NRF Gallimard, 1989, p. 113.

55. Nikita Struve, *op. cit.*, p. 130.

56. *Idem*, p. 130.

57. Les Otzup, Nabokov, Berberova et plusieurs autres font partie des *Nevozvrachentsy*, ceux qui ont choisi de ne pas rentrer en Russie.

58. Nina Berberova, *op. cit.*, p. 167.

59. Écrivains russes.

60. Membre du groupe de l'Atelier des poètes, fondé en 1912 à Petersburg par Nicolaï Goumilev et Serguej Gorodetski. Les acméistes s'opposaient aux symbolistes. Outre Goumilev, les plus importants membres du groupe furent Anna Akhmatova et Ossip Mandelstam.

61. Nikita Struve, *op. cit.*, p. 224.

62. Nina Berberova, *op. cit.*, p. 207.

63. *Idem*, p. 352.

64. Bryan Boyd, *op. cit.*, p. 237.
65. Robert C. Williams, *op. cit.*, p. 312.
66. Bryan Boyd, *op. cit.*, p. 269.
67. Universum Film Aktiengesellschaft, fondée en septembre 1917 par Hugenberg avec l'appui de la DeutschBank. C'est aussi à cette époque que Lowe fonde ce qui deviendra la Metro Goldwyn Mayer.
68. Bryan Boyd, *op. cit.*, p. 237.
69. Lettre d'Alexandre Otzup-Gorny à sa fille Ludmilla, 26 mars 1947. Traduction Elena Egorov.
70. Lettre de Katerina à Ludmilla, le 10 janvier 1948, lui offrant ses vœux de bon anniversaire de naissance.
71. Entrevue du 5 juin 1996. J'ai procédé à de multiples entrevues avec Madame Chiriaeff entre novembre 1993 et août 1996. Nos échanges ont la plupart du temps été enregistrés sur des cassettes audio de 90 minutes chacune. Toutes les citations qui suivent, sauf indications contraires, proviennent de l'une ou l'autre de ces cassettes ou des nombreuses conversations téléphoniques avec que j'ai eues avec elle.
72. Lettre de Sandra Kukule, Legal advisor to the President of Latvia, Chancery of the President of Latvia, à l'auteure, le 20 février 2001.
73. Nina Berberova, *op. cit.*, p. 230.
74. Lettre de Valentina (Valia) à sa cousine Nathalka, non datée, mais après 1992. Traduction libre faite à l'auteure par Madame Chiriaeff.
75. Selon une lettre de Tania Otzoup, fille de Sergeïj, à l'auteure, le 17 juillet 1998. Toutes les citations suivies d'un * sont une traduction de l'auteure.
76. À Montréal, par exemple.
77. Tiré de *Ranneïïviesnoï*, Berlin, Éditions Parabola, Maison du livre étranger, 1933. Traduction libre faite par Madame Chiriaeff et enregistrée sur cassette audio par l'auteure.
78. Il venait d'être élu au Reichstag et s'occupait, cet été-là, de la foire mondiale de l'Air.
79. David Irving, *Goering, Le complice d'Hitler 1933-1939*, Paris, Albin Michel, 1991, p. 95 et 104.
80. Hermann Rauschning, *Hitler m'a dit*, Paris, Librairie Générale Française, 1979, p. 128.
81. La danse de caractère est une technique de danse théâtrale qui emprunte au folklore et aux danses nationales et qui tire son origine des ballets de l'époque romantique. Les danseurs de demi-caractère se voient attribuer des rôles comportant une grande part de jeu théâtral.
82. Lettre de « certification » datée du 1er novembre 1966 et venant d'Australie.
83. AFC.
84. Gonzague St-Bris, Vladimir Federovski, *Les Égéries russes*, Paris, Lattès, 1994, p. 42.
85. Traduction libre faite par Madame Chiriaeff.
86. Danseur, chorégraphe et pédagogue français au service du Ballet impérial de Russie de 1847 jusqu'à sa retraite, en 1904.
87. Volkov Solomon, *St-Petersburg, A Cultural History*, New York, The Free Press, 1995, p. 261.

88. Julian Braunsweg, *Braunsweg's Ballet Scandals, The Life of an Impresario and the Story of Festival Ballet*, London, George Allen & Unwin Ltd, 1973, p. 26. Cet auteur raconte la soirée en question.

89. Extrait de *Elle et moi*, dans *Ranneïïviesnoï, op. cit.*

90. *Idem.*

91. *Idem.*

92. *Idem.*

93. Lettre d'Alexandre à Ludmilla, 26 mars 1947. Traduction libre faite par Madame Chiriaeff.

94. Pierre Ayçobery, *La Société allemande sous le IIIe Reich, 1933-1945*, Paris, Seuil, 1998, p. 193.

95. Gitta Sereny, *Albert Speer, Son combat avec la vérité*, Paris, Seuil, 1997, p. 470.

96. Gilbert Krebs, dans *Berlin, Carrefour des années vingt et trente*, Institut d'Allemand d'Asnières, Sorbonne Nouvelle, 1992, p. 6.

97. Introduction à la section 4. « Retour de crise et violences politiques à la veille du troisième Reich (1929-1933) », dans *Autrement*, Berlin 1919-1933, n° 10, octobre 1991, p. 195.

98. Sebastian Hoffner, *Histoire d'un Allemand, 1914-1933*, Paris, Actes Sud, 2001, p. 131.

99. Cyril Buffet, *op. cit.*, p. 302.

100. Philippe Barrès, *Sous la vague hitlérienne, octobre 1932-juin 1933*, Paris, Plon, 1933, p. 127.

101. Erika et Klauss Mann, *Fuir pour vivre*, Paris, Autrement, 1997, p. 41. Ce livre a d'abord été publié aux É.-U., en anglais, en 1938.

102. Riess Curt, *Goebbels*, Paris, Fayard, 1956, p. 198.

103. Sebastian Hoffner, *op. cit.*, p. 179.

104. *The Third Reich, Storming to Power*, Virginia, Time-Life Books Inc., 1989, p. 156.

105. Selon Hermann Rauschning, dans *Hitler m'a dit* : « Le national-socialisme ne voyait que des avantages à utiliser ces divers concours pour ses fins particulières mais il n'a jamais considéré Skoropadsky comme un facteur politique sérieux », *op. cit.*, p. 121.

106. Nikita Struve, *op. cit.*, p. 226.

107. Sebastian Hoffner, *op. cit.*, p. 355.

108. Viktor Reimann, *Joseph Goebbels*, Paris, Flammarion, 1973, p. 16.

109. Philippe Barrès, *op. cit.*, p. 280.

110. Hermann Rauschning, *op. cit.*, p. 197.

111. Commentaire fait par Valia Boss, fils de Joséphine Boss, designer de costumes, lors de l'entretien qu'elle m'accordait le 9 septembre 1996.

112. Lettre du 6 janvier 1947, signée devant un notaire pratiquant à Goslar. Traduction libre de Madame Chiriaeff.

113. Lettre du 28 décembre 1946, traduction libre de Madame Chiriaeff.

114. Alfred Whalin, *Culture et mentalités en Allemagne 1918-1960*, Paris, SEDES, 1988, p. 202 et suivantes.

115. Cité par Viktor Reimann dans *Joseph Goebbels, op. cit.*, p. 212.

116. Pascal Normandin, *La Presse*, samedi 14 novembre 1998, p. H15.

117. Notes manuscrites laissées par Katerina à l'intention de ses deux filles et que Ludmilla nomme Mémoires.

118. Lettre du 26 mars 1947.

119. Extrait de *Elle et moi*.
120. Erika et Klauss Mann, *op. cit.*, p. 210.
121. Laurence Rees, *The Nazis, A Warning form History*, New York, The New Press, 1997, p. 237.
122. Kressmann Taylor, *Jour sans retour*, Paris, Autrement, 2002, p. 220.
123. Bryan Boyd, *op. cit.*, p. 495.
124. Lettre de Valia à sa cousine Natalia, déjà citée. AFC.
125. Lettre de John (Jonathan) E. Torres à l'auteure, 9 avril 1998.
126. David Irving, *op. cit.*, p. 258.
127. Jean Marabini, *La vie quotidienne à Berlin sous Hitler*, Paris, Hachette, 1985, p. 44.
128. Pierre Ayçobery, *op. cit.*, p. 140.
129. Audrey Salkeld, *A portrait of Leni Riefenstahl*, London, Pimlico, 1997, p. 118.
130. Lionel Richard, *op. cit.*, p. 228.
131. Lettre de Galina Brunot à l'auteure, janvier 2001.
132. Le Fonds d'archives Ludmilla Chiriaeff (FALC) conserve un télégramme adressé à Ludmilla, au théâtre, estampillé le 12 janvier 1944. Il y a aussi une lettre manuscrite de Margot Rewendt, du 26 novembre 1951, qui mentionne avoir donné des cours à Ludmilla de 1938 à 1944. Ludmilla l'appelle indifféremment Margret ou Margot Rewendt.
133. Gitta Sereny, *op. cit.*, p. 183.
134. Traduction de Madame Chiriaeff. AFC.
135. *Letters to Freya 1939-1945*, New York, Vintage Books, 1995. Voir, aux pages 281 à 290 inclusivement, un intéressant rapport que le Comte a remis à Lionel Curtis, daté du 25 novembre 1943, à Stockholm. Il y est aussi question de l'armée allemande, des camps de concentration, des assassinats, du moral des civils, de la Russie, de l'opposition au nazisme, de la résistance.
136. Cyril Buffet, *op. cit.*, p. 315.
137. *The Third Reich, Storming to Power*, *op. cit.*, p. 12.
138. Jean Marabini, *op.cit.*, p. 62.
139. Hermann Rauschuing, *op. cit.*, p. 133.
140. *The Third Reich, Storming to Power*, *op. cit.*, p. 41.
141. Anthony Read et David Fischer, *The Fall of Berlin*, New York, Da Capo Press, 1995, p. 5.
142. *Idem*, p. 41.
143. Née Cvitkevich. Dentiste de profession, elle était alors une étoile du cinéma muet. Elle a tourné aux côtés de Conrad Veidt, Emil Jannings, Otto Gebuehr, Lionel Barrymore. Elle a émigré aux États-Unis en 1949, avec sa fille Tania de qui l'auteure tient ces informations.
144. Elie Wiesel, *Tous les fleuves vont à la mer*, mémoires, Paris, Seuil, 1994, p. 269.
145. Lettre à l'auteure, le 23 mai 1998.
146. Dostoïevski.
147. Anthony Read et David Fischer, *op. cit.*, p. 67.
148. Adam LeBor, *Les Banquiers secrets d'Hitler*, Monaco, Éditions Du Rocher, 1997, p. 175 et suivantes sur son rôle d'aide financière.
149. *Le véritable Albert Göring*, diffusé à Grands Reportages, Radio-Canada, le 30 mai 2001.
150. Lettre de Tania à l'auteure, le 17 juillet 1998.
151. *Le Devoir*, 11 octobre 2003.

152. Myriam Anissimov, *Primo Levi ou La tragédie d'un optimiste*, Paris, JC Lattès, 1996, p. 165.
153. Paul Hilberg, *La destruction des Juifs d'Europe*, Paris, Folio, 1988, tome 11, p. 799.
154. Lettre de Galina Brunot à l'auteure, 23 mai 1998.
155. Questionnaire, non daté (mais avant 1980, compte tenu des informations qui s'y trouvent), retourné à Jill Officer, Dance Department, University of Waterloo, Ontario. FALC.
156. Traduction libre de Madame Chiriaeff d'une lettre de Harald Paulsen attachée à une lettre d'Alexandre à Ludmilla,1946. AFC.
157. Traduction de Madame Chiriaeff. AFC.
158. Paul Hilberg, *op. cit.*, p. 365.
159. Ce document est au FALC.
160. Là où loge aujourd'hui le ministère des Finances.
161. Selon Victor Klemperer, jusqu'au printemps de 1943, il était possible de soudoyer certains membres de la Gestapo, à Berlin. « *The corruption had got to such a point that recently the whole of the Berlin Gestapo had been exchange for the stricter Vienna Gestapo!* » Dans *I will bear witness 1942-1945*, New York, Modern Library, 2001, p. 230.
162. Il semble que ce soit à partir de ce moment que la famille n'utilise plus que Gorny comme nom.
163. Dès son arrivée à Goslar, Alexandre se présentera comme étant le capitaine Gorny, *Russian Interpretor*. Sauf quelques lettres à Ludmilla, toute sa correspondance jusqu'à son décès porte cette désignation comme en-tête.
164. Lettre numéro 59, Alexandre à Ludmilla, 27 octobre 1946.
165. STO : Service du travail obligatoire. Main-d'œuvre importée des territoires occupés et qui n'est pas destinée à la chambre à gaz ni au camp. Ces travailleurs, hommes et femmes, vivent dans des baraques pas très loin des usines ou des lieux de travail. Certains peuvent circuler après les heures de travail. Il y avait près de huit cent mille STO à Berlin, au printemps de 1944. Ils provenaient de vingt-six pays. À l'été, plusieurs étaient rapportés en fuite.
166. Notice faisant partie du dossier monté pour ses demandes d'immigration.
167. « *A complete set of false paper, consisting of a travel permit allowing the holder to leave Berlin without being arrested and shot, a military pass, and a "Z" card giving exemption from Volksstrum duty, cost 80 000 marks.* » Anthony Read et David Fischer, *op. cit.*, p. 257, 258.
168. Lettre d'Alexandre à sa fille, 26 mars 1947.
169. Lettre de Tania à l'auteur, 17 juillet 1998.
170. David Irving, *op. cit.*, tome II, p. 500.
171. Signature illisible, Goslar, 23 mars 1946. AFC.
172. Extrait d'un document émis à Goslar, le 23 mars 1946, sur papier à en-tête de l'Oberstadtdirektor des Stadtkreises. AFC.
173. Document émis à Goslar, le 21 février, sous la signature de J. De Bonneville, Major, Commanding 817 (R) Mil. Gov. Det. AFC.
174. Caroline Morehead, *Dunant's Dream, War, Switzerland and the History of the Red Cross*, London, Harper Collins, 1999, p. 501.
175. Selon le programme de la soirée. Même si l'année n'est pas indiquée, il faut en déduire qu'il s'agit de 1945. En 1946, elle est en Suisse et en 1944, l'armée britannique n'est pas encore sur le territoire de l'Allemagne.

176. Lettre de Ludmilla à ses parents, le 30 juillet 1946.

177. Cette Police fut créée en 1919, par crainte de l'envahissement de la Suisse par les étrangers, à la suite de la Première Guerre mondiale.

178. Lettre de Ludmilla à son père, 30 juillet 1946.

179. Lettre de Georg R. Von Schultness au capitaine Alexandre Gorny, Zurich, 26 septembre 1946. Traduction de l'allemand, Julien Leroux. FALC.

180. En 2001, il y avait même à l'étude un nième projet de loi sur la citoyenneté. Ce projet proposait de permettre à la troisième génération d'un étranger établi en Suisse d'obtenir la citoyenneté.

181. « Tu as rencontré le professeur Haenlein, comme cela, dans la rue, vraiment ? Et il n'a pas perdu connaissance quand il t'a vue ? Extraordinaire », écrit Alexandre à sa fille, le 31 août 1946.

182. Selon l'Agence France Presse, dans *La Presse* du 22 mai 1997.

183. En ce qui a trait au Théâtre municipal de Lausanne, outre les souvenirs de Ludmilla et les Archives du canton de Vaud, je suis redevable au magnifique ouvrage de Jean-Pierre Pastori.

184. Jean-Pierre Pastori, *Le Théâtre de Lausanne*, Lausanne, Éditions Payot, 1989, p. 107.

185. AFC.

186. Lettre du 6 mars 1947.

187. Paul Hilberg, *op. cit.*, p. 934.

188. Lettre de Jacques Béranger, directeur du Théâtre municipal de Lausanne, 20 janvier 1947. AFC.

189. Lettre du 14 mai 1947.

190. Roland Lorrain, *Les Grands Ballets Canadiens ou cette femme qui nous fit danser*, Montréal, Éditions du Jour, 1973, p. 7.

191. Lettre du 17 novembre 1946.

192. Lettre du 3 octobre 1946.

193. FALC.

194. Sur papier à en-tête de sa compagnie. Lettre écrite en allemand. Traduction de Julien Leroux. AFC.

195. Lettre de décembre 1946.

196. Jean-Pierre Pastori, *op. cit.*, p. 32. Le bureau du conseil d'administration exige que tous les textes lui soient soumis avant d'être mis en répétition.

197. AFC.

198. Lettre du 8 janvier 1947.

199. Lettre du 14 mars 1947.

200. Selon un extrait des registres de l'état civil de la ville de Nice, département des Alpes-Maritimes.

201. Rapport de sûreté. Archives du Département de justice et de police du canton de Vaud, 1/214-39, Bz/AB., 20 mars 1939.

202. Tiré d'un manuscrit d'Alexis sans titre et non daté, dont il existe deux versions. Le présent extrait est tiré de la version stylo-bille rouge.

203. Dominique Fabre, *Suisse*, Paris, Seuil, Petite Planète, 1955, p. 150.

204. Arthur Koestler, *Hiéroglyphes, Tome 1*, Paris, Calmann-Lévy, 1955, p. 189.

205. Note manuscrite d'Alexis Chiriaeff, rédigée le 7 août 1979. AFC.

206. Françoise Fornerod, *Lausanne, Le temps des audaces, Les idées, les lettres et les arts, de 1945 à 1955*, Lausanne, Éditions Payot, 1993, p. 14.

207. Dans le manuscrit cité plus haut, Alexis écrit en p. 3 qu'il a vingt ans quand il part pour Florence et qu'il y vit trois ans.
208. Chef de la division de police du Département fédéral de justice et de police, Berne, 13 juin 1939.
209. Jean-Jacques Eggler, archiviste adjoint, Archives de la ville de Lausanne, lettre à l'auteure, 31 octobre 1997.
210. Françoise Fornerod, *op. cit.*, p. 172.
211. Roland Lorrain, *op. cit.*, p. 10.
212. Selon l'extrait du Registre des mariages de l'arrondissement de l'état civil de Lausanne, Ludmilla serait née à Riga (Lettonie) le 10 janvier 1924, et, domiciliée à Goslar (Allemagne), se trouvait en séjour à Lausanne. Son état civil, de même que celui d'Alexis, est celui de «célibataire».
213. AFC.
214. Document signé à Rotterdam par Frans van der Spek. AFC. Traduction, Aline Masson. À moins d'indications contraires, les documents rédigés en allemand ont été traduits par Madame Masson.
215. Affaire 2R 276/46, document signé par J.A. Hardenberg, Justice de Paix de Braunschweig, Allemagne, estampillé 2 mai 1947. AFC.
216. Copie des minutes du notaire Charles Isoz. Cette information provient de la minute numéro 119, attestée à Lausanne, le 22 février 1947. AFC.
217. Lettre du 6 avril 1947.
218. Programme, Théâtre du Jorat, *La Lampe d'argile*.
219. Résumé de l'entretien du 26 avril 1947, à onze heures, avec Madame Ludmilla Chiriaeff-Gorny, p.1. AFC.
220. *Idem*, p. 1.
221. *Idem*, p. 3.
222. *Idem*, p. 3.
223. Lettre de Jacques Béranger à Alexis Chiriaeff, 29 avril 1947. AFC.
224. Dimanche 1er juin 1947.
225. J'ai retrouvé onze contrats, six signés en mai et cinq en juillet. Ces contrats valent pour la saison – soit jusqu'en septembre. AFC.
226. Dixième année, n° 9, 27 juin 1947, p. 1. Des rires, *des applaudissements*, «*Couchette n° 3*».
227. Signé X., samedi 31 mai et dimanche 1er juin 1947.
228. Un P.-S., non daté, dans les centaines de pages de la correspondance d'Alexandre à sa fille. Écrit de Lausanne, alors que lui et Katerina vivent avec Maria Petrovna Chiriaeff.
229. Lettre du 6 août 1947.
230. Lettre du 27 août 1947.
231. Roger d'Ivernois, *La Genève disparue*, Genève, Éditions Slatkine, 1993, p. 51.
232. Lettre du 1er septembre 1947.
233. Lettre du 28 août 1947.
234. Programme, Kursaal de Genève, saison 1947.
235. Numéro de référence 32645/46. Office cantonal de contrôle des étrangers, canton de Vaud.
236. Voir le programme du samedi 25 octobre 1947 où elle est désignée comme maîtresse de ballet du Kursaal de Genève.
237. FALC.

238. Élève et amie de Ludmilla Chiriaeff.
239. Lettre du 9 novembre 1947. FALC.
240. Extrait d'une lettre vraisemblablement datée de novembre 1947. Cette partie est rédigée en allemand, au milieu d'une lettre rédigée en russe.
241. *Gazette de Lausanne,* 6 mai 1969, dans Jean-Pierre Pastori, *op.cit.,* p. 114.
242. Lettre du 6 décembre 1947.
243. Lettre du 23 décembre 1947.
244. Lettre du 3 février 1948.
245. Lettre du 6 avril 1948.
246. Lettre non datée, sur papier à en-tête de sa résidence, Plaza Santa Catalina de los Donados n° 2, Madrid.
247. J'ai rencontré Hedwige Lämmler, lors de deux voyages en Suisse, d'abord chez elle à Moudon, à l'automne 1997, et à nouveau à Lausanne, au printemps 1999.
248. Les femmes ont eu le droit de vote en 1991, après l'intervention du Gouvernement fédéral, la population locale étant encore majoritairement contre.
249. AFC.
250. Document non daté, non signé, reçu du petit-fils de Valia et Henry, John (Jonathan) Torres, le 4 septembre 1998.
251. Archives de la République et du Canton de Genève, Département de Justice et de Police.
252. Catalogue des courts-métrages français de fiction 1929-1950, p. 86, citation 436.
253. *Idem,* p. 86, citation 436.
254. *Curieux,* 27 octobre 1949, article signé B.-C. G. C'est Raïevski qui a signé le scénario.
255. À moins d'indications contraires, toutes les citations de Charles Reiner proviennent d'une entrevue qu'il m'a accordée, à Montréal, le mardi 23 juin 1998.
256. *Nouvelle Revue de Lausanne,* 7 octobre 1949.
257. Paul Legros, Paris, 31 octobre 1949. AFC.
258. 17 octobre 1949. AFC.
259. Signature illisible, Paris, le 18 avril 1950. AFC
260. 19 décembre 1949. AFC.
261. Paul Legros, Paris, 31 octobre 1949. AFC.
262. AFC.
263. Ludmilla est tantôt Gorny, tantôt Chiriaeff, dans les documents de la période suisse de sa carrière.
264. Je n'ai pas été en mesure d'identifier qui est ce B.B.
265. Prof. A. Dutte, dans *De la peinture et du peintre, Alexis Chiriaeff,* p. 14, in-quarto, non daté. Texte publié aussi en allemand et en russe.
266. Aucune étudiante n'est prénommée Patricia dans les listes des élèves de cette époque.
267. Fondée à Genève en 1946, cette organisation devient le Haut-Commissariat des Nations Unies pour les réfugiés, en 1951.
268. Lettre de Marjorie Gully à Ludmilla, 26 juillet 1951. FALC.
269. Voir la copie de l'Application for Registration. AFC.
270. Carlos Wright, directeur Vitrum S/A, São Paulo, 25 décembre 1950. AFC.
271. Lettre de Alida de Jager, Genève, 20 février 1951. AFC.
272. Lettre du 28 février 1951. AFC.

273. Sorte de pomme grise à la peau fripée et assez peu prisée au Canada, à cause de sa vilaine apparence, selon Pierre Foglia dans *La Presse*, 24 août 2002.
274. Georges Peillex, *Tribune de Lausanne*, 1951, p. 6.
275. 9 juin 1951, numéro 5922. Signature illisible.
276. Roger d'Ivernois, *op. cit.*, p. 51.
277. Agence générale d'émigration et de passages (Danzas), Genève, 18 décembre 1951. AFC.
278. AFC.
279. Lettre du directeur artistique, M. Zimmermann, le 12 décembre 1951. Traduction de l'allemand, Julien Leroux.
280. Copie d'une lettre manuscrite, non datée, adressée à la Police des étrangers, à Genève. AFC.
281. Signée à Genève, le 9 janvier 1952.
282. Cette lettre m'a été lue par Ludmilla et enregistrée sur cassette audio le 12 juillet 1995. Je n'en ai pas la date.
283. Préposé aux visas. Légation du Canada à Berne, 5 janvier 1952. AFC.
284. Selon Manon Hotte, qui m'a accordé une entrevue à Genève le 28 octobre 1997, la Migros avait encore une section culturelle, avec des cours de danse, à l'automne 1997.
285. À moins d'indications contraires, toutes les citations d'Anastasie Chiriaeff (Nastia) proviennent d'une entrevue qu'elle m'accordait le 7 août 1996 ou de l'un des multiples échanges que j'ai eus avec elle depuis 1995.

À vrai dire

À la veille d'entreprendre une nouvelle vie, Ludmilla est enfermée dans une identité dont elle ne pourra plus se défaire.

En Allemagne, elle était Ludmilla Otzup, née à Berlin en 1924, seconde fille d'Alexandre et de Katerina. Durant la guerre, elle était danseuse sous contrat avant d'être réquisitionnée par le Service du travail obligatoire pour une usine d'armements près d'Oranienburg. À la fin de la guerre, elle était devenue Frau Ludmilla van der Spek, après son mariage avec Frans.

À son arrivée en Suisse, Ludmilla est Otzup-Gorny, née à Riga, en Lettonie. Elle est l'unique fille de ses parents. Elle est célibataire, danseuse de profession, a souffert sous les nazis et s'est évadée du camp d'Oranienburg.

Au moment d'épouser Alexis, Ludmilla doit trouver des témoins complaisants qui certifieront qu'elle est qui elle affirme être.

Et quand viendra le temps de déposer des demandes d'émigration, il ne lui sera plus possible de rectifier le tir. Il était d'ailleurs avantageux que les choses en restent là : les organisations internationales pour les réfugiés se portaient garantes de leurs protégés et finançaient leur voyage et leur installation dans les pays d'accueil.

Avant de la juger, il faut garder en mémoire que Ludmilla est une survivante. Dès l'adolescence, pour elle, « la fin justifie les moyens ». Quand elle et les siens ont faim, qu'ils n'ont plus de toit pour dormir, que son père est dénoncé à la Gestapo, rien ne l'arrête. Rien ne l'arrête pour fuir le travail forcé en usine. Rien ne l'arrête pour sortir d'Allemagne. Rien ne l'arrête non plus pour danser. Parce que danser, c'est ne pas mourir.

Deuxième partie

L'Amérique

De rares individus survivent à l'oubli mais on les mentionne souvent sans connaître leur œuvre, sans avoir approfondi leur action et sans se soucier des contraintes que leur imposait leur époque.

Léon Dion (Québec 1945-2000)
Les Intellectuels et le Temps de Duplessis

Avant-dire

Hourrah ! Maman, la terre. Nous sommes arrivés. Quel bonheur. Je suis prête à oublier comme je me suis sentie mal durant toute la traversée[1].

La traversée, depuis Southampton, est difficile. Le bateau est petit et surchargé. La cabine occupée par les Chiriaeff est minuscule, avec deux couchettes. Chacun y dort avec un enfant et Ludmilla est malade tout au long du voyage. Elle a des nausées, et la peur de perdre l'enfant qu'elle porte ne la quitte pas. Elle reste dans la cabine, couchée, même si l'aération y est mauvaise. Alexis monte sur les ponts, avec les enfants. Une semaine, comme cela. Ils ont embarqué à bord du *S.S. Homeland* le jeudi 17 à neuf heures trente.

> Ce petit bateau était très beau mais tellement petit pour l'océan que même par beau temps, il était ballotté par la vague. J'avais terriblement mal au cœur et même les médicaments ne me soulageaient pas. [...] Tout le personnel et pratiquement tous les passagers sur le bateau étaient Allemands. Il y a quelques années, maintenant, que je n'ai pas côtoyé les Allemands et je dois te dire que je ne les aime pas plus qu'avant. Tu imagines, mille Allemands ennuyants et désagréables... À vingt et une heures, le 24 janvier 1952, le *S.S. Homeland* accoste au quai 21, à Halifax. Le bateau s'est arrêté, et en une seconde, je n'ai plus eu mal au cœur. Dehors, le ciel était violâtre.

Après le débarquement, il faut se soumettre aux formalités de l'immigration canadienne et récupérer les caisses de bois dans lesquelles ont voyagé leurs effets. Le jour se lève sur la ville d'Halifax. Il y a de la neige mais pas de brume et une intense activité règne dans le port.

> On est sur le bateau, se souvient Nastia, et les deux parents doivent quitter la pièce où nous sommes pour les papiers ou quelque chose comme cela. Nous, on est assis sur un banc de bois. Avdeij est comme

ça, à côté de moi, et quelqu'un vient nous donner des biscuits et du lait. Et moi, je pleure. Je ne mange pas les biscuits et je ne bois pas le lait. Je donne le tout à mon frère, qui mange les biscuits et boit le lait. Il y a en face de moi une dame qui allaite son enfant et qui me parle en russe. Qui me dit que les parents vont revenir.

Sur le quai vont et viennent quantité de gens. Certains entrent dans un hangar, en fait l'entrepôt 21, face au *S.S. Homeland*. Après un certain temps, ils reviennent au bateau chercher les leurs, ou leur mince bagage, et, munis d'un document de l'immigration, ils prennent place dans la file Toronto ou la file Montréal. Les documents remis à Ludmilla sont estampillés du 25 janvier 1952, bien que datés du 24. Ils portent la signature de Ludmilla avec, dans un cas, en dessous : «La personne susmentionnée a été admise au Canada comme *landed immigrant* (Veuillez garder la présente carte qui est requise pour le dédouanement; elle vous servira aussi à d'autres fins)» – et dans l'autre cas, au-dessus de sa signature : « *To be shown to examining officer at port of arrival* – Carte d'identité à être présentée à l'examinateur[2]».

Au bout de quelques heures, tous les arrivants sont dirigés vers un grand édifice où plusieurs rangées de bancs de bois et de chaises les attendent, au centre. Le long des murs, des valises, des boîtes et des caisses de bois sont entassées. Pendant un moment, toutes sortes de langues recouvrent les pleurs d'enfants, puis on n'entend plus que quelques chuchotements. Derrière une longue table, face à l'assistance, des officiers de l'immigration prennent place et l'un d'entre eux souhaite à l'assistance la bienvenue au Canada.

Même si la majorité des nouveaux arrivants ne comprennent rien au message qui leur est livré en anglais, ils écoutent religieusement. Puis, à l'appel de son nom, chacun se présente à la table. Le 25 janvier, les Chiriaeff sont autorisés à retirer leurs effets : «un poste de radio Philips, des vêtements, de la literie, des tableaux, des effets personnels[3]», le tout d'une valeur de mille deux cent deux dollars.

Et c'est le train pour Toronto. Ludmilla parle d'un train pour réfugiés qui, sans s'arrêter à Montréal, les mène directement à Toronto. Au quai 21, c'est le CN qui, à l'époque, possède et administre la circulation ferroviaire. Mes recherches ne m'ont pas permis de m'assurer des horaires ni des trajets qu'ont empruntés les Chiriaeff depuis Halifax. Selon toute vraisemblance, l'Intercolonial venant d'Halifax faisait un arrêt à Québec et à Montréal d'où, habituellement, il fallait prendre un train du Grand Tronc pour se rendre à Toronto. Il se peut toutefois que les services de l'immigration aient réquisitionné un train spécial pour l'occasion.

Les Chiriaeff passeront les quarante prochaines heures dans ce train pas très confortable. Ils se familiariseront avec les accents de leur nouveau pays. Ludmilla ne comprenait pas le français qu'on lui parlait. Quand elle demande où elle peut changer les langes de son fils, on lui répond :

« Quoi ?
— Le petit, où je peux le langer et...
— Ah ! l'changer d'couche. V'nez par icitte. »

Pendant de longues heures, ils regardent défiler le paysage.

> Tu ne peux pas imaginer, mais je te l'assure, écrit-elle à sa mère, que nous sommes arrivés en Russie. [...] la quantité de neige, les forêts, les petits villages avec les petites maisons de bois ou de briques. Comme en Russie, les traîneaux avec les chevaux et la neige, la belle nature, les grands espaces. Il a fallu douze heures pour voir la première grande ville, Québec.

> Alexis ajoute que les petites maisons sont déposées n'importe comment dans les champs – qu'il y a partout de grands espaces, sans fin, comme en Russie[4].

Ces deux-là parlent de la Russie comme s'ils venaient d'en sortir, alors que ni l'un ni l'autre n'y a mis les pieds. À Toronto, ils expédient un télégramme à Katerina.

> Très bizarre. Étrange, la ville est morte. [...] Ma chère maman, peux-tu imaginer ? Personne n'habite le centre-ville...[5]

Le lundi 28 janvier, les Chiriaeff se présentent au bureau de l'International Rescue Committee (IRC), organisme qui a parrainé leur relocalisation au Canada. Là, ils sont interviewés. Là, on tente de voir ce qu'ils peuvent faire et de les aider à organiser leur vie pour quelque temps. Finalement, un monsieur explique, en anglais, qu'il n'y a vraiment rien pour des artistes comme eux à Toronto. Il offre de leur trouver de l'emploi dans la restauration, le temps qu'ils apprennent la langue : ni Ludmilla ni Alexis ne maîtrisent l'anglais. Quand Ludmilla demande s'il n'y a pas quelque chose en français, il leur propose d'aller à Montréal où la famille Ballantyne pourrait sans doute les aider, Monsieur Ballantyne étant le président de la division canadienne de l'IRC.

Ludmilla est soulagée. « Je ne sais par quel incroyable instinct j'ai demandé quelque chose en français, mais tout me déplaisait dans ce lieu. Je me sentais comme si j'étais d'une autre espèce. Ces gens qui nous posaient des questions ne montraient aucune sensibilité aux arts, à la culture. *I can give you jobs in restaurants*, qu'il a fait. Nous étions des artistes, pas fille de table ou plongeur ! » En outre, une lettre du bureau de New York de l'IRC, qu'on leur a montrée à Toronto, laissait entendre qu'ils ne pourraient toucher les deux mille cinq cents dollars prévus ; le Fonds de Réparation administré par l'IRC étant à sec, leur versement futur était devenu incertain[6].

Rentrés à l'hôtel, les Chiriaeff refont les valises. Le lendemain, ils prendront le train pour Montréal..

Chapitre 1

Le Québec de 1950

Ludmilla arrive dans un pays dont elle ne connaît rien. Pour elle et Alexis, il s'agissait de s'établir quelque part où ils pourraient réaliser leurs rêves. Alors, le Canada ou ailleurs... Le Canada parle anglais sauf au Québec, où les Canadiens français tentent de préserver la langue et la culture qui étaient celles de cette partie du monde jusqu'en 1759[7].

Le Canada du début des années 1950 revient à une économie de paix, mais il se sera beaucoup transformé depuis la crise qui a suivi le krach de 1929. D'un pays où plus du tiers de la population vivait alors sur une ferme, il s'est converti, durant la guerre, en producteur de munitions et d'armements pour les alliés européens. Il connaît, depuis, une forte augmentation des investissements étrangers et de la production.

Les besoins de l'industrie de guerre font apparaître de graves lacunes dans la formation et la qualification de la main-d'œuvre. Les gouvernements de tous les paliers s'en préoccuperont dès après la guerre ; leurs interventions engendreront des conflits, dont certains font encore l'objet de contentieux entre le gouvernement fédéral et celui de la province de Québec.

Le Québec dans lequel débarque Ludmilla est celui des processions, des reposoirs, des mois de Marie et des prières à la croix du chemin. Un Québec où l'Église catholique est omniprésente et omnipotente[8], où tout est catholique : les coopératives, les syndicats, les chambres de commerce, les organisations de loisirs, etc. ; où la religion règle la vie de tous les jours et de toutes les nuits ! Où le mariage entraîne généralement pour une femme la perte de son emploi.

Peu d'institutions collégiales existent, hors les séminaires. Les filles n'ont pratiquement pas accès à l'université et les études classiques sont réservées à l'élite – dont on espère qu'une bonne partie embrassera la prêtrise[9]. Sauf pour quelques écoles en milieu rural, l'éducation est donnée par les membres de communautés religieuses de femmes et d'hommes, les unes s'occupant des filles, les autres des garçons. Ce sont aussi les communautés religieuses de femmes qui possèdent et administrent les hôpitaux. Jusqu'à l'instauration d'un régime provincial d'assurance-hospitalisation, en 1961, seul l'hôpital Sainte-Justine, à Montréal, est entièrement laïque et dirigé par des femmes bien que du personnel religieux y travaille[10].

Selon Gérard Pelletier, « jusqu'en 1945, nos intellectuels étaient fort discrets. Les ecclésiastiques et les politiciens occupaient toute la place, monopolisant toutes les tribunes et, dans leurs rangs, les hommes de culture étaient plutôt rares[11]. » Il y a bien quelques voix qui s'élèvent, dans ce Québec qui voit des péchés partout, qui craint l'enfer et le communisme, mais la ligne de pensée est définie et rappelée en chaire chaque dimanche. À l'époque, même la radio est utilisée pour rappeler les valeurs traditionnelles au cours d'émissions comme *L'Heure catholique*, à CKAC, ou le chapelet en famille, à la même station radiophonique.

Il reste que, si la guerre entraîne des repositionnements sur les plans politique et économique, elle a aussi un effet important sur le mode de vie et la culture. Les élites traditionnelles voient leur emprise commencer à se défaire. La doctrine officielle n'est plus nécessairement tenue pour acquise et ce qui, hier encore, était certitude ne l'est plus autant dans une société dont les lézardes se révèlent plus difficilement colmatables. Ici et là s'installe la contestation du régime en place – qu'il soit religieux ou politique. Cela commence dans l'imaginaire de quelques beaux esprits. Cela finira par s'installer et donner naissance au Québec moderne.

La période de prospérité qui suit la guerre permet à plusieurs, dès la fin des années 1940, d'accéder au royaume de la consommation. Les nouveaux logements et l'électrification des municipalités rurales rendent possible l'installation des électro-ménagers que vantent les hebdomadaires et certains périodiques s'adressant au lectorat féminin.

L'accès au savoir et à la culture suivra, bien que très inégalement réparti. Vers 1945, il n'y avait au Québec qu'une quarantaine de bibliothèques publiques situées surtout dans les grandes villes. Plusieurs œuvres y étaient encore rangées dans « l'enfer », ces rayons où les livres mis à l'Index[12] étaient soustraits au regard des lecteurs. L'Index sera levé au Québec à la faveur du concile Vatican II. Quelques libraires offraient un fonds intéressant où s'approvisionnaient les intellectuels d'alors. Le plus célèbre des libraires de l'époque, Henri Tranquille, a de la sorte initié aux belles-lettres quelques générations de Canadiens français.

Certains auteurs canadiens-français commencent à être publiés et à rayonner, même en France. Sur les questions économiques et sociales, Édouard Montpetit et Esdras Minville feront école dès les années 1930. Plus tard, les romans de Claude-Henri Grignon, de Germaine Guèvremont, de Robert Choquette et de Jovette Bernier seront repris à la radio, précédant de peu les Gabrielle Roy et Roger Lemelin. De jeunes poètes laisseront aussi leur marque à l'étranger : Hector de Saint-Denys Garneau, Rina Lasnier, Anne Hébert, Alain Grandbois. En plus d'être publiés en France, certains auteurs canadiens-français y remportent des prix : Germaine Guèvremont, le prix Sully-Olivier pour son *Survenant* et Gabrielle Roy, le prix Fémina pour *Bonheur d'occasion*.

Si les Canadiens français lisent peu, ils fréquentent davantage les cinémas, dont un bon nombre s'ouvrent alors à l'extérieur des grands centres. Pour les films en langue française, ce sont France Film et la Compagnie cinématographique canadienne qui approvisionnent la plupart des salles à partir de la décennie 1930. C'est d'ailleurs cette dernière compagnie qui obtient le visa pour présenter *Danse solitaire*, à Montréal.

Mais ce qui a toujours attiré les Canadiens français, c'est le théâtre de variétés. C'est le seul endroit où l'on peut parler de sexe sans que ce soit péché. Et ce théâtre est à son apogée durant cette période, avec Ti-Zoune (Olivier Guimond père) et Rose Ouellette, surnommée La Poune. Jean Grimaldi et sa troupe sillonnent le Québec et tournent même à l'étranger. C'est à lui, que l'on surnomme le papa des artistes, « que la Bolduc (Mary Travers), alors au sommet de sa popularité, a demandé d'organiser des tournées[13] ». Les années 1940, ce sont aussi les belles années de la carrière d'Alys Robi, qui se produit au célèbre Morroco. Née dans la basse ville de Québec, elle connaîtra une carrière internationale sans précédent avant de sombrer dans la maladie mentale.

Montréal est aussi renommé pour ses nombreux cabarets où l'on peut boire, manger et danser en écoutant les meilleurs orchestres de l'époque. Les nuits de Montréal, chantées par Charles Trenet qui y séjourne régulièrement, sont un attrait touristique encore important de nos jours. Au Victoria Hall, Johnny Holmes et son musicien vedette, Oscar Peterson, font danser les couples. Durant cette période, les amateurs de jazz se réunissent au Café Saint-Michel, face au Rockhead's Paradise. Le Quartier Latin, lui, reçoit Piaf, qui y introduit ses protégés Roche et Aznavour. Ces derniers s'installeront ensuite au Faisan Doré[14], animé par Jacques Normand. C'est ce cabaret, logé au 1417 du boulevard Saint-Laurent, qui verra l'éclosion du duo, prélude à la carrière internationale de Charles Aznavour. Y chantent aussi une étudiante infirmière, Monique Leyrac, Denise Filiatrault et un garçon de table, Raymond Lévesque. Jacques Normand officiera plus tard au Saint-Germain des Prés, dans le sous-sol du Continental, rue Saint-Urbain. C'est là que Clémence Desrochers fera ses débuts de même que Pauline Julien, dans les années 1950.

Le Montréal de cette époque, c'est aussi le Red Light, avec ses quelque trois cents bordels. Durant les meilleures années, ces maisons closes s'éparpillaient entre les rues Sainte-Catherine et Lagauchetière, au sud, et partaient de Saint-Laurent pour s'arrêter à Saint-Denis. Juste au coin de Saint-Laurent et de Sainte-Catherine, le Gayety laissait la célèbre Lili Saint-Cyr s'effeuiller avant de se prélasser dans un bain de mousse, devant des spectateurs qui en redemandaient. Selon Jean-Claude Germain, « la Saint-Cyr n'est pas seulement une effeuilleuse [...] C'est une bonne danseuse qui a reçu une certaine formation de ballet-jazz et qui jouit d'une imagination fertile. [...] Son numéro forme un ensemble du début à la fin, c'est ce qu'on appelle dans le monde du ballet un argument[15]. »

Puis, il y eut *La petite Aurore, l'enfant martyre*. D'abord présenté au théâtre, ce mélodrame fera l'objet d'un film dans lequel Aurore est interprétée par Yvonne Laflamme, plus tard une des élèves de Ludmilla et danseuse aux Grands Ballets Canadiens. En 1948, Gratien Gélinas présentera *Ti-Coq*, au Monument-National. Près de trois cent mille Canadiens français verront cette pièce qui obtiendra un succès considérable au Canada et à Chicago. Par ailleurs, à l'automne 1951, Félix Leclerc monte *Le P'tit Bonheur*, à Paris. Sa pièce avait été jouée avec succès, à Montréal, deux ans plus tôt. Montréal a une longue tradition théâtrale. Quantité de pièces y ont été présentées, depuis les dernières décennies du XIXe siècle, en yiddish, en anglais et en français, tant par les comédiens d'ici que par des artistes étrangers en tournée. Les années 1950 verront naître Les Apprentis Sorciers, Le Quat'Sous, le Théâtre de Dix Heures.

À cette époque, la Société des concerts symphoniques de Montréal[16] présente ses soirées au Plateau, sous la direction de Wilfrid Pelletier, mais la salle y est petite et plusieurs amateurs de belle musique doivent rester à la porte certains soirs. Le Forum offrait aussi une piste de danse où Tommy Dorsay et son orchestre se produisaient avec Buddy Rich et un certain Frank Sinatra, dont le nom était encore à faire. À d'autres moments, le Forum se transformait en théâtre pour accueillir le Metropolitan Opera. Durant la même période, des artistes canadiens-français se produisaient en Europe : Raoul Jobin et Jacques Gérard, entre autres, ainsi que Léopold Simoneau et Pierrette Alarie, vedettes de l'opéra à New York comme à Paris.

De cette période sont sortis de grands peintres : Marc-Aurèle de Foy Suzor-Côté, Clarence Gagnon, Jean-Paul Lemieux, Marc-Aurèle Fortin, René Richard, Paul-Émile Borduas, Alfred Pellan, Stanley Cosgrove, Jean-Paul Riopelle. Le 9 août 1948, un groupe d'intellectuels et d'artistes, gravitant autour de Borduas, lancent, chez le libraire Henri Tranquille, le *Refus global*[17]. Tiré à quatre cents exemplaires, ce manifeste appelle à une création enfin libérée de l'Église et de l'État. Moins d'un mois plus tard, Borduas perdra son poste de professeur à l'École du meuble de Montréal : dans le Québec d'alors, il n'est pas bon de remettre en cause l'ordre établi. Borduas mourra à Paris, en 1960, dans la plus grande misère.

Paris fut le lieu d'exil de nombre d'intellectuels et d'artistes canadiens-français. Pour d'aucuns, il s'agissait plutôt d'un lieu de formation. Si les Canadiens anglais de l'époque allaient à Londres pour parfaire leurs études, les Canadiens français allaient à Paris. Quelques-uns y ont obtenu la reconnaissance de leur talent et une certaine gloire, le plus grand nombre acquérant suffisamment de confiance en eux-mêmes pour rentrer à la maison et y mener une carrière.

C'est dans ce Québec où la contestation de la pensée unique, d'abord chez les intellectuels puis chez les artistes, rejoint les rangs des travailleurs et même des mouvements d'action catholique que Ludmilla et les siens s'installent. Montréal compte alors un million d'habitants, dont la plupart ne sont pas nés sur cette île, posée au milieu du Saint-Laurent.

Chapitre 2
Recommencer

À l'arrivée des Chiriaeff, Montréal est sous la neige. La gare Windsor, où ils descendent, est un magnifique bâtiment ouvert en 1889 et situé dans la côte de la rue Peel. En plus d'être une gare de marchandises, elle offre aux voyageurs «une superbe salle des pas perdus, une autre salle d'attente pour les dames, un salon de barbier, une vaste salle à manger et même une salle de toilettes qui comportait des baignoires et des douches[18]. »

Dans la série télévisée *Propos et confidences*, présentée à Radio-Canada en 1977[19], Ludmilla raconte qu'ils arrivent à la gare Windsor à vingt-trois heures trente et que là, quel hasard! elle reconnaît le docteur Roudneff, qui quittait Montréal. Il lui aurait donné l'adresse d'une pension mais un peu trop loin pour y marcher avec les valises et les deux enfants. La petite famille aurait marché dans Peel, depuis la gare jusqu'à un restaurant, le Honey Dew, où Alexis et les enfants auraient mangé quelque chose. Et Ludmilla serait sortie à la recherche d'un hôtel. C'est à ce moment qu'au coin de la rue Sainte-Catherine, Ludmilla aurait vu son nom par-dessus une de ces montagnes de neige qu'il y avait de chaque côté de la rue. «J'ai dit : c'est vraiment pas possible, je commence à avoir des hallucinations [...] Je regarde encore une fois et de loin je vois : Ludmilla Chiriaeff, *Danse solitaire*. [...] C'est vraiment quelque chose d'incroyable de venir dans un pays et, le premier jour, de tomber sur son nom... »

La réalité dans tout cela? Le 23 janvier, Montréal est enseveli sous la neige et le 31, les rues ne sont pas encore dégagées parce que la Ville manque d'argent et que seulement vingt pour cent du personnel est à l'œuvre. Des bancs de neige, il y en avait partout. Il était aussi très difficile de circuler à pied et pour une femme enceinte de huit mois, monter la côte de la rue Peel avec des valises... Il est plus plausible de penser que cette première nuit, ils dormiront sur les bancs de la gare...

Sur la recommandation de qui se sont-ils retrouvés chez les Fortin ? Toujours est-il que Ludmilla et les siens logeront pour quelques semaines au 1939, rue Saint-Luc, entre Sainte-Catherine et Maisonneuve. Charles-Émile Fortin et sa femme les ont accueillis comme s'ils étaient de la famille. « Ils nous ont donné de la chaleur et de l'amitié », dira Ludmilla. Ils ont aussi gardé les enfants quand les Chiriaeff devaient sortir et que Katerina n'était pas encore là.

Les Fortin étaient religieux, et se regroupaient chez eux douze hommes que Ludmilla appelait les apôtres. Ludmilla ne saurait dire s'il s'agissait d'une société secrète ou s'ils se réunissaient pour prier. À cette époque, on disait le chapelet en famille. Après souper, tout le Québec syntonisait CKAC, qui retransmettait la prière dite par monseigneur Paul-Émile Léger, en présence d'invités. Les journaux annonçaient d'ailleurs régulièrement l'émission. Ainsi, le 31 janvier 1952, « les invités seront des membres du Service des incendies de la Ville de Montréal. Demain, dimanche, l'émission sera diffusée à sept heures quinze et réunira les membres du Conseil particulier Saint-Georges de la Société Saint-Vincent-de-Paul[20]. » Les Fortin et leurs pensionnaires faisaient probablement comme tous les Québécois catholiques : ils s'agenouillaient pour dire le chapelet.

Ludmilla prend ensuite contact avec Murray Ballantyne, à son bureau du Vieux-Montréal. Ce que les Montréalais appellent affectueusement le Vieux s'étale le long du port d'est en ouest et remonte vers la rue Sainte-Catherine. Y logent des entrepôts d'importateurs et de grossistes, l'hôtel de ville, le palais de justice, de nombreux avocats, les quotidiens *La Presse, Le Devoir, The Star* et *The Gazette*. S'y trouvent aussi la rue Saint-Jacques avec ses banques, la Bourse et la basilique Notre-Dame. La première fois que Ludmilla est allée rencontrer Monsieur Ballantyne, c'était dans la rue Saint-Alexis, dans le Vieux-Montréal. « Son bureau avait des murs très hauts et très sombres, comme les bureaux d'avocat ou de notaire. Il était historien et professeur à l'Université McGill. Il parlait français avec un accent impeccable. Et il était catholique, ce qui m'a surpris pour un Anglais. » Ce fils de sénateur était un ami des familles de Georges Vanier et de Jules Léger, père d'une famille nombreuse et il habitait Westmount. À cette époque, sa femme tient une école privée, la *Priory School*, au 3120 The Boulevard, où les enfants Chiriaeff commenceront plus tard leurs classes. Voyant l'état de Ludmilla, Monsieur Ballantyne organise un rendez-vous pour elle à l'hôpital Royal Victoria et lui remet non seulement l'adresse du médecin à rencontrer mais aussi de l'argent pour régler les honoraires.

Et de Genève arrive cette lettre :

> [...] Votre lettre me donne entièrement confiance que c'est la providence qui vous a conduits là-bas pour bâtir pour vous et vos enfants une nouvelle existence, meilleure et plus heureuse que vous ne l'avez connue durant ces longues années d'exil.

Alida de Jager les rassure sur le fait qu'ils n'auront pas à rembourser l'IRC « si vous n'êtes pas vraiment en mesure de le faire sans que cela n'entraîne des privations pour vous[21] ». Dans une lettre précédente, elle les avait assurés du plein montant promis. Si New York ne peut verser le total, la section suisse complétera. La somme ne sera toutefois pas versée en « une seule fois mais au fur et à mesure de vos besoins[22] ».

Il y avait, à Montréal, une vie artistique importante. Le 1er février, Celia Franca se produit au His Majesty's[23]. Ludmilla l'avait vue danser à Genève, mais rien n'indique qu'elle ait été au courant de son passage à Montréal. Après la représentation, l'Association des professeurs de danse de la province de Québec organise un déjeuner, à l'hôtel Windsor, pour Madame Franca, qui s'était établie à Toronto quelques mois auparavant afin de fonder le Ballet national du Canada. Alicia Alonso aussi se produira au His Majesty's. Elle y dansera, du 12 au 16 février, avec Igor Youskevitch. Alonso a créé ce qui est devenu le Ballet Nacional de Cuba. En janvier, Maurice Morenoff avait présenté *Les Soirées canadiennes*, à l'Auditorium Le Plateau, avec Marthe Lapointe et quarante danseurs, et avait remporté un bon succès.

Le 14 février, Katerina écrit à Ludmilla. Elle est inquiète de la traversée, « dans ta situation sur un si petit bateau ». Elle lui annonce que Valusha (Valia) veut aller l'aider. « Je ne sais comment tu t'organiseras avec les enfants quand tu iras à l'hôpital. Tu en parleras avec elle ! » Elle ajoute pour Alexis : « Tu as oublié de me dire comment tu as survécu à ce bateau [...] et comment survivre au froid. »

Parce qu'il fait froid, à Montréal, en cette mi-février. Très froid. Le vent s'engouffre dans les rues et tasse la neige autour des lampadaires. Les Chiriaeff ne sont pas vêtus pour affronter la rigueur des hivers montréalais. La courte jaquette de fourrure rasée que Ludmilla porte sur une jupe dont les pans ajustables sont retenus par de grandes épingles ne protège guère des moins vingt-cinq, moins trente. Et leurs pieds sont mal chaussés, dans les circonstances. Mais, au moins, il fait chaud quand elle rentre chez elle après les nécessaires sorties pour la recherche de nourriture ou de contrats. « J'allais au marché et j'étais surprise de la quantité de poulets qu'il y avait. C'est ce qu'il y avait de moins cher, mais je n'avais que vingt dollars par semaine pour couvrir tous nos besoins. Nous avons vécu au gruau longtemps. »

Les cinq cents dollars remis par l'IRC s'épuisent et il faut trouver le moyen d'assurer le loyer et la nourriture. À tour de rôle, Alexis et Ludmilla partent avec une valise contenant les dessins et des peintures d'Alexis. Ils font le tour des galeries d'art, qui prennent quelques pièces en consignation et ajoutent le nom des Chiriaeff à leur liste d'invitations pour les vernissages. C'est probablement au cours d'une de ces tournées que le libraire Caron croisera Ludmilla et Alexis. « Coin Mansfield et Sainte-Catherine, je croise un homme et une femme avec des valises attachées avec de la ficelle. Ils semblent chercher quelque chose et je leur demande si je peux les aider. Ils disent qu'ils cherchent du travail. Elle est danseuse et lui, décorateur de théâtre. Je leur parle de Radio-Canada et de la télévision qui va bientôt commencer à produire des émissions[24]. » Ludmilla ne se souvient pas de cette rencontre.

Agnès Lefort, chez qui ils entrent un jour, les invitera à des vernissages. C'est d'ailleurs à sa galerie du 1028, rue Sherbrooke Ouest que, le 18 février, au vernissage des peintures de Serge Phénix[25], Alexis entend quelqu'un derrière lui parler de la télévision. « Je me présentai à cette personne, dont je sus bientôt qu'elle était chargée de réunir des artistes pour la télévision qui allait bientôt débuter à Montréal. C'est une chance inespérée[26]. » Alexis présente Ludmilla et explique d'où ils viennent et ce qu'ils cherchent. La dame leur parle des possibilités de travail dans les équipes que Radio-Canada est à organiser pour la télévision, qui doit commencer à diffuser des émissions à l'automne. « C'est grâce à Emma Hodgson, recherchiste à Radio-Canada, que j'ai pu rencontrer Jean Boisvert. Elle travaillait pour deux ou trois réalisateurs qui devaient préparer des émissions d'essai. Quelques semaines plus tard, Jean Boisvert est venu à la maison et m'a offert de préparer une émission d'une demi-heure. Comme essai. C'était le début de quelque chose d'extraordinaire. »

Ludmilla est enthousiasmée, mais il lui faut des danseurs. Elle ne pouvait danser seule pendant une demi-heure. On lui avait dit qu'il n'y avait pas de conservatoire de danse ni d'école de danse d'État, au Québec. Où trouver des danseurs ? Il ne lui restait qu'à ouvrir un studio. Par expérience, elle savait que les danseurs des autres studios viendraient voir et peut-être pourrait-elle en recruter quelques-uns pour au moins réaliser l'émission d'essai. C'était sa chance et elle entendait bien ne pas la laisser passer, d'autant qu'ils avaient désespérément besoin d'argent. Mais il lui fallait d'abord accoucher.

Pendant ce temps, en Suisse, Katerina continue ses démarches pour émigrer, aidée en cela par Alida de Jager. Dans ses lettres, elle demande à Ludmilla quels documents officiels il faut et dans quelle langue se déroule la procédure à l'arrivée, si on peut prendre tous ses bagages et s'il faut payer les douanes. De la correspondance avec sa mère, il faut conclure que Ludmilla et les siens s'installent au numéro 2 du 3436, rue Durocher, avant la naissance de Gleb. Le 26 février, Katerina écrit : « Je me réjouis du fait que vous ayez un appartement pour votre nouvelle vie. » Elle est surtout contente d'apprendre qu'ils ne vivront pas tous dans une chambre. Dans cette même lettre, elle enjoint à Alexis de prendre « n'importe quel travail pour le moment. Après, tu verras. » Plus facile à dire qu'à faire, prendre n'importe quel travail. Monsieur Ballantyne s'est enquis auprès de l'hôtel Ritz s'il n'y avait pas une possibilité pour qu'Alexis y travaille :

Cher M. Froissard,

Je vous demande de faire ce qui est en votre pouvoir pour aider Monsieur et Madame Chiriaeff et leurs enfants, victimes de persécution politique. [...] Monsieur Chiriaeff pourrait prendre un cours d'hôtellerie. Nous souhaitons qu'il trouve un emploi ici. Nous apprécierions grandement votre aide. Chiriaeff vous téléphonera [...][27]*

Quelque quarante ans plus tard, Ludmilla est encore insultée quand elle me parle de cette lettre. « On nous a dit : ça suffit de vous donner de l'argent. Maintenant, vous allez travailler. Pour mon mari, laver de la vaisselle, au Ritz ou ailleurs, c'était se prostituer. Et je n'allais tout de même pas danser au cabaret du Ritz ! » La correspondance échangée entre Ballantyne et Alexis traite surtout d'une crise financière à l'IRC et des efforts de Monsieur Ballantyne pour essayer de trouver une façon de rendre les Chiriaeff autonomes, le Fonds de Réparation étant à sec.

L'hôtel Ritz-Carlton, imitation des célèbres hôtels de Paris et de Londres, est une véritable institution à Montréal. Situé au cœur de ce que les historiens nomment le Golden Square Mile, il attire une clientèle riche et influente. Au début des années 1950, des artistes s'y produisaient régulièrement. Par exemple, quelques jours avant l'arrivée des Chiriaeff à Montréal, Jean-Paul Jeannotte y donnait un récital. Murray Ballantyne présentera Lady Davis à Ludmilla. Henriette Davis, une aristocrate juive qui a épousé un Lord anglais, voulait absolument elle aussi que Ludmilla se produise au Ritz. Elle invitait Ludmilla à des réunions du Ladies Morning Club[28] qui se tenaient souvent à cet hôtel. Quelques mois après l'avoir rencontrée, Lady Davis enverra fréquemment son chauffeur chercher Ludmilla. Elle lui remettait alors des vêtements. « Elle allait souvent à Paris et revenait avec des créations de Schiaparelli, de Grès. Nous avions à peu près la même taille, alors elle me donnait ses robes. Quand Gleb a été hospitalisé, elle m'a envoyé un immense panier de fleurs. C'était beaucoup d'amour, mais ces gens ne comprenaient pas que l'on puisse avoir faim. Nous vivions dans la pauvreté la plus totale. » Certaines fois, les enfants aussi seront invités. Nastia et Avdeij se souviennent d'avoir été reçus dans cette imposante demeure, Chelsea Place :

> Le chauffeur venait nous chercher, raconte Avdeij. Il nous amenait dans une rue qui monte, là où il y avait cinq ou six maisons avec des portes jaunes et noires et une cour intérieure. Elle habitait là. Une domestique vêtue à l'anglaise nous servait. Lady Davis a toujours voulu aider maman mais jamais en donnant de l'argent. Elle donnait des vêtements. Quand nous habitions rue Vendôme, avant que l'on refasse le sous-sol, il y avait une garde-robe en cèdre où maman rangeait ce que Lady Davis lui donnait. Il y avait une trentaine de paires de souliers, des boîtes à chapeaux, des boîtes avec des gants longs en daim. Il y avait aussi un manteau blanc en fourrure.[29]

Lady Davis viendra parfois voir répéter les danseurs dans le studio de la rue Sainte-Catherine. Elle portait toujours un chapeau et des gants, se souvient Sheila Pearce. Elle restait là une heure ou deux, sans dire un mot. Certains danseurs de cette époque ont l'impression qu'elle ne venait là que pour pouvoir en parler par la suite – ou encore pour s'assurer que Ludmilla portait les vêtements qu'elle lui donnait. S'habiller était alors le dernier des soucis de Ludmilla. Certains se rappellent lui avoir vu le même manteau beige sur le dos durant plusieurs saisons. Plus tard, des couturiers créeront pour elle des robes et des manteaux de soirée. « J'étais très pauvre. Connue mais pauvre. Mais pour moi ce n'était rien. Je suis sortie des ruines de Berlin et j'avais compris que dans la vie, ce qui compte, c'est ce que je suis. » De sorte que quand Lady Davis lui écrit que « c'est très <u>important</u> que vous soyez toujours bien habillée et chic. Je trouve que vous ne vous rendez pas justice non plus qu'à votre carrière si vous n'êtes ni <u>coiffée</u> ni <u>vêtue</u> à la mode* », Ludmilla remercie, sans plus. Il n'y a pas que Lady Davis pour donner des conseils à Ludmilla.

> J'ai apprécié votre performance de lundi, devant les caméras, lui écrit May Johnson, et je voudrais vous faire quelques suggestions. [...] Premièrement, je vous suggère de vous mettre immédiatement à la diète avec comme objectif de perdre au moins quinze livres [...]. Je vous joins une diète de cinq jours grâce à laquelle vous allez perdre sept livres [...]. La danse que vous avez présentée manquait de couleur, de verve et d'animation pour le public d'ici qui s'attend à cela. Toutes vos routines doivent être travaillées avec une touche commerciale si vous voulez les présenter dans les hôtels et les clubs de nuit. Pour de meilleurs résultats, elles ne doivent pas dépasser trois minutes [...][30]*

Le commentaire de Ludmilla rapporté plus haut : « Je n'allais tout de même pas danser au cabaret du Ritz » vient probablement aussi du souvenir de cette lettre. Ludmilla voulait développer une compagnie de ballet dans la tradition des Ballets russes de Diaghilev ; il n'était donc pas question de perdre son temps dans des numéros de divertissement pour le public des cabarets, ces lieux fussent-ils à l'époque les plus huppés de la ville.

Alors que nous parlons de cette période, Ludmilla me lit ce qui suit :

> Cher Monsieur Chiriaeff,

> Ci-inclus cent dollars et un reçu que je vous demande de signer et d'envoyer au bureau de Toronto. Cet argent doit être conservé comme réserve pour les six prochaines semaines au cas où une crise surviendrait durant mon absence[31]*.

Et, me montrant la lettre, elle dit : « Regarde qui était sur ce truc : Allan et Samuel Bronfman, Ross Clarkson, Dr Corbett, Lady Davis, Guy Drummond, Raymond Dupuis, Wilfrid Gagnon, Senator Allan Hughesson, J.S. McLean, Monseigneur Olivier Maurault, Hartland de M. Molson, John G. McConnell,

Dr Wilder Penfield, Rabbi Harry J. Stern et d'autres. C'est très drôle, parce qu'une partie de ces gens deviendront membres de mon conseil, aux Grands Ballets, par la suite.» Murray Ballantyne a été pendant des années de tous les sauvetages de Ludmilla, non seulement en lui trouvant de l'argent, mais en la faisant accéder à un réseau de contacts qui lui serviront tout au long de sa vie. Il s'assurera aussi que les journaux parlent d'elle. Il écrit à des journalistes et suggère que des articles soient publiés sur Ludmilla et ses danseurs[32].

Quelques semaines avant réception de cette lettre, Ludmilla avait donné naissance à Gleb, le troisième enfant des Chiriaeff. La nuit du 25 février, Alexis et Ludmilla partent en taxi vers l'hôpital Royal Victoria. L'hiver avait laissé des plaques de glace un peu partout dans les rues. Pendant que le taxi monte la rue Saint-Mathieu vers la rue Sherbrooke, le feu de circulation tourne au rouge et Ludmilla commence à perdre ses eaux. «Mon mari était tellement énervé qu'il est sorti de la voiture pour crier à la lumière de changer au vert.» L'accouchement semble s'être déroulé sans problème. À l'hôpital, Ludmilla parle de sa carrière européenne et de son intention de commencer rapidement à donner des cours de danse, à Montréal. Des infirmières se montrent intéressées. Elles deviendront ses premières élèves.

Avisée par télégramme de la naissance, Katerina écrit à sa fille le 29 février. Elle veut tout savoir. «Écris-moi en détail comment il est, la couleur des yeux, des cheveux [...] Comment vont Nastia et Avdeij? J'imagine qu'ils ont été très surpris quand ils ont vu Gleb. Manges-tu comme il faut? As-tu du lait?» Plus loin, Katerina qualifie d'intéressantes les nouvelles concernant l'appartement et ajoute : «Tes rêves se réalisent et tu vas encore danser.» Six jours après la naissance de Gleb, Ludmilla est à la maison et commence à imaginer ce qu'elle fera dès qu'elle pourra mettre le nez dehors : trouver un espace pour assurer des cours, annoncer les cours, commencer à donner des leçons à Nastia. Katerina trouve que c'est bien trop tôt et qu'il ne faut pas tout faire en même temps.

Pendant leurs pérégrinations en ville, Ludmilla trouve un espace, au 1460, rue Union, au-dessus d'une boutique d'encadrement tenue par une Autrichienne à qui Alexis avait laissé trois dessins en consignation. Les cartes d'affaires de Ludmilla, qui sont au Fonds d'archives, indiquent ce qui suit :

> Ludmilla Chiriaeff
> Ballet School
> classic dancing caractère, mime
> children, beginners, professionals
> for registration and information
> Telephone : Lancaster 6646
> Studio : 1460 Union St. Mtl, Qc.
> (Back of Eaton's & Morgan's)

Ludmilla recrute quelques élèves, outre les infirmières du Royal Victoria, et, comme en Suisse, elle fait mention de tout cela dans un cahier cartonné. De cela et de bien d'autres choses, comme on l'a vu du temps de Genève. Un cahier de 1952 comporte aussi des esquisses de costumes et les quantités de tissu nécessaires pour les confectionner, de même que des notes pour un futur studio. Elle réclame alors un ou deux dollars la leçon[33]. Et comme cela se produira tout au long de sa carrière, certains élèves ne viendront que pour quelques classes et partiront sans avoir réglé leur dû. D'autres la suivront et la vénéreront jusqu'à sa mort. En même temps que l'organisation des cours, dans un studio minuscule et improvisé, Ludmilla, qui allaite son fils, doit assurer le gardiennage des enfants, quand elle ne les amène pas au studio. Elle doit aussi voir aux démarches d'émigration de sa mère. Comme il ne semble pas que Katerina puisse s'installer aux États-Unis, il faut prévoir comment sera la vie quand elle sera là mais d'abord s'affairer auprès des autorités compétentes pour qu'un visa soit émis.

À Genève, Simone Tcheremissinov et Hadu Lämmler effectuent tour à tour des démarches. Hadu gardera Katerina chez elle, le temps des examens médicaux qu'il faut refaire, Londres en ayant réclamé d'autres. «La maman de Ludmilla était une femme très hautaine et très autoritaire. Un personnage qui sort vraiment de l'ordinaire, les cheveux toujours tenus par une résille. Je l'ai prise comme elle était, la maman de Ludmilla, et j'ai fait ce que l'on m'a demandé de faire», me confiera Hadu. Alida de Jager aussi s'occupera de Katerina, de même que de Maria Petrovna, la mère d'Alexis.

Quelque part en avril, Ludmilla et Alexis accordent une entrevue à un journal anglophone, un long article avec photo, dont je n'ai pas retrouvé la source. Ils expliquent leur parcours pour conclure, selon Ludmilla, que l'Europe «est vieille et fatiguée»; Alexis ajoute qu'«au Canada, les gens ont soif de voir et d'apprendre. Nous voulons être utiles ici et contribuer à notre mesure à la culture canadienne*.» Et le journaliste en profite pour annoncer que Ludmilla Chiriaeff, avec Dimitri Korsa, un autre danseur russe nouvellement arrivé au Canada, prépare une série de ballets à être présentés ici. Son mari, à part l'enseignement, espère pouvoir peindre des murales dans les églises de Montréal[34*]. C'est le premier d'une longue série d'articles sur Ludmilla au Canada. Et les élèves de commencer à s'inscrire.

En mai, Katerina écrit : «Ma chère souris. Merci mon Dieu que tout va bien. J'ai reçu le premier dollar que tu as gagné et je le garde pour la chance.» À la fin de cette lettre, Katerina rappelle que son permis temporaire expire le 31 du même mois et que, si elle n'a pas de nouvelles pour son visa, la Police des étrangers viendra la cueillir[35]. Ludmilla ne le sait que trop bien, mais elle ne connaît personne ici susceptible d'activer le dossier de sa mère aux États-Unis. Elle trouve pesant d'avoir encore à s'occuper de cela. En Suisse, les fonds laissés par Ludmilla pour subvenir aux besoins de sa mère s'épuisent rapidement. Alida de Jager écrit à Valia : « [...] il n'y a plus de fonds et c'est très difficile pour notre organisation d'en trouver d'autres. Y a-t-il possibilité que vous aidiez votre mère ?[36*] » Il est évident que Ludmilla ne dispose que du strict nécessaire, alors que le mari de Valia travaille à la Dow Chemicals depuis leur arrivée aux États-Unis. Il serait temps qu'ils prennent la relève, mais je ne crois pas que Ludmilla ait demandé à sa sœur de le faire. Ludmilla a tendance à tout prendre sur elle pour ensuite jouer à la victime.

Le logement des Chiriaeff est en demi-sous-sol de l'immeuble, rue Durocher. Il semble que cela soit un sujet d'inquiétude non seulement pour Ludmilla mais aussi pour Katerina, qui lui écrit que près des installations de « chauffage c'est très chaud et dangereux et qu'il faut déménager dès que possible ». Comme s'il était simple de se relocaliser quand on arrive dans un pays, sans travail, avec trois enfants dont un bébé naissant, sans autre revenu que quelques dollars provenant de cours qui commencent. Et de trouver une garderie. Katerina écrit à sa fille plusieurs fois qu'il faut envoyer Nastia à la garderie. Au Québec, les garderies ne feront vraiment leur apparition qu'une vingtaine d'années plus tard. Sa mère demande aussi si Ludmilla peut faire quelque chose pour accélérer les démarches afin de régler son dossier d'émigration. Comment le pourrait-elle ? Son réseau de contacts se résume à quelques personnes, pour le moment. Ludmilla se retrouve comme jadis, en Allemagne et en Suisse, la seule à tout porter, à tout organiser.

Alors qu'elle cherche des costumes, elle se rend chez Malabar et y fait la connaissance de Kim Yarochevskaïa. Cette dernière cherchait aussi un costume pour une émission d'essai, pour la télévision. « Je dansais avec Elizabeth Leese, à cette époque, dira Kim Yarochevskaïa. Je suis allée chez Malabar pour me trouver un costume de Colombine. Là, Ludmilla essayait un costume de princesse. Les gestes qu'elle faisait avec ses bras ouvrait un espace infini. Je n'ai pas osé lui parler[37]. » Plus tard, Kim prendra des cours avec Ludmilla, au studio de la rue Sainte-Catherine. « C'était l'hiver. Je parlais russe avec elle. Au temps de la *Boîte à surprise*, elle m'a expliqué qu'il fallait me maquiller plus foncé, sur le bas des joues. Que ça ferait meilleur effet. Et je l'ai fait par la suite[38]. »

Un jour, Ludmilla entre au Theatrical Supplies, au 637 de la rue Burnside, près de la galerie d'Eva Marsden, où Alexis a laissé des toiles en consignation. Il s'agit d'un commerce dont elle voit l'entrée d'une fenêtre de son studio de la rue Union. Johnny Brown, le propriétaire, y vendait tout ce qui était paillette pour le carnaval et les bals costumés. Il vendait aussi le nécessaire pour les claquettes et des chaussons de ballet. Y avait travaillé Dorothy Rossetti, chez qui Ludmilla se rendra plus tard, rue University, avec Nastia et Avdeij. « Elle était pauvrement vêtue, avec un châle sur les épaules, vous savez, de ceux dont on enveloppe les bébés. C'était tôt au printemps, se souvient Madame Rossetti. Anastasia a fait la révérence et Avdeij a claqué du talon. Ludmilla parlait très peu et très mal l'anglais, et je ne savais pas un mot de français. Par des gestes, nous avons réussi à nous comprendre et j'en ai conclu que si je pouvais l'aider, elle ferait de même[39*]. »

Ainsi commence une collaboration qui ne s'est jamais démentie. Quand Yolande Leduc qui, depuis Ottawa, dirige la Yolande Le Duc School of Ballet[40], lui téléphone parce qu'elle est à la recherche de quelqu'un pouvant remplacer un professeur qui devait venir de Londres et s'est décommandé, Rossetti suggère Ludmilla. Mais à Ludmilla, Rossetti conseille de se faire rémunérer correctement. Elle avait entendu dire que Ludmilla avait tendance à dire : « Donnez-moi ce que vous voulez. » Alors, elle lui suggère de faire payer ses déplacements, une chambre au besoin, les chorégraphies, si on lui en réclame, de même que des honoraires pour les cours. Ludmilla sera professeure invitée pour la saison 1952-1953 à Ottawa.

Ludmilla dira que « l'on sentait une vibration dans cette école et [que] tout le monde y était motivé ». Les danseurs de Yolande Leduc étaient plus avancés que ceux qu'elle avait recrutés à Montréal. Certains l'ont suivie, logeant ici et là, dans la métropole. Sheila Pearce, par exemple, qui n'avait que quinze ans, habite chez Ludmilla. Ses parents ne voulaient pas la laisser seule à Montréal et, comme Ludmilla le fera souvent par la suite, elle a offert aux parents de s'en occuper. Elle a regroupé ses trois enfants dans une chambre et loué une petite pièce à Sheila. Sheila se souvient d'avoir vécu quelque temps dans cet appartement, un an peut-être. Le matin, elles partaient pour le studio. « Imaginez, dit-elle, Ludmilla avec Gleb sur un bras, un sac plein de disques et un toutou à l'épaule, Nastia de l'autre main et Avde sautillant devant. Nous partions comme cela pour le studio. À pied, depuis Durocher jusqu'au 1226 Sainte-Catherine Ouest. Les jours de mauvais temps, je suppose que nous prenions le tramway dans Sainte-Catherine... Oui, nous prenions le tramway[41]. »

Rue Durocher, dans ce qui était appelé le McGill Ghetto, il n'y avait que des conciergeries où logeaient des immigrants et des étudiants. Celle où habitaient les Chiriaeff était composée de quatre appartements par étage. L'intérieur était très sombre. Les seules fenêtres de l'appartement des Chiriaeff donnaient sur une ruelle et Ludmilla avait toujours peur pour les enfants. Un jour, d'ailleurs, un homme a été surpris en train d'entrer par la fenêtre de la chambre occupée par Sheila. Alexis est venu sortir l'intrus. Ludmilla craignait aussi que les gens qui passaient les entendent ou encore que les rats ne traversent le grillage, alors elle tenait souvent les fenêtres fermées. Dans cet appartement, Ludmilla et Alexis occupaient la grande chambre du fond, où Alexis avait aussi ses chevalets. Il subsiste des tableaux de la première époque montréalaise, dont un peint en deux tons : Alexis n'avait alors que deux tubes de peinture.

Le 30 juillet, un télégramme de Valentina (Valia) annonce son arrivée pour le jeudi suivant. Ludmilla se rend à la gare Windsor pour accueillir sa sœur, qui a fait le voyage depuis le Michigan. Ce sera leur première rencontre depuis la fin de la guerre. Les sœurs s'étreignent puis elles vont au restaurant de la gare prendre un café. Elles échangent d'abord des nouvelles sans importance, mais le courant ne passe pas. Il y a la différence d'âge, les années passées sans autres échanges que quelques cartes de vœux. Et tout ce temps où Ludmilla a dû s'occuper seule de ses parents, subir les angoissants contrôles des nazis, alors que sa sœur vivait à l'abri des bombardements, dans une zone protégée. Tout ce non-dit... restera à jamais entre elles. « La différence d'âge, dès mon enfance, a créé une situation de compétition[42]. »

Une coupure de presse de cette époque titrait : *Artist Couple Brings Talent to Canada With I.R.C. Help.* Sous la plume de John Ayer, l'article raconte qu'Alexis a passé les trois derniers jours à peaufiner le costume de sa femme Ludmilla, « danseuse de premier rang. Elle va paraître à la télévision de la CBC. » Ayer poursuit : « Ce jeune couple de Russes, avec trois enfants et les parents de Ludmilla, a laissé ce qu'il avait bâti avec succès dans l'Europe d'après-guerre pour mettre leurs talents au service du Canada, avec l'aide de l'International Rescue Comité. [...] I.R.C. leur a avancé 2 500,00 $ pour s'établir ici. Ludmilla, Alexis et leur famille ont fui la Russie durant la Révolution mais Alexis a perdu ses parents et ne les a jamais revus*. » L'article mentionne à la fin que Ludmilla et Alexis ont chacun leur classe de ballet et de peinture. Cet article est le premier de plusieurs à propager les légendes qui ont encore cours à propos de Ludmilla et d'Alexis.

Alors que Ludmilla devrait savourer ses premiers succès, son dernier-né, Gleb, roule en bas d'un lit, en septembre, et se blesse gravement à la tête. « À moi, ça ne pouvait pas arriver. C'est étrange qu'on pense que les drames n'arrivent qu'aux autres. J'avais posé le petit sur le canapé pour le langer ; je me suis retournée pour aller dans la chambre de Nastia ; il était tombé. Je n'ai pas compris et je ne comprends toujours pas. J'ai survécu à la Gestapo, aux bombes, à la faim, au froid... alors, ça ne pouvait pas m'arriver. » Ludmilla fait venir un médecin, le docteur Sydney Smith[43], qui lui dit qu'elle est comme toutes les mères et qu'elle s'inquiète pour rien. Le petit est un peu sonné mais ça va aller. Quand Alexis rentre de son travail, elle va donc donner ses cours du soir au YWCA. Ces cours lui rapportent trente dollars par mois et elle a besoin de cet argent. Quand elle revient à la maison, l'enfant est en convulsions. À l'hôpital Shriner's, où le taxi la conduit avec son fils, on lui dit que c'est très grave. Pour une fois, Ludmilla est au bord de la crise de nerfs. Pendant qu'on emmène son enfant, on lui fait une injection pour la calmer.

Son cauchemar ne faisait que commencer. Il fallait opérer d'urgence. « Même si j'étais la mère, ma signature ne valait rien. Il fallait que mon mari vienne.

Chaque minute comptait, mais où trouver quelqu'un pour garder les deux autres enfants ?» Au Québec, à cette époque, seul le mari possède l'autorité parentale[44]. Mais tout ne joue pas contre les Chiriaeff, puisque les médecins qui s'occupent de Gleb sont les docteurs Cohen et Penfield, ce dernier étant mondialement reconnu pour ses recherches sur le cerveau.

«J'ai supplié Dieu et la Vierge de ne pas m'enlever mon fils. J'ai prié. Tellement prié. Je ne sais pas si on peu dire " sur-prié " pour qu'il vive. J'ai tordu le bras à la vie. C'était terrible, les heures d'attente. J'avais envie de hurler.» Dans la salle d'attente, à côté d'elle, il y avait un jeune couple à qui on venait d'annoncer la mort de son enfant. Ils s'étaient résignés. «Ils m'expliquaient que Dieu avait ramené à lui leur petite fille pour qu'elle ne souffre plus, que Dieu était miséricordieux et qu'ils acceptaient ce sacrifice qui leur était demandé. Je ne comprenais pas cette résignation. Je dialoguais avec ce qui était le plus sacré dans mon âme et mon Dieu à moi ne m'apportait pas ce genre de réponse.»

Elle écrit des lettres poignantes à sa mère :

Ma chère mère,

Une grande peine est arrivée chez nous, très grande peine. Je suis allée à la chambre de Nastia et Glebtchik est tombé de mon lit. [...] Ma très chère, tu ne peux imaginer, il avait un grand trou dans le crâne [...] Ma mère, ma mère, je ne peux pas, je n'ai pas le pouvoir... priez pour qu'il survive [...]. Venez. Je ne peux le laisser à d'autres qu'à <u>toi</u>.

Chère mère,

Mon Glebtchik est vivant [...] Mais priez pour nous. Priez que mon fils ne soit pas handicapé. [...] Oh ma mère, c'est tellement souffrant de le regarder [...] Combien est lourde notre souffrance. Aliosha devient comme un squelette. Il pleure quand il parle de son fils [...].

Ta fille triste, très triste[45].

Au cours de nos entretiens, Ludmilla reviendra souvent sur l'accident de son fils. Elle disait que c'était sa première vraie défaite. La mort de son père loin d'elle, oui ; elle avait encore de la difficulté à pardonner à la Suisse de ne pas avoir accordé de visa à Alexandre, mais elle admettait qu'elle ne pouvait rien pour prolonger la vie de son père. Mais «l'accident de Gleb était une catastrophe, parce que ça ne faisait pas partie des choses qui pouvaient arriver à ma famille». Ensuite, chaque fois que le téléphone sonnait ou que quelqu'un la demandait, «j'étais sûre que c'était pour m'annoncer qu'il était mort. Tu perds ton père, c'est quelque chose, mais ton enfant... Puis, on me l'a rendu. Mais toute la vie de la famille en a été à jamais perturbée.» Gleb dira qu'il se sentait «coupable de leur avoir fait vivre tout ça. Si j'avais pu m'effacer, je l'aurais fait.»[46]

Ludmilla avouera que cet épisode l'avait amenée à se questionner à nouveau sur le bien et le mal, sur le fait d'être une victime ou de refuser de l'être, sur la valeur de la prière. Les personnes proches d'elle m'ont toutes parlé de la foi qui l'animait. Elle aussi me parlera de cette foi qu'elle décrit comme inébranlable. Mais elle en parle peu, me confie-t-elle, pour ne pas passer pour une illuminée. « Appelez cela Dieu, appelez cela un équilibre ou l'énergie, appelez cela comme vous voudrez, mais ça existe et c'est très fort. Ce que j'ai vécu m'a confirmé que c'est ce qui donne ce qu'il faut pour continuer. » Ses proches m'ont aussi affirmé que la mère, en elle, et ce que l'on pourrait appeler le sens de la mission étaient de puissants moteurs pour cette femme, pour qui les obstacles n'étaient jamais assez grands qu'on ne pût les surmonter. Sauf tenir son père dans ses bras – quand il est décédé loin d'elle.

Au début d'octobre, Katerina écrit pour réconforter sa fille.

> Mon Dieu ! Quel malheur. Mais tout va passer. Quand Valentine t'a échappée du lit sur le parquet, tu avais aussi des problèmes de mouvements de la main et de la jambe, mais je t'ai longtemps massée avec de l'eau de mer et tout est revenu. C'est beaucoup plus compliqué pour Gleb parce que l'os a brisé l'artère, mais ça va passer. Dieu va vous aider. Dommage que je ne puisse venir dès maintenant par avion pour être avec vous. [...] Pauvre, pauvre Gleb [...] Ne sois pas trop triste, ma chérie. Dieu est bon, il ne va pas te laisser seule, sans aide[47].

L'accident de Gleb a pour effet d'aider les procédures pour l'obtention du visa de Katerina. Lors d'une rencontre à la Légation du Canada, à Berne, Katerina a déballé toute l'histoire et montré les deux articles de journaux qui traitaient du travail de Ludmilla et de son rôle à la télévision naissante. Elle explique qu'il est urgent, dans les circonstances, qu'elle vienne aider sa fille afin que cette dernière puisse travailler en paix. On lui promet une réponse de Londres dans les deux semaines[48].

> [...] le visa pour pouvoir partir maintenant et aider à vos enfants après le terrible accident du petit. La raison du délai est le résultat de l'examen médical. Le Canada étant extrêmement sévère sur ce point, la Légation a dû transmettre le rapport médical à leur médecin en chef à Londres et c'est de sa décision que dépendra la délivrance du visa[49].

Au début de novembre, la Légation du Canada avise Katerina qu'elle recevra son visa, mais il lui faut aussi obtenir un visa de retour en Suisse valable jusqu'au 21 janvier 1953 au moins[50]. Profitant d'une de ses visites à la Légation, à Lausanne, Katerina va faire ses adieux à Maria Petrovna, la mère d'Alexis. Fidèle à elle-même, Maria Petrovna « dit beaucoup de mauvaises choses au sujet de son fils[51] ». Pourtant, Maria Petrovna leur fera régulièrement parvenir du chocolat et de la viande des Grisons, au grand plaisir de ses petits-enfants et d'Alexis. Même si elle était toute petite, Nastia se souvient de ces boîtes qui arrivaient de Suisse. Katerina ne reverra plus la mère d'Alexis.

Malgré les cours, malgré les répétitions, malgré les premières manifestations d'intérêt pour le travail qu'elle accomplit, Ludmilla vit avec une culpabilité qui la hante – cette grande question de la responsabilité. Qu'avait-elle donc fait pour que cet accident arrive à son fils? En juillet 1995, quand elle me raconte ces moments de sa vie, elle s'interroge sur le début de la responsabilité. D'où cela vient-il? D'où cela lui est-il venu, à elle? Une vieille habitude aux blessures guéries mais dont les cicatrices sont un rappel constant? Se sentir coupable alors que tu sais que tu ne l'es pas? Être coupable simplement d'exister, conclura-t-elle.

Le 27 novembre, Charles Reiner fait ses débuts montréalais au Ritz-Carlton. Lui et sa femme sont restés en contact avec les Chiriaeff, après leur départ de Genève. Ludmilla s'était enquise auprès de lui des possibilités de travail à Montréal. Il lui avait parlé d'une école de danse, celle d'Elizabeth Leese, où il sera pianiste-répétiteur. Quand je l'ai rencontré, dans son appartement de Westmount, il m'a fièrement montré les deux pianos qui trônent dans le salon et sur lesquels il joue tous les jours, en plus de donner des leçons à quelques élèves triés sur le volet. « Je n'ai pas été là longtemps, me confie Charles Reiner, parce que je m'embêtais. Je voulais plutôt enseigner[52]. » C'est une rencontre avec Arthur Leblanc et Gilles Lefebvre qui lance sa carrière ici. Il sera de quatre-vingts concerts avec les Jeunesses musicales du Canada avant de devenir l'accompagnateur de Einrich Scherring, un violoniste qu'il avait connu avant la guerre. Ils donneront neuf cents concerts un peu partout dans le monde. Malgré cette carrière internationale, Charles Reiner sera pendant trente-neuf ans professeur à la Faculté de musique de l'Université McGill, à Montréal.

Finalement, l'IRC couvrira les frais du voyage de Katerina, qui arrive à Halifax, le 7 décembre, par le *M.S. Italia Home Lines*, via Le Havre. Il s'agissait aussi d'un petit bateau sur lequel étaient entassées plusieurs familles de réfugiés. Dès son arrivée, elle sera soumise aux mêmes formalités que celles auxquelles s'est pliée Ludmilla. Mais le tampon apposé à Berne n'étant pas conforme, Katerina sera détenue jusqu'à ce que la Légation canadienne câble une autorisation aux autorités d'Halifax.

On peut imaginer Katerina, les cheveux retenus dans une résille sous un chapeau lui couvrant les oreilles, un châle attaché sur son manteau de fourrure, sa précieuse caissette ne la quittant pas. Incapable de comprendre ce qu'on lui expliquait en anglais, interdite de communication avec sa fille à Montréal, elle a dû vivre d'intenses moments d'inquiétude. La légende veut que Katerina ait été emprisonnée durant un mois pour s'être mal comportée avec les autorités douanières. Quand on est fille de princesse, fût-elle déchue, on aime bien le rappeler au tout-venant. Peut-être les autorités l'ont-elle morigénée, mais détenue un mois ? Une lettre retrouvée au Fonds d'archives Ludmilla Chiriaeff fait allusion à l'arrivée de Katerina :

> Maintenant je peux aussi vous faire connaître les raisons vraies pour lesquelles votre mère fut arrêtée. Elle s'est conduite comme si *(sic)* était le premier ministre du Canada et a été d'une effronterie sans pareille envers les officiers de douanes canadiens. Je vous affirme cela et je ne mens pas[53].

Partie du Havre le 30 novembre 1952, Katerina entre officiellement au Canada le 11 décembre. Elle est finalement à la gare Windsor le 13 décembre vers huit heures, débarquant d'un train du Canadien National. Ludmilla ne m'a pas parlé des retrouvailles non plus que des premiers jours avec sa mère, et les enfants n'en ont aucun souvenir. Alexis, qui se sentait déjà pas mal bousculé, a dû céder un peu d'espace pour que l'on puisse coucher sa belle-mère. Par ailleurs, il retrouvait une liberté qu'il n'avait plus depuis longtemps. Il pourrait donc se consacrer davantage à sa peinture, au travail qu'il venait de dénicher[54] et aux cours qu'il donnait à quelques élèves. Sauf que c'est l'hiver, que Katerina est envahissante et que Gleb commande beaucoup d'attention et de soins. Alexis ne peut se fermer les yeux ni se boucher les oreilles à longueur de journée. Alors ses mouvements d'humeur deviennent colère. Des portes claquent. Il va tenter de se trouver un emploi un peu plus stable, même si cela répugne à l'artiste en lui. Il aboutira dans une obscure compagnie, la Window Display, rue Williams dans le bas de la ville, près du canal Lachine[55]. Il y fera la connaissance de Claude Jasmin qui, comme lui, sera plus tard de la talentueuse équipe de décorateurs de la télévision de Radio-Canada. Mais avant cela, il aura aussi lavé les planchers à la Canadair, à Saint-Laurent.

Noël apporte un peu de répit. Ludmilla et sa mère décorent l'appartement, qui est bientôt rempli d'odeurs et de chants russes. Il n'y a pas d'arbre de Noël mais des bougies allumées ici et là, pour l'émerveillement des enfants. Les grands, eux, ont le cœur qui leur fait mal.

Chapitre 3
La danse au Québec

On a toujours aimé danser au Québec.
Du temps de la Nouvelle-France, les pères Jésuites notaient déjà, dans les *Relations* qu'ils ont laissées, que lors des réjouissances précédant le mercredi des Cendres, en février 1647, l'on dansa « un balet » *(sic)*[56]. Il semble que vers la fin du régime français, la danse fût devenue une passion en certains lieux. Dans sa correspondance, Élisabeth Bégon rapporte que « cette dévote de Mme Verchères a fait danser toute la nuit dernière. [...] Ce qu'il y a de beau, c'est que demain, il y a un [bal] chez Mme Lavaltrie, après-demain chez Mme Bragelone. Voilà de quoi désespérer le curé[57]. »

Les Amérindiens aussi dansaient en toute occasion. Et sous le régime anglais, non seulement dansait-on le menuet, les quadrilles et les cotillons, mais on s'initiait en plus aux danses écossaises et irlandaises. Des professeurs de danse s'annonçaient dans les journaux de Montréal et de Québec dès le premier quart du XVIIIe siècle ; ils faisaient la promotion des cours qu'ils donnaient à des élèves des deux sexes, parfois de moins de dix ans, dans leur *Dancing Academy*.

Plus tard, le Bas-Canada[58] intégrera la tradition britannique à la tradition française, à tel point qu'il est difficile aux générations d'aujourd'hui de déterminer l'origine de tel ou tel pas. Voilà pour la danse populaire et le folklore d'ici. Le public pouvait aussi voir des danses classiques. Ainsi, *La Fille mal gardée* aurait été dansée, à Québec, en 1816, *La Sylphide*, à Montréal, aux alentours de 1860, et *Fire Dance*, à Vancouver, en 1896, avec Loïe Fuller.

Le ballet aurait été inventé à Tortone, par Bergonzo di Botta, pour le mariage d'Isabelle d'Aragon, mais c'est Catherine de Médicis qui l'introduira à la cour de France pour distraire son fils Henri III, trop tenté par les affaires du royaume. Au cours des dîners, chaque service était alors suivi par un intermède dansé. On dansera aussi beaucoup sous Henri IV, dont le règne durera une vingtaine d'années.

Louis XIII, qui lui succédera, fera du ballet son plaisir. Il en composera d'ailleurs quelques-uns dans lesquels il dansera. Les hommes jouent alors tous les rôles. Il faudra attendre Lully pour que des ballerines entrent en scène, et le milieu du XVIIIe siècle pour qu'elles portent le tutu. Ce serait Marie Anne de Cupis de Camargo, célèbre danseuse du XVIIIe siècle, qui aurait décidé de raccourcir ses crinolines pour faire bénéficier les spectateurs de la légèreté et de la grâce de ses entrechats, cabrioles et jetés battus[59].

Madame Chiriaeff racontait que la naissance du ballet remonte à Louis XIV. Dès son jeune âge, il commence à danser. Il dansera dans près de trente ballets, dont *Le Mariage forcé* de Molière. Il va créer l'Académie royale de musique et de danse, ancêtre de l'Opéra de Paris. Bientôt, on dansera le ballet dans les foires, les fêtes foraines. Et dans les colonies. Il n'est donc pas surprenant de retrouver ici de la danse, voire du ballet, dès le milieu du XVIIe siècle. Selon la majorité des experts, c'est à Jean Georges Noverre que l'on doit l'introduction de la pantomime et le ballet en action, celui dans lequel chaque geste a un sens.

C'est à Pierre Beauchamp, maître à danser de Louis XIV, que revient le mérite d'avoir élaboré et défini les cinq positions qui règlent encore, de nos jours, la danse classique. La pointe fera son apparition durant la première moitié du XIXe siècle et permettra à la danseuse de paraître plus légère dans les rôles d'elfes et de fées. Marie Taglioni, insaisissable, diaphane, éthérée, sera la première à maîtriser les pointes.

Il semble que les premières représentations de danse théâtrale, à Québec et à Montréal, remontent au début du XIXe siècle[60]. Pierre Vennat situe les premiers moments du studio Lacasse en septembre 1895. Adélard Lacasse y enseignait la danse sociale. Le père de celui qui deviendra Maurice Morenoff donnait ses cours à la salle Saint-Laurent, au coin du boulevard du même nom et de la rue Vitré[61]. Mais la danse telle que la découvre Ludmilla en arrivant au Québec commence plutôt vers les années 1930.

En 1917, Vancouver reçoit les Ballets russes de Diaghilev pour leur seule visite au Canada. Anna Pavlova fera trois tournées au Canada et dansera *Giselle* au Théâtre Saint-Denis. La « démarche élégante, le geste parfait. Quand elle paraît dans le Cygne de Saint-Saëns, c'est l'incarnation d'une Sylphide[62] », dira-t-on d'elle. D'autres danseurs viendront, comme Lifar en 1929, mais c'est de Pavlova que l'on parle. Son passage a suscité un grand intérêt parmi les amateurs de danse et les professeurs de ballet. Montréal comptait alors deux professeurs reconnus : Sheffler et Ruvenoff, ce dernier avait son école et faisait autorité. Un de ses élèves se distinguera et fera carrière : Gérald Crevier.

Plus tard, Maurice Lacasse, alias Maurice Morenoff, fera aussi école. Après avoir fait du vaudeville et travaillé aux États-Unis avec sa femme Carmen Sierra, il s'installera à Montréal pour continuer l'enseignement de son père. À l'enseignement de la danse sociale, il ajoutera celui du ballet. À partir de 1935, les Morenoff organiseront des spectacles annuellement. Des rangs de leurs élèves sortiront Marc Beaudet, Michel Boudot, Roland Lorrain, Yvette Brind'Amour et Fernand Nault.

Selon le libraire Caron, les Morenoff ont eu un studio pendant un bon moment en face de la librairie qu'il tenait. Pierre Elliott Trudeau y aurait suivi des cours. Vincent Warren, qui le tient d'Alvarez lui-même, m'a rapporté que ce serait plutôt avec ce dernier que l'ex-premier ministre du Canada aurait suivi des cours, dans un édifice qui logeait un musée et qui faisait face, sur un coin de rue, à Morgan et, sur l'autre, à Birks[63].

Dès les années 1930, le Canada et Montréal sont fréquemment visités par les grands noms du ballet[64] et seront influencés par le développement de la danse aux États-Unis. Parallèlement, des compagnies de ballet voient le jour au Canada : le Volkoff Canadian Ballet à Toronto et le Winnipeg Ballet Club, embryon de ce qui deviendra le Royal Winnipeg Ballet. Nombre d'écoles de danse naissent et meurent ici et là. Parmi celles qui subsistent, celle de Gérald Crevier, à Montréal. Après avoir étudié chez Ruvenoff puis au Sadler's Wells, à Londres, Crevier enseigne chez Sheffler à son retour au Canada. Il ouvre un premier studio à l'hôtel Berkeley pour ensuite s'installer rue Guy, près du His Majesty's. Il forme les Ballets Québec, qui seront décimés au moment de la création du Ballet national du Canada. Certains de ses élèves se retrouveront soit chez Celia Franca, à Toronto, soit chez Ludmilla, à Montréal : Brian MacDonald, Lise Gagnier, Andrée Millaire, Françoise Sullivan. Selon Iro Tembeck, « L'Académie de danse Gérald Crevier sera reconnue comme la meilleure à Montréal pour l'enseignement du classique[65]. »

Suivront trois femmes venues d'Europe : Ruth (Abramovitch) Sorel, Elizabeth Leese et Seda (Nercessian) Zaré. Chacune ouvrira son école à Montréal. Ruth Sorel, à la fin de la guerre, puis Elizabeth Leese, à peu près au même moment, et enfin Seda Zaré, en 1951. Sorel a été soliste et a fait carrière à l'Opéra municipal de Berlin, avant l'arrivée des nazis. Elle a été la première au Québec à chorégraphier à partir d'un sujet d'ici, *La Gaspésienne*[66]. Une élève de Crevier, Andrée Millaire, et un élève de Morenoff, Michel Boudot, danseront avec les Ballets Ruth Sorel, à New York, en 1949. Ruth Sorel retournera à Varsovie en 1957 pour y décéder en 1974. Il ne semble pas qu'elle et Ludmilla se soient jamais rencontrées.

Elizabeth Leese s'installe à Montréal en 1944 et y enseignera jusqu'à la fin des années 1950. Elle avait épousé le journaliste canadien Kenneth Johnstone, alors en poste en Europe. Fuyant l'Allemagne nazie, ils se sont d'abord installés à Toronto, en 1939, où Elizabeth est engagée par le Volkoff Canadian Ballet.

Soliste en danse de caractère et interprète de la danse moderne, elle était aussi chorégraphe. On lui doit *Le Bal des voleurs* et *La Nuit des rois* pour les Compagnons de Saint-Laurent. En 1947, c'est elle qui chorégraphiera les revues de Gratien Gélinas[67]. En 1952, elle créa *Lady From the Sea* et y dansa le rôle principal. Cette chorégraphie fut reprise par le Ballet national du Canada, en 1955, avec Celia Franca dans le rôle qu'Elizabeth Leese avait tenu à Montréal. Durant la guerre, Elizabeth Leese avait donné divers cours de danse mais elle restera celle qui, la première, a formé des professeurs de danse. C'est aussi à Elizabeth Leese que l'on doit l'introduction, au Québec, de la méthode Cecchetti.

En 1950, Seda Zaré débarque à Montréal avec mari et enfant et se retrouve rapidement seule à devoir gagner la vie de la famille, son mari l'ayant quittée. Elle danse alors où elle peut, enseigne où elle peut. Elle organise des spectacles de fin d'année pour les élèves qu'elle a recrutés et elle ouvre un studio à Westmount, le Montreal Professional Dance Centre. Certains danseurs qui se produisaient avec elle se retrouveront avec Ludmilla ou au Ballet national : Milenka Niederlova, Michel Comte, Lise Gagnier, Irène Apinée, Jury Gotshalk, Jacqueline Lemieux. Au début des années 1960, Seda Zaré créera le Concert Ballet Group, qui se produira aussi en région. Selon Iro Tembeck, « Zaré a rédigé de nombreux rapports, mémoires et propositions en faveur de l'enseignement de la danse [...] mais aucun de ses projets de formation professionnelle en danse n'a été retenu[68] ». Elle est décédée en 1980.

À la fin des années 1940, les tournées du Ballet de Paris et du Sadler's Wells font sensation et plusieurs événements concourent à préparer le terrain pour des troupes professionnelles de ballet au Canada. En 1948, Boris Volkoff, Ruth Sorel et The Winnipeg organisent un premier Festival de danse à Winnipeg. De cette rencontre naît la Canadian Ballet Festival Association, qui a mis en compétition les troupes existantes. En 1950, le Festival se tient à Montréal. Cette manifestation marque un tournant décisif dans l'histoire de la danse au Canada[69].

Quand Ludmilla arrive à Montréal, il y a au Canada deux compagnies de ballet : le Royal Winnipeg Ballet et la National Ballet Company. Le Royal Winnipeg est connu comme la plus ancienne compagnie de ballet au Canada. Fondée en 1938, et dirigée par Gweneth Lloyd et Betty Farally, la Canadian School of Ballet deviendra le Winnipeg Ballet Club. En 1953, Élisabeth II lui accordera le privilège de s'appeler royal. La seule autre troupe au monde qui jouisse de ce privilège est le Sadler's Wells, de Londres. Le Royal Winnipeg fut la première compagnie canadienne à se produire aux États-Unis et à danser à la télévision.

La National Ballet Company fut créée en 1951, mais il y avait déjà cinq ou six ans que le projet était dans l'air. Selon Max Wyman[70], un groupe de Torontois peu disposé à laisser la très renommée compagnie de Winnipeg prendre toute la place dans le domaine du ballet au Canada* avait fait des démarches en Angleterre pour trouver quelqu'un qui pourrait l'aider à mener à terme un ambitieux projet : la mise sur pied d'une compagnie nationale de ballet. Ninette de Valois, fondatrice du Sadler's Wells Opera Ballet, avait recommandé Celia Franca, formée à Londres, danseuse au Sadler's et au Metropolitan Ballet, pour remplir cette mission.

Celia Franca a raconté[71] qu'à la suite d'une performance au Mercury Theatre à Londres, « James Stewart est venu me rencontrer avec une vague proposition. Il n'y avait ni organisation, ni argent, ni danseurs, mais peut-être serait-il possible de former une nouvelle compagnie de danse au Canada...* » Arrivée au Canada en février 1951, Celia Franca annonçait pour août des auditions partout dans le pays et présentait, en novembre 1951, un récital à Toronto puis des représentations à Montréal. Durant cette première saison 1951-1952, la National Ballet Company donnera une trentaine de représentations, dont une au chalet de la montagne pendant les Festivals de Montréal.

C'est dans ce contexte que Ludmilla débarque à Montréal. Elle n'a rien et ne connaît personne dans le milieu de la danse. Elle ouvre un minuscule studio, annonce ses couleurs dans les médias anglophones, plonge dans la télévision naissante et bientôt se convainc de la nécessité de doter le Québec d'une troupe de danseurs qui portera partout la culture des gens d'ici.

Chapitre 4
La télévision

L a Société Radio-Canada avait acquis l'hôtel Ford sur le boulevard Dorchester Ouest, près de la rue Guy, afin d'y regrouper les studios de la radio et ceux de la télévision qui devait incessamment entrer en production. L'immeuble a été inauguré le 18 mai 1951 par le maire de Montréal, Camillien Houde, le cardinal Paul-Émile Léger et les ministres fédéraux Édouard Rinfret et J.J. McCann. Radio-Canada était alors sous la direction d'Augustin Frigon. Il était déjà décidé que le poste de Montréal présenterait des émissions bilingues, alors que celui de Toronto offrirait une programmation exclusivement en langue anglaise. Les émissions seraient éducatives et récréatives à la fois, « educative » désignant ici toute émission dont on puisse tirer profit pour retenir quelque chose mais devant joindre l'utile à l'agréable. « Tout porte à croire que ce nouvel instrument de communication soit le meilleur, et le plus puissant peut-être de tous les moyens de communication que l'homme ait connus[72] », pouvait-ton lire dans *La Semaine à Radio-Canada*.

Dès janvier 1952, les équipes sélectionnées pour les productions à venir sont soumises à un entraînement intensif[73]. Elles sont constituées de gens venant de la radio, du cinéma, du théâtre. Les premiers spectacles produits depuis les studios de Radio-Canada seront diffusés au Palais du commerce devant un public ébahi – du 10 au 14 mars inclusivement. Un court ballet, *De la cave au grenier*, fait partie de cette programmation. Il est interprété par Lise Gagnier et Marc Beaudet, alors avec le Ballet Métropole. Marc Beaudet vient de prendre la direction de ce groupe après avoir travaillé à New York avec Georges Balanchine et, au Mexique et à Cuba, avec Alicia Alonso. Il fera plus tard carrière à l'Office national du film (ONF).

Pendant que les équipes de production s'affairent au rodage de leurs techniques, Ludmilla peaufine la chorégraphie de *Tzigane*, qu'elle a promise au réalisateur Jean Boisvert. Avec l'aide d'Alexis, qui dessine les décors et les costumes, elle revoit l'argument du ballet dont dépend un contrat à la télévision d'État. Pas question de négliger quoi que ce soit ni de laisser voir de quels pauvres moyens elle dispose – à commencer par les danseurs. Son studio, au 1460 de la rue Union, reçoit de plus en plus d'élèves mais très peu peuvent se réclamer d'une formation digne de ce nom. C'est donc avec Dmitri Korsa, un danseur russe, Marianna Pees et Maria Revelins qu'elle réussit l'émission pilote.

Si, jusque-là, des spectateurs avaient pu voir en circuit fermé quelques émissions réalisées à partir du studio 40, le 25 juillet, ils assistent à la retransmission de la joute de baseball qui se déroule au stade de l'avenue De Lorimier. Les amateurs de hockey, eux, devront attendre le 11 octobre pour voir leur idole, Maurice Richard, évoluer au petit écran. Durant tout le mois d'août, Radio-Canada offre de quatre à cinq heures de programmation par jour – toujours en circuit fermé.

Le 1er septembre, Ludmilla est à l'écran. Comme elle aurait aimé que son père la voie! «Si tu aimes la danse, tu trouveras le moyen de la servir», lui avait-il dit à Berlin pour la consoler du jugement qu'avait porté sur elle David Lichine. Enlevant son maquillage, Ludmilla se dit qu'elle allait montrer à tous les Lichine de ce monde ce dont elle était capable pour servir la danse. Le lendemain, le quotidien *The Gazette* titre « *It's Mrs Chiriaeff's debut as an artist in Canada*». Madame Chiriaeff a dansé le premier rôle dans *Tzigane* avec Dmitri Korsa. Ce ballet, dont l'argument est un triangle amoureux chez les Tziganes, était produit par Jean Boisvert de CBC. Sous la plume d'Olive Dickason, l'article rappelle que Ludmilla a donné naissance à son troisième enfant cinq mois plus tôt et qu'elle l'allaite. Et Ludmilla de commenter : «Je ne vois pas pourquoi enfants et carrière ne peuvent aller de pair. Je pense que les enfants sont fiers d'une mère qui peut mener une carrière avec succès tout en s'occupant de sa maison*.» Mais Ludmilla n'a jamais tenu maison, sauf durant une courte période en Suisse et à son arrivée ici. Il y a toujours eu des gens pour le faire pour elle et pour s'occuper de ses enfants : sa mère, des voisins, des danseurs, le personnel de ses compagnies, des gardiennes et des bonnes.

Jean Boisvert est très satisfait de la performance de Ludmilla et parle de la possibilité d'une série d'émissions : un ballet par mois pour la programmation de 1953, bien qu'on ne connaisse pas encore dans quel cadre les ballets seraient présentés. Mais Radio-Canada en veut. Ludmilla trouve que c'est beaucoup trop. Toute sa vie elle ne cessera de répéter que les chorégraphes produisent un ou deux ballets par an. Mais comme elle doit gagner sa vie et qu'elle n'est pas femme à reculer devant les défis, elle accepte. Elle satisfera les exigences d'émissions en direct, avec une équipe de danseurs nouvellement constituée, et grâce au soutien du réalisateur Jean Boisvert.

Jean Boisvert fait partie de la toute première équipe des bâtisseurs de la télévision canadienne avec Florent Forget, à la direction des programmes, et Pierre

Mercure, à la direction de la programmation musicale. Jean Boisvert vient du milieu du cinéma. Il a collaboré à la réalisation de plusieurs films canadiens. Il fut le premier réalisateur engagé en novembre 1951. Selon la *Revue populaire*, sa réputation « était assez étendue pour que [...] l'Office National du Film, Renaissance Films et 20th Century-Fox empruntent ses services[74] ». Spécialiste du montage de films, il « réalise ses programmes de télévision avec une aisance qui ne laisse rien cependant à l'improvisation[75] ». Selon Denise Marsan, qui fut sa première scripte assistante, « Boisvert avait travaillé avec Otto Preminger. Il abordait la télévision avec son expérience de monteur. Les plans, les cadrages, c'était important. Tout était analysé. Sa discipline de l'image, il l'a imposée à toute l'équipe[76]. » Ludmilla ne pouvait trouver meilleur maître pour ce nouvel apprentissage qu'était la production de ballets pour la télévision. Ils feront une paire très efficace jusqu'à l'arrivée de *L'Heure du concert*.

Et le grand jour arrive. Le samedi soir 6 septembre, les quelque dizaines de milliers de familles québécoises qui possèdent un téléviseur ont invité des proches pour l'événement. Endimanchés, installés tôt devant l'écran après le souper, ils se préparent à une expérience inoubliable. Mais des difficultés techniques font qu'il n'y a sur l'écran jusque vers vingt heures trente que la tête du sauvage[77] remplacée alors par des images de l'arrivée des invités qui s'entassent dans l'entrée de l'édifice du boulevard Dorchester Ouest. Et commencent les discours. Le Très Honorable Louis Saint-Laurent, premier ministre du Canada, déclare que « la télévision exercera une influence prodigieuse sur la vie d'un grand nombre de familles[78] ». « D'autre part, [elle] ouvrira aux talents canadiens un vaste champ d'initiatives nouvelles. [...] De même qu'elle reflétera nos mœurs et nos idéaux canadiens, de même elle devra nous aider à considérer avec sympathie la vie et l'activité créatrices des autres nations[79]. » Puis la voix d'Henri Bergeron annonce le programme de la soirée, qui se terminera par une pièce de Jean Cocteau, *Œdipe-Roi*. « J'étais dans mes petits souliers, dira Henri Bergeron. Tout le monde était nerveux [...] J'étais arrivé à Montréal la semaine précédente [...]. Ce soir-là, je jouais ma carrière[80]. »

Les dix-huit prochains mois, la programmation sera bilingue et proviendra des studios montréalais. Cette programmation rejoindra trente pour cent de la population canadienne en traversant six fuseaux horaires et demi. Pour les artistes et les artisans de la télévision, c'était se faire connaître immédiatement d'un océan à l'autre. Pour Ludmilla, c'était un gagne-pain mais aussi l'assurance de danser et de faire connaître et aimer la danse. Un entrefilet, dans *La Semaine à Radio-Canada* du 14 au 20 septembre 1952[81], annonce les couleurs de la direction : « Au sujet de la danse, CBFT tient à encourager le plus possible cet art. On estime que la caméra devrait accomplir, pour la propagation de la danse, ce que la radio a fait pour la musique. » Mais Ludmilla n'est pas prête et c'est Elizabeth Leese qui remplira la plupart des cases horaires réservées à la danse jusqu'au début de 1953. Après cela, Ludmilla prendra la place. Toute la place.

Ludmilla va donc mettre toutes ses ardeurs à la préparation des chorégraphies pour la saison de télévision 1953. En commençant par écrire à ceux avec qui elle a travaillé en Suisse. Elle demande à René Pignolo-Trochen s'il peut lui céder des ballets dont il a soit composé la musique, soit préparé le matériel d'orchestre. Dans au moins quatre lettres de l'année 1953, Pignolo propose à Ludmilla des ballets et il y va de quelques commentaires du genre :

> *Boîte à musique* – (matériel déplorable et à refaire)
>
> *Ballets modernes* – que je vous recommande vivement, dans le genre *Melodie in Blue* que nous avions fait et dont l'orchestration est faite pour 32 musiciens.
>
> *Ballet des jouets* – (un magasin de jouets) pour 13 musiciens[82].

Ou encore :

> Chère Milla,
>
> Voici trois ballets, dont deux que vous m'avez demandés : *Faune et Nymphes* et *Caroussel (sic)*, puis celui des *Moissonneurs*. Je suis à votre entière disposition pour vous faire parvenir la suite que vous désirez... Si vous en voyez l'utilité, je puis vous faire parvenir les ballets du film (*Mendelssohn*, *Le Vent*, *La Chanson de l'idiote*) tous trois orchestrés. Mais il y a une chose à laquelle je pense : pourquoi ne pas m'envoyer des idées et écrire d'autres ballets qui auront ainsi la primeur d'être créés par vous[83]?

Et plus tard :

> Je collabore en ce moment avec Monsieur Sénéchaud, le critique musical qui a un très bon souvenir de vous, et nous sommes en train de faire un ballet d'une durée de 30 minutes minima que j'aimerai vous faire parvenir aussitôt prêt. L'orchestre sera un peu plus conséquent et ce serait un ballet de récital avec un minima de 30 personnes[84].

Cette lettre fait référence à une précédente correspondance de Ludmilla où il semble qu'elle ait fait miroiter à Pignolo la possibilité de venir à Montréal.

> Concernant votre lettre, lui répond-il, vous ne pouvez pas vous imaginer l'espoir qu'elle met en moi! J'en ai plus qu'assez de végéter ici [...] Le temps passe et l'on ne fait rien d'utile. Ce serait le rêve de ma vie que de pouvoir être chef d'orchestre dans une compagnie de ballet [...].

Je n'ai retrouvé aucun ballet qui porte l'un des titres envoyés par Pignolo, mais il se peut que Ludmilla en ait utilisé l'argument ou la musique en changeant le nom. Pignolo n'est pas venu diriger l'orchestre des Ballets Chiriaeff ni plus tard celui des Grands Ballets Canadiens.

Parallèlement à cette demande, Ludmilla recrute des danseurs. Ceux d'Ottawa sont intéressants et intéressés et ils la suivront. Roger Rochon se rappelle que « sa technique était formidable, ses pirouettes, autant que son port de bras étaient *inspiring*. Nous avions l'impression d'avoir affaire à une véritable artiste[85]. » Quand certains viendront de plus en plus souvent à Montréal, et que d'aucuns s'y installeront, Ludmilla aura maille à partir avec Yolande Leduc. Il faut dire que rien n'est jamais simple avec Ludmilla et que si elle continue de donner des cours à Ottawa, et qu'elle accepte de préparer des chorégraphies pour le spectacle de fin d'année de la Yolande Leduc's Ottawa Ballet Company, les clauses de l'entente semblent n'avoir jamais été clarifiées. Bien qu'elle s'en défende, Ludmilla ne se gêne pas pour débaucher les meilleurs élèves et leur offrir des rôles dans les ballets qu'elle doit monter pour Jean Boisvert[86]. Comme elle a besoin d'argent, deux fois par semaine, durant toute l'année 1953, elle prendra l'autobus, ou le train, pour se rendre à Ottawa donner son cours à quelque deux cents élèves. Durant le trajet de retour, elle tentera de trouver un peu de sommeil quand elle aura fini de revoir dans sa tête ce qui l'attend le lendemain, à Montréal. « La première fois que j'ai vu Ludmilla, c'était à Ottawa, se souvient Sheila Pearce. Elle portait un manteau beige, avec col de fourrure. Elle nous a donné une classe – et quelle classe ! À la barre durant une heure. À la fin, nous étions exténués mais ravis. »

La première chorégraphie de Ludmilla pour la télévision, *Suite caucasienne*, est présentée le dimanche 5 avril 1953, à vingt-deux heures. Ce ballet-conte, sur une musique d'Ivanov et de Khatchatourian, met en scène quatorze danseurs, venant surtout de la région d'Ottawa. Le texte, signé Alexis Chiriaeff, est lu par Paul Hébert, les décors sont de Robert Provost, les costumes de Claudette Picard et c'est Jean Boisvert qui réalise le tout. Ce dernier écrit à Ludmilla, le 10 avril :

> Dimanche dernier, à la suite du programme *Caucasienne*, Monsieur Alphonse Ouimet[87] me transmettait ses félicitations au sujet du spectacle. Je tiens à vous transmettre ces félicitations ainsi qu'à Monsieur Chiriaeff et à tous vos danseurs. Leur magnifique travail et leur patience ont été un grand facteur de succès de cette émission. Aux félicitations de Monsieur Ouimet, je joins mes plus sincères remerciements et mes cordiales salutations.

Ainsi, depuis les longues sessions de préparation et le découpage de ses choré-graphies en plans qui montraient les danseurs à leur avantage, jusqu'à la rigueur de la démarche de Boisvert, Ludmilla avait très vite assimilé le métier. « Elle n'avait pas des heures et des heures de répétition sur les plateaux, se souvient Denise Marsan. Et même dans son studio, il fallait que tout soit fait en pré-vision du spectacle. Elle était elle-même rigoureuse et ferme. »

L'horaire de Ludmilla commence à être chargé. Un télégramme de Yolande Leduc la somme d'être à Ottawa le dimanche suivant, avec la musique pour le rôle de Christina MacDonald. Nous sommes à quelques jours d'un spectacle sous la présidence du juge en chef de la Cour suprême du Canada, l'Honorable Thibaudeau Rinfret, et la directrice s'impatiente : la maîtresse de ballet et chorégraphe ne semble pas réaliser que rien n'est au point. Mais le soir du 22 avril, quand à vingt heures quinze la musique de Tchaïkovski résonne dans la Cornwall Collegiate & Vocational School, tout est en place. Il y a certes de la fébrilité chez les danseurs, mais la magie opère et le public est sous le charme. L'Ottawa Ballet Company présentera sensiblement le même programme, le mardi 5 mai, au Capitole Theater et ses danseurs seront de la distribution de deux ballets durant les quatre représentations de la *Gioconda*, que donnera The Ottawa Grand Opera Company à la fin de mai. Pour ces programmes, Ludmilla a chorégraphié deux ballets : *Monsieur Petit-Pas* et *Dance of the Hours*. Un journal local rapporte que « C'est le nouveau ballet *Monsieur Petit-Pas*, chorégraphié par Ludmilla Chiriaeff, qui termine le programme. John Stanzel y est un *Monsieur* enjoué et vivant et le ballet tout entier est délicieusement interpété par toute la compagnie[88]*. » Ludmilla me dira de Stanzel qu'il était extraordinaire. Que ce soit à New York, à Sept-Îles ou à Paris, il n'y avait pas de salle trop petite ou trop grande. Pour lui, le public était sacré.

En plus de la télévision, de son studio, des cours à Ottawa, Ludmilla donne aussi des cours au YMCA. Le 30 avril, alors qu'on lui expédie son chèque pour le mois, une lettre rappelle le travail de l'année : « [...] je vous envoie mes sincères remerciements pour l'excellent travail que vous avez fait avec notre groupe de ballet cette année. Le YMCA, les parents et les enfants, tous vous ont grandement appréciée[89]*. »

Je ne saurais quand situer exactement la rupture avec Yolande Leduc, mais comme il n'y a plus de traces de voyages vers Ottawa dès janvier 1954 et qu'au moins six des danseurs de la Ottawa Ballet Company suivent maintenant des cours à Montréal, il est raisonnable de penser que la rupture est alors consommée. D'autant que les danseurs de Leduc ne font pas que suivre des cours, ils se produisent fréquemment à la télévision et sont présentés comme faisant partie de la troupe des danseurs Chiriaeff. Un brouillon raturé d'une lettre de Ludmilla à Yolande Leduc laisse voir combien leurs relations s'étaient rapidement détériorées :

Chère Yolande !

Que se passe-t-il à la fin du compte???

Pourquoi y a-t-il un jeu invisible – au lieu de la vérité, de la clarté et de la franchise? Pourquoi, quand – même malade, je me dérange pour vous trouver un professeur – vous ne me téléphoner *(sic)* pas, vous vous arrangez pour que ce soit Paul qui me téléphone... Pourquoi,

quand je vous prie de m'envoyer le chèque du dernier jeudi que j'ai
travaillé pour vous... vous ne l'envoyez pas... Pourquoi n'arrangez-vous
pas les contrats avec la proposition dont je vous ai parler *(sic)* – pour
les deux chorégraphies dont je vous ai fait crédit... Pourquoi, ayant
besoin vous-même de la musique que je viens de recevoir... vous ne
me garantissez pas la somme pour le compositeur... Pourquoi toutes
ces histoires – cette lutte – ces secrets qui durent depuis quelques
semaines...Vous savez bien que je ne peux pas (ces deux derniers mots
sont rayés sur le brouillon) puis payer moi-même ni ce compositeur
– ni les décors de mon mari – ni nulle autres choses *(sic)* que j'ai déjà
en partie dépensé *(sic)* pour vous... Allons, chère Yolande... finissons et
arrangeons vite une fois pour tout *(sic)* ces histoires pour enfin commencer <u>librement</u> la création et le travail artistique – car l'art demande
un homme *(sic)* tout entièrement et cet *(sic)* impossible de créer dans
une atmosphère de méfiance et de lutte... vous le savez trop bien vous-
même...

Donc à bientôt avec un nouvel esprit une bonne santé... et une clarté
absolue sur tout ce qui nous dérange maintenant[90].

Déjà, le 8 juin 1953, Ludmilla avait adressé à Yolande Leduc un état de compte,
par courrier recommandé, lui réclamant cent dix-huit dollars soixante-quinze.

Je ne vous réclame que mes dépenses alors que je travaillais pour vous,
à votre demande. Je voudrais qu'il soit clair entre nous que je n'ai
jamais reçu quelque compensation que ce soit pour ce que j'ai fait
pour vous non plus que pour mes chorégraphies dont vous vous êtes
servie.

Je veux en outre que vous sachiez que toutes les chorégraphies
composées et montées par moi ont toujours été et demeurent ma propriété et personne n'a aucun droit de les utiliser sans une permission
écrite de ma part*.

Je n'ai rien trouvé dans les archives qui serait provenu de Yolande Leduc, et
Ludmilla ne m'a rien dit qui me donne à penser qu'elle ait reçu le paiement de
ces frais ni que quelque raccommodement ait pu se produire par la suite.

Le 27 juin, Ludmilla présente ce qu'elle considère comme le premier ballet
qu'elle monte ici, sa version de *Cendrillon*, avec Sheila Lawrence (Pearce) dans
le rôle-titre. «C'est le premier des ballets que Ludmilla a monté pour moi et
c'était avant que je m'installe à Montréal», dira Sheila Pearce. Ludmilla y interprète le rôle de «la marâtre, dominant toute la distribution de sa haute taille et
du relief de son jeu juste [...] Dans des décors bleus et blancs de Jacques Pell,
avec de spirituels costumes conçus par Madame et exécutés à même ses rideaux,
par elle et ses danseurs[91].» Cette histoire de rideaux utilisés pour confectionner
les costumes n'est qu'une histoire. Il subsiste une facture de la CBC chargeant

quatre-vingt-quinze dollars pour la location de costumes pour *Cendrillon*. Dans cette production, que Ludmilla a conçue pour les danseurs venant d'Ottawa, danse aussi Jimmy (James) Bourgeois, Audrey Miscampbell, Annette de Brisay et John Stanzel qui fera carrière aux Grands Ballets Canadiens. À partir de ce moment, les Sheila Pearce, Jimmy Bourgeois et John Stanzel, à qui se joindront bientôt Christina MacDonald et Roger Rochon, seront de presque toutes les productions qu'elle prépare pour la télévision.

Sheila Pearce m'a raconté qu'un projecteur de herse était tombé sur la tête de Ludmilla durant la répétition qui précédait la mise en ondes de *Cendrillon*. Alexis était vite parti avec Ludmilla vers l'hôpital le plus proche. Le projecteur avait fait une assez longue entaille qui avait nécessité plusieurs points de suture. Mais Ludmilla était revenue à Radio-Canada à temps pour l'émission et elle avait dansé comme si de rien n'était. Roland Lorrain rapporte que ce fait « avait accrédité un peu la légende qui commençait à se former sur la ténacité et l'amour à toute épreuve de cette femme pour le ballet et son dur métier[92] ». *Cendrillon*, Ludmilla aimait à le rappeler, était un vrai ballet en trois actes, qu'elle a monté dans un minuscule studio avec très peu de moyens.

Depuis quelques mois, c'est devenu invivable dans l'appartement de la rue Durocher. L'exiguïté des lieux, les odeurs de peinture et de térébenthine, le lavage toujours suspendu à travers une pièce, Ludmilla qui doit dormir dans le même lit que Nastia ou sur un canapé, puis une invasion de coquerelles. Un jour, Ludmilla demande à Alexis de lui descendre un gros toutou, placé sur le dessus d'une armoire, dans la chambre occupée par Sheila. Ludmilla voulait se servir de ce toutou pour les cours. Alexis apporte une chaise, monte dessus et retire le toutou, duquel s'échappe une armée de coquerelles. Exclamations. Cris. Le toutou à bout de bras, Alexis se dirige vers le bain, fait couler l'eau et y noie le toutou. « Et nous nous sommes mis à rire, raconte Sheila Pearce. C'était tellement ridicule. Je nous vois encore, Ludmilla était dans le hall et le toutou n'avait évidemment plus l'air d'un toutou. » Mais c'en est assez : il faut déménager. Les Chiriaeff se mettent en quête d'un endroit où loger la famille. Sheila, elle, s'installera rue Peel et plus tard logera avec Eva. Au printemps, les Chiriaeff dénichent le 4358 de la rue Harvard, un quadruplex dont ils habitent un des appartements du haut pendant un certain temps. Claude Fournier vit en bas, à gauche. Ludmilla travaillera avec Fournier et Roger Racine pour l'émission *Connaissez-vous la musique*, le mardi.

Le logement est grand. Alexis et Ludmilla y ont chacun leur chambre. Katerina dormira avec les enfants sauf Gleb, à qui l'on réserve une petite pièce. Il demande encore beaucoup d'attention et il vaut mieux qu'il puisse dormir seul. Katerina se glissera souvent dans cette chambre pour s'assurer que le petit n'a besoin de rien. Des arbres, devant la maison, laissent pousser des champignons à leurs pieds. Quand les Chiriaeff les cueillent, les voisins tentent de les décourager d'en manger, craignant qu'ils ne s'empoisonnent. Mais Katerina et Ludmilla sont des mycologues averties et vont rapidement initier les enfants et leur entourage à cette science méconnue des Québécois.

Bien que ce soit l'été, pas de répit possible. Ludmilla va bien de temps en temps prendre l'air avec sa mère et les enfants mais pas question de flâner dans un parc, par exemple. Il faut travailler à la programmation d'automne. CBC Times annonce déjà que Madame Chiriaeff et son groupe présenteront le ballet *À Petit Pas* à la fin de septembre[93]. Ludmilla donne aussi des cours de maître à des danseurs de compagnies de ballet. Ainsi, Jean Stoneham, alors danseuse étoile du Royal Winnipeg Ballet, passe quelque temps au studio à se perfectionner. Ludmilla lui offre ensuite une participation à une émission qui sera présentée à la mi-octobre et un rôle dans une émission programmée pour la fin du même mois. Jean Stoneham accepte la première mais décline la seconde parce que le Royal Winnipeg part en tournée. Elle écrit :

> C'eût été une inspiration pour moi de travailler avec vous mais comme je ne reviens que le 11 octobre, ce ne serait pas rendre justice à votre chorégraphie non plus qu'à vous-même. Y a-t-il une possibilité que je travaille avec vous à une autre date* ?

Elle continue en expliquant que le Royal Winnipeg lui a donné la permission de danser avec Ludmilla « pour autant que le Royal reçoive crédit pour ma participation et que je sois rémunérée par CBC. Le Royal est aussi intéressé par votre production*. » En conclusion de sa longue lettre, Jean Stoneham ajoute :

> Mes plus grands mercis et toute mon appréciation pour ce que vous avez fait pour moi avant que je ne quitte Montréal pour Winnipeg. Vos cours étaient merveilleux […]. Je m'applique à travailler mon port de bras et j'espère que vous trouverez une amélioration à mon retour au Québec en octobre[94]*.

Pour préparer la prestation que Jean Stoneham s'est engagée à livrer le 15 octobre, Ludmilla échange commentaires et suggestions avec elle. Jean Stoneham lui demande si Radio-Canada ou elle-même serait intéressée à ce qu'elle et Eric dansent le pas de deux du second acte du *Lac des cygnes*. Elle ajoute que Eric pourrait aussi faire la démonstration à lui tout seul. Eric Hyrst, né à Londres, a commencé son entraînement classique à neuf ans. Boursier du Royal Ballet, il passa trois ans au Sadler's Wells, avant de se joindre au Metropolitan Ballet de Londres. Avant de danser au Royal Winnipeg, il fut membre de la Compagnie d'Alicia Alonso, à La Havane. Il avait aussi dansé au New York City Ballet. Quelle belle offre ! Ludmilla les prendra tous les deux. Sans le savoir, le 15 octobre 1953, Jean et Eric venaient de faire leur entrée dans le monde de Ludmilla, qui ne les laisserait pas facilement s'éloigner. Elle disait souvent : « Je suis une araignée qui tisse sa toile et si le vent la dérange, je la retisse… » Jean

Stoneham se joindra à la troupe de Ludmilla à l'expiration de son contrat avec le Royal Winnipeg Ballet. Eric Hyrst la suivra de peu.

Même si elle est débordée de travail, Ludmilla trouve le moyen d'organiser des sorties avec sa mère et les enfants : dans les parcs de Montréal, bien sûr, mais aussi au village de Rawdon, où vivent des communautés russes et polonaises. Puis elle télégraphie à sa sœur Valia pour que celle-ci reçoive Katerina un temps. Les relations ont toujours été difficiles entre Ludmilla et sa mère mais aussi entre Katerina et Alexis ; aussi ce dernier voudrait-il trouver un peu de calme à la maison. Les ordres, Alexis les prend mal et il aimerait bien parfois être le maître chez lui. Il n'adresse la parole à sa belle-mère que lorsque Ludmilla est malade. Il a beau se réfugier dans sa chambre, il a trop souvent l'impression de vivre dans un refuge où tout le monde vient à son gré. « Il y avait toujours une atmosphère de tension, dira Sheila Pearce. Madame Gorny (Katerina) et Alexis ne pouvaient pas se supporter. Et avec tout ce que Ludmilla devait faire, juste pour assurer la survie, ça devait être difficile. » Le souvenir de Nastia est que sa grand-mère était souvent aux États-Unis. « Et c'était compliqué, notre relation. Mon père ne lui parlait pas et je ne posais pas de questions. »

Durant l'été, Ludmilla cherche aussi un plus grand studio. Celui de la rue Union n'est plus adapté au nombre d'élèves à qui elle donne des classes. Pour la saison 1953-1954, elle installe son école de ballet au deuxième étage du 1226, rue Sainte-Catherine Ouest, au coin de la Montagne, juste au-dessus du restaurant Dinty More et près du King's Hall où logeaient auparavant les studios de la radio de Radio-Canada. Il y a tout près l'épicerie Dionne et un salon de coiffure où les actrices abandonnaient leur tête à Bernard, le coiffeur le plus couru de l'époque. En face du studio, au même étage, des immigrantes étaient penchées sur une machine à coudre à longueur de journée. De septembre à décembre, dans ce studio qui longe le corridor, Ludmilla reçoit plus d'une centaine d'élèves dont plusieurs abandonneront après quelques semaines. La discipline est rigoureuse et il y a loin du rêve à la réalité du travail sur le corps pour lui faire acquérir la souplesse nécessaire. Ludmilla donnait toutes les classes elle-même, de dix-sept heures trente jusqu'à... épuisement. Plus tard, elle aura des assistants avec qui partager sa tâche.

En septembre 1953, Ludmilla présente sa chorégraphie *L'Ineffable Monsieur Triquet*, avec John Stanzel dans le rôle-titre et Rachel Tourangeau, dans celui de la petit fille. Cette production est en ondes le mercredi 23 septembre à vingt-deux heures trente. Un spectateur écrit à Ludmilla, le lendemain :

> Hier soir, la télévision nous offrait un véritable régal. *L'Ineffable Monsieur Triquet*, ballet-théâtre où vos élèves évoluaient avec tant d'aisance et de grâce, avec une telle richesse d'expression, qu'il faut

fouiller dans ses souvenirs pour trouver l'équivalent. Le spectacle a-t-il été filmé ? Sinon, il faut le regretter [...][95].

Il faut effectivement regretter que peu de choses aient été conservées du début de la télévision. Il est même difficile de retrouver des écrits de cette période : correspondance, contrats et autres documents, si utiles pour reconstituer une époque. Ludmilla elle-même déplorait le fait qu'il n'y ait plus trace des premiers spectacles montés pour la télévision. Mais selon elle, la majorité des émissions du début ont été enregistrées sur kinescope. « Je les visionnais et m'en servais par la suite pour corriger certains mouvements. Radio-Canada les a pratiquement tous détruits. Et tu sais, la danse, c'est l'art de l'éphémère – quelques secondes d'un beau mouvement... et plus rien. Alors, que tout cela n'existe plus... » Plus tard, quand les émissions seront préenregistrées, on ne gardera pas certains décors. Ludmilla les aurait conservés, mais elle ne pouvait pas les acheter et on a refusé de les lui donner. « Tu finissais le ballet, encore plein de sueur et content d'avoir bien dansé, et pendant le générique, les machinistes arrivaient et coupaient les décors. »

À l'automne, Alexis expose à la galerie Le Foyer de l'Art et du Livre, rue Sussex à Ottawa. Il s'agit d'aquarelles et de peintures représentant des scènes de ballet tirées du répertoire classique russe. « Quelques-unes de ces œuvres représentent des personnages créés et dansés par sa femme, Madame Ludmilla Chiriaeff, qui a une émission de télévision à Montréal et qui vient enseigner à l'Ottawa Ballet Company chaque semaine[96]*. » Selon cet article du *Ottawa Citizen*, l'exposition rappelle les ballets suivants : *Danse solitaire*, *The Music Box*, *La Cage d'Or* et trois scènes pour un ballet pas encore présenté : *Les Éphémères*.

À la fin de septembre, Ludmilla est malade. Dans un télégramme, Francis[97] se dit ébranlé d'apprendre qu'elle est malade et lui offre ses meilleurs vœux. Les enfants, eux, gardent le souvenir de journées d'angoisse. Leur père restait tout le temps auprès de leur mère. Le médecin venait, on chuchotait, mais ils n'ont jamais su de quoi leur mère souffrait. Il s'agissait apparemment d'une pneumonie qui reprenait le dessus. « On n'avait pas le droit d'entrer dans la chambre où souffrait notre mère, dira Nastia. Je pouvais juste entrouvrir la porte. J'ai vu une perfusion et j'étais très impressionnée. J'ai souvenir de ma grand-mère dans la cuisine : elle faisait bouillir de l'eau pour stériliser je ne sais quoi. Mon père est venu dans la cuisine et ma grand-mère et lui se sont parlé. Pour nous, c'était un signe de la gravité de la situation. »

Même malade, Ludmilla n'arrête pas longtemps. Il y a au moins trois émissions de télévision à préparer – ce qui veut dire laisser venir l'idée d'abord, chorégraphier, sélectionner les danseurs, et répéter en plus de donner les classes régulières. Il y aussi le spectacle que le Ottawa Ballet doit présenter le 19 décembre. Ludmilla y est toujours maîtresse de ballet, et pour ce spectacle, elle signe

Passionnément, sur une musique de Mousitchenko. Cette soirée sera sous le haut patronage du Gouverneur général du Canada, le Très Honorable Vincent Massey.

Mais quand elle revient à Radio-Canada, Ludmilla se sent des ailes, malgré la lourdeur de la tâche. Chaque fois qu'elle franchit le hall de l'ancien hôtel Ford, c'est comme si le souffle lui revenait, comme si le mouvement la portait et que rien ne pouvait plus l'atteindre Elle trouve là une chaleur, un lieu de création comme elle n'avait jamais pu en imaginer dans ses rêves les plus fous. Et dans ce lieu, Alexis redevient le collaborateur avec qui elle a travaillé en Suisse. Celui avec qui le merveilleux peut surgir de rien et devenir une œuvre. Ils peuvent à nouveau passer des heures, avec le régisseur, réalisateur, directeur musical, à concevoir une émission dont ils seront tous fiers. Rien ne peut se faire tout seul. « On avait tous besoin les uns des autres », dira Gabriel Charpentier, l'un des concepteurs de *L'Heure du concert*[98]. Henri Bergeron ajoute que « lorsqu'il se faisait quelque chose, on le faisait tous ensemble et les remerciements atteignaient tout le monde également. On vivait un peu comme par osmose dans cet univers qui était en train de se former. On s'appuyait les uns sur les autres, même si nous ne nous connaissions pas très bien. Il y avait quelque chose de magique[99]. »

Bien qu'elle n'ait jamais fait de télévision auparavant, Ludmilla est dans son élément. Et puis, tout le monde apprend en même temps les techniques particulières au petit écran. « Il est évident que, pour la danse, je m'entendais avec elle, raconte le réalisateur Roger Racine. On avait l'œil mais dans certaines parties d'une chorégraphie, il fallait une caméra à droite, et pour le mouvement suivant, il en fallait une autre à gauche[100]. » Roger Racine a préparé plusieurs émissions pour permettre aux danseurs de se familiariser avec la technique. C'était nécessaire. Le studio 40 n'était pas très grand et selon Pierre Morin[101], alors régisseur, « on fonctionnait avec trois très grosses caméras. Le problème, c'était le cadrage. Fallait que tout rentre dans le cadre. Il y avait une question de recul aussi, alors on jouait avec les lentilles pour avoir le plus de perspective possible – pour ne pas donner l'impression que les danseurs s'écrasaient dans le décor. Et lors des mouvements de caméras, il fallait tenir compte du câblage pour ne pas mélanger les très nombreux fils qui traînaient sur le plancher. Et puis les planchers... les danseurs ne pouvaient pas danser sur le ciment, alors on devait avoir monté un plancher de bois pour eux. Il fallait aussi tenir compte d'autres limites techniques : l'éclairage, très plat mais très égal, qui nous aidait à ne pas créer d'ombres avec les perches nécessaires au captage des bruits de pas des danseurs. »

La danse a beaucoup à faire avec l'espace. Dans un studio où il y avait aussi parfois un orchestre et plusieurs décors – c'est l'époque du direct –, certaines productions tiennent du miracle. Pour les solos, les pas de deux, les pas de trois, ça allait, mais dès que le corps de ballet dépassait la quinzaine de danseurs, il fallait pratiquement oublier cela.

Les danseurs devaient développer le sens de l'écran, de l'image. Ludmilla, elle, a toujours été consciente de l'image. Elle savait d'instinct meubler l'espace, me diront ceux qui ont travaillé avec elle. Avec Boisvert, on l'a vu, elle avait appris à analyser chaque plan avec attention et après chacune des répétitions, elle procédait aux accommodements nécessaires. « Si on pouvait en arriver à la perfection. C'est probablement simple, mais c'est très difficile à atteindre. Je suis si perfectionniste face au beau », répétait-elle souvent. Pendant la diffusion, quand elle ne dansait pas, elle était sur le plateau, près du régisseur ou du présentateur. Quand il arrivait que le réalisateur interrompe le mouvement, elle élevait le ton. « On peut facilement détruire une œuvre, si l'on n'y prend garde », dit-elle. Ludmilla ne pouvait accepter que ce ne soit pas parfait. Encore moins que l'on massacre le travail de ses danseurs par un mauvais cadrage. Elle n'allait pas jusqu'à jurer, comme Wilfrid Pelletier, mais si la colère était noble, c'en était tout de même une[102]. C'était l'apprentissage du métier. « Inévitablement, il y avait des erreurs, qui devenaient beaucoup plus évidentes parce qu'elles étaient captées par des cameramen qui n'étaient pas non plus très habiles. On voyait des pans de décor au lieu de voir une danseuse », rapporte Guy Beaulne[103]. Reste que pendant au moins la première décennie, la télévision d'État fut à l'avant-garde. Et *L'Heure du concert* probablement l'émission la plus audacieuse. La place qu'elle fit aux créateurs d'ici, entre le 14 janvier 1954 et le 31 mai 1956, n'a pas eu son pareil depuis. Cent trente-trois ballets y ont été présentés en treize saisons[104]. Et les danseurs de Ludmilla ont été de presque chacun d'eux.

En novembre, Ludmilla présente deux de ses créations, le dimanche à vingt et une heures trente. D'abord *Les Éphémères*, le 15, et *La Cage d'Or*, le 29. *Les Éphémères* est un ballet romantique sur la musique des *Saisons* de Glazounov. Alexis signe le texte et Ludmilla danse aux côtés de John Stanzel, Christina MacDonald, Roger Rochon, James Bourgeois, qui sont déjà connus du public téléspectateur. S'y ajoutent, parmi la douzaine de danseurs : Olivia Watts, Annette de Brisay, Françoise Sullivan et Brydon Paige. Brydon Paige a d'abord étudié à Vancouver avec Kay Armstrong. Avant de se joindre aux Ballets Chiriaeff, il a dansé avec le Theater Under the Stars au Festival du ballet canadien. C'est lors d'une représentation du groupe de Heino Heider à ce Festival, à Ottawa, que Pierre Mercure et Gabriel Charpentier ont invité cette compagnie pour une émission de télévision à Montréal, en août 1953. Resté à Montréal, Brydon Paige rendra visite à Ludmilla à son studio de la rue Sainte-Catherine.

> Brian et moi, on a marché un corridor jusqu'à la dernière porte. Il a frappé, la porte s'est entrouverte un peu et j'ai vu de grands yeux bleus nous regardant. Madame a ouvert. Elle était toute vêtue de noir. Je me

rappelle qu'elle toussait dans un mouchoir. Elle était très pâle. Plus tard, j'ai su qu'elle portait des vêtements de Lady Davis et qu'elle avait si peu de moyens pour elle-même[105].

Ludmilla offrira à Brydon Paige de faire partie des Ballets Chiriaeff. Elle l'avait vu danser durant les répétitions au studio de Radio-Canada. Il était déjà un excellent danseur de caractère. «Je suis resté à Montréal, et quelques semaines plus tard, Madame avait un rôle pour moi dans une émission de télévision. Et j'ai commencé une carrière avec les Ballets Chiriaeff.»

Quant à Françoise Sullivan, elle dansera deux saisons avec la troupe de Ludmilla et chorégraphiera *Rose Latulippe*, ballet inspiré d'une légende québécoise et présenté à la télévision pour l'inauguration du réseau de Radio-Canada, en janvier 1954[106]. Cosignataire du *Refus global*, auquel est joint son texte *La danse et l'espoir*, Françoise Sullivan est connue comme l'une des pionnières de la danse moderne au Québec, avec Françoise Riopelle et Jeanne Renaud[107]. Selon Ludmilla, quand Françoise Sullivan est arrivée aux Ballets Chiriaeff, elle avait déjà une bonne formation et des pieds magnifiques. Denise Marsan, qui était alors scripte assistante, se souvient de Sullivan. «Elle avait une figure romantique. Ludmilla a fait un programme en s'inspirant des pastels de Degas et a fait danser Françoise Sullivan. Elle lui a fait exécuter les mouvements qu'elle rendait le mieux. Françoise avait de grands développés... C'était de toute beauté.» Pourtant, dit Gabriel Charpentier, «Dieu sait que Sullivan, c'était loin de Ludmilla. Elle était Irlandaise et pleine d'idées de ballets néo-classiques.» Françoise Sullivan poursuivra plus tard une carrière de peintre-sculpteure. Ludmilla recommandera aussi aux organismes subventionnaires d'accorder une bourse à Françoise Riopelle. Elle écrit qu'elle suit le travail de celle-ci depuis quatre ans dans le «domaine de la danse moderne et de la recherche chorégraphique sur de la musique électronique. [...] Il m'a été donné d'observer l'évolution de son enseignement et l'intérêt de ses spectacles pour lesquels j'ai même prêté avec plaisir le concours de mes jeunes danseuses et danseurs[108].» Au début des années 1960, Ludmilla louera son studio à Françoise Riopelle les soirs de semaine où elle-même ne l'utilise pas. Puis, au printemps 1963, elle recommandera Yseult Riopelle à la princesse Egorova Troubetzkoy pour que cette dernière la prenne dans ses classes[109].

Le dimanche 29 novembre, Ludmilla tient le rôle d'une grande princesse russe dans *La Cage d'Or* et Eric Hyrst, celui du prince. Monté d'après une légende orientale, ce ballet, dans lequel dansent aussi Jean Stoneham et Anita Petzel, attire Ludmilla depuis Berlin. Elle aurait voulu y danser, alors, mais cela ne s'est pas matérialisé. En Suisse, elle aurait aimé le monter, mais elle n'avait ni les ressources financières ni les danseurs pour le faire.

Décembre ne s'annonce guère tranquille non plus. Deux créations spécialement pour la télévision sont annoncées : le dimanche soir 20 décembre, *Au clair de la lune*, dans lequel danse Ludmilla, et, le jeudi 24 en après-midi, le ballet *L'Orpheline*. Ce ballet, dont la narration est faite par Grand'Père Cailloux, est réalisé par Yvette Pard pour l'émission féminine *Rêves et réalités*. Yvette Pard a été scripte assistante pour toutes les productions de Radio-Canada durant l'année 1952. À l'automne 1953, elle devient la première femme réalisatrice.

Ludmilla n'épargne rien pour attirer des danseurs et les retenir définitivement à Montréal. Après la représentation de *Au clair de la lune*, le 20 décembre, Ludmilla organise une petite réception au studio et remet à chacun un cadeau. Et cette fois, Alexis aussi a un petit quelque chose pour eux. Jean Stoneham, notamment, a reçu une peinture d'Alexis. Dans sa lettre de remerciements, elle dit combien elle et son mari ont apprécié « la première peinture que nous ayons jamais eue, c'est un excellent début pour ce qui, grâce à vous deux, pourrait être une bonne collection[110*] ». Ludmilla sera toujours ainsi, offrant du chocolat, du papier à lettres, un petit rien pour s'attacher l'affection du plus grand nombre. À quelques-uns, qui se sentiront élus, elle donnera un chausson de ballet, un costume de scène qu'ils afficheront comme des trophées. Certains me les montreront quand je les rencontrerai pour recueillir leurs souvenirs des années où ils ont côtoyé Ludmilla.

En cette fin d'année, au cours d'une entrevue pour *La Semaine à Radio-Canada*, Jean Boisvert dira de Ludmilla qu'elle « abat un travail vraiment considérable. Elle s'occupe de tout. Elle invente l'argument comme elle imagine la chorégraphie[111]. » Mais c'est que Ludmilla aime tout contrôler. Il faut faire les choses comme elles doivent être faites. Et puis, vers qui se tournerait-elle pour chorégraphier ? Pour le moment, elle doit regrouper les meilleurs éléments disponibles afin de monter une troupe véritablement professionnelle et faire la preuve qu'il est possible de vivre de la danse au Québec[112]. Tout un programme qu'elle mettra quelques années à concrétiser.

Entre Noël et le jour de l'An, Ludmilla interprète une de ses chorégraphies, avec Eric Hyrst, à l'émission *Carrousel*. Intercalée entre Charles Trenet et Omer Dumas et ses ménestrels, cette danse tzigane était dans le ton de l'émission de variétés présentée régulièrement à Radio-Canada.

Plusieurs danseurs sont maintenant installés à Montréal, attirés par la possibilité de se produire régulièrement à la télévision, d'autant que, dès janvier 1954, Radio-Canada a mis en ondes *L'Heure du concert*, émission susceptible d'être à l'affiche durant plusieurs saisons. Diffusée tous les jeudis soir, à vingt heures trente, *L'Heure du concert* fait les délices des amateurs d'opéra, de ballet et de « grande musique ». Ludmilla décide alors d'accorder de plus en plus de place à ceux de ses danseurs qui manifestent des aptitudes pour la chorégraphie.

Ainsi, durant cette saison de *L'Heure du concert*, les créations de Françoise Sullivan et de Eric Hyrst seront présentées en alternance avec les siennes. Sur les trente et un ballets qui seront produits pour cette seule émission, treize proviendront du groupe de Ludmilla, qui en signera elle-même trois.

Janvier 1954, c'est aussi la fin de la production bilingue avec l'inauguration de CBMT, ce qui libérera des cases horaires pour d'autres types d'émissions. Ainsi, Jean Boisvert est maintenant réalisateur d'une émission qu'il met en ondes les vendredis soir. Quand il fait appel à Ludmilla, elle ne peut lui refuser, même si «inventer une intrigue, écrire la chorégraphie, distribuer les rôles, faire répéter les interpètes, discuter la production avec le réalisateur, le décorateur et le costumier, tout cela représente un travail considérable [...][113]». Cela sans compter les émissions où sporadiquement on demandait un court ballet. Selon Roger Racine, «on essayait d'introduire de la danse même dans les émissions de variétés. On montait beaucoup d'émissions. On travaillait des quatre-vingt-dix heures par semaine.» À ce rythme, il est évident que Ludmilla ne pourra tenir longtemps. Il lui faudrait plus de temps, plus de temps pour la création, plus de temps pour l'enseignement, plus de temps pour les répétitions, plus de temps pour tout. Ou alors de l'argent pour embaucher des gens qui l'aident.

Ludmilla songe de plus en plus à créer une Académie de ballet afin d'assurer une relève et de donner à son embryon de troupe une méthode d'enseignement qui pourrait ensuite être appliquée ailleurs par des professeurs formés à son école. Elle veut aussi une vraie troupe de ballet, et des mois d'immenses efforts seront consacrés à la concrétisation de ce projet. Elle a déjà rencontré les directrices des grandes écoles et troupes canadiennes et certains liens commencent à se tisser. Mais il faudrait frapper à d'autres portes, là où il y a de l'argent, entre autres. Sauf que Ludmilla ne connaît personne qui puisse l'introduire dans ces milieux.

Dans un des cahiers retrouvé aux archives[114], une grille des émissions à venir donne une idée de ce qui est en chantier ; d'abord une liste des ballets qui semblent avoir été longuement discutés avec le successeur de Jean Boisvert, Francis Coleman. Il s'agit de *Tableaux d'une exposition* (Moussorgski), *Tati-Tati* (Aleksandr Tcherepnine), *Danses slaves* (Dvorak), *L'Amour horloger* (Mozart), *Esquisse* (Villa-Lobos), et sous le titre «encore des éventualités», *La Vie* (Scriabine), *Eugène Onéguine, Quo vadis*. Ces cahiers contiennent aussi les budgets pour monter certaines chorégraphies avec l'agenda des répétitions, le nom des danseurs et le minutage de la prestation de chacun des danseurs en fonction de chaque plan découpé pour la télévision.

Un des cahiers renferme les horaires des classes du samedi réservées aux actrices, comme on appelait les comédiennes à l'époque. Ainsi, on apprend que Françoise Gratton, Marjolaine Hébert, Monique Miller et Ginette Letondal ont été des élèves de Ludmilla. Un article, publié dans *Radio Photo*, rapporte d'ailleurs que « Un visage expressif sur un corps rigide serait une hérésie. [...] quelques jeunes artistes consciencieuses ont décidé de suivre des cours de gymnastique rythmique et de danse de ballet, afin d'y trouver l'élégance du mouvement en scène, le geste dégagé, et la démarche souple[115]. » Les horaires du samedi couvrent aussi les classes pour enfants débutants et de niveau deux, auxquels participent Anastasie et Avdeij Chiriaeff.

En mars, la famille achète un piano, qui trônera dans le salon. Il est laqué noir et Nastia se souvient que le 24 décembre suivant, avec ses frères, elle attendra près du piano que le père Noël lance des cadeaux par la fenêtre. Tout comme ses deux petites sœurs, plus tard. Ludmilla emploiera un danseur ou un ami qui, déguisé en père Noël, apportera les cadeaux. Ludmilla n'était pas pianiste, mais elle aimait jouer du piano. C'était aussi utile quand elle chorégraphiait. Ou qu'elle n'avait pas les moyens de payer un répétiteur pour ses classes de ballet. Christine Clair se souvient de réceptions chez les Chiriaeff. « Madame se mettait au piano et chantait ses chansons russes. Elle avait une très jolie voix, d'ailleurs[116]. »

Ce printemps 1954, les Chiriaeff achètent aussi un terrain à Rawdon, sur la Dix-Septième Avenue, près de ce qui est plus tard devenu le Domaine Pontbriand. Payé au fur et à mesure que Ludmilla reçoit les cachets de l'émission *Tzigane*, ce petit terrain, planté de pins et de bouleaux, « était situé dans une très jeune forêt. Les bouleaux n'étaient pas plus hauts que cette pièce, explique Ludmilla. Il y avait des champignons partout. Il y avait aussi des fraises sauvages, des framboises, des bleuets quand on allait vers le lac. » Ludmilla aimait cet environnement. C'était son coin de Russie, du moins l'image qu'elle s'en était faite. Elle tentera de convaincre des danseurs d'acquérir un lot mais, selon Brydon Paige, « Nous avions à peine de quoi manger et cela m'apparaissait impossible de mettre de l'argent de côté pour un terrain. Aujourd'hui, je regrette de ne pas l'avoir fait. » Elle aimait aussi converser avec Henri Pontbriand. « On rêvait en couleurs – on rêvait de faire de cet endroit un Tangle Wood... » Ce chanteur d'opéra à la retraite fut d'abord architecte naval, à Marine Industries à Sorel, tout en étudiant le chant. Il fit carrière aux États-Unis et en Europe, surtout, et donna des cours de chant à New York et à Montréal avant de venir à Rawdon, où il fut le planificateur et l'architecte des entreprises des frères Pontbriand[117].

Ces derniers mois, Ludmilla a travaillé très fort à la création de *Pierre et le Loup*, qui sera présenté à *L'Heure du concert*, le jeudi 6 mai. Le but de cette création est de « familiariser le jeune auditoire avec les divers instruments de musique qui forment un orchestre[118]. » Dans ce conte musical, chaque instrument de musique est représenté par un personnage. Cette *Heure du concert*, réalisée par Pierre Mercure, est présentée en réseau et donc accessible aux téléspectateurs d'Ottawa et de Toronto. Sylvio Lacharité dirige l'orchestre et Robert Gadouas est le narrateur. On parlera de la fantaisie débordante et de l'esthétique de ce ballet qui aura tellement demandé à Ludmilla qu'elle en sera malade. « C'est curieux. Quand j'étais insécure, je commençais à avoir de la fièvre. Dès que l'angoisse disparaissait, je n'avais plus de fièvre. » Toute jeune, à Berlin, Ludmilla était déjà comme cela quand l'oncle Michel venait avec son perroquet. Ou qu'elle ne comprenait pas un mot d'une conversation dans une langue qu'elle ne maîtrisait pas. Cette fois, elle est malade au point de ne plus pouvoir marcher et de devoir prendre le lit. À Pierre Mercure, elle écrit :

> Vendredi soir, à peine la chorégraphie du *Pierre et le Loup* a été terminée – la fièvre et des douleurs atroces m'ont saisie et m'ont forcée au lit [...].
>
> Eric s'occupe des répétitions au studio et mon mari vous donnera tous *(sic)* ce que j'ai prévu pour l'enchaînement. La fin – je l'ai résolue comme nous l'avons discuté... [...]
>
> Je n'ai plus de fièvre (mais hélas encore une très grave maladie) – ne craignez pas de me demander conseil... mon mari me transmettra vos questions et ce sera un bonheur pour moi – bien qu'au lit et malade, de participer aux répétitions[119].

Eric Hyrst lui écrit pour la remercier des chocolats qu'elle a fait envoyer. Il lui raconte où la Compagnie en est avec les répétitions de *Pierre et le Loup,* qu'il assure en son absence, et parle du ballet *Valse macabre* de Ravel. Il termine sa lettre en réaffirmant : « Vous savez que j'ai toujours dit croire en vous et en votre travail. J'espère que vous allez mieux et [...] que vous reviendrez bientôt[120*]. » Ces professions de foi et ces déclarations, toute sa vie Ludmilla en aura désespérément besoin. Au point de les susciter, quand elles ne venaient pas. Elle disait souvent, après avoir raconté quelque chose : « C'était bon, non ? » Ou alors : « Comment vous avez trouvé cela ? » Quand je lui faisais part des rencontres que j'avais eues, en préparation de la biographie que je voulais rédiger sur elle, invariablement elle me demandait : « Se souvient-il de moi ? Qu'est-ce qu'il a dit de moi ? » La petite fille qui a besoin d'être rassurée, ce besoin jamais assouvi d'être reconnue, appréciée, aimée.

Au début de juin, Ludmilla reçoit une lettre d'Eva von Gencsy qui lui apprend que les studios du Royal Winnipeg ont brûlé la veille. Pendant un temps, les danseurs se retrouvent en difficulté. Ludmilla offre alors à Eva de venir habiter chez elle, le temps qu'il lui faut pour décider... Eva promet d'écrire à Ludmilla quand ses engagements seront terminés. Boursière de l'Académie des Ballets russes de Budapest, Eva a ensuite été soliste à l'Opéra de Salzbourg. Arrivée au Canada en 1948, elle s'est installée à Winnipeg où elle danse cinq ans avec le Royal Winnipeg Ballet. À Montréal, c'est la première fois qu'elle danse pour la télévision.

C'est tellement différent. Dans une compagnie, vous avez un répertoire et vous le dansez encore et toujours et de temps à autre, il se
présente une nouvelle œuvre. Je suis arrivée à Montréal et toutes les
semaines il y avait quelque chose de nouveau et de tellement différent.
Je ne sais comment Madame y arrivait[121]*.

Ludmilla caresse un rêve... fou, diront certains. Elle voudrait que ce que l'on
commence à nommer les Ballets Chiriaeff devienne les Ballets de Radio-Canada.
En juin et juillet, elle sollicite des lettres de recommandation pour l'aider dans
ses démarches auprès de Radio-Canada et, parallèlement, elle fait sonder le
gouvernement provincial. Au gouvernement du Québec, elle fait savoir son
intention de doter Montréal et la province d'une troupe de niveau international
dont le siège soit à Montréal. Cette troupe pourrait d'ailleurs porter le nom de
Ballet National du Québec. Arsène Ménard écrit :

> Vraiment, cette femme de grand talent mérite de l'encouragement et
> je serais bien heureux d'apprendre qu'elle a obtenu un octroi raison-
> nable du gouvernement. Je dirais plus, que le gouvernement l'aide à
> réaliser son rêve le plus cher c'est-à-dire former sa troupe au nom de
> <u>Ballet National du Québec.</u>
>
> P.-S. - J'écris ce jour même à l'Honorable Omer Côté à ce sujet[122].

Et Jean Boisvert :

> Elle a démontré son talent, son expérience, son sens du beau aussi
> bien que son sens pratique dans les nombreux spectacles que nous
> lui avons confiés à la télévision.
>
> En moins d'un an, elle est parvenue à réunir des éléments et à former
> une troupe vraiment professionnelle. En moins d'un an également,
> Madame Chiriaeff a créé douze ballets nouveaux d'une demi-heure
> pour la télévision, ce qui n'est pas peu dire[123].

Les journaux et les revues spécialisées aussi font état du travail accompli par
Ludmilla. Rappelant que *L'Heure du concert* a fait la part belle au ballet, la publication *Le Film* signale que « plusieurs des danseurs invités à participer aux ballets
font partie de l'école de Madame Chiriaeff, qui accomplit depuis son arrivée
au pays un travail merveilleux dans ce domaine[124] ».

À la rentrée, Ludmilla rencontre Gérard Lamarche, directeur régional des
programmes à Radio-Canada. La saison précédente a été pour elle exténuante
et elle ne peut soutenir le rythme des productions qu'on lui impose. Elle doit
céder à d'autres la création de certaines œuvres et quelques-uns de ses danseurs.
Radio-Canada préférant répéter dans les studios de Ludmilla, elle se sent lésée.
Elle rappelle à Monsieur Lamarche ce fait, « sans que je sois rétribuée d'aucune
façon, ce qui m'enlevait les heures où j'aurais pu donner des cours, et mon école,
en tant qu'établissement privé pour l'enseignement de la danse, s'est réduite à

presque rien[125] ». On ne peut déduire clairement de cette lettre ce que Ludmilla attend de Radio-Canada. Sur trois longues pages, elle retrace ce qu'elle a fait depuis sa rencontre avec Mademoiselle Hodgson et celle avec Jean Boisvert, en 1952, intercalant au passage ses difficultés avec Yolande Leduc. Nulle part dans cette lettre elle ne demande à être payée pour l'utilisation de ses studios pendant les répétitions avec les danseurs pour les productions télévisées. Selon Pierre Morin, Ludmilla avait une façon très russe de dire les choses. « Les Russes ne disent pas tout de suite ce qu'ils pensent vraiment. » De même sa façon d'écrire. « Dans son processus d'écriture, dira Gleb, j'avais constamment cette critique à lui faire : tu passes toujours par Trois-Rivières pour aller à Vancouver et arriver à Winnipeg, pour dire que tu voulais aller à Québec. Elle s'en va à Québec, mais elle laisse une petite fleur ici et là. Il y a un côté slave dans cela. »

Gérard Lamarche dit qu'il garde un souvenir inoubliable de Ludmilla. « Elle est entrée dans mon bureau avec son mari, Alexis. Vous savez, le vrai Russe, le Slave, sérieux. Elle m'a expliqué ce qu'elle voulait faire. J'ai été séduit par cette femme-là, par son intelligence, par sa chaleur, sa détermination. Je me suis dit : faut faire quelque chose[126]. » Gérard Lamarche a présenté Ludmilla à son cousin, Pierre Mercure, et à Françoys Bernier ; ils songeaient alors à une émission de musique classique pour la télévision. S'il y a une chose qui revient toujours chez les gens qui ont connu Ludmilla quand ils parlent de la première fois où ils l'ont vue, c'est combien cette femme était séduisante et combien, quand elle expliquait ses projets, il était difficile de ne pas adhérer à la mission qu'elle s'était donnée et qu'elle exposait avec tellement de conviction. « Elle savait très bien aller chercher ce qu'il fallait pour sa compagnie, se souvient Michel Martin. Elle avait une présence qui en imposait. Ça, tu l'as ou tu l'as pas. Et Ludmilla l'avait[127]. »

À l'automne, toute la communauté de la danse est sollicitée pour l'organisation d'une soirée au bénéfice du Royal Winnipeg Ballet si gravement touché par l'incendie de juin. La Quebec Dance Teacher's Association demande à Ludmilla un ballet de dix à quinze minutes pour cette représentation prévue pour le 14 novembre, au Théâtre Gesu. D'ici là, Eva von Gencsy, danseuse étoile du Royal Winnipeg, aura fait ses débuts à la télévision, le jeudi 7 octobre, dans le cadre de *L'Heure du concert*. Sur une musique de Stravinski-Pergolèse, et chorégraphié par Ludmilla, Eva interprète *Pulcinella* avec les danseurs de la troupe dans les décors de Robert Provost.

À l'émission *Trente secondes*, le vendredi 12 novembre, Édith Landori se joint aux danseurs de la troupe. Arrivée depuis peu d'Europe, elle a connu Ludmilla en Suisse.

Elle avait un très grand studio à Genève. Un très beau grand studio. C'était avant la naissance de Nastia. J'étais petite, alors, et ce qui m'avait impressionnée, c'était le gros ventre de Madame. Elle m'a fait danser, pour vérifier mes connaissances, et a convaincu mes parents de m'inscrire chez Madame Lubov Egorova, qui était alors un des grands professeurs, à Paris. Et j'ai pris des cours chez elle[128].

Après Paris, celle qui sera plus tard connue sous le nom de Véronique Landory suivra des cours au Sadler's Wells avant de retrouver Ludmilla à Montréal.

Les témoignages continuent d'arriver. Ainsi, Georges Groulx, qui ne spécifie pas dans quel contexte il a eu le plaisir de travailler avec Ludmilla : « Votre conscience professionnelle est indéniable et votre talent aussi. Je n'ai reçu que des éloges [...]. Votre disponibilité et votre intuition me prouvent la qualité de vos dons d'artiste[129]. » Henri Bergeron dira qu'elle « allait au bout de son souffle, pour donner la pleine mesure. Ce n'est pas étonnant qu'elle se soit souvent rendue malade. » Malade, Ludmilla l'a été presque toute sa vie.

Cet automne-là, le rythme est affolant à la télévision. Ludmilla n'arrête pas. Elle est sur tous les plateaux. Elle est partout. Bien que les archives soient incomplètes, et à Radio-Canada et au Fonds d'Archives Ludmilla Chiriaeff, j'ai repéré trois productions en octobre, cinq en novembre et deux en décembre. Elle n'aura chorégraphié que quatre des dix ballets, mais tout de même ! Et c'est sans compter les émissions de variétés.

Chapitre 5
Les Ballets Chiriaeff

Au deuxième étage du 1226 de la rue Sainte-Catherine Ouest, une douzaine de garçons et de filles de moins de cinq ans se préparent aux exercices à la barre. En collant et chaussons, au son du piano, ils pointent le pied droit vers l'avant, étendent le bras droit et un martèlement sec sur le plancher de bois les fait s'arrêter. Ludmilla, comme tous les professeurs de ballet de l'époque, rythme la mesure avec un bâton dont elle frappe le sol. Les mollets aussi, m'ont rapporté en confidence des danseuses qui ont suivi des cours avec Madame, dansé dans ses compagnies et même enseigné à l'Académie, à l'École supérieure ou à l'École Pierre-Laporte.

Ludmilla vient d'arrêter l'exercice pour redresser le corps de quelques élèves qui ont peine à lever la tête et à dégager les épaules. « Je donnais des cours pour faire sortir le verbe " être " chez ces enfants, leur apprendre à dire je suis. Leur faire prendre conscience de ce qui émane de leur corps. » Mais le Québec avait tellement de difficultés avec les péchés associés au corps que c'était tout un défi pour Ludmilla. Sans même l'avoir entendu parler, à sa façon de marcher ou de prendre position à la barre, elle pouvait dire d'un enfant s'il était francophone et catholique ou anglophone et d'une autre confession religieuse. Chez les premiers, on n'en finissait plus de se cacher pour enfiler un collant et l'on rentrait les épaules en marchant. « Je voyais des enfants souvent très traumatisés par leur corps[130]. » C'était l'époque où, dans les pensionnats, les filles devaient prendre leur bain avec une chemise de nuit !

Ludmilla s'est demandé comment elle allait réussir à enseigner à ces enfants. Elle a tenté diverses approches.

Un jour, j'ai dit :

— Maintenant, on est le Chaperon rouge qui entre dans la grande salle pour sauver sa grand-maman. Vous traversez la salle, vous faites juste marcher.

— Moé, j'sus pas capable, qu'on me répondait, la tête penchée et les yeux rivés sur le plancher.

Et je recommençais :

— Mais oui, tu es capable. Tu vois le cadre, là-bas ? Toi, tu es le portrait dans le cadre. Lève la tête. Maintenant, regarde-moi. Bien. Viens vers moi. Oui, oui, sors du cadre et viens me voir. Viens me parler.

Les jeunes avançaient mais je sentais que c'était un cauchemar pour ces enfants.

L'âme n'y était pas.

Alors, Ludmilla recommençait, encore et encore. « Il fallait les apprivoiser, lentement, leur permettre de s'exprimer par le corps. Leur permettre d'oublier leur corps en maillot pour être le Chaperon rouge ou Cendrillon. »

Enseigner, c'était une chose, mais faire des danseurs de ces enfants en était une autre. « Les parents me confiaient leur fille pour qu'elle devienne gracieuse. Mais si je voyais en elle de grandes possibilités, on me la retirait avec effroi, de peur que j'en fasse une danseuse. Pour les garçons, c'était pire encore. Tous les danseurs étaient des invertis aux yeux du public[131]. » Quelques-uns voulaient vraiment danser, alors, inlassablement, Ludmilla reprenait les exercices, certaine que c'est de là que sortiraient quelques-unes des futures étoiles québécoises de la danse. Ces jeunes sont à l'âge où le corps est agile, souple et où il peut le mieux s'adapter aux gestes parfois à la limite du tolérable. Et lentement, cela prend place. Quand la danse vous choisit, votre corps garde à jamais la mémoire des pas de toutes ces histoires apprises au fil des ans et que vous avez racontées au public sur des musiques qui vous ont donné des ailes. C'est ainsi que, quand ses jambes ne la porteront plus et que le souffle lui manquera, Ludmilla continuera à danser dans sa tête à la moindre mesure de Stravinski.

Entre les classes à donner au studio, il y a toujours la préparation de productions originales pour le télévision, et l'année 1955 n'y échappe pas. J'ai recensé au moins une trentaine de ballets qui ont été offerts aux téléspectateurs, la plupart étant des créations de Ludmilla ou de Eric Hyrst. Hyrst est brillant, mais quand il présente sa version du deuxième acte du *Lac des cygnes*, les critiques sont partagées. Dans le quotidien *La Presse*, Marcel Valois écrit :

On citera la date du 2 février 1955 à la télévision canadienne pendant longtemps comme [...] la réussite de la danse de ballet enfin suggérée aux spectateurs comme dans une salle de spectacle. [...]

Cette *Heure du concert* était presque trop riche avec la présentation sans aucune coupure du deuxième acte du *Lac des cygnes* dansé dans une lyrique atmosphère maintenue du commencement à la fin et qui doit sûrement beaucoup à Madame Ludmilla Chiriaeff[132].

Par contre, un article non signé, dans *VRAI*, accuse les Ballets Chiriaeff d'avoir défiguré une œuvre aussi célèbre et cela, «surtout pour satisfaire au mauvais goût du redresseur de chorégraphies[133]», Eric Hyrst. Quelques jours plus tôt, le *Journal des vedettes* affirmait que Ludmilla Chiriaeff était devenue le premier professeur de danse à Montréal mais aussi que l'on se plaignait «parfois, avec raison, que le ballet était trop bien servi à la télévision et que trop de danses nuit...[134]» En mars, *VRAI* récidive : « Le ballet se gâte à la télévision, depuis deux mois, et l'on serait enclin à souhaiter qu'il y en eût moins, mais de meilleur[135]. »

Ludmilla était la première à trouver qu'on lui en demandait beaucoup et qu'elle manquait de temps pour chorégraphier et faire répéter les danseurs. Elle avait beau demander à d'autres de créer des œuvres, le temps manquait pour tout le monde. Puis, il ne faut pas que du temps, la création n'est pas donnée à tout un chacun. À ce moment, Ludmilla est davantage préoccupée par la nécessité de garder de bons solistes et de constituer un corps de ballet digne de ce nom. Mais comment faire si l'on ne peut garantir du travail à ceux dont c'est le métier de danser? «Parce qu'on ne peut être danseur à temps partiel, disait Ludmilla. Il faut y consacrer toute sa vie.» La plupart des danseurs des Ballets Chiriaeff devaient faire autre chose pour boucler leurs fins de mois. Ils avaient beau être quatre ou cinq à partager un logement, ce n'était pas quelques apparitions par mois à la télévision qui leur permettaient de vivre. Comment continuer les classes et les répétitions si l'on doit aussi être caissière dans un magasin à rayons? Pour demeurer au sommet de sa forme, un danseur doit consacrer plusieurs heures de sa journée aux exercices. «C'est pas facile de donner de la consistance à quelque chose, dit Henri Bergeron, et Ludmilla a réalisé cela. Avant elle, il y avait des danseurs mais pas de corps de ballet. Elle a fait un travail très sérieux, en peu de temps. Ici, elle a donné des racines au ballet. C'était l'homme qui plantait des arbres.» Ludmilla décide alors de monter des spectacles pour la scène et de lancer les Ballets Chiriaeff à l'assaut du public montréalais. Elle ne sait pas encore comment ni par où commencer, mais elle sait qu'elle doit rapidement le faire. «Il fallait trouver le moyen d'aller sur scène», raconte Ludmilla. Et c'est Jean Drapeau qui va lui donner l'occasion de réaliser qu'elle peut avantageusement *sortir* de la télévision.

Jean Drapeau, qui fut maire de Montréal pour un premier terme de la fin d'octobre 1954 à 1957, fera un retour à la mairie en 1960 pour ne la quitter que le 27 juin 1986. Cet avocat de trente-huit ans, qui s'est d'abord fait connaître lors de l'enquête pour libérer Montréal de la pègre[136], comme le disaient alors les journaux, était un amateur d'art sous toutes ses formes, mais il aimait particulièrement l'opéra. Sa mère était musicienne et avait une voix extraordinaire, selon ce qu'il m'a confié en entrevue[137].

Le samedi 5 mars 1955, dans le hall de l'hôtel de ville, Jean Drapeau organise une soirée pour annoncer la création du Conseil municipal des arts. Cet organisme, qui portera plus tard le nom de Conseil des arts de la Communauté urbaine de Montréal et maintenant connu sous le nom de Conseil des arts de Montréal, était à l'origine composé d'une douzaine de personnes. « Je ne voulais pas que les octrois viennent du conseil municipal, dira Jean Drapeau. Je voulais que le conseil vote l'argent globalement et que des gens qui connaissent ça puissent déterminer si une compagnie justifie la demande par la qualité de son travail. Je n'aurais pas pu faire tout ce que j'ai pu faire si j'avais voulu faire ça tout seul. » Le maire convie à cette soirée de mars tout ce que Montréal a de mécènes et de notables. Il y convie aussi des artistes. Au programme de la soirée, Arthur LeBlanc, violoniste, et le baryton Napoléon Bisson, le Théâtre du Nouveau Monde et les Ballets Chiriaeff. Dans son allocution, monsieur le Maire fait remarquer qu'il est « étrange que les arts doivent vivre dans l'attente d'octrois, alors qu'on prélève sur les assistances aux spectacles des impôts qui sont attribués à la construction d'hôpitaux[138]. » Ludmilla se souvient de l'entrée de l'hôtel de ville, ce soir-là. Comme l'espace lui avait paru vaste, avec les fauteuils entourant les petites tables. Des paravents faisaient office de coulisses et sur un podium, entouré de fleurs, un piano attendait que l'on vienne en tirer les grandes musiques qui accompagneraient les chanteurs et les danseurs. « J'étais excessivement fatiguée. La veille, on avait présenté *Les Cent Baisers* à l'émission *Trente secondes*, à la télévision. J'y tenais le rôle de la reine, avec une coiffure immense, imprégnée de *spray* argent. L'odeur m'avait donné terriblement mal à la tête. »

Le 31 mai, le maire fait parvenir un chèque de cent cinquante dollars à Ludmilla en précisant que « il ne s'agit pas d'un paiement mais d'une reconnaissance bien modeste des services que vous avez rendus à la Cité par une contribution très précieuse à une soirée artistique dans le Hall d'honneur de l'Hôtel de Ville, le 5 mars dernier ». En entrevue, Jean Drapeau dira que, lorsque Ludmilla l'a remercié pour lui avoir permis de faire connaître les Ballets Chiriaeff à une autre clientèle que celle de la télévision, il lui a répondu que c'est lui qui lui était redevable d'avoir suscité une activité économique bénéfique pour sa ville. « Ainsi, disait-il, des dames ont probablement fait travailler des couturières, pour ce soir ; elles sont allées se faire coiffer ; des taxis sont venus conduire des gens à la réception, des fleuristes ont apporté des corbeilles pour la décoration. Tout cela, expliquait-il, était généré par le travail des artistes et il fallait savoir le reconnaître – au-delà de l'apport culturel indéniable des gens comme Ludmilla. À partir du moment où j'ai pu voir qu'elle avait une pensée qui correspondait, non pas à la mienne, mais à la pensée et au désir des Montréalais d'avoir une compagnie... quand l'occasion est venue de l'aider, je n'ai pas hésité. Ce n'était pas pour l'aider, elle, elle faisait tant de choses pour la ville. »

Ludmilla a toujours eu de la difficulté à accepter le fait qu'une activité artistique ne soit pas qu'un moment de beauté offert au monde, qu'un moment purement esthétique. Il faut dire aussi qu'Alexis était le premier à juger sévèrement le travail de Ludmilla quand elle acceptait des contrats pour des émissions de variétés du genre *Au p'tit bonheur, Connaissez-vous la musique* et *Carrousel*. Même plus tard les Grands Ballets. Il jugeait qu'elle avait commercialisé la danse; ce n'était donc plus de l'art. Peut-être était-il un peu envieux des succès de sa femme, qui l'intégrait de moins en moins dans ses projets. Selon Henri Bergeron, «l'activité de Ludmilla prenait beaucoup d'espace, et à un moment donné, presque tout l'espace. Alexis a été contraint de faire ses choses tout seul. Remarquez qu'une personne créatrice comme Ludmilla siphonne de l'énergie en quantité tout autour. C'est cela qui fait sa grandeur. Elle s'appuie là-dessus. Pendant ce temps, l'autre est content de participer à une œuvre qui devient une œuvre commune, mais quand cela n'est plus...» Alexis se voyait comme un artiste qui ne trouvait pas de travail à la mesure de son talent. «Et de la voir, elle, à la télévision, ayant beaucoup de succès, c'est pas facile», me confiera Véronique Landory.

Une chance que *Jeu de cartes* avait charmé l'auditoire de l'hôtel de ville, et qu'on en parlait dans les salons, parce que la critique d'un des derniers passages des Ballets Chiriaeff à la télévision a été épouvantable. Certes, toute l'émission du lundi 28 février est décriée, qualifiée de «navet» dont «la niaiserie du texte n'avait d'égal que celle de la chorégraphie, si l'on peut appeler ainsi les exercices de gymnastique pour le développement du buste auxquels se sont livrées les danseuses de Madame Chiriaeff[139]». Jean Hamelin écrit encore que «on ne parlait que de ce "*Shalimar*" de foire, cette semaine, dans les couloirs et les bureaux de Radio-Canada». Il en faut plus que cela pour décourager Ludmilla. Cela lui confirme plutôt l'urgence de sortir de Radio-Canada. «J'avais la foi. Je savais d'instinct ce qu'il fallait que je fasse. Quand je sens dans mes tripes que c'est juste, je vais toujours jusqu'au bout.»

Pendant ce temps, certains de ses danseurs passent des auditions à New York, chez Balanchine. Si elle n'y prend garde, elle perdra ses meilleurs éléments. Ceux qui ont quitté le Royal Winnipeg ou le National pour venir danser à Montréal peuvent à tout moment faire le saut ailleurs. Depuis bientôt deux ans, Eva, Christina, Eric, Brydon et John sont d'à peu près toutes les productions. Avec le corps de ballet, ils ont acquis une homogénéité et ce fondu qui ne s'improvisent pas. Ludmilla ne peut se permettre d'en perdre un seul. Si avant on parlait des danseurs de Madame Chiriaeff, on peut maintenant parler des Ballets Chiriaeff comme d'une troupe en passe de devenir quelque chose comme une compagnie de ballet. «Je savais bâtir, c'est un don. Je pouvais monter quelque chose, sachant comment sortir le meilleur de chacun. Je chorégraphiais selon les danseurs que j'avais.» La plupart des personnes que j'ai rencontrées m'ont parlé de cette habileté qu'avait Ludmilla de faire sortir le meilleur de chacun de ses danseurs et de chorégraphier en conséquence. «Et pour la télévision, rapporte Denise Marsan, elle choisissait pour eux le meilleur plan, de sorte que les danseurs étaient toujours montrés à leur avantage.» Pour

L'Heure du concert du 10 mars, Ludmilla prépare *Nuit sur le mont Chauve*, de Moussorgski, avec à nouveau Eva, Eric, Brydon. Pierre Mercure, qui réalise cette émission, a invité Igor Markevitch à diriger l'orchestre. Markevitch avait travaillé avec Jean Cocteau qui avait rédigé pour lui les paroles de *Cantate* à la fin des années 1920.

Les critiques pour les spectacles télévisés ne sont toutefois pas toutes mauvaises. En avril, à la suite de la télédiffusion de *Variations en blanc*, à *Trente secondes*, Marcel Valois écrit que « N'ayant jamais recours à l'effet et faisant toujours passer l'interprétation avant la technique, Madame Chiriaeff sert autant qu'elle utilise les dons d'Eva von Gencsy, d'Eric Hyrst et de tous les artistes de la troupe[140]. » Ce même mois, la publication *Ballet Today*[141] dit que Montréal a quelque chose d'unique au monde : la télévision y a une compagnie de ballet semi-indépendante. Le rédacteur de l'article raconte qu'il a passé une journée dans les studios de Radio-Canada lors des répétitions des *Tableaux d'une exposition*[142]. Il vante les habiletés techniques du réalisateur Jean Boisvert et juge la chorégraphie de Ludmilla « *fluent and conventional, in the modern-dance-cum-ballet style fashionable in Berlin in the early thirties* ». C'est la première fois qu'un critique fait référence à la formation et à l'expérience allemandes de Ludmilla.

Mais Montréal et le Québec tout entier sont occupés à autre chose en ce printemps 1955. Dans la nuit du 17 au 18 mars, une émeute éclate, comme on n'en avait pas vu depuis la conscription pour la guerre de 1939-1945. Clarence Campbell, le président de la Ligue nationale de hockey, a, quelques jours plus tôt, suspendu Maurice « Rocket » Richard, le monstre sacré du hockey. Ce 17 mars au soir, Campbell a l'outrecuidance de se présenter au Forum pour la partie entre les Canadiens de Montréal et les Red Wings de Detroit. Des projectiles de toutes sortes lui sont lancés alors qu'il se dirige vers son banc. Lorsque, plus tard, un spectateur le frappe, la partie est interrompue et la victoire accordée à l'équipe de Detroit.

C'en est trop pour les partisans des Canadiens. Toute la nuit, les émeutiers crieront leur rage contre l'Anglais qui, non content de sévir injustement contre le Rocket, vient narguer chez lui ce petit peuple qui a décidé qu'il en avait assez. C'est du moins le point de vue de certains sur cet événement. D'autres parleront de hordes de sauvages qui se sont défoulés sur les quartiers riches. André Laurendeau écrit alors dans *Le Devoir* :

> La foule qui clame sa colère, jeudi soir dernier, n'est pas animée seulement par le goût du sport ou le sentiment d'injustice commise contre son idole, Maurice Richard. C'est un peuple frustré qui proteste contre le sort. Le sort s'appelle jeudi Clarence Campbell, et celui-ci incarne tous les adversaires réels ou imaginaires que ce petit peuple

rencontre. [...] Cette brève flambée trahit ce qui dort derrière l'apparente indifférence et la longue passivité des Canadiens français[143].

Ludmilla n'avait pas fait d'analyse savante de cet événement. Mais elle était déjà consciente du clivage entre les francophones et les autres. Les différences culturelles étaient frappantes. Les écarts de richesse aussi. Elle sera victime des premières, mais tentera dans la mesure de ses moyens de réduire les seconds chez ses élèves. On lui reprochera de frayer surtout avec la communauté anglophone et de donner plusieurs de ses classes en anglais. Au début, la grande majorité de ses élèves et de ses danseurs étaient de langue anglaise. Pour l'heure, les mécènes habitent l'ouest de l'île et parlent anglais. Est-il nécessaire de rappeler qu'au milieu des années 1950, le Québec compte moins d'une dizaine de financiers francophones d'une certaine importance et encore moins de chefs de grandes entreprises manufacturières[144]?

Ludmilla et ses danseurs participent fréquemment à des émissions de variétés, dont, le premier lundi d'avril, à l'émission *Porte ouverte*, qu'anime Jacques Normand. Ce dernier épousera d'ailleurs une des danseuses, Linda Foy. Les critiques sont durs envers Normand, de façon générale, mais le 10 avril, le *Journal des Vedettes* conclut que « Il n'y avait que les danseurs de madame Chiriaeff qui sauvaient la chanson dans cette affaire[145]. » Les danseurs de Ludmilla seront de toutes les émissions *Porte ouverte* pendant une bonne période. Brydon Paige se souvient que « Madame avait quatre heures pour créer trois danses et une heure pour les exercer, et on passait à autre chose. C'est comme si Madame mettait vingt-cinq cents dans la machine et qu'une danse en sortait. Un autre vingt-cinq cents et une autre danse en sortait. Rétrospectivement, toutes ces productions que l'on n'a dansées qu'une seule fois avaient des mouvements simples mais nets, purs. Nous étions très bien dirigés. » Les danseurs de Ludmilla avaient aussi été de l'émission *Au P'tit bonheur*.

Ludmilla crée un autre ballet, à la fin d'avril, pour l'émission *Trente secondes*. Il s'agit de *Danses symphoniques*, sur une musique de Paul Hindemith. Par cette chorégraphie, Ludmilla veut montrer que le bien peut triompher du mal. Mais elle n'est pas toujours convaincue de cela. Quelques-unes de ses chorégraphies tournent autour de la quête de l'appartenance, de la méchanceté, du rejet. Ainsi, *Pierrot de la Lune* monté à Genève. « Quand tu n'as plus rien, tu n'es plus rien. Si tu es malheureux, faut pas que tu le montres parce qu'on va se détourner de toi. » Au fond, quand Lady Davis lui écrivait qu'il fallait soigner son image, c'était le même message... Elle monte aussi *Les Clowns*, que Radio-Canada télédiffuse le vendredi 27 mai. Ce ballet est le favori d'Eva von Gencsy dans lequel elle danse avec Eric Hyrst. Marcel Valois écrit de ce ballet de Ludmilla qu'il est :

le plus personnel et le plus raffiné qu'elle ait encore présenté. [...]

Tout était là en fonction du sujet et de la musique. Il n'était pas besoin d'être un habitué de la danse pour comprendre cette sympathique étude de caractère où le rire voilait une tristesse réservée. Il y eut un pas de cinq très attachant et nouveau dans sa conception. Les clowns, las et désabusés, avaient à peine l'énergie de servir d'appui à la danseuse, de lui offrir un support pour son pied ou sa main[146].

À la fin d'avril, Christina MacDonald remet sa démission. Dans une longue lettre, elle rappelle à Ludmilla que depuis qu'elle l'a suivie d'Ottawa, trois ans plus tôt, les promesses d'améliorations de ses conditions ne se sont pas matérialisées.

> Je ne vous en ai jamais voulu d'avoir tout sacrifié à la cause pour aider à bâtir cette compagnie. Je ne me plains même pas maintenant des longues heures de répétitions convoquées de façon irrégulière et inattendue qui empêchent toute autre forme de vie. Mais cette saison, vous avez constamment refusé que d'autres chorégraphes retiennent mes services [...] alors que vous saviez que j'étais disponible [...][147*].

Plusieurs danseurs critiqueront la façon qu'a Ludmilla de distribuer les rôles : pas toujours au plus performant ou au plus disponible. Plus tard, même le personnel des Grands Ballets en sera conscient. « À ceux qu'elle aimait, elle donnait des rôles pour lesquels ils n'étaient pas préparés. Elle trouvait toujours le moyen de les mettre à l'avant. Elle avait décidé qu'ils feraient carrière, même si cela n'était pas toujours bon pour eux », confiera Jacqueline Boucherau Martineau, qui fut longtemps secrétaire aux Grands Ballets[148]. Cela est courant dans le milieu de la danse. « Souvent, les directeurs usent un petit peu de leur pouvoir sur certains éléments[149]. » Ludmilla le faisait parfois pour briser un couple qui se formait ou pour punir une danseuse. Pour assurer son contrôle. Dans un cas que l'on m'a rapporté, le couple est parti. Pour Ludmilla,

> En tant que directeur artistique, tu dois dire non pour tel ou tel rôle à ce danseur-ci ou à cette danseuse-là. C'est très pénible de les décevoir mais le plus important ce n'est ni moi ni eux mais la compagnie. On a le droit en tant que créateur de prendre la couleur qui t'obéit et qui a la luminosité dont tu as besoin. Il y a certains danseurs qui vont au-delà du geste ; ils continuent le geste que tu as commencé. Alors, c'est la danse qui danse...

Malgré les humeurs de la critique, malgré les hauts et les bas du studio, Ludmilla continue de plaider la cause des danseurs auprès de Radio-Canada mais aussi auprès de l'Union des Artistes Lyriques et Dramatiques. Elle écrit au secrétaire de l'Union :

> Pour mettre fin à l'amateurisme des danseurs (qui devaient travailler dans des bureaux, des usines ou en service privé pour gagner leur vie), et ne pouvant obtenir d'augmentation de cachets, j'ai dû accepter pour la seconde saison, quatre fois plus d'émissions. [...] Ils ont fait des

programmes de variétés, du jazz en même temps que des ballets de haute qualité artistique. [...]

Cependant, je suis persuadée que ce mélange est un danger pour la pureté de leur style. Et puis, peuvent-ils supporter physiquement longtemps encore un tel travail? [...]

Il faudrait donc trouver un moyen d'augmenter le revenu des danseurs, soit en augmentant le cachet de base ou en s'entendant sur des cachets fixes convenables. Car, au fond, personne ne tient compte des tarifs de l'Union[150].

À commencer par elle. Selon Pierre Morin, «après chaque émission, Ludmilla allait voir l'assistante et, ensemble, elles remplissaient les feuilles de paie. On avait beau lui rappeler qu'il fallait suivre les barèmes de l'Union, elle voulait toujours régler une petite affaire en donnant un peu plus à l'un ou à l'autre. Elle savait très bien, ce faisant, ce qu'elle pouvait tirer de chacun des danseurs. Et ça m'épatait chaque fois.»

Elle rappelle que les danseurs donnent des centaines d'heures de travail sans être payés et que chaque ballet d'une demi-heure use de trois à cinq paires de chaussons à pointes pour une danseuse. À l'époque, les chaussons se vendant entre six et huit dollars et demi la paire, il arrivait que le cachet qu'une danseuse recevait pour sa participation à une émission de télévision couvre à peine le coût des chaussons usés durant cette même émission. Elle rappelle aussi qu'il arrive souvent qu'on lui dise : nous avons tel budget et il faut faire avec. Ainsi, pour *Le Lac des cygnes* dansé en février, il fallait plus de vingt danseurs. «Nous l'avons considérée comme une émission de prestige et je suis sûre que toute la troupe n'a eu qu'un but : réussir cette émission le mieux possible sans se préoccuper de leurs dépenses, qui étaient deux ou trois fois plus élevées que leur cachet.» Elle propose ensuite d'augmenter le cachet de base et d'accorder plus d'heures de répétition rémunérées, ce qui ferait que les danseurs pourraient accepter un moins grand nombre d'émissions et ce qui laisserait alors une place aux jeunes talents. «Ce dernier point est très important, car je connais plus d'une dizaine de jeunes qui seraient prêts à commencer leur carrière. Ils n'ont malheureusement pas de débouchés. Je m'efforce de leur donner du travail, mais ça ne suffit pas.» Elle termine cette longue lettre en attirant l'attention sur le fait que le travail du chorégraphe est mal compris et mal rémunéré. «On l'engage (toujours sans contrat) pour faire une chorégraphie mais en réalité, il fournit le travail de trois personnes : le choréauteur (donc le librettiste du ballet); le chorégraphe (celui qui compose les pas du ballet) et le maître de ballet (celui qui prépare les danseurs et leur enseigne le ballet).»

Ludmilla plaide aussi pour les jeunes talents auprès de Gérard Lamarche[151]. Elle lui rappelle que il n'y avait pas de danseurs et danseuses vraiment professionnels à Montréal, il y a deux ans encore, et que c'est réellement la télévision qui a permis aux jeunes talents [...] de pratiquer leur art dans leur pays.

Après avoir parlé de la relève qui pointe, elle s'interroge sur les limites de l'aide qu'elle peut leur apporter.

Ajouter des danseurs à une troupe veut dire augmenter les budgets ; et puis, augmenter le nombre de danseurs dans une émission n'est pas possible, car notre expérience nous a montré qu'il n'est pas possible de présenter un ballet à la télévision avec plus de vingt-cinq à trente danseurs : c'est contraire aux exigences de la caméra.

Si elle plaide pour les jeunes du milieu de la danse, elle inclut dans sa démarche

toute une jeunesse artistique qui attend qu'on lui *(sic)* aide. Je suis certaine que vous voyez déjà la série d'émissions intéressantes qu'on pourrait réaliser en alternant les différentes disciplines.

Elle conclut en souhaitant que ce projet d'une « Émission de la jeunesse » puisse se réaliser. Elle écrit encore au maire, qui a déjà parlé d'offrir aux Montréalais une salle de spectacles

[...] dans le cadre de ce projet... j'ai pensé qu'on pourrait aménager deux salles qui serviraient à l'Académie de Ballet de Montréal. [...] Ça pourrait devenir un monument artistique du Canada, ainsi qu'une source inépuisable de talents canadiens. C'est exactement ainsi qu'est né le ballet en Russie au XIXe siècle.

[...]

[...] si nous commençons par une Académie de Ballet à Montréal, si nous avons notre scène à nous, nous aurons bientôt besoin de tous les arts, et c'est ainsi que nous parviendrons à contribuer au développement des arts au Canada.

Voici, cher monsieur Drapeau, ce que j'avais à vous dire. Je ne pense pas que ce soit seulement un rêve, car ce qu'il m'a été possible de développer ici en deux ans seulement, et seule, me prouve que, non seulement la jeunesse est pleine de talent, de l'amour de l'art, mais aussi que le public est déjà prêt à recevoir[152].

Dans sa réponse à Ludmilla, Jean Drapeau explique que c'est l'État provincial qui a juridiction pour créer les organismes culturels du type Conservatoire. Quant à lui, il croit pouvoir « assurer la réalisation d'une salle de concert, conçue pour l'avenir et de manière à répondre aux besoins les plus divers de la vie artistique de Montréal ». Il continue en l'assurant qu'il saluerait « avec joie le jour où l'Académie de Ballet de Montréal partirait en tournée après avoir remporté ici même un succès aussi gros que celui que vous souhaitez ». Et il conclut ainsi : «Comme vous le dites vous-même, il semble bien que ce ne devrait pas être là qu'un rêve mais que les prochaines années permettront de réaliser tout cela[153].»

～

La saison régulière de la télévision s'achève. La dernière de *L'Heure du concert*, le 23 juin, est conçue comme une célébration de la Saint-Jean. Des œuvres originales de compositeurs québécois sont présentées : Pierre Mercure, Jean Papineau-Couture, Maurice Perrault et Jean Vallerand. Sur la musique de ce dernier, composée en 1939, les Ballets Chiriaeff présentent *Le Diable dans le beffroi*, d'après un conte d'Edgar Allan Poe chorégraphié par Eric Hyrst. Une deuxième œuvre est dansée par les Ballets Chiriaeff, *Kaléidoscope*, dont Ludmilla signe la chorégraphie sur une musique de Pierre Mercure.

Quand Ludmilla rencontre Jean Vallerand, il a déjà derrière lui plusieurs carrières : enseignant, critique musical, compositeur de musique et directeur d'orchestre ainsi que secrétaire général du Conservatoire de musique et d'art dramatique de la province de Québec. Dans une entrevue qu'il accordait à Roland Lorrain, Vallerand disait que «son plus grand rêve était qu'il existe une maison d'Opéra qui soit une Académie nationale de musique et de danse semblable à l'Opéra de Paris[154]». C'est aussi l'un des grands rêves de Ludmilla. À l'époque où Jean Vallerand était au Conservatoire, «nous rêvions de forcer les choses pour en arriver à ajouter un département de la danse. On a essayé, on a parlé du besoin d'un pensionnat, mais le gouvernement n'était pas prêt à dépenser d'aussi importantes sommes pour l'enseignement de la danse[155].»

La mode des galas et des remises de prix, dans le milieu artistique, n'a pas épargné la télévision, et la Société Radio-Canada a commencé à décerner des trophées à des artistes et à des artisans qui se sont illustrés durant la saison précédente et ont ainsi contribué à faire apprécier la télévision canadienne de langue française. En ce début de mai, devant un parterre en frac et robe de soirée, les récipiendaires s'avancent sur un tapis rouge, au Théâtre Saint-Denis, vers une estrade où trône Miss Radio-Cinéma-TV 1955, Denise Pelletier. «Je n'ai jamais pensé que s'avancer en marchant comme un mannequin, monter quelques marches et faire la révérence me donnerait un tel trac.» Cette année 1955, Ludmilla se voit décerner le trophée Frigon, dans la catégorie *Spécial*[156].

Avant de partir pour quelques jours avec la famille, Ludmilla doit trouver quoi répondre à la demande de l'IRC. La division canadienne de cette organisation, qui a financé leur déplacement depuis la Suisse puis leur installation à Montréal, voudrait bien être remboursée.

Nous avons des reçus pour des prêts que l'IRC a faits, à vous et votre femme, pour un montant de deux mille cent deux dollars. Nous aimerions savoir comment vous entendez les rembourser, chaque prêt non remboursé nous empêchant d'aider d'autres personnes dans le besoin[157]*.

La lettre est adressée à Alexis, mais c'est Ludmilla qui devra trouver les sous. Alexis contribuait généralement peu aux frais du ménage, et à certaines périodes, pas du tout, avant que la Société Radio-Canada ne lui accorde une permanence comme décorateur.

Ludmilla doit se débattre avec la direction de Radio-Canada, qui tarde à lui faire part de la programmation de la prochaine saison. Dans une note rédigée en anglais et non datée, mais qui résume les discussions avec le réalisateur (F. Coleman), Ludmilla rappelle que des danseurs qui ont travaillé en Europe s'ajoutent à sa compagnie – ce qui lui permettra de produire de meilleurs ballets ; que des ballets comme ceux des dernières saisons ne peuvent être réalisés que dans le studio 40, encore que ce studio « avec n'importe quel orchestre en direct entraîne des problèmes qui changent complètement la production d'un ballet et ce, peu importe où et comment l'orchestre est installé* ». Ludmilla continue en soulignant qu'on est à la fin de juillet et qu'aucun plan définitif n'est encore connu. « On ne sait toujours pas comment nos ballets seront produits ni si on pourra tout simplement les produire*. » Et c'est un sérieux problème pour elle parce que « Produire des chorégraphies originales à grand déploiement demande une longue préparation et le retard à nous laisser savoir ce qui sera fait, ou si même quelque chose sera fait, nous désavantage*. »

Ludmilla avance ensuite une série de suggestions, comme travailler uniquement en kinescope – ce qui permet d'utiliser d'autres salles, à Montréal, comme celle de Saint-Laurent. Elle va aussi jusqu'à proposer de changer le nom des Ballets Chiriaeff, « si nécessaire pour n'importe quel autre nom que vous pourriez suggérer, par exemple Les Ballets de Radio-Canada* ». En conclusion, elle précise que des horaires réguliers pour les classes et les pratiques ont été établis, « ce qui veut dire que la compagnie travaillera à temps plein chaque jour [...] nous devons avoir au plus tôt une confirmation de vos plans pour nous permettre de continuer notre travail* ».

Puis Ludmilla part avec la famille pour le Nord de Montréal, qui est devenu une destination d'évasion. À Rawdon, certes, où s'élève maintenant un petit camp d'été dont Alexis a érigé les fondations. Ils y viennent en taxi ou en autocar, et Ludmilla en profite pour donner des classes à l'hôtel de ville. Mais aussi à Sainte-Adèle, où elle donne également des cours l'été. Nastia se souvient du Petit train du nord. « Je m'en souviens parce que nous prenions ce train avec notre père. Je ne me souviens pas d'avoir fait beaucoup de choses avec lui, mais ça, oui. »

Ludmilla ne reste jamais longtemps éloignée du studio et des danseurs. Même si certains d'entre eux donnent des cours aux élèves toujours plus nombreux, elle doit veiller elle-même aux répétitions et aux productions télévisées. Elle est déjà un professeur très en demande. Les écoles qui offrent des cours de danse, dans l'ouest de l'île de Montréal, se l'arrachent pour une classe par-ci, un conseil par-là, mais s'assurent surtout de sa présence aux spectacles de fin d'année. Les directions d'école espèrent que de leurs classes sortiront quelques élèves susceptibles de trouver grâce auprès de la célèbre Madame Chiriaeff.

Alors que Katerina est en visite au Michigan, chez Valia, Alexis et Ludmilla accordent une entrevue au *Journal des Vedettes*[158]. S'étalant sur quatre pages, avec des photos de la famille, ce long entretien relate le parcours respectif de Ludmilla et d'Alexis, charriant à nouveau son lot d'informations qui vont nourrir le mythe autour de Ludmilla. Selon cet article, Ludmilla aurait été handicapée dans son enfance, serait entrée à douze ans chez le colonel de Basil pour ensuite danser à l'Opéra de Berlin. En 1940, avec sa sœur et son père, elle aurait été arrêtée par la Gestapo puis envoyée dans un camp de concentration dont elle se serait évadée au bout de quatre ans. En Suisse, elle aurait épousé Alexis trois semaines après l'avoir rencontré. Et, oh! miracle, le Canada aurait répondu immédiatement à leur demande et, miracle encore, il existait des fonds de réparation pour des familles comme la leur – ce qui leur a permis de s'établir ici en janvier 1952. Dans cet article, Alexis dit de Ludmilla : « Ma femme a besoin d'être défendue, protégée contre elle-même. Elle est trop emportée par son travail[159]. » Je n'ai nulle part trouvé de démentis ou de demandes de correction. Dans aucune des entrevues que Ludmilla ou Alexis donneront par la suite, il n'y a de rétablissement des faits. Ainsi naît et se consolide le mythe d'une Ludmilla plus grande que nature. « *I think she was born with the sense of destiny* », dira Victor Melnikoff[160].

Si, pendant cette entrevue accordée au *Journal des Vedettes*, les caisses et les malles sont alignées le long des murs, c'est que la famille devait partir en vacances. Mais Ludmilla relève d'une pneumonie. Le journaliste écrit d'ailleurs que c'est en robe de chambre qu'elle le reçoit, tassée dans un coin du divan. « De grands yeux dans un visage amaigri ; le décor schématique d'un salon dénudé ; un livre au bout des doigts ; une atmosphère de roman russe[161]. » Ludmilla est en représentation. C'est le seul document qui parle de Ludmilla souffrant de pneumonie à ce moment-là, mais elle est si souvent malade qu'il n'est pas impossible que ç'ait été le cas. Et puis, elle a une telle capacité de rebondissement qu'on ne devrait pas s'étonner. Ludmilla a ce que Fischer appelle du ressort et qu'il définit comme « la capacité d'un être humain d'affronter les déterminations les plus fortes, de retourner le malheur en tremplin, la précarité en richesse, la faiblesse en force, conférant ainsi une valeur de transcendance à ce ressort invisible qui est au fond de nous[162] ». Ludmilla, elle, disait qu'elle avait « développé à travers [la] vie l'aptitude à tenir le coup, le courage de tenir, ne pas obtenir tout de suite quelque chose mais sans perdre la foi ».

~

À la rentrée, c'est le grand branle-bas. D'abord, Nastia entre à Wellingdon et Avdeij à la Priory School dont Madame Murray Ballantyne est la directrice. Les enfants feront leurs études primaires dans ces écoles privées, située sur The Boulevard à Westmount. Ludmilla versera deux cent soixante-dix-huit dollars quatre-vingt-quinze pour le premier semestre pour ses deux enfants, ce montant couvrant aussi les frais du repas du midi. « J'ai adoré cette école, raconte Nastia. C'était une maison de riches convertie en école. On était trois niveaux par classe. Moi, je me suis réfugiée à l'école... Je restais après la classe chaque fois que je le pouvais. J'étais l'assistante du professeur, vers la fin. J'apprenais le français langue seconde et je recevais des prix parce que j'étais douée pour les langues. » Ludmilla qui arrivait de Suisse aurait voulu inscrire ses enfants dans une école française. « Nous qui parlions français avons dû mettre nos enfants à l'école anglaise et si je n'avais pas été tellement têtue, on aurait complètement anglicisé mes enfants. C'était la société qui le voulait. » Le système scolaire, faut-il le rappeler, était basé sur la dénomination religieuse, qui amenait quasi automatiquement la ségrégation linguistique. Ainsi, les écoles françaises étaient catholiques, mais les écoles anglaises acceptaient d'autres dénominations religieuses que la protestante. Les Chiriaeff étaient de confession orthodoxe, ce qui déjà les démarquait des autres. Les enfants devaient d'ailleurs suivre des cours de russe, le samedi matin, et écrire des lettres en russe à leur mère, qui les leur retournait corrigées, comme Alexandre l'avait fait avec sa fille alors qu'elle vivait en Suisse.

Ludmilla prépare ensuite la première grande représentation donnée par les Ballets Chiriaeff en dehors de la télévision. Dès le 17 septembre, les journaux annoncent que c'est « une des troupes de ballet la mieux qualifiée au Canada qui inaugurera la campagne de la Plume Rouge au Chalet de la Montagne[163] ». Les Montreal's Red Feather Services ont une longue tradition de campagne de souscription pour les œuvres de charité dont ils s'occupent. En 1955, vingt-neuf organisations bénéficieront de leur soutien. Les Ballets Chiriaeff feront aussi leur part en sacrifiant les cachets qui auraient dû normalement être versés aux danseurs. Ludmilla a toujours été généreuse dans des circonstances semblables. Sans doute les années de guerre y sont-elles pour quelque chose. Mais les danseurs, eux, ne l'acceptent pas, aussi doit-elle trouver une façon de les dédommager.

Le 21 septembre, au sommet du mont Royal, sous la présidence du lieutenant-gouverneur, l'Honorable Gaspard Fauteux, et en présence du maire Drapeau et de tout le gratin de la société montréalaise anglophone, les Ballets Chiriaeff présentent *Variations sur un thème*, de Tchaïkovski, *Pas de trois* sur les *Saisons de Glazounov* et *Les Clowns*, dont Ludmilla signe la chorégraphie. *Les Clowns* avaient déjà été montrés à l'émission *Trente secondes* de juin. Marcel Valois en parlait, alors, comme du « ballet le plus personnel et le plus raffiné que Ludmilla ait présenté[164] ». Eric Hyrst signe *Roméo et Juliette*. Les critiques sont bonnes, sans être emphatiques. Thomas Archer parle d'une « excellente discipline dans la tradition de la danse classique[165] ». Le journaliste du *Star*, lui, écrit qu'il « s'agit d'une troupe qu'il faudrait revoir régulièrement sur la scène d'un théâtre[166*]. *La Presse*, quant à elle, affirme : « Nous avons à Montréal une troupe de ballet capable de monter avec assurance des ballets originaux et de leur donner un fini professionnel[167]. »

En cet automne 1955, Ludmilla continue ses démarches pour faire augmenter le salaire des danseurs lorsqu'ils se produisent à la télévision. En octobre, un long article publié par *Le Devoir*[168] revient sur la piètre qualité de certaines chorégraphies et sur le fait que Madame Chiriaeff est trop présente à CBFT[169]. Ludmilla plaide qu'elle n'a pas le choix. Elle s'est engagée à faire vivre de quartorze à seize danseurs qu'elle a pour la plupart « formés dans un sens professionnel en vue de leur travail à Radio-Canada. Il faut absolument qu'ils gagnent cinquante dollars par semaine pour vivre. Si, comme on me reproche de ne pas le faire assez, je prenais plus souvent des danseurs d'autres studios que le mien [...] personne alors ne gagnerait assez pour vivre. » Ludmilla affirme ensuite que tout se fait sur une base de confiance mutuelle, mais que « Radio-Canada ne [lui] a jamais offert de contrat. [...] Je ne sais donc jamais ce qui va se passer le lendemain, car Radio-Canada change parfois de projets ou de décisions et une télémission peut, d'un jour à l'autre, tomber ou un cachet être réduit. » Les artisans de la télévision étaient souvent soumis à de tels aléas. Une partie du personnel était syndiqué mais, pour ceux qui ne l'étaient pas, c'était l'arbitraire et l'insécurité. Comment tenir le coup quand une série d'émissions devant commencer le 25 juin est annulée une dizaine de jours plus tôt[170]? J'ai retrouvé six épisodes du texte de cette émission, avec distribution complète. Ludmilla était prête à aller en ondes.

Roland Lorrain, qui signe cet article publié par *Le Devoir*, avait suivi des cours chez Maurice Lacasse-Morenoff et fait une carrière de danseur à l'étranger à laquelle une blessure au pied était venue mettre fin. Journaliste au *Devoir* et à *La Presse*, il a été animateur culturel aux Grands Ballets canadiens avant de publier la première biographie sur Ludmilla et les Grands Ballets[171]. Dans l'article cité plus haut, il rapporte aussi les commentaires de la présidente de l'Association des professeurs de danse, Mary Beetles. Cette dernière affirme qu'il y a maintenant à Montréal « une vingtaine de bons studios de ballet où l'enseignement d'une trentaine de professeurs a fait des progrès extraordinaires depuis quelques années, de sorte que Montréal [...] égalerait maintenant Toronto ».

Ce commentaire a dû piquer au vif quelques habitants de la Ville reine pour qui le Ballet national et son école étaient le summum de l'art ballettique au Canada. Lorrain signe aussi une critique dans *VRAI*, à propos de la deuxième émission de *Connaissez-vous la musique*. Il rapporte que « Les danses des Ballets Chiriaeff (continuent) d'être exceptionnellement bien intégrées dans le spectacle, se fondant à la trame, à l'action générale[172] ».

S'il y a de bons studios de ballet et de bons professeurs à Montréal, il y en a qui se réclament injustement de l'École Chiriaeff. Ainsi, cette jeune personne de Saint-Lambert, à qui Ludmilla « interdit formellement, à l'avenir, de faire usage de ce nom de Chiriaeff dans ses annonces et sa publicité ». Elle demande une copie corrigée de l'annonce qui devra être publiée, pour ensuite conclure : « À l'occasion, quand je dois me faire remplacer à mon propre studio pour des cours, je choisis alors des professeurs accomplis, jamais des amateurs[173]. » Qu'on se le tienne pour dit. Ludmilla défendra jalousement l'usage que l'on fera de son nom. Son père, à Lausanne, lui avait écrit d'aimer et de faire sien son nom de scène. À l'époque, il avait été choqué de constater que Ludmilla avait troqué le nom de Gorny pour Chiriaeff. Elle a retenu la leçon. Chiriaeff elle était à la scène et dans la vie privée. Chiriaeff elle mourrait. Ses enfants prendront la relève et défendront eux aussi le nom de leur mère contre ceux qui l'utilisent à tort et à travers.

Le jeudi 10 novembre, Radio-Canada présente *Histoire du soldat* à *L'Heure du concert*, avec Gilles Pelletier dans le rôle du soldat, et le mime Marcel Marceau. « Marcel Marceau était un être remarquable, raconte Sheila Pearce. Durant les répétitions, il arrivait qu'il s'installe derrière un rideau pour en ressortir jouant un personnage tout à fait inattendu. Cela faisait tellement rire Ludmilla. C'était merveilleux. » Cette production, illustrée par Frédéric Back, dans les décors d'Alexis, est chorégraphiée par Ludmilla et réalisée par Françoys Bernier, un jeune réalisateur plein d'idées, selon Gabriel Charpentier. Les danseurs des Ballets Chiriaeff évolueront dans les costumes conçus par Joséphine Boss.

Cette grande costumière s'était fait connaître en Russie d'abord, puis à Londres où elle gagnait sa vie et celle de son fils en confectionnant des robes dans de vieilles tentures. C'était pendant la guerre et le tissu était rare. Mais c'est sans doute la robe du soir qu'elle fit pour la jeune princesse Margaret qui lui ouvrit le tout-Londres. « C'est avec cette robe que j'ai développé la technique que j'ai ensuite appliquée pour les costumes que Madame me demandait de faire pour les ballets. La princesse avait une poitrine immense en proportion de sa taille si fine... il fallait trouver une façon de faire tenir cette robe sans bretelles. » Joséphine utilisera un corset avec un grand nombre de baleines flexibles entrelacées sur lequel le tissu sera tendu. À Londres, elle eut un atelier pendant douze ans et fit travailler une demi-douzaine de petites mains. Elle fabriqua des costumes notamment pour des films, dont le célèbre *Red Shoes*, l'histoire d'une danseuse qui se jette devant un train et se tue.

En 1953, Joséphine s'est installée à Montréal. Elle y travaille jusqu'en 1960, lorsque Radio-Canada la transférera à Vancouver. Ses premiers costumes vus à Montréal sont ceux qu'elle fait pour *Le Lac des cygnes*. Dès lors, Radio-Canada lui offre un contrat, qu'elle ne veut pas signer. « Je venais de l'Union soviétique et je ne voulais rien signer. J'ai dit : écrivez ce que vous voulez, mais je ne signe pas. Et j'ai été engagée pour faire des costumes. J'ai ensuite rencontré Madame Chiriaeff et j'ai fait par la suite tous les costumes pour ses ballets à la télévision. Madame a été mon meilleur moment dans ce métier.»

L'Heure du concert présente *Ruses d'amours,* sur une musique de Glazounov. Ludmilla a chorégraphié un divertissement rappelant le XVIIIᵉ siècle. Selon *La Semaine à Radio-Canada*[174], il semble que cette œuvre n'ait jamais été dansée ailleurs qu'en Russie. Gabriel Charpentier en a importé d'Allemagne la partition et le matériel d'orchestre. Il dit d'ailleurs de cette époque : « Je pense que l'on avait du courage. Nous avons fait plus d'émissions que Toronto et toujours avec des budgets moindres. On est vraiment allés au bout de nos rêves et ça a donné ce que ça a donné. Je ne crois pas que Ludmilla soit allée au bout de ses rêves, à cette époque, mais elle est allée aussi loin qu'il lui était possible d'aller avec les moyens dont elle disposait.»

Le fait d'être beaucoup vue à Radio-Canada entraîne toutes sortes de retombées dont parfois Ludmilla se passerait, entre autres les critiques de plus en plus nombreuses qui laissent entendre qu'à Radio-Canada on n'en a que pour elle. D'autres fois, on lui expédie des livrets de ballet qui ont peu de sens. Il arrive toutefois qu'elle succombe aux essais de certains comme *Au bord du lac*. Rachel Tourangeau, une élève de onze ans, écrit des ballets. Elle en est à son troisième. Déjà, le 13 mai 1954, Ludmilla a présenté *Au bord du lac* à l'émission *Rêve et Réalité*; elle dit de cette jeune élève qu'elle a beaucoup de talent[175]. Ludmilla reçoit aussi des demandes diverses, comme celle de cet abbé Bélanger qui voudrait que davantage d'enfants soient inclus dans les excellentes chorégraphies de Madame Chiriaeff[176].

Chapitre 6
Les tutus dérangent

L'année 1956 commence avec l'annonce de la mise sur pied d'un comité dont le mandat est de paver la voie à la construction d'une salle de concert à Montréal. Ludmilla écrit à Jean Drapeau, dont c'est le projet :

> Nous savons tous que c'est là un des projets qui vous sont chers. [...]
>
> Nous nous flattons d'être quelque peu au courant du mouvement artistique en la Cité de Montréal. Je me permets donc de vous suggérer le nom d'une personne susceptible d'être désignée parmi les sept représentants de la Ville de Montréal au sein de votre comité initial. [...]
>
> Ce monsieur, grand amateur de ballets, est aussi directeur d'un chœur de chant, ancien président de l'Orphéon de Montréal, et fut, à son Alma Mater, auteur et régisseur de pièces de théâtre.
>
> Permettez-moi d'ajouter que Monsieur Désautels fut, de 1945 à 1950, surintendant de la Cité de Montréal, après avoir été fonctionnaire provincial[177].

Le maire lui répond le 19 :

> [...], je suis heureux d'avoir, par votre intermédiaire, l'assurance de la coopération de Monsieur Désaultels. Si ce n'est dans le bureau de la direction de la salle de concert, cela pourrait être à une des nombreuses fonctions qui deviendront ouvertes par le fait d'une réorganisation artistique qui suscitera plus d'initiatives et requerra beaucoup de bonne volonté et de coopération.
>
> Je profite de l'occasion pour vous assurer de nouveau de mon admiration pour votre œuvre magnifique...

Pour sa part, Ludmilla avait déjà commencé à travailler à la structure de ce qui deviendra une compagnie de ballet avec l'aide de quelques personnes, dont Gérard Désautels. Elle procède d'abord à l'enregistrement d'un nom, **LES GRANDS BALLETS CANADIENS**, le 24 janvier. Plus tard, elle déclarera en

Cour supérieure de Montréal faire affaires sous le nom de Les Grands Ballets Canadiens[178]. On lui conseille de former un conseil d'administration, mais la chose s'avère difficile. Gérard Désautels s'en ouvre à Jean Drapeau. « Bien que l'organisation de la troupe Les Grands Ballets Canadiens progresse peu à peu, j'ai de la difficulté à trouver quelqu'un qui accepte d'être le président du conseil d'administration[179]. » Il annonce dans cette même lettre qu'on envisage de profiter des Festivals de Montréal, en août, pour faire connaître au grand public une « troupe organisée ». Pour le moment, la troupe est encore connue sous le nom de Ballets Chiriaeff.

∿

Ludmilla avait déposé une demande aux fins d'obtenir la citoyenneté canadienne pour elle et les siens, mais voilà que les autorités jugent le dossier de Katerina incomplet. Entre autres, aucun document ne prouverait son identité. Ludmilla écrit à Alida de Jager, à l'International Rescue Committee, pour retrouver cette information dans le dossier constitué en Suisse.

> [...] un document très essentiel, il s'agit d'un diplôme d'études, seule pièce authentique pouvant l'identifier. Je crois que ce document est resté au Consulat à Zurich, ou peut-être vous l'a-t-on envoyé?[180]

Elle termine en donnant des nouvelles de la famille et ajoute qu'elle a tellement de travail qu'elle n'a même pas le temps de penser à sa santé. Elle pourrait aussi dire qu'elle ne prend pas souvent le temps de manger et qu'elle dort peu. « Dormir, c'était définitivement du temps perdu. Chaque seconde devait servir à quelque chose. Un peu comme durant la guerre... on est tellement impliqué à vivre chaque minute. À survivre. » En mars 1996, quand je discute avec elle d'un projet d'Acte de fiducie que j'ai confectionné pour protéger ses archives, elle me répète qu'elle a peur de manquer de temps, qu'il lui faut se « dépêcher d'en finir avec ça. J'arrive pas à me réveiller sans être pressée de régler mon testament, la fiducie, la maison, les écrits de papa... »

Bien que Ludmilla et ses danseurs soient un peu moins présents à *L'Heure du concert*, la charge de travail ne diminue pas pour autant, même à la télévision où les Ballets Chiriaeff se produisent toute les semaines à des émissions de variétés. Durant l'année 1955, Ludmilla a été rémunérée pour au moins soixante-sept prestations[181]. Ludmilla elle-même y danse à l'occasion. En outre, il y a plus d'élèves, plus de demandes pour donner des cours dans d'autres « écoles » et même des demandes pour ouvrir des classes en région. Il y a là un formidable paradoxe. Dans ce Québec qui entretient de forts préjugés à l'égard de la danse en général et du ballet en particulier – il laisse trop deviner le corps quand il ne le montre pas –, on demande des cours de ballet. Dans certains endroits, à Joliette par exemple, on annonce des cours d'expression corporelle, mais ces cours se donnent en collant et tutu ! Belle astuce pour éviter l'anathème des soutanes et des dames bien pensantes. « Je me souviens du téléphone horrifié de Brian Macdonald. » Il y donnait des cours en lieu et place de Ludmilla. La directrice de l'école, Marthe Fontaine, l'avait avisé que le curé de la paroisse ne permettait pas de publicité pour le ballet et proposait à la place *expression corporelle*. « Je ne connaissais pas le terme et je n'avais jamais pensé au corps comme cela. Pour un danseur, le corps est un instrument. Un bel instrument. Comme un violon dont on peut jouer. »

Brian Macdonald était venu danser pour Ludmilla dans quelques productions. Alors que sa femme, aussi danseuse, était enceinte, il se brisa le bras. Cette blessure mit fin à sa carrière de danseur mais lui ouvrit l'enseignement et la chorégraphie. Macdonald est né à Montréal où il a suivi des cours avec Gérald Crevier, Elizabeth Leese et, plus tard, avec Françoise Sullivan. Quand il avait besoin d'un studio, Ludmilla lui en prêtait après les heures de répétition. Il a aussi donné des classes pour Ludmilla. « Au début, il donnait ses classes avec juste un bras, mais il était tellement intense. J'ai aussi pris sa femme Olivia pour *Les Éphémères* et *La Cage d'Or*. Ensuite, je l'ai recommandé pour *Music-Hall*. Et il formera sa compagnie, le Ballet Théâtre de Montréal, avant de devenir chorégraphe à Winnipeg. »

À Joliette, Jacques Ketchum prendra la relève de Brian Macdonald avant d'être remplacé par Claire Brind'Amour. Ludmilla ne sait plus qui de Ketchum ou de Brind'Amour a remarqué une élève talentueuse, la petite Marianne Beauséjour, mais, quoi qu'il en soit, celle-ci sera plus tard soliste à Edmonton, dans la compagnie de Brydon Paige, et première danseuse à Houston (Texas). Marianne était de trop petite taille pour être retenue aux GB[182].

Expression corporelle ou pas, cela n'empêchera pas un certain G. Ducharme d'écrire à Ludmilla : « Les hommes font les lois, les femmes les mœurs (Mme de Ségur)... Par vos ballets, les téléspectateurs auront bientôt la mop *(sic)* dans le visage. Un peu d'esthétique[183]. » Cette lettre, Ludmilla la rangera parmi la quantité d'autres qu'elle recevra tout au long de sa carrière. Pour le moment, elle se doit à la préparation de *Coppélia* pour *L'Heure du concert*. Eric Hyrst chorégraphie ce ballet d'après Petipa, sur la musique de Léo Delibes. *Coppélia* met en vedette Eva von Gencsy dans le rôle de la poupée et John Stanzel en docteur Coppélius.

Ludmilla souhaitait trouver des personnes qui, comme Marthe Fontaine, dirigeaient ou avaient l'intention d'ouvrir une école dans d'autres régions du Québec. Elle voulait développer un réseau d'écoles affiliées où ceux de ses élèves qui ne pouvaient devenir danseurs seraient dirigés comme professeurs. Non seulement cela assurerait un débouché aux meilleurs d'entre eux mais cela créerait, à la longue, un intérêt régional soutenu pour le ballet. Comme ce fut le cas pour Marianne Beauséjour, cette initiative, elle en était certaine, permettrait de dénicher des talents québécois hors de Montréal. Claire Brind'Amour enseignait aussi à Boucherville et Ludmilla l'a convaincue d'aller à Sorel et plus tard à Québec.

À la même période, Ludmilla prépare aussi le déménagement de la famille. Les Chiriaeff quittent le 4358, rue Harvard, pour s'installer au rez-de-chaussée, au 4354. Ce logement leur donne aussi accès à la cave dans laquelle le charbon s'entasse. C'était un mode de chauffage très utilisé pendant ces années-là. Dans le quartier, hiver comme été, le laitier faisait sa *run* de lait en voiture tirée par un cheval. L'été, les enfants pouvaient jouer dans la cour arrière et l'hiver, un voisin qui avait cinq enfants aménageait une patinoire pour tous les jeunes de la rue. À la famille s'ajoute un chien qu'affectionnait Alexis et qui, un jour, a disparu. « Il a été enlevé et notre père en a eu beaucoup de chagrin », selon Nastia. Dans ce quartier où ils habitaient depuis quelque temps, Nastia se souvient de moments pénibles. « On était tellement différents. En 1956, l'année de l'invasion de la Hongrie par les Russes, mes frères et moi, on se faisait battre. On s'est fait traîner dans les entrées des garages qui étaient en gravier par des plus grands que nous. On était des Russes, donc des méchants. On était tellement à part des autres... et qu'est-ce qu'ils comprennent à la différence, les enfants ? »

Katerina passe maintenant de longues périodes au Michigan, chez Valia qui, régulièrement, fait des démarches auprès des autorités américaines de l'immigration afin de permettre à sa mère de s'installer auprès d'elle. Quand Katerina revient à Montréal, Avdeij est content. « Je l'aimais beaucoup, ma grand-mère. Elle était très tranquille. Très, très pincée, il est vrai. Elle préparait ses cheveux pendant de longues heures. Elle était assez d'une autre époque, mais je ne la voyais pas comme cela, à cinq ou six ans. Je me souviens qu'elle plaçait le yogourt entre les deux fenêtres, en hiver, et que maman a fait de même pendant longtemps. » On l'a vu plus haut, Katerina portait toujours ses cheveux enfermés dans une résille. « Même à Rawdon, selon Nastia, elle n'allait jamais nulle part sans être coiffée et porter des gants. Elle m'expliquait comment elle faisait ses fausses nattes. Je la regardais faire et je trouvais cela fascinant. » Elle était un mythe.

∼

À cette époque, Ludmilla prépare la création d'une œuvre qui doit être présentée en mars à *L'Heure du concert*. Non seulement elle en signe la chorégraphie, mais elle dansera aussi. Le ballet *Les Noces* sera salué par les critiques comme un beau mariage d'audace et de talent. Marcel Valois écrira dans *La Presse* : « Nous avons attendu au Canada vingt-trois ans pour connaître un chef-d'œuvre de Stravinski.» Il poursuit en affirmant que le réalisateur Françoys Bernier et la chorégraphe Ludmilla Chiriaeff,

> sont depuis jeudi soir entrés dans l'histoire de la musique et de la danse. À l'étranger et pendant longtemps on parlera de cette version nouvelle des *Noces* devenue un ballet et non plus une cantate avec pantomime ayant comme encadrement les chanteurs [...] Dans des décors de conte russe et habillés de costumes paysans à peine stylisés, les danseurs ayant à leur tête Madame Chiriaeff et Eric Hyrst ont prouvé qu'ils étaient dignes de créer une œuvre d'envergure et qu'ils ont dépassé le stade des reprises de ballets du répertoire régulier[184].

Les décors, faut-il le souligner, sont une création d'Alexis Chiriaeff.

Dans *Le Devoir*, Michel Pierre rappelle que Madame Chiriaeff, dans son abondant travail, ne parvient pas toujours à réaliser toutes ses intentions. «Dans *Les Noces*, on sent la volonté de réussir ; d'ouvrir les mouvements sans aucune bavure, la sûreté des danseurs, la maîtrise parfaite de l'expression. [...] *Les Noces* de Stravinski, telles qu'offertes à *L'Heure du concert*, ont été une des plus belles choses que nous ayons vues et entendues le jeudi soir[185].»

André Laurendeau, alors directeur au *Devoir*, constate qu'il est vraiment dommage

> que tant de travail aboutisse à une seule audition. [...] Je sais qu'il n'est pas aisé d'organiser des reprises : les horaires de la télévision sont stricts, il n'est pas facile de mobiliser à pied levé des artistes étrangers, et le succès demeure toujours imprévisible de sorte qu'on ne saurait désigner à l'avance les spectacles qui seront dignes d'une reprise. [...] Nous ne nous résignerons pas à n'avoir vu et entendu *Les Noces* qu'une seule fois. Radio-Canada doit conquérir auprès de son auditoire et de sa direction, le droit de redire ce qu'elle a si admirablement bien réussi. On nous parle quatre cents fois par an des confitures X et des bières Z à CBFT ; il existe des répétitions moins exaspérantes...[186]

Comme Ludmilla devait être contente, elle qui souhaitait que l'on conserve les kinescopies afin de pouvoir à nouveau les présenter. De fait, à peine quelques semaines plus tôt, elle écrivait à Radio-Canada, parce qu'elle avait entendu dire que l'on détruisait tous les clichés et les films des années précédentes. Elle demande de ne détruire «aucun des ballets faits avec Monsieur Boisvert ainsi que ceux de *L'Heure du concert*». Elle ajoute que ces «kinés sont les seuls documents sur mon travail, et comme vous le savez certainement, il n'existe encore aucun moyen d'inscrire des chorégraphies, je serais désolée d'avoir perdu les miennes». Elle termine en offrant de les acheter et, si cela n'est pas possible, elle suggère que ces archives soient déposées «ailleurs afin que je puisse m'en servir en cas de reprise, chose qui arrivera sûrement[187] ». Il ne reste pratiquement rien de cette époque.

Radiomonde ira aussi de ses commentaires :

> Il est malheureux que Madame Chiriaeff et ses danseurs soient obligés de travailler chaque semaine dans des Variétés afin de pouvoir vivre. Préparer un ballet comme celui de jeudi prend six mois de travail. Les artistes ne sont payés que pour une heure.
>
> ... ils doivent accepter des engagements dans les Variétés. Voilà pourquoi on voit ces noms si souvent sur nos écrans. Cela est malheureux pour plusieurs raisons, dont voici les principales :
> 1. Cela dégoûte les téléspectateurs des ballets ;
> 2. Lorsqu'un chef-d'œuvre comme celui de jeudi est présenté, les téléspectateurs, en majorité, changent de canal sans prendre la peine de regarder les premiers pas ; et
> 3. Les danseurs s'épuisent énormément à travailler de cette manière.
>
> Qui trouvera la solution puisque la Société Radio-Canada n'a pas les moyens que possèdent les Américains ?[188]

Pour Ludmilla, la solution réside dans une compagnie de ballet, avec un corps de ballet sortant de son école, bien rodé, évoluant en symbiose avec les danseurs des Ballets Chiriaeff. Ces danseurs, dans certains milieux, on les appelle *les sauterelles de Madame Chiriaeff*. Même Miville Couture s'était permis quelques commentaires à la radio. « Je n'avais pas beaucoup aimé cela, dira Henri Bergeron. Et puis, je recevais des lettres et des téléphones. À l'époque, c'était l'animateur qui devait répondre. Rappelez-vous, on faisait la guerre à tout ce qui était russe, ce qui n'était pas pour aider Ludmilla. » Lors de fêtes d'enfants, quand il est arrivé que les siens fussent invités, à quelques occasions Ludmilla dut rester sur le perron, ou sous le porche, pour y attendre que ses enfants vinssent la rejoindre à l'heure de partir. On ne la faisait pas entrer.

> C'était d'un pénible épouvantable, me confiera-t-elle. Je sais que j'étais personne quand je suis arrivée ici. Je sais aussi que j'étais exactement celle qu'il fallait pour faire ce que j'ai fait ; pour faire face aux Anglais, au fédéral, à l'Église qui était contre. Pour comprendre aussi ceux qui me crachaient dessus. Je dérangeais. Je serais restée à Toronto que je n'aurais jamais fait ce que j'ai fait. Je serais venue maintenant, ce ne serait pas la même chose. Les préoccupations ne sont pas les mêmes. *The right man at the right place at the right time...* vous voyez.

Ceux qui étaient à Radio-Canada à ce moment-là me rappellent qu'elle était perçue comme ayant beaucoup de pouvoir et que ça dérangeait pas mal de gens. « Elle avait une façon si élégante d'exposer ses attentes que je pense que c'était bien difficile de ne pas se laisser manipuler », convient Pierre Morin. Mais c'était trop et le public en a eu assez du ballet. « On était tellement fous au début, continue-t-il ; on voulait en faire tellement qu'on s'est mis à charrier. » Mais selon Roger Racine, « si le public trouvait qu'il y avait trop de danse dans les émissions, jamais la direction ne m'a dit de ne pas engager Madame Chiriaeff ». C'étaient les producteurs et réalisateurs de *L'Heure du concert* surtout qui insistaient « pour avoir du ballet à chaque émission : opéra et ballet ». D'après Gabriel Charpentier, Ludmilla n'y était pour rien.

Parlant de Charpentier, Ludmilla dira qu'il était « plein d'idées. Il connaissait tout le monde : Balanchine, Markevitch, tous les compositeurs canadiens, les chefs d'orchestre. Il était toujours à dire : as-tu entendu cette musique ? Je vais te la faire tourner. Travailler avec lui était très stimulant. Il était l'âme de cette équipe. Nous étions tous très pris par le présent ; lui, il nous apportait le lendemain... » Rentré d'Europe en août 1953, après des études avec Nadia Boulanger entre autres, Gabriel Charpentier avait commencé à concocter *L'Heure du concert* avec son ami Pierre Mercure. « J'avais une vision. Pierre était musicien, moi aussi. On aimait la danse. Notre philosophie pour notre *Heure du concert*, c'était d'informer et d'éduquer le public. C'était autant pour les chanteurs que les danseurs que les gens d'orchestre. Et c'était fascinant. Je voulais qu'on en arrive à présenter un vrai ballet et pour moi, le grand ballet, c'était *Les Noces* de Stravinski. » Selon Alexis, « c'est à la fin de l'émission *Histoire du soldat*, du même Stravinski, que Gabriel Charpentier, qui semblait émerveillé de mon décor, me dit dans le couloir de Radio-Canada : "À quand *Les Noces* ?" Je compris que le projet avait fait son chemin[189]. »

Sur ce ballet, Gabriel Charpentier me dira qu'il n'était pas d'accord avec la chorégraphie paysanne qu'en avait faite Ludmilla, bien que cela ait été un très grand succès. « Ç'a été une sorte d'idée fixe que j'ai eue. On était vraiment fous pour en arriver à cela. Cette œuvre, que j'avais entendue à Paris, n'avait jamais été jouée au Canada. On n'avait pas d'argent. On a monté cela dans des conditions invraisemblables. » Les répétitions avaient lieu, comme toujours, dans le studio de Ludmilla, rue Sainte-Catherine. Les seize danseurs et Ludmilla répétaient avec un enregistrement de la musique qu'avait déniché Gabriel Charpentier. Cet enregistrement, Ludmilla l'a écouté des nuits durant pour s'en imprégner avant d'imaginer sa chorégraphie. « Ma femme passait des nuits entières à écouter son gramophone qui jouait en sourdine dix fois, quinze fois, vingt fois de suite l'œuvre entière. [...] Parfois excédé, je taxais cette musique de cacophonique[190]. »

Ludmilla est de ces chorégraphes qui créent à partir de la musique. Et comme rien n'avait été produit sur cette musique, elle se sentait libre de créer à sa façon.

> C'était un défi terrible parce que cette musique est irrégulière. Gabriel Charpentier m'a amenée à la discothèque de Radio-Canada pour écouter Stravinski. J'étais assise et lui faisait 1, 2, 3, 4, 5 - 1, 2, 3, 4, 5,

6, 7 - 1, 2, 3 – en frappant sur une table. Comme un pic-bois. Je n'oublierai jamais. Je vais vous montrer comment ensuite j'ai disséqué cette œuvre que je ne connaissais pas.

Et elle me sort la partition, enveloppée dans le dessin de la structure du décor d'Alexis. Elle ouvre ce cahier et en tire des feuilles jaunies, couvertes de traits. « Ça, c'est ce que je comptais 1, 2, 3 - 1, 2, 3, 4, 5 - 1, 2, 3... C'est tout le ballet. J'étais peut-être vieux jeu d'épouser à ce point la musique... J'écoute, je sens dans mon corps le geste et je le vois en même temps. » Christine Clair se souvient comment Madame leur « montrait à sentir le phrasé musical, à découvrir la séquence, à sentir la musique ».

Pour la présentation du 8 mars, *L'Heure du concert* provient du studio 40 dans lequel s'entassent quatre pianos, six percussionnistes et le Concert Choir, de New York. Et à vingt-deux heures, ce jeudi, sur cette musique compliquée de Stravinski, *Les Noces* se déroulent entre les caméras, les fils, les perches. « Ç'a été un miracle », de conclure Gabriel Charpentier. « Après la représentation, c'était l'euphorie dans le studio. Malheureusement, ils se sont précipités pour tout détruire, décors, costumes : c'était une erreur magistrale », affirme Ludmilla.

Le succès de Ludmilla, auquel est associé Alexis dans *Les Noces,* n'arrange rien à leur relation qui continue de s'effilocher. Selon Sheila Pearce, « il y avait toujours une atmosphère de conflit, à la maison. Quand il venait au studio, il restait des heures assis à dessiner. » Alexis a laissé quantité de dessins et de nombreux croquis de Ludmilla au crayon, tous de cette période. Ludmilla de face, Ludmilla de dos, Ludmilla de profil, Ludmilla dansant. Ludmilla, encore et toujours. Mais Alexis est rarement à la maison. Ludmilla n'y est pas plus souvent, d'ailleurs. « On a été élevés par des bonnes, souvent campagnardes et vulgaires, me confiera Avdeij. On était tristes parce que notre mère n'était pas là, mais je n'ai jamais senti que ma mère ne nous aimait pas. »

Si la relation entre Alexis et Ludmilla est mal en point, ils n'en laissent jamais rien voir en public. Rares sont les personnes que j'ai rencontrées pour ce livre qui m'en ont parlé. Alexis était plutôt décrit comme d'une civilité et d'une courtoisie hors du commun. D'un raffinement et d'une élégance, aussi, qui se reflétaient dans les décors qu'il créait. Ludmilla continue d'apposer son nom à côté du sien chaque fois qu'elle le peut. Mais c'est de plus en plus pour l'image. Il est maintenant décorateur à Radio-Canada ; elle n'a donc plus à l'imposer pour les décors des ballets qu'elle y présente. Alexis est souvent attitré à d'autres émissions, comme le *Téléthéâtre.* C'est dans les couloirs ou sur les plateaux de Radio-Canada qu'ils ont le plus de temps pour régler les questions d'intendance. Quand Alexis vient faire son tour au studio, Ludmilla y est toujours très occupée à faire répéter ou à donner des cours. S'il arrive qu'ils rentrent ensemble à la maison, en fin de soirée, c'est plutôt par un effet du hasard que par choix.

Mais personne ne l'aura deviné. Alexis aura précédé Ludmilla pour descendre l'escalier du studio ; il aura ouvert la porte, hélé un taxi, ouvert la portière, attendu que Ludmilla se soit installée, refermé la portière, fait le tour du taxi avant d'y monter lui-même et de donner l'adresse de leur résidence. Le parfait homme du monde. L'époux plein de considération pour sa femme. Mais il arrive qu'une fois à la maison, la conversation s'enfle...

Montréal se réveille de l'hiver. Des feuilles poussent aux arbres dans les parcs, les rues sont nettoyées et l'air est chargé d'odeurs nouvelles. On marche lentement pour apprécier le soleil et l'air plus doux. Maurice Chevalier est à l'affiche du Théâtre Saint-Denis, pour le plaisir de ces dames. Les hommes, eux, sont pris par la politique. Dans les campagnes comme à la ville, la campagne électorale bat son plein. Et les *hommes* de Maurice Duplessis y mettent le paquet. D'argent, s'entend. Et de fiers-à-bras. La corruption atteint des sommets inégalés. À un point tel qu'une fois les *bleus*[191] réélus, les abbés O'Neil et Dion publient un pamphlet qui fera époque : *Le chrétien et les élections*. Les auteurs s'en prennent « à la démagogie anticommuniste, à la publicité mensongère, au trafic de votes et à l'utilisation de la religion à des fins électorales[192] ».

À la fin d'avril, le Montreal Theatre Ballet fait une première apparition à la télévision, sous la direction de Brian Macdonald qui vient de le fonder avec Elsie Salomons comme assistante directrice artistique. Cette compagnie ne vivra que trois ans. Elle puisera quelques-uns de ses danseurs chez Ludmilla, mais la très grande majorité choisira de rester avec elle. Avec le Montreal Theatre Ballet, Macdonald s'était donné comme mandat de valoriser le talent canadien en chorégraphie, en scénographie, en composition musicale et en interprétation dansée[193]. Ludmilla dira ne pas avoir été « étonnée de la courte vie de cette compagnie. Il faut être prêt à se sacrifier énormément et ne pas s'attendre à être payé comme à la télévision. Ce ne sont pas quelques représentations par année qui permettent de vivre. »

Radio-Canada continue de recevoir des lettres concernant les prestations de Ludmilla et de ses danseurs. Mais, pour une fois, Ludmilla en reçoit une chez elle. Il vaut la peine de la citer tout au long : elle représente l'état d'esprit de certains groupes qui font aussi pression sur le clergé et les directions d'écoles publiques pour empêcher que des cours de danse et des spectacles de ballet viennent « pervertir » notre belle jeunesse canadienne-française et catholique !

> Chère madame,
>
> Permettez de vous écrire pour vous donnez un avertissement au sujet de vos ballets qui passent le lundi soir à porte ouverte Ah que c'est scandaleux, c'est pourquoi que nous vous avertissons avant d'agir car ca fait assez longtemps que ç'a dure cette cochonnerie a la télévision nous en sommes tannés, de voir ce collage et décolletage alors si vous

ne changez pas et si ne vous habillez pas votre personnel pas plus que cela nous sommes un groupe pour faire signer une requète et faire disparaitre ce numéro de salo a ce programme. Alors Madame si vous tenez a gardé votre programme je vous demande d'agir autrement dès lundi prochain Ca sera votre réponse a notre lettre car sans cela nous continueront notre travail pour le plus grand bien des Ames. Espérant que nous comprendrez et que des la semaine prochaine vous agirez autrement et pour toujours respecté les catholiques.

Merci beaucoup. Excusez moi[194].

Michelle Tisseyre raconte, dans ses mémoires, qu'elle recevait aussi des appels et des lettres où l'on se plaignait de voir à la télévision « une femme en robe décolletée, des danseuses en collant (combien d'appels scandalisés la Société Radio-Canada n'a-t-elle pas reçus!), des ballerines en tutu[195] ». Un curé lui a même écrit : « Madame, j'ai vu le creux de votre estomac entre vos seins[196]! » Henri Bergeron aussi, comme présentateur de spectacles, a dû essuyer l'ire de certains téléspectateurs qui n'acceptaient pas que l'on permette à des femmes nues, ou presque, de se montrer à l'écran. « Je répondais : mais madame, c'est le ballet. Il faut que les danseurs puissent évoluer sur la scène dans les costumes qui conviennent aux mouvements de cet art. » Denise Marsan aussi se souvient que, du temps de l'émission de Jean Boisvert, « des curés de campagne écrivaient qu'elle était source de péchés. On a connu ça. On recevait les lettres dans le courrier du bureau. » Dans un article paru dans *L'actualité* du 15 septembre 1996, Gilles Marcotte écrit : « Des gens qui n'avaient jamais vu de ballet de leur vie voyaient arriver dans leur salon, presque chaque semaine, une armée de demoiselles en tutu. Ça dérangeait. » Les règles de 1938, émises par le Vatican, étaient encore très largement observées au Québec. Ainsi, une circulaire de l'Église du Québec, distribuée en mai 1946, faisait encore office de stricte observance :

> Nous rappelons que l'on ne peut considérer comme étant décent un vêtement dont le décolletage dépasse de deux doigts au-dessous de la naissance du cou, un vêtement dont les manches ne descendent pas au moins jusqu'au coude et qui descend à peine au-dessous des genoux. Indécents sont également les habits d'étoffe transparente[197].

Mais ce n'est pas ce qui va arrêter Ludmilla. « Plus on me disait que c'est péché mortel, plus j'avais envie de prouver que ce n'était pas ça. » Elle commence à se déplacer en province et sonde le terrain, ici et là, dans l'espoir d'y recruter de futurs danseurs pour sa compagnie de ballet. Dans une entrevue qu'elle accorde au *Nouvelliste*, elle déclare que « [sa] plus chère ambition serait de former une compagnie de ballet permanente pour la province de Québec, qui [lui] permettrait de donner des spectacles dans les différents centres[198] ». Le journaliste de ce quotidien de Trois-Rivières, comme pratiquement tous ceux qui la rencontrent, est séduit par Ludmilla. « Il est facile de se laisser prendre au charme contagieux de cette jeune femme dont les traits purs et nobles sont magnifiquement encadrés de nattes châtain pâle et illuminés de remarquables yeux bleus. » À ce journaliste, Ludmilla confiera qu'elle redoute la télévision, « ce monstre qui arrache tout à l'inspiration et qui n'est jamais rassasié ».

Il ne se passe pas une entrevue sans que Ludmilla ne revienne sur cette obligation dans laquelle elle se trouve de produire autant en si peu de temps. Non seulement elle sait que l'imagination et la qualité y perdent, mais les commentaires des téléspectateurs se font de plus en plus précis, et quelque chose lui dit que la télévision ne sera bientôt plus pour elle. Dans certains milieux, on commence aussi à trouver que les *importés* prennent trop de place. « On le sentait, des fois, qu'on lui reprochait de venir d'ailleurs », dit Henri Bergeron. Françoise Faucher aussi sera victime d'une campagne de presse. On parle d'elle comme « d'un requin d'eau douce[199] ».

Ludmilla termine la saison à Radio-Canada complètement crevée. Sa mère part rejoindre Valia et Ludmilla est à la recherche d'une bonne. Elle fait appel à Murray Ballantyne, qui la mettra en contact avec les sœurs Notre-Dame-du-Bon-Conseil. Je ne sais si cette démarche eut une suite. Au même moment, Ludmilla fait aussi une demande auprès de la Commission de l'assurance-chômage. On apprend de ce formulaire que la personne recherchée travaillera six jours par semaine de sept heures trente à dix-neuf heures trente, qu'elle aura sa chambre, qu'elle doit faire la cuisine, l'entretien de la maison et garder trois enfants, dont un demande une attention spéciale.

> C'était toute une histoire de trouver quelqu'un. Des fois, je lâchais tout, je prenais un taxi et j'allais chercher les enfants à l'école. Ils venaient au studio. Je leur donnais une collation et je les installais sur le banc pour qu'ils fassent leurs devoirs. Ils ne m'ont jamais dérangée. Ça me fait mal au cœur de penser qu'ils ont participé à monter tout cela et qu'il ne leur reste que des photos et le souvenir de mes absences.

Avdeij me confiera qu'au studio de la rue Stanley, quand les grands danseurs répétaient, c'était lui qui activait le gramophone, au commandement de sa mère. Pendant les pauses, il regardait les pompiers par la fenêtre. Il y avait une caserne de l'autre côté de la rue.

Les factures s'accumulent. Les costumes pour *Les Clowns* ont coûté six cent quarante dollars. Elle devra payer Serge Garant, qui accepte de faire répéter *Les Noces* : quarante dollars et demi. Si elle veut monter *L'Oiseau-Phénix*, il lui faut trouver six cent soixante-quinze dollars, uniquement pour les costumes. L'argent n'est pas là, mais il en viendra. Elle le sait. D'où ? Peu importe. Elle en trouvera et elle dotera le Québec d'une compagnie de danse et rien ne l'arrêtera. C'est la mission qu'elle s'est donnée. Cette vision et cette foi en la mission, chez elle, ont toujours emporté l'adhésion. « J'ai la vision des bâtisseurs, probablement, disait-elle. Quelque chose nous dit de le faire. Tout devient aigü face à ce quelque chose qui nous est dicté ; c'est en nous et c'est tellement évident. On le fait. J'avais aussi la certitude d'avoir une mission. Mais je ne suis pas d'affaires. Pas tellement.»

Ludmilla accepte l'invitation des organisateurs des Festivals de Montréal pour le vingtième anniversaire de cette organisation. Pourtant, la compagnie n'est pas prête : il faut produire les décors, confectionner les costumes, elle n'a pas d'argent, mais comme toujours, elle force le destin. Elle multiplie les rencontres, quête des fonds. Littéralement.

> Je me rappellerai toujours être allé dans les cinémas, racontera Henri Bergeron. Je trouvais cela très ingrat, un peu pénible, d'arriver entre deux films. Tout à coup, l'éclairage se faisait dans la salle ; les gens s'essuyaient les yeux un peu et j'arrivais sur scène pour dire : «Bonsoir, mesdames et messieurs. Ici Henri Bergeron de la télévision. Vous me reconnaissez ? Je viens dire un petit mot au sujet des Ballets Chiriaeff qui ont besoin de vous et la directrice est là pour vous dire un mot.» Et là, Ludmilla entrait. Et des fois Pierrette Champoux, je me rappelle. On allait ensuite faire la quête dans la salle. Et les gens étaient généreux.

Ludmilla, elle, m'a raconté avoir fait, au début de l'année 1956, les magasins et commerces de la rue Sainte-Catherine, depuis Dupuis & Frères, dans l'Est, jusqu'à Ogilvy, dans l'Ouest, pour demander que l'on supporte la formation d'une compagnie de ballet à Montréal. La réception n'a pas toujours été bonne. « Je pense que c'est chez Ogilvy que l'on m'a non seulement mise dehors mais on m'a dénoncée à la police. C'était toute une histoire.» Ce démarchage lui vaudra une lettre, en anglais, du Service de police de la Ville de Montréal, lui rappelant que l'administration municipale n'autorise aucune sollicitation de cette sorte[200]. Mais cela ne l'arrête pas dans ses efforts pour assurer l'existence des siens et de la troupe. Pour Ludmilla, il ne faut jamais arrêter de se battre parce que la vie, «c'est en avant ; c'est jamais en reculant. C'est même jamais sur place[201].»

Un brouillon de lettre à André Ouimet, de la direction de Radio-Canada, donne à penser que Ludmilla a senti que quelque chose se préparait qui allait jouer contre elle pour la prochaine saison.

> À la veille de notre rencontre, je vous fais parvenir ce mot pour mieux me situer dans votre esprit au cas où l'on me *(sic)* discuterait peut-être sans que j'y sois.
>
> [...]
>
> J'ai eu il y a quelque temps, à Radio-Canada des conversations qui contredisent absolument la route que je poursuis et je serais heureuse d'en parler avec vous lors de notre prochaine rencontre, d'autant plus

que l'expérience m'a prouvé que seule une continuité en plus des grands ballets me permettrait de retenir mes danseurs à Montréal à votre service[202].

Je ne sais si cette lettre, à laquelle est attachée une lettre manuscrite, non datée, a été envoyée. Le texte manuscrit parle des difficultés financières éprouvées pour monter le spectacle prévu pour les Festivals de Montréal. Cette lettre est destinée au gouvernement : « Je me vois dans l'obligation de demander votre aide, monsieur le Ministre, [...] afin de pouvoir défrayer les dépenses absolument nécessaires qu'il faut payer à l'avance comme les décors, les costumes, les œuvres musicales... » Le maire de Montréal avait reçu une demande similaire. Je ne sais si c'est à cette occasion ou quelques mois plus tard, mais Jean Drapeau recommandera fortement à Ludmilla d'obtenir une Charte constituant sa compagnie de ballet en compagnie à but non lucratif, incorporée selon la Loi des compagnies de Québec. « Autrement, m'avait dit le maire, vous ne pourrez pas recevoir de subventions. » Drapeau lui avait aussi suggéré de rencontrer Léon Lortie, ce qu'elle fit à l'Université de Montréal où Lortie enseignait.

La Commission royale d'enquête sur les arts, les sciences et les lettres avait remis son rapport. Il y avait dans l'air la création, par le gouvernement du Canada, d'un Conseil des Arts qui veillerait à la distribution des fonds que le gouvernement fédéral destinait annuellement aux arts. Si Ludmilla voulait profiter de ces subventions, comme de celles de la Ville de Montréal, elle n'avait pas le choix. Monsieur Désautels en est lui-même bien conscient, mais il n'arrive toujours pas à former un conseil d'administration qui veuille s'engager dans cette aventure. Il n'y a pas de modèle, au Québec, et Ludmilla ne veut surtout pas calquer son organisation sur celle de Toronto. D'autant que le Ballet National (BN) sera son concurrent direct dans la course aux rares fonds publics réservés pour la danse au Canada.

Avec cette question en tête, Ludmilla décide de passer une fin de semaine à Rawdon avec les enfants et Alexis. Ce dernier s'installe de longues heures à l'extérieur du minuscule chalet et dessine dans de petits cahiers. Il croque tout ce qu'il voit avec la finesse de la ligne et du mouvement qui caractérise toutes ses œuvres de l'époque. Pendant ce temps, Ludmilla ramasse des pommes de pin et amène les enfants à la découverte des champignons. « Je connais de merveilleuses comptines que j'ai apprises aux enfants. Quand nous allions aux champignons, en Allemagne, maman nous les chantait. » Et Ludmilla de me chanter en russe et de me traduire ensuite :

Le bollet, le gros, assis sous le chêne
a donné l'ordre d'aller en guerre
pour se battre avec les autres
les petits ont répondu qu'ils ont les jambes trop courtes.

En russe, cette comptine énumère tous les noms des champignons. Sous les bouleaux, sous les pins, sous les trembles, il y avait plein de ces végétaux. Ludmilla explique qu'il faut les cueillir et les manger jeunes. Ou alors les mettre en conserve ou les faire sécher. Cette fois, c'est Katerina qui fera les marinades au retour. La prochaine fois, ils iront cueillir des framboises sauvages, dont Katerina fera de l'eau de vie. C'est dans des moments semblables que seront transmis aux enfants des éléments de la culture russe. Pour eux, Rawdon était vécu comme un conte russe.

De retour à Montréal, il faut mettre la dernière main au spectacle pour les Festivals de Montréal. C'est décidé, ses seize danseurs seront présentés au public sous le nom de Les Grands Ballets Canadiens. Ils évolueront dans quatre chorégraphies que signe Ludmilla : *L'Oiseau-Phénix*, *Les Noces*, *Les Clowns* et *Valse en blanc*. Inutile de dire que la fébrilité est à son comble et que, jusqu'à la dernière minute, des ajustements seront nécessaires. Danser sur une scène est un tout autre défi que d'évoluer en studio de télévision, fût-ce en direct. Outre l'espace, la présence du public fait une grande différence. Mais Ludmilla ne doute pas un moment de la réussite de sa jeune troupe. «C'était une fleur; j'en ai fait un jardin qui a profité.»

Les représentations des Festivals s'étendent sur quelques jours et ont lieu au Théâtre Saint-Denis, au lieu du Théâtre du parc LaFontaine, comme c'était d'abord prévu. «On y a dansé *Les Noces*, en trois tableaux, mais on n'a même pas eu le temps pour une générale dans ce théâtre que nous ne connaissions pas, se souvient Ludmilla. Et la fosse d'orchestre était trop petite pour loger l'orchestre et les pianos.» Le soir du 25 août, les Grands Ballets Canadiens présentent *L'Oiseau-Phénix*, sur une musique de Clermont Pépin. Le compositeur dirige lui-même l'orchestre d'une quarantaine de musiciens. Clermont Pépin est né à Saint-Georges de Beauce. Il a commencé sa carrière de compositeur à huit ans, avec une symphonie pour piano à quatre mains. Boursier dès l'âge de onze ans, il accumule les prix et étudie avec les grands maîtres, ici et en Europe. On lui doit de nombreuses œuvres, dont plusieurs ont été écrites pour le théâtre et quelques-unes spécifiquement pour le ballet. *L'Oiseau-Phénix* est de celles-là. *La Patrie*, dans son numéro du dimanche 26 août, dira de ce ballet de Clermont Pépin qu'il était le clou de la soirée.

Le rêve de Ludmilla commence à prendre forme. Depuis toujours, elle veut reproduire ce que de Diaghilev a fait avec les Ballets russes : un spectacle complet où seront regroupés autour des danseurs les compositeurs de musique, les décorateurs, les costumiers, les chorégraphes et choréauteurs, ce qui permettra l'éclosion d'œuvres par des créateurs du pays. Fokine, aussi, souhaitait cette alliance des arts autour de la danse.

Le 1er septembre, les GB reprennent *Les Noces*. Les époux, Ludmilla et Eric Hyrst, et toute la noce, évoluent dans un décor et des costumes à la russe. *The Gazette* titre : « *A Day to Remember.* »

> Le ballet *Les Noces*, chorégraphié par Ludmilla Chiriaeff sur la musique d'Igor Stravinski et dansé samedi soir au Saint-Denis par les Grands Ballets Canadiens accompagnés de solistes, d'un chœur et d'un orchestre de pianos et percussions, fut un des événements artistiques les plus passionnants auxquels j'ai assisté [...]. C'est la production la plus difficile jamais montée dans cette ville[203*].

Et le 5 septembre, Roland Lorrain, sous le titre : « Les Festivals se sont terminés par un joyau chorégraphique », écrit que :

> Nous devons à Madame Chiriaeff la plus belle œuvre chorégraphique qui ait jamais été conçue et créée à Montréal. C'est le juste couronnement de quelques années d'efforts à former un groupe de danseurs et danseuses qui soient capables d'exécuter, dans un esprit et un style de plus en plus international, des ballets d'une valeur artistique de plus en plus digne de passer nos frontières.
>
> *Les Noces* de Madame Chiriaeff, sur la célèbre musique de Stravinski, sont une œuvre chorégraphique qui a déjà toute la structure et l'unité d'un chef-d'œuvre.
>
> [...]
>
> La discipline et l'ardeur des groupes, la technique et la musicalité admirable des solistes, permettent d'espérer que cette jeune compagnie se placera, avant longtemps, au premier rang de la danse au Canada, rattrapant, en quelques années, l'humiliant retard de la métropole en matière chorégraphique[204].

Ainsi naissent les Grands Ballets Canadiens les derniers jours d'août 1956.

Chapitre 7
Le studio de la rue Stanley
et le Manoir Notre-Dame-de-Grâce

Dans le souvenir des élèves et des danseurs, le studio de la rue Stanley tient une place à part. Dans le cœur de Ludmilla aussi. « Les murs de ce studio sont imprégnés de nos sueurs, de nos énergies, de nos espoirs et désespoirs. Sheila Lawrence, Christina Coleman, Brydon Paige, Eric Hyrst, Jean Stoneham, Annette de Brisay, Eva von Gencsy, Michel Martin, Michel Boudot, Roger Rochon, Brian Macdonald et Olivia Watts m'ont suivie, sur Stanley. C'est le noyau des Grands Ballets. J'étais tellement attachée à ce lieu que je n'ai jamais fermé la dernière fois, la porte. Comme pour rester en relation. »

C'est le 7 juin 1956 qu'elle y installe le mur de miroir, les barres d'exercice, le piano et un tout petit bureau qui servira à l'administration dans la pièce d'en avant. Le plus grand des deux studios donnait sur la rue Drummond et le petit, sur la rue Stanley, mais ça se transformait au fur et à mesure des besoins. Ainsi, à un moment donné, le petit studio a servi pour la confection et le remisage des costumes. Il a aussi été divisé pour devenir un vestiaire pour les filles avec un tout petit espace pour le vestiaire des garçons. Il faut dire que les garçons étaient peu nombreux. Les petits encore moins. Avant l'arrivée de Sasha Belinsky (Alexandre Belin) et de Maurice Lemay, il n'y avait que les fils Chiriaeff qui étaient de toutes les productions.

> Si je me suis installée sur Stanley, c'est parce que Radio-Canada voulait que je leur laisse mon studio sur Sainte-Catherine, en échange d'un endroit, pas loin, m'ont-ils dit. Quand je suis entrée dans cette salle carrée, au plafond de laquelle couraient des tuyaux de chauffage où se perchaient des pigeons, je n'ai pas été très impressionnée. Il y avait de grandes fenêtres, sur un côté, et pas tout à fait au milieu, une porte qui ouvrait sur une autre pièce. Il y avait deux toilettes, dans le grand studio. C'était très utile pour certaines que je ne nommerai pas et qui s'y enfermaient pour pleurer.

Tout était petit au deuxième étage de cet édifice à tourelle, qui existe encore, juste derrière ce qui fut le prestigieux hôtel Windsor à deux pas de l'Esquire Show Bar. «En ce temps-là, raconte Eva, les studios de Radio-Canada étaient petits, alors Stanley était parfait. Madame devait penser petit aussi*.» Au premier, il y avait le restaurant et les amputés de guerre et au troisième, on donnait des cours de judo. On accédait au studio par un long escalier étroit, et Christine Martinet (Clair) se souvient de Madame, tout en haut, avec ses cheveux enroulés sur les oreilles. «Elle était très grande, Madame, très fine, toute mince. Elle était impressionnante, pour une enfant.» Arrivée depuis peu au Canada, Christine Clair avait suivi des cours de danse à Paris depuis qu'elle savait mettre un pied devant l'autre. Elle avait sept ou huit ans quand ses parents l'avaient emmenée à l'École de Ludmilla pour qu'elle continue sa formation en danse.

«Stanley, c'était petit, se rappelle France Desjarlais, l'escalier était très raide et, quand on redescendait après nos cours, c'était affreusement dur pour les jambes. Toutes les productions étaient montées dans ce studio minuscule[205].» Le studio était une vraie ruche. Le matin, c'était la classe de réchauffement pour les danseurs professionnels auxquels se joignaient à l'occasion les danseurs étrangers de passage. Il y avait ensuite les répétitions et, en fin d'après-midi et le samedi, les plus jeunes élèves arrivaient avec leurs parents pour les leçons. C'est Madame Tourangeau, secrétaire bénévole, qui les recevait. Sitôt revêtues de leur tenue d'exercice, les Christine Clair, France Desjarlais, Chantal Bellehumeur, et plus tard Judith Markovitch (Marchand), Nina Finkel (Valeri), Rachel Bériault se précipitaient vers la lucarne, dans le mur qui séparait les salles d'exercice, pour voir les professionnels répéter. Quel émerveillement! Et quels rêves cela faisait surgir dans la tête de ces enfants qui se voyaient déjà dans *Giselle, Le Cygne blanc, Coppélia, Cendrillon...*

Ludmilla était très sévère. Très, très. Dure. Rigide. Cassante. Contrôlante. Intraitable. «J'ai souvent pleuré, admet France Desjarlais. Elle était très très très sévère[206].» Aucune excuse ne tenait la route et aucun retard n'était accepté. Et si chacun connaissait l'heure du début des classes, personne ne savait par contre quand elles se termineraient. Les parents passaient des heures à user les bancs, en attendant la fin de la classe de leur enfant, mais il n'était pas question que quiconque discute les décisions de Madame. Même s'il était vingt-deux heures. Il n'y avait pas d'horloge dans le studio. Peu importe l'heure, et la fatigue, il fallait être attentif à ce que Madame disait. Elle disait une chose une fois, deux fois, mais il ne fallait pas qu'elle la répète une troisième fois. Alors, elle sévissait. «Ça pouvait même être des commentaires cinglants, qu'il fallait accepter», raconte Christine Clair, qui la revoit avec son bâton marquant la mesure. «Elle pouvait dire devant tout le monde à une danseuse : tu es très belle mais tu as des pieds affreux. Ça ne te mènera nulle part. Elle était comme cela», affirme Michel Martin. Blanche Harwood se souvient que Ludmilla était sévère pour les enfants. «Avant que je travaille pour elle à plein temps, j'ai vu une petite fille qui pleurait. On dirait que Madame Chiriaeff avait deux personnalités : une pour le ballet et une pour le privé. Elle avait été bien dure pour cette enfant-là[207].» Ludmilla était dure aussi avec ses enfants. Au début, quand leur grand-mère ne pouvait venir les chercher, ils devaient attendre sagement assis que leur mère ait terminé sa journée. Parfois c'était au studio, parfois c'était à Radio-Canada. Souvent, c'était tard le soir.

Selon une danseuse qui tient à garder l'anonymat – et que j'appellerai Léa, «Même quand elle te disait : tu crois que tu vas devenir une danseuse, laide comme tu es, avec un nez comme ça ?, il fallait dire : merci, madame, en faisant la révérence. Même quand elle te donnait un coup sur les jambes avec son bâton, fallait dire merci, madame. Et surtout pas pleurer, c'était défendu. J'avais cinq ou six ans[208].» Madame. Dans le milieu de la danse, on ne l'appelle pas autrement. Certains prononcent ce mot avec une telle vénération que je les soupçonne de l'écrire en lettres majuscules !

Le métier de danseur n'est pas facile. Et Ludmilla voulait former des danseurs. Nécessaire, donc, d'inculquer dès les premiers moments les rigueurs de la discipline, même aux tout-petits. Ceux qui ne pourront pas suivre s'élimineront d'eux-mêmes. Certains enfants avaient peur de Ludmilla mais n'auraient jamais osé l'avouer. Sauf que le personnel les entendait renifler quand ils sortaient des classes. Là comme ailleurs, il y avait des souffre-douleur. Il faut beaucoup de détermination à une petite fille de cinq ou six ans pour persévérer. Surtout quand on a l'impression d'être toujours celle que l'on corrige. «Il faut accepter ce côté, dira Christine Clair, et ne pas s'écouter. On finit toujours par trouver cette goutte d'énergie supplémentaire pour nous permettre de continuer.» Ne pas s'écouter mais être à l'écoute de ses muscles. Ils ont une mémoire, les muscles. S'ils ont maîtrisé une position, des années plus tard ils s'en souviendront. Sauf qu'il faut de la maturité pour en arriver là. Une fois dans la carrière, il arrivera qu'il faille danser avec des ampoules, des entorses, des tendinites, des déchirures musculaires, des problèmes de genoux. Le spectacle doit continuer, alors mieux vaut s'y faire très tôt. Donc, pas question durant les pratiques d'enlever les chaussons, même si le bout en est rouge de sang.

L'entraînement est intensif, non seulement pour les élèves mais aussi pour les danseurs. Avec Ludmilla, c'est cinq ou six jours par semaine et parfois le samedi et le dimanche. Il y avait même des cours d'été. «Au début, se souvient Andrée Millaire, on travaillait même le jour de l'An. Madame tenait à donner une classe[209].» «Par amour et superstition, convient Ludmilla. On s'embrassait, on prenait un verre après la classe – pour que l'année commence avec nous.» Les familles n'avaient qu'à attendre, pour servir la dinde, que leur enfant eût reçu la permission de Madame de quitter le studio. Cette tradition a créé des liens importants. Ainsi, jusqu'à son décès, les anciens, où qu'ils fussent dans le monde, joindront Ludmilla pour échanger des vœux – ne fût-ce que par téléphone. « Pour que l'année commence avec nous », comme elle le répétait.

Les élèves se souviennent de Ludmilla comme d'une femme passionnante, d'une enseignante captivante, qui les entraînait dans son sillage.

> Ce que j'aimais dans sa façon d'enseigner, dira Léa, c'est qu'il y avait une vie intérieure. Toujours. Ce n'était pas seulement un mouvement. C'est ce qui manque souvent chez les professeurs. Il y a beaucoup de mouvements, évidemment, dans le ballet, mais si on n'a pas de vie intérieure, ça ne veut rien dire ; ce n'est qu'un exercice. Chaque fois qu'on bougeait les bras, il y avait une image de quelque chose. Une arabesque n'était pas une arabesque : on touchait le coin, là-bas. C'est pour cela que j'ai pu avoir cette technique parce que je le voyais dans ma tête avant de le danser. Il y avait une énergie qui dépassait le mouvement.

L'arabesque. Les classes de Madame Nicolajeva, à Berlin. « Elle faisait Ahhhhhhh, en allongeant le bras, et je me sentais le corps partir vers l'infini », racontait Ludmilla. Ainsi, cet enseignement de la petite dame de Berlin, malade et tassée sur sa chaise, Ludmilla le servait à ses élèves, trente et quarante ans plus tard. Les danseurs de la génération de Ludmilla sont le produit d'*un* maître. Un maître avec *son* école, *sa* discipline, *son* style. « Je suis sortie d'une personne, qui était Madame Nicolajeva », reconnaît Ludmilla.

Une rencontre organisée par Chantal Bellehumeur[210], et tenue chez Ludmilla le 10 mai 1996, réunissait Christine Clair, France Desjarlais, Nastia, Maurice Lemay et des techniciens pour l'enregistrement. Ludmilla m'avait offert de me joindre à eux, me permettant du coup d'avoir accès aux souvenirs de quelques-uns de ses ex-élèves. Autour de la table, dans ce qui faisait office de salon-salle-à-manger de l'appartement qu'elle occupait à la résidence au Fil de l'eau, les rires se mêlaient aux commentaires :

« Tu te souviens de ce vieux monsieur, ni Anglais, ni Français ?
— Il était Hongrois. On s'en moquait un peu. On le trouvait démodé.
— Tu te souviens de Monsieur Caton ? Il hurlait. C'était tout un numéro. Un jour il avait envoyé balader la chaise plutôt que de sortir de la classe.
— Tu te rappelles le pianiste ?
— Ah ! Oui, Claude Savard. Il faisait l'accompagnement au piano pour payer ses études. Il n'arrêtait pas de nous faire rire. Il y avait une telle complicité avec lui.
— Puis, un jour, on apprend qu'il gagne plein de prix, partout.
— Madame Bec Sec, avec son parapluie, c'était quoi son nom déjà ?

— Et tous les spectacles qu'on a vus prendre forme.

— Et pouvoir parler avec les grands, ceux qui dansaient déjà à la télévision.

— Et la fois où Madame a crié aux garcons : vous, les oiseaux rares, vous croyez pouvoir tout vous permettre parce que vous êtes peu nombreux... »

Le studio de la rue Stanley, c'est aussi la chance de côtoyer très jeune Margaret Mercier, Eric Hyrst, Eva von Gencsy « et le privilège de prendre des classes avec des danseurs ou des professeurs invités ou de passage à Montréal, dira Christine Clair. Madame a toujours fait en sorte que nous puissions prendre des cours avec ces personnes-là. Des maîtres de ballet sont aussi venus pour des périodes plus ou moins longues. Ils étaient attachés aux Grands Ballets Canadiens mais ils donnaient aussi des cours à l'École. » « Je me souviens de Madame Soulima, raconte Chantal Bellehumeur. Elle nous faisait faire des dégagés très très lents. Il fallait monter la jambe et descendre doucement. »

Très tôt, un noyau d'élèves parmi les plus doués participeront à tous les spectacles que Ludmilla montera, que ce soit pour la scène ou pour la télévision. Nicole Martinet raconte que, lorsque Christine avait sept ou huit ans, elle devait déposer un billet d'excuses, au Collège Marie de France, pour permettre à sa fille de participer à des émissions pour enfants, dans l'après-midi[211]. À l'époque, tout se faisait encore en direct.

France Desjarlais expliquera que ce qui était important, c'est que les élèves « se sentaient comme appartenant à ce milieu-là. On voulait tout donner à cause de ça. On était une famille. » Une famille. C'est bien de cela qu'il s'agit pour Ludmilla. Sa famille, ce sont les danseurs. Elle le dit souvent. Ses enfants aussi le disent. Il y avait la danse, les danseurs, les GB, et ensuite, les enfants nés de sa chair. « C'était la mère poule de tout le monde », dira Pierre Morin. Pour Nastia, « C'était ma mère mais aussi Madame. J'ai toujours vécu avec Madame. » Ludmilla a fini par être complètement habitée par cette personne que l'on appelait Madame. Quand il lui arrivait de se laisser aller, le temps d'une tasse de thé, elle s'empressait ensuite de brouiller les pistes. Elle pouvait parler des heures durant sans vraiment rien dévoiler d'elle.

Nastia suivait des classes avec Christine, France, Chantal, Sasha et les autres, mais elle avait le corps trop court pour devenir danseuse.

> J'aimais beaucoup la danse de caractère et la danse folklorique, mais je n'étais pas encouragée de la même manière que les autres l'étaient. Ma mère a vraiment poussé Christine, par exemple. Moi, elle me chargeait de veiller sur Chantal, qu'elle trouvait trop maigre... Il fallait que je m'assure qu'elle ait pris un *milk shake* avant les classes. Au fond, ma mère ne me voyait pas comme une danseuse mais comme une extension d'elle-même, la petite mère des autres. Ce que j'étais déjà

pour mes frères. À la maison, il y avait un horaire avec ce que je devais faire faire à mes frères. Maman n'était pas là et on se faisait garder par mille personnes.

Ludmilla avouera avoir pincé le nez ou les fesses de certains élèves à l'occasion, mais « c'était pour faire sortir quelque chose de ces enfants-là, à ce moment-là ». France Desjarlais se souvient quand Madame « a mordu le pouce de Christine parce qu'elle avait toujours les pouces en l'air. Après cela, Christine n'a plus jamais eu le pouce en l'air. Madame nous serrait le bras, mais elle n'a jamais fait saigner personne. » Certains parents l'ont accusée de ne corriger que les élèves canadiens-français. Pourtant, Léa, citée plus haut, vient du milieu anglophone. « Je me souviens, raconte Ludmilla, c'était sur Stanley. Certains parents n'osaient pas me dire maudite étrangère, mais ils le pensaient. C'était un immense défi pour moi d'essayer de faire des danseurs dans un tel environnement. » À cette époque, le Québec est encore empêtré dans sa crainte de l'étranger, de ce qui est différent, de ce qui n'est pas catholique, surtout. « Je trouve extraordinaire que le Québec ait survécu à cela. »

L'euphorie qui a suivi le succès des GB, après les Festivals de Montréal, s'est rapidement estompée quand Ludmilla a dû signer une reconnaissance de dettes. « *A Day to Remember*, avaient écrit les Anglais. Sûrement. Je me retrouvais avec six mille dollars à rembourser. Je ne m'étais pas rendu compte qu'il me faudrait tout payer – même les chœurs. Je n'ai jamais rien compris à l'administration. » L'argent lui fera toujours cruellement défaut. En fait, il en manque constamment. Depuis ses premiers spectacles à la télévision, Ludmilla assure le gagne-pain des danseurs, des répétiteurs, des costumiers, sans compter celui de sa mère et de ses enfants. Quand Alexis devient décorateur à Radio-Canada, la situation financière de la famille change peu. Alexis se loue un atelier. Il semble qu'il y passe beaucoup de temps quand il n'est pas occupé aux décors que lui commandent les réalisateurs du *Téléthéâtre*, de *L'Heure du concert* ou d'émissions de variétés.

Cette dette de Ludmilla s'élève en fait à quatre mille cinq cent vingt-trois dollars et soixante-sept. En février 1957, elle est encore en souffrance. L'organisation des Festivals de Montréal donne trente jours à Ludmilla pour l'acquitter[212]. Comme elle le fera toute sa vie, Ludmilla fait jouer ses relations ; elle pourrait s'en tirer avec une facture de trois mille cinq cents dollars, mais elle n'a rien devant elle. Elle entreprend des démarches auprès du CARMM pour obtenir une subvention. Dans une lettre qu'elle adresse à Monsieur Letendre, elle affirme que c'est « après avoir reçu des promesses formelles de l'Hôtel de ville, que celle-ci m'aiderait à combler le déficit encouru par le spectacle de septembre dernier » qu'elle a signé le contrat des Festivals de Montréal. Elle espère que la décision du CARMM lui sera favorable. « Je vous ferai alors parvenir le montant dû par ma compagnie[213]. » Elle écrit aussi à Jean Drapeau : « S'il vous était cependant possible de me recevoir quelques minutes, je vous en serais infiniment reconnaissante[214]. » Il lui faut rapidement trouver de quoi payer les danseurs. « Certains jours, raconte Eva, nous n'avions pas un sou, mais nous continuions de danser. Il arrivait toujours un miracle. La chose la plus surprenante avec Madame, c'est qu'elle arrivait à surmonter les obstacles quels qu'ils soient*. »

Katerina passe quelque temps aux États-Unis, et quand elle revient, la détérioration du climat à la maison l'inquiète. Elle ne comprends pas que Ludmilla soit si mal organisée matériellement, que ni sa fille ni son mari ne soient auprès des enfants après les classes et les fins de semaine, qu'Alexis participe peu au frais du ménage. Pour Katerina, un homme doit gagner la vie de la famille et pas engloutir tout ce qu'il gagne dans son art. Elle a toujours soutenu cela. Déjà qu'Alexandre était comme ça, pourquoi a-t-il fallu que sa fille se retrouve avec un homme qui ne pense qu'à sa peinture et que la présence des enfants dérange ? Ludmilla est déchirée. Elle voudrait se ranger du côté de sa mère. Elle sait qu'Alexis a plein de torts, mais elle ne veut pas que sa mère envenime la situation. « Je vivais des périodes très pénibles avec Alexis et je voulais éviter à ma mère d'être témoin de tout cela. Alors, quand maman s'en est mêlée devant les enfants, j'ai été méchante avec elle. Mais je ne voulais pas qu'elle sache ma souffrance. J'ai très mal réagi, et aujourd'hui, je m'en veux. »

Pour éviter la répétition de telles disputes, Ludmilla retrouve les Fortin et leur demande de prendre sa mère, dans la maison de chambres qu'ils tiennent. Elle y installe Katerina, à qui les enfants vont rendre visite les fins de semaine quand les cours de ballet et les classes de russe ne prennent pas trop de leur temps. Avdeij garde un souvenir ému des moments passés là. « Elle avait toujours une valise près de la porte de sa chambre, avec le nécessaire dedans – au cas où il lui faudrait quitter précipitamment. » Un bruit de sirène, une détonation ou un coup de tonnerre et Katerina se retrouve à Iekaterinoslav ou à Berlin. Ludmilla disait qu'elle-même avait mis du temps à se faire au bruit des sirènes des pompiers, quand elle est arrivée. Ce bruit continu, à la différence du pin-pon familier d'Europe, lui rappelait les jours de bombardements.

Pour la fin de l'année 1956, Ludmilla prépare deux émissions pour *L'Heure du concert*, en novembre. Elle prépare aussi, sur une musique de Ravel, *L'Enfant et les Sortilèges*, pour une émission spéciale prévue pour le 27 décembre. Ce ballet, inspiré d'un livret de Colette[215], sera repris le soir de la Saint-Sylvestre, à la demande du public. Animé par Frédéric Back, avec Wilfrid Pelletier dirigeant l'orchestre et Marcel Laurencelle les chœurs, ce ballet intègre déjà de très jeunes élèves, dont Christine Martinet (Clair). « C'était une production énorme, avec des chanteurs et des artistes de grande réputation, se rappelle-t-elle. Il y avait Yolande Dulude, Jean-Paul Jeannotte, Napoléon Bisson et d'autres, puis Sheila, Eva, Eric, Brydon et j'en oublie. Quelle chance c'était de côtoyer ces gens. »

En cette fin d'année, Ludmilla et quelques autres forment le Conseil canadien du ballet. Le samedi 29 décembre, ce regroupement présente au Manoir Notre-Dame-de-Grâce une « démonstration Ballet, Pantomime, Caractère », lit-on sur l'invitation. Le coût de l'entrée est de cinquante cents pour les enfants et du double pour les adultes. Le programme est ainsi composé qu'il permet non seulement aux élèves et danseurs de Ludmilla de se produire mais aussi aux élèves de Seda Zaré, à ceux du Montreal Ballet, sous la direction d'Eleanor Moore Ashton, et à ceux du Montreal Theatre Ballet, dirigé par Brian Macdonald. Cette démonstration est en fait un cours d'initiation à la danse classique. Former des spectateurs est aussi une mission que Ludmilla s'est donnée. Et les parents, au premier chef. Certains parents de bonne famille inscrivaient leur jeune fille à un cours de danse comme ils le faisaient pour les cours de piano. « Ça paraissait bien chez ceux d'une certaine classe sociale, rappelle Andrée Millaire. Cela permettait d'apprendre les bonnes manières, le maintien et tout et tout. Mais pas question de faire carrière. Une danseuse, tu n'y penses pas ! Moi, mes parents m'ont toujours encouragée, mais il y a des gens qui n'ont plus voulu fréquenter mes parents quand ils sont su que j'apprenais la danse classique. Même des gens dans notre famille. » La danse, c'était péché. Dix minutes de claquettes, dix minutes de révérences, dix minutes de pointes passaient encore, mais la danse classique... vraiment !

Ludmilla prête aussi son studio à Françoise Sullivan et à Jeanne Renaud quand une des pièces est libre pour quelques heures. « Pendant plus de trois saisons, Jeanne Renaud a monté ses spectacles dans mes studios, mais ça, personne n'en parle. » Ludmilla intègre aussi Françoise Sullivan à ses chorégraphies quand elle ne lui propose pas de chorégraphier elle-même. De ça non plus, personne ne parle, et cela choque Ludmilla.

Si le studio de la rue Stanley tient une grande place dans les souvenirs de Ludmilla et de quelques-uns de ses élèves et danseuses, le Manoir vient tout de suite après. C'est là qu'ont commencé France Desjarlais, Chantal Bellehumeur, Rachel Bériault, entre autres, avant de suivre les classes au studio de la rue Stanley. Érigé à proximité de l'église de la paroisse Notre-Dame-de-Grâce, et longeant le boulevard Décarie, le Manoir offre aux paroissiens des activités socioculturelles, en plus d'activités sportives. Il est dirigé par Gérald Lafleur, dont le patron est le curé de la paroisse, le père Bradet.

Ludmilla aime rappeler que, sans le Manoir, les GB n'auraient jamais eu un développement aussi incroyable et que, sans le père Bradet, elle n'aurait pas réussi à convaincre les communautés religieuses d'amener leurs élèves à un spectacle de ballet. Notre-Dame-de-Grâce, à cette époque, compte plus de soixante mille habitants, dont la majorité est de la classe moyenne anglophone. Toutefois, autour du Manoir gravite une importante population francophone.

Les enfants des Mercure, Charpentier, Bernier, Papineau-Couture, Tourangeau vont à ce centre. Plusieurs comédiens aussi, dont les Loiselle, Villeneuve. Les jeunes Gérald Tremblay, aujourd'hui maire de Montréal, Monique Bégin (autrefois ministre de la Santé, au fédéral) et sa sœur, la comédienne Catherine Bégin, de même que les enfants de Daniel Johnson, plus tard premier ministre du Québec, ont fréquenté le célèbre Manoir. Pour se rendre au Manoir, Ludmilla montait dans le tramway numéro 48, que certains de ses élèves empruntaient aussi. Et c'était un cauchemar pour tout le monde les jours de tempête de neige. Mais pas question de fermer l'École ou de ne pas donner de cours, même dans les grosses tempêtes.

C'est l'architecte du Manoir, Gaétan Le Borgne, qui suggère à Gérald Lafleur d'offrir des cours de ballet et de contacter pour cela Madame Chiriaeff. Sa femme Odette non seulement veut faire suivre des cours à leurs filles mais elle rêve aussi de dessiner des costumes et d'écrire des livrets pour les ballets de Ludmilla. Le directeur du Manoir rencontre alors Ludmilla, qui ne demande pas mieux, même si elle est déjà très occupée. Ainsi, peu de temps après l'ouverture, à l'automne 1956, Ludmilla commence-t-elle à donner des cours le vendredi soir et le samedi. Cinq cours, avec une centaine d'élèves au total. Et les parents ont insisté pour que ce soit elle qui donne le cours – elle seulement. Ils venaient conduire leur enfant et attendaient longuement que le cours se termine. Parfois, certains parents trouvaient exagéré que le cours dure une heure trente. Surtout le vendredi, à la fin d'une semaine d'école régulière. Parfois, une mère demandait à Monsieur Lafleur d'aller chercher son enfant. «Alors j'entrais, de dire Monsieur Lafleur, je donnais une petite tape sur l'épaule de Madame Chiriaeff. Elle ne bougeait même pas. Le temps n'existait ni pour elle ni pour les enfants, qui étaient complètement subjugués par Madame[216]. » Ludmilla, quand elle danse, quand elle enseigne, rien d'autre n'existe. Même pas la douleur. C'est après que les crampes s'installent, que les chevilles vacillent, que la raideur gagne même le cou.

Il ne faudra pas longtemps pour que des plaintes arrivent au Manoir. Et à l'archevêché de Montréal. Des collants et des tutus dans le gymnase d'une paroisse catholique, en 1956-1957, ce n'était pas acceptable. Le Manoir devenait un lieu de perdition. «On était pour corrompre la ville! » me confie Monsieur Lafleur. Un jour, l'aumônier du Service des loisirs de Montréal demande une rencontre avec Monsieur Lafleur et le père Bradet pour parler des petites filles en tutus. Il dit à Monsieur Lafleur que « si ça se règle pas, l'Église va mettre le cadenas sur ça». Le père Bradet refusera de rencontrer l'aumônier. Il refusera aussi de changer quoi que ce soit dans l'organisation des activités du Manoir. Il en avait vu d'autres. Quelque temps auparavant, c'était la bataille contre les shorts sur les courts de tennis – les représentants de l'Église préférant la jupette... «Tiens ton bout, que Bradet me répétait. C'était un avant-gardiste. Pour lui, les tutus, c'était pas grave », conclura Monsieur Lafleur.

De l'avis de ceux qui l'ont connu, Henri-Marie Bradet était un homme d'une grande vitalité, qui exigeait que l'on se tienne debout. Et que l'on avance. Il marchait à longues enjambées, au propre comme au figuré. Il ne faisait l'économie ni du temps ni des moyens. Pour lui, la cause importait et non ses serviteurs. Et la cause ne devait céder ni aux accommodements, ni aux circonlocutions, ni aux bienséances ecclésiastiques...[217] Cet homme ouvert d'esprit, avant-gardiste, sera rapidement dénoncé à l'intérieur de l'Église du Québec. Gérald Lafleur me confiera que le père Bradet lui a montré une lettre d'un père rédemptoriste, curé d'une paroisse à Sherbrooke, qui le dénonçait et défendait à ses paroissiens de lire *Maintenant*[218]. Dans le Québec de la première moitié des années soixante, Bradet dérangeait beaucoup de monde. Et en août 1965, « Sur la foi de rapports dénonciateurs de certains évêques canadiens, et surtout à l'occasion d'un numéro de *Maintenant* qui remettait en cause la loi ecclésiastique de la régulation des naissances[219] », le père Bradet sera démis de ses fonctions. Exilé à Paris, il ne rentrera au Québec que pour y mourir, le 30 novembre 1970.

Selon Ludmilla, le père Bradet « voyait que l'on pouvait sentir la spiritualité à travers toute forme d'art. Il croyait à l'expression de la spiritualité par le mouvement. » Il assistait parfois aux répétitions mais rarement au spectacle de fin d'année. Reste que, parce que cela avait lieu au Manoir, les religieuses des couvents aux alentours montraient plus d'ouverture quand Ludmilla offrait des matinées pour les jeunes.

> Elle avait donné un cours d'Initiation à la danse et les parents avaient beaucoup aimé ça. Je m'en souviens très très bien, raconte Gérald Lafleur. Elle expliquait comment on pouvait exprimer la joie, la peine, par des mouvements. Elle le faisait elle-même et, ensuite, elle le faisait démontrer par ses élèves. Ça avait été très apprécié.

En automne 1956, Ludmilla se promène entre les studios de Radio-Canada, celui de la rue Stanley et le Manoir. Il lui reste peu de temps pour les enfants. En fait, pas de temps du tout. Le jour, ils sont en classe. Comme les bonnes se succèdent dans cette maison, il arrive que les enfants soient gardés ici et là quand leur grand-mère est chez leur tante, aux États-Unis. Alexis, lui, discute avec Claude Jasmin et quelques autres, à la Taverne Royal, en face du His Majesty's. Plus tard, il se tiendra au Pam Pam, rue Stanley. Il est rarement à la maison. Quand Ludmilla rentre, il est déjà vingt-trois heures, parfois davantage les soirs de prestation à la télévision, et elle n'est pas d'humeur à entendre les récriminations de quiconque. Sa voix est éraillée, elle tient à peine sur ses jambes. Elle enlève ses chaussures à talons, s'allume une cigarette et s'installe dans un fauteuil du salon, le temps de préparer mentalement sa journée du lendemain. Puis elle fait le tour des chambres, remonte une couverture ici, replace une mèche là, embrasse les enfants et s'allume une dernière cigarette. Certains soirs, une musique lui trotte dans la tête, alors elle aligne des traits au dos d'une enveloppe ou d'une facture : c'est une chorégraphie. « Tout à coup, l'inspiration t'envahit. Tu ne sais pas d'où c'est venu, mais c'est une chose concrète que tu laisses entrer. Et ça coule, ça coule... Si on ne crée pas, on meurt avec la vie qui s'use. »

Chapitre 8
Les Grands Ballets Canadiens

Le programme de l'année 1957 est très chargé. En plus de l'École et du Manoir, les Ballets Chiriaeff sont mensuellement à l'émission *Concert pour la jeunesse*. Pour *L'Heure du concert* seulement, les Ballets Chiriaeff présenteront le deuxième acte du *Lac des cygnes*, *Le Spectre de la rose*, *Pulcinella* et *Les Clowns*. Ludmilla doit mener en parallèle un intense travail d'organisation de sa nouvelle compagnie et préparer un programme pour la scène. Yolande Tourangeau, qui agit alors comme secrétaire bénévole, lui suggère de réunir les parents des jeunes élèves et de leur exposer la situation. Peut-être s'en trouvera-t-il parmi eux qui seront intéressés. Au petit groupe qui se présente à la soirée d'information, Ludmilla explique que son École n'a pas de sens s'il n'y a pas de débouchés pour ces jeunes quand ils auront terminé leur formation ; que la solution réside dans une troupe permanente ; que, pour recevoir des subventions, cette troupe doit être une compagnie et qu'une compagnie a besoin d'un conseil d'administration. Certains se sont montrés prêts à aider, mais personne ne voulait prendre la présidence. Ils avaient tous de bonnes raisons. « Vu que personne ne voulait, j'ai été nommée présidente. » Je crois surtout que chacun a trouvé normal que Ludmilla préside aux destinées de sa compagnie. Du moins à cette époque.

Le premier conseil sera formé, outre Ludmilla, des personnes suivantes : Robert Desjarlais, Alexander Wolosiansky, Robert Paul Chodat, Yolande des Autels, Colin W. Perry, Patrick N. Farrar, Nat Moses et Maurice Mercure. Ce sont ces mêmes personnes qui, le 7 février 1957, déposeront une requête auprès du Secrétariat de la province pour obtenir des lettres patentes les constituant en corporation sous le nom de Les Grands Ballets Canadiens. Les lettres patentes seront enregistrées le 2 mai 1957. Les GB auront dès lors comme objets de

1. Promouvoir, protéger de toutes façons, et encourager le développement des arts musical, théâtral, chorégraphique et oratoire ;

2. Promouvoir le ballet pour qu'il soit reconnu comme moyen d'expression d'art canadien ;

3. Fonder, établir et maintenir en cette province des amphithéâtres, salles de concert et des maisons où l'encouragement, l'aide et l'enseignement de ces arts seront donnés sous toutes leurs formes.

Les gens se sont souvent moqués du nom que Ludmilla a donné à sa petite troupe. Elle s'en explique ainsi au cours du quatrième épisode de *Propos et confidences* : « J'ai donc appelé les Grands Ballets Canadiens cette troupe qui devait naître, non pas parce que j'avais la folie des grandeurs, mais parce que je la voulais grande, d'avance. Et Canadiens – je l'avoue, en disant canadiens, je pensais québécois[220]. » Au début, les GB n'avaient rien de grand, selon Jean-Claude Delorme, un ex-président du conseil d'administration. « Les quelques spectacles donnés à la Comédie Canadienne (qui ouvrait ses portes) n'en faisaient pas encore une compagnie ; sinon que son style était original et le répertoire présenté consistait principalement de créations canadiennes[221]. » Ludmilla me répétera je ne sais combien de fois : « Je savais qu'il fallait que ce soit Grand parce qu'à Ottawa on m'avait dit : *Why don't you make it a little chamber dance... its enough for French Canada.* »

Le 2 mai 1957 est une date mémorable pour Ludmilla. Bien sûr, les lettres patentes portent cette date, mais ce jour-là, Ludmilla pour la première fois de sa vie n'est plus une sans-papiers. Le Gouvernement canadien lui accorde un certificat de citoyenneté en même temps qu'à Alexis et à leurs enfants nés en Suisse, Nastia et Avdeij. « Je n'ai jamais eu de nationalité. C'était fantastique de ne plus être une apatride. » Lors de la cérémonie, Ludmilla a prononcé la courte allocution suivante :

Monsieur le Juge, Mesdames, Messieurs,

J'ai accepté l'invitation de prononcer ces quelques mots aujourd'hui car ils me donnent l'occasion d'exprimer devant tout le monde mes remerciements et ma grande joie d'appartenir maintenant à un pays qui nous a accueillis pour nous offrir une nouvelle vie – à un pays qui nous donne le courage et une nouvelle raison d'être.

Qu'est-ce qu'une vie, sans but, sans espoir, sans même le sentiment d'utilité ?

Ici, nous retrouvons l'espoir, un but et le sentiment d'être utiles, car on a besoin, ici, de chaque homme, de chaque vie – de nous, autant peut-être que nous avons besoin de cette terre pour y planter l'arbre de nos familles.

Pour ma part, depuis mon arrivée au Canada, je me suis appliquée, jour par jour, avec joie et de toute mon énergie à lutte (*sic*) que Dieu m'a réservée.

Chacun a son domaine ; le mien est celui des arts et de la culture – ce domaine est vaste et beau, pareil à la beauté des champs non labourés, et déjà nous travaillons et malgré les jours de pluie et d'orage, nous entrevoyons là-bas la saison des moissons. Faire bien sa journée, c'est faire bien sa vie et faire bien sa vie est précisément le sentiment qui nous rend heureux.

Dans mon cas et celui de mon mari, il se trouve que c'est pour la toute première fois de notre vie, que nous avons le privilège d'appartenir à un pays. Jusqu'ici, étant mis en dehors du pays de nos parents, nous étions sans nationalité, vous comprenez donc, monsieur le Juge, l'importance de ce moment infiniment précieux et émouvant pour nous.

À vous, qui êtes ici le représentant du peuple canadien tout entier, j'exprime, au nom de nous tous, notre gratitude la plus profonde.

Eva von Gencsy, qui avait quitté la Hongrie dans des circonstances difficiles, me confiait que «lorsqu'on perd un pays, on est pour le reste de sa vie redevable pour la première poignée de main et les premiers mots d'encouragement. Je pense que le Québec a offert à Madame une renaissance – comme cela a été le cas pour moi.» Ludmilla, qui a toujours voulu être aimée, acceptée, faire partie d'une communauté, était enfin adoptée par un pays. Surtout, elle sentait qu'elle était chez elle dans la grande famille québécoise. «Le Québec m'a adoptée», répétera-t-elle souvent. Katerina, qui était en visite chez Valia, rentre à Montréal le 21 mai. Elle n'était pas là pour la cérémonie du 2 mai et, au fond, Ludmilla s'en fiche un peu. Son père, oui, elle aurait aimé l'associer à tout ce qui lui arrivait. Elle aurait aimé discuter avec lui du texte qu'elle a lu devant le juge. Elle aurait aimé lui faire lire le texte qu'elle préparait pour Québec ; mais depuis que Katerina s'était permis de dire son fait à Alexis, Ludmilla préférait la voir hors de la présence de ce dernier. Elle l'amenait à Rawdon, les fins de semaine où Alexis demeurait en ville, chacun pouvant alors trouver un peu de plaisir aux rares heures dérobées au travail de Ludmilla.

Très tôt, Ludmilla se heurte à des problèmes de droits d'auteur. À Radio-Canada, elle n'avait pas à s'occuper de ces questions, mais depuis que sa compagnie se produit sur scène, il y a quantité de choses à régler dont elle ne connaît pratiquement rien. Aucune des pratiques dans le milieu ne lui est familière. Le 18 avril, la Composers, Authors and Publishers Association of Canada Ltd l'avise qu'il est «illégal de jouer en public de la musique protégée par un copyright sans avoir obtenu la permission du détenteur des droits d'auteur[222*]».

Cette lettre fait référence aux représentations données au Théâtre Saint-Denis, le 1er septembre 1956, lors des Festivals de Montréal. Encore une dette à cause de ces Festivals ! Ludmilla répond qu'elle ne savait pas qu'il fallait demander la permission ; que, ce soir-là, les ballets étaient dansés sur des musiques de Tchaïkovski, Jean Françaix, Stravinski et Clermont Pépin et que, dans ce dernier cas, elle a remis dix dollars à Monsieur Pépin pour ses droits, et que Monsieur Pépin a aussi reçu des honoraires pour la direction d'orchestre, et qu'elle est coauteure du *libretto*. Pour éviter de se retrouver avec des problèmes de ce genre, Ludmilla charge Joy Macpherson de s'informer sur les droits de certains ballets et, entre autres, de *La Boutique fantasque* et *Petrouchka*. Joy se tourne vers Borovansky, qu'elle connaît bien et qui connaît aussi Ludmilla du temps de Genève. Borovansky explique la complexité et les coûts associés aux droits si les GB veulent monter *La Boutique fantasque* avec orchestre et selon la chorégraphie de Massine. Il en serait de même si *Petrouchka* était dansé selon la chorégraphie de Fokine dans les décors de Benois. Borovansky rappelle à Joy que la chorégraphie de *La Boutique fantasque* qu'elle connaît est celle qu'il a signée et qu'il n'y aurait donc pas de droits à verser à Massine. Il ajoute que si les GB présentent une chorégraphie similaire à celle qu'il a conçue, elle ne devrait pas davantage s'inquiéter puisqu'elle est à quatre-vingt-cinq pour cent sienne. Il restera toujours, bien sûr, les droits pour la musique de Stravinski. Dans ce cas, il lui recommande de s'informer auprès d'un marchand de musique à Montréal[223].

En ce printemps 1957, le Conseil de la Vie française en Amérique célèbre son vingtième anniversaire de fondation, à Québec, à l'occasion d'un congrès dit de la Refrancisation. Ludmilla est invitée à prononcer une conférence sur la situation du ballet au Canada le 22 juin. Une cinquantaine d'autres personnalités présenteront aussi leurs réflexions durant les trois jours que durera le Congrès. L'objectif de ces assises, qui se dérouleront du 21 au 24 juin, est l'examen des questions que soulèvent la défense et le développement de la langue et de l'esprit français dans la province de Québec[224]. Outre une série d'expositions et des séances d'étude et forums, le Conseil de la Vie française entend « faire participer la jeunesse écolière et étudiante à ce congrès ; pour cela, des concours divers portant sur les caractéristiques françaises auront lieu dans toutes les maisons d'enseignement de la province[225] ». Il est utile de signaler ici que ce congrès réunissait non seulement des Canadiens français mais aussi des Acadiens et des Franco-Américains. C'est sous la présidence du premier ministre, l'Honorable Maurice Duplessis, que s'ouvrent ces assises nationales. Le premier ministre y prononcera l'allocution d'ouverture, qui sera suivie d'une allocution de Son Excellence monseigneur Maurice Roy, archevêque de Québec.

Le Conseil invite aussi les GB à participer au spectacle de clôture, le soir de la Saint-Jean, au Colisée. Ce spectacle, dont le thème est l'évolution de la civilisation canadienne-française, est sous la direction de Françoys Bernier, que Ludmilla connaît pour avoir travaillé avec lui à Radio-Canada. Pour cette soirée de fête des Canadiens français, Ludmilla a choisi de présenter trois pièces, dont un ballet d'inspiration classique sur une musique de Michel Perrault, *Suite canadienne*. L'*Événement Journal* de Québec, qui a couvert le spectacle présenté au Colisée, déclare que « les Grands Ballets Canadiens montrèrent leur prolifique savoir-faire en interprétant la *Suite canadienne*, de Michel Perrault, qui fut à notre avis le clou de la soirée[226] ». Ludmilla dira qu'il fallait qu'elle « apprivoise le

Québec à travers ses légendes pour que le public se reconnaisse dans la danse, même si c'était un pas de deux classique ou un pas de deux demi-caractère».

Le lendemain de la signature du contrat, elle écrit à Antonio Barrette, alors ministre du Travail : «Je serais très heureuse si vous pouviez honorer de votre présence cette soirée de ballet au Colisée et assister à ma conférence[227].» Ludmilla a connu Antonio Barrette par l'entremise de Yoland Guérard, avec qui elle faisait l'émission *Tzigane*, à Radio-Canada, en 1955. «Il me parlait souvent de son ami Antonio. Lorsque je lui ai dit qu'il fallait que quelqu'un m'aide à trouver de l'argent, Yoland m'a dit : allez le voir, je lui parlerai de vous.» Ludmilla est partie avec Yolande Tourangeau. Le ministre Barrette les a reçues dans sa maison du boulevard Manseau, à Joliette. En fait, dans la bibliothèque que cet ouvrier de Joliette, devenu ministre du Travail, aimait bien montrer à ses visiteurs. Des milliers de livres reliés de cuir par sa femme. «La maison avait une très belle bibliothèque avec des bas-reliefs en bois qu'un artisan n'avait pas encore terminés et cet homme qui ne connaissait pas la danse m'a offert cinq cents dollars.» Je n'ai rien retrouvé dans les archives quant à ce montant d'argent. Je ne sais pas non plus si Barrette s'est déplacé pour le Congrès de la Refrancisation, mais c'était un grand événement et qui avait lieu à Québec, alors cela se peut. Quoique, durant les deux dernières années du gouvernement Duplessis, on rapporte qu'il était plutôt *in absentia* ministre du Travail, étant en froid avec «le Cheuf[228]».

Le 22 juin, pendant sa conférence, Ludmilla plaide pour une troupe canadienne française «comme facteur d'équilibre et de contrepoids aux deux troupes anglaises existantes». Elle se défend d'être chauvine, ce faisant, et affirme «le droit de préférer ce qui est selon notre nature, nous avons le droit de créer quelque chose qui soit à nous, qui nous reflète, et qui soit digne d'entrer en compétition avec les autres[229]». Cette vision, Ludmilla la défendra sur toutes les tribunes, jusqu'à son dernier souffle. Elle l'imposera envers et contre les administrations qui se succéderont au Conseil des Arts du Canada. «Ils étaient très gentlemen. *They would never say " Shut up "* mais au fond, c'était *" who are you to say something "*. Et ça, je ne l'oublierai jamais», dira Ludmilla.

À Québec, Alexis et Ludmilla font le tour des galeries d'art. Pour un moment, Ludmilla retrouve l'homme cultivé, prévenant et raffiné qu'elle a connu en Suisse, cet homme au talent incroyable pour lequel elle avait été prête à travailler sans relâche afin qu'il puisse peindre en toute tranquillité. Elle savourait ce moment devenu si rare dans leur vie. Elle se prenait à espérer que les choses s'arrangent entre eux. «Faut décider si la vie, ça veut dire exister dans une platitude inchangée ou bien si c'est se surpasser constamment face aux montagnes que l'on rencontre.» Pour elle, c'est évident, il s'agit de se surpasser. Peu de temps, donc, pour le relâchement, pour gratter les plaies anciennes. L'objectif est là, la mission est claire et aucun obstacle ne va l'en détourner.

À la suite des suggestions qui lui ont été faites à l'occasion du Congrès de la Refrancisation, Ludmilla écrit au premier ministre, Maurice Duplessis, pour lui demander de l'argent. Sa lettre, à laquelle elle joint le texte de sa conférence de Québec, parle des nombreux jeunes talents qu'il faut encourager. Elle avoue avoir pensé à leur octroyer des bourses d'études mais, finalement, « il s'avère plus intéressant de faire venir des professeurs étrangers de renom pour une saison d'enseignement sur place, plutôt que d'envoyer quelques élèves seulement bénéficier de leur expérience ». Ainsi, ajoute-t-elle, « nous pourrions mettre leur savoir au service d'un plus grand nombre, en tirer plus de profit et à meilleur compte. Nous avons voulu vous en faire part, pensant que vous trouveriez peut-être le moyen qui nous manque sous forme d'une aide financière officielle[230]. » Ludmilla avait aussi pris conseil auprès du sous-secrétaire de la province, Jean Bruchési, qui lui avait fortement recommandé de faire une demande au Conseil des Arts du Canada, ce qu'elle a fait.

Ludmilla, qui continue de tisser des liens, envoie une copie de cette lettre à Madame Arthur Rousseau, alors vice-présidente des Jeunesses musicales du Canada (JMC) et de la Fédération internationale des jeunesses musicales. Elle lui rappelle leur rencontre, à Québec (Madame Rousseau présidait l'atelier dans lequel Ludmilla était conférencière), et lui demande « d'être patron d'honneur de la Jeunesse de la Danse, mouvement artistique qu'elle vient de créer[231] ». Ludmilla a sûrement bénéficié de ses échanges avec Madame Rousseau. Cette dernière avait d'innombrables contacts au Canada et à l'étranger et, par l'intermédiaire des JMC, faisait œuvre d'éducation auprès d'un public qui intéressait Ludmilla au plus haut point.

Ludmilla a beau afficher une détermination à toute épreuve, elle est dans une période de doute. Et cela lui pèse. Bien sûr, il y a la situation familiale. Doit-elle demander à Alexis de quitter définitivement les lieux ? Il y a longtemps qu'elle a fait une croix sur sa vie de femme avec lui, mais renoncer à ses décors ? Elle a encore besoin de lui. D'autant plus si elle impose les GB sur les scènes du Québec dès l'automne. Et puis, est-il prudent de laisser Radio-Canada pour se consacrer strictement au développement des GB ? Elle a trois enfants, sa mère, et une quinzaine de danseurs dont elle se sent responsable. Peut-elle tout mener de front encore une année, au risque de perdre les meilleurs de ses danseurs, qui sont constamment sollicités ? « Au début, dira Brydon Paige, je n'ai pas compris pourquoi elle voulait laisser la télévision alors que ça commençait à payer. *But she saw the writing on the wall.* Ça n'allait pas durer toujours, elle a commencé à nous produire sur des scènes. » Certains soirs, elle voudrait que quelqu'un soit là pour lui dire qu'elle est sur la bonne voie, qu'elle n'est pas en train de dévier de sa mission, que servir la danse, c'est aussi cela : remettre en question ce que l'on a déjà fait. Elle voudrait que son père soit là.

Ludmilla a toujours plein de projets, qu'elle présente toujours à la dernière minute. Au début de la télévision, elle réussissait à faire passer ses idées d'émissions sans trop de discussions, mais maintenant, Radio-Canada est une grosse organisation dont les horaires et les productions sont décidées quelques mois à l'avance. Alors, quand en juillet Ludmilla écrit au directeur des programmes pour lui proposer une émission pour la saison automne-hiver, elle se fait répondre que l'horaire est complet[232]. Son projet d'émission ne verra pas le jour, pas plus que la série *La Lanterne magique,* qui devait être à l'horaire de CBFT au cours de l'été et qui a été annulée[233]. Le premier épisode devait aller en ondes le 25 juin.

L'automne s'annonce malgré cela très chargé. Dès le début de septembre, le conseil d'administration des GB s'active à préparer la première saison de la compagnie, qui présentera une série de spectacles dans le cadre des Jeunesses de la Danse afin de promouvoir le ballet auprès des jeunes. Chaque spectacle comportera un ou deux ballets du répertoire classique et sera commenté avec les détails sur la chorégraphie, son histoire, sa musique. L'abonnement pour deux spectacles sera de un dollar cinquante. Un peu plus tard, Ludmilla utilisera une chorégraphie montée pour *L'Heure du concert* et la reprendra pour les écoliers. « Par exemple, se rappelle Michel Martin, on présentait le deuxième acte du *Lac des cygnes* à Radio-Canada, et deux ou trois semaines plus tard, on le refaisait pour les écoles. » Mais avant d'en arriver là, Ludmilla a dû présenter devant les autorités de la Commission des écoles catholiques de Montréal le spectacle que les GB entendaient montrer aux jeunes. La censure. Mais Ludmilla le voyait aussi comme une occasion d'expliquer aux éducateurs – des membres de communautés religieuses pour la plupart – ce que c'était que le ballet classique, ce que faisait une école de ballet et une compagnie de ballet. Elle entendait bien les gagner à sa cause et créer ainsi un vaste public qui, avec les années, comporterait un certain nombre de ballettomanes avertis.

Le premier budget de la Compagnie prévoit déjà un déficit de seize mille dollars. Bien sûr, Ludmilla compte sur des fonds du Conseil des arts de la Ville de Montréal. Elle compte aussi sur les recettes des entrées, au moment des spectacles, mais comment les évaluer? Le coût des spectacles pour Les Jeunesses de la Danse équivaut à lui seul au déficit. Mais Ludmilla ne va pas revoir son programme. Il y aura jusqu'à Noël des spectacles pour les jeunes, le samedi, et en 1958, jusqu'à l'été, des représentations pour les adultes. L'argent viendra bien. Il en est toujours venu, alors aussi bien aller de l'avant.

Une note au budget de cette première année souligne qu'au début de l'exercice financier, la Compagnie possède un inventaire de costumes, matériel et accessoires d'une valeur de six mille cinq cents dollars et qu'elle n'a ni actif autre ni dette[234]. L'actif des GB provient d'un don fait par Ludmilla, le 5 septembre 1957. Outre des costumes, ce don inclut les décors de *Les Noces* (version

Comédie Canadienne), de *L'Oiseau-Phénix* et de *Les Clowns*. « Cette donation a été consentie à titre gratuit et dans le but d'avantager la donataire[235]. » Ludmilla ne pouvait accepter de vendre ce qui constituait son seul avoir. Curieusement, elle donnera toujours. Et quand elle demandera, ce ne sera jamais pour elle mais toujours pour la danse ou pour ses danseurs.

De la correspondance de l'époque avec la Société Radio-Canada, il apparaît que des difficultés insurmontables se profilent à l'horizon. Dans les négociations, commencées quelques mois plus tôt, Ludmilla essaie de maintenir un lien avec cette maison qui lui a permis de créer de nombreuses œuvres et de faire connaître la danse partout au Québec. Mais comme elle ne peut plus assumer, à elle seule, la responsabilité de faire vivre tout ce beau monde avec des budgets de production insuffisants, et constamment enfermée dans les contraintes du petit écran, elle en vient à proposer à la Société de louer, pour *L'Heure du concert*, les productions complètes qu'elle va offrir au public québécois à l'avenir. Mais sans les décors.

> Ainsi, la Société Radio-Canada n'aura plus à assumer la totalité du coût de production étant donné que les répétitions préparatoires seront aux frais des Grands Ballets Canadiens, et ceci aux taux de rémunération pour les spectacles sur scène. Votre Société ne sera responsable que du paiement des répétitions réservées strictement au bénéfice de vos réalisateurs. Il y aurait donc contrôle absolu de votre Société sur la production pour le spectacle télévisé.
>
> Quant aux costumes, votre Société n'en assumerait que la location, s'offrant semble-t-il ainsi une économie considérable tout en nous permettant d'amortir nos frais de fabrication[236].

La Société Radio-Canada refuse. « [...] Cette proposition comporte maints dangers au point de vue des unions qui sont concernées, soit pour les danseurs, soit pour les costumes. » Il est alors recommandé à Ludmilla de revoir sa proposition pour qu'elle « échappe à tout danger d'intervention syndicale, alors il nous ferait plaisir d'étudier avec vous toute nouvelle formule qui pourrait s'avérer mutuellement avantageuse, et pour les Grands Ballets Canadiens et pour Radio-Canada[237] ». Ludmilla avait commencé à facturer Radio-Canada pour des services que les GB offraient et qui ne sont pas couverts par les honoraires versés. Ainsi, pour une émission de *Music-Hall* à Pâques 1957, elle a réclamé le coût d'une location de onze costumes. En octobre, la Société finit par lui promettre un chèque de cent dix dollars[238].

Si la démarche de location de productions complètes ne semble pas vouloir aboutir pour la saison 1957-1958, au moins la demande au Conseil des arts de la région métropolitaine de Montréal, présidé par Léon Lortie, porte fruits : les GB se voient octroyer six mille dollars sans condition, pour l'exercice en cours[239]. Ludmilla peut donc régler la dette envers les Festivals de Montréal et récupérer le billet qu'elle avait signé en septembre 1956. Ce billet n'engageait que Ludmilla personnellement. Or, le conseil d'administration des GB en a assuré le paiement (trois mille cinq cents dollars) en considération de la donation faite par Ludmilla à la Compagnie – des décors et des costumes évalués à six mille cinq cents dollars[240]. Le Conseil des Arts du Canada, lui, versera dix mille dollars, mais pour les Jeunesses de la Danse exclusivement[241].

À cette époque, Ludmilla ne connaît pas encore le père Georges-Henri Lévesque, qui fut vice-président du Conseil des Arts du Canada de sa création jusqu'en 1962. Il sera plus tard un allié précieux, car il a une grande estime pour elle.

> Je me suis fait l'avocat très fervent de sa cause, dira-t-il. Ce n'était pas tellement facile. Plusieurs de mes collègues s'étaient dit : on va encourager seulement une compagnie de ballet et ç'a été le Ballet National. Ensuite, il est arrivé une autre subvention pour le Royal Winnipeg. Alors là, je me suis dit il faut que j'en obtienne au moins une... Ce n'était pas tellement élevé mais [...] Il fallait mettre le pied à l'étrier. Dans ce temps-là, la motivation, j'allais dire ma bataille, mais disons ma lutte, c'était qu'il fallait toujours au moins faire pour le Canada français sur le plan artistique ce qui se faisait pour le Canada anglais[242].

Ce qui, dans les faits, ne sera jamais le cas, malgré les administrations qui se succéderont au Conseil des Arts du Canada. Dès la création de la commission Massey, Duplessis flairait le piège : « L'enquête de la Commission sur les lettres, les arts et les sciences au Canada constitue un autre empiétement du gouvernement fédéral sur les droits et privilèges des provinces [...] viole le droit exclusif des provinces en matière d'éducation[243]. » À la suite de la création du Conseil, le gouvernement fédéral annonce une subvention de sept millions pour les universités, mais le premier ministre du Québec refuse qu'Ottawa subventionne l'enseignement. Si, comme l'écrit Léon Dion, « une institution s'explique par les conditions de sa naissance[244] », il est clair qu'il sera difficile de promouvoir une culture autre qu'uniforme et d'inspiration britannique, au Canada. Vincent Massey, que Fulford décrit comme « *a patrician, a racist and a snob*[245] », soutient dans son rapport que le gouvernement fédéral doit prendre la responsabilité « *for fastening Canadian culture*[246] ». Fulford affirme que jusque vers 1970, la culture au Canada anglais était dominée « *by a small group of talented British immigrants or visitors* ». Peter Dwyer, pendant plus d'une décennie, déterminera les standards pour les subventions aux arts au Canada[247]. Cela pourrait expliquer une partie des difficultés auxquelles se heurtera Ludmilla dans ses démarches pour faire admettre la spécificité des GB. On se souviendra aussi que les Celia Franca et Betty Oliphant sont arrivées de Londres, la première en 1951 et la seconde en 1947. J'entends encore Ludmilla me dire : « C'est l'acharnement de Peter à vouloir faire en sorte que le Ballet National soit le seul au Canada qui m'a provoquée, qui a fait que l'on s'est surpassé. Je lui dois un grand merci. » Ludmilla consultera le père Lévesque à l'occasion. La première fois qu'ils se sont rencontrés, c'était à la Maison Montmorency, à Québec. « Je la vois encore... Je la comparais à une libellule, pleine de grâce, d'amabilité. Et un sourire ! On s'est assis à côté du piano, je ne sais pas pourquoi », raconte le père Lévesque.

En octobre, le Canada tout entier se prépare à recevoir Sa Majesté Elizabeth II. La radio et la télévision suivront ses déplacements tout au long de cette visite qui durera du 12 au 15 inclusivement. Dans la soirée du 13 octobre, les GB danseront un extrait de la *Suite canadienne*, de Michel Perrault, sur une chorégraphie de Ludmilla[248]. Le directeur général des GB, Jean-Claude Derney, écrira à *Dance News* que « les Grands Ballets Canadiens ont été choisis pour représenter le ballet au Canada lors de l'émission spéciale présentée à la télévision pour la Reine. Cela prouve le succès de cette compagnie et la grande estime qu'on lui porte[249]. »

Puis une lettre de Radio-Canada annonce que seule l'émission *Music-Hall* emploiera régulièrement des danseurs, mais que d'autres émissions de type Variétés pourront le faire à l'occasion[250]. Pour cette seule émission *Music-Hall*, les danseurs doivent répéter les mardi, mercredi, jeudi et vendredi, de neuf heures à treize heures, et être disponibles sur demande la journée de l'émission. Cela veut dire que Ludmilla ne peut plus compter sur les danseurs affectés à *Music-Hall* pour quelque production que ce soit, où que ce soit. Elle soumet donc des listes pour assurer un revenu à certains danseurs et revoit ses projets de productions sur scène.

En novembre, Radio-Canada fait venir le New York City Ballet et son célèbre chorégraphe et directeur, George Balanchine. *L'Heure du concert* du 5 novembre lui est entièrement consacrée. Pierre Morin, qui a travaillé quelques fois par la suite avec Balanchine, se souvient d'avoir demandé l'aide d'Alexis pour faire office de traducteur parce que l'anglais de Balanchine était laborieux. Pourquoi Alexis et pas Ludmilla ? Je ne sais pas. En Europe, elle n'avait pas suivi l'évolution de Balanchine et c'était une révélation pour elle de le voir ici.

Balanchine est né à Petersburg en 1904, et il a étudié au Mariinski. Un temps chorégraphe pour les Ballets russes de Diaghilev, il s'installe ensuite à New York où il fonde la School of American Ballet avant de diriger le New York City Ballet où il sera jusqu'à son décès, en 1983. Balanchine est considéré comme moderne bien qu'il n'ait jamais laissé tomber les pointes. Le corps de ballet de Balanchine était composé de danseurs de même grandeur. Il aimait les filles très grandes avec de très longues jambes.

En cette fin d'année, Ludmilla est en pleine répétition de *Petrouchka*, qui occupera toute *L'Heure du concert* du 3 décembre. Ludmilla y dansera. Elle touchera des honoraires non seulement comme danseuse mais aussi comme chorégraphe[251]. Ainsi, lentement, ses demandes commencent à être satisfaites.

Ses danseurs seront aussi de *L'Enfant et les Sortilèges*, qui sera présenté le 31 décembre. On se souviendra que cet opéra, avec ballet, avait été produit le 27 décembre 1956 et repris le 31 à la demande du public.

Montréal continue d'accueillir des compagnies de ballet qui viennent de l'étranger. Ainsi, du 4 au 7 décembre, le Bolshoï présentera sa nouvelle production, *Ballet School*, au Forum. C'est Ludmilla qui accueillera Galina Ulanova, son mari et les autres artistes russes. Comme le Bolshoï doit recruter vingt-deux danseurs pour compléter la distribution, Ludmilla présente ses meilleurs aux auditions. Avdeij, Sasha Belinsky et Maurice Lemay sont retenus, mais Avdeij ne participe qu'à deux représentations[252].

> Il devait y avoir quatre représentations à dix dollars chacune. J'ai été remplacé par un gars qui était moins bon que moi. Ma mère m'a remis quarante dollars, mais il y avait deux billets de dix dollars qui avaient l'air pas mal moins neufs que les deux autres. J'ai fait une crise et j'ai rendu l'argent à maman. Elle n'avait pas à payer pour cela.

Ce devait être frustrant pour Avdeij qui, de l'avis de Christine et de France, était un excellent danseur.

Pour rendre l'ensemble de ses activités plus cohérentes et dans l'espoir d'obtenir de l'aide, Ludmilla convoque les parents des élèves du Manoir pour discuter de l'opportunité de donner un cadre officiel à ses projets d'avenir[253]. Le 6 décembre au soir, Ludmilla annonce la création de l'Académie des Grands Ballets Canadiens, pour que « nos jeunes talents puissent acquérir une formation et nous avons une troupe qui en est la conséquence et l'expression directe. Il nous faut doter notre jeunesse de ces institutions complémentaires au risque d'étouffer sans cela ce qui vient de germer. L'une serait le temple de la connaissance et l'autre celui de l'inspiration. Nous donnerions ainsi à la fois un corps et une âme à la danse en ce pays[254]. » L'Académie se déploiera bientôt dans une vingtaine d'écoles dans diverses régions du Québec. Les élèves peuvent s'inscrire à l'Académie dès l'âge de six ans et suivre une formation de niveau élémentaire en danse. Les professeurs qui enseignent les bases de la danse classique sont choisis par Ludmilla. « Ce ne sont pas tous les danseurs qui sont bons pédagogues. Ceux qui n'ont pas vraiment dansé sont parfois très bien pour des débutants parce qu'ils n'exigent pas trop tout de suite d'un élève. J'ai alors commencé à préparer pour l'enseignement ceux qui n'avaient pas le physique pour faire carrière comme danseurs, mais qui adoraient la danse et voulaient la servir. »

La méthode d'enseignement est celle que Ludmilla a développée. Elle a travaillé tout un été à la confection de ce syllabus. « Ç'a été pour moi très difficile d'avoir à inscrire ce que l'on doit faire. Je suis de la génération qui est le produit d'un maître. De songer qu'il fallait maintenant enseigner *by the book*, ça m'angoissait. Mais je savais qu'il fallait y venir : les professeurs devaient enseigner sensiblement la même chose partout au Québec, autrement, comment évaluer un élève qui m'arrivait de Sept-Îles ou de Trois-Rivières ? J'ai donc commencé à préparer un guide : ce que le professeur devait avoir couvert durant une session et ce que l'enfant devait avoir appris. Mais je ne voulais pas inscrire tous les éléments pour laisser de la place à la créativité du professeur. » Ludmilla a ensuite peaufiné sa méthode qui couvrait les six années élémentaires. Plus tard, elle fera de même pour les classes intermédiaires et avancées.

La compagnie commence à fonctionner comme une vraie compagnie. Ludmilla engage un maître de ballet, Nicolas Zvereff, qui a travaillé avec les Ballets russes de Monte Carlo et l'Opéra de Paris, ainsi qu'à l'Académie de Lausanne où il avait pris Jacqueline Farelly comme assistante pour la Fête des Vignerons 1955. On se souviendra que c'est Farelly qui, la première, a fait confiance à Ludmilla, à l'arrivée de celle-ci en Suisse, à l'été 1946. Les GB, donc, se structurent. Un directeur général est en poste, qui s'occupe de l'organisation, des liens avec Radio-Canada, de l'intendance pour les productions, pour les répétitions générales et pour le repérage des salles où les GB peuvent se produire. Et aux côtés de la secrétaire Yolande Tourangeau, Madame Kachkarov, une voisine de Ludmilla à Rawdon. Mariana Kachkarov s'occupait plutôt des élèves. Christine Clair se souvient qu'il « fallait lui faire la révérence en arrivant. Elle était très pointilleuse, très autoritaire, très disciplinée. Elle veillait à chaque chausson qui manquait et ne se gênait pas pour remettre les élèves à leur place quand l'occasion se présentait. » Au dire de Blanche Girard, même si « elle était très sévère, très stricte, les enfants l'aimaient. Quand c'est devenu plus gros, elle recevait les élèves et prenait les présences. Elle faisait aussi un peu de comptabilité durant le mois alors que moi, je la faisais à la fin du mois. » Toutefois, le bénévolat continue d'être nécessaire, la jeune compagnie ayant peu de moyens.

En cet automne 1957, Ludmilla négocie avec Gratien Gélinas, le nouveau propriétaire du Cinéma Radio City. Ce cinéma a remplacé le Gayety, au coin de Sainte-Catherine et Saint-Urbain, et Gratien Gélinas a baptisé l'emplacement Comédie Canadienne. Ludmilla aimerait bien y présenter ses danseurs. Dès qu'elle reçoit une proposition révisée[255], elle commence à faire la promotion de la première saison des GB. Elle annonce *Les Jeunesses de la Danse* de même que *Petrouchka* et la création de deux œuvres originales sur des musiques de Michel Perrault. Toutes ces représentations auront lieu dans cette salle ultramoderne où Ludmilla avait assisté à la présentation de *L'Alouette* de Jean Anouilh, lors de l'ouverture officielle, le samedi 22 février.

Des feuillets promotionnels sont distribués, afin de constituer un membership. « Devenir membre des Grands Ballets Canadiens, c'est participer au développement Artistique de Montréal. Les Grands Ballets Canadiens ne pourront cependant poursuivre et étendre leur action qu'avec votre encouragement et votre aide.» Pour faire ouvertement campagne, il faut obtenir une autorisation auprès du directeur du Service du Bien-Être social de la Ville de Montréal. La demande est déposée en février 1958 par le directeur général de la compagnie[256]. En prévision de cette campagne, Ludmilla sollicite l'appui de «patrons d'honneur». De ceux qui sont approchés, seul le nom du lieutenant-gouverneur de la province, Onésime Gagnon, n'est pas reproduit dans le programme souvenir. Ainsi, Yves Prévost, secrétaire de la province, Antonio Barrette, ministre du Travail, Paul Sauvé, ministre du Bien-Être social et de la Jeunesse, Gaspard Fauteux et Jean Bruchési sont des noms qui reviennent constamment dans la correspondance ou dans les programmes des années 1950.

Murray Ballantyne est de nouveau mis à contribution. Ce professeur d'histoire de l'Université McGill qui avait grandi dans le quartier Golden Square Mile et vivait à Westmount expédie des lettres à des gens d'affaires, entre autres John David Eaton et J. Bartlett Morgan, pour leur annoncer l'appel du directeur général des GB. Il joint aussi la Guilde, un comité composé de Mesdames W.W. Ogilvie, A.T. Galt Dunford, Cécile Caillé, Robin Watt et Jean Beauchemin, pour les aider dans la collecte de fonds.

Un projet de lettre à Ed Sullivan, animateur d'une célèbre émission de variétés à la télévision américaine, est aussi discuté avec Monsieur Ballantyne, mais c'est finalement le directeur général qui la signera. Dans cette lettre, la direction des GB offre d'arranger avec Radio-Canada un visionnement de deux productions : «une version originale de *Les Noces* de Stravinski et *Suite canadienne*, une chorégraphie sur une musique composée spécialement pour la visite de Sa Majesté la Reine lors de son voyage au Canada en octobre dernier[257*]».

Mais le résultat de tous ces efforts est navrant. Les compagnies ne veulent pas donner, malgré l'intérêt que leurs dirigeants portent à la cause, parce qu'elles ne peuvent en déduire les montants des impôts qu'elles ont à verser. Il est donc urgent d'obtenir le statut d'organisation de charité et le droit d'émettre des reçus à cet effet. C'est le comptable de la compagnie, Jean Zalloni, qui fera cette démarche avec Ludmilla. Il est aussi impératif d'obtenir l'aide du gouvernement du Québec. Une demande de dix mille dollars est adressée à Yves Prévost, ministre des Beaux-Arts et secrétaire de la province[258]. Les GB solliciteront aussi des fonds par l'intermédiaire du Conseil canadien du ballet, dont Ludmilla est la présidente. «Cette association artistique et éducative, selon un feuillet d'information, offre aux professeurs, danseurs professionnels, chorégraphes et étudiants la possibilité de perfectionner leur connaissance de l'art du ballet [...] La chance de travailler ensemble avec l'idée de maintenir très haut le niveau professionnel[259].» Le 6 mars, l'association présente un film sur les ballets du Théâtre Bolshoï, au théâtre Kent, aux bénéfices des GB. Le prix d'entrée est de deux dollars.

Ludmilla va partout pour faire connaître la danse. Pendant qu'elle est encore en négociation avec la CECM, elle se rend à l'Institut des Sourds et Muets avec quelques danseurs. À ceux-là dont plusieurs n'ont jamais entendu une note de musique, elle présente la danse à partir de la pantomime et des danses de caractère. Les sourds et muets sont ravis. « Espérant que dans un avenir rapproché la reprise de tels cours à l'Institut soit possible, je vous suis tout reconnaissant pour ce que vous avez fait pour nous[260]. » Plus tard, Ludmilla ira aussi donner des cours aux orphelins, durant trois ans. Il y avait un fort préjugé contre les garçons qui suivaient des cours de ballet. « Je me suis dit que si j'allais en région, dans les orphelinats, et que je découvrais quelques talents, peut-être que des garçons autour de Montréal entreraient à l'Académie. »

Ludmilla avait aussi commencé une série d'émissions télévisées, *Concert pour la jeunesse*. À la fin de février, ses jeunes élèves, entre autres « Christine Clair, France Desjarlais, Nastia, Chantal Bellehumeur, la petite Mercure, avaient interprété *Scènes d'enfants*, *L'Invitation à la valse* et *Tati Tati*. Yvonne Laflamme y dansait aussi. On avait deux heures pour tout faire. Henri Bergeron était l'annonceur attitré et Michel Glotz commentait les ballets. » Cette émission revenait chaque samedi, à dix heures. L'orchestre était dirigé par Wilfrid Pelletier et l'émission provenait d'une salle du Collège Saint-Laurent. « Le premier ballet que j'ai dansé, raconte France Desjarlais, c'était *Au clair de la lune*, dans le cadre de cette émission. »

Avec la CECM, Ludmilla parle d'une série Initiation à la danse – et non plus de Jeunesses de la Danse. Les spectacles sont prévus pour les samedi 12 avril et 3 mai, à la Comédie Canadienne, au tarif de deux dollars pour la série. Monsieur Trefflé Boulanger, le directeur de la CECM, accepte de faire diffuser les dépliants dans toutes les écoles de la Commission scolaire en mars. Scandale ! De format huit et demi sur onze, replié en trois, ce dépliant couleur chamois et brun reproduit *Les Trois Grâces* du peintre Raphaël. Ces grâces sont nues. « Trois semaines avant le spectacle, je n'avais encore reçu aucune réponse. Ils avaient brûlé tous les dépliants plutôt que de les distribuer. » Ces Grâces, nues, avaient été dessinées par Alexis. C'était « une sorte d'histoire de la danse à partir de la *commedia dell'arte*, à travers les ballets de la cour et de Louis XIV, la Russie, etc. C'était emballant à faire mais c'était encore trop tôt », dira Ludmilla à l'émission *Propos et confidences*[261].

Dans ces représentations, avant d'en arriver à la *commedia dell'arte*, Ludmilla commence par décrire les mouvements qui sont à la base du ballet tel qu'il se danse alors. Elle présente une série d'exercices comme les danseurs les exécutent tous les jours.

C'est cette application seulement qui permet d'atteindre la souplesse et la sûreté dans les gestes et les mouvements qui forment la base du rôle dansé. [...] Vous constaterez par vous-mêmes combien de force, d'équilibre et de souplesse la technique académique moderne exige de la danseuse[262].

Le spectacle se termine habituellement par un extrait du plus ancien ballet du répertoire, *La Fille mal gardée*, ballet présenté pour la première fois en 1786. Ludmilla présentera une nouvelle version d'Initiation à la danse, quelques saisons plus tard.

J'ai incorporé un langage qui s'appelait la pantomime classique. Par exemple, sur un nocturne de Chopin, je faisais (et elle me le mime) c'est moi ; c'est toi et je te salue ; je marche ; je marche et je t'appelle. Et tu viens ici et je me fâche. Je te vois et je veux te tuer. Tu vas mourir. Va-t'en.

Ludmilla a constamment poursuivi cette mission d'information et de formation du public. Elle avait une façon extraordinaire de raconter, de communiquer son amour, sa passion pour la danse, et les jeunes étaient facilement conquis. Sans devenir des danseurs, plusieurs d'entre eux sont encore aujourd'hui des ballettomanes avertis.

Le Devoir notamment rapporte ceci :

L'émerveillement du public de la Comédie Canadienne, samedi dernier, portait ainsi sur des œuvres de haute qualité[263].

Claude Gingras, dans *La Presse*, souligne que

Les artistes groupés et entraînés par Madame Ludmilla Chiriaeff ont dansé avec la même conscience professionnelle et le même respect que s'ils avaient été devant l'auditoire adulte le plus averti. L'assistance, considérable aux deux représentations, et composée presque uniquement d'enfants, les a très chaleureusement applaudis [...][264].

Le *Journal des Vedettes*, dans un article non signé, apporte une note discordante le 18 mars. « Les Grands Ballets (qu'on appelle) Canadiens ont été fondés par une Russe, sont administrés par un Belge, ont pour danseuse-étoile une Hongroise et comme danseur-étoile un Britannique... »

Cela n'empêchera pas le maire Sarto Fournier d'inviter Ludmilla et ses danseurs pour une réception à l'hôtel de ville et à la signature du Livre d'or. Ludmilla considère cette première série d'Initiation à la danse, à la Comédie Canadienne, comme un succès malgré les difficultés éprouvées. Elle ne s'attendait toutefois pas à recevoir une lettre de son mari, plutôt mécontent :

Ma Dame,

[...]

Cette œuvre, dans toutes nos discussions, s'appuyait sur les gravures de Callot [...] des gens vêtus de lambeaux. Vous m'aviez longuement expliqué que le matériel de base de ces costumes serait la jute, naturelle ou de couleur. J'en ai tout spécialement tenu compte dans mon décor que j'ai créé entièrement dans cet esprit.

[...]

Qu'ai-je trouvé sur scène? Une catastrophique esthétique. [...] Monsieur Lorrain (costumier) m'a trahi avec votre consentement. Vous êtes tous prêts, je le sais, à couvrir ce scandale d'une indulgence qui m'atteint dans ce qui m'est le plus cher, mon sens artistique.

[...]

Veuillez considérer ma démission [...] à partir de cette lettre. Et veuillez, s.v.p., m'excuser de venir ainsi parler si longuement d'art au milieu de vos tracas d'organisateur[265].

Ludmilla est habituée aux sautes d'humeur d'Alexis et bien que la lettre fût adressée au Bureau des directeurs, je ne crois pas qu'elle y ait été discutée. En fait, c'est Ludmilla et elle seule que vise Alexis. Elle qui a des tracas d'organisation et qui s'est faite la complice d'une haute trahison : le travestissement de l'esthétique de l'artiste Alexis Chiriaeff. Malgré cette démission, le nom d'Alexis figurera encore aux programmes des GB avec lesquels il continuera de collaborer à l'occasion.

À la fin d'avril, une lettre du Royal Winnipeg Ballet demande à Ludmilla la permission d'utiliser son studio pour auditionner certains de ses élèves et ses danseurs dans le but de leur offrir des bourses et des contrats avec le Royal Winnipeg. Ludmilla est estomaquée! Elle répond poliment : «Je ne crois pas pouvoir vous être utile parce que tous nos danseurs professionnels font partie de notre compagnie et tous les étudiants de talent sont intégrés à notre compagnie[266*].» Ludmilla se jure que bientôt le Canada entier réalisera qu'il y a une compagnie de ballet à Montréal. Ainsi germe l'idée d'une tournée pour faire connaître les GB.

L'été, les enfants sont à Rawdon, cette fois avec Katerina. Ludmilla vient les retrouver pour les fins de semaine. Elle affectionne ce village, fondé par les Irlandais vers 1815, où habitent pas moins d'une vingtaine d'ethnies. Plusieurs familles russes et ukrainiennes ayant fui le communisme s'y sont installées et ont érigé leurs églises, dont on peut voir les bulbes byzantins au-dessus des toits. Avec entre autres Georges Levtchouk, Alexis contribuera à la construction de la première chapelle orthodoxe russe. Construite juste à côté de la résidence du père Oleg Boldireff, cette chapelle faisait face à la propriété des Chiriaeff.

On peut comprendre que Ludmilla aime ce coin. La nature y est exceptionnelle. Avec ses nombreuses chutes, rivières, lacs, la plage publique et ses régates
annuelles, Rawdon devient de plus en plus le lieu de villégiature de nombreux
professionnels, artistes et écrivains. Si Ludmilla s'y sent bien, c'est qu'elle peut
venir s'asseoir sous un pin et se perdre un moment dans le chuchotement du
vent dans les branches. Elle aimait aussi le craquement de ses pas sur les aiguilles
de pin et sentir la terre après une pluie chaude d'août. Là, elle prenait le temps
de cuisiner pour les enfants, de leur raconter des histoires avant de dormir.
C'était un havre de paix.

Durant la semaine, Ludmilla doit faire la navette entre Montréal et Sainte-
Adèle pour les cours de ballet classique au Centre d'art. Selon la publicité du
Centre, les cours sont donnés par «la chorégraphe de *L'Heure du concert* et
présidente fondatrice des GB». Ils ont lieu les mardis et les jeudis de quinze à
dix-sept heures à raison de dix dollars par semaine ou de cinquante dollars pour
six semaines. Et ce, du 7 juillet au 15 août. Le Centre est dirigé par Margot
Choquette, l'épouse de l'écrivain Robert Choquette.

Au cours de l'été 1958, Mademoiselle Blanche Harwood écrit à Ludmilla pour
lui offrir ses services, gratuitement, un soir par semaine[267]. «Comme elle ne me
répondait pas, se souvient Blanche, je lui ai écrit une deuxième fois. J'aimais
le ballet, j'étais déterminée et je voulais travailler avec elle.» En novembre,
Blanche réécrit : «Je ne veux pas m'imposer, mais je vous offre à nouveau mes
services gratuits (pour une soirée par semaine). Lorsque vous m'avez parlé
au téléphone, vous aviez paru enthousiaste et vous deviez me rappeler, mais
vous n'avez pas donné suite. Est-ce que les directeurs vous en ont dissuadée[268]?»
Ludmilla finira par lui donner rendez-vous dans un restaurant. Elle y viendra
avec Joy Macpherson. «Elle ne m'a pas prise tout de suite. Puis j'ai travaillé
bénévolement pour elle presque un an. Quand elle a eu besoin d'une secrétaire
à temps plein, elle m'a offert le poste.» Blanche avait étudié à Villa Maria. Elle
était parfaitement bilingue et occupait un emploi de secrétaire depuis longtemps.
Elle aimait la danse et aurait voulu suivre des cours, mais sa mère ne le souhaitait pas. Travailler pour les GB, c'était se rapprocher de cet art qui l'attirait.
Entrée au service de Ludmilla en 1959, elle y restera jusqu'en 1982. Quand
Blanche Girard me reçoit, dans la chambre qu'elle occupe dans une maison
pour retraités, à Boucherville, elle me parle avec chaleur de cette époque, avec
un souvenir ému et une certaine nostalgie aussi, du temps où le ballet était
encore du ballet. Elle a gardé contact avec plusieurs des danseurs du début de
la compagnie.

Avec la fin de l'été, c'est la fin des vacances mais aussi la fin d'un mode de
transport. Ainsi, le 30 août, c'est le dernier voyage des tramways dans les rues
de Montréal. C'est aussi le décès d'un des grands maires de la ville de Montréal,
Camillien Houde. Trois cent mille personnes viendront se recueillir sur son

cercueil. Mais pour Ludmilla, c'est la préparation de la saison d'automne qui requiert toute son attention. Elle voit aux horaires pour les classes régulières des danseurs, qui doivent en suivre au moins trois par semaine. Elle voit aussi aux horaires des élèves qui commencent à s'inscrire et s'occupe de Katerina qui, le 24 novembre, deviendra citoyenne canadienne.

Ludmilla retient les services d'Edward Caton pour donner deux classes quotidiennes du lundi au vendredi entre le 10 novembre et le 6 décembre. Comme elle le fera pour d'autres, Ludmilla lui avance deux cent cinquante dollars pour qu'il puisse venir à Montréal[269]. Le maître de ballet russe travaille alors à Paris.

Les démarches auprès de Québec pour obtenir des fonds ont donné des résultats. Un chèque de cinq mille dollars est envoyé comme subvention spéciale pour l'année 1958-1959[270]. C'est la moitié de ce qui a été demandé, mais l'important, c'est que Québec ait donné quelque chose. Maintenant, Ludmilla peut se vanter d'avoir intéressé les trois paliers de gouvernement et les avoir suffisamment intéressés pour que chacun lui verse quelques milliers de dollars. Même si Drapeau a perdu ses élections, le CARMM fait parvenir trois mille dollars aux GB pour la saison 1958-1959. Ainsi, l'institution conçue par Jean Drapeau fonctionnait, peu importe les politiciens en place. Le Conseil des Arts du Canada (CAC) promet de verser huit mille dollars, mais cet argent doit servir uniquement et entièrement à la reprise de deux spectacles pour l'Initiation à la danse, au Gala des Grands Ballets Canadiens en trois soirées, qui devra inclure la représentation d'un nouveau ballet, et pour un nouveau spectacle de la série Initiation à la danse[271]. Ludmilla répond à Peter Dwyer : « Je vous remercie de votre lettre du 23 octobre concernant les conditions rattachées à la subvention de huit mille dollars. Je ne peux vous donner une réponse sans en avoir discuté avec les membres du conseil d'administration des Grands Ballets Canadiens[272]*. » Astucieuse Ludmilla, qui se cache derrière son conseil d'administration quand cela la sert ! Elle profite aussi de cette correspondance pour annoncer que les GB seront à *L'Heure du concert* le 6 novembre. Le CAC aurait imposé aux GB de recueillir des fonds dans la communauté. Je ne sais de quel ordre de grandeur il s'agissait, mais dans une lettre au gouvernement du Québec, Ludmilla écrit que « le Conseil des Arts du Canada lui a imposé l'organisation de campagnes de souscription[273] ».

Ludmilla et ses GB sont moins souvent à la télévision en 1957-1958. Il y a bien les apparitions à *Concert pour la jeunesse*, avec les élèves de l'Académie, mais je n'ai retrouvé qu'une seule *Heure du concert*. Dans ce programme, Ludmilla a chorégraphié trois des quatre ballets qui sont présentés. Deux sont sur une musique de compositeurs québécois : *Horoscope*, de Roger Matton, et une reprise de *Suite canadienne*, de Michel Perrault. Même si la tendance, à la télévision d'État, est encore de présenter du ballet, c'est de plus en plus par des troupes qui ne sont pas d'ici. Par exemple, à *L'Heure du concert* du 4 décembre, c'est Alicia Alonso et Igor Youskevitch qui sont invités à danser. Il faut dire aussi que, pour la saison 1957-1958, cette émission n'est plus hebdomadaire mais présentée deux fois par mois, et une fois sur deux, les téléspectateurs peuvent voir un opéra complet.

La vie mondaine de Ludmilla est aussi très remplie. Outre les conférences qu'elle est appelée à donner ici et là, elle est de pratiquement tous les bals de charité. Ainsi le 21 novembre, elle est de la Fiesta Nocturna, organisée par The Junior League of Montreal, à l'hôtel Windsor. Lors de ce bal, elle a fait danser Brydon Paige et le cachet de ce dernier a été versé à l'œuvre de charité. Elle-même ne retirait pas de cachet dans ces circonstances. Son implication découlait de la mission dont elle se sentait investie : faire connaître la danse au plus grand nombre.

Est-ce parce qu'elle est trop occupée à autre chose ou parce qu'elle pense ne plus rien retirer de cette organisation, toujours est-il qu'elle n'accorde plus de temps au Conseil canadien du ballet et que les membres du comité s'en plaignent. Comme Ludmilla en est toujours présidente, cela crée des difficultés. Sauf une lettre, à la fin de décembre 1955, on ne trouve plus trace de son implication dans cette organisation. Dans cette lettre, Ludmilla explique que le développement rapide de sa compagnie prend tout son temps et toute son énergie. «Vous réalisez certainement que les progrès de ma compagnie ne me laissent pas de temps pour le Canadian Ballet Arts Council, mais cela n'empêche pas qu'il soit nécessaire que ses activités soient continues[274*].» Ludmilla n'offre pas pour autant sa démission! En février 1963, ce qui reste de fonds du Conseil canadien du ballet (139,53 $) sera versé à la Fondation Elizabeth Leese.

Radio-Canada traverse une période trouble. Depuis un moment, l'Association des réalisateurs tente d'obtenir le droit de négocier au nom de ses membres, ce que lui refuse la société d'État. Le 11 décembre 1958, ces réalisateurs, qui sont tous contractuels, s'élisent un président, Fernand Quirion. Le climat de travail est tendu. Depuis trop longtemps, la direction tarde à renouveler les contrats. Quand elle les renouvelle, elle semble donner raison à ceux qui soutiennent que la Société est un nid de favoritisme. Entre Noël et le jour de l'An, rien ne va plus, et le 29 décembre en fin d'après-midi, soixante-quatorze des quatre-vingt-cinq réalisateurs de la télévision déclenchent la grève. Ils sont rapidement appuyés par deux mille deux cents des deux mille six cents employés syndiqués de Radio-Canada. Les quelque trois mille membres de l'Union des artistes, sous la présidence de Jean Duceppe, appuient aussi les réalisateurs, de même que Jean-Louis Roux, président de la Société des auteurs. Les lignes de piquetage dressées sur Dorchester sont respectées, sauf par Michel Legrand et son orchestre qui les passeront le soir du premier de l'An[275].

Les émissions auxquelles le public est habitué disparaissent de l'écran et sont remplacées par la « tête du sauvage » ou des films. Ce dont les téléspecateurs se plaignent le plus, c'est, semble-t-il, qu'il n'y ait plus de hockey le samedi soir. Mais les joueurs du Canadien appuient les grévistes. Ils « ont annoncé qu'ils refuseraient de jouer si les caméras du Forum tournaient pendant la grève[276] ». Cette grève dure près de trois mois, paralysant la totalité des services français, radio et télévision, de Radio-Canada. Cette grève est très difficile, par moments. Il fait très froid et le piquetage n'est pas de tout repos. Puis, les grévistes ont de jeunes familles à nourrir et ils sont sans le sou. Un spectacle est alors monté : *Difficultés temporaires* avec en plein milieu un *Point de mire* tout à fait spécial. René Lévesque « s'installait en effet sur la scène pour expliquer aux gens ce qu'était la grève et le droit d'association. Exactement comme il le faisait à son émission du même nom », comme le rappelle Fernand Quirion[277].

Le 2 mars 1959, mille trois cents manifestants partent du Gesu et, empruntant Dorchester vers l'ouest, se dirigent vers l'édifice de Radio-Canada. Au coin de Saint-Alexandre, la police tente de les disperser, sans succès. Au coin de Bishop, les policiers essaient de nouveau d'empêcher les manifestants d'avancer. Avec à leur tête René Lévesque, Jean Duceppe, Jean Marchand, Jean-Louis Roux, entre autres, les grévistes continuent d'avancer pour, au coin de Mackay, se retrouver face à une vingtaine de policiers à cheval qui foncent sur eux. Matraquage. Une trentaine de personnes sont arrêtées, dont cinq femmes. Jean Marchand et René Lévesque se retrouveront devant les tribunaux. Cette démonstration de force contre des intellectuels et des vedettes de la télévision fut largement décriée et le 7 mars, Radio-Canada cédait. Le 9, les réalisateurs pouvaient rentrer au travail. Ils avaient gagné le droit de s'unir pour défendre leurs intérêts.

Durant la grève, Ludmilla continue à faire répéter ses danseurs. Certains jours, les piqueteurs débordaient jusque devant l'entrée de son studio ; alors, elle faisait monter son monde par les escaliers de secours, à l'arrière. Il ne fallait pas perdre la forme, non plus que des danseurs. Il fallait que l'École continue, elle devenait la seule source de revenus de Ludmilla. Alexis aussi se retrouvait sans salaire. Ce fut une période difficile, sur laquelle Ludmilla n'a pas élaboré, mais il est facile d'imaginer que le gruau fut à nouveau au menu quelques fois par semaine. Katerina reste chez Valia et ne saura rien des éclats de voix qui emplissaient la maison certaines nuits. « Il y avait de grosses disputes entre mon père et ma mère, me confie Nastia. Moi, je ne pouvais pas dormir tant que les deux parents n'étaient pas couchés, quand mon père était là. J'avais toujours peur qu'il arrive quelque chose à maman. » Ludmilla dira qu'Alexis était d'une intelligence supérieure mais en même temps très négatif.

Il était paranoïaque. Il critiquait tout. Tout le dérangeait. Et après douze ans de mariage, je ne comprenais pas qu'un être si doué ne réalise pas qu'il puisse ainsi passer à côté de son bonheur. Les blessures épouvantables que les êtres peuvent se faire une fois mariés...

Si, à l'automne 1952, moins de dix pour cent des foyers québécois disposaient d'un téléviseur, près de quatre-vingts pour cent d'entre eux en avaient un en 1959. C'est dire la réorganisation de la vie qu'entraînait cette grève, surtout en période hivernale où les soirées se passaient à regarder les émissions en provenance des studios du boulevard Dorchester Ouest. Avec la prolifération des canaux, de nos jours, et la possibilité de capter des émissions de l'étranger, on oublie qu'au moins jusqu'à la fin des années 1950, le Québec tout entier regarde les mêmes émissions. Ce qui a pour effet de contribuer à «uniformiser le mode de vie, en propageant les mêmes valeurs, les mêmes façons de sentir et de penser dans les différents groupes sociaux et les diverses régions du Québec[278]». Au moment de la grève, les Québécois sont privés du hockey, d'émissions de variétés, d'émissions pour enfants, de téléromans mais aussi d'émissions plus «sérieuses» comme *Idées en marche*, *Carrefour* ou *Point de mire*, avec leurs célèbres animateurs Wilfrid Lemoyne, Judith Jasmin et René Lévesque. La télévision permettait aux Québécois de se connaître, de se donner une identité grâce à des émissions faites pour eux et par eux et de minimiser le discours religieux encore omniprésent dans certains milieux. Pour Ludmilla, c'était tellement clair, ce qui se passait alors à la télévision : «l'affirmation publique du talent de chez nous».

~

Les Chiriaeff doivent de nouveau déménager. Cette fois, ce n'est pas le besoin d'espace mais un avis du propriétaire qui les oblige à quitter les lieux pour le 1er mai. L'avis adressé à Alexis invoque le fait que :

1. Vous utilisez le sous-sol comme entrepôt [...]
2. Vous avez un chien qui détruit la maison.
3. Vous chauffez trop [...]
4. Vous êtes absent le jour [...], la maison et le terrain autour ne sont pas bien tenus [...][279]*

C'est Ludmilla qui répond, en commençant par dire que

Il y a longtemps que nous songeons à quitter le 4354 Harvard, ce que nous ferons en mai 1959 pour les raisons suivantes.

Suivent des doléances détaillées sur les problèmes que les Chiriaeff ont eu à subir dans ce logement. Elle termine en disant que :

Concernant votre dernière affirmation, cela ne vous regarde pas que nous soyons ou non à la maison le jour. La maison est toujours gardée par quelqu'un. Je trouve aussi très impertinent de votre part de suggérer que notre maison n'est pas bien entretenue[280]*.

La parfaite Ludmilla, se faire accuser de ne pas entretenir sa maison ! Pour qui se prenait-il ? Mais quand les bonnes désertaient, la maison était laissée à elle-même. Et Ludmilla n'avait ni le temps ni la force – et encore moins l'intérêt – pour s'en occuper. Alors, il arrivait que des connaissances de passage fassent office de femme de ménage. Toutes les personnes qui m'ont parlé de cette époque ont évoqué la frugalité de Ludmilla, la modestie de l'ameublement et le fait que peu de choses comptaient pour elle, en dehors de la danse et des danseurs.

C'est bien beau de dire que l'on s'en va, mais où ? Ludmilla aimerait bien s'installer une fois pour toutes. La solution serait d'acheter une maison, mais il lui faut l'accord d'Alexis, son statut matrimonial ne lui permettant pas de signer seule un acte d'achat, pas plus qu'un emprunt hypothécaire. Les Chiriaeff finissent par acheter rue Oxford, au 3774, la maison que louaient les Bellehumeur, les parents de Chantal. Les Chiriaeff y emménagent à la fin d'avril.

La cour de l'école, en face du 3774, Oxford, sert d'aire de jeux pour les enfants de la rue. Nastia et ses frères y jouent à la balle et, à l'occasion, Nastia s'y exerce au tennis contre le mur. Ils aimeraient bien parfois jouer dans la cour arrière, chez eux, mais le chien Petrouchka (Ziggy pour les intimes) y traîne et y laisse sa trace un peu partout... peu invitant, alors. Au moment où les Chiriaeff emménagent rue Oxford, Katerina occupe une chambre, chez des Russes, rue Prospect, à Westmount. Depuis l'importante mise au point avec sa mère, Ludmilla n'a jamais plus gardé Katerina chez elle. Sa mère, par ailleurs, continue d'aller chez Valia pendant de longues périodes et de passer une partie de ses étés à Rawdon, avec les enfants. L'été de ce déménagement, les enfants s'en iront d'ailleurs à Rawdon dès la fin de juin.

En même temps qu'elle cherche une maison, Ludmilla rassemble un Comité pour sa nouvelle campagne de souscription, dont Robert Paré accepte la présidence. Il faut de l'argent rapidement. Le secrétaire-trésorier des GB, Jean-Guy Sauvé, doit négocier un emprunt de douze mille dollars auprès de la Banque Canadienne Nationale pour que Ludmilla soit en mesure de livrer les spectacles du printemps à la Comédie Canadienne[281]. La campagne des Petits Souliers Rouges se tiendra du 1er au 15 avril. Elle est supportée par une grosse organisation. L'offensive médiatique prévoit que Ludmilla et le président Paré seront à l'émission *Rendez-vous avec Michelle*, le 19 mars ; qu'un danseur et une danseuse passeront à l'émission *La Clé des champs* ; que Ludmilla sera l'invitée de *Point d'interrogation* du 11 mars ; qu'une vedette des GB ira à *Carrefour* la semaine du 23 mars, et que Ludmilla se rendra à la radio pour la semaine du 16 mars. Cette campagne a pour objectif d'amasser cinquante mille dollars qui serviront à financer une partie de la saison de ballet à Montréal et une tournée de plusieurs provinces canadiennes. Cette tournée est prévue pour l'automne. Pour le lancement de la campagne, à l'hôtel Windsor, Ludmilla avait installé des fauteuils, un podium avec deux pianos à queue ; elle avait retenu deux pianistes qui ont joué à quatre mains l'œuvre qu'elle avait commanditée. « Ça m'a coûté tellement cher ! » conclura-t-elle.

Brydon Paige se souvient de la conférence de presse pour cette campagne de souscription.

> Elle m'a demandé de m'asseoir à côté d'elle, à l'avant. Elle s'est levée pour parler ; je pense que c'était la première fois que je la voyais s'adresser au public dans une petite salle. Elle avait des feuilles dans les mains. Ses mains tremblaient et les feuilles bougeaient. Je l'ai regardée. Son visage était si calme et sa voix si assurée. Je ne l'ai jamais plus vue avec des feuilles ensuite, quand elle parlait en public.

Du 1er au 4 avril, Ludmilla tient aussi à l'École des beaux-arts une exposition de costumes, dessins de décors et partitions musicales créés pour les GB. Toutes ces œuvres sont en vente et le produit de cette vente sera ajouté aux fonds recueillis durant la campagne. Les GB recevront aussi des dons en nature. Par exemple, The Canadian Fabrics Foundation offre les tissus qui serviront à la confection des costumes pour la saison. De même, le maquillage sera fourni gratuitement par Beauty Seal, pour les représentations à venir[282]. Dans une entrevue qu'elle accorde alors à *The Gazette*, Ludmilla rappelle que les GB ont créé huit ballets sur des thèmes et musiques d'ici depuis leur fondation. Elle ajoute : « Je garde un contrôle très strict sur ce que font la compagnie et les danseurs. Je ne vais pas accepter qu'un spectacle soit donné s'il n'est pas suffisamment artistique[283*]. »

Ce même printemps, Ludmilla doit aussi chercher un éclairagiste pour la saison à la Comédie Canadienne. Un jeune homme de vingt-cinq ans se présente alors au studio de la rue Stanley. Il est grand, mince, avec des yeux noirs dans un visage osseux à la peau olivâtre. Uriel Luft me confiera en entrevue : « J'avais jamais rien fait dans le domaine des lumières, mais j'étais très intéressé par ce qui se passait sur scène. Je me suis présenté à Madame Chiriaeff avec mon parapluie – je me rappelle encore – en disant que j'étais un spécialiste dans ce domaine et que j'étais très heureux d'offrir mes services pour un cachet assez important[284]. » Au cours d'une entrevue qu'elle accordera à Mireille Lemelin, Ludmilla dira qu'elle n'était pas sûre de l'engager. « Il s'est présenté avec un chapeau melon et un parapluie. « Il s'accrochait à son pommeau, très raide et compassé, se donnant un air de lord anglais très snob. Ça ne m'a pas plu du tout[285]. » Pourtant, il jouera un rôle important dans la vie de Ludmilla.

Uriel Luft est venu au Canada par hasard. En septembre 1957, un de ses oncles l'avait invité au mariage de sa sœur Hella, à New York. Il y vient depuis Paris où il se préparait à devenir comédien. À New York, il se produit au théâtre, puis il personnifie l'Indien dans *Nicki*, un film de Walt Disney. Il décide ensuite de tenter sa chance à Toronto où on lui offre des rôles d'étranger, à cause de son accent. Il participe à quelques émissions de radio et de télévision et, au cours de l'une d'elles, il rencontre Michèle Rossignol, qui lui parle de Montréal et de Lucie de Vienne Blanc, avec qui il pourrait suivre des cours. Au début de 1958, Luft s'installe à Montréal et s'inscrit à des cours de Madame de Vienne Blanc qui lui fera jouer du Ionesco – rôle pour lequel il remportera le prix du meilleur acteur, au Festival d'art dramatique du Dominion, en 1959.

Uriel Luft est né à Berlin de parents juifs polonais autrichiens. Il connaîtra de nombreux déménagements avec la montée du nazisme. Son père, avocat commercial d'une grande chaîne d'alimentation, transportera la famille de l'Allemagne à l'Autriche à la Belgique pour aboutir en France où sa mère sera ramassée et envoyée dans un camp de concentration. Elle y mourra de même que plusieurs parents d'Uriel. En 1942, son père réussit à les amener en Suisse, sa sœur et lui. Ils y vivront jusqu'en 1950. Son père tente alors de refaire sa vie, avec une descendante des Schlumberger, et installe la famille en Autriche que le jeune Uriel quittera en 1955. « Je voulais devenir comédien mais c'était contre les principes de mon père. Je suis parti. »

Outre le rôle principal dans *Victime du devoir*, de Ionesco, Luft jouera dans une série à la télévision de Radio-Canada, *Temps présent*, où il est Karl, un immigré allemand, le mardi à vingt-deux heures trente[286]. Entre-temps, il s'était essayé à l'éclairage pour les GB. «Malgré ce que j'avais dit à Madame Chiriaeff, je ne connaissais rien au domaine des lumières et quand j'ai eu le travail, évidemment, il fallait que je livre la marchandise [...] De toute façon, des spécialistes en éclairage en 1959, il n'y en avait pas beaucoup à Montréal – donc, j'avais pas beaucoup de compétition. »

Je ne sais si Ludmilla lui a versé le cachet qu'il demandait, mais elle lui a demandé de se présenter à la Comédie Canadienne où, après de longues heures à régler les derniers éléments du décor, Alexis, Ludmilla et Uriel se sont entendus sur les éclairages. «J'ai su après qu'il m'avait menti, qu'il n'avait jamais touché aux éclairages, me dira Ludmilla. Il n'avait aucune expérience, mais il avait l'intelligence. » Et beaucoup de culot, aurait-elle pu ajouter.

La saison des GB, à la Comédie Canadienne, débute le jeudi 16 avril. Ludmilla y signe une chorégraphie, sur une orchestration de Michel Perrault, le directeur musical de la Compagnie, et Alexis dessine les décors et certains costumes. Les critiques sont bonnes. Jean Vallerand écrit que

Du premier coup, la compagnie de madame Chiriaeff s'affirme comme une troupe exceptionnelle, affichant déjà une stature professionnelle, révélant déjà un style, un équilibre, une solidité qui caractérisent les grandes compagnies de ballet. Du premier coup, voilà Montréal doté d'une troupe permanente de danseurs. [...]

Les amateurs de technique auront d'ailleurs mauvaise grâce à ne pas reconnaître que le corps de ballet est parfait de précision, de cohésion, de coordination et d'expressivité [...][287].

Plus loin, Vallerand parle de la chorégraphie d'Eric Hyrst sur la musique de Tchaïkovski qui n'est pas sans rappeler de temps à autre certains ballets de la défunte compagnie de Kurt Jooss. «Ce ballet nous aura valu la révélation d'une admirable jeune danseuse, Margaret Mercier. " Elle était rentrée au Canada en songeant à laisser le ballet. " Elle avait un problème avec un pied et ne pouvait pas tenir des heures dans le corps de ballet, raconte Brydon Paige. C'est Madame en premier et ensuite Eric Hyrst qui l'on persuadée de continuer. Eric a vraiment fait d'elle l'étoile qu'elle est devenue. Une magnifique danseuse.»

Ludmilla tient à présenter des créations originales à partir de légendes ou de l'histoire d'ici, car elle estime que c'est la seule façon d'établir l'identité des GB. Elle disait au journaliste Alan Thomas : «C'est un défi pour nous [...] Nous défrichons. C'est difficile, mais nous avons commencé à débroussailler[288*].»

Quand Brydon Paige laisse savoir qu'il aimerait aller étudier la danse espagnole et qu'il quittera la compagnie en mars, Ludmilla lui fait rapidement une proposition. Le brouillon d'une lettre, signé The Directors, propose de lui obtenir une bourse, et même de lui accorder un congé d'une année assorti d'une aide financière pour lui permettre d'étudier. Le texte continue : «c'est notre intention de vous offrir un poste de chorégraphe...» mais la condition à tout cela est que non seulement Brydon Paige termine la saison présente mais qu'il s'engage pour celle de 1960, au complet. «C'était difficile de me quitter. Je savais toujours comment retenir quelqu'un dont j'avais besoin.» Ludmilla maîtrisait l'art de la manipulation comme si elle l'avait inventé. Surtout qu'à ce moment-là, elle ne pouvait se permettre de perdre un seul de ses danseurs.

J'aurais aimé être un danseur de danses espagnoles, raconte Brydon Paige, mais je n'avais pas l'intention de quitter la compagnie. Je ne me souviens plus exactement de ce qui s'est passé. Je crois qu'elle savait que je ne serais pas un grand danseur classique. J'ai commencé trop tard, mais j'étais un très bon danseur de caractère et un bon acteur danseur. Elle a commencé à me pousser vers l'enseignement et la chorégraphie. Je n'étais pas tellement intéressé mais, *thank god*, elle m'y a poussé. Cela m'a donné une autre opportunité dans la vie. Je connais tellement de gens qui ont une carrière de danseurs et une fin tragique parce qu'ils n'ont plus rien. La transition, pour moi, s'est faite en douceur et sur plusieurs années alors que je continuais à danser. Cela m'a donné une longue et riche carrière.

~

Le mardi 12 mai, quatorze mille personnes se pressent vers les entrées du Forum. Elles viennent manifester leur désir d'obtenir pour Montréal une Place des Arts dont on discute depuis trop longtemps la réalisation. L'entrée est gratuite, bien qu'il ait fallu obtenir son billet par la poste. Des artistes, toutes catégories confondues, ont offert leur talent pour la cause. Si Wilfrid Pelletier et l'Orchestre symphonique de Montréal ouvrent la soirée avec Beethoven, le Art Morrow's Jazz Orchestra est aussi du spectacle et est tout autant applaudi. La partie vocale de la soirée est assurée par Maureen Forrester, André Turp, le Montreal Elgar Choir, la Maîtrise Saint-Stanislas, les Lachine High School Singers, le Chœur des Jeunesses Musicales. Et les GB dansent un extrait du *Lac des cygnes*.

Organisé par la Corporation Sir George-Étienne Cartier, cette campagne de souscription veut amasser huit millions cinq cent mille dollars. La Ville de Montréal avait promis de verser le même montant que donnerait le Gouvernement du Québec, soit deux millions cinq cent mille dollars, mais Maurice Duplessis a fait remarquer que la province apporterait sa contribution à la condition que le public manifeste aussi son intérêt. Le président de la campagne, Claude Beaubien, a rappelé aux spectateurs du Gala de la Place des Arts que : « Depuis des générations nous nous plaignons du manque de salles à Montréal pour les arts de la scène. Maintenant, nous allons faire quelque chose[289*]. » Donnez, disait-on, afin que le rêve devienne réalité.

Le rêve... Ludmilla a conservé une certaine amertume pour tout ce qui entoure la Place des Arts. Le Conservatoire, dont elle avait non seulement rêvé mais commencé à concevoir l'organisation, a été mis de côté au profit de ce lieu grandiose où tous les arts pourraient s'épanouir. On a laissé entendre à Jean Gascon qu'il aurait un théâtre, à Ludmilla qu'elle pourrait loger sa compagnie et faire évoluer ses danseurs dans une des nombreuses salles qui seraient construites. « Ça, je veux le dire. On a dansé au Forum pour cette levée de fonds présidée par Beaubien. On nous promettait que nous aurions notre salle. Rien n'est venu. Nous n'avons même pas eu de garantie que lorsque les GB danseraient au Maisonneuve, le Ballet National ne serait pas à Wilfrid-Pelletier ! Gascon non plus n'a pas eu son théâtre ; il a ouvert le Nouveau Monde dans la Comédie Canadienne. » Non seulement Ludmilla n'a pas eu sa salle pour les GB, « mais pour chaque enfant dans *Casse-Noisette*, je devais payer dix dollars de droits au syndicat, nom d'un chien ! alors que les Américains qui venaient n'avaient pas à le faire. Pour ça, j'en veux à la Place des Arts. »

Avant de songer à la préparation des cours d'été, Ludmilla signe une série de demandes aux organismes qui ont subventionné les GB l'année précédente. Dans la lettre accompagnant un chèque de six mille dollars, le secrétaire du CARMM lui fait remarquer – pour la première fois – que cet argent doit servir uniquement aux activités locales des GB pour l'année courante et « en aucun cas servir à régler des dettes passées qui doivent être laissées aux bons soins de vos directeurs, bienfaiteurs, souscripteurs, etc., non plus qu'à la tournée que vous projetez pour cette année[290] ». Avec sa demande aux organismes subventionnaires, elle joint un rapport d'activités et annonce les prochains événements. Et un souhait : un spectacle pour enfants à l'occasion de Noël. Elle ne se contente pas d'écrire. Elle rencontre aussi le secrétaire de la province, Yves Prévost, le 7 juillet. Elle est alors accompagnée de Robert Paré et de maître Guy Blanchard, vice-président du conseil d'administration des GB. De la lettre qu'elle envoie le lendemain à l'Honorable Prévost, il faut conclure qu'elle n'a pas que demandé des fonds : elle a ramené la question du Conservatoire à l'ordre du jour. Elle annonce qu'elle a rendez-vous avec Wilfrid Pelletier, alors directeur du Conservatoire, dès le vendredi de la même semaine, et qu'elle se propose « d'étudier avec lui le projet des cours de ballet par le Conservatoire de la province[291] ». Le 20 juillet, elle écrit à nouveau à l'Honorable Prévost et lui fait part de sa démarche auprès de Wilfrid Pelletier. Ce dernier lui a « fait savoir que le Conservatoire a l'intention de construire un troisième étage pour le ballet[292] ». Ludmilla doit soumettre un plan de travail pour septembre.

Elle travaillera à ce plan qui porte non seulement sur l'organisation des cours mais aussi sur la configuration des lieux. La correspondance échangée avec Jean Vallerand et quelques autres – dont le physiothérapeute du club de hockey le Canadien –, au cours des années 1959-1960, montre le sérieux du projet. Il est question des conditions d'admission ; des horaires, qui doivent aussi permettre aux élèves de continuer leur scolarisation ; du programme d'enseignement, qui doit aussi faire place à l'histoire de la danse et de la musique, au solfège, à l'anatomie ; du nombre de professeurs requis et de leurs qualifications. Elle se prononce sur l'état du deuxième et du septième étage qu'on lui propose. Elle discute de la hauteur des plafonds, des planchers à refaire puisque les élèves ne peuvent danser sur le ciment.

> ... pour résumer, il serait possible de commencer au mois de septembre les cours de ballet, en aménageant trois petites salles de travail d'environ 18 ou 19 pieds par 40 (avec vestiaires, salles de lavabo, etc.) À la condition d'avoir la garantie de pouvoir déménager dans trois ans à une autre salle avec plafond plus élevé qui permettrait aux élèves adolescents d'apprendre et d'exercer les mouvements d'élévation pour les pas de deux et les variations, ce qui n'est pas possible dans les salles actuelles[293].

Mais rien de cela ne se concrétisera, parce qu'il y a dans l'air le projet de construire une grande salle de spectacles. D'aucuns parlent même d'une Maison où cohabiteraient le théâtre, l'opéra, la danse. Marcel Caron, qui fut membre de l'exécutif des GB et dont la société de comptables fit la vérification des livres pendant des décennies, se souvient d'un projet très détaillé. « Le concept était défini et un rapport a été déposé avec les estimés. Un projet de la Place des Arts, dans le bout de Saint-Urbain et Clark... et ça logeait aussi les élèves. Là, elle voyait sa sécurité et son intérêt que se poursuive la danse, et là, elle n'aurait pas eu les responsabilités financières ; elle aurait eu le prestige[294]. » En mars, déjà, les journaux reproduisaient les premières esquisses de ce qui serait la Place des Arts. « Montréal aura enfin son Massey Hall, même mieux que cette salle dont jouit Toronto depuis plusieurs années, puisque la nôtre comprendra un ensemble d'édifices dans un espace de terrain [...] occupant tout le rectangle Sainte-Catherine, Ontario et Jeanne-Mance...[295] »

Quand vient l'été, Ludmilla doit de nouveau répondre à des demandes de plusieurs centres d'art ou de villégiature, qui veulent pouvoir offrir des cours de danse aux enfants des vacanciers qui fuient les villes. À l'Académie, les cours d'été commencent le 30 juin et ne se termineront que le 14 août. Ce sont Eva et Eric qui donneront la plupart des cours, ce qui permettra à Ludmilla de se concentrer sur la préparation des spectacles pour le festival Jacob's Pillow et de la tournée canadienne prévue pour l'automne. En même temps, Ludmilla doit s'assurer que les spectacles qui seront présentés au Jacob's Pillow soient de la plus grande qualité. Ted Shawn, ex-danseur et directeur fondateur de ce festival de réputation internationale, a été très impressionné par la Compagnie de Ludmilla, dont il a d'abord vu des kinescopies à New York. Il est par la suite venu assister à une représentation des GB, en avril, et les a invités pour la fin d'août, au Vingt-septième Festival annuel qu'il dirige à Lee, au Massachusetts. Pour Ludmilla, cette invitation équivaut à une consécration. À la conférence de presse qu'il a donnée, lors de son passage à Montréal, Shawn a dit des GB : « C'est une compagnie dont le Canada et Montréal doivent être fiers. J'espère que leur présence au Jacob's Pillow sera le prélude à une grande et magnifique carrière pour ce jeune et créatif groupe de danseurs canadiens[296*]. » Ted Shawn s'est déclaré enthousiasmé par la puissance dramatique, la communicabilité et l'excellence chorégraphique de la compagnie de Ludmilla[297].

Durant les années 1950, Ted Shawn a commencé à faire venir des compagnies internationales pour leurs débuts américains. C'est dans ce cadre que Ludmilla et ses danseurs débarquent au Jacob's Pillow, le 26 août 1959. Monsieur Paul Boudreault de CKAC, qui est plus tard devenu conseiller de presse à l'ambassade du Canada à Paris, a nolisé un avion pour transporter la troupe et le personnel nécessaire aux représentations. Des personnalités montréalaises se sont aussi jointes au groupe, dont le réputé photographe Gaby de même que des journalistes, mais le maire Sarto Fournier a dû décliner l'invitation que lui a faite Ludmilla de venir assister à la prestation des GB. Les costumes et les décors ont voyagé avec Gervais Transport et Ludmilla a dû réclamer à Québec une subvention spéciale pour couvrir le déficit qu'elle entrevoit avant même le départ pour les É.-U. Comme elle le fera souvent, elle fera sa demande sur le tard et inclura d'autres activités, ici la tournée canadienne à venir, pour justifier le montant.

Le dernier jour du festival, juste avant que les GB présentent leur dernière production, Ted Shawn fait une intervention de quelques minutes dans laquelle il rapporte les commentaires élogieux des spectateurs et des journalistes au sujet des GB. Il continue en disant :

> Le Canada français a énormément enrichi le Canada. Le Canada serait un pays bien plus ennuyeux s'il était entièrement anglais, admettons-le. Cette compagnie reflète le verbe et le chic et la vitalité du Canada français. [...] Le Canada doit sentir qu'il est enrichi par une autre grande compagnie de ballet. [...] Chacun de vous doit être si fier de cette compagnie qui est la vôtre [...] C'est l'expression de ce que vous êtes à travers l'une des grandes formes de l'art. Cette compagnie parle pour vous. Elle dit ce que vous êtes. [...] Elle peut réaliser de plus grandes choses encore si elle bénéficie de votre support[298*].

Selon Ludmilla, Shawn avait réservé des sièges pour les journalistes québécois et c'est vraiment à eux qu'il s'adressait. À l'émission *Propos et confidences*, elle dira qu'il s'agissait d'une « fin de semaine de spectacles absolument extraordinaire. On parlait dans les journaux de notre identité même, ce qui était très agréable parce que justement je voulais tant que notre troupe soit différente des autres avec nos créations[299]. » Les décors des cinq ballets sont signés Alexis et dans le cas de *Labyrinthe*, il a aussi dessiné les costumes. Le nom d'Uriel Luft comme éclairagiste apparaît pour la première fois. Ludmilla, elle, a chorégraphié deux ballets. Pas moins de vingt-cinq personnes sont du voyage, et il n'eût pas fallu que quelqu'un se blesse sérieusement parce que personne n'avait de doublure. « Il n'y avait personne pour nous remplacer, à cette époque. On dansait même malade », raconte Andrée Millaire.

Au Jacob's Pillow, il fait une chaleur étouffante, l'air est lourd et la pluie qui tombe vient légèrement rafraîchir le temps. À la tombée du rideau, les ovations et les bravos font tout oublier. Même le corps est encore porté par une charge d'énergie peu commune. « Vous n'avez pas idée combien nous avons apprécié [...] les confettis et les fleurs. Nous sommes revenus saluer plusieurs fois, près de vingt minutes après chacune des représentations. De la première à la dernière, ce n'était qu'un immense bravo[300*] », de dire Ludmilla à la journaliste Elizabeth Mapstone, qui commence son article en affirmant que *Dancing on the air is not impossible.*

Les critiques sont intéressantes :

> Cette compagnie est unique. Elle a été mise sur pied par Ludmilla Chiriaeff pour rendre à travers la danse l'expression artistique, l'esprit et la culture du peuple canadien-français[301*].

> [...] les Grands Ballets Canadiens s'ajoutent à la longue liste des visiteurs étrangers. Les réalisations de cette compagnie sont considérables, son potentiel devrait la rendre intéressante longtemps encore[302*].

Le Jacob's Pillow, c'était le rêve, mais au retour la vie quotidienne reprend. Ludmilla écrit à Monsieur Lafleur pour lui faire part de l'organisation des cours au Manoir, les vendredi et samedi. Comme elle prévoit être très occupée avec les GB, qui préparent une tournée, et pour éviter des récriminations, Ludmilla demande que les parents soient prévenus du fait que les cours de ballets seront sous sa direction mais assistée de Mesdemoiselles Joy Macpherson, Claire Brind'Amour et Louise Piché. Elle assure Monsieur Lafleur que lorsqu'elle sera en ville, elle donnera la plupart des classes elle-même. « J'espère que vous aurez confiance en cet arrangement qui est le meilleur possible pour garantir une saison bien organisée sans que mes absences occasionnelles causent d'ennuis[303]. »

Au retour du Jacob's Pillow, Joy écrit à Lumilla, à la suite d'une conversation tenue le 1er septembre, pour l'assurer qu'elle est entièrement à son service « pour aussi longtemps que vous le voudrez pour vous aider, que ce soit pour vos affaires personnelles, artistiques ou autres[304*] ». Je ne sais ce qui amène cette lettre qui invoque le « respect pour votre récent mode de communication... » Au dos et dans les marges de la seconde page, Ludmilla a rédigé, au crayon à mine, ce qui m'apparaît une réponse à des griefs des danseurs à propos de la tournée canadienne.

> Ai-je jamais triché ?

> [...] à propos de la nourriture à l'hôtel qui était insuffisante. Pour moi, c'était seulement une journée alors je ne veux pas être accusée de ne pas vous nourrir suffisamment.

> Les souliers doivent être réparés et plus de souliers doivent être fournis pour les tournées au cas où nous serions trop loin...

> Je n'ai pas d'objection à vous donner de vieux souliers pour les répétitions mais comme je vous l'ai dit, vous êtes responsables de vos souliers et des vêtements de pratique.

> Maintenant, à propos des salaires. J'ai embauché dix personnes à cinquante-six dollars par semaine. Je ne veux amener personne en tournée qui a besoin de plus d'argent que n'importe quel autre danseur au Canada [...]

> Je n'accepte pas ce genre de demande de ceux qui n'ont pas eu faim et n'ont pas eu à dormir sur les planchers durant sept ans pour faire en

sorte que cette compagnie existe [...]. Mes salaires ne sont pas moindres que ceux du National, en conséquence, *therefore I am right.* Je peux ouvrir tous les livres... pour vous montrer qu'il n'y a pas d'autre façon de survivre et que ma façon de faire est honnête...*

Ludmilla avait voulu enlever un dollar à chacun des dix danseurs pour être capable d'en ajouter quelques-uns, mais cela a entraîné une mini révolution. En outre, en tournée, tout peut arriver et comme le personnel de soutien se résume à presque rien, les danseurs doivent veiller eux-mêmes à plein de petites choses. « On lavait nos maillots le soir, on reprisait nos souliers dans l'autobus, raconte Andrée Millaire, mais je sais qu'il y a des danseurs qui auraient voulu que l'on fasse cela pour eux [...] On faisait tout nous-mêmes à l'époque. On était en train de construire. »

Vivre en famille durant plusieurs semaines, dans des lieux toujours différents et pas nécessairement appropriés à l'exercice d'un art aussi exigeant que le ballet, ne pouvait qu'entraîner des insatisfactions et des éclats de voix chez certains dont la sensibilité était toujours à fleur de peau. Il y avait une diva, à l'époque, Eric Hyrst. Il était reconnu pour piquer des crises à propos de tout et de rien. Selon Véronique, « c'était tout un personnage. Il était bourré de talent à tous les points de vue. C'était un excellent danseur, comme il y en avait peu alors. De niveau international, un très bon œil, très doué mais un être impossible. » Déjà en 1953, lors d'une émission réalisée par Jean Boisvert, Eric Hyrst avait déchiré son costume durant une répétition et s'était roulé par terre en refusant de danser. Il avait fallu que Jean Boisvert lui administre deux bonnes paires de gifles pour qu'il cesse de faire l'enfant. « La costumière a recousu le costume sur lui, se souvient Denise Marsan, et l'émission est allée en ondes. Monsieur Hyrst a dansé comme si rien ne s'était passé. »

Julian Braunsweg, créateur du Festival Ballet de Londres, et longtemps impresario, écrit dans son autobiographie : « Les danseurs sont des enfants obsédés par leurs propres problèmes. Certains sont plus excentriques que d'autres mais, généralement, ils sont tous un peu fous. Discipliner le corps, ce qui est la vie d'un danseur, et l'effort continuel pour atteindre la perfection, entraînent un narcissisme qui crée une névrose[305]*. »

Vincent Warren me parlera longuement d'Eric Hyrst et de la façon dont Madame savait le ramener sur terre après ses crises. « Il piquait des crises sur scène, pendant les représentations, et ça causait des problèmes. Il était très doué mais il était hystérique. Madame savait comment équilibrer tout ça. Elle respectait autant sa créativité que son côté technique. Elle savait que les artistes sont fous jusqu'à un certain point... C'est ça qui était génial chez elle. » Eric Hyrst était le danseur principal des GB et il chorégraphiait souvent aussi. De l'avis de tous, il avait un énorme talent, mais « il était son pire ennemi, selon Brydon

Paige. Il disait toujours ce qu'il pensait et ça lui a créé d'énormes problèmes. J'ai appris de grandes choses avec lui. » Michel Martin, qui a dansé un pas de trois, dans *Valse noble et sentimentale* à la télévision, se souvient des éclats d'Eric Hyrst. « Il avait un talent fou. Une personnalité affreuse mais un talent fou et des jambes. Il pouvait faire huit entrechats. J'étais débutant. Sa chorégraphie était bonne et le pas de trois, très beau. Le réalisateur a adoré ça, mais Monsieur Hyrst m'a fait une crise le lendemain. Après deux minutes, monsieur avait tout oublié, mais pour moi, c'était très blessant. À partir de ce moment, je n'étais plus dans aucun de ses ballets. » Michel Martin quittera les GB en 1961.

À l'aube du 7 septembre 1959, les Québécois apprennent le décès de leur premier ministre à Schefferville. Et c'est le concert d'éloges, même si plusieurs souhaitaient le renversement du gouvernement Duplessis depuis longtemps. « Cet homme, comme l'écrivait André Laurendeau, dans l'édition du *Devoir* le même jour, on l'a aimé, haï, estimé, discuté, mais son emprise, passion-nément combattue, a été incontestable durant le dernier quart de siècle. »

L'Union nationale que dirigeait Maurice Duplessis aura été au pouvoir d'avril 1944 à juin 1960. On peut donc facilement affirmer que de la fin de la guerre jusqu'à l'arrivée de Jean Lesage, Duplessis a façonné le Québec, avec la com-plicité des élites religieuses. L'éducation, la santé, les services sociaux ont subi le conservatisme de ce premier ministre qui défendait l'entreprise privée, pro-mouvait l'équilibre budgétaire, la réduction de la dette et la limitation du fardeau fiscal. Il s'est servi de la « loi du cadenas » pour lutter « contre les syn-dicats, les groupes politiques et les minorités religieuses tels les Témoins de Jéhovah[306] ». Champion de l'autonomie provinciale, il s'est opposé farouche-ment à l'intervention du Gouvernement fédéral dans les champs de compétence des provinces. « L'autonomie de la province, les droits de la province, c'est l'âme du peuple, de la race, et personne ne saurait y porter atteinte[307]. » Ce qui pour un temps a assuré à Duplessis l'appui indéfectible des Québécois, c'est, comme l'écrivit plus tard un de ses adversaires, Georges-Émile Lapalme, qu'il « prenait avec lui un certain rêve canadien-français chargé de trop de passé, pas assez d'avenir, s'ouvrant tout à coup sur une réalité lointaine mais possible[308] ».

Au sein de la population québécoise, surtout durant la dernière décennie du règne de Maurice Le Noblet Duplessis, un certain affaiblissement des idées conservatrices et une influence croissante des intellectuels se font sentir. Le gou-vernement de Duplessis n'aurait peut-être pas survécu à une autre élection. Paul Sauvé, qui le remplace, suscitera de grands espoirs. « Désormais », avait-il dit. Et le Québec s'était mis à rêver...

Ludmilla ne connaissait pas Monsieur Duplessis. Elle lui avait écrit, comme on lui avait recommandé de le faire, mais elle n'a jamais tenté de le rencontrer. Ainsi, elle n'aura pas eu à attendre dans les couloirs menant au bureau du premier ministre. Si elle ne connaissait pas personnellement « le cheuf », comme on appelait Duplesssis, plusieurs de ses conseillers étaient des militants de l'Union nationale. Le notaire Blanchard, de Rosemère, et l'avocat Maurice Mercure invitaient Ludmilla à manger avant de discuter administration avec elle.

> On allait des fois sur Décarie, raconte Ludmilla. Je me souviens du tramway jusqu'à Jean-Talon. Je changeais de tramway et ensuite c'étaient des champs. Il y avait Piazza Tomasso et Ruby Foo's. Pour moi qui ne buvais pas, ç'a été l'initiation au gin & tonic. Pendant le souper, on parlait politique. Ça aussi, c'était une initiation. J'ai fini par connaître chaque route qui allait être construite, chaque comté qui allait avoir un pont. Je savais que les *rouges* n'existaient pratiquement pas.

En octobre, les GB décident d'organiser une grande soirée à l'hôtel Windsor pour recueillir des fonds. Cet événement, nommé le Bal des Oiseaux, est grandiose. Dès leur arrivée dans le hall d'entrée, ce soir du 24 octobre, les quelque cinq cents invités sont accueillis par Madame Gabrielle Drouin, Monsieur Ted Shawn, Ludmilla et Alexis, l'Honorable Mark Drouin, orateur du sénat, et sa dame, l'Honorable Pierre Sévigny, ministre associé de la Défense nationale, et sa dame, et Monsieur G. Drouin. Alexis a conçu les décors et en a fabriqué une partie. Il y a partout des oiseaux, certains exotiques, certains plus coutumiers, dans des cages ou sur les branches dorées des arbres distribués le long des murs. Des paons s'accrochent aux lustres et leurs plumes pendent à travers le cristal. « Quand, au son des cuivres, les serveurs en costume d'époque ont apporté les plats de faisans en volière, les convives étaient époustouflés. J'ai ensuite présenté *Trianon*, comme à la cour de Versailles, le pas de deux classique du troisième acte du *Lac des cygnes* et *La Belle Rose*. Évidemment que ce bal m'a coûté plus cher que ce que j'ai ramassé! Mais ce n'était pas rien qu'un bal ordinaire. » En fait, il y a un léger excédent des revenus sur les dépenses : quatre cent quatre-vingt-dix-sept dollars et soixante-sept. Ludmilla oublie qu'il y eut aussi un défilé de robes du soir créées par Marie-Paule (Nolin) et qu'elle portait d'ailleurs ce soir-là une robe de chiffon signée par la designer montréalaise. Ludmilla sera longtemps fidèle à Marie-Paule. Elle lui rendra visite dans le manoir Louis-Joseph Papineau où Marie-Paule s'est installée durant les années 1960.

Puis les GB partent en tournée. Ils visiteront treize villes dans les Maritimes et au Québec. Ludmilla commence ainsi une collaboration avec le Community Concerts of Canada[309] pour l'organisation des tournées, comme d'ailleurs l'ont fait les JMC. Plus tard, les GB auront leur personnel et s'occuperont de tout eux-mêmes, mais Ludmilla travaillera avec des agents pour les tournées américaines, entre autres, et en Europe.

Cette tournée, pour laquelle le Secrétariat de la province a versé cinq mille dollars et le Conseil des Arts du Canada quinze mille, s'est faite dans des conditions parfois difficiles mais souventes fois rocambolesques. «On jouait dans les écoles, les couvents, les salles paroissiales, raconte Claude Berthiaume. On avait un petit camion de douze pieds, pour le matériel, l'éclairage, les costumes et les décors[310].» Ludmilla, les danseurs et le personnel voyageaient en autocar, en train ou en bateau. Parfois même en avion. Les organisateurs locaux étaient fiers de leur montrer leur scène qui avait été bien nettoyée pour l'occasion. Les planchers brillaient sous les couches de cire – surtout dans les couvents. Les tapis de scène n'existaient pas encore et une danseuse sur pointes risquait la catastrophe sur un plancher ciré. Même la résine dont on enduisait les chaussons n'y faisait rien. «Le moyen qu'on avait trouvé, c'était de mettre du Coca-Cola, se souvient Andrée Millaire, c'était un peu collant mais...» Quelquefois, Ludmilla utilisait du vinaigre et quand le rideau s'ouvrait, l'odeur rejoignait les spectateurs des premières rangées. Plus tard, au cours de la tournée américaine, entre autres, l'équipe technique apportera une sableuse... ce qui vaudra quelques mises en demeure aux GB.

Au Québec, la tournée commence au Centre récréatif de Sept-Îles, où les GB se rendent en DC3, aucune route ni chemin de fer ne reliant Montréal à la Côte-Nord. La compagnie présentera trois spectacles au lieu de la seule représentation qui était prévue. Lors de la matinée, le deuxième jour, Ludmilla a placé *La Belle Rose* au milieu du programme. «C'est d'après la légende de Rose Latulippe. Tu aurais dû voir. Dès les premières notes de violon, quelques enfants ont commencé à danser dans les allées et quand le diable est apparu, trois ou quatre enfants se sont avancés vers la scène pour avertir Rose de se sauver parce que le diable était là. C'était touchant», se rappelle Ludmilla. Dans ce village de pêcheurs, devenu une ville pour les besoins de l'Iron Ore, la visite des GB «a été une audacieuse excursion culturelle[311]*», comme l'écrit Ken Lefolic dans le magazine *Maclean's**. Et selon *L'Avenir de Sept-Îles*, «Les Grands Ballets sont une grande révélation, un des plus beaux spectacles préparés et exécutés par des Canadiens[312]».

Évoquant les souvenirs de cette tournée, Andrée Millaire raconte qu'à un endroit «le curé nous a empêchés de faire la soirée. Je crois que c'était dans le bout de Rimouski». Il est évident que, dans certaines régions du Québec d'alors, les sous-sols d'églises et les salles paroissiales ne pouvaient accueillir des spectacles de danse. Quand l'évêque avait parlé, tout était dit. Mais pour les GB, outre la déception pour les danseurs, c'était une perte sèche.

La vie en tournée, c'est long et difficile, avec des voyages interminables en autocar. «On arrivait dans une ville et il fallait déjà travailler, raconte Véronique Landory. On laissait nos bagages à l'hôtel et on repartait pour le théâtre. Souvent on arrivait en retard dans la ville, alors on allait directement au théâtre et on faisait les réchauffements devant le public. Il y avait des scènes sur lesquelles nous dansions qui étaient impossibles, froides et parfois pleines de trous. C'était très dur.» Mais les médias rapportent que les GB sont chaleureusement applaudis à Lévis, alors que la représentation à Québec est une «soirée inoubliable et qu'à Shawinigan, il s'agit d'un véritable triomphe des Grands Ballets Canadiens[313]».

La partie de la tournée qui se déroule dans les Maritimes n'est pas sans péripéties. Au Nouveau-Brunswick et en Nouvelle-Écosse, tout se passe relativement bien. Le journaliste du *Halifax Mail Star* écrit que «la toute jeune compagnie de Montréal a captivé les spectateurs[314*]». Après les représentations, à l'Île-du-Prince-Édouard, la troupe est reçue par le lieutenant-gouverneur de la province et, dès le lendemain matin, se prépare à prendre l'avion pour Terre-Neuve, mais il y a du brouillard. Trois jours durant. Pour Ludmilla, qui a peur de l'avion, ce n'est pas bon signe. Quand finalement une éclaircie se dessine, toute l'équipe monte à bord et l'avion décolle, mais à Terre-Neuve, c'est la purée. «Monsieur Luft allait voir le pilote pour savoir si on allait atterrir ; jusqu'à la dernière minute, le pilote ne le savait pas, raconte Ludmilla. Il a tourné, tourné au-dessus de l'aéroport ; la seule chose que je sais, c'est que tout à coup ça a fait boum, boum, boum. On ne voyait rien, mais on était arrivés. À cause du retard, et du brouillard, il n'y avait plus de chambres d'hôtel disponibles et les danseurs ont été installés dans des dortoirs, selon le sexe. Mais il fallait encore danser. Et, comme toujours, les danseurs ont été magnifiques. Sauf que le public a hué quand le pianiste a joué *Ô Canada* après le *God Save the Queen*. Certains Terre-Neuviens n'approuvaient toujours pas que leur province se soit jointe à la Confédération, dix ans plus tôt.»

Cette tournée a été toute une expérience pour les GB. Outre le fait de parcourir près de deux mille cinq cents milles, en empruntant tous les modes de transport, la troupe s'est adaptée aux conditions locales et a vaincu la fatigue. Mais au retour, Ludmilla sait que les prochaines tournées devront être organisées autrement si elle veut éviter la grogne. Elle songe à créer un poste de responsable des tournées.

Chapitre 9
Le Sacre du printemps

J'ai toujours eu cette vision quand j'entendais la musique du *Sacre du printemps*. Je voyais un champ qui commençait à bouger. Les graines commencent à gonfler, à vouloir pousser la tige; elles renversent un petit paillis, puis autre chose, écrasent une chose mais donnent de l'espace à l'autre... C'est une terre qui s'éveille... *Le Sacre du printemps*, c'est vraiment la réalité québécoise.

Voilà comment Ludmilla qualifie la décennie qui va suivre. Tout bougeait dans tous les domaines. Les structures éclataient de toutes parts. Ce sur quoi le Québec était assis depuis l'autre siècle se fissurait, et aucun colmatage ne semblait devoir endiguer le mouvement. « C'était incroyable », dira-t-elle.

Selon Léon Dion : « La société canadienne-française des années cinquante [était] en pleine ébullition, mais les pouvoirs en place et les idéologies dominantes [freinaient] les moteurs de changements[315]. » Ces freins n'étant plus, ou leur pouvoir s'amenuisant, des changements pouvaient s'envisager. Mais avant cela, le 2 janvier, le Québec perd son premier ministre. Paul Sauvé n'aura présidé aux destinées de la Province que depuis septembre 1959. Selon le chef de l'opposition, dès son élection, Sauvé « n'utilisera plus dans ses discours qu'un seul mot : *désormais*. Avec ce vocable, écrit Georges-Émile Lapalme, il séparait deux modes de vie politique, deux ères dont la dernière serait trop brève pour porter son nom[316]. » Malgré cela, les cent jours de Sauvé paveront la voie à ce que les historiens nommeront la Révolution tranquille – cette période d'accélération de notre histoire.

Mais avant, encore, il y aura l'intermède Antonio Barrette. « Durant huit mois, Barrette régnera mais ne gouvernera pas. Il sera un monarque sans trône[317]. » L'Union nationale se délitait et rien n'allait pouvoir arrêter ce grand courant qui déferlait sur la province. Le gouvernement Barrette sera remplacé par celui de Jean Lesage le 22 juin. Le Québec venait de virer au rouge avec une équipe dynamique, dont certains membres seront les instigateurs de réformes qui feront le Québec moderne : René Lévesque, Paul Gérin-Lajoie, Eric Kierans, Georges-Émile Lapalme, entre autres.

Durant la période de grandes transformations qui va suivre, les Canadiens français ne se nommeront plus eux-mêmes que Québécois et l'on ne parlera bientôt plus de la Province de Québec mais de l'État du Québec. Le Québec passera d'une société rurale et cléricale à une société urbaine et s'affranchira du clergé. En une décennie, la société se sera laïcisée et déconfessionnalisée. Au rythme même, en fait, de la prise en charge par l'État de certains secteurs, « [...] en particulier l'éducation, la santé et les affaires sociales [qui] voient leurs structures et leurs programmes bouleversés en profondeur[318] ». « C'est le temps que ça change », avaient clamé Jean Lesage et ses députés. Et les choses changent.

Il est bon d'avoir à l'esprit qu'au début de la décennie 1960, trente pour cent de la population de cette province a moins de quinze ans. Le gouvernement veut assurer à cette jeunesse une formation qui lui permette de faire son chemin dans la vie, selon l'expression populaire. La réforme qui suivra s'étendra sur la décennie avec comme objectifs de moderniser le système scolaire et de le démocratiser. Cela permettra aussi au Québec de disposer d'une main-d'œuvre qui concrétisera le slogan du gouvernement liberal, *Maîtres chez nous*. Maîtres par les moyens que le gouvernement met en œuvre et qui englobent toute la vie des Québécois. Cette « équipe du tonnerre » a une vision du développement du Québec et veut doter l'État des outils pour y arriver. Mais le gouvernement a beau vouloir aller plus vite et plus loin, la Constitution canadienne vient lui rappeler qu'il y a loin du slogan à la réalité du *Maîtres chez nous*.

Dans toute cette mouvance, des jeunes – dont certains militaient dans les vieux partis politiques – rêvent d'autres lieux, d'autres méthodes, d'autres modèles d'État. À la fin de septembre 1960, une vingtaine d'entre eux fondent un mouvement d'éducation populaire, le Rassemblement pour l'indépendance nationale (RIN), et porteront à leur tête Pierre Bourgault. Ludmilla, elle, continue de bâtir. Elle s'inquiète bien un peu d'avoir à refaire ses contacts, les *rouges* ayant remplacé les *bleus* à Québec, mais puisque son collègue René Lévesque est ministre, elle sait qu'elle pourra toujours griller quelques cigarettes avec lui et compter sur son amitié.

~

Déjà sollicités pour une tournée aux États-Unis, les GB continuent d'apparaître régulièrement à la télévision, même à l'occasion de l'émission *Téléthéâtre*, comme c'est le cas dans *Noces de sang*, de Federico Garcia Lorca. Ludmilla signe alors la chorégraphie. Les GB se produisent aussi à Québec, avec l'Orchestre symphonique de cette ville, le 30 janvier, aux Matinées symphoniques pour les jeunes. Fidèle à la mission qu'elle s'est donnée de faire connaître la danse, Ludmilla s'assure que certains ballets seront précédés de commentaires expliquant le livret mais aussi l'origine et la signification des mouvements qu'exécutent ensuite Véronique Landory, Raymond Goulet et Jacques Claudel, ou encore Roger Rochon, Margaret Mercier, Eric Hyrst et Brydon Paige. Sa compagnie est petite, une vingtaine de danseurs, mais, en un peu moins de trois ans, elle a déjà quarante ballets à son répertoire, dont la majorité sont des créations sur des musiques écrites par des Canadiens ou des Québécois et souvent même des commandes spéciales pour des ballets. En comparaison, le Ballet national, en dix ans, a constitué un répertoire de trente-neuf ballets, dont dix-huit sont des compositions originales[319].

Avec le printemps, c'est à nouveau le branle-bas pour la campagne des Petits Souliers Rouges, dont l'objectif est fixé à vingt-cinq mille dollars. Ludmilla signe quantité de lettres d'invitation pour le lancement de cette campagne, le vendredi 1er avril, à l'hôtel Windsor. Roland Lorrain écrit que «Madame commença pour la première fois, dans ses déclarations officielles à la presse, à parler du Québec et non seulement du Canada[320]». À parler aussi d'une tournée européenne. Ludmilla voit grand. Trop grand trop vite. Si elle sait compter les pas pour les ajuster aux mesures d'une valse, elle n'arrive pas à restreindre ses dépenses et à respecter ses budgets. Cette campagne, bien qu'avec une organisation de l'ampleur de la précédente, ne semble pas avoir donné, elle non plus, de résultats significatifs. Il faut dire que depuis 1957, le Québec vit une période de stagnation économique et que le chômage est le lot de près de dix pour cent de la population. Puis il n'y a pas encore un large public de ballet-tomanes. Mais à la décharge de Ludmilla, nulle part dans le monde, les compagnies de danse ne font leurs frais. Sans mécénat soutenu, un art, quel qu'il soit, ne survit pas.

Dès le mois de mai, c'est la nouvelle saison des GB à la Comédie Canadienne. Sans Eva von Gencsy. Ludmilla a perdu sa danseuse étoile. *Les Clowns* ou *Coppélia* ne seront jamais plus les mêmes sans elle. Eva a décidé de faire davantage de télévision, avec Michel Comte, mais elle convient avec Ludmilla de venir à l'occasion aux GB comme danseuse invitée.

> J'étais déjà rendue au jazz quand Madame m'a demandé une chorégraphie. Je l'ai faite pour le Festival Ballet. Je suis revenue, je leur ai enseigné cette danse, même si les danseurs des GB n'étaient pas habitués à cela, et j'ai dansé moi-même avec Sasha. Il était très jeune, mais quand on danse comme il dansait, *who cares about it*?

Eva aura plus tard sa compagnie, les Ballets Jazz, mais elle reviendra enseigner chez Ludmilla pour les sessions d'été. Michel Comte, lui, était grand, maigre et très «à la française, selon Ludmilla. Très souple aussi. La technique de cette époque rendait l'homme presque aussi souple qu'une femme. Je lui avais demandé de faire une chorégraphie, je ne sais plus trop à quelle occasion. En même temps, il écrivait des chansons pour Monique Leyrac et Lucille Dumont. Eva l'a suivi. » Elle aimait danser avec lui.

Du 3 au 7 mai, Ludmilla vit dans les coulisses de la Comédie Canadienne, sauf le soir du 3 où elle brille au dîner dansant qui clôture la soirée, à la salle Versailles de l'hôtel Windsor. Pour cette nouvelle saison, Ludmilla offre une journée entièrement consacrée aux enfants et présente trois créations dont *Bérubée*, sur un poème de Guy Mauffette et une musique de Michel Perrault. C'est Brydon Paige qui signe cette chorégraphie, sa première œuvre majeure, selon Lorrain[321]. Ce n'est pas ce dont se souvient le principal intéressé. « Il y en avait une autre, *Folies françaises*, mais mon premier succès, c'est *Medea*. À la fin des années 1950, Armando Jorge et sa femme Margery Lambert, Madame et moi-même sommes allés au Portugal. C'est là que *Medea* a été créé. Nous avons eu un gros succès. » *Medea* est chorégraphié sur une musique électronique de Serge Savaria.

Jean Vallerand, dans *Le Devoir*, fait une analyse pointue de chacune des pièces au programme. Il parle d'abord du réalisme de Ludmilla, qui sait ce qui fait la qualité d'une œuvre d'art ; et conséquemment, Ludmilla et

> les chorégraphes qui travaillent avec elle ont créé des œuvres pensées en fonction des moyens expressifs et techniques des membres de la troupe, permettant ainsi à ses solistes d'accéder à certains rôles du grand répertoire. Les résultats d'une vision aussi claire des choses sont désormais évidents [...] La troupe des Grands Ballets Canadiens a de la cohésion, du style et de l'école ; et cette école [...] n'est ni guindée, ni enfermée dans des traditions rigides [...] elle est aussi la plus difficile à installer au sein d'une troupe.

> [...] les Grands Ballets Canadiens [...] nous confirment dans la conviction que nous possédons à Montréal une compagnie de ballet qui est devenue un élément essentiel, irremplaçable, de notre vie artistique[322].

Lauretta Thistle note surtout que les garçons « ont progressé notablement en assurance et en cohérence stylistique* ». Quand on connaît les difficultés de recruter et de retenir des garçons dans les classes de ballet, Ludmilla devait être très fière d'avoir réussi à les amener jusque-là.

Si les critiques continuent de louer les progrès faits par les élèves et les danseurs que Ludmilla a regroupés et formés, d'autres genres de critiques continuent de se faire entendre. À la suite d'un article publié dans *L'actualité*, une dame écrit qu'il est à propos de publier des articles

> sur la Danse et les Arts [...] Mais qu'on se serve de la Chiriaeff comme modèle pour illustrer, voilà qui est trop fort !

> Ne devrait-on pas savoir que tous ces étrangers ont souvent des idées
> à tendances communistes, qu'ils arrivent ici bien intentionnés de
> saboter les principes de stabilité. Chiriaeff comme les autres – elle
> s'habitue mal au luxe et à l'aisance. De là ses préférences marquées,
> pour les élèves qui rapportent bien et pour les noms connus. [...]
> Chiriaeff a dû payer le gros prix pour faire publier cet article. Tout
> s'achète[324]!

Des lettres de ce genre, Ludmilla en recevait depuis ses débuts; le contenu changeait un peu, mais pas le ton. Elle qui s'efforçait de faire entrer à l'Académie les élèves les plus prometteurs, d'où qu'ils vinssent et de quelque condition qu'ils fussent, elle devait trouver cette lettre très injuste. Pour ceux dont les parents ne pouvaient assumer la totalité des cours, et qui étaient particulièrement doués, Ludmilla avait mis en place un système de bourses. Qui plus est, elle s'efforçait de trouver des foyers susceptibles d'accueillir des jeunes venant de l'extérieur de Montréal et en gardait même chez elle, à l'occasion.

Les GB sont de nouveau invités au Jacob's Pillow et Ludmilla voudrait greffer à ce voyage une tournée dans certaines villes américaines, et vers l'Ouest canadien, mais elle se trouve devant un déficit accumulé de seize mille dollars. Elle se tourne encore une fois vers le Secrétariat de la province pour une aide supplémentaire. Dans une longue lettre, elle explique que ce déficit ne résulte pas d'une «mauvaise administration ou d'un manque d'organisation mais des nécessités initiales qui se sont présentées à une compagnie qui débutait[325]». En fait, Ludmilla et les GB sont victimes de leur succès et d'un développement rapide pour lesquels ils n'ont pas encore l'infrastructure requise. Ils ne sont pas seulement à court de fonds mais aussi à court de personnel technique, à court de matériel et d'équipement de scène. Et faute d'avoir un répertoire, chaque saison apporte son lot de créations originales, ce qui ne fait qu'ajouter aux coûts, lesquels ne peuvent être amortis que sur plusieurs années.

La banque attendait le remboursement d'un prêt de dix mille dollars pour la fin du mois; il y avait les dépenses à couvrir pour la préparation de la tournée aux États-Unis et puis, voilà que des élections sont annoncées pour le 22 juin. Décidément, Ludmilla tombe bien mal avec sa demande d'aide spéciale à Québec. Le premier ministre Barrette a beau lui être favorable et le secrétaire de la province tout convaincu qu'il faut soutenir son œuvre, les ministres doivent consacrer toutes leurs énergies sur le terrain, à préparer leur réélection.

En même temps qu'elle fait intervenir maître Maurice Mercure et maître Guy Blanchard, proches de l'Union nationale, elle prépare les cours d'été, s'assure qu'il y aura un nombre suffisant de professeurs pour les écoles qui la réclament en province et tente de maintenir sa relation avec Alexis. Sur le plan professionnel, celui-ci dessine de nombreux décors pour les GB et n'aime pas tellement voir de nouveaux décorateurs dans le portrait – ce qui se produit de plus en plus souvent. Sur le plan personnel, il n'est pas plus présent qu'auparavant. Ludmilla doit encore engager quelqu'un pour s'occuper des enfants quand ils reviennent de l'école. Et elle est lasse des discussions, qui se terminent trop souvent sur un claquage de portes. Dans une lettre qu'elle écrit au père Bradet, en le remerciant pour la confiance qu'il lui porte, Ludmilla se sent

> privilégiée d'appartenir et de contribuer par son travail à un centre aussi bien organisé que le Manoir Notre-Dame-de-Grâce. C'est en toute franchise que je vous avoue me sentir très heureuse d'enseigner là-bas surtout dans des moments de ma vie qui est *(sic)* souvent difficile et tourmentée[326].

Le banquier revient à la charge et Ludmilla n'a toujours rien à lui remettre sinon une copie des lettres confirmant une apparition au Jacob's Pillow et une tournée d'une vingtaine de villes aux États-Unis. Elle assure la Banque Canadienne Nationale qu'elle continue ses démarches auprès des nouveaux maîtres, à Québec, et auprès du CAC pour obtenir des fonds. À Québec, elle écrit à Paul Gérin-Lajoie. Presque un mémoire qui retrace l'histoire des Ballets Chiriaeff, des GB, de l'Académie et les démarches pour le Conservatoire. Les dernières pages brossent le portrait du financement et des besoins d'une compagnie. Elle explique qu'une «représentation de ballet doit se donner avec des accompagnements d'orchestre très coûteux, des décors, des costumes et exige des danseurs plusieurs semaines de répétitions. [...] une troupe de ballet doit transporter avec elle un certain équipement technique qui ne se trouve habituellement pas dans nos salles de spectacles.» Elle rappelle que les danseurs, dans une compagnie comme celle qu'elle dirige, sont généralement engagés pour l'année, ce qui n'est pas le cas aux GB, faute de moyens. De plus, au stade où elle en est, sa compagnie doit maintenant engager un administrateur pour la dégager de certaines tâches et lui permettre de se consacrer à la direction artistique. En outre, il faudrait un maître de ballet en permanence et un agent de tournée. Elle estime à quatre-vingt-quinze mille dollars le minimum indispensable pour la saison 1960-1961. Avant de conclure, elle signale : «Notre compagnie étant d'origine provinciale et d'expression française, nous éprouvons plusieurs difficultés au Conseil des Arts du Canada qui a tendance à encourager surtout les entreprises nationales[327].» Les prévisions budgétaires du Ballet National, pour la même saison, sont de huit cent vingt-huit mille dollars, dont environ deux cent cinquante mille proviennent de dons et de subventions. Ludmilla a-t-elle consulté René Lévesque avant d'expédier cette lettre? En tout cas, elle lui a souvent demandé conseil et même après qu'il eut quitté le monde politique.

> On avait une grande complicité. Son *Point de mire* passait de dix-neuf heures à vingt heures. Nous étions dans un autre studio, attendant que commence *L'Heure du concert*. Parfois, après nos émissions, nous allions à la cafétéria. Je me souviens qu'au retour d'un de ses voyages

en Russie, il était venu me dire : Ludmilla, le type qui brossait mes chaussures, il connaissait la danse classique comme chez nous on connaît le hockey.

Pour l'été, les enfants sont à Rawdon et vont quinze jours au camp russe, sauf Gleb, à cause de l'épilepsie qui s'est développée après son accident. Quand l'école commence, la mère prend le dessus pour quelques demi-journées. Ludmilla doit s'occuper de la rentrée scolaire de chacun de ses enfants. Gleb continuera à la Priory School, à Westmount. Avdeij aussi, mais il habitera dans une famille.

À mon époque anglaise, quand ça allait plus ou moins mal avec Alexis, je vivais chez les Chodat, à Côte-Saint-Luc. C'était une famille de quatre filles dont une étudiait la danse. L'autobus passait presque devant la maison de mes parents.

Quant à Nastia, elle entrera au couvent Villa Maria. Ludmilla a souvent raconté que c'est grâce au père Bradet qu'elle a réussi à inscrire sa fille dans ce couvent tenu par les religieuses de la congrégation de Notre-Dame. C'est possible. Mais il est aussi possible que sa secrétaire, Blanche Harwood (Girard), ait joué un rôle. Blanche était diplômée de Villa Maria et avait gardé un très bon souvenir des années passées à étudier chez les religieuses. C'est d'ailleurs elle qui est le contact privilégié quand Ludmilla s'absente ou qu'elle est occupée. Nastia entre en septième année (éléments français). Ses études, jusqu'alors, ont été faites exclusivement en anglais. Elle devra donc travailler doublement, en plus de ses cours de piano, de danse et de russe. « Pour moi, ç'a été très dur. »

Au début d'octobre, Ludmilla consacre tous ses efforts à la préparation de la tournée américaine et distribue les tâches en prévision d'une absence de cinq semaines. Ainsi, les directions des écoles où sont inscrits ses enfants sont avisées de s'adresser à Blanche si quoi que ce soit survient. En ce qui concerne les cours de violon que prend Gleb, c'est Joy Macpherson qui s'assurera que tout se déroule bien. Joy, la directrice adjointe de l'Académie, sera aussi responsable du bon fonctionnement des cours, non seulement au studio mais au Manoir et dans les écoles « satellites » en province.

Ludmilla planifie le programme de la tournée en jaugeant les aptitudes et les susceptibilités de chacun. Selon Andrée Millaire, « Elle était extraordinaire pour cela. Elle savait quel danseur allait avec quel ballet. » Quand Ludmilla explique comment elle composait ses programmes, elle parle de menu.

Il faut réchauffer le public. Ne jamais donner la pièce principale au début, à moins que ce ne soit un ballet en trois actes, mais l'orchestre a toujours l'ouverture. Il faut finir si possible avec quelque chose d'enjoué, de très dansant, divertissant… comme un peu de champagne.

Si Eric Hyrst danse peu, ses chorégraphies sont en évidence et sa partenaire, Margaret Mercier, est en train de se tailler une réputation de danseuse étoile. Les répétitions ont lieu au Manoir où l'espace permet une meilleure préparation que dans l'exigu studio de la rue Stanley. Certains jours, Eric est tellement exécrable que les danseurs refusent de continuer les répétitions. Il arrive qu'alors Ludmilla fasse elle-même une colère. Et tout rentre dans l'ordre.

Monsieur Luft n'est pas du voyage. Après la tournée canadienne, l'automne précédent, il est retourné à son métier de comédien à Toronto puis à New York, au grand soulagement d'Alexis qui le trouvait encombrant. Alexis non plus n'est pas du voyage mais, cette fois, il a dessiné tous les décors des œuvres offertes au public. Il savait d'ailleurs concevoir des décors facilement démontables, remontables et transportables, ce qui est précieux quand on change de ville chaque jour ou aux deux jours. Ludmilla, elle, part le 1er octobre avec ses danseurs et le personnel technique, pour cinq semaines de tournée. Quand elle rencontre les journalistes, avant le départ, elle rappelle qu'en peu d'années les GB ont atteint « un niveau où les progrès artistiques s'accélèrent. Nous avons travaillé fort, sûrement [...] mais il y a plus que cela. » Et elle souligne le fait qu'il y a le désir de la compagnie de rester unie. Elle invoque aussi « un immense désir de rendre le Québec fier d'eux[328*] ».

Durant son absence, Ludmilla écrit à Blanche, sa secrétaire, qui lui rapporte fidèlement ce qui se passe au studio et à la maison. C'est une aide dévouée, qui veille aussi sur Ludmilla et lui recommande de se ménager.

John Martin, dans le *New York Times* du 6 novembre, constate que cette troupe de seize danseurs

> danse avec vigueur, animation « *and slickest kind of professional zip* ». La meilleure partie a probablement été le numéro d'ouverture de Madame Chiriaeff, « *a classroom scene with barre and center practice* » et *Farces*, une danse médiévale pleine d'humour et d'invention. La compagnie est plus impressionnante comme groupe que par ses solistes ; exactement comme doit l'être une jeune compagnie*.

L'*Indianapolis Star*, de son côté, rapporte qu'il s'agit d'un « groupe de jeunes danseurs du Canada bien formés qui présentent une variété de chorégraphies originales[329*] ». Alors que le *Hartford Courant* titre « La plus passionnante des compagnies de jeunes danseurs sur le continent américain de nos jours[330*] ».

Durant cette tournée des GB, le Ballet National est à Montréal. Il présente quatorze spectacles au Her Majesty's. Sydney Johnson écrit, le 19 novembre, dans le *Montreal Star* : « Après dix ans, la compagnie est juste où elle en était quand elle a commencé. En fait, elle régresse [...]. La question est de savoir si notre Ballet national peut se permettre de continuer d'être tellement national...* »

Et Jean Vallerand, dans *Le Devoir* du 17 novembre, porte un jugement similaire :

> [...] à son meilleur, le Ballet National ne dépasse guère un honnête niveau scolaire, encore qu'il y aurait beaucoup à redire au style même de l'école à laquelle se rallie la compagnie, à l'angularité des mouvements, à la mécanisation trop apparente de la technique et surtout à cette absence de sensibilité plastique qui caractérise à peu près tous les membres de la troupe.

C'est pourtant ce modèle que les agents du CAC s'évertueront à vouloir imposer, au Canada, pendant des années. Et cela fera l'objet de luttes incessantes que Ludmilla mènera avec tout l'acharnement dont elle est capable. Ludmilla tenait à enraciner la danse dans les musique et les légendes d'ici, à faire en sorte que le spectateur se reconnaisse dans ce qu'il voyait et entendait.

> À Ottawa, ils ne comprenaient pas ma démarche. Pour qu'il y ait de la danse au Québec, il fallait d'abord apprivoiser et convaincre que l'on ne vivait pas dans le péché mortel en dansant. Après cela, il fallait que l'on ait une vision de la danse, du ballet surtout, et que cette vision soit riche. J'avais tout le temps la vision. Et je suis sûre que j'avais raison : si le peuple est là, alors on aura les artistes par l'éducation.

Au retour des États-Unis, Ludmilla expédie au CAC un compte rendu de la tournée et des critiques publiées dans les médias américains. Tout en accusant réception, Peter Dwyer demande à «connaître le nombre exact de l'auditoire que vous avez pu atteindre[331]». Sur la liste que Ludmilla lui expédie, il est noté qu'à certains endroits il y avait même des personnes debout[332]. L'année précédente, le CAC avait évalué qu'il avait versé quatre dollars trente-cinq pour chacun des spectateurs des GB alors qu'il versait trois dollars quarante-cinq au RW et seulement trente-six cents au BN. Dwyer écrivait à l'époque : «Évidemment, nous ne suggérons pas que ces chiffres sont une mesure de l'excellence de nos compagnies de ballet. Nous pensons qu'avec l'augmentation de vos tournées les écarts se réduiront[333*].» À l'été, le CAC a aussi rappelé à Ludmilla qu'il lui faut augmenter les dons privés. «On m'a demandé d'attirer votre attention sur le fait que les dons privés ou de corporations que vous avez reçus ne correspondent nullement à ceux obtenus par d'autres compagnies canadiennes de ballet et c'est là un fait très important[334*].» Toujours cette comparaison avec les autres compagnies. Ludmilla le sait bien, que les dons privés n'augmentent pas significativement, mais si l'on veut justement comparer, il faudrait tenir compte du fait que le Québec n'est pas l'Ontario. Il n'y a pas de fortunes privées ici et le mécénat va plutôt vers les hôpitaux et l'Université McGill. Alors, le voudrait-elle qu'elle ne pourrait obtenir beaucoup plus que ce qu'elle récolte annuellement durant les campagnes de souscription organisées au profit des GB.

Elle expédie aussi à Québec le compte rendu de la tournée et des critiques recueillies alors. Le nouveau secrétaire de la province, Lionel Bertrand, lui fixe rendez-vous pour la fin de décembre, à son bureau de Sainte-Thérèse. Dès lors, ils garderont des contacts suivis, même après la retraite de la vie politique de celui-ci.

Comme elle le fera de plus en plus, malgré ses nombreuses occupations, Ludmilla entretiendra une vaste correspondance avec ceux qui l'ont aidée en cours de route. Ou avec ceux dont elle croit pouvoir avoir besoin. Le 30 décembre, elle écrit en Suisse. D'abord à Alida de Jager. Après lui avoir donné des nouvelles de l'année, Ludmilla termine comme ceci :

> Je n'oublie jamais que c'est grâce à vous que j'ai pu donner une nouvelle vie à ma famille et je suis fière de pouvoir dire que votre aide et celle de votre comité n'ont pas été en vain.

On se souviendra qu'Alida de Jager travaillait à l'IRC et que c'est grâce à cette organisation que Ludmilla a pu obtenir les visas et les fonds nécessaires à l'installation au Canada de sa petite famille et de sa mère. Elle écrit aussi à Simone Tcheremissinoff. C'est chez elle, dans le studio attenant à son logement, que Katerina a passé les derniers mois, à Genève, avant de venir rejoindre sa fille à Montréal. Simone apprend à Ludmilla qu'elle a mis fin à son mariage et Ludmilla de répondre « [...] je suis infiniment peinée de voir que votre immense patience n'a pas su changer la conduite d'Alexandre. Je suis désolée de vous dire que je suis hélas dans la même situation que vous. Je travaille et je vis la même vie et je suis à la veille de prendre les mêmes décisions que les vôtres. »

C'est une triste fin d'année. Pourtant, les invitations pour les tournées s'accumulent, les succès aussi. Les spectateurs sont au rendez-vous partout. La Société Radio-Canada continue de réclamer les GB et les élèves de l'Académie pour *L'Heure du concert* et les émissions jeunesse et de variétés. En province, Ludmilla expédie de plus en plus de professeurs dans les groupes qui la demandent. Mais Ludmilla est seule. Désespérément seule à tout porter. Sa mère a beau être aux États-Unis, chez Valia, c'est quand même elle qui doit voir à tout ce qui la concerne. Dans ses lettres à Valia, elle affiche un bonheur qui n'est pas là. À sa mère, elle répète : «Comme d'habitude, je n'ai pas le temps ni de manger ni de dormir, mais tout va très bien[335].» Elle sent bien qu'elle ne pourra pas continuer longtemps sans s'occuper d'elle-même. Elle s'alimente peu et de plus en plus mal, elle ne dort que quelques heures par nuit et fume cigarette sur cigarette. Et elle ne sait pas comment régler ses problèmes conjugaux. Mais rien ne transpire auprès de ceux qui la côtoient.

Elle a fêté Noël et le Nouvel An russes selon la tradition. Après la messe, pour la fête des enfants, «Nastia, dans une très belle robe blanche que je lui ai fait faire, portant un *kokoshnik*, a dansé une danse boyarde accompagnée d'Avdeij.

À cette occasion, Gleb a récité une fable de Krylov», selon ce qu'elle écrit à sa sœur pour la remercier des cadeaux que celle-ci a fait parvenir pour son anniversaire de naissance[336]. Cette journée d'anniversaire, son trente-septième, elle la passera dans les studios de Radio-Canada, à enregistrer *Orphée* de Gluck, pour *L'Heure du concert*. Dès le lendemain, elle reprendra les répétitions pour la saison 1961-1962 qui débutera le 13 février, au Her Majesty's.

À Radio-Canada, en plus des danseurs des GB, des élèves de l'Académie sont intégrés aux émissions pour enfants. Au début, cela rapporte peu, rien pour ainsi dire (cent dollars pour les élèves), mais cela permet aux jeunes de se familiariser avec les exigences de la télévision. Cela fait naître aussi chez certains la vocation. Plusieurs feront leurs débuts professionnels à la *Boîte à surprise*, émission qui sera à l'affiche à Radio-Canada, à partir de l'hiver 1956. Cette émission pour enfants, conçue par Denise Marsan, revenait cinq après-midi par semaine, à seize heures trente. Bien que les thèmes fussent récurrents, ils n'étaient jamais présentés dans le même ordre, de telle sorte que les enfants ne savaient jamais à l'avance ce qui allait sortir de la Boîte. Monsieur Surprise, incarné d'abord par Pierre Thériault, puis par Guy Mauffette, agissait comme maître de cérémonie. Paul Buissonneau, Kim Yarochevskaïa, Marc Favreau y paraissaient régulièrement.

Ludmilla a préparé plusieurs séries pour la *Boîte à surprise*. L'une d'elles se déroule avec France Desjarlais, avec qui elle discute des thèmes suivants sur lesquels elle s'est entendue avec le réalisateur Pierre Castonguay :

1. La danse antique pour laquelle j'aurai besoin d'un danseur qui pourra en même temps servir de mime. Nous utiliserons également la projection de quelques dessins et gravures.

2. La danse à la cour des rois. Cette émission nécessitera deux danseurs ainsi que la projection de dessins et gravures.

3. La danse de folklore. À part d'un danseur et d'une danseuse je souhaiterais s'il était possible de trouver quelques documents filmés que je puisse commenter.

4. Création de l'Académie de Danse à Paris par Louis XIV. Cette émission comprendra des démonstrations de ballet classique et de sa technique par quatre enfants.

5. La danse à l'Époque romantique et la création du Ballet russe, avec exemples dansés par deux danseurs.

6. La danse moderne, c.-a.-d. à partir de Isadora Duncan et son influence sur les Ballets Diaghilev.

7. L'Anatomie du Ballet, et ses problèmes. Je me servirai également de quelques enfants pour la démonstration.

8. Le rythme et la musique dans le ballet et la danse. Nous nous servirons une fois de plus de quelques enfants seulement.

C'est à partir de cette dernière émission, qui nous amènera au thème de la musique, que nous pourrons nous lier à l'émission musicale dont vous m'avez parlé[337].

À chacune des émissions, une question est posée aux jeunes téléspectateurs, qui répondent en grand nombre : « Madame, le geste que la petite fille Christine a fait est je vous aime. S.V.P. choisissez-moi parce que j'ai toujours partissippé *(sic)* au concours[338]. » « Cher Monsieur Surprise, la réponse au concours c'est le diable. » « J'aimerais bien vous voir Monsieur Surprise danser longtemps avec la petite fille qui parle avec Madame Chiriaeff[339]. » « Madame, grâce aux bons conseils que vous nous avez confiés, j'ai pu trouvai *(sic)* la réponse [...] Pour devenir un professeur de balet *(sic)*, nous devons faire sept à huit ans de balerine *(sic)* étudiante, devenir une professionnelle, connaître tous les secrets du balet *(sic)*, et surtout avoir beaucoup de courage en soi-même, car il faut surmonter plusieurs épreuves[340]. » Certains jeunes téléspectateurs envoient des dessins avec leur réponse.

France Desjarlais a de merveilleux souvenirs de cette série, dont Ludmilla a écrit les textes.

C'était la petite France qui voulait danser. Je lui posais des questions, ce qui donnait prétexte à Madame pour présenter de courtes chorégraphies dans lesquelles dansaient des élèves de l'Académie : Christine, Michèle Thibault, Rachel Bériault, Nina Finkel et j'en oublie malheureusement. C'était extraordinaire. Parfois, Monsieur Surprise arrivait. Ou, alors, on avait une petite séquence avec Fanfreluche ou encore avec Sol. Je me souviens que Sol parlait de Maria Petipus alors que c'est Marius Petipa.

Christine aussi se rappelle avoir vécu là des moments extraordinaires. « Tout le monde était tellement gentil avec nous. La maquilleuse, la coiffeuse, Pierre Thériault, Herbert Rouf, le pianiste. Et Fanfreluche. On était vraiment chouchoutés. » Nina Finkel, elle, se souvient de longues répétitions et de Nastia en bonhomme de neige dans le Noël de Patapouf. « C'était un rôle très frustrant pour elle. » Il faut dire qu'il faisait chaud dans ce costume sous lequel Nastia disparaissait complètement.

Mais en ce début de 1961, Ludmilla fait répéter ses danseurs pour la série de représentations au Her Majesty's. La soirée de clôture, le samedi 18, sera sous la présidence d'honneur de l'Honorable Jean Lesage et de sa dame, de même que la réception qui suivra à l'hôtel Windsor. Ainsi, Ludmilla n'aura pas mis longtemps à s'assurer le soutien du nouveau gouvernement – au plus haut niveau. Est-ce une coïncidence ? L'Assemblée législative du Québec adoptera, le 15 mars, la loi concernant l'octroi de certaines subventions pour des fins culturelles et les GB seront une des huit institutions qui se verront attribuer rétroactivement une subvention. Dans le cas des GB, la subvention est de dix mille dollars. Mais cela ne suffit pas. Durant ce même mois, Ludmilla réclame vingt-huit mille au CAC et respire un peu quand elle reçoit un chèque de six mille du CARMM. C'est peu relativement aux immenses besoins, puisque même une salle pleine, au Her Majesty's, ne couvre pas les frais d'une représentation. Mais c'est déjà cela d'acquis.

Le programme des GB pour la saison comporte aussi des matinées pour enfants et Ludmilla a décidé d'inviter personnellement les élèves des classes de Villa Maria où étudie Nastia.

> Je n'oublierai jamais cette journée. Avant le spectacle, j'avais l'habitude de jeter un œil sur la salle, en écartant légèrement le rideau. Et qu'est-ce que je vois? Partout, parmi les enfants, les cornettes des religieuses.

Au retour du spectacle, les élèves de la classe que fréquente Nastia envoient des lettres de remerciements à Ludmilla, en fait, à Madame Alexis Chiriaeff, comme le veut la coutume de l'époque. Il s'agit peut-être d'un devoir, puisque même Nastia expédie une lettre. Et la mère supérieure, en remerciant Ludmilla, se dit «heureuse d'intéresser les jeunes dans cette forme élevée de l'art[341]». Ludmilla, dès lors, peut imaginer que les sous-sols d'églises de toute la province lui seront accessibles. Et elle se met à rêver d'ouvrir des succursales de l'Académie un peu partout.

Quelque chose d'autre donne à Ludmilla l'espoir que la situation va changer. Le ministre de la Jeunesse, Paul Gérin-Lajoie, vient de déposer une douzaine de mesures législatives, dont la création d'une Commission royale d'enquête sur l'enseignement (commission Parent). Pour Ludmilla, cette Commission ne peut que mener à l'ouverture du milieu scolaire et elle entend bien en convaincre les membres de la nécessité d'inscrire l'enseignement de la danse au programme régulier des institutions de l'État.

Ludmilla fait revenir Edward Caton pour la seconde partie de la saison. Elle veut monter *La Fille mal gardée* d'après sa version et elle tient à ce qu'il soit là.

Dans une lettre qu'elle adresse au secrétaire du Conservatoire de la province de Québec, elle explique que Caton enseigne d'après la méthode russe qui est basée sur la tradition française et qui concorde en tous points avec le style qu'elle a donné aux Grands Ballets Canadiens.

> L'enseignement de Monsieur Caton donnerait une forme d'éducation très individuelle à la province de Québec par contraste à celle du Ballet National qui adhère strictement à la méthode anglaise.

> Pour moi personnellement, ce serait le plus grand bonheur de travailler en collaboration avec un tel maître à la fondation du département de ballet du Conservatoire de la Province[342].

Pourtant, Ludmilla n'a pas que de bons souvenirs du premier passage de Monsieur Caton à Montréal. Elle lui avait avancé de l'argent et lui avait trouvé une chambre dans l'immeuble où logeait sa mère. Un jour, cette dernière lui avait téléphoné pour l'aviser que le Russe était parti. Ce dernier avait lancé la veille une compagnie de danse avec Jean Basile, Madame Salbaing et un autre élève de Ludmilla. Cette compagnie n'a pas duré.

Mais quand il s'agit de réaliser les objectifs qu'elle s'est fixés, Ludmilla utilise tout ce qui est disponible, même ceux qui sont tombés en disgrâce auprès d'elle. Servir la danse d'abord a toujours été son but ultime. Puisque, semble-t-il, Caton pourrait servir à son projet de faire entrer la danse au Conservatoire, et de l'installer sur des bases solides, elle est prête à passer l'éponge. « Doter le Québec de la permanence de la profession, c'était pour moi ce qui primait. » Selon Nastia, « ma mère a toujours été capable de travailler avec ses ennemis quand cela la servait ».

Une petite révolution semble être en préparation, qu'elle l'ait su ou non, et les jours d'Eric Hyrst sont comptés, bien que Ludmilla ait besoin de tous ses danseurs et chorégraphes. Margaret Mercier ne voulait plus danser avec lui. À Joliette, il avait mis le pied sur sa robe, qui s'était déchirée. Dès le rideau tombé, les cris d'Eric s'entendaient jusqu'au milieu de la salle du Séminaire. C'était insupportable pour tout le monde. Ludmilla se met alors en quête de danseurs masculins, denrée rare s'il en est. Elle n'a pas oublié Vincent Warren, rencontré lors de la tournée américaine. Il avait alors refusé de venir à Montréal. Ludmilla se rend à New York, à l'American Ballet, et observe Vincent pendant les classes et les répétitions. Elle lui propose à nouveau de venir à Montréal et, cette fois, il accepte.

> La première fois que je l'ai vue, c'était à Long Island, quand Raymond Goulet m'a présenté. J'ai été frappé par sa beauté. Un visage aux lignes très pures, une manière très élégante. J'étais frappé par sa jeunesse. Par la compagnie aussi, qui était excellente malgré le nom prétentieux.

Vincent arrive à Montréal avec un contrat pour une saison. Il y restera.

> Comme professeur, elle était extrêmement autoritaire. C'était le style russe et moi, j'avais travaillé avec un professeur russe, à New York. C'était un *coach* extraordinaire : elle nous traitait comme des artistes, pas comme des enfants. Mais ses classes exigeaient beaucoup d'endurance.

Vincent Warren est né à Jacksonville où il a d'abord étudié le ballet et fait ses débuts professionnels. Avant d'accepter l'offre de Ludmilla, il avait dansé avec plusieurs compagnies aux États-Unis et il avait été l'élève de maîtres tels Antony Tudor, Tatiana Grantzeva, Igor Schevezov et Merce Cunningham.

∾

« Cet été-là, raconte Nastia, grand-mère nous a parlé de son enfance, de l'exil à Arkhangelsk où leur père avait été envoyé alors qu'elle était toute petite, du poisson qu'elle mangeait cru. Elle m'a montré comment faire mes ongles, passer un crayon blanc, là, sous l'ongle. Il n'y avait pas de heurts avec elle. » Les trois enfants Chiriaeff gardent de leur grand-mère un souvenir ému, fait de moments chaleureux, de petits riens qu'elle leur préparait et qui avait goût de tendresse. Pour Gleb, elle était « une sorte de princesse blessée qui nous inspirait confiance, amour, respect, même si on en profitait pour lui faire les quatre cents coups. Elle me donnait de l'affection et comblait l'absence, voire la non-présence de notre mère. »

Le 14 août, les médias rapportent que, dans la nuit de samedi à dimanche, des camions et des tanks remplis de soldats, mitraillettes au bras, se sont entassés le long de la frontière séparant Berlin. Des barbelés ont été érigés, et les Berlinois de l'Est, à leur réveil, ont constaté qu'ils ne pouvaient plus se rendre à l'Ouest[343]. Maintenant, voudrait-elle retourner en Allemagne que Ludmilla ne pourrait revoir les lieux où elle a fait ses classes de ballet, non plus que le Nollendorf Theater. Ces lieux sont à l'Est, comme on le dira dorénavant. Où sont ceux qu'elle a connus, surtout ceux qu'elle estime, Sabine et Margot, puis Erich Schrötter ? Lui reviennent tout à coup les horreurs de la guerre, les interrogatoires, les caches, le rationnement. Et tout ce que l'on raconte sur le régime communiste qui va désormais imposer sa terreur sur cette partie de Berlin. Katerina, qui déteste les Allemands autant que les communistes, ne sait trop, mais elle préférerait que ce qu'il lui reste de connaissances à Berlin ne se retrouve pas à l'Est.

Cependant, ce sont surtout les derniers préparatifs de la saison 1961-1962 qui retiennent l'attention de Ludmilla. Les GB seront à New York le 27 octobre, pour l'émission *The Telephone Hour*, au réseau NBC. Du 30 octobre jusqu'au 22 novembre, ils donneront des représentations dans les provinces de l'Atlantique et au Québec, et termineront la tournée à Hartford, au Connecticut. Pour cette dernière représentation, Ludmilla a mis au programme *Jeux d'Arlequin*, qu'elle a chorégraphié. Ce ballet se déroule dans les décors qu'a dessinés Jean-Paul Mousseau et dont on a malheureusement perdu la trace. Ludmilla a toujours tout fait pour associer les créateurs d'ici aux ballets qu'elle présentait au public. Il est regrettable que la plupart de ces œuvres n'aient pas été conservées après son départ des institutions qu'elle a fondées. Pour la première fois, la compagnie organise elle-même sa tournée au Québec et dans les Maritimes, ce qui lui permet d'économiser ce qu'elle versait auparavant à la Columbia. La compagnie gardera toutefois un agent pour la tournée transcontinentale prévue pour les premiers mois de 1962.

Ludmilla rêve de se consacrer entièrement à la direction artistique des GB. Elle commence à partager ses tâches – « quoique, dira France Desjarlais, même quand elle déléguait, elle supervisait et je sais que ç'a été très dur pour ceux qui ont travaillé avec elle. Elle était au moulin, à l'eau, partout. » Ludmilla fera encore des chorégraphies, mais son temps sera partagé entre la direction des GB et la direction et l'enseignement à l'Académie. Elle ne dansera plus qu'épisodiquement. Elle sera de certaines tournées, alors que le directeur général, Uriel Luft, les fera toutes. Pendant la préparation des tournées, prévues pour l'automne, Alexis se joindra à eux pour discuter des décors et parfois des costumes. Alexis n'aimait pas ce jeune culotté qui déclarait tout connaître de la préparation des spectacles, la scénographie, l'éclairage, l'organisation des tournées... Tout savoir, quoi ! Ludmilla le trouvait par ailleurs charmant et avait besoin de lui. S'esquissera bientôt un curieux pas de trois...

Uriel était revenu offrir ses services aux GB et Ludmilla l'avait engagé à temps partiel, comme directeur de tournée, puis quelques mois plus tard à plein temps. Selon une notice biographique publiée en 1969, il est devenu directeur général en 1961, « à la demande de Madame Ludmilla Chiriaeff, qui avait deviné son envergure et pressenti, en lui, des besoins qui concordaient avec ceux même de la compagnie[344] ». L'arrivée d'Uriel ne crée pas que des heureux aux GB. En fait, personne ne semble l'être, sauf Ludmilla. Au retour de la tournée, dix-huit personnes (incluant le pianiste Claude Poirier) signent une lettre demandant que Monsieur Luft ne se mêle pas de la gestion de la scène et laisse l'actuel directeur de plateau, Stuart Marwick, faire son travail. Les signataires affirment qu'agir autrement irait à l'encontre des intérêts de la compagnie[345]. Un danseur écrit personnellement à Ludmilla :

> J'aime travailler avec vous et je crois que la compagnie a beaucoup à offrir au Canada mais en ce moment nous n'allons nulle part. Ce que j'essaie de vous dire c'est que Monsieur Luft ne doit pas essayer de diriger le plateau non plus que la compagnie [...]. Si les conditions actuelles perdurent, je ne désire pas continuer avec la compagnie[346]*.

Ludmilla, qui a vraiment besoin de renforts et pas seulement à la direction générale, essaie de ménager les susceptibilités de chacun. « À cette époque, dira Dorothy Rossetti, elle avait besoin de quelqu'un et ç'a été Uriel. Ce qui est triste. Il considérait toujours qu'il avait raison et envoyait promener ceux qui n'étaient pas d'accord. Il était imbu de lui-même. Tout ce qu'il avait à dire était toujours le plus important[347]*. » Hélène Stevens se souvient qu'Uriel était très beau et qu'il avait une voiture sport. Elle aussi en avait une. « Je nous vois encore à la porte du Windsor, moi poussant pour qu'il aille conduire ma mère parce qu'il passait par Outremont et moi, j'habitais rue Peel[348].»

Alors que la compagnie est en tournée dans les Maritimes, Ludmilla apprend que le CAC a formé un comité pour étudier le *modus operandi* des trois compagnies de ballet, dont les demandes de fonds croissent annuellement de façon importante. Ce n'est pas la première étude commandée par le CAC. Déjà, le 17 octobre 1958, Kenneth M. Carter avait été chargé d'analyser les trois compagnies canadiennes et de répondre à certaines questions. Cette fois, Monsieur Carter recommande de relier « les subventions au montant des dons reçus et des abonnements*». Il suggère une comptabilité uniforme et se demande « s'il ne serait pas sage de créer au Canada une école de ballet financièrement indépendante*». Kenneth Carter conclut de son analyse des GB que « cette compagnie mérite d'être soutenue parce qu'elle opère à coûts minimes et parce qu'il est souhaitable qu'une compagnie représente le Canada français[349]*».

Le 24 novembre, *Le Devoir* annonce que le CAC a mandaté George Balanchine pour venir enquêter sur les GB au moment des représentations courantes, mais Balanchine ne s'est pas présenté. Le CAC a plus tard annoncé que Balanchine verrait les GB à Stoneham, au Massachusetts, durant la tournée transcontinentale, en 1962, et que Monsieur Buckle assisterait à une émission de télévision de même qu'à une représentation quand les GB seraient en tournée à Winnipeg. Ni le National ni le Royal Winnipeg n'ont eu à subir d'évaluation devant un public étranger ou ailleurs qu'à Toronto ou à Winnipeg. Le juge Vadeboncœur écrit à Peter Dwyer :

> Après avoir étudié cette situation avec nos directeurs et les conseillers artistiques, je tiens à vous faire part de notre impression. Nous trouvons regrettable et injuste d'être obligés de présenter notre compagnie à des chorégraphes et critiques de ballet étrangers dans les conditions les moins avantageuses pour nous.
>
> Il est évident qu'une compagnie de ballet canadienne ne peut montrer sa pleine valeur que dans sa propre ville et non en tournée où les conditions de chaque scène demeurent précaires et des plus difficiles et pour la plupart inconnues à l'avance.

Et le juge Vadeboncœur d'aviser le CAC que

> Nous mettons au courant de cette situation la province de Québec et la ville de Montréal et autres personnalités officielles. Il est bien évident que nous ne pouvons accepter d'être jugés dans de telles conditions et être mis en comparaison avec les deux autres compagnies qui joueront dans des conditions exceptionnellement favorables[350].

La campagne de souscription des Grands Ballets sauvera-t-elle un art menacé de mort? demande le *Nouveau Journal* du 16 décembre 1961. Gérald Godin, qui signe l'article, rappelle les débuts montréalais de cette troupe. Rapportant une entrevue avec le directeur du CAC, M.A.W. Trueman, Godin écrit que les fonds sont à peine suffisants pour une troupe de dimension respectable. Les trois grandes troupes, pour leur part, s'opposent à toute fusion. Chacune a sa personnalité, chacune a sa tradition, chacune enfin est un reflet de la culture canadienne pluraliste. Pour l'année en cours, le CAC disposait de cent soixante-dix mille dollars distribués comme suit : National Ballet, cent mille, Winnipeg Ballet, quarante mille et les GB, trente mille. Pour la campagne de souscription qui commence, les GB espèrent recueillir du public quarante mille dollars.

Ludmilla a souvent dit que ce qu'elle avait fait, c'était sans l'aide de personne. Au début, c'est vrai, et ce qui le restera jusqu'à la fin, c'est que Ludmilla a longtemps travaillé pour rien et que, même salariée, elle ne touchera jamais qu'une maigre rémunération. Elle était la bonne personne au bon endroit au bon moment, et c'est par sa seule détermination que les Ballets Chiriaeff ont vu le jour et se sont imposés. À partir de la conversion de ses ballets en Grands Ballets Canadiens, elle a utilisé toutes les sources de financement disponibles, et beaucoup de bénévolat, pour faire vivre une compagnie de ballet proprement québécoise. Mais à partir de maintenant, elle n'est plus seule maître à bord. Elle doit partager son pouvoir avec un conseil d'administration, ce dont elle s'accommode tant bien que mal. « Ça n'a pas été facile », confesse-t-elle. Elle doit surtout se soumettre aux exigences du CAC, dont l'attitude comptable l'agace souverainement. Les contacts fréquents avec cet organisme seront dorénavant la responsabilité d'Uriel Luft. « Durant des années, mes parents formaient une équipe incroyable, dira Katia. Ma mère était la visionnaire et mon père, l'administrateur. »[351]

Le rôle de Ludmilla se transformait. « Je ne me rendais pas compte que je devais moi-même abandonner le ballet pour me consacrer à la troupe. Il fallait que je m'arrache littéralement à la danse[352]. » Déjà, quelque chose lui échappe, bien qu'elle continue à mettre le nez dans tout. Sauf que maintenant, elle ne lave plus les planchers elle-même, avant de fermer les lumières du studio pour rentrer chez elle. Elle n'a plus le temps de se laisser prendre par la musique, d'imaginer que le gémissement du violon, en fin de mesure, puisse devenir le geste d'une danseuse se coulant dans celui d'un danseur.

Depuis qu'Alexis est devenu décorateur à Radio-Canada, et qu'il s'est ouvert un atelier de peinture, il ne vient qu'épisodiquement à la maison. La présence de plus en plus constante d'Uriel autour de Ludmilla lui devient insupportable. Cette femme porte son nom. En l'épousant, il l'a sauvée d'un retour en Allemagne, ce qui a permis à Ludmilla de se faire un nom en Suisse. Elle peut bien faire carrière, mais il y a des limites à ne pas franchir. Alors, quand ce jeune blanc-bec s'infiltre dans leur vie, jusque dans sa maison, il ne l'accepte pas. Certains jours, quand Alexis se pointe rue Oxford, la petite MG blanche d'Uriel est garée devant la maison. Ce dernier est souvent celui qui ramène les enfants à la maison après la classe. Parfois, il les aide à faire leurs devoirs en attendant le retour de Ludmilla.

Il est arrivé qu'Alexis soit violent et que Ludmilla rende les coups. «Il m'en voulait chaque fois que je faisais un ballet sans que ce soit lui qui soit aux décors. Il m'en voulait aussi quand je lui confiais les décors parce qu'il ne voulait pas être mon employé. Pourtant, ce qui m'a attachée à lui, c'est qu'on rêvait de bâtir des choses ensemble.» Mais ce qui atteint le plus Ludmilla, ce qui la mine davantage, c'est la violence verbale et psychologique. Quand Alexis se met à la vouvoyer, elle ne le prend pas.

> J'avais le sentiment d'être égale parce que mon père m'a toujours traitée ainsi. Je ne me suis jamais sentie écrasée par un homme... la plus grande douleur que j'ai vécue, le mal qu'on m'a fait, je l'ai ressenti pas parce qu'on m'a battue mais parce que mon âme m'a fait mal comme rien au monde ne pouvait faire mal. C'était psychologiquement.

Pour plusieurs, Alexis était très Russe, avec une éducation française. Pour Ludmilla, il était d'une grande culture mais surtout très dostoïevskien. «Il ne savait pas comment être heureux. Il était éperdument jaloux de tout. Il pouvait être excessivement cruel. Il n'était probablement pas fait pour le mariage.» Selon Eva, Alexis «n'était absolument pas un père, mais Madame s'est organisée. Elle était au studio de neuf heures jusqu'à vingt-deux heures le soir. Elle ne vivait pas une vie à la fois mais au moins quatre vies différentes. C'est incroyable*.»

Et arrive le point de non-retour, une nuit où la coutellerie a volé, où tellement de choses ont été criées, où les enfants se sont terrés dans leur chambre en attendant que l'orage cesse – cette nuit où, après que la porte d'entrée eut claqué, Nastia est descendue consoler sa mère qui pleurait, recroquevillée sur le canapé du salon. «Elle hoquetait, tant elle pleurait. J'ai tellement eu peur.»

Au matin, les enfants partiront pour l'école, Ludmilla se rendra au studio puis s'assurera que les répétitions vont bon train avec les danseurs de la compagnie. Plus tard, au courant de l'avant-midi, elle discutera costumes avec Madame Martinet, chorégraphiera avec Brydon Paige et dictera la correspondance à Blanche après avoir tenté d'avaler un sandwich sur le coin de son bureau. Elle allumera cigarette sur cigarette, veillera à ce que les projets de tournées et de subventions avancent et téléphonera au maire Drapeau ou au juge Vadeboncœur. Une journée normale, quoi. Peut-être sera-t-elle un peu plus dure dans la correction d'une position de pied ou d'un port de bras, mais personne ne saura quelle nuit elle vient de passer. Et que l'irrémédiable est arrivé. Personne? Uriel l'écoute. La console. Se fait plus présent. Au point que bientôt, il lui arrivera de coucher sur le canapé de la maison de la rue Oxford.

Ludmilla avait une grande capacité de rebondissement. Boris Cyrulnik dit de ces gens qu'ils sont résilients et que cette faculté est acquise bien avant la parole.

Ce n'est pas vraiment une force, dit-il, parce qu'ils sont aussi vulnérables que les autres. C'est plus une liberté.. Ces [gens] sont moins soumis au milieu. [...] Cette liberté leur vient d'interactions précoces. Des premiers mois de la vie où une stabilité affective leur a donné le sentiment de soi[353].

Joy Macpherson, que Ludmilla a déjà accueillie chez elle, reviendra y habiter jusqu'à ce qu'Uriel s'y installe définitivement. Katerina ne voyait pas d'un bon œil qu'Uriel s'incruste chez sa fille. Après tout, Ludmilla était mariée, et ce n'était pas au directeur général des GB de s'occuper des enfants. Encore moins de passer ses soirées à la maison. Katerina vivait maintenant à Westmount, dans la rue Prospect. La dame russe qui lui louait une chambre, au deuxième, avait une fille qui, dans les souvenirs d'Avdeij, avait de longues tresses et jouait merveilleusement du piano. Avdeij passait parfois la fin de semaine avec sa grandmère. Celle-ci venait aussi parfois au studio. Ludmilla se souvenait d'une des dernières visites de sa mère, rue Stanley. Elle était arrivée essoufflée d'avoir monté les escaliers. Elle était entrée courroucée dans le studio, en pleine répétition, et avait explosé à propos de ce que venait de faire Khrouchtchev. « Il a osé taper avec sa chaussure devant les Nations Unies! C'est ça la Russie maintenant. La pauvre Russie. Quelle honte ! »

Les GB continuent de s'organiser. Il faut dire que l'arrivée du juge Vadeboncœur, à la présidence du conseil d'administration, apporte de la rigueur et dégage Ludmilla de certaines tâches. Son arrivée entraîne aussi une petite restructuration qui rendra plus efficace le travail de toute la compagnie et établira clairement à qui appartient quoi. Jusque-là, la salle de répétition, l'entrepôt des costumes et le secrétariat étaient offerts gracieusement par l'Académie aux GB. Ces derniers se dotent d'un entrepôt pour les décors et les costumes, qui sert aussi d'atelier, les répétitions sont chargées aux GB et de nouveaux collaborateurs se joignent à l'équipe : Nina Sulima, première danseuse du Ballet Kirov, devient maîtresse de ballet et Milenka Niderlova assistera Ludmilla. Plus tard, Milenka sera maîtresse de ballet, assistée de Brydon Paige.

Pour la première fois, Ludmilla croit pouvoir offrir un contrat de vingt-huit semaines à ses danseurs. Jusque-là, ils étaient engagés le temps d'une tournée ou pour quelques émissions de télévision, rarement étaient-ils assurés de plus de dix semaines de travail. Le reste du temps, ceux qui pouvaient enseigner ou chorégraphier étaient rémunérés à l'acte. Ludmilla permettait aussi aux danseurs de donner des classes en dehors de son circuit. Ainsi, à cette époque, Andrée Millaire enseigne aux loisirs Saint-Joseph, à Mont-Royal. Mais ce contrat aux danseurs pourrait n'être pas possible si, comme le laissent entendre les journaux, le CAC en vient à ne subventionner qu'une compagnie de ballet

au Canada. Ludmilla s'ouvre de cette question au ministre des Affaires culturelles, à qui elle fait suivre une demande de la Banque Canadienne Nationale.
Obligés comme chaque année d'effectuer un emprunt, les GB doivent laisser
en garantie un billet à être remboursé par les subventions reçues. « La Banque
Canadienne Nationale nous demande, en plus de l'endossement [du trésorier]
une lettre de votre ministère attestant qu'il est prêt à continuer de nous subventionner comme par le passé[354]. »

La saison 1962 s'ouvre à la Comédie Canadienne, le jeudi 18 janvier, sous la présidence du maire de Montréal, Jean Drapeau. Le lendemain, Harold Whitehead
écrit qu'il faut reconnaître les GB pour leur discipline. « La compagnie fonctionne
comme un tout, ce qui est le cas de peu de groupes[355]*. » C'est un commentaire
qui revient souvent chez les critiques des premières années des GB. Un autre
commentaire, repris cette fois par Jean Vallerand, affirme que le grand mérite
de Ludmilla est d'avoir « découvert très exactement le style qui fera dire aux gens
du Québec que cette compagnie est bien à eux et qu'ils s'y reconnaissent[356] ».
Quelques jours plus tard, les GB sont au Capitol et la représentation est placée
sous le haut patronage du premier ministre du Québec. Ludmilla a programmé
Jeux d'Arlequin, dans les magnifiques décors de Jean-Paul Mousseau, et c'est
l'Orchestre symphonique de la vieille capitale qui se charge de la partie musicale.
Cela donne plus d'ampleur aux œuvres jouées mais ajoute grandement aux
frais. Hors de Montréal, où les GB se produisent toujours avec un orchestre,
la compagnie se contente d'un pianiste, car elle ne peut se permettre de verser
la plus grande partie de son budget de production à un orchestre.

Ludmilla n'est pas sitôt de retour à Montréal qu'elle doit préparer sa compagnie pour la visite de Richard Buckle, une des autorités de la danse en Angleterre.
Le CAC a retenu ses services, de même que ceux de George Balanchine dont
la venue n'est pas encore confirmée. Leur mandat ? « Faire un état précis des réalisations et du potentiel des principales compagnies de ballet canadiennes[357]*. »
Les troupes de ballet au Canada n'arrivent pas à vivre, même si les assistances
augmentent de même que les contributions aux campagnes de financement.
Le CAC veut se doter d'une politique pour le guider dans la distribution des
montants qu'il consacre à la danse. Le directeur du CAC pense qu'un pays « avec
notre population et nos ressources financières peut raisonnablement s'attendre
à une seule compagnie professionnelle, le Canada en a trois [...] Il est à souhaiter
qu'une politique de la danse au Canada prône le maximum d'encouragement
avec le minimum de gaspillage et de duplications[358]*. » La table est mise pour les
grandes manœuvres. Monsieur Buckle est attendu à Montréal le 21 février.

Mais le dimanche 11, alors qu'elle est au téléphone avec Françoise Bellehumeur,
la téléphoniste de Bell Canada interrompt la conversation et Ludmilla entend
la voix de la dame chez qui loge Katerina. Cette dernière n'est pas bien et il

vaudrait mieux que Ludmilla vienne. Quand elle arrive avec Uriel, sa mère est déjà au Reddy Memorial Hospital.

> Il y avait une espèce d'inquiétude à la maison, se souvient Nastia. Ils sont allés à l'hôpital et moi, je devais garder mes frères. J'étais inquiète. Je sentais qu'il y avait quelque chose de grave. J'ai couché mes frères et j'attendais. Et tout à coup, j'entends ouvrir la porte et ma mère qui pleure, qui pleure, qui pleure. Je savais que grand-mère était morte.

La fin de semaine précédente, Avdeij était allé la voir. C'est lui qui, cette fois, lui avait apporté des livres en russe. Du décès de sa grand-mère, il se souvient combien il faisait froid dans l'église, lors des funérailles, mais pas de la réaction de sa mère. Nastia, elle, n'a pas cru aux larmes de Ludmilla. « Elle ne parlait jamais de sa mère. Il n'y en avait toujours que pour son père. »

De Ludmilla, je ne saurai rien sur le décès de sa mère. Rien d'autre que le lieu et la date de l'événement. Il n'y a jamais eu de réelle communication entre elle et Katerina. Certes, elle s'en est occupée. Elle s'en est toujours occupée. Mais le cœur n'y était sans doute pas. Vers la fin de sa vie, elle m'a confié qu'en relisant les lettres de ses parents, elle a trouvé beaucoup d'amour dans celles de sa mère. Ce qu'elle semblait ne pas avoir réalisé auparavant. « J'ai longtemps pensé qu'elle n'était pas ma maman mais seulement celle de ma sœur. »

Quoi qu'il en soit, Ludmilla n'est pas femme à s'apitoyer longtemps sur son sort. Elle va pleurer ; elle va raconter son drame, mais toujours en se donnant le beau rôle. Il reste qu'en ce mois de février 1962, elle a de vrais rôles à jouer en très peu de jours : Monsieur Richard Buckle est en ville pour évaluer les GB, à la demande du CAC. À propos de cette visite, le président du conseil des GB écrit à Peter Dwyer :

> Nous avons eu le plaisir de recevoir M. Richard Buckle et lui être le plus agréable possible durant son séjour à Montréal. Visites, dîners, réceptions se sont ajoutés à l'opinion plus ou moins juste qu'il a pu se faire de la troupe, après avoir vu partie des répétitions au studio de Radio-Canada et peut-être, hors notre connaissance, à la représentation donnée à la télévision même puisqu'il a laissé le studio avant la fin de l'émission pour se rendre chez des amis.

> Pour le mettre en meilleure position de porter un jugement sain sur la troupe, madame Chiriaeff a pris la peine de modifier l'heure des cours habituels de son académie afin d'y présenter par les danseurs de la compagnie, devant M. Buckle, des ballets qui ne seront pas dansés durant la tournée de l'ouest et qui font partie du répertoire de la compagnie. Nous regrettons que M. Buckle n'ait pu assister qu'à une partie des cours qui s'y sont donnés, et ce à cause d'empêchements ne relevant que de lui[359].

Les répétitions auxquelles assiste Buckle, le jeudi 22 février, sont celles de *Jeux d'Arlequin* et de *La Fille mal gardée*. Ces deux ballets seront présentés le soir même à *L'Heure du concert*. Et ils remportent un tel succès auprès de l'auditoire que Radio-Canada songe à présenter l'émission au réseau anglais[360]. C'est la première fois que Ludmilla réussit à vendre une production à Radio-Canada. On l'a vu plus haut, la société d'État a toujours refusé d'acheter des productions entières. Pour ce qui est de Balanchine, Ludmilla ne sait toujours pas quand il daignera venir à Montréal. On ne lui a même pas confirmé qu'il viendra. De telle sorte qu'elle se voit dans l'obligation d'annuler les représentations prévues à la Comédie Canadienne. Encore des frais et un manque à gagner dont elle se passerait.

Le 25, c'est le départ de la compagnie pour une grande tournée vers l'Ouest canadien et américain. Cinq semaines sur la route et dans des salles qui ne conviennent pas toujours, malheureusement. Ludmilla part pour cette tournée, loin d'être certaine qu'elle doit se rendre jusqu'au bout, mais elle tient à être là jusqu'aux représentations à Winnipeg. Le CAC a fini par céder aux arguments des GB, qui trouvaient injuste d'être évalués seulement sur quelques moments de répétition dans un studio de télévision à Montréal. Ils veulent être vus sur une vraie scène devant un vrai public, comme le seraient les deux autres compagnies canadiennes. Monsieur Buckle a assisté à la représentation. Il est à espérer qu'il a vu le même spectacle que la journaliste Jannie Portman. «Ce que j'ai vu du fond de la salle révèle un corps de ballet très professionnel prenant avantage de la chorégraphie de Madame Chiriaeff[361*].»

Alors qu'elle est au milieu de cet immense pays, Ludmilla apprend que Balanchine est trop épuisé pour venir à Montréal après ses spectacles à Hambourg. Lincoln Kirstein, directeur général du New York City Ballet qu'il a fondé, le remplacera. Il sera à Montréal le 14 avril – pour une seule journée. Décidément, pense Ludmilla, le CAC fait exprès. Depuis octobre dernier, cet organisme sait que les GB seront en tournée pour au moins cinq semaines et que leur dernière représentation aux États-Unis est le 9 avril. Les danseurs rentreront complètement crevés le 11. Et c'est le 14 que le CAC retient pour l'évaluation. Elle prend le premier avion pour Montréal. Il faut trouver une salle. Le CAC a beau offrir cinq mille dollars pour compenser les coûts alors engendrés, s'il n'y a pas de salle disponible, ça n'avance à rien. Le CAC propose en plus «que vous puissiez jouer en matinée et en soirée, étant donné que la date tombe un samedi. Ainsi, Monsieur Kirstein pourra voir danser votre troupe le plus possible en une seule journée[362].»

C'est finalement au Her Majesty's que les GB passent cette longue journée. Non seulement Kirstein y est, mais Peter Dwyer et son épouse l'accompagnent. C'est d'ailleurs la première fois que Dwyer voit la compagnie danser. La lettre de remerciements qu'il envoie à Ludmilla contient aussi une offre que l'on se serait attendu à voir venir plutôt de Kirstein lui-même. Dwyer écrit

> [...] la chorégraphie de *Vivaldi Square Dance* a été retravaillée, est disponible et pourrait être montée pour vous par Una Kai. Vous pouvez aussi avoir une version révisée de *Serenade* et, si vous le voulez, vous pouvez essayer *Allegro Brillante.* Mr Kirstein me dit qu'il est très heureux d'offrir ces trois ballets à votre compagnie pour ajouter à votre répertoire, si vous êtes intéressée[363]*.

Que doit comprendre Ludmilla de cette offre ? Que le CAC est prêt à assumer les coûts de production et les droits d'auteur ? Que si les GB préfèrent monter des œuvres créées par des Québécois, les fonds ne seront pas disponibles ?

Dans une longue lettre au Conseil des arts de la province de Québec (CAQ), le juge Vadeboncœur fait rapport des activités de la compagnie pour la saison qui se termine. Il demande aussi une rencontre pour discuter de divers problèmes vécus par la compagnie.

> Nous souhaiterions également pouvoir vous entretenir sur le problème de l'enseignement du ballet dans la province de Québec et sur l'urgence d'ajouter une section des études de ballet au Conservatoire de la province – section qui a déjà été projetée par la direction de ce conservatoire qui d'ailleurs possède une étude approfondie d'un tel projet préparé par notre directrice artistique, madame Ludmilla Chiriaeff[364].

Selon Thompson, le CAQ avait été conçu pour récupérer le terrain occupé par le Conseil des Arts du Canada. Son mandat était de conseiller le Ministre sur les moyens les plus efficaces d'accentuer l'avancement des arts et des lettres au Québec[365]. Ce Conseil disposait de peu de fonds et Lesage en parlait comme de la « bébelle à Lapalme ». Il faut ajouter que les artistes n'étaient pas tenus en haute estime par la majorité des membres de ce gouvernement. Mais cela n'empêchait pas Monsieur Lesage de présider les premières et les réceptions de ces « éternels quêteux » !

Ludmilla réunit son Conseil artistique pour préparer la prochaine saison. Discutant de l'offre de Lincoln Kirstein, Françoys Bernier et Gabriel Charpentier la mettent en garde : elle ne doit pas succomber à la tentation de prendre plus d'un ballet. D'autant qu'elle veut aussi monter pour la saison de Noël un nouveau ballet « destiné aux enfants dont le choix s'est arrêté sur *Cendrillon.* Monsieur Gabriel Charpentier propose d'utiliser la musique de Mozart pour ce ballet, vu que la musique de Prokofiev n'est pas disponible[366]. » Ludmilla m'avait plutôt conté qu'elle avait terriblement envie de faire *Cendrillon* à la scène sur une autre musique que celle de Prokofiev.

> Quand je pensais à *Cendrillon,* c'était comme des figurines de porcelaine, de la dentelle, et qu'est-ce qui sonnait comme cela ? Mozart.

J'ai rencontré Edgar Fruitier, qui connaît pas seulement la musique mais aussi les meilleurs enregistrements. Il m'a trouvé du Mozart que je ne connaissais pas et j'ai chorégraphié les trois actes sur Mozart.

Cendrillon, Ludmilla l'espère, aidera à renflouer le déficit accumulé de la compagnie. Le directeur général s'active à trouver des commanditaires et des organisations prêtes à acheter un grand nombre de billets pour les enfants de leurs employés. Le Her Majesty's a été réservé pour deux semaines. Dans la plupart des grandes villes du monde, des spectacles pour enfants sont présentés au temps des fêtes et obtiennent un franc succès. Ludmilla a donc confiance en la réussite de son projet. Il reste que le déficit prévu pour la fin de l'année est de cinquante mille cinq cent dix dollars et qu'il faut le réduire par tous les moyens. Ce qui amènera le président du conseil à demander une subvention spéciale au CARMM[367].

Le CAC, lui, versera quarante mille dollars, soit un tiers de plus que l'année précédente. La demande était de quarante-cinq mille. Elle a été « étudiée à la lumière des rapports qui ont été faits par Messieurs Buckle et Kirstein. Le Conseil a également tenu compte de l'opinion d'un Canadien, Monsieur Guy Glover de Montréal, sur ces deux rapports [...] Le Conseil compte vous expédier un résumé des rapports de Messieurs Buckle et Kirstein quand celui-ci sera prêt[368]. »

Fidèle à son habitude, Ludmilla s'assure que certains de ses élèves, de ses danseurs ou encore de ses professeurs pourront se perfectionner. Ainsi, elle obtient des bourses pour Andrée Millaire, Margaret Mercier, Claire Brind'Amour et Chantal Bellehumeur, entre autres. Dans le cas de cette dernière, Ludmilla annonce aux parents qu'elle entend proposer le nom de leur fille pour la bourse des Amis de l'Art. Du même souffle, elle impose des conditions :

[...] que vous essayiez de votre côté d'arranger ses études secondaires de telle façon à ce qu'elle puisse venir cinq à six fois par semaine, comme le font Christine, Danielle, Jocelyne et d'autres [...]

Avec votre aide [...] la situation pourrait être améliorée, ce qui lui permettrait de suivre un plan régulier d'études, comprenant l'école, le piano et le ballet et ses devoirs, ceci sans nuire à sa santé[369].

À l'été, Ludmilla organise une petite cérémonie à Rawdon, à l'occasion du vingt-cinquième anniversaire de mariage de sa sœur Valia. Les Tolkmith passeront d'abord quelques jours à Montréal. Avdeij se souvient de sa tante Valia. « Elle était comme grand-maman, un peu intellectuelle. Maman n'était pas comme elles. Henry, lui, c'est un Allemand. Sans sourire, sans rien, acerbe, avec sa pipe. » Pour Nastia, « Oncle Henry est un être glacial. Il refusait de parler allemand depuis qu'il était aux États-Unis, forçant ma tante et leurs enfants à se mettre à l'anglais. » Durant l'été, Ludmilla a cru bon de faire suivre des cours de français, de géométrie et d'algèbre à Nastia. Avec le camp russe, il reste à Nastia peu de temps pour profiter des vacances. Elle a l'impression d'avoir passé l'été à étudier. C'est le premier été sans Katerina. Avec les Tolkmith, ils sont allés se recueillir sur sa tombe, mais Rawdon ne sera plus jamais pareil pour les enfants. Ludmilla viendra, deux semaines en août, prendre un peu de repos. Uriel aussi. Ils feront une excursion dans les bois. Ludmilla s'exercera à conduire une voiture, avec Claire Brind'Amour et une amie de cette dernière : elles passent leur été à Rawdon.

Montréal change. « Montréal s'achemine à grands pas vers les destinées que lui dictent la géographie et l'histoire[370] », déclare Jean Drapeau. Depuis qu'il a obtenu la confirmation que l'Exposition universelle de 1967 se tiendra dans sa ville, de grands travaux d'infrastructure sont entrepris et certaines parties de l'île voient leur chantier prendre fin comme le boulevard métropolitain ou la Place-Ville-Marie. D'autres chantiers commencent, par exemple la construction du métro. Bien qu'entièrement souterrain, le métro entraînera la démolition de plusieurs édifices, dont le Her Majesty's, qui va fermer.

Pour l'année scolaire qui commence, le père recteur du Collège Jean-de-Brébeuf a fortement conseillé à Ludmilla de séparer les garçons. Gleb et Avdeij ont été pensionnaires, après le décès de leur grand-mère, jusqu'en juin 1962. Ils ont dû vivre les mêmes difficultés que Nastia plus tôt : passer d'une formation en anglais à une en français et se faire un nouveau groupe d'amis. S'il n'y avait que cela, passe encore, mais il faut continuer les classes de russe le samedi, les cours de piano, de violon ou de balalaïka. Puis il y a Uriel, qu'ils trouvent bien gentil quand il vient les chercher dans sa MG mais très très sévère quand il surveille les devoirs et voit à l'apprentissage des leçons.

Ludmilla, qui croyait avoir réglé ses problèmes de gardiennage et de surveillance des devoirs en plaçant ses enfants pensionnaires, doit à nouveau trouver un accommodement pour un des garcons, qui ne sera plus pensionnaire. Encore une fois, Nastia sera mise à contribution, en attendant que Ludmilla trouve une autre solution. Celle-ci écrit à la mère supérieure de Villa Maria : « Je préférerais qu'Anastasie rentre pour le repas du midi afin que le garçon ne soit pas seul...[371] » Cela ne durera pas longtemps, puisque Avdeij se retrouvera dans une famille à Rawdon, pour apprendre le français. Après Noël, il vivra chez Madame Rochon, la tante d'un jeune Québécois devenu prêtre orthodoxe.

Si Uriel a une MG depuis son arrivée au Canada, il conduit aussi une Jaguar avec laquelle il a un accident sur le pont Jacques-Cartier le 6 juillet. Aux assureurs, il déclare que cette voiture est la propriété de l'Académie. C'est la première voiture qu'a Ludmilla. Il s'agit d'une voiture d'occasion.

Dès le mois d'octobre, les parents des élèves de l'Académie sont avisés du spectacle que présenteront les GB du 27 décembre au 6 janvier, au Her Majesty's, et dans lequel leur enfant dansera. Certains d'entre eux reçoivent une lettre-contrat.

> [...] Madame voudrait s'assurer des services de France pour ce ballet. [Suivent des conditions dont celle d'être présente et ponctuelle.] Il serait néanmoins inadmissible qu'une enfant manquât une seule représentation et même une seule répétition à moins de raison grave car cela nuirait sensiblement au travail de tous. [...] Nous vous demanderions de bien vouloir fournir un collant blanc et une paire de chaussons blancs que nous voudrons teindre[372].

Les enfants ne seront pas payés pour leur participation. « On a peut-être eu un bon de dix dollars pour s'acheter des chaussons chez Capezio. *Cendrillon*, c'est le dernier ballet que j'ai dansé sur scène, se souvient France Desjarlais. C'était un très grand ballet en trois actes avec toute la Compagnie et les élèves de l'Académie. C'était vraiment une grosse production.

Au lendemain de la première, les critiques sont partagées. Pour Béraud, du *Devoir*, le grand défaut de cette production est qu'elle n'est pas féerique, mais elle fera plaisir aux enfants. Sydney Johnson, du *Montreal Star*, trouve que le fait d'avoir substitué la musique de Mozart à celle de Prokofiev donne comme résultat « Un *Cendrillon* miniature exquis qui, même s'il manque d'exaltation et de complexité, semble parfaitement proportionné. »

Ainsi, la vision qu'avait Ludmilla : dentelle, figurines de porcelaine, paraît avoir été rendue. Et peu importe que l'on soit surpris qu'elle n'ait pas repris la chorégraphie de Fokine ou de Ashton sur la musique de Prokofiev. Sa création est tout à fait originale et aurait dû lui apporter des droits d'auteur. Comme plusieurs autres créations, d'ailleurs, mais Ludmilla ne s'est jamais préoccupée de cela.

Ludmilla étant occupée avec la production de *Cendrillon*, Nastia et Gleb prennent le train vers Midland, pour passer les vacances des fêtes chez tante Valia. Avdeij restera à Montréal avec sa mère. Au retour, Nastia apprend qu'elle sera pensionnaire. Est-ce vraiment pour fournir à sa fille une vie plus régulière et plus de contacts avec ses compagnes, comme Ludmilla l'écrit à son professeur, ou celle-ci a-t-elle quelque autre raison d'éloigner ses enfants de la maison ? En tout cas, Ludmilla ne peut plus en douter, elle est enceinte.

Chapitre 10
Le pas de deux

Après la dernière représentation de *Cendrillon,* Ludmilla est crevée mais heureuse. Le jeune public a aimé et toutes les petites filles rêvent d'être la princesse. Le merveilleux a fonctionné une fois de plus, et c'est ce qui compte. Parce que même si les rentrées au guichet sont intéressantes, elles ne sont pas suffisantes pour couvrir les coûts engendrés par cette production. S'il avait fallu en plus le grand orchestre que commandait la musique de Prokofiev, *Cendrillon* eût été un désastre financier. Ce n'est pas le cas, mais la compagnie s'achemine tout de même vers un déficit qui dépasse les trois mille dollars. Ludmilla a beau rêver d'en amasser cent mille pendant la prochaine campagne de souscription, il y a très loin du rêve à la réalité. Alors, pour elle-même, elle recommence à prendre tout ce qui passe, d'autant qu'elle devra s'arrêter à l'été. En janvier, elle tient le rôle du professeur dans un documentaire de l'ONF. Durant l'automne, elle avait agi comme consultante dans une production sur Balanchine.

Ce sera une grosse année. La compagnie part en tournée aux États-Unis. En rentrant, ce sera la préparation de l'ouverture de la Place des Arts (PDA) et la saison régulière 1963-1964. Et un enregistrement, à Toronto, pour une émission au réseau anglais de Radio-Canada. Le lundi de Pâques, on présentera *Laudes Evangelis,* de Léonide Massine. Pour l'intermission, CBC a demandé à Ludmilla et à Robertson Davies de commenter ce ballet. Entre-temps, l'Académie continue, les cours au Manoir aussi, de même que dans toutes les écoles satellites, en province. Et il faut coordonner tout cela et voir aux auditions et aux évaluations de fin d'année. Et s'occuper des enfants.

Alors qu'elle attend la synthèse des rapports de Buckle et de Kirstein, elle reçoit plutôt une curieuse lettre de Peter Dwyer. Bien qu'il se défende, à la fin de son texte de trois pages, d'une intervention inopportune : « J'espère que vous n'allez pas penser que nous intervenons dans un dossier que vous avez déjà discuté avec Monsieur Germain[373*] », Dwyer raconte à Ludmilla la visite qu'il a faite à la PDA et ce qu'il a suggéré :

> Les trois compagnies de ballet pourraient être invitées pour présenter chacune une œuvre de trente à quarante minutes. [...] Bien sûr, les Grands Ballets Canadiens auraient la place de choix au programme étant la compagnie de Montréal [...]*

La réponse de Ludmilla ne se fait pas attendre.

> Uriel négocie avec la Place des Arts et il n'y a jamais eu mention des trois compagnies. Quoi qu'il en soit, je vous tiendrai informé s'il y a des développements en ce sens[374]*.

Généreuse, Ludmilla aura tout de même l'idée de proposer au RW et au BN de déléguer chacun

> une première danseuse de votre compagnie pour danser un des quatre rôles du réputé pas de quatre qui sera monté par Anton Dolin avec Madame Rosella Hightower dans le rôle de la Taglioni.

> Notre intention est que les trois compagnies de danse soient représentées au cours de cette occasion toute spéciale[375]*.

Le RW était heureux d'envoyer Sonia Taverner, mais le BN a refusé.

À la fin de janvier, il y a beaucoup de fébrilité rue Stanley. On en est aux derniers préparatifs pour la tournée américaine. Le vendredi 1er février, la compagnie se produira à Greensburg, mais la caisse est vide. Il est souvent arrivé qu'au moment de partir en tournée, les danseurs et le personnel étant dans l'autocar, le camion avec les décors et les costumes étant prêt, on attendait Ludmilla. Elle cherchait de l'argent. Elle négociait au téléphone avec le banquier... Cette fois, deux mille dollars sont venus de l'Institut généalogique Drouin. Le directeur général a promis de le rembourser avant la fin de mars[376]. D'autres problèmes surgissent aussi, comme des documents du département américain de l'Immigration qui ne sont pas arrivés. Mais la caravane s'ébranle tout de même et Ludmilla, qui reste à Montréal, regarde partir tout son monde avec un pincement au cœur. Elle ne peut devant tous se blottir contre Uriel, mais il lui manquera. « Maman a énormément aimé Uriel, dit Avdeij. Il était jeune, fringant, et elle le trouvait beau et svelte. Il était aussi cultivé. »

Puis, comme elle s'apprête à remonter l'escalier qui mène au studio, elle sent un mouvement à peine perceptible au creux de son ventre. Elle sourit et se dit que la vie n'arrête jamais... Ludmilla ne peut plus cacher qu'elle est enceinte. À Dorothy Rossetti qui lui offre de se retirer chez elle, à L'Île-Perrot, Ludmilla répond qu'elle va faire face. Ce n'était sûrement pas facile, à cette époque. Toujours officiellement la femme d'Alexis, elle est enceinte du directeur général de la compagnie qu'elle a fondée et dont elle assume la direction artistique. Certes, peu de gens savent. Pour les élèves et les danseurs, Uriel n'est que le directeur général. Pour le moment. « Moi, j'étais pas conscient qu'elle sortait avec lui, raconte Maurice Lemay. On était trop jeunes ou occupés à autre chose. Ce dont je me souviens de lui à cette époque, c'est qu'il avait toujours les mains mouillées. On l'appelait entre nous *The Water Man*. Probablement qu'il allait aux toilettes et ne s'essuyait pas les mains. »

Pendant que la compagnie est en tournée, Ludmilla reprend son projet d'école. Elle écrit au juge Vadeboncœur pour savoir à qui s'adresser :

> [...] il me semble d'une importance capitale de commencer à songer à faire les démarches nécessaires pour préparer la naissance d'une institution qui comprendrait des études complètes avec celles de la danse et de culture générale. [...] Je devrais donner tout mon temps et plus que jamais au côté éducatif afin de former au plus tôt la première génération et de pouvoir fournir à la compagnie nos propres talents [...] La compagnie n'a de toute façon de sens qu'en fonction d'attirer dans ses cadres des artistes de chez nous[377].

Elle cherche « un lieu en ville, c'est-à-dire une maison qui pourrait nous héberger pour un tel projet ».

L'éducation de ses enfants demeure un sujet de préoccupation constante pour Ludmilla, qui doit composer avec le caractère et les habiletés de chacun. Elle leur a imposé l'apprentissage d'un instrument de musique, quelle que soit leur aptitude. Quand les religieuses de Villa Maria lui disent qu'il vaudrait mieux que Nastia laisse tomber le piano jusqu'à l'été pour se concentrer sur sa formation académique, Ludmilla n'accepte pas, même si elle sait que sa fille ne deviendra pas « une pianiste professionnelle. Je n'ai jamais permis à aucun de mes enfants de lâcher une entreprise à mi-chemin[378]. » Nastia finira par abandonner le piano. Puis elle quittera Villa Maria pour le Collège Marie de France, où elle devra à nouveau se faire un réseau d'amies, en dehors de celles qui viennent à l'Académie : Chantal, Christine, France. « Là, raconte Nastia, j'avais l'impression d'être normale. Je n'étais plus la seule dont les parents étaient divorcés. »

Alors que la neige commence à fondre, une bombe est lancée sur l'édifice du Revenu fédéral, sur le boulevard Dorchester, au coin de Bleury, à Montréal. Le Front de libération du Québec (FLQ) réclame la paternité de l'acte. Trois semaines plus tard, au Centre de recrutement de l'armée canadienne, rue Sherbrooke Ouest, le gardien de nuit O'Neil est tué par une autre bombe. Les 16 et 17 mai, dix bombes sont placées dans autant de boîtes aux lettres. Cinq explosent à trois heures du matin. Les Montréalais frémissent et plusieurs résidants de Westmount sont pris de panique. Ludmilla, qui en a vu d'autres, pense que cela passera. À Berlin, quand elle n'avait que dix ans, il y avait aussi du grabuge pendant un temps. Puis tout était rentré dans l'ordre, sauf quant aux Juifs.

À la fin d'avril, la commission Parent dépose la première partie de son rapport. Les recommandations de cette commission mèneront à une réforme en profondeur du système d'enseignement au Québec. D'abord, le remplacement du Département de l'instruction publique par un ministère de l'Éducation assorti d'un Conseil supérieur de l'éducation. Comme il fallait s'y attendre, l'Église catholique réagit fortement à l'annonce de ces chambardements, même si la Commission était présidée par Monseigneur Alphonse-Marie Parent et qu'un de ses membres était sœur Guylaine Roquet, de la Congrégation des sœurs de Sainte-Croix. Pour certains évêques, c'est comme si le Québec s'en allait tout droit vers la déchristianisation. Mais la population a été consultée et le gouvernement, après avoir marqué une pause et temporisé quant à la confessionnalité du système public, ira de l'avant. L'Assemblée des évêques se résignera après avoir obtenu du premier ministre Lesage que soient conservés la confessionnalité des écoles et l'enseignement chrétien[379]. Suivront le regroupement des Commissions scolaires, l'ouverture de collèges d'enseignement général et professionnel (cégeps), la création de l'Université du Québec et la formation universitaire des maîtres. Ludmilla voit rapidement quel parti elle peut tirer de ces changements et reprend ses échanges avec les fonctionnaires des affaires culturelles, qui auront tôt fait de la diriger vers le ministre Paul Gérin-Lajoie.

~

Jean Drapeau, qui a toujours rêvé d'une maison de l'opéra pour sa ville, approche les GB. Il sait que Ludmilla est une alliée naturelle : ils ont tellement de fois échafaudé des projets ensemble. Elle lui écrit rapidement pour le remercier d'avoir

> pensé à nous qui, pendant des années, avons lutté pour survivre en attendant ce moment précis. [...] La réalisation d'un projet qui réunirait le ballet avec l'opéra avec la symphonie est précisément une situation que je souhaiterais et qui inaugurera une tradition[380].

Mais il y a loin du projet du maire à la réalité. Et les premières rencontres ne débouchent sur rien de concret. Uriel Luft transmet tout de même une évaluation des frais prévisibles pour une cinquantaine de représentations par année, incluant opéras avec ballets.

C'est un été fou qui s'annonce. Même s'ils ne sont pas mariés, les Luft achètent la maison des Landory et déménagent au 3531, rue Vendôme, sans que la propriété de la rue Oxford soit vendue. Nastia et Avdeij sont à Rawdon avec les Matusewski, dont les enfants sont des amis des garçons. Claude Berthiaume, lui, s'affaire au déménagement. « J'ai travaillé trente-huit ans avec Madame et aux GB. Dans les moments libres, elle m'envoyait faire de la peinture ou des réparations chez elle. J'ai fait tous ses déménagements à partir de 1958. » Le

14 juillet, bébé Ludmilla (Mishka) naît, à l'hôpital Catherine Booth. Il fait une chaleur torride, mais Ludmilla est heureuse. Une nounou est tout de suite engagée pour s'occuper du bébé et permettre à la maman de reprendre ses activités.

Ludmilla ne reste pas longtemps inactive. En fait, elle ne l'est jamais. Même alitée, elle continue de prendre des notes, de téléphoner, de dicter des lettres. Il faut que ses entreprises continuent. Il faut aussi régler des questions person-nelles, notamment entreprendre des procédures de divorce, ce qui est excep-tionnel dans le Québec d'alors, les tribunaux de la province ne pouvant entendre ces causes. Il lui faut aussi s'assurer que les ateliers chorégraphiques du 10 août se déroulent bien. Organisés sous les auspices des JMC, au camp du mont Orford, ces ateliers sont les premiers d'une longue série. Ils permettront aux GB d'essayer des chorégraphies modernes, tout en offrant à certains danseurs la possibilité de chorégraphier et de donner à quelques élèves de l'Académie une première expérience de la scène. Ainsi, cinq jeunes étudiantes seront incor-porées à la compagnie la saison suivante. Ludmilla elle-même présentera une chorégraphie. Une partie des coûts est absorbée par la Fondation Elizabeth Leese nouvellement créée et dans laquelle est versé ce qui restait du Conseil canadien du ballet.

Sa tâche étant devenue trop lourde, Ludmilla entreprend des démarches pour faire venir un nouveau maître de ballet qu'elle aimerait garder quelques années. On lui signale que le directeur artistique de l'Opéra San Carlos de Lisbonne serait disponible. Ludmilla lui offre un contrat comme maître de ballet mais aussi comme directeur pédagogique. Le 8 août, Daniel Seillier s'installe à Montréal avec sa femme, la danseuse Olga Makcheeva, et Alexandre, leur fils de quatre ans. Seillier est entré comme élève à l'Opéra de Paris en 1936. Il y est ensuite danseur avant d'aller chez le marquis de Cuevas, où il sera l'assistant de Nijinska puis maître de ballet et chorégraphe. Il était à Lisbonne depuis vingt ans quand il se joint aux GB. « C'était un homme énergique qui donnait des classes très très difficiles, raconte Christine Clair. Il pouvait être aussi cinglant dans ses commentaires. »

La grande salle de la PDA est en voie d'être terminée et un Festival des arts doit s'y tenir, à partir du 21 septembre, pour en marquer l'inauguration. D'abord conçue pour servir l'Orchestre symphonique (OSM), la PDA n'est pas encore le complexe qu'elle deviendra. À la grande salle s'ajouteront un théâtre, une petite salle de récital et, le maire en rêve, une maison de l'opéra dans laquelle le ballet aurait une place. La Corporation Sir George-Étienne Cartier, qui a amassé des fonds pour la construction de l'édifice, est aussi responsable des festivités qui marqueront l'ouverture. Cette corporation a demandé à Ludmilla de présenter un ballet au gala et l'assure d'honoraires de vingt-cinq mille dollars. Ludmilla confie donc la création d'une œuvre à Eric Hyrst, retient en plus la salle pour une soirée complète, le 3 octobre, et se met en frais de confectionner un programme à la hauteur de l'événement. Elle a déjà assuré Pierre Mercure que *Tétra-Chromie* serait présenté à cette occasion.

> J'avais demandé à Mercure une musique qui me permette de monter les quatre saisons où les danseurs auraient évolué sur une scène complètement nue entre des rideaux de velours, des mobiles gonflables que Mousseau aurait fabriqués et une projection de tableaux de Pellan.

Ce ballet, sur une musique électronique, ne sera jamais monté.

Pour octobre, elle s'assure que David Lichine viendra lui-même superviser sa chorégraphie du *Bal des cadets*. Elle demande à Anton Dolin de reprendre sa version du *Pas de quatre* et elle s'assure de la présence de Rosella Hightower pour le rôle de la Taglioni, dans ce ballet. Elle souhaitait associer à Madame Hightower une danseuse de chacune des trois compagnies canadiennes de ballet, mais cela ne s'est pas concrétisé.

Le gala a failli ne pas avoir lieu. Un syndicat américain solidement installé en Ontario, l'Actor's Equity, invoque des droits acquis pour évincer l'Union des artistes (UDA) qui, elle, réclame l'exclusivité de la juridiction à la PDA. Les artistes québécois se mobilisent et le RIN appelle à une manifestation le soir de l'ouverture. Il y avait là, pour ce jeune mouvement indépendantiste, une occasion en or d'appuyer l'UDA contre l'impérialisme anglo-américain de l'Actor's Equity. D'autant que la personne choisie pour administrer la PDA était un Américain, Silas Edman.

Pour accélérer le règlement du conflit, chaque syndicat menace de boycotter le gala et l'UDA interdit à ses membres d'y participer. Ludmilla et ses ballets sont donc exclus de cette soirée qui n'aura pas le prestige et la grandeur escomptés, non plus que les rentrées financières. On rapporte que le maire Jean Drapeau a dû donner plus de deux mille billets à cent dollars sur les trois mille en vente pour ne pas montrer une salle vide aux médias. Ces invités spéciaux du maire ont dû faire face à quelques centaines de manifestants que la police a refoulés, en face, sur les trottoirs de la rue Sainte-Catherine avant d'en arrêter dix-neuf.

Devant l'incertitude créée par le conflit, les GB ont dû annuler même les représentations prévues pour le 3 octobre. Le New York City Ballet, qui devait se produire là du 9 au 14 octobre, a fait de même. Une trêve interviendra qui permettra aux artistes du Québec de se produire à la PDA en attendant un règlement final par lequel l'UDA obtiendra juridiction exclusive au Québec, l'année suivante. Ludmilla peut donc envisager de présenter un spectacle plus tard et retient le 12 octobre, en matinée et en soirée. Elle respire un peu. Un moment, elle a pensé devoir renvoyer Rosella Hightower sans avoir pu la présenter au public mais en ayant à assumer tous les coûts. Le contrat de la *prima ballerina* couvrait deux semaines durant lesquelles elle devait aussi danser à Toronto, Windsor et London et être de l'émission *L'Heure du concert*, le jeudi 10 octobre, avec les GB.

Dans la foulée du conflit, Ludmilla écrit à Jean Drapeau. Elle explique la situation dans laquelle elle se trouve et elle voudrait que le maire comprenne qu'elle n'avait pas le choix de respecter l'interdit de l'UDA. Elle ne pouvait produire les GB où que ce soit : l'interdit couvrait toutes les salles de spectacles à Montréal. Le juge Vadeboncœur a multiplié les démarches, lui aussi, mais rien n'y a fait. Sauf qu'il fallait trouver une solution. Avait-elle peur de perdre le soutien du maire ou était-ce pour s'assurer de son amitié ?

> Si je vous écris, c'est pour éclaircir mon attitude qui vous a peut-être semblé fausse car le but primordial de ma vie professionnelle est la survie de la compagnie des Grands Ballets Canadiens et son développement continu ainsi que l'existence de la danse à Montréal[381].

La survie est bien en cause. Ludmilla n'ayant pu produire les GB, le soir de l'inauguration, la Corporation Sir George-Étienne Cartier n'a pas versé l'argent promis. Et Ludmilla se retrouve avec quarante mille dollars de frais payés ou engagés, la production étant prête. Ce ne seront pas les revenus de guichet qui pourront compenser. Il faudrait plus que deux représentations dans une salle dont les trois mille sièges seraient garantis pour couvrir les frais auxquels se sont ajoutés ceux occasionnés par les délais dus au conflit.

Ludmilla n'est d'ailleurs pas au bout de ses peines. Les GB n'auront pas la chance de répéter sur la scène avant la représentation. Eric Hyrst a beau critiquer les syndicats pour ce gâchis, Ludmilla refuse de se prononcer devant les journalistes. Elle laisse cela au directeur général, qui ne peut nier que l'annulation du festival soit désastreux pour la compagnie. Uriel Luft en profite pour demander aux Montréalais d'acheter des billets pour les représentations du samedi[382]. Est-ce faute de répétition ou un effet du conflit syndical, le rideau ne se lève que difficilement et prend un temps incroyable à dégager la scène. L'éclairage n'est jamais au bon endroit non plus. Jean Basile écrira d'ailleurs, dans son commentaire sur la performance de Rosella Hightower :

> chose curieuse d'ailleurs, dès qu'elle apparaissait, on baissait les lumières si bien que c'est la première fois que je vis une danseuse étoile danser dans l'obscurité [...] les éclairages, ils furent détestables d'un bout à l'autre. [...] ils ont nui, et largement, à la bonne marche de la soirée[383].

Sydney Johnson, du *Montreal Star*, se plaindra aussi des éclairages dans les deux articles qu'il écrira sur les représentations du 12 octobre. Les critiques parlent tous du *Pas de quatre* et du *Bal des cadets*, mais ils sont diversement impressionnés. Par contre, ils saluent tous l'arrivée de nouvelles figures : Olga

Makcheeva, Armando Jorge et Vincent Warren. Mais si la réaction des critiques importent pour les bailleurs de fonds, pour Ludmilla, c'est la réaction du public qui est le barème. « Malgré toutes les imperfections des représentations de cette journée, le public a apprécié. »

Laissant l'Académie à Seillier, Ludmilla s'embarque avec les danseurs pour les trois représentations au Royal Alexandra, à Toronto. La compagnie continuera sans elle en Ontario, aux Maritimes et dans le Maine, avant de revenir pour quelques soirées à Québec, Trois-Rivières et Joliette. Les dates ont dû être changées à plusieurs endroits, par suite du conflit à la PDA, et les assistances s'en ressentent. À Toronto, les critiques sont très durs. Comme il s'agit de la première visite des GB dans la ville qui loge le Ballet national, cela ennuie profondément Ludmilla. Rien ne semble devoir trouver grâce aux yeux de Nathan Cohen. Ce qui amène le président du Committee of Diagram of Dance Evolution à écrire :

> C'est comme si un homme avait déclenché la guerre froide. [...] Mʳ Cohen n'a pas mentionné le professionnalisme technique de la compagnie [...] C'est une des obligations fondamentales d'un journal que de s'assurer [...] qu'une critique de danse soit rédigée par un critique de danse et non par un critique musical ou de théâtre qui base son point de vue sur des impressions qui ne reflètent pas la réalité et décourage souvent le lecteur[384*].

C'est pendant cette tournée qu'Andrée Millaire tombe sur la scène et se blesse. Les GB dansaient dans un vieux théâtre sur la scène duquel il y avait une trappe, au centre, et les danseurs n'en avaient pas été informés. Il y avait de l'huile. Le premier ballet commence.

> Je suis entrée avec mon partenaire, j'ai mis le pied sur cela, j'ai levé et je suis retombée sur le coccyx. Je me suis relevée tout de suite et je suis sortie de scène. Je ne m'en souviens pas mais il paraît que j'ai perdu connaissance. Mon partenaire avait une autre entrée et l'a faite tout seul. Uriel m'a demandé si l'on arrêtait et j'ai dit : on continue. J'ai fait la soirée et je dansais dans trois autres ballets. Je ne sais comment j'ai tenu.

Le lendemain matin, elle faisait la une des journaux d'Halifax, the *Mail Star* titrant : *Before the Fall,* et l'autre *After the Fall.*

Au retour des danseurs, Ludmilla a un moment de découragement et, pour la première fois, elle craint de ne pouvoir continuer à faire vivre tout son monde. Elle sacrifie le piano à la maison pour l'installer au studio : la caisse des GB est à sec ; la banque ne peut plus rien avancer et le CAC refuse d'envoyer la deuxième tranche de la subvention promise : « Je regrette beaucoup de ne pas pouvoir libérer de fonds avant d'avoir le portrait exact de la situation financière de la compagnie[385*].» Le juge Vadeboncœur écrit à Georges-Émile Lapalme :

> [...] la situation financière de la compagnie est extrêmement sérieuse. Il s'agit [...] d'arrêter dès le mois de janvier l'existence même de la compagnie ou de continuer à assurer par son intervention une plus grande culture artistique dans les milieux de la province[386].

Ludmilla, qui cherche à bâtir sans moyens, se remet au travail pour les représentations du temps des fêtes, «dont la splendeur, comme l'écrit Uriel, dépassera celle de *Cendrillon* donné l'année dernière[387]». Elle a sorti *Pierrot de la lune* de ses cartons. Pierrot, faut-il le rappeler, est heureux, assis sur son croissant de lune. Il regarde la terre endormie et aimerait bien la visiter. Il y descend, au milieu de jouets qui restent indifférents à ses efforts pour s'en faire des amis. Au matin, triste et sanglotant, il retourne vers sa lune.

Selon Thomas Archer,

> Il faut une grande habileté pour traiter ce thème d'une manière aussi frappante que l'a fait Madame Chiriaeff dans sa chorégraphie. [...] Ce ballet de Tchaïkovski-Arenski [...] montre ce que cette compagnie peut offrir : ensemble discipliné, prestations de première classe, l'art du ballet à son meilleur[388*].

Claude Gingras souligne «L'homogénéité, la discipline et l'enthousiasme de la compagnie complète et le fait que ce ballet permet également de voir à l'œuvre la très prometteuse Académie préparatoire d'où sortiront les futurs danseurs et danseuses de la compagnie.» Enfin, écrit-il, «je tiens à signaler la parfaite coordination que le jeune chef Claude Poirier maintient constamment entre les danseurs et les musiciens[389]». «*Pierrot de la lune* est dansé dans des décors de René Petit, construits et montés par Claude Berthiaume.» Pour les répétitions, Ludmilla a dû louer le Monument-National, la distribution étant trop nombreuse pour évoluer dans le petit studio de la rue Stanley.

Jean Basile, de son côté, avouera ne pas connaître de troupe de ballet qui se donne autant de mal pour les jeunes spectateurs[390]. Mais pour Ludmilla et ses danseurs, un jeune spectateur mérite une aussi bonne prestation qu'un ballettomane et, tant qu'elle sera aux commandes, autant d'attention sera portée à la préparation de spectacles dans les écoles, ou pour les jeunes, qu'aux représentations pour les adultes. Dans le cas de *Pierrot de la lune*, c'était la première fois qu'une compagnie, Steinberg, achetait la totalité des trois mille places pour les offrir aux enfants infirmes et aux orphelins. Nathan Steinberg était là pour accueillir lui-même ses invités, des jeunes de dix à seize ans. Il avait voulu leur «offrir l'occasion de goûter un peu de joie[391]». La Compagnie Steinberg payait en sus la location des autocars pour amener ces jeunes d'aussi loin que la ville de Québec.

Le journaliste retraité Marcel Valois, quant à lui, fait don aux GB d'une collection de volumes et de disques sur la danse et le ballet. Ludmilla apprécie que, dans un moment où l'argent se fait rare, certains pensent à se départir de biens qu'ils ont amoureusement amassés au fil de leur vie. Ce don, et celui fait par le mari d'Elizabeth Leese, Ken Johnson, permettent à Ludmilla de commencer une bibliothèque de la danse. Johnson aurait donné cent vingt-cinq volumes sur la danse classique et moderne pour cette bibliothèque.

∽

Cet hiver, la famille s'équipe pour faire du ski. « J'étais enthousiasmée. J'appréciais Uriel de plus en plus. Il parlait plusieurs langues, il était cultivé, il s'occupait de mes enfants. Je me fichais de ce que le monde pouvait penser. Divorcer, se remarier, la société changeait quand même un peu. Ce qui m'importait, c'est qu'on pouvait jouer, faire du ski avec les enfants, simplement comme tout le monde. » Au début, Ludmilla sera là quelques fins de semaine, mais très rapidement, les enfants se retrouveront seuls avec les bonnes et Uriel. « Au début, il a été un vrai papa gâteau, raconte Gleb. On a cru à l'illusion. À cet âge, on a tous besoin d'un parent. »

Les démarches entreprises pour sauver les GB d'une réduction dramatique de leurs activités, sinon d'une fermeture, commencent à porter fruit. Le premier ministre Jean Lesage lui-même télégraphie la première bonne nouvelle : « J'ai le plaisir de vous dire qu'au cours d'une séance de la trésorerie que je viens de présider, la recommandation du ministre des Affaires culturelles pour votre subvention de quarante-trois mille dollars a été acceptée[392]. » Ainsi, le gouvernement du Québec venait compenser cette perte et, du même coup, mettre un pied dans la porte ; il exigera de plus en plus de rapports et ira jusqu'à demander que l'on certifie par écrit que Ludmilla ne retire aucun salaire des GB depuis la fondation de la compagnie.

Les 29 et 30 janvier, la grande salle de la PDA est remplie d'enfants, d'élèves de la CECM. C'est la deuxième fois que Ludmilla présente des spectacles uniquement pour eux. Il s'agit de la série Initiation à la danse. « La danse traduit un état d'âme, dira-t-elle aux jeunes. Elle existe depuis toujours. » Et d'en faire un bref historique avant de montrer les mouvements les plus souvents utilisés : je vous vois ; je vous salue ; je vous écoute ; pourquoi ? ; parlez ; partez ; pleurer ; tuer ; mourir. Suivent les démonstrations : la danse académique ; la pantomime ; la *commedia dell'arte* ; les danses d'époque. Elle termine par des extraits de *La Mort du cygne* et du *Bal des cadets*.

Le 12 février, Ludmilla salue la troupe et fait ses dernières recommandations. Les danseurs seront sur la route jusqu'au 21 mars pour une tournée qui les mènera jusqu'à Vancouver. Comme ils voyageront même les dimanches, les GB doivent obtenir une dérogation à la « Loi du dimanche » pour que leur camion puisse circuler en toute légalité. Les danseurs, eux, font une grande partie du voyage en train. « On a passé plus de temps dans le train qu'à danser, se souvient Brydon Paige. Quelquefois, nous arrivions juste à temps pour le lever du rideau et nous faisions les réchauffements directement sur la scène, devant le public. » Ils feront salle comble à plusieurs endroits, mais devront toujours rapidement reprendre la route, parfois le soir même. Chaque tournée apportant son lot de surprises, cette fois, c'est le camion transportant les décors et les costumes qui est impliqué dans un accident. Par chance, personne n'est blessé.

∾

Murray Ballantyne est hospitalisé. Dès sa sortie de l'hôpital, Ludmilla lui écrit pour lui souhaiter un prompt rétablissement et aussi

> pour exprimer [sa] gratitude [...] Je ne trouve pas d'autres mots pour vous remercier de tout cœur [...] d'avoir toujours été présent aux moments importants de ma vie ici. [...] J'attendrai le moment où vous vous sentirez bien [...]. Je sens un besoin profond de vous dire beaucoup de choses tant sur ma vie privée que sur ma vie d'artiste[393].

Il lui répond :

> Nous avons aidé plusieurs réfugiés, Lady Davis et moi. Pas un seul ne nous a donné autant de joie et de satisfactions que vous [...]. Je voudrais vous remercier personnellement pour avoir apporté tellement de consolation à ma chère amie durant sa dernière année. Elle vous aimait ; vous étiez devenue comme sa fille[394*].

Murray Ballantyne et Lady Davis ont soutenu Ludmilla depuis ses premiers jours en sol québécois. Elle se sentait redevable et appréciait ce qu'ils avaient fait pour elle et les siens. Elle exprimera à Monsieur Ballantyne sa joie d'avoir été aimée de Lady Davis[395]. Elle héritera de la garde-robe de cette dernière. Ludmilla ne m'a pas beaucoup parlé des derniers moments de Henriette Davis, mais comme elle entretenait soigneusement ses contacts et chérissait particulièrement certaines relations, il est fort probable qu'elle ne se contentait pas d'un mot ou d'une paire de billets pour les spectacles. Elle devait téléphoner et même se rendre chez cette vieille dame qui l'avait adoptée, d'une certaine façon. Ludmilla a toujours su donner à chacun l'impression qu'il occupait une place unique dans son univers. En consultant les archives, j'ai réalisé que la même lettre, à peu de variantes près, était parfois expédiée à plusieurs personnes, mais avec un paragraphe personnalisé.

Pendant que la compagnie est en tournée, Ludmilla essaie de vendre la maison de la rue Oxford, mais elle se heurte aux lois en vigueur et doit obtenir une permission de la Cour, son divorce d'Alexis n'étant toujours pas prononcé. Elle a beau être celle dont le nom apparaît sur l'acte d'achat et avoir été celle qui a payé, le régime juridique en vigueur ne lui permet pas d'agir seule. Et Alexis rechigne à signer.

~

Ludmilla réévalue ses élèves à l'Académie. Certains décident de partir, quelques-uns peuvent espérer passer au statut de professeur ou encore être intégrés aux GB. Dans ce processus, Ludmilla écrit aux élèves et aux parents. Le ton surprend, parfois :

> Ayant une grande expérience du côté psychologique des enfants, je vous conseille de ne surtout pas céder aux caprices de votre fille qui est tout simplement offensée par ma décision de la changer de classe le samedi [...] Si vous vous en laissez imposer cette fois-ci, plus tard ce seront ses études, et dans la vie ce sera son travail qui en souffrira[396].

Je ne sais quel âge a l'élève à qui elle envoie ce qui suit :

> Je viens d'apprendre par ta mère que tu as décidé que tu n'aimes plus le ballet et que tu ne veux plus venir au cours. [...] Moi, je te dis que c'est très lâche de ta part et qu'une petite fille de ton âge devrait se montrer beaucoup plus reconnaissante et considérer la volonté de ses parents. [...] Crois-moi, quand tu seras grande il n'y aura peut-être personne qui t'offrira tant de bonnes choses pour ton bien et ton avenir. [...] J'attends donc que tu viennes bientôt et que tu deviennes une gentille petite fille qui obéit à ses parents[397].

La compagnie n'est pas encore remise de la tournée que Ludmilla annonce les couleurs de la prochaine saison. Enfin, les grandes tendances. Elle prévoit une participation au Festival international de danse, à Paris, suivie d'une tournée en Europe, mais le ministère des Affaires culturelles (MAC), à Québec, ne semble pas très intéressé à soutenir ce projet. Au retour d'Europe, Ludmilla présenterait une série de spectacles à la PDA, avec les nouveaux ballets rodés en tournée. Elle songe à un ballet en trois actes, d'après un conte de Marius Barbeau, sur une musique originale de Michel Perrault. Suivrait une tournée de six semaines aux États-Unis. Robert T. Gaus Associates, de New York, aimerait promener les GB dans les principales villes américaines. Il s'agirait d'une tournée avec vingt-quatre musiciens. Sont aussi sur la planche, une émission de télévision et la saison d'opéra, à Montréal, où les GB seraient mis à contribution. Et un nouveau spectacle pour enfants au temps des fêtes.

La participation au Festival international de danse n'ayant pu se concrétiser à temps, la tournée européenne de l'automne est rapidement écartée du programme. À la place, Ludmilla tente d'organiser quatre semaines au Québec et en Ontario, dont deux semaines à Toronto, et une semaine à la Comédie Canadienne, entre les 26 octobre et le 21 novembre. Au retour, les GB s'installeraient à la PDA, du 17 au 23 décembre. Les danseurs sont déçus de ne pas aller en Europe et Ludmilla aussi. Elle et Uriel y ont de la famille et des amis qu'il aurait été bon de revoir, ne fût-ce que pour quelques heures. Mais cela permettra de réduire le déficit de production et de consolider l'équipe administrative. Ludmilla vient d'ailleurs de convaincre Roger Rochon de laisser la danse et de faire de l'administration, avec Uriel. La compagnie doit aussi trouver un autre local, le studio étant devenu inadéquat pour les répétitions des trente à trente-cinq danseurs.

C'est aussi à ce moment que l'échange de correspondance avec Anton Dolin semble avoir convaincu ce dernier. Ludmilla a beaucoup aimé travailler avec lui l'année précédente et lui fait une cour assidue pour qu'il accepte de l'appuyer comme aviseur artistique. L'offre de mille dollars par mois pour qu'il se joigne à la compagnie est finalement acceptée.

Les GB sont devenus une grosse organisation qui emploie quelques personnes à plein temps, des danseurs à temps partiel et quantité de personnes à la pige. Un atelier de décors et de costumes fonctionne en permanence, non seulement pour produire mais pour rafraîchir le tout, après chaque saison. Au fond, Ludmilla est à la tête d'une PME, avec des filiales. Elle n'est que trop consciente du fait qu'elle est responsable de tout ce monde. Bien qu'elle refuse d'entendre parler d'elle comme d'une entrepreneure, c'est ce qu'elle est. Elle développe, produit, vend et fait vivre quantité d'artistes et d'artisans mais laisse à d'autres le soin de jongler avec les déficits. Au 31 mars 1964, le déficit accumulé est de soixante-quatorze mille deux cent soixante-neuf dollars et cinquante et un. Mais ce qui est intéressant, c'est que les revenus aux guichets avoisinent les cent mille dollars pour des dépenses de production de deux cent quarante-six mille quatre-vingt-dix-neuf. À la fin de mai, le MAC veut bien envisager de donner une subvention dont le montant est à déterminer « mais à la condition que cette dernière ne serve en aucune façon [...] à la tournée en Europe[398] ».

⌒

Le 2 juin, le Sénat canadien adopte la résolution 319 dite *For the relief of Ludmilla Gorny Chiriaeff* et prononce la dissolution du mariage des époux Chiriaeff par suite d'une requête de Ludmilla alléguant :

That they were married on the twenty-fourth day of March, A.D. 1947 at Lausanne, Switzerland, she then being Ludmilla Gorny; and whereas by her petition, she has prayed that, on the ground of his adultery since then, their marriage be dissolved and whereas the said marriage and adultery have been proved by evidence adduced and it is expedient that the prayer of her petition be granted.

On the expiration of thirty days from the date of the adoption by the Senate of this resolution, the said marriage shall be dissolved and thenceforth shall be nul and void to all interes and purposes whatsoever[399].

Pourquoi le divorce d'avec Alexis n'a-t-il pas décidé du partage des propriétés? Il faudra quelques années pour qu'Alexis consente à céder ses droits et que les enfants finissent par en être les propriétaires à leur majorité. Entre-temps, Ludmilla continue d'écrire régulièrement à Alexis pour qu'il daigne répondre au notaire Labrèche. En juin, elle l'informe qu'elle a «indiqué dans [son] testament qu'à moins que les choses se règlent de façon définitive avec [lui], [sa] part sera divisée entre les trois enfants[400]». Dans cette lettre, Ludmilla souligne qu'elle n'a aucun intérêt à garder ces terrains pour elle-même et que les enfants sont très attachés à Rawdon «d'une part à cause des souvenirs d'enfance et surtout à cause de leur grand-mère qui est enterrée là-bas». Elle lui rappelle que c'était «votre désir également il y a quelques années» et elle réitère sa promesse «de ne pas vous mettre dans la situation d'être obligé de pourvoir financièrement à l'éducation et à la garde des trois enfants». Fière Ludmilla. Elle a toujours clamé qu'elle ne devait rien à personne.

Maintenant qu'elle a obtenu son divorce, Ludmilla est pressée de se marier. D'autant qu'elle est à nouveau enceinte. Elle n'a pas de souvenir de cette journée, pas plus que pour ses deux premiers mariages, sinon que celui-ci est le seul qui fut religieux. C'est Uriel qui me décrira la journée de leurs noces. Les enfants Chiriaeff se souviennent qu'Uriel leur a demandé s'il pouvait épouser leur mère. Pourquoi pas? Ludmilla semblait heureuse. L'atmosphère à la maison était détendue. Ils avaient une petite sœur et Uriel les gâtait. Pourquoi auraient-ils refusé? Uriel s'est converti à la religion orthodoxe «pour des raisons de famille, dira-t-il. D'abord, pour moi, il n'y a qu'un Dieu, donc c'est pas un problème. C'était une question de culture. Je me sentais bien à l'église russe. On s'est mariés à l'église orthodoxe russe le 9 août 1964. Il faisait beau. Notre fille Ludmilla avait presque un an.» En fait, elle avait presque treize mois.

Mais avant ce jour, les GB auront dansé à l'aréna Maurice-Richard dans le cadre des concerts populaires. Ludmilla, elle, aura participé à une journée de consultation organisée par le maire Drapeau. Il veut procéder à la fondation à Montréal d'une compagnie permanente d'opéra[401]. Jean Drapeau a d'abord téléphoné à Ludmilla pour s'assurer de sa présence. Comment aurait-elle pu ne pas être là? Depuis les Ballets Chiriaeff, elle rêve du jour où ses danseurs seront attachés à une maison de l'opéra. Georges-Émile Lapalme participe aussi à cette journée, au restaurant Hélène de Champlain, sur l'île Sainte-Hélène. Quelques semaines plus tard, Ludmilla et le juge Vadeboncœur rencontreront le maire au sujet d'une collaboration permanente avec une éventuelle maison de l'opéra. En octobre, Ludmilla déposera une proposition au bureau de monsieur le maire, à laquelle est jointe une évaluation des coûts pour huit productions à raison de dix spectacles par production et d'une chorégraphie de vingt minutes par production.

> [...] je propose de mettre notre compagnie à la disposition de celle de l'opéra pourvu que celle-ci avertisse les Grands Ballets Canadiens de ses projets définitifs au moins dix-huit mois à l'avance. Ceci afin de nous permettre de mener à bien nos propres activités sans dépenses inutiles et évitables[402].

Avant de se marier, il faut aussi que Ludmilla s'assure que le deuxième Atelier chorégraphique soit prêt. Il se tiendra cette année au Westmount High School, les 12 et 13 août. Comme il n'existe pas d'école où est enseignée la chorégraphie, Ludmilla a pensé qu'un tel événement, qu'elle espère pouvoir organiser annuellement, sera un lieu où ceux qui veulent s'essayer à la création auront une chance de le faire. Elle croit aussi que c'est une occasion pour les élèves de l'Académie de travailler du matériel différent et de se produire en spectacle avant de passer au niveau professionnel. C'est une façon, et pour les futurs chorégraphes et pour les futurs danseurs, d'acquérir une expérience qui leur manque encore. Douze ballets sont au programme, dont *Gehenne* de Fernand Nault. C'est d'ailleurs au cours de cet atelier que Ludmilla verra le chorégraphe Fernand Nault pour la première fois.

Monsieur Nault, invité à la réception qu'elle donne à l'hôtel Windsor après, raconte :

> Je me présente à la porte, et Madame Chiriaeff est là avec tout son charme. Elle portait une robe de soirée, longue, elle était ravissante. Elle m'a dit : je suis enchantée de vous connaître. Plus tard dans la soirée, elle est venue vers moi et m'a dit : J'aimerais beaucoup que l'on travaille ensemble. Je pensais qu'il s'agissait de donner une classe ou deux à sa compagnie, alors j'ai dit oui, oui, je peux arranger cela[403].

Apprenant qu'il part le lendemain, Ludmilla lui donne rendez-vous à l'hôtel Mont-Royal pour le petit déjeuner. C'est alors qu'elle lui demande quand il pourrait venir monter une chorégraphie pour les GB. « Je lui ai parlé d'une version de *Casse-Noisette* que je venais de faire au Kentucky et je lui ai demandé si cela l'intéresserait. » Ludmilla trouve le projet très intéressant, mais Fernand Nault ne peut quitter New York. Il veut bien travailler avec elle, mais ses engagements ailleurs ne lui permettent pas de revenir au Québec. Du moins pas à plein temps. Il promet toutefois de venir à Montréal quelques jours en juillet pour préparer la distribution de *Casse-Noisette* et, à partir du 25 octobre, pour monter le ballet. Tout le reste de l'organisation se discutera par correspondance : les danseurs à retenir, les décors et les costumes à réaliser. Et pour l'année suivante, Ludmilla lui propose un cachet de neuf mille dollars comme directeur artistique adjoint.

En septembre, Ludmilla témoigne dans la cause intentée par la Russian Ballet Development Co contre J.B. Baillargeon Express Limitée. Elle est l'experte chargée d'évaluer les dommages encourus à la suite de deux incendies survenus en 1958. Au début de la guerre, le Russian Ballet, devenu depuis la Diaghilev & De Basil Foundation, avait entreposé tout ce qui avait pu sortir de Londres : décors, costumes, accessoires, partitions de musique des Ballets russes, pour éviter leur destruction par les bombardements. Tout cela était conservé dans plus de cent vingt-cinq caisses et valises, par Baillargeon. L'eau a fait des dommages lors du premier incendie ; le second a laissé des pièces partiellement ou complètement brûlées.

Il y avait dans ces caisses des pièces de grande valeur historique quand on considère par qui elles ont été créées : des rideaux de scène de Picasso, Paskt, Braque, Derain, Utrillo et des costumes et des décors signés Benois, Chanel et Picasso. Certains de ces costumes avaient été portés par Pavlova. Selon Ludmilla, « toute la musique était intacte. Il y avait des partitions complètes des Ballets russes. » Alexis a travaillé à l'évaluation mais aussi des responsables de musées canadiens et du CAC. Ludmilla aurait voulu que les pièces qui pouvaient être restaurées restent au Canada. Des négociations avec le gouvernement du Québec mèneront même à la signature d'une convention provisoire qui aurait fait du MAC le propriétaire des « reliques » de la Fondation Diaghilev, incluant le rideau signé Picasso pour le *Train bleu*. Il ne sera pas donné suite à cette convention et je ne sais ce qui est arrivé de ce qui restait dans les entrepôts.

À la fin d'août, délaissant l'exigu local de la rue Stanley, les GB emménagent au 4848, boulevard Saint-Laurent, près du boulevard Saint-Joseph. Le studio est vaste et Ludmilla peut y installer deux grandes salles de répétition, une au sous-sol et l'autre à l'étage supérieur. Au niveau de la rue, c'est l'administration. L'Académie demeure rue Stanley ; Ludmilla devra donc faire la navette d'un studio à l'autre, selon les horaires.

C'est au cocktail d'ouverture, le 22 septembre, que Ludmilla présente sa nouvelle équipe et souligne le fait que Vincent Warren est maintenant premier danseur. Puis elle annonce l'arrivée prochaine d'Anton Dolin comme aviseur artistique. D'origine irlandaise, Dolin est reconnu comme l'un des plus grands danseurs anglais de la première moitié du XXᵉ siècle. Favori de Diaghilev, qui en fit le premier danseur de sa troupe, il fonde le Nemchinova-Dolin Ballet à la fin des années 1920 et est le partenaire de Alicia Markova. Avec elle, il crée la

Markova-Dolin Company où il est aussi chorégraphe. Après quelques années à l'American Ballet Theatre, toujours avec Markova, il réorganise le London Festival Ballet. Au cours de ce cocktail, Ludmilla annonce aussi que les GB danseront le *Pas de quatre* d'Anton Dolin, dont la chorégraphie est maintenant au répertoire de la compagnie.

Comme c'est son habitude, Ludmilla profite du passage de grands danseurs pour en inviter à donner une classe aux GB. Ainsi, la grande ballerine Natacha Dudinskaya viendra faire travailler les danseurs pendant quarante-cinq minutes. Un texte de Dolin raconte ce moment de grâce qui lui rappelle l'Académie russe de Chelsea avec son professeur Seraphine Astafieva. « C'était la pure école russe. Exercices à la barre qui étirent et réchauffent les muscles des jambes, qui relaxent le corps et le préparent pour ce qui suit [...]. » Quand il entend Dudinskaya : « Regarde tes pieds, mon chéri, pas seulement avec tes yeux mais avec tes mains, tes épaules », Dolin réentend son professeur alors qu'il est un tout jeune garçon et il se remémore les beaux jours du ballet russe[404*].

Juste avant la campagne de souscription, Ludmilla est l'invitée de Nicole Germain à l'émission *Votre choix*. Elle y parle des artistes Claude Savard (peintre), Huguette Tourangeau et surtout de Marius Barbeau, dont elle a découvert l'œuvre et qu'elle a récemment rencontré. « Il est venu à l'émission, raconte Ludmilla, et c'était enrichissant. C'est après ma rencontre avec lui, à l'Université Laval, que j'ai connu Lacoursière. Je cherchais tout ce qui était écrit sur *La Corriveau* et sur *Ti-Jean*. »

Pour ceux qui côtoient Ludmilla professionnellement, la fatigue ne semble jamais l'atteindre. Fernand Nault se souvient d'être venu discuter de *Casse-Noisette* quelques semaines avant le déménagement de la rue Stanley au boulevard Saint-Laurent. « J'ai trouvé Madame extraordinaire. Elle était enceinte. Elle donnait des classes de neuf heures jusqu'à dix-huit heures. Elle montait les escaliers vingt fois par jour. Elle organisait les répétitions. Elle tricotait les horaires. Je lui disais ce dont j'avais besoin et elle trouvait. Chaque petit moment, chaque petite minute, chaque petit détail, elle savait tout, elle réglait tout. J'étais absolument emballé. »

Ludmilla n'arrête pas, mais le Québec non plus. La province est en ébullition. Chaque fois qu'un nouveau conflit éclate, Ludmilla espère que la compagnie ne sera pas empêchée de danser. Ou, pire encore, que ses danseurs ne seront pas forcés de se mettre en grève. Puis, il y a des groupuscules nationalistes dont certains posent des bombes. Il ne se passe pas un mois sans que quelque incident ne vienne déranger la quiétude des Québécois. On sent le ministre de la Justice impatient d'imposer son approche *Law and Order*, lui qui a bien placé sur son bureau une petite potence qui ne peut échapper à la vue d'aucun de ses visiteurs[405].

Le Canada, qui prépare les fêtes de son Centenaire, reçoit la reine Elizabeth, en octobre. Elle visite d'abord Charlottetown, où se sont autrefois réunis les « pères » de la Confédération, et doit se rendre ensuite à Québec. Là, le RIN l'attend. Mais il est aussi attendu. Les quelques centaines de manifestants qui ont répondu à l'appel du chef se retrouvent rapidement encerclés sur la petite place, en face du Centre Durocher. Des « milliers de soldats et de policiers armés jusqu'aux dents nous barraient la route », écrira Pierre Bourgault. Malgré l'ordre de dispersion,

> un certain nombre de militants, déterminés à manifester d'une façon ou d'une autre, furent pourchassés, matraqués, battus brutalement par la police. La télévision et la radio en rendirent compte en direct. On parla du Samedi de la matraque. [...] tout cela se passait pendant que la reine parcourait des rues désertes entre deux rangées de soldats au coude à coude[406].

Il est curieux que la visite de la reine ait été autorisée puisque déjà, au printemps, Jean Lesage avait fait escorter par une police armée les délégués à la Conférence fédérale-provinciale tenue à Québec, « en raison de menaces terroristes d'attaque à la bombe et des manifestations d'étudiants[407]». Cette rencontre avait été haute en couleur, Lesage réclamant pour le Québec une part substantielle du revenu fiscal et cela, avant son prochain budget. La volonté trop assurée des décideurs fédéraux l'avait amené à déclarer aux journalistes qu'il serait obligé d'examiner « avec une gravité sans précédent les mesures à prendre[408]». C'est de là que sont nés, faut-il le rappeler, le Régime des rentes du Québec et la Caisse de dépôt et de placement.

La saison 1964-1965 s'ouvre à la Comédie Canadienne le 11 novembre. Selon les médias, le public est enthousiaste. On salue particulièrement une chorégraphie de Ludmilla, *Hongroise*, de même que *Espanola*, de Brydon Paige, dont on apprécie le style classique. « Monsieur Paige est aussi capable et inventif dans ce style que dans n'importe quel autre[409*]. » On signale aussi la technique du couple de danseurs canadiens que Ludmilla a embauché, Anne-Marie et David Holmes. Ces étoiles qui ont également dansé avec le Kirov offrent une performance partout saluée dans *Le Corsaire*. Cette chorégraphie est une des rares où le jeu du danseur n'est pas éclipsé par celui de la danseuse. Et puis, on souligne que la compagnie a maintenant de bons danseurs masculins. « La compagnie Les Grands Ballets s'est grandement améliorée depuis l'année dernière. Les danseurs mâles en particulier[410*]. » Les Holmes sont aussi acclamés à Toronto. Ludmilla a donc eu la main heureuse en les mettant sous contrat. C'est à partir d'échanges avec Anton Dolin qu'elle a pu arriver à cela. L'arrivée de celui-ci aux GB sera d'un grand secours. Il apporte une connaissance du marché international que Ludmilla n'a pas et lui permet de développer non seulement les GB mais son réseau personnel de contacts étrangers.

Le mois de décembre est consacré à la production de *Casse-Noisette*. Ce ballet, créé par Marius Petipa pour le Ballet impérial de Russie, a été présenté pour la première fois devant le tzar et la cour au Mariinski, le 18 décembre 1892. La première, à Montréal, aura lieu le 18 décembre, à la PDA. Coïncidence? Sans doute pas. Pour Ludmilla, tout est signifiant. Plusieurs danseurs qu'elle a formés à l'Académie y tiennent un rôle, notamment Sasha Belinsky, Maurice Lemay, Chantal Bellehumeur, Christine Clair.

Mis en scène et chorégraphié par Fernand Nault, *Casse-Noisette* sera présenté cinq fois, dont deux en matinée. C'est une très grosse production qui mobilise plus de cent cinquante personnes, dont quarante pour la confection des décors et des costumes, des maquillages et de l'éclairage. Une grosse production qui entraîne un gros déficit. Et un conflit avec Daniel Seillier. À la demande de Ludmilla, il devait danser dans *Casse-Noisette*. Son nom était même dans la publicité mais, lui écrit Ludmilla, « je comprends le point de vue de Monsieur Nault qui, en signant la chorégraphie de la production, ne trouve pas juste qu'une chorégraphie faite par quelqu'un d'autre soit dansée dans une des variations ; j'espérais beaucoup que vous arriviez à un compromis, et je regrette de ne rien pouvoir faire en la circonstance[411] ». Il y avait aussi un conflit avec Uriel. Seillier avait ouvert à la Palestre nationale un studio où il donnait des cours à des danseurs qui n'étaient pas membres des GB ni étudiants à l'Académie. « Ça marchait très bien sauf que je ne m'entendais pas avec Uriel, dira Seillier. J'avais déjà eu quelques accrochages avec lui. Il se mêlait de choses pour lesquelles il n'était pas doué. Je n'étais pas d'accord. Il m'a demandé de partir. J'ai quitté. J'ai quitté Ludmilla parce que je ne m'entendais pas avec Uriel[412]. » Seillier quittera les GB pour le Ballet National.

Pendant tout le mois de décembre, Ludmilla a multiplié les démarches auprès du gouvernement du Québec. Au MAC, elle peut compter sur Guy Beaulne. Avant d'être réalisateur à la télévision, Guy Beaulne l'a été à la radio, où il a mis en œuvre « un laboratoire des nouveaux auteurs dramatiques pour y attirer de jeunes auteurs. C'est là qu'ont commencé Marcel Dubé, Claude Jasmin et tant d'autres. Pendant ma période radio, dira-t-il, j'ai également mis en ondes *Les Plouffe*. » Lorsque Jean-Paul Fugère quittera RC, c'est lui qui continuera de diriger *Les Plouffe*, à la télévision. Guy Beaulne est alors directeur général des Conservatoires de musique et d'art dramatique, et Pierre Laporte a remplacé Georges-Émile Lapalme comme ministre responsable des Affaires culturelles. Pierre Laporte a d'ailleurs accepté de présider la prochaine série de spectacles des GB.

Chapitre 11
Carmina Burana

Noël a beau être à la porte, et Ludmilla à la veille d'accoucher, elle expédie des lettres pour alerter ses amis et supporteurs de la situation précaire dans laquelle se trouvent les GB. Ainsi, remerciant le maire Drapeau d'être venu au spectacle, elle lui demande une rencontre. « Il y a en ce moment quelques nuages dangereux qui assombrissent l'atmosphère et qui semblent mettre en péril l'avenir de notre entreprise[413]. »

Elle aura bien un peu fêté Noël avec les siens, mais il lui faut rapidement préparer l'année 1965. Elle courtise Fernand Nault, qu'elle voudrait retenir à Montréal pour quelques années. « Elle m'a poursuivi, naturellement. Elle m'a écrit une charmante lettre, m'a téléphoné plusieurs fois. Elle me disait : on vous attend. On ne vit que pour votre retour. Mais je ne pouvais pas encore laisser New York. C'était devenu chez moi. J'y vivais depuis vingt et un ans. »

Le 14 janvier, Ludmilla accouche de Catherine (Katia) « qui est venue au monde avec du retard », ce qui la force à reporter certaines tâches et à charger Niderlova d'auditions auxquelles elle aurait autrement procédé : la nounou s'occupera des deux petites, comme elle appellera ses filles à partir de ce moment.

Au début de 1965, la situation financière des GB est catastrophique. Le déficit accumulé atteint deux cent six mille dollars et celui qui s'annonce pour la prochaine saison est dû pour une bonne part aux demandes salariales de l'Actor's Equity, qui exige que les heures supplémentaires soient payées aux danseurs. Depuis l'automne, l'ensemble des théâtres et des troupes locales de toute nature ont vu leurs recettes chuter. Aux GB, il faut ajouter la production de *Casse-Noisette*, mais le conseil d'administration trouve cet investissement justifié parce que ce ballet sera présenté de nouveau l'année suivante, et possiblement l'année d'après, ce qui permettra d'amortir une partie des coûts de cette production.

Étant dans l'impossibilité d'assurer les salaires, la compagnie n'a d'autre choix que de consentir à un transport de créances en faveur de la Banque Canadienne Nationale[414] pour obtenir une augmentation de la marge de crédit. En conséquence, les subventions à venir du gouvernement du Canada, pour la saison 1964-1965, seront versées à la banque ou retenues par elle dès qu'elles seront déposées, et les GB devront trouver ailleurs de quoi vivre en attendant. Alors, le juge Vadeboncœur et Uriel multiplient les démarches et Ludmilla les accompagne à Québec. Ils sont reçus par Guy Beaulne, avec qui ils élaborent un plan de sauvetage. Quand je le rencontre, à l'été 1996, Guy Beaulne a ses agendas de cette période et me montre les nombreuses rencontres et conversations téléphoniques qu'il a eues avec Uriel ou Ludmilla, jusqu'au début de l'été. Il me raconte les efforts faits pour sauver les GB.

> Quand on a eu cette réunion d'urgence dans le bureau de Pierre Laporte, ça allait très mal. J'avais passé quasiment une nuit à son bureau de la Grande Allée. Je me souviens qu'après de longues, longues discussions j'avais enfin fait comprendre à Pierre Laporte que les GB étaient une institution essentielle et qu'il fallait tout mettre ce que l'on pouvait dans sa poursuite. Ce que j'aurais voulu vous donner aujourd'hui, c'est le moment précis où j'ai su de la voix du ministre Pierre Laporte... Ça été un des grands moments de ma carrière et Pierre Laporte était très heureux de ça, même s'il savait qu'il aurait à combattre au Conseil des ministres. Ce soir-là, les GB ont été sauvés[415].

Même s'il lui a fallu continuer ses pressions pendant quelques mois, Beaulne a effectivement sauvé les GB. Il a aussi pris sur lui de contacter le CAC, en janvier 1965. Il a ensuite coordonné les efforts à Ottawa, à Montréal et à Québec, et organisé une rencontre entre le ministre Pierre Laporte et les GB. Le 19 février, il a remis à son ministre un mémoire sur la condition précaire des GB pour que ce dernier soit en mesure de défendre le dossier au Conseil des ministres, mais le 25, le ministère déclare ne rien pouvoir pour les GB. Uriel rencontre Beaulne à Québec, le 16 mars, avec un budget remanié et un programme ramené à de plus petites proportions. Il apprend que les négociations avec le CARMM, ainsi que celles avec le CAC, n'ont pas abouti quant au règlement de la dette des GB. Toutefois, le gouvernement du Québec serait prêt à accorder une aide importante, à condition que la compagnie fasse sa part par une campagne de souscription.

Un comité spécial de coordination est mis sur pied, présidé par Laurent Girouard et auquel siègent entre autres Sarto Marchand, Eric Molson, Edward Bronfman et Philip Vineberg. Il a comme objectif « *an ongoing program of financial development* ». Ce comité se penche aussi sur la saison prochaine de même que sur la participation des GB à l'Expo 67. Ce comité retient les services d'un consultant en levée de fonds, qui agira aussi comme secrétaire du comité.

Il faut recueillir au moins cent mille dollars. De son côté, Uriel essaie d'intéresser la compagnie Alcan mais sans succès.

Pour ce qui est de la saison 1965-1966, elle ne débuterait que le 6 novembre et le projet de créer *Giselle* est reporté. Il faut compter soixante-quinze mille dollars au minimum pour cette production. La compagnie pourrait toutefois participer à la création de l'opéra *Aïda*, en octobre. Cette chorégraphie d'Anton Dolin serait ensuite reprise à la télévision et assurerait du travail aux danseurs durant cette période difficile. Ludmilla est toujours préoccupée par le fait qu'elle perdra ses danseurs si elle ne peut leur fournir suffisamment de travail.

La période des fêtes ramènera *Casse-Noisette* après un Atelier chorégraphique où Ludmilla tient à ce que Fernand Nault présente une chorégraphie. Elle en est encore à le courtiser, et ce n'est qu'au début de mai qu'il signera son contrat. Malgré tous les oiseaux de malheur qui colportent de mauvaises nouvelles sur l'avenir de ses ballets au nom pompeux, elle s'accroche aux projets d'avenir. Elle entend bien que les GB partent en tournée américaine à la mi-février et qu'au retour, ses danseurs puissent commencer les répétitions de nouvelles œuvres. Elle travaille au programme qu'elle veut offrir au monde entier à l'Expo 67 et aux fêtes du Centenaire de la Confédération canadienne. Dès que Fernand Nault sera revenu à Montréal, elle veut préparer avec lui un répertoire qui pourrait être dansé en Europe avant la fin de la décennie. Elle songe à s'attacher certains danseurs pour trois ans, en prévision de cela. Depuis le début, ses danseurs sont libres, encouragés même à accepter des contrats avec d'autres compagnies en dehors de la saison des GB. Pour Ludmilla, c'est un souci financier de moins, mais c'est aussi mettre le danseur en situation de formation continue. Côtoyer d'autres chorégraphes et d'autres maîtres de ballet est un enrichissement personnel qui bénéficie à la compagnie quand le danseur réintègre les GB. La plupart reviennent mais, cette fois, elle voudrait assurer trois ans de travail aux meilleurs éléments.

Elle recrute aussi. À la mi-avril, elle accorde des auditions à New York et elle demande à Fernand de l'assister. Il lui manque encore quatre garçons dans le corps de ballet[416]. Mais d'ici là, il faut assurer la survie des GB. Uriel emprunte personnellement deux mille cinq cents dollars pour le quotidien de la famille. Maître Antoine Geoffrion se porte garant de quinze mille dollars auprès de la banque, ce qui permet à la compagnie de partir en tournée dans les Maritimes, comme prévu. Un temps, le conseil d'administration a envisagé d'annuler la tournée, mais pour Ludmilla, il n'en était pas question, sauf qu'elle devra s'y résigner pour la partie américaine. Cela entraînera la démission de Claude Poirier, le répétiteur et chef d'orchestre. Ludmilla est blessée par le départ de Poirier. Elle lui rappelle qu'elle l'a soutenu dans le temps difficile de [son] évolution. Je suis peinée, poursuit-elle, de voir qu'à un moment où moi, je suis en difficulté [...] tu donnes ta démission.

[...]

Il va sans dire que je continuerai de lutter pour surmonter les difficultés de notre compagnie avec tous ceux qui veulent bien croire en moi et dans notre œuvre[417].

Les comptes sont tous en souffrance. Mercury Realties met les GB en demeure de payer les loyers dus pour l'entreposage des décors au 743, rue de la Montagne et ceux du 4848, boulevard Saint-Laurent, studio des GB. David Lichine, lui, réclame ses droits pour le *Bal des cadets*. La tension monte entre le directeur général et la directrice artistique; d'être mari et femme n'allège en rien l'atmosphère. Selon Claude Berthiaume, au studio «ils étaient souvent à couteaux tirés à cause de l'argent. Des fois, elle me disait de faire telle ou telle chose. Uriel ne le voulait pas.» Les secrétaires aussi se souviennent de fortes discussions, entre eux, au bureau. Et comme si elle n'avait pas assez de soucis, Ludmilla perd la nounou de ses filles.

À l'occasion de la Pâques catholique, elle part en train pour Midland, avec la petite Katia. Uriel fera le trajet en voiture avec les autres enfants. Chez les Tolkmith, on baptisera Katia. Ludmilla songe aussi à envoyer Nastia en Europe pour l'été. Elle écrit en France et en Suisse, chez des amis pour leur demander s'il leur est possible de recevoir Nastia une semaine ou deux. Son aînée a dix-sept ans et «il lui semble important qu'elle voie un peu le monde». Comme elle ne peut l'accompagner, écrit-elle, elle s'en remet à eux. Ce n'est sans doute pas la vraie raison.

Il est de plus en plus difficile pour Ludmilla d'organiser la vie d'une famille reconstituée, avec des adolescents d'un côté, de jeunes bébés de l'autre et une vie amoureuse qu'elle ne peut ni ne veut cacher. Toute à son nouveau bonheur, elle ne réalise pas que ses plus grands ont de la difficulté à s'ajuster. Ils ne savent pas comment agir avec Uriel qui n'a que trente et un ans; il est très sévère avec les enfants. Nastia, qui est devenue une jeune femme, ne peut se comporter comme les filles de son âge. Ludmilla a donc décidé qu'il serait bon de l'éloigner pour l'été. Ainsi, le 10 juin, avec Uriel et Avdeij, elle part pour l'Autriche, où elle s'initiera à l'allemand. Uriel continuera son voyage avec Avdeij, lui faisant découvrir un univers auquel ce dernier aurait souhaité ne pas avoir à faire face. Hadu se souvient de cette époque. «Avdeij était un beau garçon, blond-roux, bien coiffé, en smoking. Il est venu à Villette avec Uriel. J'étais presque en admiration. J'ai dit : " Vous restez chez nous ? " Uriel a dit : " Non, non, on est descendus au Grand Hôtel. " Avdeij était très silencieux. Uriel avait reçu de l'argent comme victime de l'Holocauste et il a d'abord amené Avdeij faire un tour d'Europe. Après, il est venu avec Gleb, et là non plus ils n'ont pas dormi chez moi. Je trouvais cela absurde. »

À Montréal, durant cet été-là, Ludmilla perd sa secrétaire. Blanche se marie et, comme elle ne s'entend pas avec Uriel, elle décide de quitter les GB. Quand elle lui dit ce qui ne va pas avec Uriel, Ludmilla se choque. Elle n'admet pas que l'on critique son mari. « Mais il n'avait pas de diplomatie, raconte Blanche. Il commandait beaucoup et personne ne l'aimait. » Blanche reviendra périodiquement travailler pour Ludmilla, qu'elle admire beaucoup.

Durant l'absence d'Uriel, Ludmilla travaille jour et nuit, d'après ce qu'elle écrit à Anton Dolin[418]. Elle supervise les cours d'été, organise un petit atelier chorégraphique pour occuper les danseurs qui sont restés en ville. Elle réorganise l'Académie, ce qui l'amène à réévaluer chacun des élèves, non seulement à Montréal mais aussi dans tout le Québec, pour en connaître les habiletés et voir les possibilités ouvertes aux meilleurs. Elle se débat avec le ministère du Revenu national, qui a décidé de classer les GB comme « manufacturier », de telle sorte qu'on leur réclame des taxes lorsqu'ils confectionnent des costumes. Philip Vineberg, mandaté pour régler cette question, rencontre le sous-ministre Raymond Labarge, qui finit par admettre que certaines firmes se sont plaintes. Les ministres ont été informés du problème, mais rien ne bouge. Il reste à Ludmilla à se rendre à Ottawa, chez Maurice Lamontagne, le ministre de la Culture, pour le convaincre de faire fléchir son collègue du Revenu de renverser la décision des fonctionnaires.

Ludmilla est aussi en attente d'une réponse de Radio-Canada qui n'a toujours pas décidé quelle œuvre sera présentée durant la prochaine saison. Elle voudrait profiter de cette émission pour monter un ballet qui servirait en même temps au répertoire des GB. Quand finalement Radio-Canada se branchera, il sera trop tard pour une nouvelle création. Elle offrira *Pierrot de la lune* qui sera en ondes à vingt-deux heures à *L'Heure du concert*, le 23 décembre.

Ludmilla convoque des auditions à Montréal, auxquelles elle invite Fernand Nault. Et il signe un contrat avec les GB. « Je suis venu pour un an. Et je suis resté. » Fernand Noël Boissonnault est né à Montréal le 27 décembre 1921. Très jeune, il voulait faire de la danse et a commencé par des cours de claquettes, sur le trottoir. Il a étudié ensuite chez Maurice (Lacasse) Morenoff avant d'être appelé sous les drapeaux. À son départ de l'armée, il s'est rendu à New York pour chercher du travail. L'American Ballet Theatre partait en tournée pour Montréal mais avait tout son monde. Sauf que l'un des danseurs est tombé et s'est abîmé le coude. Et Fernand Nault s'est vu offrir un contrat de six semaines pour le remplacer. De retour à New York, la compagnie a voulu le garder jusqu'à la fin de la saison. En fait, l'American Ballet Theatre le gardera vingt et un ans.

Il deviendra soliste, premier danseur de caractère, maître de ballet, chorégraphe. Jusqu'à ce que Ludmilla le courtise.

> Ludmilla, je l'ai trouvée phénoménale. Son savoir-faire, cette présence, cette aisance qu'elle avait. Dans une salle, on la voit. Elle s'empare de l'espace. Et son niveau artistique ne baisse jamais. Elle veut toujours le meilleur. Avec rien, elle fait quelque chose. Elle est unique.

Ludmilla le nommera directeur artistique adjoint. Il le restera jusqu'en 1974. L'équipe artistique est maintenant composée, outre Ludmilla et Fernand, d'Anton Dolin, aviseur artistique, de Milenka Niderlova, maîtresse de ballet, et de Brydon Paige, maître de ballet adjoint et chorégraphe résident. Ludmilla entretient une intense correspondance avec Anton Dolin avec qui elle teste « un plan d'avenir artistique de la compagnie qui [...] permet d'une part de continuer la création et d'autre part d'ajouter des œuvres classiques[419] ». Ce plan, elle l'a déposé auprès de tous ceux qui tentent de résoudre la crise financière que traversent les GB. Bien que rien ne soit définitif, au contraire de ce qu'elle lui écrit, il semble que la province de Québec soit prête à assumer une partie du déficit accumulé, sur une période de trois ans. « Ceci veut dire que nous sommes obligés pendant ces trois années de faire des saisons économiques afin de ne pas ajouter aucun déficit à celui que nous avons déjà. » Les GB sont ainsi « obligés d'enlever toute création pour la saison courante[420] ». Dans ses lettres, Ludmilla demande aussi à Dolin d'approcher des danseurs masculins qui seraient susceptibles de venir à Montréal pendant un an ou deux. C'est de cette façon qu'elle pourra mettre sous contrat Richard de Vaux, comme soliste, pour septembre.

Alors qu'il y a moins d'argent pour financer les programmes habituels, au CAC, les Commissions du Centenaire et de l'Exposition universelle disposent de moyens importants et offrent des fonds pour des créations nouvelles. Dans ce cadre, Peter Dwyer écrit aux GB :

> Le Comité du Programme désire savoir si vous accepteriez une somme de soixante-dix mille dollars, pour créer un nouveau ballet, Ti-Jean, avec chorégraphie de Chiriaeff et musique de Perrault [...] L'offre qui vous est faite ci-dessus [...] vaudrait pour un spectacle monté dans votre ville, sans égard à la question de savoir si votre troupe serait invitée à le présenter en tournée[421].

Ludmilla est donc assurée de fonds spéciaux pour le printemps 1966. Elle pourra ainsi libérer un montant pour faire monter *Giselle*. Quant à elle, elle commence à élaborer sa chorégraphie de *Ti-Jean*.

Dans tout ce brassage autour de la survie des GB, les gouvernements, de même que le Comité central de coordination des GB, ont cherché à comprendre la nature des liens entre l'Académie et la compagnie. D'aucuns se sont même demandé si des fonds ne passaient pas de l'un à l'autre sans que ce soit clairement montré dans les états financiers. L'Académie étant la propriété de Ludmilla, elle n'est pas tenue d'ouvrir ses livres au CAC ou à quiconque. Le conseil d'administration des GB promet de régler cette question, et c'est le juge Vadeboncœur et le comptable Marcel Caron qui s'y attellent. Dès le 9 juillet, ce dernier adresse une longue lettre à Uriel Luft pour lui faire part de la réorganisation anticipée. Dans ce projet, une compagnie à but non lucratif serait constituée qui achèterait l'Académie Chiriaeff pour un montant à être déterminé et dont le paiement s'effectuerait sur une décennie. Un comité serait chargé de procéder à une évaluation réaliste de l'Académie et déterminerait les modes de paiement, qui ne devraient pas entraîner un revenu imposable pour Ludmilla.

La nouvelle compagnie serait connue sous le nom de « Académie des Grands Ballets Canadiens » et prendrait Ludmilla sous contrat. Celle-ci devrait être rémunérée en sus pour son travail de chorégraphe, pour les répétitions, etc. Il s'agit d'un projet qui mettra du temps à se concrétiser. On l'a vu, Ludmilla est dans tout. Il est très difficile de décloisonner ses tâches. Elle est l'âme des deux institutions et elle ne fait pas de distinction dans son implication, bien que les objectifs poursuivis par l'Académie et par les GB diffèrent. L'Académie forme des danseurs, les GB produisent des spectacles. Si l'Académie a été conçue pour être une pépinière dans laquelle la compagnie peut puiser afin de monter ses créations, Ludmilla est quand même encore obligée d'aller chercher la majorité de ses danseurs à l'étranger. On le sait, il faut près de huit ans pour former un danseur. Mais cela devrait pouvoir changer d'ici quelques années, car certains élèves commencent à se joindre à la troupe.

Marcel Caron, dans une lettre au président du conseil d'administration, parle « du statut de Madame Chiriaeff vis-à-vis la compagnie les Grands Ballets Canadiens [...] il nous a paru [...] que les relations de Madame avec l'Académie et la compagnie constituaient en fait un seul et même problème et qu'il s'avérait dificile de régler une question sans solutionner l'autre[422] ».

Après l'Atelier chorégraphique des 11 et 12 août, Ludmilla part pour Rawdon avec les enfants, sauf Nastia qui est alors en Suisse chez les Lämmler. Même en vacances, Ludmilla doit résoudre quelques problèmes urgents. Elle se retrouve sans pianiste, la remplaçante de Claude Poirier ayant décidé de suivre son mari en voyage. Elle embauchera plus tard Vladimir Jelinek, qui agira dès lors comme chef d'orchestre. Par ailleurs, elle obtient de l'ONF un prêt de pellicule et d'équipement technique pour réaliser un « documentaire chorégraphique qui facilite la remise en scène [des] ballets car il n'y a aucune façon pratique d'inscrire le mouvement[423] ».

Les répétitions pour *Aïda* vont bon train, sous la direction d'Anton Dolin. Près de trente danseurs feront partie de la séquence dansée. Ludmilla tient à ce que tout soit parfait. Elle a tellement voulu joindre le ballet à l'opéra, il ne faudrait pas que quoi que ce soit cloche. La critique n'est pas élogieuse pour Dolin, mais Ludmilla, elle, a bonne presse. *Perspective* lui accorde cinq pages de reportage, avec photos. Pour la première et la seule fois, Ludmilla dit qu'elle est née à Berlin[424]. Elle annonce *Ti-Jean*, qu'elle est à préparer pour les cérémonies du Centenaire de la Confédération. L'article rapporte que « près de mille cinq cents élèves répartis dans huit écoles disséminées dans le Québec étudient actuellement sous son égide ».

En septembre, le gouvernement du Québec finit par accepter de

> solder le déficit [des GB] après entente avec la banque et à la condition que la compagnie suive une ligne budgétaire rigide et que par une administration d'affaires elle soit capable de trouver les moyens pour obtenir les fonds nécessaires à combler la différence entre le montant total de ses octrois et les sources privées de revenu[425].

Pour Marcel Caron, « c'est un miracle que ça ait continué avec le peu de ressources qu'ils avaient ».

Pour ouvrir la saison à la PDA, les GB présentent le vendredi 17 décembre *Les Sylphides, Swan of Tuonela, Medea* et *L'Oiseau de feu*. Dès le dimanche 19, *Casse-Noisette* revient, légèrement retouché. « Chaque année, je fais quelque chose de nouveau, raconte Fernand Nault. Je ne veux pas faire une copie exacte, bien que les enfants s'attendent à revoir la même histoire[426]. »

Ludmilla avait souhaité monter pour cette période, en plus de *Casse-Noisette*, un très grand Atelier, sans décors ni costumes. Elle voulait y inviter presque gratuitement la jeunesse pour montrer des créations faites par les chorégraphes des GB. À ce public, elle projetait de remettre des « feuilles questionnaires pour [le] faire participer par ses réponses au choix de notre répertoire », écrit-elle à Dolin. « Nous augmenterions ainsi l'intérêt de la création auprès des Montréalais. C'est un moyen économique mais très efficace, car il nous permet de nous approcher d'un public nouveau en l'engageant dans notre vie créatrice[427]. » Elle insiste auprès de Dolin pour qu'il accepte de créer une œuvre à cette occasion, comme elle l'a demandé à Fernand, à Brydon et comme elle le fera elle-même. Cet événement n'aura pas lieu.

Bien qu'elle n'ait pas beaucoup de temps, Ludmilla organise une petite fête pour l'anniversaire de Katia. Dès le lendemain, la compagnie part en tournée : trente-cinq danseurs, vingt-cinq musiciens, le chef d'orchestre et le personnel technique. Soixante-dix personnes s'entassent dans deux autocars. C'est la plus grande tournée jamais faite : mille huit cents milles à parcourir sur le continent. La Corporation canadienne de l'Expo a donné des sacs de voyage pour chacune des personnes qui fait la tournée, comme promotion de l'événement qui sera tenu l'année suivante. Jean Drapeau, lui, a chargé les GB d'une mission auprès des maires des villes où ils vont se produire. Ils sont porteurs d'une invitation personnelle du maire de Montréal à ses homologues : il les attend à Terre des Hommes[428].

La tournée débute à l'auditorium du Collège de Jonquière, avant le Capitol de Québec. C'est ensuite l'Ontario et New York, où le critique du *New York Times*, Clive Barnes, les éreinte. Rien ne trouve grâce à ses yeux. Ni les danseurs, ni les chorégraphies, ni les décors, ni les costumes, ni le chef d'orchestre. Rien. Ludmilla sait que sa compagnie ne peut plaire à tous, mais pour les danseurs, c'est toujours difficile à prendre. Et elle s'emploie à les rassurer. Ailleurs, on parle de performance magnifique, de soirée remarquable, de compagnie de grand style.

Ludmilla et Uriel font la tournée. Ils ne sont pas partout tout le temps mais, au moins au début, ils sont ensemble. À New York, où Uriel a de la famille, ils n'arrivent même pas à trouver un moment pour voir celle-ci. Et, comme toujours, il leur arrive des pépins. En plus d'une tempête et d'un temps très froid à la fin de janvier, les GB se font cambrioler. Ludmilla et Uriel rentrent à Montréal, ce dernier, seulement pour deux jours. Il rejoint la compagnie en Floride.

Le 30 janvier, Ludmilla apprend le décès de Pierre Mercure. Dans la nuit du samedi au dimanche, il a perdu la maîtrise de la voiture qu'il conduisait sur l'autoroute Paris-Lyon, en France. Il avait trente-neuf ans. Mercure avait pris ses premières leçons de musique avec Claude Champagne à l'âge de onze ans. Il était à l'aise avec plusieurs instruments de musique : le piano, la flûte, la trompette, le violoncelle et le basson. À la fin des années 1940, une bourse l'avait amené à Paris où il avait étudié avec Nadia Boulanger et Darius Milhaud. En 1952, il était entré à Radio-Canada et avait concocté *L'Heure du concert* avec Gabriel Charpentier. On l'a vu plus haut, c'est là que Ludmilla l'avait rencontré, alors qu'il réalisait cette grande émission culturelle. Ludmilla lui commandait des œuvres et montait des ballets avec lui.

Mercure, qui a travaillé plus d'une décennie avec Ludmilla, admirait sa volonté et son talent. L'année précédente, il avait raconté au journaliste du *Weekend Magazine* : « Nous avons engagé le groupe régulièrement et encouragé Madame à former sa propre compagnie [...] C'est une collaboratrice sur qui on peut compter. Elle a du dynamisme, de la détermination et du talent, non seulement pour la chorégraphie mais aussi pour l'organisation et la direction[429*]. » Ludmilla le trouvait dur et exigeant mais « cachant une grosse sensibilité. Il croyait à l'avenir de la musique concrète et des musiques contemporaines qu'il essayait de réaliser. » Comme Ludmilla, il était trop pris par la réalisation d'émissions hebdomadaires et devait négliger ses créations. « Deviner la couleur, le son, le murmure de la vie, tu dois vraiment être à l'écoute pour créer. Et quand tu es responsable d'une équipe, comme il l'était, et que tu as une famille avec de jeunes enfants, il te reste bien peu de temps pour cela. » Ludmilla sait de quoi elle parle. Elle est dans la même situation. En plus, elle doit constammer chercher de l'argent pour assurer la survie de tout son monde. Maryvonne Kendergi dira de Mercure qu'on « lui reprochait parfois sa brusquerie et son impatience, mais ces traits de caractère étaient bien compréhensibles, car pour entreprendre des choses aussi ambitieuses, il devait exiger beaucoup de ses collaborateurs[430] ».

Le Québec est encore secoué par une série de grèves : les employés de la Régie des alcools, les ingénieurs d'Hydro-Québec et les enseignants. Aux employés de la fonction publique qui réclament le droit de se syndiquer, Lesage répond que la reine ne négocie pas avec ses sujets. Mais la reine finira par le faire. Et Ludmilla de se demander si c'est une bonne chose de tellement vouloir intégrer l'enseignement de la danse au système public d'enseignement.

Pendant que la compagnie continue sa tournée, Ludmilla s'attache à la préparation de la saison, à Montréal, et à la planification des activités pour les fêtes du Centenaire de la Confédération et l'Expo 67. Elle voudrait monter deux ou trois œuvres nouvelles, outre *Ti-Jean*, et les inclure dans les représentations de décembre. Elle demande à Michel Comte, récemment rentré d'étude en Europe, de lui créer un ballet s'inspirant du carnaval d'hiver. Ce sera *Pointes sur glace*, sur des extraits de deux opérettes de Calixa Lavallée, le compositeur de l'hymne national du Canada. Mais quoi d'autre ? Fascinée par les légendes d'ici, elle veut présenter une œuvre qui pourrait être mise en musique par un compositeur actuel. Brydon Paige, lui, s'intéresse à la Corriveau depuis qu'il a lu *Les Anciens Canadiens*, de Philippe Aubert de Gaspé. Il compose un scénario sur lequel Gilles Vigneault écrit deux chansons qui seront orchestrées par Alexander Brott. *La Corriveau* sera dansée dans les décors de Claude Girard, un jeune peintre que Ludmilla veut encourager, mais ce dernier a de la difficulté avec Brydon. Il écrit à Ludmilla :

> Je ne suis pas un décorateur et je n'ai pas l'intention de le devenir. S'il ne peut comprendre la différence entre l'un et l'autre [...] Je ne voudrais pas que cette expérience soit aussi pénible pour vous comme elle l'est actuellement pour moi[431].

Ludmilla tentera de calmer la querelle, mais Odette LeBorgne, qui a aussi travaillé sur *La Corriveau*, en garde un souvenir plutôt amer.

Ludmilla s'attaque aussi à la rédaction d'une méthode québécoise d'enseignement du ballet. L'année précédente, elle avait enregistré ses droits sur *Quelques recommandations aux professeurs de l'Académie des Grands Ballets Canadiens*. Dans ce document, elle détaillait les cours de première et deuxième des classes préparatoires ; de la première à la cinquième des cours de danse académique et de première et deuxième des classes de pointe. À Guy Beaulne, devenu directeur de l'enseignement artistique au MAC, elle écrit qu'elle aurait aimé qu'on lui

> accordât une bourse pour [qu'elle] puisse s'enfermer quelque part pendant quelques mois [...] car c'est un travail excessivement absorbant et qui demande une concentration complète mais pour l'instant, je ne puis voir comment je pourrais m'absenter avant que la saison prochaine ne soit établie[432].

Ludmilla presse aussi Guy Beaulne d'obtenir des réponses quant à l'aide pour la section Québec de l'Académie. Aline Legris a accepté d'en prendre la direction, sous la supervision de Fernand Nault et de Ludmilla, mais si elle ne peut signer un contrat avec elle avant l'été, Ludmilla craint de la perdre : « Je suis d'autant plus pressée pour régler cette affaire que Mademoiselle Legris a déjà été approchée par notre " cher ennemi ", le Ballet national, pour être en charge de la section d'école de ballet de celui-ci à Montréal[433]. »

Toujours débordée, Ludmilla écrit à Simone Tcheremissinoff :

> Comment je parviens à m'occuper également de mon académie, laquelle, avec tous les centres en dehors de la ville, compte environ mille six cents élèves, je n'en sais rien, mais ce que je peux dire, c'est que je suis comblée et je suis consciente que j'ai le privilège dans la vie d'être mère, épouse et d'avoir eu l'avantage de me réaliser entièrement en tant qu'artiste et en tant que personne qui veut construire et bâtir.

Les nouvelles qui lui parviennent de la tournée sont encourageantes. En dehors de New York, les GB sont bien reçus. Au Royce Hall de Los Angeles, les danseurs sont rappelés plusieurs fois pour saluer les spectateurs. Le critique Patterson Green termine son article par « trois acclamations pour le Canada qui réalise ce que nous n'avons pas pu faire avec toutes les ressources dont nous disposons[434] ». En Oregon, les critiques s'attachent au style, à l'habileté technique et à la finesse des productions ou encore au magnifique ensemble que forme le corps de ballet. Tout cela réjouit Ludmilla, qui a toujours tenu à ce que sa compagnie soit à la hauteur des plus grands. Certes, si elle avait été sur place, elle aurait trouvé un mouvement à redresser ou un éclairage à revoir. Rien n'est jamais assez parfait à son goût, mais elle sait de quoi sont capables ses danseurs.

Ludmilla jongle avec *Ti-Jean*. Elle travaille avec Michel Perrault et Marius Barbeau. « Je disais : le rideau s'ouvre avec les trois frères et le père, l'ivrogne. Il me faut un thème pour lui et pour Ti-Jean. Aussi, un thème pour le chant qui sort du puits, pour la fille, pour le mariage. Je savais ce que je voulais. » Pour écrire le *libretto*, Marius Barbeau, lui, voulait savoir

> exactement combien de mesures il y a quand un danseur va vers la porte, ou quand il sort ou quand le chat saute dans le puits ; comment

se déroulait la scène du mariage, etc. Pour le mariage, il a fait venir un violoneux, Ti-Jean Carignan, pour que l'on choisisse la musique qui convenait le mieux. Je savais ce que je voulais, mais quand j'ai eu fini de découper les scènes pour lui, j'ai été complètement vidée. Perrault a mis un an à compléter le tout et quand il est venu avec toute l'œuvre, la sonorité ne m'a pas rallumée. J'avais commandé un ballet en trois actes dont je n'ai pas terminé la chorégraphie. J'ai demandé à Fernand, qui a fait le premier acte. Finalement, il a dit : je ne peux pas.

Cette partition existe, mais elle n'a pas été entièrement enregistrée. Perrault l'a fait jouer à Radio-Canada. D'après ce que Ludmilla en a dit, elle est difficile et cela aurait coûté beaucoup trop cher pour un ballet. *Ti-Jean* n'a jamais été monté et Ludmilla n'a jamais plus vraiment chorégraphié. « Ç'a été un échec », avouera-t-elle. Elle fera bien ensuite de petites choses pour ses élèves, mais plus jamais une œuvre d'envergure à partir de rien.

Fernand, par contre, offre autre chose à Ludmilla : *Carmina Burana*. Il s'agirait d'une immense production qui ferait aussi appel à des chanteurs solistes et à un chœur, en plus de l'orchestre symphonique et des danseurs. Ludmilla voit tout de suite ce qui peut sortir de ce projet et met à la tâche les décorateurs et costumiers. « Je travaillais avec Barbeau, se souvient Nicole Martinet. C'était ses débuts. »

En ce printemps, le Québec vit une campagne électorale qui mène à la défaite du gouvernement de Jean Lesage. La Révolution tranquille est terminée. Depuis 1962, « l'équipe du tonnerre » a procédé à une série de réformes qui ont complètement changé le visage du québec. La réorganisation de la fonction publique, la prise en charge par l'État de la santé, des affaires sociales et de l'éducation ont libéré ces secteurs de l'emprise que l'Église exerçait sur eux. La création d'une dizaine de sociétés d'État assure l'application des politiques gouvernementales dans l'économie de la province. Mais le gouvernement avait beau vouloir aller plus loin, il s'est heurté à Ottawa. Les espoirs qu'avait suscités le slogan « Maîtres chez nous » sont anéantis. Lesage demande un mandat pour négocier un nouveau partage des impôts. Le chef de l'opposition lui répond qu'il n'a pas besoin d'un mandat pour négocier ce qui nous appartient de par la Constitution[435].

Au sein du PLQ et de la population, d'aucuns trouvent que l'on marque le pas et que les coups de gueule de Lesage ne suffisent plus : la montée du nationalisme apparaît inexorable dans certains milieux. On l'a vu plus haut, quelques groupes se sont radicalisés. Le FLQ a choisi la violence et fait sauter des bombes. Le RIN devient un parti politique et convainc six pour cent des électeurs avec sa proposition d'indépendance. L'Union nationale fait campagne sous le thème « Égalité ou Indépendance ». Le 5 juin, les Québécois y souscriront.

Ludmilla peut respirer. Elle connaît bien les Johnson : ils habitaient près de chez eux, à Notre-Dame-de-Grâce, et la femme du premier ministre s'est impliquée dans l'organisation des spectacles de fin d'année au Manoir. On s'en souviendra, Marie Johnson suivait des cours de ballet à cet endroit que fréquentent aussi ses frères. En outre, Ludmilla avait eu l'occasion de prendre le même train vers Québec. Le Canadien Pacifique partait de la gare Windsor, à dix heures le matin. Il n'était pas rare d'y retrouver René Lévesque et Daniel Johnson en grande conversation. Ludmilla se joignait à eux pour discuter de tout et de rien dans ce wagon qui avait tôt fait de s'emplir de fumée.

En juin, Ludmilla signe un contrat avec l'ONF pour chorégraphier et monter un ballet en collaboration avec le cinéaste Norman McLaren[436]. Connu sous le nom de *Pas de Deux*, cette chorégraphie sera dansée par Margaret Mercier et Vincent Warren. Ce ballet est «très narcissique, selon Ludmilla. L'être voit son image, s'emballe jusqu'au point de danser avec elle, se fond en elle, se sauve, revient, se dédouble à l'infini, puis revient et se perd en elle.» Mis en nomination pour un Oscar, ce film gagnera pas moins de quinze prix au cours des ans. «Jamais auparavant n'a-t-on exprimé avec autant d'imagination la mécanique même de la danse [...]. Ces mouvements sont multipliés jusqu'à onze fois, se superposant avec un léger décalage, illustrant ainsi le rapport que chaque geste entretient avec le précédent ou le suivant[437].» Ludmilla a adoré travailler avec ce génie du film d'animation qui produisait des films sans caméra. Elle gardera contact avec lui jusqu'au décès de ce dernier, en 1987.

Il y a maintenant tellement d'élèves à Québec, et dans la région avoisinante, que Ludmilla décide d'ouvrir un cours secondaire de danse à Québec même. Depuis cinq ans, les professeurs donnaient des cours préparatoires et débutants au Centre récréatif de la paroisse Saint-Sacrement. Dorénavant, les cours pour les élèves de douze à seize ans seront donnés trois fois par semaine, sous la direction d'Andrée Millaire et de Madeleine Demers, au 1150, rue Bourlamaque, dans la haute ville. Claire Brind'Amour continuera de donner les cours pour les élèves de sept à onze ans à Saint-Sacrement.

Ludmilla espère que ses professeurs pourront repérer quelques bons candidats pour la compagnie. Elle est toujours préoccupée par la relève, la carrière d'un danseur étant très courte et la préparation si longue. Elle espère surtout que des garçons finiront par accéder aux classes supérieures. Durant l'année, elle a convaincu la direction de l'orphelinat de Thetford Mines de laisser ses professeurs enseigner gratuitement aux cent vingt garçons de huit à douze ans. Quinze professeurs au Québec et près de quatre cents élèves prometteurs reçoivent une bourse, c'est-à-dire qu'ils suivent des cours à tarifs réduits. C'est donc Ludmilla qui assume une diminution de ses revenus, puisque l'Académie lui appartient.

Pour l'ouverture de la section de Québec de l'Académie, Uriel Luft a rencontré la presse locale le 27 septembre. Quelques phrases, dans un article signé Lise Lachance, ont soulevé une polémique. La journaliste écrivait : « La compagnie espère qu'avant longtemps le gouvernement établira des normes pour les professeurs de danse. À l'heure actuelle, n'importe qui peut enseigner le ballet. Personne n'est là pour vérifier sa compétence[438]. »

Pierre Lapointe, directeur du Centre culturel et artistique de Sherbrooke, écrit à *La Presse* :

> [...] je trouve excellente l'idée de la compagnie des Grands Ballets de demander au gouvernement d'établir des normes pour les professeurs.
>
> Pour ce faire, nous pourrions peut-être demander à la directrice de cette compagnie, Madame Chiriaeff, de nous faire savoir en quelle année exactement elle fut membre de la troupe du colonel de Basil et de fournir les pièces justificatives. De même que pour les professeurs qu'elle délègue dans différents endroits, il nous faudrait les dossiers avec preuves à l'appui et là nous pourrons parler de compétence.

Il dresse une liste de petites organisations, à Montréal et en province, dont celle qu'il dirige, et termine ainsi :

> Tous ces professeurs ont dansé avec des compagnies et ont au moins de huit à quinze ans d'étude. Si le gouvernement décide d'établir un dialogue, c'est avec nous qu'il doit le faire, parce que nous sommes chez nous dans la province de Québec et nous connaissons les problèmes mieux que qui que ce soit[439].

Le 13 octobre, Pierre Lapointe avait écrit à Ludmilla : « Je tiens à vous dire que je ne vous trouve nullement qualifiée pour juger les autres professeurs, et si jamais le gouvernement décidait d'établir un dialogue, c'est d'abord avec les professeurs canadiens-français qu'il doit le faire. » Ludmilla lui répondra longuement en déclinant le nom, la formation et la nationalité de tous les professeurs à l'Académie et aux GB. Une seule personne est Canadienne anglaise mais a été formée par Aline Legris, cette dernière étant sur la liste de Lapointe. Ludmilla rappelle à ce monsieur qu'elle-même est devenue Canadienne et que c'est bien « son privilège de [la] croire incompétente, sans expérience et non qualifiée et qu'il semble oublier qu'il y a peu, elle a eu le plaisir de le féliciter du résultat qu'il a obtenu avec ses élèves qu'elle a eu le plaisir d'accueillir à Montréal[440] ».

Ludmilla aurait pu aussi rappeler que ses danseurs de même que les élèves des classes avancées suivaient des cours avec les danseurs étoiles et les grands maîtres de ballet au moment du passage de ces derniers à Montréal. Lapointe est un ancien élève de Madame Koudriatzeff. Selon Brydon Paige, Mesdames Koudriatzeff et Lekopska étaient contre Ludmilla. Lekopska « avait tout un caractère. Elle avait été danseuse principale à la compagnie du colonel de Basil. Elle devenait presque hystérique parce que Madame disait qu'elle avait dansé avec de Basil, ce qui n'est pas vrai. Elle n'avait que tenu la cape de Lichine dans *Firebird.* »

Lapointe s'attaque aux GB et à Ludmilla depuis plusieurs années déjà ; « jusqu'à présent, j'ai toujours répondu par le silence », écrit Ludmilla à Guy Beaulne[441], qui lui répond trouver « stupide la lettre de Pierre Lapointe. C'est un geste d'un petit monsieur qui me répugne profondément et je vous engage à l'ignorer tout à fait malgré la blessure que vous avez reçue[442]. » Dans la même lettre, Guy Beaulne lui conseille de « préparer à temps perdu, un dossier concernant les attestations d'études, de carrière et les témoignages de maîtres et de critiques que vous pourriez réunir : ce document pourra vous être utile ». À la suite de cet épisode, Ludmilla écrit à Sabine Ress, Margot Rewendt, Anthony Diamantidi et Xenia Borovanski pour qu'ils lui procurent un certificat (dont elle joint un texte pour signature !) qui ferait la preuve de ses études et de son expérience en danse à Berlin. Ils signeront tous le document qui les concerne, tel qu'il a été rédigé, mais je n'ai retrouvé aucun programme qu'elle avait demandé à ces personnes de joindre à leur envoi. En fait, seul Diamantidi était susceptible d'en avoir conservé, les autres ayant, comme Ludmilla, subi les bombardements à Berlin.

À la conférence de presse annonçant le programme de la saison 1966-1967, Ludmilla lance un concours d'affiches. Les œuvres primées seront exposées à la PDA et celle qui obtiendra le premier prix servira pour la saison 1967-1968. Elle annonce aussi que, cette saison, cinq élèves de l'Académie deviennent danseurs professionnels, dont un garçon, Alexandre Belin. Elle présente en outre à la presse Pierrette Alarie, Pierre Duval et Marcel Laurencelle, qui seront de la distribution de *Carmina Burana*, les premiers comme solistes et Marcel Laurencelle en tant que chef de chœur. « Quand on a monté *Carmina*, c'était absolument splendide, se souvient Nicole Martinet. J'avais trouvé un tissu comme Madame le voulait, mais il fallait le faire venir de Lyon. Vous savez combien j'ai commandé de tissu ? Huit cents mètres ! Et je n'ai jamais eu mal aux genoux comme cela, parce qu'on était obligé de travailler à genoux. On ne pouvait pas couper. Pour les moines, c'étaient de grandes capes et des capuchons qui avaient une immense circonférence ; mais le résultat, c'était incroyable ! »

Carmina Burana commence sa carrière le samedi 12 novembre à la PDA. Fernand Nault a conçu ce ballet sur la musique de Carl Orff, et c'est dans un décor de Robert Provost que toute la distribution évoluera, dans les costumes de François Barbeau. Pour Claude Gingras, il s'agit d'un succès total, « qui ouvre on ne peut plus brillamment la nouvelle saison[443] ». Sydney Johnson, lui, écrit : « Ce spectacle était vraiment mémorable et mérite d'être présenté durant au moins un mois mais nous aurons peut-être la chance de la revoir au moment d'Expo 67, sinon avant[444]*.» En fait, cette soirée était entièrement signée Fernand Nault puisqu'en ouverture, Ludmilla avait inscrit *Suite Glazounov,* dans les costumes de Joséphine Boss. Comme après chaque première, une réception est organisée, cette fois par le comité féminin, au Ritz-Carlton. Personne n'a su que la veille, la grande roue du décor posait un problème. «Madame Chiriaeff m'a téléphoné en catastrophe, raconte Fernand Nault. Cette grande roue d'acier était actionnée par un moteur trop faible qui brûlait. C'est alors que l'idée m'est venue de la faire tourner manuellement par un danseur habillé avec un costume de moine, que s'est empressée de fabriquer Madame Martinet[445].» Les GB reviendront à la PDA, du 20 au 23 décembre, pour un programme où seront dansés *La Corriveau, Pointes sur glace, Gehenne* et *Giselle*, ce dernier ballet dans la chorégraphie d'Anton Dolin qui a lui-même dansé dans ce ballet aux côtés, entre autres, d'Olga Spessivtseva. *Giselle,* pour la compagnie, est un grand moment mais bien dispendieux : vingt mille dollars pour les décors et les costumes seulement. Il n'y aura pas de *Casse-Noisette.*

Ludmilla n'a pas le temps de mesurer le chemin parcouru par les GB depuis le printemps 1957. D'un bien maigre budget qui ne devait pas dépasser les cinquante mille dollars, près d'une décennie plus tôt, sa compagnie a maintenant besoin de sept cent trente-cinq mille dollars pour traverser la prochaine saison. Elle assure du travail à plus d'une centaine de personnes aux GB, à l'Académie et dans les écoles satellites. Elle est l'âme d'une entreprise dont les produits sont exportés non seulement hors de Montréal et de Québec mais dans toutes les provinces canadiennes et dans plusieurs États américains. Quand je lui disais qu'elle était une entrepreneure, à la tête d'une PME, elle ne se voyait pas comme cela. Elle remplissait une mission : celle de faire aimer la danse, ici, et de faire connaître les artistes d'ici dans le monde.

L'année 1967 commence plutôt mal pour Ludmilla. Depuis son retour de la dernière tournée, Uriel souffre d'un mal de dos qui, au lieu de s'estomper, a fini par atteindre la jambe et le pied droits. Hospitalisé quatre jours, il quitte l'hôpital quand on lui propose une chirurgie. Il quitte l'établissement même si son état s'est aggravé et se rend chez un chiropraticien, puis laisse tomber le chiro pour un autre médecin.

> Il se force pour aller au travail pour quelques heures et revient à la maison en se tordant de douleur sans que ni moi ni les plus proches de la famille puissions le persuader de se faire opérer, ce qui, d'après plusieurs médecins, est indispensable pour corriger son dos. [...] Je deviens par moments toute folle, ne sachant plus quoi faire[446].

L'atmosphère à la maison est très tendue et ce n'est guère plus facile au bureau. Uriel est cassant, dur avec le personnel. Il perdait fréquemment ses secrétaires, mais là, c'est la terreur. Jacqueline Martineau arrive aux GB à peu près à cette époque. Elle se souvient qu'au début, en l'espace d'une semaine, trois secrétaires sont arrivées et parties. «Madame, elle, elle manipulait, mais lui, c'était carré et pas cinq minutes de retard. On n'avait pas le droit de parler. Il surveillait si on travaillait. À l'heure du midi, il disait : dépêchez-vous de manger parce que j'ai à vous dicter. Et vous savez ce qu'il faisait? Le lendemain, il fallait refaire ce que l'on avait fait la veille.» Quand on pense qu'à cette époque on tapait avec du papier carbone et qu'il y avait toujours trois copies en papier pelure, une erreur ou un changement, même mineur, exigeait que l'on recommence la page entière. Katia explique le comportement de son père par son «perfectionnisme».

Dans la province, les mouvements de grève continuent. Les soixante-cinq mille enseignants du secteur public ne donnent plus leurs cours. Il faudra que le gouvernement légifère et décrète les conditions de retour au travail pour que les jeunes retrouvent leurs professeurs et les devoirs dont plusieurs se seraient passés encore longtemps.

En février, Ludmilla se rend à la Maison Nazareth, à Black Lake, où l'Académie a commencé une expérience unique en Amérique, l'automne précédent. Quelque cent vingt jeunes, entre sept et douze ans, suivent les cours de danse dispensés par Gilles Castonguay, un professeur de l'Académie. Mi-ballet, mi-gymnastique, le programme est conçu de façon à éveiller l'intérêt des garçons. Au cours de sa visite avec Fernand Nault, Ludmilla constate que plusieurs jeunes manifestent des aptitudes indéniables et déclare à un journaliste[447] que des danseurs professionnels sortiront de cette école. Elle entend d'ailleurs convaincre d'autres orphelinats de garçons de suivre cet exemple. Déjà, le Mont-Villeneuve, à Saint-Ferdinand d'Halifax, est intéressé et les cours devraient pouvoir commencer en octobre. Pour faciliter les choses, Ludmilla finance entièrement ces classes, ce qu'elle considère comme un investissement pour former une relève chez les danseurs masculins. C'est un problème partout dans le monde, principalement à cause des préjugés entourant les danseurs considérés comme efféminés, pour ne pas dire autre chose. Maurice Lemay a trouvé cela difficile, au début, le «côté homo. Ce qui me dérangeait le plus, c'est comment les gens me percevaient. On se faisait traiter de petites ballerines. Il n'y en a qu'un qui s'est essayé.» Mais il n'avait aucune chance avec Lemay.

Quittant Black Lake, Ludmilla se rend à Québec où, suivant l'exemple de la CECM, la Commission des écoles catholiques a acheté tous les sièges du Capitol pour la production de l'Initiation à la danse. Selon *Le Soleil*, cinq mille jeunes avaient demandé à voir la représentation, alors qu'il n'y avait que mille sept cents places. Le choix était laissé à la direction des écoles. C'est Uriel qui présente et commente chaque partie du programme qui illustre les divers aspects de la danse. À Micheline Drouin, Ludmilla fait observer que «le jeune spectateur n'analyse pas. Il se laisse prendre; ça lui plaît ou ça ne lui plaît pas, mais il ne se demande pas pourquoi[448].» Ludmilla est toujours fascinée par les jeunes auditoires. C'est pour elle une grande satisfaction de réaliser à quel point, quand le rideau s'ouvre, le silence s'installe et la magie opère. Elle-même a conservé cette capacité d'émerveillement qu'ont les enfants.

Toujours en quête de fonds, cette fois pour aider les élèves les plus talentueux, Ludmilla veut institutionnaliser l'attribution de bourses d'études. Elle en donne depuis le début à quelques élèves, sous forme de réduction de coûts pour une session, mais le temps est venu d'en offrir davantage et de les financer autrement qu'à partir de ses fonds propres. Elle met donc sur pied les Amis de l'Académie des Grands Ballets, que le juge Vadeboncœur va aussi présider. La première activité publique de ce groupe bénévole est l'organisation du Bal des Petits Rats, prévu pour le 15 avril, au Centre social de l'Université de Montréal.

Les journaux de février et mars 1967 expliquent largement le rôle de l'Académie et son développement au fil des ans. Même les hebdomadaires régionaux y vont de leurs articles. Les professeurs de l'Académie dispensent des cours non seulement à Montréal et à Québec mais dans huit villes aussi éloignées que Sept-Îles chaque semaine. Plusieurs centaines d'enfants y apprennent en quatre ans les pas de base. Les plus doués sont ensuite invités à venir à Montréal ou à Québec pour compléter le « vocabulaire et la grammaire physique de la danse avant de venir faire des phrases, c'est-à-dire des enchaînements ». Restent les classes avancées pour les aspirants danseurs qui pourront commencer leur stage dans le corps de ballet. Ceux-là peuvent espérer entendre un jour les applaudissements après un pas de deux ou un solo qu'ils viendront d'exécuter.

L'Académie permet aussi à certains danseurs professionnels de s'exercer à l'enseignement pour s'y consacrer entièrement quand ils se retirent de la scène. Andrée Millaire et Vanda Intini sont maintenant professeurs, alors que Roger Rochon a préféré devenir gérant des GB. De même, certains élèves qui ont des aptitudes pédagogiques peuvent suivre des cours les préparant à l'enseignement. Ainsi, lentement, Ludmilla réalise un de ses rêves : former au Québec le personnel nécessaire à la vie d'une grande compagnie de ballet.

Le studio de la rue Stanley est désormais trop petit pour tous les cours de l'Académie. Les GB lui louent, sur le boulevard Saint-Laurent, quatre salles de cours où sept professeurs dispensent soixante-dix-sept heures d'enseignement par semaine pour les classes des trois niveaux. Aux studios sur Saint-Laurent, deux maîtres de ballet donnent des cours pour la compagnie que, depuis l'année précédente, Christine Clair et Nina Valeri ont intégrée. « Elle m'a fait entrer comme petit corps de ballet, se souvient Christine Clair. Je venais juste d'avoir dix-huit ans. Et ce n'est pas parce que je sortais de son école que je devais m'attendre à tous les premiers rôles. On a appris très vite que le corps de ballet, c'est bien plus difficile que de faire du solo. » Ils sont maintenant quinze danseurs à être passés de l'Académie aux GB.

Uriel continue à souffrir de son dos. Il dort maintenant sur un matelas rigide posé sur une planche. Ludmilla elle-même n'est pas très en forme et elle doit composer avec une famille où se côtoient des adolescents et de tout jeunes enfants. Avec en plus un mari qui joue au père avec les ados et sa fille aînée qui joue à la mère avec les petites. « Souvent, quand j'étais avec lui et mes sœurs, les gens pensaient qu'on était un couple », raconte Nastia. Ludmilla se sent remise en cause. « Je me sens très fatiguée et, pour la première fois, je crois que je devrais entrer à l'hôpital pour un examen général, car j'ai de nombreux problèmes sur le plan physique[449*]. » Mais comme elle ne peut se permettre de perdre une seule minute, elle ne le fait pas. Elle espère plutôt que, comme toujours, tout rentrera dans l'ordre, alors elle se replonge dans la planification et la préparation des représentations qui seront données à l'occasion de l'Expo 67. Aux soixante-quatorze morceaux du répertoire des GB cette année-là, Ludmilla en ajoutera sept.

Le mardi 28 mars, les cinquièmes Ateliers chorégraphiques s'ouvrent à l'Université Sir George Williams. Trois soirs durant, Michel Comte, Fernand Nault et Hugo Romero soumettent au public de nouvelles créations. L'Atelier s'insère, cette année, dans le cadre de la Semaine mondiale du théâtre. Puis, c'est le Bal des Petits Rats. Ludmilla y paraîtra souriante, mais elle est au bord de l'épuisement. Sur les photos, elle a les yeux gonflés, cernés. Dans son entourage, on la prie de s'accorder un peu de repos, sauf que tout doit être prêt pour l'Expo et elle ne voit pas comment elle pourrait prendre ne fût-ce que la moitié d'un dimanche pour elle. Pourtant, les petites aiment apporter le petit déjeuner au lit à leurs parents, le dimanche, quand il n'y a pas de tournée. « Maman travaillait toujours tard, le samedi. Elle n'avait que le dimanche. Ils se levaient vers les onze heures. On leur faisait la surprise », raconte Mishka[450]. Uriel, au moins, n'est plus aussi souffrant, et Ludmilla a décidé de ne pas superviser toutes les auditions qui doivent commencer sous peu en région. C'est une tâche dont elle s'occupe habituellement parce que cela lui permet aussi d'évaluer ses professeurs, mais, cette année, elle a retenu les services de Virginia Cuke, professeur de ballet à l'université de la Barbade, assistée d'Andrée Millaire dans certaines villes.

Pour obtenir les fonds du Comité du Centenaire de la Confédération canadienne, les GB se sont engagés à faire une tournée de quelques villes canadiennes dont certaines ont bénéficié des fonds du gouvernement fédéral pour l'érection d'édifices, plusieurs à vocation culturelle. À la mi-mai, ils sont à Murdochville, où ils se font surprendre par une tempête de neige. Uriel Luft se souvient d'avoir conduit le camion des techniciens pour se rendre à l'aréna « qui n'était pas fait pour le ballet. J'avais Guy Lamarre avec moi, un jeune avocat dont je venais de faire mon assistant. On a dû installer les tréteaux sur la glace et poser des kilomètres de filage électrique. Lamarre était tellement épuisé qu'il s'est endormi dans les coulisses improvisées. »

Guy Lamarre est arrivé aux GB par suite des pressions du CAC qui offrait de payer la moitié d'un salaire si la compagnie prenait un stagiaire en administration. Ludmilla raconte que c'était magnifique de voir arriver ce jeune homme «juste quelques mois avant l'Expo. Il y avait beaucoup de contrats à préparer et à réviser et il s'en est occupé. Il a aussi fait les tournées.» Guy Lamarre reste aux GB même après son stage. Dans son rapport au CAC, il fait des recommandations à propos du Programme de formation de jeunes administrateurs dont il a bénéficié.

> [...] Il serait souhaitable de compléter ces stages pratiques par certains cours théoriques touchant les arts, leurs organisatons, leurs problèmes particuliers et surtout des matières purement administratives adaptées spécifiquement aux problèmes rencontrés par les diverses organisations artistiques. [...] peut-être serait-il nécessaire un jour [...] d'intégrer des cours spéciaux à l'intérieur d'une université[451].

Après Murdochville, les GB vont à Matane. Cette fois, la scène permettait que l'on offre *Carmina* au public. À Rivière-du-Loup, c'est l'acte deux de *Giselle* avec *Suite canadienne*, et à Pointe-Claire, les GB reprennent *Giselle* et *La Corriveau* pour terminer avec le *Bal des cadets*. En région, le public est heureux de recevoir des artistes et les médias soulignent les bienfaits de la démocratisation et de la décentralisation de la culture.

Et c'est l'Exposition universelle. C'est excitant, mais cela demande tellement d'organisation! La Compagnie canadienne de l'Exposition universelle applique des règles sévères et achète des spectacles pour des sommes dérisoires. Uriel a beau négocier serré et Ludmilla user de ses contacts, rien à faire. Pour chaque représentation donnée pendant le Festival mondial à la PDA ou au Pavillon de la jeunesse, les GB devront assumer un important déficit. Mais pas question de se retirer du programme et de laisser ainsi la place à des concurrents. D'autant que des impresarios se sont déjà annoncés. Ludmilla entend montrer au monde entier ce que ses «poussins» savent faire. En attendant, le 27 avril, elle assiste à l'ouverture officielle, à Terre des Hommes.

Le 7 mai commence la tournée du Centenaire. Le Festival mondial doit présenter des artistes de partout, dans plusieurs salles montréalaises mais surtout à la PDA. Les GB y seront du 23 au 26 juin inclusivement, dansant en matinée et en soirée, les samedi et dimanche. Ils y présentent les chorégraphies de Fernand Nault, Anton Dolin et Brydon Paige. Ils viendront après le Ballet du XXe siècle, de Maurice Béjart, les Ballets australiens et le Royal Ballet de Londres, mais avant le New York City Ballet, le Ballet de l'Opéra de Paris et le Ballet national du Canada. Ils donneront leurs représentations dans la grande salle, dont on dit que l'on devrait refaire l'arrière afin de permettre aux danseurs de ballet d'y danser sans blessures. En rétrospective, écrit Sydney Johnson,

Malgré cette abondance de talents dans l'art du spectacle, la technique, la chorégraphie et la mise en scène, je ne crois pas pouvoir être accusé de chauvinisme en suggérant que rien ne surpasse l'impact du *Carmina Burana* des Grands Ballets avec ses danses, sa mise en scène, l'orchestre, les chœurs et les solistes[452]*.

Le 25 juin, c'est la performance d'Alicia Alonso qui retient l'attention. À la fin de la soirée, les applaudissements ont duré dix minutes pour Alonso, qui a dû saluer plusieurs fois. Cette danseuse née à Cuba a dansé *Giselle* pour la première fois en 1948. Aveugle depuis plusieurs années, elle continue de danser, guidée par son partenaire Igor Youskevitch. Nathan Cohen note que « *The acting is controlled and searching. The dancing has luminosity and lyrical impulse*[453] ». Véronique Landory, en reine des Willes, sera aussi remarquée par la critique, de même que Vincent Warren, dont les sauts splendides, dans *Gehenne*, rappellent ceux de Noureïev. *La Corriveau*, dont la chorégraphie a été revue, est aussi appréciée, mais c'est *Carmina* qui fait l'unanimité. « C'est un des ballets les plus impressionnants jamais produits à la scène [...] une expérience inoubliable[454]*. » Mais le témoignage dont Ludmilla est le plus touchée est celui que lui rend le Commissaire général Pierre Dupuy :

> Les Grands Ballets canadiens nous ont réservé une belle surprise avec *Carmina Burana*. C'est l'œuvre qui correspond le plus intimement à la « Terre des Hommes ». Je ne sais trop comment féliciter le directeur artistique, Madame Ludmilla Chiriaeff, de ce choix qui révèle chez elle une profondeur d'inspiration exceptionnelle. Après ce spectacle, nous étions sûrs que le Canada figurait parmi les plus grands ensembles dont nous étions les hôtes[455].

Ludmilla est fière, certes, mais elle n'a pas le temps de savourer les compliments qui lui viennent de partout. Le 29 juin, c'est le début des cours d'été. Ce sont des cours intensifs, à l'Académie, jusqu'au 25 août. Elle doit aussi garder ses danseurs en grande forme puisqu'ils doivent se produire au Long Island Festival of Arts et au Jacob's Pillow avant de tourner dans quelques villes américaines. Au retour, il leur faut être en état de donner seize représentations au Pavillon de la jeunesse, sur le site de l'Expo, du 1er au 13 août, avant de prendre quelques jours de repos pour repartir aux États-Unis en octobre. Pas question de relâcher la cadence. Pour la tournée, les GB ont maintenant une organisation bien rodée. Il est loin le temps où Ludmilla devait brosser le plancher frais verni d'une scène de salle paroissiale avec du vinaigre ou du Coke. Les GB ont leur tapis de scène, leur système d'éclairage, leurs décors et le personnel habitué à répondre aux besoins de la compagnie.

Par ailleurs, Ludmilla doit aussi veiller à l'organisation de la famille pour l'été. Nastia en passera une partie avec les petites, à Rawdon, pendant qu'Avdeij travaille à l'Expo. À l'occasion, Nastia et Avdeij serviront de guides aux danseurs invités par les GB. Nastia se souvient d'une réception sur le bateau russe *Poushkin*, où « pour la première fois, je lisais les inscriptions en russe et les matelots me parlaient dans ma langue ». Gleb, lui, ira au Portugal et en Espagne, avec Uriel. Gleb conserve un très mauvais souvenir de ce voyage. Il était en réaction contre Uriel depuis un certain temps déjà. Il voulait prendre ses distances, afficher son autonomie face au mari de sa mère. Face à l'ami trop insistant.

Montréal est en fête. Le monde entier est venu visiter cette Terre des Hommes et prendre part à la fête. Outre les touristes, il y a les têtes couronnées et les chefs d'État de tous genres. Parmi eux, la reine Elizabeth II, le 3 juillet, et Charles de Gaulle le 25. Sa Majesté, aussi reine du Canada, arrive sur son yacht. Charles de Gaulle, lui, descendant du *Colbert* à Québec le 23, s'arrête dans la ville avant de parcourir en voiture découverte le Chemin du Roy qui le mène jusqu'à Montréal. Acclamé tout au long de la route sur laquelle sont dessinées des fleurs de lys, le Général arrive à l'hôtel de ville de Montréal vers vingt heures. Une fois qu'il est au balcon, avec les dignitaires invités pour l'occasion, la fanfare entonne *La Marseillaise*, suivie du *Ô Canada* ; l'hymne est accueilli par des huées, selon *Le Devoir*. Viennent ensuite les discours.

> Je vais vous confier un secret que vous ne répéterez pas, dit le Général aux quelque quinze à vingt mille personnes présentes. Ce soir ici et tout au long de la route, je me trouvais dans une atmosphère comme celle de la libération. [...] La France entière sait, voit, et entend ce qui se passe ici. Vive Montréal, vive le Québec, vive le Québec libre (tonnerre d'applaudissements), vive le Canada français. Vive la France![456]

La foule reste un moment incrédule, puis elle se disperse dans les rues du Vieux-Montréal. Ludmilla n'a pas de souvenir précis de cet événement, qui aura un impact important sur quantité de Québécois.

Ludmilla apprend que Margaret Mercier veut revenir au Canada après quatre ans au New York's Harkness Ballet. Elle et son mari et partenaire, le danseur Richard Wolf, seront de la tournée américaine et du spectacle de Noël. Ludmilla est heureuse de retrouver Margaret Mercier, qui fut danseuse étoile aux GB du temps où elle dansait avec Eric Hyrst. Il lui semble que cela fait une éternité.

Ludmilla revoit son médecin le 18 juillet et doit faire son deuil du Jacob's Pillow. Le lendemain, elle écrit à Ted Shawn, qu'elle appelle Papa Shawn, pour le lui dire et charge Fernand d'apporter la lettre. Ludmilla est enceinte et ça ne va pas bien. Elle devra garder le lit, sous peine de perdre l'enfant. Elle fait revenir Nastia, de Rawdon, avec les petits, parce qu'elle ne veut pas rester seule. Avdeij prend deux semaines à la campagne avant de rendre visite à la sœur d'Uriel, aux États-Unis, et Uriel doit partir en Europe. Il n'a pas arrêté lui non plus, et comme l'automne s'annonce chargé, il faut qu'au moins l'un des deux soit capable de faire rouler le tout. Comme Ludmilla ne peut jamais vraiment s'arrêter, sa chambre devient son bureau. «Je me souviens d'avoir été la voir quand elle essayait encore de sauver le bébé, raconte France Desjarlais. Elle était dans la petite chambre en arrière, rue Vendôme, avec les jambes relevées. Elle continuait à s'occuper des dossiers. Elle continuait à travailler. Quel personnage!»

Au lit, elle commence à échafauder un programme pour une tournée européenne. Après les prestations au Festival mondial, l'impresario Sarfati a offert aux GB d'organiser une tournée dans quelques pays d'Europe. Il faut donc revoir le répertoire et l'enrichir de quelques œuvres. Ludmilla cherche des chorégraphes et s'enquiert auprès de Shawn et de Dolin. Mais le 10 août, alors qu'Uriel et Gleb viennent d'arriver à Madrid, elle doit se rendre à l'hôpital Catherine Booth. Elle ne se sent pas bien et perd le bébé, un petit graçon. Son médecin ne lui permet pas de reprendre ses activités tout de suite, mais c'est bien mal la connaître. Même si, comme le dit Dorothy Rossetti, « *She was mentally worn out*», elle retournera très tôt au travail pour superviser le déménagement des GB.

Car ils s'installent au 5415, chemin Queen-Mary, dans des locaux grands et clairs, mais où les douches font aussi cruellement défaut que sur le boulevard Saint-Laurent. Les studios sont situés au-dessus d'un marché d'alimentation. L'Académie logera dorénavant sur Saint-Laurent, et Ludmilla ne se rendra aux GB que pour les répétitions. Elle a un pincement au cœur quand elle descend l'étroit escalier du 1216, rue Stanley pour la dernière fois. Elle ne referme pas la porte derrière elle, un peu par superstition : l'avenir doit demeurer ouvert.

Juste après, Hadu et son mari Haier arrivent. Même si Nastia leur sert de guide pour visiter l'Expo et Montréal, Ludmilla doit trouver du temps pour être avec eux. Elle aurait aimé les amener à Cape Cod, mais elle ne peut entreprendre le voyage. Hadu a pu voir la compagnie danser et elle en est impressionnée. «Ludmilla a créé quelque chose de presque inimaginable. C'est pour cela que j'ai une si grande admiration pour elle, d'avoir eu le cran, l'énergie, la patience pour en faire quelque chose. C'est pas évident.»

Puis les GB sont de nouveau sur la route. Ludmilla a dû réorganiser le programme pour certaines représentations, certaines salles ne pouvant accueillir quarante-sept danseurs auxquels se joignent les chœurs et l'orchestre. Mais, comme elle l'écrit à Shawn :

> [...] nos chorégraphies [...] doivent être révisées et plusieurs mises de côté parce que ne correspondant plus au standard de notre compagnie [...] Je n'ai plus de temps pour chorégraphier et je dois aussi admettre que je n'en ai plus beaucoup la force, du moins pour le moment[457*].

De fait, Ludmilla n'en fera plus et se dédiera dorénavant à la direction, en plus de donner de temps à autre quelques cours. La chorégraphie, c'était pourtant ce qu'elle aimait le plus. C'est du moins ce qu'elle répétera tant et plus pendant l'entrevue. « C'était son rêve d'être chorégraphe, dit Mishka, mais elle n'a jamais pu le réaliser parce qu'elle devait travailler pour bâtir une famille. Souvent, elle me faisait me sentir coupable quand elle en parlait. »

À la fin de septembre, Ludmilla se rend à Québec avec des membres du conseil d'administration, dont le juge Vadeboncœur. Leur rencontre avec le sous-ministre Frégault porte sur l'augmentation des subventions et la nécessité d'une planification budgétaire sur trois ans. Ludmilla rappelle aussi au sous-ministre que « notre disparition serait fort agréable au Conseil des Arts du Canada puisqu'il souhaite bien ouvertement pouvoir donner tout l'argent disponible à la compagnie de ballet torontoise. S'ils nous soutiennent encore, c'est à cause de notre qualité et pour des raisons politiques ; c'est le point le plus important qui nous fait espérer que notre province est maintenant prête à nous protéger[458]. » Plus loin, Ludmilla rappelle que le MAC « envisage la possibilité d'une subvention de trente-cinq mille dollars pour la saison 1967-1968, conduisant l'Académie en 1968-1969 vers une formule semblable à un " Conservatoire de ballet " ou à une " École supérieure de la danse ", [...] le MAC et l'Académie cherchent depuis plusieurs mois la solution la meilleure. »

Certains membres du PLQ sont en profonde réflexion et, après François Aquin, c'est René Lévesque qui quitte le vaisseau libéral pour fonder, quelques mois plus tard, le Mouvement souveraineté-association (MSA). « René, c'était une force naturelle. Il ne pouvait pas ne pas se retrouver là, à ce moment-là, se rappelle Ludmilla. Tout est parti de cette petite fenêtre qui nous a fait découvrir qui nous sommes. » Quatre cents personnes vont se réunir au monastère des Dominicains, à Montréal, pour jeter les bases d'un mouvement dont les effets se font encore sentir.

Le 11 novembre, Ludmilla présente le mémoire de l'Académie des Grands Ballets Canadiens à la Commission d'enquête sur l'enseignement des arts au Québec. Aux membres de cette Commission, présidée par Marcel Rioux, Ludmilla suggère

> la création d'une école où les élèves puissent suivre la journée (et non seulement le soir après l'école) leurs cours de ballet, intercalés avec un programme scolaire efficace et pertinent. [...] il ressort aussi que les élèves de musique, qui commencent ces études aussi à un très jeune âge, ont les mêmes problèmes ; [...] un pensionnat où l'on pourrait placer les élèves qui viennent de l'extérieur de Montréal[459].

Casse-Noisette sera donné à l'aréna Maurice-Richard. Ludmilla remercie Aubert Brillant. « Je suis certaine que sans votre aide, nous n'aurions pas osé tenter l'expérience [...] où un nouveau public qui n'a pas l'habitude de fréquenter la PDA est venu assister à un ballet sur scène pour la première fois pour la plupart[460].» Elle continue aussi sa démarche éducative en présentant quatre spectacles à la PDA pour la CECM et au Capitol de Québec pour la CESQ, et pour la première fois, cinq spectacles pour la Commission scolaire des écoles protestantes. Ces spectacles, elle les qualifie d'éducatifs parce qu'ils sont présentés avec des commentaires. Pour l'année suivante, elle souhaite rejoindre la population ouvrière et fera des démarches auprès des syndicats. Elle aimerait alors que le prix d'entrée ne soit que de soixante cents[461].

Puis Ludmilla rédige sa correspondance de Noël : des centaines de cartes, mais aussi quelques dizaines de lettres auxquelles elle joint des cadeaux. Elle soigne certains de façon particulière. Ainsi, au frère Léon Labarre, du Mont-Villeneuve, elle promet des vêtements pour ses «garçons» et met à contribution son entourage : «Tous les danseurs de notre compagnie font présentement la collecte.» Elle envoie des patins qui ne font plus à ses fils et un chèque pour acheter «ce que bon vous semble pour vos enfants pensionnaires[462]». Ses enfants l'aident à envelopper les cadeaux destinés aux danseurs et au personnel de ses institutions.

Pour marquer le Centenaire de la formation du Canada, les autorités fédérales ont décidé d'honorer un grand nombre de Canadiens «pour services rendus» au pays. Ludmilla reçoit une médaille. Elle s'empresse d'écrire à Murray Ballantyne pour lui apprendre la nouvelle et le remercier encore :

> Je n'oublierai jamais que c'est grâce à vous que j'ai pu commencer à vivre et à travailler dans ce pays. Votre amitié m'a donné le courage de surmonter les difficultés et de réussir [...][463*].

Chapitre 12
La tournée européenne

L'arrivée de Fernand Nault, aux GB, a permis à la compagnie de se renouveler. Son *Casse-Noisette* et son *Carmina Burana* resteront au répertoire et dans le souvenir des milliers de spectateurs qui les ont vus. Il y a une approche, un style Fernand Nault qui ne sont pas dissociables des GB non plus que du flair de Ludmilla. Elle croyait en cet homme et n'a cessé de le courtiser que lorsqu'il est revenu s'installer à Montréal.

L'année 1968 commence avec des représentations pour la jeunesse. Ludmilla tient à ces ententes avec les commissions scolaires qui visent à amener de plus en plus de jeunes à s'intéresser à la danse. Cette fois, s'ajoutent des programmes, à la demande de l'Union générale des étudiants du Québec (UGEQ) et de la Fédération des Centres de loisirs. Les GB iront aussi les 4 et 5 mars à Québec et le 13 à Ottawa, toujours pour des spectacles dont chaque chorégraphie sera expliquée au jeune public. En mars également, les GB danseront pour les deux grandes centrales syndicales, la CSN et la FTQ. À Québec, Ludmilla invite à ses frais les élèves du Mont-Villeneuve et de la Maison Nazareth. «Nos élèves danseurs en herbe sont revenus enthousiasmés», lui écrit sœur Gérard de l'Eucharistie, qui lui exprime toute sa reconnaissance[464].

Ce souci d'éveil, Ludmilla le cultive chez tous, même chez ses élèves en stage à l'étranger ; elle entretient une correspondance avec eux, et avec leur entourage, pour s'assurer qu'ils resteront à l'affût de tout. Ainsi en est-il avec Chantal Bellehumeur qui vient d'obtenir une troisième bourse du ministère de l'Éducation du Québec et qui étudie à Paris. Elle lui recommande de faire un stage à New York :

> [...] afin que tu puisses travailler avec des professeurs et chorégraphes contemporains qui sauront t'amener beaucoup plus proche de l'expression artistique d'aujourd'hui. [...] Profite pendant que tu y es pour aller

dans différentes écoles de ballet, que tu les juges bonnes ou mauvaises car ce n'est qu'en comparant que tu sauras grandir.

Et lui rappelant qu'elle a soutenu sa demande de bourse,

> [...] il me semble qu'après avoir goûté à ce que cette vieille civilisation a pu créer et offrir de plus beau, tu dois les rapporter dans ton pays pour y devenir d'abord interprète et ensuite pédagogue et chorégraphe [...] ma porte te sera toujours ouverte quand tu seras prête[465].

Mais ce qui préoccupe Ludmilla, c'est encore une fois que les subventions ne sont pas de l'ordre des fonds demandés et qu'il faut revoir la programmation alors qu'elle est en pleine négociation pour la tournée européenne qui devrait avoir lieu le printemps suivant. Ludmilla a déjà commencé à revoir le répertoire, avec Dolin et Nault. Il lui faut aussi organiser d'ici là le temps de la compagnie de telle sorte que les danseurs aient fini d'assimiler le tout, sans négliger les contrats déjà signés et sans les pousser au point que certains d'entre eux se blessent et soient mis à l'écart pour un temps. Il faut trouver de nouvelles chorégraphies. Elle met Fernand Nault en contact avec les compositeurs de musique d'ici, entre autres Serge Garant, mais Fernand ne trouvera rien d'inspirant dans cette musique. À la recommandation de Ted Shawn, Ludmilla invite Norman Walker à préparer une œuvre pour la compagnie. Il créera *Triomphe d'Aphrodite*.

> Je dois dire que j'ai été surprise de voir nos danseurs s'adapter à son style et sa technique en si peu de temps. Ce ballet sera sûrement un succès et une merveilleuse addition à notre répertoire[466*].

John Butler a aussi accepté de préparer une chorégraphie. Il fera *Catulli Carmina*. Butler a passé une décennie dans la compagnie de Martha Graham. Même si Ludmilla se tourne vers des chorégraphes étrangers, elle ne conserve pas moins son attachement au folklore canadien-français[467].

Ludmilla est aussi accaparée par l'organisation d'un gala pour souligner le dixième anniversaire des GB. C'est le 2 mai 1957 que les Ballets Chiriaeff sont légalement devenus les Grands Ballets Canadiens. L'année 1967 ayant été tellement remplie d'activités autour de l'Expo et du Centenaire de la Confédération, son conseil d'administration a préféré retarder la célébration de cet anniversaire afin de bénéficier de plus grandes retombées financières. Mais il ne faut pas s'attendre à ce qu'elles viennent plus généreusement de Québec. Une période d'austérité commence. Guy Beaulne note dans son journal :

> Nous sommes plongés dans les prévisions budgétaires, coupant ici et coupant là. Envolés les rêves d'aboutissement de politiques mises en marche il y a trois ans et plus. Je m'attache de tout mon être à sauver le Conservatoire de danse que je me préoccupe de constituer depuis trois ans et dont la création était promise pour cette année. On ne saura

jamais la lutte quotidienne qu'il faut livrer, la vigilance qu'il faut avoir.
C'est aux fonctionnaires, tout autant qu'à eux-mêmes et peut-être
davantage, que les artistes devront les institutions qu'ils ont[468].

Le samedi 9 mars, devant le tout-Montréal des grands soirs, les danseurs de
Ludmilla dansent magnifiquement, dans un programme grandiose : *Thème et
variations* de Balanchine et *Carmina Burana* de Fernand Nault. Après le dernier
rideau, le président du conseil, le juge Jacques Vadeboncœur, rend hommage à
Ludmilla et remercie tous ceux qui ont aidé les GB, avant de présenter le premier
ministre du Québec, l'Honorable Daniel Johnson. « Vous êtes la grande Dame
du Ballet chez nous, dit ce dernier, et sans vous, Madame, nous n'aurions pas
ce groupe qui nous fait honneur non seulement ici au Québec, mais dans
tout le pays et au-delà[469]. » Les invités sont ensuite conviés à une réception au
champagne suivie d'un bal. Mais, juste avant, les danseurs sont arrivés par le
double escalier du grand foyer de la PDA. Ils ont été présentés au premier
ministre et à son épouse, après avoir salué Ludmilla et Fernand Nault. Comme
auparavant avec Jean Lesage, Ludmilla en a profité pour parler de ce qui lui tient
à cœur. Dès le 12, elle rappelle d'ailleurs au premier ministre le sujet de leur
conversation : « [...] un pensionnat, institution qui est tellement indispensable
pour l'éducation des artistes dans notre province. [...] Je sais que vous êtes au
courant du désir du ministère des Affaires culturelles de doter notre province
d'une école supérieure de danse[470]. » Cécile Brosseau qualifie cette soirée
« d'inoubliable, une atmosphère comme il nous a rarement été donné d'être
témoin à Montréal, une soirée de grande classe qui laissera à toutes les élégantes
le sentiment d'avoir été admirées, à tous les cavaliers l'occasion d'être galants
et aux jeunes danseurs l'assurance que Montréal les aime et en a besoin pour
vivre pleinement[471] ».

Dans un article qu'elle publie dans *Le Devoir*, à l'occasion du dixième anniversaire des GB, Ludmilla écrit qu'en arrivant au Canada, elle a été frappée par le
fait qu'on y dansait très peu et qu'elle a eu une vision : « J'ai rêvé pour le Québec
d'un lieu de danse professionnelle. » Elle rappelle les étapes qui ont mené aux
succès des GB et aux réalisations de l'Académie, et elle termine ainsi : « Une
DÉCADE... C'était l'envol, l'élan, la lutte, le mûrissement... Maintenant nous
sommes adultes, il va falloir tenir et continuer avec la même foi[472]. » Et la foi, ce
n'est jamais ce qui lui a manqué, bien que par moments elle soit fatiguée et
n'arrive pas à se décharger sur d'autres des responsabilités qu'elle leur a pourtant
confiées.

Ludmilla ne peut savourer longtemps les éloges qui lui sont adressés à l'occasion
de cet anniversaire. Uriel se retrouve hospitalisé pour une jaunisse infectieuse. Il
y sera en quarantaine et devra ensuite prendre un à deux mois de repos. Ludmilla

en a plein les bras. Un peu plus tôt, les petites ont été malades : Mishka a fait des ulcères à l'estomac et Katia a dû être opérée pour les amygdales. À la belle-mère d'Uriel, elle écrit :

> C'est un véritable enchaînement de malheurs que notre famille subit en ce moment. J'espère que le mauvais sort n'atteindra pas les deux garçons ni moi-même car il faut quelqu'un pour s'occuper de toute la famille et du travail qui ne manque pas à cause des préparatifs de notre tournée européenne[473].

Entre-temps, elle doit se rendre à New York pour auditionner des danseurs en vue d'en ajouter à la compagnie pour la tournée européenne. Elle doit aussi finaliser la vente de l'Académie. Depuis l'été 1965, des échanges ont eu lieu à ce sujet et une importante correspondance a été échangée entre Ludmilla, Uriel Luft, le juge Vadeboncœur, Marcel H. Caron et maître Jacques Lamontagne. Il a été proposé de former d'abord une compagnie à but non lucratif, laquelle ferait ensuite l'acquisition de l'Académie. Le 18 août 1966, l'incorporation a été accordée, mais il faudra encore du temps avant que cette entité légale soit autre chose qu'un document. Il faut maintenant fixer un prix de vente, déterminer le mode et le rythme de paiement : la compagnie n'a rien et Ludmilla ne veut pas être pénalisée fiscalement. Les discussions traînent, les priorités de Ludmilla sont ailleurs, mais elle comprend bien que, plus vite l'Académie des Grands Ballets Canadiens (AGBC) sera opérationnelle, plus vite elle pourra obtenir des fonds des gouvernements pour la formation, les buts de l'Académie étant d'abord et avant tout de former des danseurs.

Les multiples rôles que joue Ludmilla, que ce soit aux GB ou à l'Académie, compliquent les choses quand vient le temps de signer les contrats qui doivent concrétiser la vente et mener à l'embauche de Ludmilla. À quel titre en effet l'embaucher ? Et quel salaire serait juste ? Le comité propose de régler d'abord comme suit la situation aux GB : retenir les services de Ludmilla « au salaire annuel de quinze mille dollars, pour une période de cinq ans » renouvelable

> [...] automatiquement tant et aussi longtemps que Madame Chiriaeff acceptera d'occuper activement ces fonctions. En plus, la compagnie s'engagerait à compenser les services de Madame Chiriaeff comme chorégraphe lorsque ses productions, réalisations ou exécutions seraient incorporées dans les programmes présentés par la compagnie et ses services seraient rémunérés aux conditions du marché[474].

Pour ce qui est de l'AGBC, le comité recommande d'acheter « les actifs tangibles et intangibles de l'Académie de Madame Chiriaeff. La considération serait de trente mille dollars payables cinq mille dollars par année pendant six ans, sans intérêts[475]. »

En outre,

> La nouvelle compagnie offrirait un contrat d'emploi à Madame Chiriaeff
> pour une période de six ans au salaire annuel de trois mille cinq cents
> dollars. Pour son travail, Madame Chiriaeff devrait fournir une auto-
> mobile et aurait droit à des remboursements de dépenses sur présen-
> tation de pièces justificatives jusqu'à concurrence de mille dollars par
> année. En plus, Madame Chiriaeff pourrait réclamer, sur présentation
> de pièces justificatives, des frais de représentation, de voyage ou de
> promotion jusqu'à concurrence de mille dollars par année. Le contrat
> prévoirait un renouvellement automatique pour le ré-engagement de
> Madame Chiriaeff comme directrice tant et aussi longtemps qu'elle
> désirerait être active dans ce mouvement. Après six ans et jusqu'à son
> décès, le contrat assurerait à Madame Chiriaeff une participation de
> vingt-cinq pour cent aux revenus nets de la corporation en compensa-
> tion de son encouragement, de son prestige et de sa réputation[476].

Ce n'est finalement qu'au printemps 1968 que le dossier semble devoir aboutir.
Au président du conseil des GB, Ludmilla écrit :

> Je suis très sensible au fait que vous ayez compris qu'avec ma nature
> il m'a été impossible d'envisager la vente de l'école que j'ai fait naître
> et qui pour moi n'est pas un objet à vendre parce qu'elle me tient à
> cœur.

> C'est donc avec la plus grande joie que je l'offre à la compagnie qui est
> la grande sœur de l'Académie tout en vous remerciant, vous tout par-
> ticulièrement et Monsieur Caron, d'avoir assuré la protection de mes
> intérêts personnels que je ne sais pas toujours défendre moi-même[477].

Curieux que Ludmilla ait mis tout ce temps à donner sa compagnie puisqu'à
l'été 1966, elle avait écrit à Roland Lorrain : « l'Académie que j'ai maintenant
donnée aux Grands Ballets, avec ses quinze centres à travers le Québec, compte
environ deux mille élèves…[478] » Le transfert mettra encore un certain temps à
se réaliser et en fin d'année, les contrats ne seront toujours pas signés.

À la fin d'avril, Uriel est toujours à l'hôpital ; son foie a été très endommagé
par la maladie. Toute la famille a dû se protéger de l'infection. Ludmilla lui rend
visite chaque jour – sauf quand elle se trouve à l'extérieur de Montréal.

Ludmilla ne fait presque plus de télévision. Ses élèves ou ses danseurs non plus.
Le 31 mai, toutefois, elle est à *Jeunesse oblige*, où elle raconte sa jeunesse à Berlin,
la relation avec son père, la guerre et son arrivée au Canada. Une danseuse
exécute un extrait de *Les Saisons*, d'Alexandre Glazounov, dont Ludmilla dit
qu'il fut son premier rôle professionnel à Berlin, alors qu'elle n'avait que huit
ans ! ! ! Ce qui est hautement improbable, elle venait à peine de commencer
l'apprentissage de la danse.

La préparation du sixième Atelier chorégraphique, qui sera tenu les 7, 8, 10 et 11 mai, va bon train et les répétitions pour les spectacles d'été commencent dès le 13. Les cours d'été, eux, seront assurés par les professeurs de l'Académie et le programme de la tournée se précise. Il faudra toutefois que Ludmilla trouve un moment pour se rendre sur place visiter les lieux où la compagnie va se produire. Mais avant, elle veut planifier la saison d'automne de telle sorte que certains ballets soient mieux rodés. Il lui faudra aussi consolider l'organisation ici et régler les problèmes avec l'UDA. Elle sait qu'elle ne devrait pas s'en mêler, mais il faut que les danseurs soient mieux protégés. Elle est déchirée entre son côté patron et son côté artiste. Les problèmes avec l'UDA mèneront à l'abandon d'un programme de dix ballets, dont cinq sont des créations. Et Ludmilla ne peut même pas dire publiquement pourquoi, au risque de nuire aux négociations. Le conflit traîne en longueur depuis quatre ans. Toute l'année 1965, et jusqu'en juillet 1966, l'UDA a refusé de négocier quoi que ce soit. Un projet d'entente, auquel les danseurs avaient souscrit, a été expédié à l'UDA en novembre 1966. Au début de 1967, l'UDA exigeait une augmentation de trente pour cent des salaires et des conditions de travail inadaptées pour les danseurs. Le 13 mars, l'UDA s'est présentée quarante-cinq minutes avant le lever du rideau, à Ottawa, pour empêcher les choristes de chanter. La représentation avait lieu devant le Gouverneur général. Les GB, eux, ont demandé une injonction contre l'UDA pour pouvoir continuer de présenter leur programmation à la PDA et ailleurs en province[479].

À Québec, Guy Beaulne continue de soutenir le projet de conservatoire. Il fait des démarches auprès de la CECM et demande au directeur des services de l'enseignement de recevoir Ludmilla. La Commission scolaire a déjà en vue « une école d'un type nouveau, qui sera construite au parc LaFontaine avec des options multiples et un cours d'enseignement polyvalent où les élèves des diverses classes pourront se retrouver à la même heure dans une salle de ballet[480] ». Mais il y a plusieurs problèmes techniques à résoudre. Entre-temps, le MEQ devra inscrire l'enseignement de la danse au programme et définir un cours. Les professeurs devront être accrédités et engagés par la CECM, etc. Ludmilla trouve bien lourd et bien lent le processus de décision. S'il n'en tenait qu'à elle, tout serait en place en quelques mois.

Il y a beaucoup de bouillonnement alors au Québec. Le 24 juin, le traditionnel défilé de la Saint-Jean passe devant la Bibliothèque municipale, rue Sherbrooke. Des milliers de personnes sont massées devant l'édifice où, sur une estrade, sont assis les invités d'honneur. Parmi eux, le chef du Parti libéral fédéral. Nous sommes à la veille d'élections canadiennes et une clameur monte des rangs des spectateurs. Pierre Elliot Trudeau est conspué et des bouteilles sont lancées dans sa direction. Il se penche pour éviter les projectiles pendant que l'estrade se vide, puis il se redresse et observe les policiers à cheval qui chargent la foule. Au pied de l'estrade, le chef du RIN, Pierre Bourgault, est tabassé avant d'être embarqué. Les chevaux, affolés, piétinent la foule. Cent vingt-six Québécois seront blessés et deux cent quatre-vingt-dix arrêtés. Le lendemain, le Canada portera Pierre Elliot Trudeau à la tête de son gouvernement.

Ludmilla a commencé à collaborer avec les Feux Follets, ensemble folklorique fondé par Michel Cartier et internationalement reconnu pour la présentation de danses ethniques. Elle accepte de superviser à l'Académie un cours pilote intensif de trois mois pour une vingtaine de candidats susceptibles de se joindre au groupe de Monsieur Cartier. À la fin de cette expérience, Ludmilla est emballée par les résultats obtenus. Elle conçoit alors, avec Cartier, un cours de trois ans qui débutera le 14 septembre. Ce cours sera ouvert aux adolescents qui auront d'abord reçu une formation de six ans en danse classique. Ce sera Michel Cartier qui dirigera les cours de danse de caractère et les danses ethniques et folkloriques. Lucien Mars et Richard Bergeron seront respectivement chargés « le premier de la danse classique et du Highland Dancing et le second de la gigue et du Tap Dancing[481] ».

La tournée américaine est annulée compte tenu de la situation politique et des troubles raciaux qui ont mené à l'assassinat de Martin Luther King. Ludmilla espère que ces annulations, auxquelles s'ajoutent celles de trois spectacles à Montréal à cause des problèmes syndicaux, n'entraîneront pas une réduction de la subvention du CAC[482]. Le CARMM réaffirme que les ressources sont limitées et que les « prévisions pour l'an prochain ne sont guère optimistes car nous avons raison de croire que la grève de la RAQ contribuera à une diminution du produit de la taxe de vente qui est [...] notre seule source de revenu[483] ».

Ludmilla décide d'inscrire Nastia à l'École Lémania, à Lausanne, pour la prochaine année. Elle se rendra en Europe avec sa fille et Avdeij à la mi-août. C'est durant ce voyage qu'elle les amène chez l'oncle Serge, dernier survivant du clan Otzoup. Elle compte bien aussi revoir les Morin, Hatt, Secretan, Tcheremissinoff, avec qui elle entretient une correspondance depuis son départ au Canada mais qu'elle n'a pas revus depuis. Elle profitera aussi de ce séjour pour visiter la belle-mère d'Uriel, à Genève. Ludmilla se rendra ensuite chez Hadu Lämmler, chez qui résidera Nastia durant cette année d'études. Les Lämmler habitent Villette, sur le lac Léman. « Ma fenêtre donnait de l'autre côté du lac, sur le casino d'Évian, raconte Nastia. C'était très beau. J'allais dans une école privée où j'ai travaillé très fort. » Les Lämmler n'avaient pas d'enfant et considéraient Nastia comme leur fille.

Ludmilla, qui veut toujours tout contrôler, demande à Hadu et à Monique de lui donner des nouvelles de sa fille, qui n'écrit pas assez souvent à son goût. Elle écrit aussi au directeur de l'école :

D'après les nouvelles que je reçois, ma fille semble pour l'instant un peu désemparée de ses nouvelles conditions de travail auxquelles, j'espère, elle saura s'habituer bientôt. Je vous serais reconnaissante si vous vouliez bien demander à Monsieur Desaigres de rencontrer privément ma fille pour qu'elle puisse lui confier ses problèmes si cela était nécessaire[484].

Avant ce voyage, Ludmilla avait discuté de nouveau avec Guy Beaulne du projet de conservatoire supérieur de danse du Québec. Le projet du MAC est déjà passablement avancé. Un document non daté, signé par le directeur général du théâtre au MAC, contient un budget détaillé qui prévoit l'ouverture officielle du conservatoire pour septembre 1968, dans les locaux du 5415, chemin Queen-Mary. « Il s'agit ici d'une nouvelle école officielle dont une partie du personnel est déjà en fonction au service d'une école privée », selon ce document produit par Beaulne. Le directeur du conservatoire serait Ludmilla Chiriaeff, qui « suggère que l'année académique doit être d'une durée minimum de quarante semaines ». Ce document se préoccupe aussi de la section de Québec de l'actuelle Académie. « Un cours avancé ayant été mis en marche à Québec depuis deux ans, il faut qu'il soit entretenu par les professeurs de Montréal en attendant qu'un conservatoire soit créé dans la capitale. » Ce projet n'aura pas de suite.

Au retour d'Europe, c'est l'entrée au jardin d'enfants Notre-Dame de Sion pour les petites Ludmilla (Mishka) et Catherine (Katia), qui voyageront en autobus scolaire. C'est aussi, rapidement, les grippes et les problèmes qui surgissent au cours des premières années d'école, entre autres la résistance de Katia, qui affirme ne pas avoir besoin d'aller en classe tous les jours.

À la rentrée, c'est aussi la surchauffe dans les institutions scolaires de la province. Les cégeps sont en ébullition et les étudiants occupent les collèges pendant plusieurs jours. C'est à Lionel-Groulx que les débrayages ont commencé. Les étudiants contestent « la société capitaliste telle qu'elle (leur) apparaît à travers (leurs) parents, (leurs) professeurs, les employeurs, et les ouvriers ». Ils réclament « au plus tôt l'éducation gratuite à tous les niveaux de l'enseignement[485] ». Ils veulent aussi savoir quels seront leurs débouchés. Et de quoi aura l'air cette deuxième université francophone qu'on leur promet pour l'année suivante. En octobre, dix mille étudiants envahissent les rues de Montréal. Gleb fait partie d'un comité, à son collège, « dont nous n'arrivons pas à le sortir, écrit Ludmilla à Monique. Il dit occuper un poste très important. Quoi faire avec cette jeunesse qui veut s'affirmer[486]. » Uriel est bouleversé par cela, selon Ludmilla qui prétend pour sa part que « c'est peut-être une bonne expérience ». Elle souhaite juste qu'il ne soit pas renvoyé du collège. « J'ai passé trois jours à Stanislas, se souvient Gleb. J'ai dormi là. La contestation pour moi, elle était aussi contre Uriel. Il ne pouvait pas m'en empêcher. »

Les grèves des étudiants ont gagné les universités et, dans certaines facultés, les étudiants obtiennent le droit de siéger au comité qui embauche ou congédie les professeurs, comme au département de sciences politiques de la vénérable Université McGill[487].

Une partie de cette jeunesse qui veut s'affirmer se réunit au sous-sol de la rue Vendôme pour discuter et écouter de la musique que Ludmilla ne reconnaît pas. Les garçons laissent pousser leurs cheveux et ne veulent plus porter de vêtements convenables. Quand Avdeij arrive avec un grand paletot de l'armée, et qu'il refuse de se faire couper les cheveux, Ludmilla ne comprend plus rien. Comme il est loin, le gentil garçon qui faisait le baisemain aux dames après avoir ramené un pied contre l'autre! Ludmilla qualifie cette époque de tornade. Il lui faut tout remettre en question. Les changements sont très rapides et elle n'a rien vu venir. « Mes enfants avaient besoin de ne plus se sentir différents. D'être acceptés. La musique qu'ils écoutaient les mettait en communion avec les autres. Alors, j'ai commencé à écouter les Beatles. » Et bien d'autres musiques. Avoir dix-huit, vingt ans, à cette époque, « C'était se sentir partie prenante d'une société en changement dans ses structures et ses idéologies : mouvement étudiant et mouvement hippie, marxisme, socialisme, révolution sexuelle, féminisme, montée du nationalisme indépendantiste[488]. »

À Jean Basile, Ludmilla avoue être en retard face aux jeunes. « Je me dois, humainement et artistiquement de [les] rattraper. [...] j'en suis arrivée à un point où ce que je suis, donc ce que j'exprime, ne répond plus réellement au langage dont le public a besoin ; la vie a été plus vite que moi. Mon travail est donc pour l'instant d'aider à créer ceux qui sont plus à même que moi de rejoindre les besoins collectifs actuels[489]. » Ludmilla n'est pas la seule à se sentir dépassée. Toute la vie a changé en quelques années. Et la vague a été si forte qu'il était impossible de nager à contre-courant. Tout le monde s'exprime sur tout et sur rien et il reste peu de références, peu des structures auxquelles la société était habituée. « Elle nous voyait écouter la musique des Beatles et elle était dépassée par cela », se souvient Gleb.

Le 26 septembre, les Québécois apprennent le décès de leur premier ministre. Daniel Johnson s'est rendu la veille sur un chantier d'Hydro-Québec et a passé une partie de la soirée avec les « gars » du chantier. De retour dans le chalet où il devait dormir, il a réuni les mains de Jean Lesage et de René Lévesque pour une photographie célèbre, puis il s'est retiré pour ce qu'il restait de nuit. Le 26 au matin, il devait procéder à l'inauguration de la centrale de Manic 5, qui plus tard portera son nom.

En novembre, Ludmilla se rend à Québec pour évaluer l'enseignement qu'on y donne et s'assurer par elle-même que certains élèves peuvent passer au niveau avancé, se préparer à l'enseignement ou encore entrer aux Feux Follets. Une partie de sa tâche consiste aussi à annoncer aux élèves qui sont maintenant des adolescents, aux filles surtout, que l'évolution de leur corps ne leur permet plus de continuer. Des hanches qui élargissent, de trop gros seins, de trop gros mollets mettent fin aux rêves de plusieurs.

À la fin de l'année, le conflit entre l'UDA et les danseurs n'est toujours pas réglé et Ludmilla écrit au juge Vadeboncœur pour qu'il intervienne. Selon elle, l'UDA

> [...] ne fait absolument rien pour définir un contrat d'entente avec notre compagnie et refuserait même de s'occuper des danseurs.
>
> Je ne comprends pas du tout l'attitude de l'Union des artistes qui, toujours d'après les danseurs, ne répond pas à leurs lettres, évite les rencontres et traîne les négociations depuis plus d'un an maintenant. Je ne peux blâmer nos danseurs qui refusent de payer les cotisations à une union dont les règlements ne sont pas définis, ces danseurs n'étant pas réellement protégés par cette union[490].

Au fond, Ludmilla craint qu'à nouveau les représentations des GB soient annulées. C'est la période de *Casse-Noisette* et cette fois elle ne se tiendra pas coite – au moins le public saura pourquoi sa compagnie n'est pas au rendez-vous. Sauf que toute annulation aggravera le déficit et elle ne peut envisager cette hypothèse sans songer qu'elle aurait un impact sur la tournée européenne.

Avant Noël, au moins une chose semble vouloir se régler : à sa réunion annuelle, l'Académie des Grands Ballets Canadiens a résolu de se porter acquéreur de l'Académie Chiriaeff. Ludmilla passe une partie du congé de Noël à échafauder des hypothèses pour l'avenir des GB. Radio-Canada ne lui offre plus rien depuis un certain temps. Qui plus est, la section française de la télévision d'État a fait venir le Ballet National pour *Cinderella* (Cendrillon), alors que sa compagnie avait une production toute prête. Plus tôt dans l'année, Radio-Canada a porté à l'écran sa propre version de *Carmina* plutôt que de prendre celle que les GB ont produite avec succès. Ces deux événements ont rendu Ludmilla amère. Elle ne comprend pas qu'on l'ignore systématiquement. Elle n'est pas la seule à ne pas comprendre. Au MAC, on demande à Radio-Canada de s'expliquer.

> Comment se fait-il que cette compagnie de ballet reconnue par le ministère des Affaires culturelles comme étant d'utilité publique, soit aussi systématiquement délaissée par le réseau français ? Quel intérêt avez-vous à mettre en valeur, sans plus de discernement, le Ballet National de Toronto ? Comment se fait-il que vous n'ayez pas encore obtenu que Toronto présente les Grands Ballets Canadiens alors que le ministère des Affaires extérieures se prépare à présenter cette compagnie à l'Europe[491] ?

Ludmilla parle de son inquiétude pour l'avenir de la compagnie avec Guy Beaulne. Elle en est venue à la conclusion qu'il lui faut constituer un répertoire contemporain pour attirer une plus large clientèle, « le marché pour les œuvres purement classiques [étant] devenu bien restreint[492] ». Elle est en même temps bien consciente qu'il est difficile de vendre des œuvres inconnues.

Elle continue à se battre avec l'UDA, qui veut appliquer au milieu de la danse les Règles de Scène du Théâtre. Cela aurait pour effet immédiat d'augmenter de quarante-cinq pour cent (68 000 $) le cachet des danseurs et rendrait les tournées des GB trop onéreuses, même au Québec. Par expérience, Ludmilla sait qu'elle doit maintenir les billets à un prix abordable. Elle sait aussi que les subventions ne suivront pas l'augmentation des budgets nécessaires à la vie d'une troupe de quarante à cinquante danseurs. Il lui faudrait réduire de moitié la compagnie, écourter la durée des saisons et oublier les spectacles avec orchestre.

> Quoi faire alors ? demande-t-elle à Guy Beaulne. [...]
>
> Je pense que le moment des grandes décisions est finalement venu car, seule, je ne saurais comment continuer à soutenir un prestige que notre troupe a su se mériter, penser aux créations futures, planifier des saisons, m'occuper de la relève par l'entremise de l'académie et me débattre dans de multiples problèmes très complexes causés par le manque de compréhension et de coordination entre les différents organismes qui accordent les subventions, les unions et les troupes. Il se peut que seule une troupe nationalisée pourrait (*sic*) survivre à de tels assauts[493].

Guy Beaulne organisera une rencontre, le 24 janvier, entre Ludmilla et le ministre Jean-Noël Tremblay, rencontre au cours de laquelle il sera question de « la constitution des Grands Ballets en compagnie officielle et [de] la reconnaissance de l'Académie des Grands Ballets comme école de la compagnie, donc comme école d'État[494] ». Depuis le 1er janvier, l'Académie fonctionne comme une corporation à but non lucratif. Elle a un conseil d'administration et un directeur général, Julien Poirier.

Dans une lettre qu'elle expédie au ministre Tremblay, après cette rencontre, Ludmilla souligne le désir d'Ottawa de « fusionner notre compagnie avec les deux autres troupes de danse. Leur grand désir est en effet de créer une seule compagnie de ballet qui rayonnerait dans le Canada tout entier[495]. » Inutile de dire que Ludmilla est totalement opposée à cette idée et qu'elle la combattra par tous les moyens, même quand elle ne sera plus avec les GB.

L'année 1969 débute en grandes pompes avec la première de *Catulli Carmina* suivie du *Bal des oiseaux*, à la PDA, le samedi 15 février. La veille, les GB ont présenté *Catulli Carmina* pour les membres de l'UGEQ, à la PDA. La semaine suivante, c'est *Triomphe d'Aphrodite*. Claude Gingras parle alors de perfection. « Il y a longtemps que j'avais vu notre troupe locale [...] défendre une chorégraphie aussi brillante et aussi difficile[496]. » Avec cette dernière création, qui a coûté cent mille dollars, les GB inscrivent à leur répertoire la trilogie de Carl Orff, trilogie qu'ils présenteront en Europe dès le mois de mai. Mais avant leur départ, ils donneront cinq spectacles pour les commissions scolaires de Montréal et feront cinq semaines de tournée au Québec, dans les provinces de l'Atlantique et en Ontario, histoire de roder certaines chorégraphies.

Le soir du 21 février, le premier ministre du Canada assiste à la représentation. Quand il vient saluer les danseurs, ces derniers l'applaudissent. Galant, il les applaudit à son tour. Durant la réception intime qui suit, Pierre Elliot Trudeau se joint à un groupe de danseurs, assis par terre. « Il fit de même, à la yogi, et l'air détendu, finit de manger tout en causant[497]. » En mars, l'Académie britannique du cinéma choisit *Pas de Deux* comme meilleur film d'animation de l'année 1968. Ce film, produit par l'ONF, est le fruit de deux créateurs : Ludmilla, pour la chorégraphie, et Norman McLaren, dont les procédés techniques ont démultiplié l'image des danseurs Margaret Mercier et Vincent Warren. En mai 1968, ce film de treize minutes avait été présenté au Festival du film, à Cannes.

Le 11 mars, Ludmilla est hospitalisée. Pour épuisement.

> [...] mes médecins, tel que je le prévoyais, ne me permettront plus de travailler sans tenir compte de ma santé, en brûlant la chandelle par les deux bouts [...]
>
> J'ai donné à mon pays d'adoption tout ce que je possédais, j'ai sacrifié ma vie privée, mes propres aspirations, même ma santé, j'ai travaillé pour la compagnie sans être rémunérée [...]
>
> Aujourd'hui, je veux que vous sachiez que malgré cet état de choses, je suis prête à continuer d'accomplir ma mission, celle de doter le Québec non pas d'une troupe de ballet temporaire, mais d'une compagnie permanente. Avec son école-académie, qui saura établir à jamais une tradition dont le style sera proprement à l'image de ce que nous sommes au Québec[498].

Dès qu'elle obtient son congé de l'hôpital, elle retourne veiller aux répétitions et se préoccupe de réduire les tensions qui règnent dans la compagnie. Les danseurs sont au courant de ses difficultés financières et les conditions imposées par l'UDA ont irrité plusieurs d'entre eux. Contre l'avis de ses médecins, Ludmilla juge essentiel, pour l'esprit de la troupe, de suivre ses « poussins » au moins jusqu'au début des spectacles à Paris.

Les danseurs sont habitués aux tournées, mais celle-ci est fort différente. Les GB s'y préparent depuis le milieu de la décennie en fait. Le rêve est maintenant en voie de se réaliser et, au-delà de l'excitation du voyage, une certaine crainte s'installe pendant les dernières répétitions. Ludmilla pense que c'est normal et sain. Rien n'est jamais acquis dans ce métier et, même si ses danseurs ont été acclamés lors de l'Expo, et *Carmina* largement salué par les critiques, l'Europe a une longue tradition de ballet et des publics très avertis. Ses danseurs seront mesurés à l'aune des plus grands, de même que son choix de programme. Ils sont en quelque sorte les «ambassadeurs» d'une culture canadienne : la tournée est financée par le ministère des Affaires extérieures du Canada. En outre, quantité de choses diffèrent des tournées canadiennes et américaines. Il faut se soumettre à des vaccins, obtenir les passeports, les visas et les monnaies de chacun des pays, apporter du papier hygiénique et du savon, etc. Il y a aussi d'autres questions à régler. Diamantidi, depuis Vevey, écrit à Uriel. Il lui donne des noms et adresses d'ex-danseuses de Diaghilev à qui envoyer des billets et suggère d'en envoyer aussi à «Monsieur et Madame Nabokoff, Palace Hôtel, Montreux. C'est l'auteur de *Lolita* et c'est un bonhomme qui est capable de vous faire de la réclame s'il le juge intéressant. » Il déconseille toutefois d'envoyer autre chose qu'un programme à Charlie Chaplin qui, quand il reçoit un billet pour rien, ne vient jamais. Il termine en écrivant :

> [...] j'ai appris que votre agent en Europe est un certain SARFATI ou quelque chose de ce genre. Je n'ai jamais entendu ce nom et je crois connaître tous les impresarios de renom. Ce qui m'a étonné, c'est que ni Madame Vronska ni Madame von Knorring (ex-Diaghilev) n'avaient rien entendu de l'arrivée de votre Ballet à Lausanne, ni aucune de mes nombreuses connaissances dans ce pays. J'ai l'impression que la publicité a été négligée [...] Mes meilleurs vœux de complet rétablissement à cette chère Milotchka, qui doit surveiller sa santé[499].

Et Ludmilla qui pensait que tout avait été prévu et réglé au quart de tour !

Le 6 mai, cent sept personnes prennent le vol 673 de la KLM. Cette compagnie offre aussi des prix réduits aux parents et amis des danseurs qui veulent suivre la troupe en Europe. Si la situation financière de la compagnie avait été meilleure, toute la famille Chiriaeff aurait fait le voyage pour s'installer dans une maison à Palma, près de chez l'oncle Serge. C'eût été bon pour Ludmilla aussi, dont la santé ne s'améliore pas. Elle traîne une toux et a promis à ses médecins de prendre un long congé au retour de Paris.

La tournée commence à Lausanne, cette ville où Ludmilla arrivait, le 28 juillet 1956, avec une petite valise, quelques marks et l'adresse de Madame Rimathé. Cette ville où le Théâtre municipal lui a donné sa première chance, où elle a rencontré Alexis, où elle a commencé à chorégraphier. «Il y avait des fleurs à foison dans cette ville, se souvient Christine Clair. Les filles, on est parties acheter des monceaux de fleurs qu'on a distribuées dans les loges du théâtre. »

C'est à l'occasion du Festival international de Lausanne que les GB se produiront au Théâtre Beaulieu, les 9 et 10 mai. Avant, le 8, Ludmilla accorde une entrevue à la radio, sous le titre « Québec libre... de danser » ! Le 8 toujours, après s'être rendue à l'hôpital pour rendre visite au mari de Hadu avec cette dernière et Nastia, Ludmilla est allée au Théâtre Beaulieu où elle a réalisé que la scène était inclinée et que cela allait rendre la vie difficile aux danseurs. Elle a aussi pris note d'un problème d'éclairage et fait face à l'Orchestre de la Suisse Romande, qui ne voulait pas jouer *Thème et variations* en alléguant le manque de temps pour répéter. Ludmilla s'est ensuite dirigée vers le foyer du théâtre où Les Amis de la danse ont pu assister à l'entretien qu'elle a accordé à Antoine Livio.

> Le silence avec lequel les auditeurs ont écouté les commentaires passionnants et passionnés qu'elle donna de ses expériences, de ses luttes et de ses succès, écrit une journaliste, donnait la mesure du rayonnement émanant de cette femme exceptionnellement douée[500].

Il est vingt-trois heures trente quand Ludmilla peut enfin rentrer à l'hôtel Alpha Palmier, où Fernand Nault l'attend, inquiet lui aussi à propos de l'orchestre. Ils prennent la décision de garder Jelinek pour diriger à Lausanne et d'envoyer tout de suite à Lyon l'autre chef, Michel Semanitzky, qui pourra dès lors commencer les répétitions. Elle qui voulait avoir du temps pour discuter avec Nastia...

Au matin, il faut rapidement se rendre au théâtre. Il y a tout le *spacing* à faire avant la répétition avec l'orchestre. Puis un moment de repos en attendant l'heure du lever de rideau. Parlant de la représentation des GB, la journaliste Marianne Vouga écrit : « Nous avons vu à l'œuvre hier soir, une troupe [...] qui [représente] bien ce nouveau type de danseurs qu'elle [Ludmilla] a su d'abord pressentir dans ce pays tout neuf, faire éclore ensuite à force de volonté et de divination artistique[501]. »

Dans une lettre qu'elle envoie à Montréal, Ludmilla écrit : « *Catulli* est un triomphe et nous avions une ovation avec plus de vingt rideaux ! Moi, qui vivais à Lausanne, je n'ai jamais vu ce public enthousiasmé ! [...] les danseurs sont fiers, soulevés par les succès [...] Je suis morte de fatigue mais heureuse et profondément reconnaissante[502]. » L'impresario Sarfati est enchanté. Nastia est très triste parce que sa mère va partir pour Lyon et elle ne sait quand elle la reverra. D'autres aussi auraient voulu avoir Ludmilla à dîner ou pour une soirée. Certains lui écriront pour la remercier du magnifique spectacle et des quelques minutes de conversation accordées.

Les GB sont maintenant en route pour Lyon et pris au cœur d'un immense embouteillage en ce chaud dimanche de mai. Six heures de route avant de laisser chacun des danseurs à l'un ou l'autre des trois hôtels réservés pour l'occasion.

Le lendemain, ils danseront à l'Opéra, devant un public, composé notamment des danseurs de cette célèbre maison. Mais la salle n'est remplie qu'au tiers, et les nombreux rappels ne font pas oublier ce fait à Ludmilla. Les journaux ont beau publier des critiques élogieuses des pièces et des danseurs, le public n'est pas au rendez-vous. Traitant de *Carmina, Dernière Heure* salue la « recherche d'expressions nouvelles de la chorégraphie, démontrant que musique et danse peuvent s'inspirer des tendances nouvelles et les amalgamer à la culture classique antérieure sans la renier[503] ». Mais Fernand Nault, lui, n'est pas heureux. Non pas que les danseurs n'aient pas bien dansé, mais parce que les éclairages étaient horribles, que l'orchestre jouait terriblement mal et que les machinistes étaient désagréables et se traînaient les pieds.

Pourtant, Ludmilla se faisait une joie de produire les GB dans ce lieu où fut donné pour la première fois le ballet le plus ancien du monde, *La Fille mal gardée*. « Fernand était très dérangé par la qualité de ce premier spectacle, écrit Ludmilla. Il n'a même pas été saluer sur scène[504]. » Ludmilla a ensuite l'agréable surprise de voir arriver à l'arrière de la scène Ellen Mouraviev-Apostol (née Rotchschild), la marraine d'Avdeij. Elles ne s'étaient pas vues depuis 1951.

> [...] vous n'avez même pas changé, lui écrira Ellen. Le même visage, cette même simplicité et une simplicité de cœur et honnêteté presque enfantine. Vous me rappelez les ruisseaux de montagne limpides et toujours pareils et constants. [...] J'ai eu guère le temps de vous parler de votre magnifique troupe et de l'impression indélébile qu'elle m'a laissée. [...] je vous embrasse très fort en vous implorant de vous ménager autant que possible[505].

Le lendemain, après les répétitions, Ludmilla et Fernand auditionnent des danseurs de l'Opéra de Lyon et, entre autres, un danseur recommandé par le consul du Canada à Marseille. « Horrible, écrit Ludmilla à Françoise. Le niveau de la danse en France (en dehors de Paris) est très <u>très</u> triste. »

Sauf quatre danseurs ainsi que Fernand et Ludmilla qui filent vers Paris, la troupe retourne à Genève pour prendre un vol vers Bruxelles. L'un des deux avions dans lesquels voyagent les danseurs et le personnel éprouve des difficultés à l'atterrissage. Résultat : Madame Martinet (costumière) est blessée à la lèvre et l'un des danseurs se retrouve incapable de danser à cause de problèmes de dos. À Paris, Ludmilla est attendue pour une émission de télévision « qui a filmé quelques improvisations de *Carmina* au Musée de l'Homme où se tient une exposition des objets indiens canadiens![506] » Ils sont ensuite invités à une balade sur la Seine avant d'être reçus à l'ambassade du Canada par Paul Boudreau, celui-là même qui, en 1959, a nolisé un avion pour amener les GB au Jacob's Pillow.

Puis c'est le Théâtre de la Monnaie, à Bruxelles, du 15 au 18 mai. Ce théâtre est très beau et impressionnant avec son rideau qui s'ouvre à l'italienne et sa scène penchée. Elle penchait terriblement, selon Ludmilla, ce qui inquiétait les danseurs. À la différence de Lyon, ici, tout le monde est gentil et l'on agit en professionnel du métier. « Ils nous aidaient tous comme si nous étions leur propre troupe de ballet », écrit Ludmilla à Françoise. Il faut dire que le passage des GB s'inscrit dans le cadre du Mois de la danse où des troupes étrangères se produisent en alternance avec le Ballet du XXᵉ siècle de Maurice Béjart. Ce dernier assistait d'ailleurs à la première, le soir du 15 mai. Avec Maurice Huisman, il est l'organisateur de cet événement. Il a fait parvenir à Ludmilla des invitations pour la représentation que donnait sa compagnie au Palais des sports. Les danseurs des GB ont été enchantés. Ils ont aussi été invités à assister à des classes données par la maîtresse de ballet de la compagnie de Béjart. « C'était fantastique, raconte Christine Clair. Nous dansions dans son théâtre et il nous invitait à voir danser sa compagnie ailleurs. »

À Bruxelles aussi la critique salue la chorégraphie de Fernand Nault. « L'œuvre de choc de la soirée fut la transposition chorégraphique des célèbres *Carmina Burana* de Carl Orff, cette page vigoureuse qui se situe à mi-chemin entre l'Oratorio et la scène proprement dite[507]. » De façon générale, les médias parlent d'une « formation d'une classe internationale » qui « peut s'inscrire sur la liste des nations chéries par Terpsichore ».

À Bruxelles également, Ludmilla a revu Erich Schrötter, qui est venu la voir avec un paquet contenant la correspondance qu'elle adressait à son père, à Goslar, depuis la Suisse. Dans sa lettre quotidienne à Françoise Bellehumeur, elle écrit : « [...] c'est l'homme qui m'a sauvé la vie alors que j'étais prise par la Gestapo [...] j'ai beaucoup pleuré de joie, d'émotion et de bonheur ces derniers jours ». Erich Schrötter portait encore la croix que Ludmilla lui avait donnée, à Berlin, pendant la guerre. Il était accompagné de sa femme. Qu'y a-t-il eu de si fort entre Ludmilla et lui pour qu'il porte encore cette croix ? pour qu'il fasse le voyage depuis l'Allemagne, afin de venir embrasser Ludmilla et de lui remettre ces lettres ? Ludmilla parlait de lui en termes chaleureux mais n'a jamais vraiment élaboré au sujet du rôle qu'il avait joué dans sa vie, à Berlin.

Après la Belgique, c'est le Portugal, où le public de Lisbonne n'a pas aimé la première soirée mais a adoré *Carmina*, *Couvée* et *Catulli*. Ludmilla, elle, était déjà à Londres pour donner des entrevues. Serge Lifar, pour sa part, a tellement aimé *Catulli Carmina* qu'il a décerné à son chorégraphe le grand prix de l'Université de la Danse 1969. Dans la lettre qu'il adresse à Ludmilla, il écrit :

> Cette admirable Compagnie a su me procurer une très grande émotion artistique par l'œuvre de Karl Orff, dans la chorégraphie de John Butler. Il s'agit de *Catulli Carmina*. C'est une œuvre « totale » qui

évoque une nouvelle adaptation du corps humain dans son apport esthétique et technique. Et je vous félicite. Dans cette œuvre il n'y a aucun excès ni abus dans le domaine sensuel et érotique. Le corps reste libre et s'envole.

Dans ce ballet la musique, les chœurs, les récitants, les décors, les costumes et l'éclairage ont provoqué une parfaite harmonie de l'œuvre[508].

En arrivant à Londres, Ludmilla constate que là non plus l'impresario Sarfati n'a pas fait grand-chose côté publicité, de sorte que quand il répète à Ludmilla comme il est impressionné par l'accueil du public et de la critique en général, elle a des moments d'humeur. D'autant que Londres est le marché le plus difficile et qu'elle craint la réaction des critiques. Les GB danseront au Sadler's Wells, un théâtre qui n'est pas au cœur de la ville et qui était encore en rénovation quelques jours auparavant. Et puis, le Ballet royal se produira en même temps qu'eux en ville. S'il fallait en plus que les salles soient à moitié remplies, ce serait la catastrophe. Au moins, la princesse Margaret a accepté de présider la première. Ludmilla souhaite qu'elle leur porte chance.

Là comme ailleurs, des problèmes d'intendance surgissent. Melissa Hayden, soliste invitée du New York City Ballet, refuse de danser avec Dick Beaty et impose plutôt Bruce Marks, de l'American Ballet Theatre ; cela oblige Ludmilla à engager ce dernier sur-le-champ. Et à trouver une façon de consoler ce « pauvre Dick ».

Le jeune attaché de presse londonien, Alan Butcher, semble plus intéressé par les soirées qu'il organise, et à se déplacer en Rolls Royce, que par les rencontres de presse. À leur retour à Montréal, les GB auront d'ailleurs la surprise de recevoir une facture qu'ils refuseront de payer. Ce qui entraînera une poursuite et des pressions de Londres auprès du ministère des Affaires extérieures du Canada. Bien qu'il n'eût aucun pouvoir d'engager la compagnie, et qu'il fût mineur, Alan Butcher avait signé des contrats au nom des GB. Entre autres, pour la location d'une Rolls Royce.

Après la première, la Princesse et Lord Snowdon vont sur la scène saluer les danseurs. Ils assistent aussi au dîner organisé par le Haut-Commissariat du Canada en l'honneur des GB. Ce dîner « était splendide, la Princesse enchantée et le public ravi », écrit Ludmilla à Françoise. Les GB donneront onze représentations et les critiques seront dévastatrices :

> Rien est bon – rien est bien – rien vaut la peine, etc. C'est comme à Toronto en 1963... et pourtant tous les soirs le public nous applaudi (*sic*) très chaleureusement et même plus car nous avons des bravos! et de multiples rideaux. [...]

Comment expliquer cette réaction de la part des journalistes ? Je ne sais pas !! On me dit que la troupe de Balanchine a été terriblement <u>déchirée</u> ainsi, il y a quatorze ans, et ceci pendant les trois premières visites à Londres – treize ans plus tard il a été <u>accepté</u> par ces tigres de journalistes.

Ceux qui ont assisté à cette soirée ne peuvent tout simplement pas comprendre la méchanceté de la presse qui n'a même pas souligné la formidable réaction du public et de la Princesse qui applaudissait de tout son cœur pendant les dix minutes d'ovation !! [...]

Je me sens comme un général qui passe d'une victoire à une défaite et qui prend toutes ses forces pour faire tenir le moral de ses soldats et qui se prépare à une contre-attaque !![509]

Inutile de dire que Fernand est triste. Aucune de ses chorégraphies ne semble trouver grâce auprès des critiques londoniens. John Percival va même jusqu'à écrire que « Les autres ballets de Nault confirment un talent extrêmement limité[510*] », puis James Kennedy ajoute « cela semble confirmer à l'évidence [...] que le chorégraphe résident n'a rien de remarquable[511*] » et pour Janet King « Il est évident [...] que Nault n'est pas un chorégraphe qui puisse appporter de nouvelles idées en danse au niveau international[512*] ». Seul Richard Buckle, venu à Montréal à la demande du CAC, fait la part des choses. Il commence par saluer la magnifique performance de Vincent Warren qui a, selon lui, quelque chose de Noureïev. Il compare ensuite la chorégraphie de *Carmina*, montée peu de temps auparavant par le Netherland Dance Theatre, à celles de Fernand et de Butler et trouve la *Couvée* et « la production *Mère courage* éclatante et forte ». Il continue en décrivant le Canada comme *a big empty land* où personne ne voulait de ballet il y a peu encore et qui a maintenant quatre compagnies. Et il termine en applaudissant « la vision, la détermination et les réalisations de Ludmilla Chiriaeff ». La salle était à moitié pleine mais, écrit-il, « *Never mind !* Cela me rappelle Ninette de Valois dans une situation semblable en 1933. Sa compagnie jouait une fois par semaine, en matinée le samedi, devant des salles plutôt vides. Personne ne voulait d'une compagnie de ballet anglaise à l'époque[513*]. » Si la critique est épouvantable, les lettres à l'éditeur apportent quelque consolation. Le public, lui, a compris. Tous les soirs, il acclame les danseurs.

L'avant-veille de leur dernier jour de représentation, le feu prend au Leinster Towers où logent quelques-uns des danseurs et Guy Lamarre. Tôt le matin, Margery Lambert et Armando Jorge doivent sauter par une fenêtre du quatrième étage. Conduits à l'hôpital, ils pourront reprendre le travail à Paris, mais ce qu'ils ont jeté par la fenêtre avant de sauter a disparu : bijoux, passeports, vêtements. L'administrateur Lamarre, lui, n'est retrouvé que plusieurs heures plus tard. Il avait avec lui l'argent pour les salaires. « C'était terrible, écrit Ludmilla à Blanche. C'est Uriel qui l'a finalement retrouvé, sain et sauf. Et comme si cela ne suffisait pas, deux autres danseurs sont tombés malades. Melissa Hayden et Sasha Belinsky ont dû être remplacés à la dernière minute. Espérons seulement que c'était là la dernière épreuve!!⁵¹⁴»

Ludmilla tient le coup. Elle souhaite toutefois que les critiques parisiens ne soient pas influencés par la lecture des journaux britanniques. Elle reste près de ses «poussins», comme elle appelle ses danseurs dans la correspondance concernant cette tournée. Sarfati, lui, s'énerve et exige de Ludmilla qu'elle change le programme du gala d'ouverture aux Champs-Élysées. Alors, les artistes manifestent leur mécontentement. Il ne s'agit pas ici que des danseurs mais aussi du chœur et des solistes. «J'aurais dû dire non à Sarfati et m'en tenir au programme que j'avais choisi.» *Carmina* ne sera donné qu'à la fin de la deuxième semaine, une fois l'élection présidentielle passée.

Le 8 juin, la compagnie quitte Londres pour Paris, où les GB danseront du 10 au 22 juin. Peu de monde, certains soirs, mais de bonnes critiques et encore et toujours souligné le talent de Vincent Warren, de Ghislaine Thesmar et de Véronique Landory. Cela va si bien, tout à coup, que l'on ajoute deux soirs de représentation. Un journaliste écrit :

> [...] L'exemple est à citer chez nous, où l'on s'ingénie à détruire les initiatives triomphantes pour jeter à fonds perdus les deniers publics aux mains de chorégraphes «chercheurs» qui ne risquent pas de trouver.

> [...] après un tel programme (*Aphrodite, Médée*), les prochains nous promettent encore *Carmina Burana*, le chef-d'œuvre de Carl Orff, on ne peut qu'applaudir avec un enthousiasme mêlé de respect les Grands Ballets Canadiens, nouveaux venus au firmament de la danse, qui administrent, en passant, une leçon de prince à notre ballet national en léthargie ou fourvoyé[515].

Ludmilla rentre à Montréal et laisse la compagnie continuer à La Haye, Zurich et finalement au Festival de Nervi, en Italie. Daniel Stirn, qui fait répéter l'orchestre à Nervi, lui écrit :

> [...] une compagnie qui vient pour la première fois dans un pays doit d'abord déposer sa carte de visite. La vôtre est plus qu'excellente.

> Vous ne pouviez pas espérer [...] faire accourir les foules, mais la qualité incontestable de ce que vous avez présenté, la foi qui habite chaque élément de votre compagnie, foi dont vous êtes l'animatrice et l'inspiratrice, est une victoire pour les Grands Ballets Canadiens, qui ne sera pas sans d'heureux lendemains, j'en ai l'absolue conviction[516].

À Nervi, la compagnie danse dans un théâtre en plein air, entouré de pins, mais là aussi l'événement a été mal préparé par l'impresario. En Italie, les journalistes et critiques ont l'habitude d'être invités à la générale. La compagnie ne le savait pas. En outre, il a plu tout l'après-midi et la générale n'a même pas eu lieu[517]! L'impresario Sarfati attribue la fréquentation plutôt moyenne au fait que les GB sont peu connus et qu'en France les spectacles ont coïncidé avec la campagne à la présidence de la République. C'est pourtant lui qui a négocié les dates et était chargé de la publicité. C'était à lui de savoir. C'est peu de dire qu'il ne sera plus dans les bonnes grâces de Ludmilla.

Les ambassades du Canada à Londres, à Paris et en Italie, de même que les Affaires extérieures du Canada à Ottawa, sont enchantés des succès remportés et l'écrivent à Ludmilla. Même le premier ministre Trudeau et le chef de l'opposition la félicitent. Elle peut donc espérer que les mauvaises critiques de Londres n'auront pas trop d'impact sur les subventions du CAC.

À dix-neuf heures trente le 6 juillet, la compagnie arrive à Montréal par KLM, sans certains danseurs qui ont décidé de parfaire leur formation en Europe : Christine Clair est restée à Paris, Nina Valery à Londres, Armando Jorge et Marjorie sont retournés au Portugal pour y rester. Uriel, lui, est retenu en Italie pour régler des problèmes avec le transport des costumes. Nastia a profité du vol nolisé pour rentrer avec la compagnie. Bien qu'elle ait été acceptée à l'Université de Montréal, elle préfère retourner à Lausanne, après les vacances, où elle poursuivra des études de langues vivantes. Pour l'heure, il fait chaud et humide et elle se rend à Rawdon avec les petites, en attendant que leur mère vienne les retrouver après la conférence de presse. Avdeij et Gleb travaillent à Terre des Hommes.

Le 16, Ludmilla convoque les médias pour faire son rapport. Après avoir rappelé les succès et les mauvaises critiques à Londres, elle plaide pour une «politique d'ensemble qui permette aux institutions artistiques existantes au Canada de servir leur public de façon plus adéquate». Selon elle, «les organismes ne devraient plus être obligés, comme nous le sommes tous, de solliciter des dons à gauche et à droite, et de vivre comme nous devons le faire [...] sans savoir ce que nous réserve le lendemain[518]. »

Pendant cette rencontre avec la presse, Ludmilla sort de sa réserve naturelle, en public, au point que le *Montreal Star* note le changement «dans son approche habituellement subtile et plus diplomatique. [...] Les gouvernements doivent s'entendre pour mettre en place au moins un Office des tournées pour le Canada, explique-t-elle. Depuis des années, les trois grandes compagnies de danse doivent se battre entre elles pour obtenir la bonne date et la meilleure salle pour leurs tournées[519*]. » Fernand Nault, dont Ludmilla loue le travail, dit que ce voyage à l'étranger lui a permis de prendre la distance nécessaire pour apprécier les qualités des ballets de Madame Chiriaeff[520]. Il profitera de cette conférence de presse pour annoncer qu'il travaille à de nouvelles créations, dont une d'inspiration biblique, sur une musique de Stravinski. Ludmilla est heureuse de cette collaboration avec Fernand Nault. Déjà en 1966, elle écrivait à Roland Lorrain :

> Pour moi, le grand moment de bonheur, c'est celui de voir cette com-
> pagnie devenir telle que je l'avais conçue dès les premiers jours avec
> en tête un être exceptionnel comme Fernand[521].

Ludmilla dira de Fernand qu'il avait une mémoire extraordinaire du ballet. À cette époque, il n'y avait pas vraiment d'écriture de la danse ; on se transmettait les mouvements par souvenir des chorégraphies plutôt que par la lecture d'une notation ou le visionnement d'un film.

Dans le Rapport de tournée qu'elle expédie aux gouvernements fédéral et provincial, Ludmilla signale sa déception devant le manque d'intérêt de Radio-Canada, à Londres et à Paris, « envers les succès remportés par [la] compagnie » et suppose « qu'il ne s'agissait pas de nouvelles d'intérêt national, qu'une vraie nouvelle ç'eût été au contraire de relater un accident survenu avec notre avion ». Et d'ajouter : « Il serait souhaitable de voir un jour les succès des troupes relatés à la population avec autant d'enthousiasme, d'éclat et de fierté nationale, que les déplacements des clubs sportifs canadiens[522]. »

Quand les danseurs partent en vacances pour six semaines, Ludmilla ne sait toujours pas si elle devra continuer avec un programme réduit à son minimum ou si elle pourra garder une trentaine de danseurs pour la prochaine saison. Elle voudrait faire voir aux Canadiens la trilogie de Carl Orff, mais il n'y a plus d'argent. Alors, les GB en produiront une mini version qu'ils promène-ront, au Québec, avec le deuxième acte de *Casse-Noisette*, du 24 novembre au 19 décembre.

Ludmilla a été prévenue, dès l'été 1968, que les fonds se feraient plus rares « pour 1969-1970 qui sera une année d'austérité en matière de dépenses gou-vernementales[523] ». Non seulement le CAC annonce-t-il qu'il ne peut garantir qu'il ne réduira pas ses subventions, mais cette lettre prévient même qu'il ne faut pas attendre d'amélioration avant 1971-1972. Au Québec aussi, l'argent se fait rare : ni le gouvernement ni la Ville de Montréal ne peuvent verser autant que l'année précédente. Le CAC convoque les GB, le 25 septembre, pour les

> mettre tout à fait au courant des répercussions certaines qu'auront sur
> votre activité les limites qui vous seront imposées et qui affecteront
> les subventions dont vous bénéficierez. [...] les déficits de deux de
> nos troupes de ballet ont atteint des proportions alarmantes ; il vous
> faudra nous indiquer pour votre compagnie si vous avez arrêté un plan
> pour amortir vos dettes et dans quelle mesure vous prévoyez que cela
> affectera votre activité[524].

À la fin de novembre, c'est le CARMM qui pose des questions aux GB. En premier, les membres de ce conseil se montrent surpris des montants attribués aux salaires et à l'administration et jugent cela «disproportionné en comparaison des services rendus [...] à la population de la région métropolitaine». Ils espèrent que les GB trouveront les moyens d'éliminer le déficit accumulé et celui de la tournée européenne; ils incitent la compagnie à réduire ses dépenses. «Ces diminutions de frais seront des facteurs décisifs dans l'attribution des prochaines subventions[525].»

Est-ce par suite des pressions du MAC, ou de Guy Beaulne personnellement, le CAC convoque les trois compagnies canadiennes de ballet à Ottawa, le 25 septembre, pour discuter de l'avenir du ballet au Canada. Ludmilla en avise le MAC et demande une rencontre afin «que je puisse, toujours sur le plan artistique, définir le point de vue du Québec, tel que vous et nous, les Grands Ballets Canadiens, l'envisageons[526]». Cette rencontre n'aura pas lieu, mais de retour d'Ottawa, Ludmilla s'empresse d'écrire à son ami Beaulne :

> Ce fut une mise en scène incroyable car les lamentations du Ballet National quant à leur situation désastreuse avec une subvention rien que d'Ottawa de trois cent quatre-vingt mille dollars sont bien ridicules. Je suis convaincue que le tout était monté en accord avec Monsieur Dwyer et Madame Franca afin de démontrer qu'eux aussi à Toronto sont bien affectés par les restrictions financières. Je suis aussi certaine que Monsieur Dwyer ne veut plus qu'une seule compagnie ou tout au plus deux, qu'il ne sait pas comment y arriver et qu'il espère, en créant une situation dans laquelle les trois compagnies sont en difficulté, que l'une des trois lâchera, de guerre lasse.
>
> [...] je ne me suis jamais trompée quant à mes impressions sur la conduite et la soi-disant diplomatie des Anglais[527].

Un document, remis à l'occasion de cette réunion, prévoit que, malgré une augmentation de dix pour cent des revenus, «les déficits [...] atteignent des proportions que les compagnies ne seront plus en mesure de supporter en 1972-1973[528]».

La compagnie commence les répétitions le 6 octobre avec cinq danseurs de moins. Ludmilla ne sait si elle doit compléter l'équipe pour l'ouverture de la saison, le 10 novembre : il n'y a toujours pas de certitude quant aux fonds dont elle disposera à ce moment-là. Eric Hyrst, lui, lance les Ballets métropolitains du Canada à l'assaut du Théâtre Maisonneuve. Même avec des sièges à très bas prix, l'assistance est faible. Hyrst, dont un journaliste dit qu'il est le cofondateur des Grands Ballets, est le chorégraphe et directeur artistique de cette nouvelle compagnie. Lui aussi cherche du soutien, mais ce n'est pas le critique de *La Presse* qui lui en apportera. «Il serait facile et inutilement cruel dans le cas présent de rire ou d'être méchant, écrit Claude Gingras. Tant de bonne volonté et tant d'inconscience donnent plutôt envie de pleurer[529]. »

À l'occasion du Grand Bal du Québec, Ludmilla est une des douze personnalités québécoises honorées. Ce Bal a lieu chaque année depuis 1948. Il est organisé par l'ACCORD, une association non confessionnelle, apolitique, ouverte aux personnes de toutes races et de toutes nationalités, dont le but est l'intégration de l'immigrant au milieu québécois[530]. Ludmilla recevra un parchemin rappelant « son apport exceptionnel à la vie artistique du Québec et son intégration particulière au milieu canadien-français[531] ». Dans sa lettre de remerciements, Ludmilla écrit :

> [...] c'est un événement très grand et émouvant que d'être accueillis et aimés par ceux qui ont la chance d'avoir un pays, non ravagé par la guerre.
>
> Je suis profondément attachée au Québec, et ma gratitude est si grande que c'est avec joie et dévouement que je me suis entièrement donnée à la tâche de faire naître le Ballet professionnel dans notre province[532].

Cet hommage n'arrive pas seul. Le 28 octobre, le Gouverneur général du Canada accroche la médaille de l'Ordre du Canada au corsage de Ludmilla en la nommant compagnon de cet Ordre.

À l'assemblée annuelle des GB, Ludmilla peut annoncer que l'Imperial Tobacco of Canada accorde quinze mille dollars à la campagne de souscription comme première tranche d'un don de quatre-vingt-dix mille dollars, dont les versements s'échelonneront sur cinq ans. Le comité féminin a aussi donné cinq mille dollars. Il faudra tout de même beaucoup de travail à l'équipe présidée par le juge Vadeboncœur pour amasser les quatre cent quatre-vingt mille nécessaires pour boucler le budget de la prochaine saison. L'argent fait cruellement défaut. Il ne faut pas trop en attendre des gouvernements. Le fédéral a mis en place une politique anti-inflationniste qui a pour conséquence une réduction des fonds alloués aux arts. Le CAC pose une série de conditions avant de verser la dernière tranche de la subvention pour la saison en cours. La tournée européenne accuse un déficit de soixante-quatre mille deux cent quatre-vingt-cinq dollars que le ministère des Affaires extérieures n'entend pas combler. Pour éviter d'ajouter au gros déficit, Uriel annonce que la compagnie revoit la formule des spectacles et optera pour des productions modestes. La prochaine année est fort problématique. « Un moment, raconte Ludmilla, je fus si épuisée que je n'avais plus envie de vivre. Je les avais faits [les GB] mais je manquais de la force pour les soutenir. »

Fernand dira qu'au retour d'Europe, la compagnie n'avait plus d'argent. La trilogie de *Carmina* avait triomphé là-bas, mais Ludmilla ne pouvait la reprendre ici à cause des coûts. « Alors, j'ai dit à Ludmilla : je vais faire un ballet qui ne coûtera rien. J'ai besoin de douze petits bancs, pas de costume, juste de l'éclairage, c'est tout.» C'est pendant l'Atelier chorégraphique de novembre que Fernand présentera *Symphonie des Psaumes*, dont Gingras dira qu'il s'agit d'une chorégraphie «très dépouillée, qui sied parfaitement à la musique austère de Stravinski[533]». Ludmilla avait hésité avant de retourner à Sir George Williams pour cet Atelier. Au début de l'année, des étudiants de cette université ont saccagé les locaux du Centre informatique et causé plusieurs millions de dollars de dommage. La cause de ce saccage : le racisme à l'université, ont soutenu les étudiants.

Cet automne-là, tout le Québec est sens dessus dessous. Depuis que Jean-Jacques Bertrand a déposé son projet de loi 63, les manifestations se succèdent à un rythme soutenu. Plus tôt durant l'année, une bombe a éclaté à la Bourse et fait quelques blessés. Un Front commun s'est formé, un Mouvement pour un McGill français aussi, et il y a eu des émeutes à Saint-Léonard. Le maire Drapeau jongle avec l'idée d'interdire les manifestations dans sa ville où il ne se passe plus une semaine sans turbulences. Les contestataires ne négligent pas le siège du gouvernement non plus, et des milliers d'entre eux se relaient devant le Parlement, à Québec. Le 31 octobre, la police lance des gaz contre quelques milliers d'étudiants qui refusent de quitter les lieux. Octobre aura été un mois d'agitation sans précédent. À Montréal, les policiers et les pompiers ont débrayé. Une partie des commerces de la rue Sainte-Catherine sont pillés pendant que certains quartiers de l'est de la ville flambent. La fin de semaine du 7 octobre passera à l'Histoire comme celle du «week-end rouge». Ludmilla, qui vit dans l'ouest de l'île, se dit que ça passera.

Pour le moment, elle se préoccupe surtout de faire avancer son projet d'une École supérieure de la danse, puisqu'il semble qu'elle n'arrivera pas à faire intégrer la danse au Conservatoire du Québec. Au début de décembre, elle a de longs échanges avec Guy Beaulne, qu'elle rencontre à Québec à ce sujet. La lettre qu'il lui expédie parle maintenant d'une École supérieure de danse intégrée à la compagnie des GB, et cela suppose que l'Académie devienne propriété de ces derniers[534].

Cette année-là, en raison des difficultés financières, il n'y aura donc pas de *Casse-Noisette* durant la période des fêtes[535].

Chapitre 13
Tommy

S on École supérieure, encore et toujours. Dans un document[536] adressé au MAC pour la saison 1970-1971, Ludmilla parle de « création immédiate, si le gouvernement le désire ». Les « exigences seraient les mêmes que celles du Conservatoire [et] le but de cette école [serait] de promouvoir l'enseignement de la danse et la formation d'enseignants et de danseurs professionnels ». Et elle réclame soixante-quinze mille dollars pour le fonctionnement de cette école dont le statut juridique serait celui d'une compagnie à but non lucratif, comme le sont l'Académie et les GB.

Ce document est intéressant à plusieurs égards. Il décrit le rôle de chacune des institutions et clarifie leurs interrelations : l'École supérieure forme des professeurs pour l'enseignement à l'Académie qui, elle, forme des danseurs pour les GB. L'Académie, percevant des paiements pour les cours, peut fonctionner sans subvention. Et sans que le mot « mission » soit à la mode à l'époque dans le langage des gestionnaires, Ludmilla définit celle des GB comme suit :

> Être dans le domaine de la danse un centre de création qui reflète et exprime de façon originale l'esthétique et les préoccupations de notre société contemporaine, tout en conservant et présentant la tradition du ballet classique[537].

Alors que les GB partent en tournée dans l'Est du Québec et les Maritimes, Ludmilla s'occupe de ses enfants. Nastia est encore en Suisse, mais il est question qu'elle revienne terminer ses études universitaires à Montréal. C'est Ludmilla qui se charge de remplir les formulaires d'inscription. Par ailleurs, ses fils en sont à leur dernière année du bac et eux aussi doivent songer à l'université.

> Avde [...] est dans un état de nervosité absolument impossible. Gleb est nerveux aussi mais il travaille bien, écrit-elle à sa belle-sœur Hella. Quant aux petites, Mishka s'applique bien à l'école où elle est première de classe. Catherine dit qu'elle va à l'école uniquement parce qu'il faut y aller[538].

Ludmilla a déjà une bonne idée de ce que sera la saison des GB, mais elle voudrait ajouter une création au répertoire de la compagnie. Elle doit aussi songer au programme qui sera présenté à Osaka, dans le cadre de la journée du Québec à l'Expo 70, le 25 juin. Le gouvernement du Québec l'a assurée d'une subvention à cet effet. Au retour, les GB seront au Jacob's Pillow et à Noël, elle compte offrir aux enfants une nouvelle version de *Casse-Noisette*. Fernand y songe déjà.

Au début de mars, alors qu'elle est grippée, Ludmilla commence la promotion de *Symphonie des Psaumes*. L'automne précédent, elle avait invité Monseigneur André-Marie Cimichella à venir assister à l'un des spectacles présentés à l'Atelier chorégraphique. Fernand Nault se rappelle que, lors de cette soirée, un religieux qui était dans l'assistance lui avait dit : je veux cela à l'Oratoire. Depuis, Ludmilla avait reçu cette lettre de Monseigneur André-Marie Cimichella :

> Chère Madame,
>
> J'étais très heureux d'assister à votre représentation du 7 novembre dernier. Assurément c'est votre ballet pour les psaumes qui m'a le plus impressionné. Bien sûr la musique de Stravinski se passe de commentaires. La chorégraphie et les mouvements étaient très bien travaillés et très près de la perfection. C'est mon opinion qu'avec des costumes appropriés, ce ballet pourrait se présenter dans une église. Il s'agirait de voir le reste du programme. Je suis à votre entière disposition pour continuer ce dialogue[539].

Elle poursuivra le dialogue. « Comme je vous l'ai mentionné lors de cette soirée, nous avons déjà commencé à exécuter les dessins de costumes pour cette œuvre et c'est avec plaisir que je vous les montrerai, si cela vous intéresse[540]. » Ludmilla pouvait donc songer, sans faux pas, à présenter ce ballet dans le grandiose décor de l'oratoire Saint-Joseph. Les GB danseront d'abord *Symphonie des Psaumes* au Capitole, à Québec, et dans quelques villes avant d'ouvrir leur saison à la PDA. De retour de la tournée, la compagnie s'installera, le 20 mars, à la salle Wilfrid-Pelletier pour une série de représentations commanditées par la Canadian Industries Limited, dans le cadre de son programme d'épanouissement des arts au Canada. Les GB essaient d'inciter de plus en plus d'entreprises à commanditer leurs spectacles.

Dès qu'il est connu que les GB danseront à l'Oratoire, les commentaires vont bon train. Même si Vatican II a voulu que rien de ce qui est humain ne soit étranger à l'Église, cette dernière a de la difficulté à s'ouvrir au monde. La guitare électrique a beau accompagner certaines messes et Michel Comte chanter ses créations dans les églises, la danse n'y est pas encore présente. Le révérend père Paul Leduc, c.s.c., conseiller artistique de l'Oratoire, émet un communiqué pour annoncer la venue des GB.

[...] certains vont peut-être s'étonner. Il n'y a pas si longtemps chez nous des pasteurs tonnaient du haut de leur chaire contre l'immoralité de ce qu'ils appelaient les danses modernes, tandis que des aumôniers d'écoles, des religieuses organisaient des bals de « graduation » ou de petites sauteries hebdomadaires dans les salles paroissiales. Et on peut estimer que souvent, mais pour des motifs différents, les deux tendances pouvaient avoir raison[541].

La danse est encore perçue comme indécente par d'aucuns. Présenter une telle chose dans un lieu saint apparaît déplacé à certaines personnes qui craignent « que les danseurs ne soient correctement vêtus [...] dans cet endroit[542]». À la journaliste du *Droit* d'Ottawa, Ludmilla demandait : « Qu'est-ce qui nous permet de penser que Dieu préfère la voix, les pinceaux d'un peintre plutôt que les bras ou les jambes d'un danseur ?[543]»

Les représentations à l'Oratoire sont prévues pour les jours saints. Au moment de la générale, il tempête. Une neige qui rend difficile aux camions l'ascension vers la basilique, tout en haut du mont Royal. Claude Berthiaume se souvient qu'il a fallu « monter de reculons. Je pense qu'on était quarante techniciens pour installer toutes les lumières en haut. » Il fallait monter les tréteaux, dix fois plus de câbles que d'habitude, les bancs, les costumes. Une fois les danseurs en place, « en attendant que l'orchestre s'installe, j'ai trouvé que les magnifiques costumes de Nicole Martinet n'arrivaient pas à s'allumer face à l'immensité de l'espace, me raconte Ludmilla. Ça rendait les danseurs ternes, ça les rapetissait au lieu de les grandir. Finalement, on a fait la répétition en jeans et en pull. » Le lendemain, Ludmilla a décidé que c'est ainsi que serait dansée cette chorégraphie. Fernand Nault a plutôt raconté à Marie Beaulieu que c'est lui qui en avait décidé ainsi. Quoi qu'il en soit, Nicole Martinet a exigé que son nom soit rayé des programmes qui allaient être distribués. « Après avoir tant travaillé, fallait-il qu'ils aient du fric à jeter », dira-t-elle. Selon Claude Berthiaume, les GB n'ont jamais remonté cette version.

Pendant cette générale, Ludmilla a aussi décidé que les danseurs seraient assis parmi le public. Sur un signe, ils avanceraient pieds nus vers le chœur pour « prier avec leur corps », sur la musique de Stravinski. Zelda Heller rapportera que « l'idée de danser dans les vêtements de tous les jours [...] rend l'événement plus vénérable[544]* ». Claude Gingras, lui, ne trouve pas cette tenue esthétique. « Si j'étais scrupuleux, je dirais : une bande de voyous a envahi le lieu saint. » Mais la simplicité et l'austérité du traitement chorégraphique de Nault l'ont conquis[545]. Deux mille personnes assisteront à chacune des représentations et Ludmilla ne recevra aucune lettre traitant le spectacle d'indécent. Le téléjournal de Radio-Canada couvrira l'événement. Dix ans auparavant, « la danse était considérée comme impure ; elle est aujourd'hui reçue dans l'église même. Je ne peux espérer une plus belle récompense pour mes efforts[546]. » Ludmilla écrit à Henri-Marie Bradet, toujours en exil à Paris. « Les autorités de l'Église m'ont permis de présenter un spectacle dansé pendant la semaine sainte à l'oratoire Saint-Joseph où notre troupe se produira dans un thème religieux. » Elle veut lui faire partager sa joie. « L'aboutissement de mes efforts depuis mon association avec le Manoir lorsque vous en étiez l'animateur principal[547]. » Toute sa vie, Ludmilla exprimera sa reconnaissance à ceux qui l'ont aidée.

Mais danser à l'Oratoire n'empêche pas les conflits de générations de se manifester. Avec ses enfants, d'abord, puis avec certains danseurs. « La vie ne correspondait plus à l'image qu'on leur donnait [...]. Il fallait nous renouveler et vite[548] », dans un contexte socio-politique d'ailleurs très mouvant. À un point tel que le gouvernement de Jean-Jacques Bertrand n'est plus capable de contenir les débordements et que tout peut sauter n'importe quand. Il finit d'ailleurs par déclencher des élections pour le 29 avril.

Pour une des très rares fois au Québec, quatre partis se font la lutte : l'Union nationale (UN), les Créditistes, le Parti québécois (PQ) et le Parti libéral du Québec (PLQ). Ce dernier vit mal dans l'opposition et il s'est rapidement vidé de ses têtes d'affiche. Ceux qui ont fait la Révolution tranquille sont essoufflés et marquent le pas ou ne se retrouvent plus dans les programmes du parti et s'en vont. Comme René Lévesque. En début d'année, Robert Bourassa, pratiquement couronné chef, se retrouve rapidement à devoir préparer une campagne électorale. Si l'Union nationale défend son administration, Bourassa parle d'économie, de création d'emplois et de fédéralisme rentable pour faire échec au PQ qui essaie de vendre l'indépendance comme solution à tous les maux. À certains moments de la campagne, le PQ monte tellement dans les sondages que l'establishment panique. D'autant que l'on fait rapidement un lien entre felquistes, bombes et séparatistes. Le premier ministre du Canada ira même jusqu'à dire que « la situation du Québec atteint un stade où le désordre qui y règne est comparable à la guerre civile en Irlande[549] ». La veille de l'élection, un convoi de camions de la Brinks se met en route vers l'Ontario. Les médias rapportent que l'argent fuit la province. Les Québécois ne sauront que plus tard que ces camions ne transportaient rien. Mais la nouvelle fait son effet. Bourassa remporte soixante-douze des cent huit sièges et le PQ seulement sept malgré qu'il ait vingt-quatre pour cent des voix.

Ludmilla s'inquiète de l'arrivée au pouvoir de ce gouvernement qui n'a parlé que d'économie durant la campagne, du moins selon sa compréhension. Dès la première conférence de presse du nouveau premier ministre, avant même qu'il ait formé son Conseil des ministres, Monsieur Bourassa ne trouve rien de mieux que d'annuler la subvention de cent trois mille dollars devant servir à la participation des GB à Osaka. *Le Devoir* rapporte en première page que selon le premier ministre, il s'agit d'une dépense somptuaire que le Québec ne peut se permettre dans les circonstances actuelles[550]. Ludmilla ne connaîtra jamais les raisons de cette annulation. Elle ne connaissait pas personnellement Monsieur Bourassa. Elle avait par ailleurs de bons contacts avec Pierre Laporte : on a vu plus haut qu'il avait déjà sauvé les GB d'une mort certaine. Aucun document n'explique ce geste, alors... le Conseil exécutif du gouvernement précédent avait, à sa réunion du 23 avril, confirmé le programme proposé par le MAC pour la Journée du Québec à Osaka et ce programme comprenait la présence de la compagnie. Ce n'est pas le programme qui est coupé mais seulement la participation des GB. « La seule restriction qui nous fut imposée fut celle de ne pas annoncer cet engagement au public avant les élections[551] », dira Ludmilla. Les médias aussi s'interrogent sur la pertinence de l'annulation de cette subvention et espèrent que cette décision ne tiendra pas lieu de politique[552], surtout que « Monsieur Bourassa n'a pas pu fournir de chiffres précis, sauf celui [concernant les GB], quant aux dépenses inutiles ou non autorisées qui ont été gelées[553] ».

Le gouvernement de Jean-Jacques Bertrand avait choisi les GB pour « rehausser la cérémonie de notre fête nationale face au monde asiatique. Le choix était de premier ordre. Dommage mais inutile de pleurer puisque c'est terminé », écrira Roger Champoux dans *La Presse*[554]. Le premier ministre sortant rappelle d'ailleurs que « la décision de son gouvernement n'avait pas été prise à la légère et qu'il est faux de prétendre que les artistes ne rapportent rien [...] Il y a des gestes qui paraissent spectaculaires, mais ce n'est pas toujours la bonne décision[555]. »

Si le nouveau premier ministre donne à penser que les arts et les artistes ne rapportent rien, ce n'est pas l'avis de tous. Ludmilla est honorée par la Société de concert des écoles juives. Chaque année, au cours d'un gala au bénéfice des œuvres de cette société, un Canadien éminent est choisi. Cette année-là, on reconnaît à Ludmilla son exceptionnelle contribution aux arts de la scène au Canada, qui jette des ponts entre les milieux francophone et anglophone[556]. Peu après, Ludmilla sera parmi les dix femmes sacrées Femme de l'année par le Salon de la femme. Ironiquement, c'est le nouveau premier ministre qui remettra à chacune d'elles un parchemin qu'il a signé, pour l'événement. « Il m'a dit : ah ! je vous admire tellement. J'ai dit : mais je n'ai pas l'argent... Il a répondu : vous avez tenu le coup jusque-là... continuez ! » Selon Ludmilla, cette annulation a fait un tort considérable à sa compagnie. « Même ici, dans la région du lac Saint-Jean et du Saguenay, je suis reçue comme une victime, une perdante et, pis encore, comme la représentante d'une discipline artistique qui n'est pas encore suffisamment considérée pour être défendue[557]. » C'est à Chicoutimi qu'elle a appris la nouvelle. Les GB avaient déjà des arrangements avec Aeroflot et le ministère de la Culture de l'Union soviétique pour quatre spectacles à Moscou, au retour d'Osaka. Il fallait maintenant tout annuler.

Ludmilla songe à faire revenir Nastia de Suisse. Elle lui écrit, à la fin de mai, et s'excuse d'envoyer une lettre dictée mais de grands bouleversements secouent notre vie à la compagnie en ce moment, à cause de la Journée du Québec à Osaka [...] Je tiens à ce que tu saches combien ton télégramme m'a touchée, celui que tu as envoyé le jour de la fête des mères [...] Nous nous réjouissons follement à l'idée de te revoir bientôt[558].

Avdeij doit aller rejoindre sa sœur, dès le 21 juin, pour deux ou trois semaines. Il ira ensuite travailler au Festival d'Avignon en juillet et une partie du mois d'août. Ludmilla espère qu'il pourra terminer le mois d'août chez l'oncle Serge, à Majorque, avant de rentrer à Montréal pour l'année scolaire.

Les petites sont malades. Ludmilla les occupe en leur suggérant de faire de la peinture. Leurs «tableaux» seront par la suite accrochés dans son bureau. À Nastia, elle écrit que les petites souffrent d' «une fièvre glandulaire, maladie qui s'appelle mononucléose, et qui les oblige à rester à la maison pendant quelques semaines[559]». Il apparaît dans un passage de cette lettre que Nastia donne des cours de ballet à Lausanne. Ludmilla lui rappelle qu'elle n'était que stagiaire, à Montréal, et qu'elle ne peut se réclamer de la compagnie ou de l'Académie. «Ce n'est pas que je n'ai pas confiance en ton enseignement [...] mais pour respecter les règlements établis et que j'exige aussi des autres.» Ludmilla a toujours été très stricte là-dessus. Jamais ses enfants n'ont joui de privilèges. Au contraire, ils ont l'impression qu'elle a été beaucoup plus dure, plus exigeante avec eux qu'avec n'importe lequel des élèves inscrits à l'Académie ou à l'École.

Selon *Propos et confidences*[560], trois mois avant la saison d'automne, Jean Basile, le critique du *Devoir*, serait venu rencontrer Ludmilla à son bureau et lui aurait laissé un disque du groupe The Who en lui disant que c'était intéressant. «J'ai écouté ce disque, Monsieur Nault également. Nous nous sommes dit: est-ce qu'on ose[561]?» Ludmilla, qui cherchait de nouvelles créations, avait contacté Luc Plamondon l'année précédente. Les fils Chiriaeff se souviennent qu'il était venu chez eux. Charlebois aussi. Ludmilla avait même commencé à travailler à quelque chose avec Plamondon, mais selon la porte-parole de ce dernier, cela n'a pas abouti[562]. Ludmilla aurait aimé qu'un Québécois écrive un *libretto* ou une musique rock que les GB auraient produit, mais cela ne s'est pas matérialisé. Et *Tommy* est arrivé. «On a eu le disque, raconte Gleb, qu'on a fait jouer au sous-sol. On a fait venir la gang, Charles Tisseyre et les autres, et on a tous fait des suggestions à Fernand Nault.»

Ludmilla obtient rapidement les droits pour cette œuvre, dont une partie a été interprétée à New York, version concert, au Metropolitan Opera. «Toute la jeunesse du monde connaît l'ouvrage et s'en enivre en même temps qu'elle fume», selon Roland Lorrain[563]. Les costumes sont confiés à Barbeau et les décors à Jordi Bonet. Ludmilla avait rencontré ce dernier à Québec et avait été impressionnée par lui, « mais à un mois du spectacle, il a lâché. J'ai dû rapidement faire venir quelqu'un de New York. »

~

Le 12 juillet, juste après le Jacob's Pillow, Ludmilla, Uriel, Gleb et les petites se retrouvent à Cape Cod. Une semaine plus tard, Nastia arrivera de Genève et les rejoindra à Boston. Et Valia, la sœur de Ludmilla, arrivera aussi avec son mari et leur petit-fils, Jonathan. Il ne manquera qu'Avdeij à cette réunion de famille. Selon Uriel, à partir de 1969, ils y sont allés tous les étés et pour la longue fin de semaine d'octobre. Parfois même à Pâques. Selon Katia, Ludmilla « en profitait pour se faire bronzer et Uriel, pour jardiner. Ou alors, avec ma sœur Mishka, nous allions à la pêche et maman cuisinait toutes sortes de bonnes choses. »

Après les vacances, Nastia décide de ne pas retourner à Genève. Avec Gleb, elle travaillera à la réception, à l'Académie, en attendant que commencent ses cours à l'Université de Montréal, où elle a été acceptée en langues. Les fins de semaine, quand rien ne les retient en ville, ils iront à Rawdon.

En septembre, Ludmilla vend finalement son académie à l'Académie des Grands Ballets canadiens (AGBC), laquelle s'engage « à payer toutes les dettes de l'entreprise et à ne pas céder, vendre ou autrement disposer de l'Académie sans d'abord l'offrir à Ludmilla ». La vente se fait au coût de un dollar et Ludmilla devient une employée de l'AGBC, en tant que directrice, pour une durée de dix ans. Le contrat pourra être reconduit tous les cinq ans. Des clauses prévoient une rémunération à la retraite ainsi qu'en cas de maladie, de même qu'une considération monétaire à son décès.

Le 22, Béjart et son Ballet du XXᵉ siècle sont à la PDA et Ludmilla offre une réception après la représentation, pour lui et ses danseurs. En face, à la Comédie Canadienne, *Hair* fait recette. *Tommy* arrive donc à temps. La télévision en montre des extraits durant une répétition et des affiches signées Serge Chapleau apparaissent un peu partout. Le 6 octobre, un défilé de calèches décorées de ballons, dans lesquelles les danseurs des GB ont pris place, emprunte la rue Maisonneuve entre la PDA et la rue de la Montagne, vers dix-huit heures. C'est l'heure de pointe et cela ne fait que ralentir la circulation. En outre, depuis le matin, les autorités sont sur les dents : l'attaché de la Grande-Bretagne au Canada, James Richard Cross, a été enlevé à sa résidence de fonction, à Westmount.

Le FLQ revendique cet enlèvement. Il faut dire que toute l'année précédente, les manifestations se sont multipliées et que la violence refait surface ici et là périodiquement. Pour plusieurs Québécois, c'est le premier ministre Trudeau lui-même qui attise cette violence par ses propos provocants.

Une des exigences des felquistes, pour libérer Monsieur Cross, est que soit diffusé le texte de leur manifeste politique, ce que la société d'État fera et qui entraînera un mouvement plus proche de la sympathie que du rejet pour l'action des révolutionnaires. Aux journalistes qui demandent à Trudeau ce qu'il va faire, il répond : *Just watch me!* C'est son gouvernement qui se retrouve à devoir décider du sort de James Cross. Pour sa remise en liberté, le FLQ pose une série de conditions qu'Ottawa refuse de satisfaire. Le délai, fixé à dix-huit heures le samedi 10 octobre, n'ayant pas été respecté, un autre enlèvement est perpétré, à dix-huit heures dix-huit. Cette fois, il s'agit d'un Québécois, le ministre Pierre Laporte. Ludmilla est atterrée. Pierre Laporte, elle le connaît bien. Elle l'a rencontré plusieurs fois alors qu'il était ministre des Affaires culturelles. Elle espère qu'il sera libéré rapidement. Mais dans les jours qui suivent, elle sent bien que quelque chose a changé. Le Manifeste du FLQ, le recours à la Loi sur les mesures de guerre et l'arrivée de l'armée canadienne à Montréal[564] la bouleversent au plus haut point. Ça sent le Berlin de son adolescence. Un moment, elle songe à annuler les représentations prévues pour les 16, 17 et 18 octobre à la PDA, mais se ravise. Même pendant la guerre, on dansait. Alors, à moins qu'elle n'y soit contrainte par l'armée, elle sera là avec ses danseurs. La danse, c'est le mouvement, et le mouvement, c'est la vie. Les GB danseront pour que triomphe la vie.

Mais le jour de la première, dans un Montréal sous occupation militaire, il y a une alerte à la bombe à la PDA. Avec un peu de retard, la représentation a tout de même lieu, suivie par une réception, comme prévu, en fin de soirée. *Tommy* est au programme. Ce ballet conquiert immédiatement les assistances bien qu'il soit à cent lieues de ce que les GB ont l'habitude d'offrir au public : enfant, Tommy a vu son père assassiner l'amant de sa mère. Violenté par son oncle et son cousin, il s'enferme dans son monde avant d'être «traité» au LSD par une bohémienne. Tommy devient sourd, muet et aveugle. Il n'a plus que le sens du toucher (*Feel me, Touch me, Heal me,* reprend la musique) jusqu'à ce que sa mère brise le miroir devant lequel il fait de longues sessions. Il est alors miraculeusement guéri, devient un chef religieux et élève un temple que ses disciples finissent par détruire en réaction à la discipline qu'il impose. Et Tommy se retrouve seul.

Parlant de la première de *Tommy*, Ludmilla dira : « J'étais heureuse et ivre de ce succès, je dois l'avouer. C'était la fin de semaine tragique d'octobre, la mort de Pierre Laporte ce même samedi. Nous n'avons pas annulé le spectacle ce jour-là, parce qu'il nous semblait juste d'honorer la vie en continuant. La vie avec un V majuscule[565]. » Le samedi, en quittant la PDA, Ludmilla a appris que l'on venait de retrouver le corps du ministre Laporte. Elle apprendra aussi que durant la nuit, ses amis Pauline Julien et Gérald Godin ont été arrêtés. Ils sont parmi les quatre cent soixante-cinq personnes détenues en vertu de la Loi sur les mesures de guerre.

Tommy a tout de suite été un succès incroyable bien que, pour Claude Gingras, « le *Tommy* des Grands Ballets Canadiens est une réalisation hybride où la musique et le spectacle prennent tour à tour la vedette ». Il souligne toutefois que les GB ont « bien fait de monter *Tommy* car ils s'attirent un nouveau public. Mais je les sais assez intelligents pour ne pas répéter trop souvent les expériences de ce genre, de peur de perdre le public qu'ils ont déjà[566]. » Le public, ces tristes soirs d'octobre, est emporté. La grande salle de la PDA est remplie et les jeans voisinent les robes longues, ce qui ne s'est jamais vu dans ce lieu. L'autre pièce au programme est *Hip and Straight*, aussi chorégraphiée par Fernand Nault mais dansée au son des Percussions de Montréal sur la musique de Paul Duplessis. Cette chorégraphie non plus ne trouve pas grâce auprès des critiques. Christine Clair, qui a dansé dans les deux, a détesté *Tommy*. « D'abord, il y a trois personnes qui ont à peu près quelque chose d'intéressant. Pour les autres, c'était de la mise en scène. Il n'y avait pas de défi pour la majorité des danseurs. *Hip and Straight* faisait bouger les gens dans la salle. Mais j'ai vraiment mal vécu *Tommy* – même si les salles étaient bondées. C'était fou, la musique, les décors, les costumes, les éclairages. » Pour Maurice Lemay, qui fut le dernier interprète de Tommy, ce ballet « était difficile pour les danseurs. On a été chanceux d'être Tommy. » Sasha Belinsky pense la même chose : « C'est ce qui m'a gardé là. » Les GB reviendront à la PDA à la fin de novembre avec une nouvelle création de Fernand, *Aurki*, qui cette fois soulèvera l'enthousiasme de Claude Gingras : « l'une des plus belles réalisations des Grands Ballets Canadiens[567] ». La fin d'année ramènera *Casse-Noisette* dans de nouveaux décors.

Ludmilla, qui avait déclaré en 1957 ne pas croire au ballet moderne[568], se faisait dire qu'avec *Tommy* « nous sommes bien loin du classicisme[569] ». Elle dira à une journaliste de Toronto que « ces dernières années, ç'a été le classique versus la danse moderne[570*] ». Pourtant, les GB ont inscrit à leur répertoire des œuvres résolument modernes depuis quelques années. Il reste que les danseurs auront toujours besoin d'une base classique pour évoluer dans tous les styles.

Peu après, Ludmilla perd un grand collaborateur devenu un ami. Jacques Vadeboncœur demande à être remplacé après dix ans à la présidence du conseil d'administration des GB. Dans sa lettre de démission, le juge rappelle son arrivée à la compagnie et les étapes parcourues depuis :

> [...] la montée lente mais sûre de ce groupe de jeunes entièrement dévoués à leur art qui, [...] sans cesse stimulés par cette volonté inébranlable qui vous a toujours caractérisée, [...] ont créé à partir de rien, un nom et une réputation à la compagnie.

[...] des moments pénibles où nous ne savions plus si le lendemain nous ne devrions pas fermer nos portes, incapables que nous étions de faire face à nos obligations financières mais à chaque fois sauvés du désastre par une espèce de miracle que vous avez toujours attribué à une influence invisible qui vous faisait accomplir en terre du Québec une mission particulière et dans laquelle vous avez mis toute votre foi[571].

Le juge Vadeboncœur se déclare heureux, et profondément satisfait, d'avoir pu être utile. « Je garderai toujours le souvenir d'une association franche, loyale, désintéressée avec vous comme avec tout le personnel et les membres du conseil d'administration », qu'il remercie. C'est maître Jean-Claude Delorme, alors vice-président à l'administration de Telesat, qui lui succédera.

Les GB reprendront la route après les Soirées du Maurier, à la PDA, à la mi-février. Au Canada, et surtout aux États-Unis, ils présenteront *Tommy* toute l'année. Ludmilla sera au Centre national des arts avec eux. Mais elle suit de moins en moins les danseurs en tournée. C'est Uriel et son équipe qui le font. Elle, elle préfère se consacrer à ses écoles et à ce projet qui porte sur la formation des enseignants en danse au Québec. Lorsqu'elle envoie ses vœux à Hadu, elle écrit

Pour pouvoir élaborer un programme d'études, plutôt dans le genre d'expression corporelle ou gymnastique dansante, j'ai accepté de donner moi-même des cours à l'Université du Québec où on me permet de faire des expériences avec cent quarante étudiants et, après le trimestre, de formuler mon rapport qui, j'espère, sera considéré[572].

Peu après avoir expédié cette lettre, elle apprend que Haier Lämmler est mort à la suite d'une longue maladie. Nastia prend l'avion pour la Suisse où elle rejoint Hadu à Lausanne. Elle restera deux mois auprès de l'épouse de son parrain, laquelle, sans enfants, se sent bien seule. Ludmilla aimerait bien qu'Hadu, peut-être sa seule amie, vienne passer un bout de temps à Montréal. Ou même qu'elle s'installe au Canada. Elle l'assure d'ailleurs d'une place à l'Académie. Pour l'ex-soliste du ballet de Zurich, c'est peut-être tentant, mais c'est trop tôt pour y songer sérieusement.

Depuis quelque temps déjà, Ludmilla souhaite donner l'occasion aux meilleurs de ses élèves de se produire en public, mais ses budgets ne le lui permettent pas. Et comme elle a dû réduire le nombre de danseurs permanents de la compagnie, elle se retrouve aussi avec de bons éléments qu'elle risque de perdre au profit d'autres organisations dans le monde. Elle décide donc de former les Compagnons de la danse, qu'elle appelle aussi parfois les Petits Grands Ballets. Cette troupe d'une douzaine de danseurs a comme objectif de se produire dans les endroits où les GB ne peuvent aller, compte tenu de leur répertoire et du coût de chacun de leurs déplacements. Elle confie la direction de ce groupe à Lawrence Gradus, ex-soliste des GB. Jacqueline Lemieux, qui est alors directrice pédagogique à l'Académie, l'y suivra.

Durant leur courte vie, les Compagnons présenteront deux types de programmes. Le premier, conçu pour les auditoires scolaires et collégiaux, retrace l'histoire de la danse, et le second, pour les représentations en soirée, est composé d'œuvres courtes. Ainsi, quand les Compagnons arrivent dans une ville, ils sont assurés de deux représentations en une journée. Ils voyagent en camionnette, avec peu de décors et peu de matériel technique. Ils feront avec les JMC des tournées qui les mèneront au Labrador et dans le nord de l'Ontario. Pour la première partie de leur première saison, ils seront trois semaines en novembre dans les écoles du Protestant School Board of Greater Montreal. En 1971-1972, ils donneront quatre-vingts représentations et cent cinquante-six la saison suivante. Leur programme s'adapte facilement aux divers publics en région. Chaque ballet est commenté et, à l'occasion, la représentation se termine par un échange entre danseurs et spectateurs, ce qui permet au public une meilleure compréhension de la danse et du métier de danseur. John Stanzel est l'animateur de ces sessions. Comme ces présentations ont lieu en français, Stanzel s'inquiète de son « terrible accent anglais », mais cela ne semble pas déranger les auditoires. « Je faisais quelques pas en leur racontant comment, étant enfant, je me pratiquais sur une planche de bois. Puis, je leur expliquais les différents ballets qui leur seraient présentés[573]. » Christine Clair, qui avait laissé la distribution de *Tommy* pour suivre les Compagnons, y a été très heureuse. « J'ai tout de suite accepté. Madame prenait une base professionnelle de la compagnie et elle ajoutait des apprentis de l'école. C'était bien. Et pour moi, je me suis retrouvée là avec les premiers rôles classiques. »

En mars, Ludmilla participe à un colloque sur l'enseignement de l'expression corporelle et de la danse au Québec. Organisé par le MAC et la section de kinanthropologie de l'Université du Québec à Montréal (UQAM), ce colloque est pour elle une porte d'entrée dans un milieu qui lui était jusqu'alors fermé. Dans son exposé, qui s'inspire d'une réflexion de José Sasportes, elle demande :

> [...] qu'est-ce que l'on veut donner à l'enfant?
>
> a) La possibilité d'exprimer ses émotions, autrement refoulées (et peut-être même dangereusement !) ;
>
> b) La possibilité de mieux connaître son corps et de bien utiliser ses rythmes ;
>
> c) La possibilité de se bâtir une personnalité plus harmonieuse en unisson avec l'espace que l'enfant va apprendre à conquérir ;
>
> d) La possibilité de se découvrir un talent créateur dans le domaine spécifique de la danse[574].

Elle plaide pour l'enseignement de la danse en général, et pas seulement du ballet, pour l'établissement d'une méthode cohérente et pour une formation des maîtres. Il semble que ce soit à la fin de ce colloque qu'un comité provisoire soit formé : le Cercle d'études et de recherches en mouvement expressif (CERME). Ludmilla en fera partie avec, entre autres, Martine Époque et Grégoire Marcil. Danielle De Bellefeuille, une des organisatrices de ce colloque, recrutera Ludmilla pour des cours au Département de kinanthropologie de l'UQAM, nouvellement formé. C'est là qu'elle fera la connaissance d'Eddy Toussaint, qui s'intéresse au ballet jazz. Le CERME, faute de fonds, sera intégré à la Fédération des loisirs-danse du Québec (FLDQ), peu de temps après l'arrivée de Ludmilla à la tête de cet organisme qu'elle présidera jusqu'en 1976. Le CERME fera d'abord l'inventaire des groupes existants dans les secteurs de la danse et de l'expression corporelle. Ainsi, outre les Retros (Eddy Toussaint, jazz), les GB et les Compagnons de la danse (danse classique), quatre troupes de danse contemporaine sont actives au Québec : le Groupe de la Place Royale, le Groupe Nouvel'Aire, les Ballets modernes du Québec et l'Atelier Dichotomique. Le CERME se penchera ensuite sur les groupes qui « enseignent » la danse, peu importe le nom qu'on leur donne. Pour sa part, Ludmilla continue de se préoccuper de la création de programmes de formation pour l'Académie. Elle demande à Pierre Guillemette de lui préparer des bibliographies et des plans de cours sur l'histoire de la danse théâtrale et le ballet romantique.

Les nouvelles de la tournée américaine sont très bonnes. *Tommy* est dansé à guichet fermé pendant deux semaines au New York Centre et reçoit des ovations debout après chaque représentation. Le public fait la file pour avoir des billets. Detroit, Chicago, Philadelphie, Atlanta – partout c'est le même engouement. Le *Chicago Daily News* rapporte : « Dix minutes ou plus d'applaudissements frénétiques, de sifflements et de hurlements dans chaque ville où ils dansent[575*]. » Et *The Philadelphia Inquirer* : « C'est une œuvre jeune pour une jeune distribution et à en juger par la foule debout et applaudissant avec rythme à la fin, cette œuvre charrie un message qui rejoint les jeunes auditoires[576*]. » C'est au cours de cette tournée « qu'une van est tombée en bas d'un viaduc, raconte Claude Berthiaume. Un train l'a frappée et les décors et les costumes se sont éparpillés. On est venu à bout d'en récupérer mais on a dû louer l'éclairage et refaire une partie des décors. » C'était trois jours avant les représentations. Il a fallu trouver des costumes. Nicole Martinet se souvient d'un appel reçu en pleine nuit. « J'ai retrouvé les costumes de la première version et mis ça sur l'avion pour que ce soit là à temps pour la représentation. »

Tommy, en plus d'attirer des auditoires jamais atteints par les GB, permet aux danseurs de travailler jusqu'à cinquante semaines en deux ans, ce qui ne se reverra pas non plus par la suite. *Tommy* a révélé à quantité de jeunes que la danse, ça pouvait aussi être cela. Ludmilla dira d'ailleurs que les garçons se sont inscrits par dizaines pour la saison suivante. Selon Marie Kinal, « il y a eu une centaine de gars. Ça venait de partout. Ludmilla offrait trois mois de cours gratuits, mais la plupart pensaient qu'ils allaient être payés. Seulement quatre ou cinq sont restés, finalement.» Pour le cours d'été, cette année-là, cent sept garçons se sont inscrits. Mais à cause du succès de ce ballet, Ludmilla se pose des questions. À Roland Lorrain, elle écrit :

> J'avoue que ce problème me fait peur par moments, car je me rends compte que nous avons eu simplement beaucoup de chance, d'abord avec *Carmina* et la *Trilogie* qui attiraient déjà un grand nombre de gens et nous continuons avec *Tommy* qui est encore plus populaire. La question se pose «Quoi faire maintenant ?» D'une part, dans cette période d'austérité où toutes les subventions rétrécissent de plus en plus, ce *Tommy* est un don du ciel, puisque nous pouvons continuer à garder les danseurs sous contrat sans perdre un sou, les spectacles de *Tommy* couvrant toutes les dépenses ; d'autre part, sur le plan artistique, j'ai terriblement peur car je ne veux pas finir par produire une sorte de «comédies musicales balletiques»[577].

Ludmilla dira que ce ballet «représentait notre société dans son évolution, miroir du passé et image du futur». Pour expliquer le succès de *Tommy*, Ludmilla dira aussi que «avec la danse classique, on arrive à un cul-de-sac. Avec la danse moderne, tout a aussi été dit. Il reste la fusion des deux[578].» Mais selon Barbara Gail Rowes, «[...] au cours des deux dernières années, les trois principales troupes de ballet au Canada ont brusquement changé de place. Et il semble bien que les Grands Ballets Canadiens aient la première. Pourquoi ? parce que la troupe de Montréal paraît être la seule qui puisse convenablement garder le pas de la danse contemporaine[579].»

Ce printemps-là, Ludmilla n'est pas bien. En avril, alors qu'elle se rendait à New York assister à une représentation de *Tommy*, elle a attrapé une très mauvaise grippe. Comme elle l'écrit à sa belle-mère, cette grippe a «saisi mes bronches et ma gorge, ce qui me fait tousser constamment». En mai, elle devra même suivre «des traitements à l'hôpital car ma gorge continue de me faire très mal[580]». Ses cours à l'Université sont terminés et les cours d'été à l'Académie ne commencent qu'en juillet. Ludmilla devrait s'arrêter : elle le sent. Elle le sait. Mais il y a toutes ces lettres auxquelles elle doit répondre et les démarches incessantes à faire auprès du MAC et du CAC. Et l'avenir de la compagnie à assurer. Avec Roland Lorrain, elle réfléchit tout haut :

> Notre jeunesse québécoise, en ce moment, cherche à s'exprimer par le corps, et la danse classique, dans sa forme académique, ne répond pas à ses besoins émotifs. [...] je suis obligée de songer à une nouvelle formule pour septembre[581].

À la fin de juin, Ludmilla, Uriel et les petites partent pour Rawdon, «tant je suis de nouveau à bout», comme elle l'écrit à sa sœur Valia[582]. Gleb est à Paris, où il ne se sent pas bien ; à son retour, on parlera de mononucléose. Il n'aura donc pas pu profiter de ce voyage que Ludmilla lui avait offert pour avoir réussi son bac. Et quand Ludmilla rentre en ville, l'atmosphère à la maison n'est pas des plus sereines. Nastia et Avdeij quittent la maison sans avoir de réels moyens de subsistance. La mère s'en inquiète ; l'épouse se préoccupe du mari – en conflit ouvert avec les enfants Chiriaeff.

Alors qu'elle réintègre son bureau, Ludmilla sent le besoin de dire merci à Jean Basile :

> [...] le geste que vous avez posé il y a quelques mois en apportant le disque de *Tommy* dans le bureau de Monsieur Nault a non seulement stimulé tout le monde, non seulement réveillé les membres de la troupe, non seulement secoué le public mais a, de plus, apporté énormément de joie à beaucoup de gens tant au Canada qu'à l'étranger. De plus, cette œuvre permet à beaucoup de gens d'avoir de l'emploi et ceci pendant une période d'austérité si sévère.
>
> [...]
>
> C'est pour cette raison que je vous cherche en pensée quotidiennement[583].

Puis le MAC renouvelle la subvention à « l'École supérieure des Grands Ballets Canadiens, la seule à assurer la formation professionnelle des danseurs au Québec ». Selon *La Presse*, « Le Ministre François Cloutier a [rappelé qu'il] n'existe pas encore [...] de conservatoire de danse opérant selon les normes pédagogiques et administratives de Conservatoires de musique et d'art dramatique, institutions qui appartiennent au ministère des Affaires culturelles[584]. »

Ce que Ludmilla nomme l'École supérieure de danse des Grands Ballets Canadiens (ESDGBC), c'est la partie de l'Académie qui dispense une formation à ceux qui se préparent à la carrière de danseurs professionnels ou à l'enseignement de la danse. Cette distribution des rôles s'est faite à partir du moment où Ludmilla a reçu une première subvention du MAC. Depuis, elle tente de faire convertir cette école en conservatoire ou en école d'État. Rien ne donne à penser que cela ait été dès 1966 une entité juridique différente. Au contraire, à cette époque, l'Académie est encore la propriété de Ludmilla. Elle ne sera vendue qu'en 1970, comme un tout. Dans une entrevue accordée à *Tout sur la Danse*, parlant de l'année 1971, Ludmilla précise : « L'Académie dont une partie est devenue officiellement l'École supérieure de danse des Grands Ballets Canadiens[585]. »

C'est durant cet été que Ludmilla est élue à la présidence de la FLDQ. Cet organisme[586], qui regroupe plusieurs centaines de membres au Québec, s'est fixé comme objectif de rapprocher la danse artistique de la danse sociale et folklorique. Côté mouvement expressif, la danse jazz est la seule discipline dans laquelle intervient la FLDQ. Pour l'expression corporelle, elle collabore avec l'Université du Québec (UQ) et pour la danse moderne, avec Nouvel'Aire. Quand elle y arrive, Ludmilla découvre un monde. Elle est fascinée par l'explosion de la danse sociale. Pour le côté folklorique, elle en connaissait déjà la vigueur depuis son association avec les Feux Follets. Mais à la Fédération aussi, les moyens manquent. Ludmilla convie donc les membres à une réflexion sur l'orientation à donner à cette organisation. Dès le 8 novembre, elle propose sa vision des objectifs à poursuivre et convoque une assemblée, pour en discuter, le 18. Dans le document qu'elle soumet[587], Ludmilla ramène son projet d'une formation en danse intégrée à un programme d'enseignement secondaire où les élèves les plus doués de la province viendraient se préparer à la carrière de danseurs tout en terminant leurs études régulières. Comme le milieu du loisir et de l'éducation lui est peu familier, Ludmilla se fait rappeler que la danse « n'est pas nécessairement synonyme de ballet classique » et que « l'Université n'accréditerait [pas] une formation professionnelle qu'elle ne pourrait contrôler[588] ». On lui rappelle aussi que la Fédération a des buts très précis qu'il faut respecter, à moins de changer complètement le statut de l'organisation – ce que personne n'envisage pour le moment. Ludmilla aurait souhaité que les professeurs qui enseignent la danse reçoivent une accréditation de l'Université, après avoir fait la preuve qu'ils ont été formés par une école ou selon une méthode reconnue.

En septembre et octobre, les GB reprennent la route : Windsor, Cleveland et Montréal, C'est maintenant Vincent qui tient le rôle de Tommy alors que Sasha Belinsky l'incarnait depuis sa création. Du 16 au 18 octobre, la grande salle de la PDA est bondée. La jeunesse qui s'y entasse ne semble jamais rassasiée de cette musique. Le public se lève, bat le rythme avec ses pieds, ses bras ; par moments, c'est comme si ces personnes ne faisaient qu'un, emportées par la guitare électrique. Emportées peut-être aussi par ces herbes que l'on fume avant de chercher son fauteuil. Hippie ou pas, de bonne famille ou non, on communie tous ensemble. Une espèce de grand-messe où l'on est à la fois seul et avec les autres.

Par ailleurs, la contestation continue au Québec. Les syndicats organisent une marche pour appuyer les employés de *La Presse*. Ils se font bloquer la route par des policiers. Les chefs des grandes centrales, Louis Laberge, Marcel Pépin et Yvon Charbonneau, décident d'avancer seuls. Yvon Charbonneau reçoit un coup de poing qui envoie valser ses lunettes. Des coups de matraque atteignent Louis Laberge au dos. Il y a deux cents arrestations, cent quatre-vingt-dix blessés et un mort. Quelques jours plus tard, quinze mille personnes se rassemblent au Forum, à qui Louis Laberge lance : « C'est le régime qu'il faut casser. » Le Front commun intersyndical est né et le gouvernement du Québec devra vivre avec pour les années à venir.

Durant cette période, Béjart est de nouveau à Montréal, cette fois pour enregistrer une émission à Radio-Canada. Ludmilla profite de son passage pour lui demander de faire répéter ses danseurs puisqu'elle a décidé de monter *L'Oiseau de feu* selon la version du fondateur du Ballet du XXᵉ siècle. Ainsi, les premiers jours de novembre, Maurice Béjart enverra Petor Dobrievitch travailler deux semaines avec les GB, « essayant de faire plier ces corps qui sont habitués à la sensibilité du ballet classique à l'angularité et la technique Béjart[589] ». Béjart lui-même assiste à une répétition, un après-midi. Tout le monde est nerveux, mais tout finalement se passe bien. Nicole Martinet, qui devait confectionner les costumes, a été très impressionnée par Béjart.

> Je le vois encore toujours très très droit mais c'est le regard qu'il a, les yeux. Il m'a dit : voilà, c'est pas compliqué. Vous avez les partisans et vous avez les oiseaux. Les partisans, c'est dans un bleu comme ci, comme ça, en costume militaire et les oiseaux, c'est en rouge mais vous savez, pas n'importe quel rouge, un rouge tiré sur l'orange, sur le jaune. J'ai dit : il me semble que voulez un rouge géranium. Il m'a dit : comment vous savez ? c'est exactement ça. Je me rappellerai toujours parce qu'après, il a fallu trouver ce tissu rouge.

Cette année-là, il n'y aura pas de *Casse-Noisette*. Selon un article du *Globe and Mail* : « Continuer à présenter *Casse-Noisette* à Noël alors que nous avons un ballet qui porte un message plus important pour notre public ? [...] *Casse-Noisette* est un conte de fées alors que *Tommy* évolue dans le monde de l'acide qui est celui de cette génération[590]. » Au-delà de cela, *Tommy* est encore en demande et encourt maintenant peu de frais. Ce qui n'est pas le cas pour *Casse-Noisette*, avec ses très nombreux danseurs, costumes, etc. C'est une production très onéreuse en outre parce qu'il faut prévoir des doublures pour tous les rôles.

Depuis l'automne, tout se passe comme si Ludmilla voulait classer, ou mettre derrière elle, un certain nombre de choses. Elle a vu partir des ouvriers de la première heure, dont Véronique Landory. Le répertoire se transforme et la compagnie aussi. Elle jongle avec l'idée « d'une publication avec photos et documents [que je possède] de l'historique des débuts des " Ballets Chiriaeff " jusqu'aux Grands Ballets Canadiens[591] » et demande à Roland Lorrain s'il peut l'aider. C'est comme si elle anticipait la fin de quelque chose. Elle écrit à Peter Dwyer, malade :

> [...] j'avais un besoin profond de vous voir et de vous parler de ceci pour vous dire merci pour le rôle que vous avez joué dans ma vie. Comment et pourquoi, je vous le dirai un jour de vive voix, car tout ce qui m'importe aujourd'hui est de vous exprimer mon grand respect devant vos convictions qui s'opposaient aux miennes et qui m'ont fait mûrir et grandir.
>
> Je ne suis pas très en santé moi-même en ce moment[592].

Même si elle se prépare pour les fêtes de fin d'année, Ludmilla n'a pas le cœur aux réjouissances. Sa belle-mère se décommande – ce que voyant, Uriel décide de quitter Montréal pour Noël, évitant ainsi d'être avec les enfants Chiriaeff. À Monique Schlumberger-Luft, Ludmilla écrit :

> Puisque ma décision à moi est ferme, celle de ne pas partir, je ne sais pas du tout ce qui arrivera car tout ceci a à nouveau détérioré nos relations, pas parce que je ne le comprends pas ou ne suis pas gentille avec lui mais parce qu'Uriel refuse de me comprendre étant persuadé qu'il a raison[593].

À Hadu, Ludmilla écrit le même jour :

> [...] ma douleur vient du fait qu'Avdeij est parti en se brouillant avec Uriel et qu'Uriel ne veut plus revoir Avdeij ni même lui permettre de visiter la maison. Uriel étant très blessé, ne peut pas surmonter le choc et quand Nastia a décidé de partir et que c'est Gleb qui nous l'a annoncé, ceci nous a fait encore plus mal [...] Tout ce que je peux dire est que j'essaie d'établir une paix, de retrouver un lien avec les grands enfants tout en respectant l'attitude hostile d'Uriel devant la situation.

Ludmilla n'est pas au bout de ses peines. Gleb a bien tenté d'expliquer ce qui ne va pas mais en vain. Alors, les fils partiront bientôt, suivis par Nastia. « Tu te dis : qu'est-ce que je peux faire ? raconte Nastia. Mes frères ont quitté la maison et j'ai fait de même. » Avec cette atmosphère tendue, les problèmes d'estomac de la petite Ludmilla recommencent et la grande Ludmilla, elle, tous les jours se sent de plus en plus mal en point. Elle écrit au docteur Sydney A. Smith :

> [...] Je me sens plus mal chaque jour, étouffant constamment, à court de souffle et rapidement incapable de marcher sans être prise d'étourdissements. La douleur à la poitrine n'est pas celle à laquelle je suis habituée. C'est plutôt comme un manque d'oxygène dans les bronches plutôt qu'un problème pulmonaire [...]. Je ne sais plus quoi faire[594*].

Chapitre 14
Encore et toujours se battre

À la fin de janvier, il y aura vingt ans que Ludmilla a débarqué à Halifax. Les trains ne sont pas plus confortables qu'à l'époque, mais Toronto a changé d'allure : cette ville est en passe de devenir la métropole du Canada. Montréal s'est modernisé. Alexis est parti. Radio-Canada, où elle n'est presque plus jamais invitée, aura un nouveau toit au courant de l'année. Ludmilla ne reçoit plus de lettres l'accusant de pervertir la jeunesse, et dans tous les coins du Québec on danse et on a vu danser ses GB ou les Compagnons de la danse. Depuis qu'elle préside la FLDQ, elle s'est fixé comme objectif de «rendre la danse accessible à tous et appréciée de tous, car pour [elle], un peuple qui danse est un peuple heureux[595]». Maintenant que le ballet est bien implanté, que le folklore est enseigné à l'Académie, elle se préoccupe de la danse sociale et de l'expression corporelle, autant dans le milieu de l'éducation que dans celui du loisir. Il y aura d'ailleurs les «quinze jours de la danse au Québec» dans quinze régions de la province. Ludmilla sera présente aux activités qui auront lieu durant cette quinzaine.

Le Québec est enseveli sous la neige et pendant quelques jours, seules les motoneiges circulent. À Montréal, les rues sont impraticables. Tout le monde peste contre les cols bleus de la ville qui ralentissent les opérations. La vie s'est comme arrêtée un temps. Aucun engagement ne tient et Ludmilla craint que des représentations ne puissent avoir lieu. Depuis quelques jours, avec des danseurs des Compagnons, elle est au Théâtre du Nouveau Monde (TNM) à répéter *Le Mariage de Figaro*, que Jean-Louis Barrault lui-même est venu monter. «Ce fut très enrichissant pour moi de travailler aux côtés de cet homme de théâtre[596].»

Pour souligner le vingtième anniversaire de son arrivée au Canada, les GB présentent à la PDA une soirée Stravinski, le vendredi 4 février. Le public ovationne longuement Ludmilla quand elle vient saluer au milieu de ses danseurs, après le dernier rideau. Puis se succèdent les hommages. François Cloutier, ministre de l'Éducation, et Gérard Pelletier, secrétaire d'État, rappellent tour à tour ce que le pays doit à « cette très grande dame des arts ». En recevant le parchemin encadré, Ludmilla se borne à dire merci au Québec pour ce qu'il lui a donné et à rappeler ce qu'elle lui doit.

Cette année de célébrations a commencé au Centre national des arts, à Ottawa, les 28 et 31 janvier. Je soupçonne Ludmilla d'avoir programmé non seulement la fête mais le lieu pour que l'on parle d'elle au moment où le Ballet national célèbre le vingtième anniversaire de sa fondation. En mars, la compagnie revient à Montréal avec une chorégraphie de Fernand sur une musique électroacoustique : *Cérémonie.* Selon Roland Lorrain, « c'est la suite en plus noble, en plus riche, en plus élevé de *Tommy*[597] ». Après ces représentations, certains critiques se demandent si « un retour à des chorégraphies plus conventionnelles ne serait pas salutaire à ce moment-ci[598*] », les GB semblant s'installer dans une espèce de « *third stream rock style*[599] ». Ludmilla pense plutôt que quelque chose de différent est en train de naître. « Je le sens », comme elle l'a dit à Lauretta Thistle quelques semaines plus tôt. « Parfois, je le vois dans le mouvement d'un danseur [...], la fusion des techniques a changé les mentalités des danseurs et cela permet au chorégraphe d'aller plus loin[600*]. »

Puis les médias rapportent une nouvelle dont Ludmilla ne sait si elle doit vraiment se réjouir : quelques membres du conseil d'administration et une partie du personnel administratif du Ballet national ont démissionné. En plus, des danseurs demandent la démission de Celia Franca, celle dont on dit que la direction, depuis vingt ans, « a été caractérisée par n'importe quoi depuis la tyrannie jusqu'à la dictature bienveillante », « une attitude du taisez-vous et faites ce que je dis [...] a contribué à une solution de médiocrité[601*] ». Comme pour confirmer ce fait, dans une entrevue qu'elle accorde à *The Gazette*, Vanda Intini affirme qu'elle a été détruite par le Ballet national. « Vous arrivez à un point où vous ne savez plus [...]. Rien ne semble être comme il faut. À quinze ans, j'étais le plus jeune membre du Ballet national du Canada [...] Dans ce genre de compagnie, à peu près personne ne vous dit que vous faites bien. Vous vous découragez. [...] J'ai quitté la compagnie après cinq ans[602*]. » Pour le moment, Ludmilla est à l'abri d'une mutinerie, parce que *Tommy* est encore en demande et qu'elle peut assurer des contrats pour plusieurs semaines, mais aussi parce que, comme le signale une autorité en la matière, Olga Maynard, « elle est une véritable visionnaire qui voit la danse comme une partie intégrante de la vie[603] ». Ludmilla s'inquiète toutefois du fait qu'une partie de son monde sera sans emploi pour l'été. Elle demande au directeur général de voir comment le programme Perspective Jeunesse pourrait s'appliquer à leur cas. Elle a déjà un projet en tête dans lequel elle inclurait des étudiants de l'École supérieure, quelques jeunes chorégraphes mais aussi vingt à vingt-cinq garçons provenant de cégeps, durant juillet et août. Uriel Luft fera un voyage exprès à Ottawa pour en discuter avec les autorités compétentes, mais rien n'indique que cela ait été mis en place.

Le Québec n'est pas encore remis des contestations que déjà avril ramène les grèves. Ainsi, le 11, les employés de la fonction publique déclenchent une grève générale illimitée. Ludmilla, qui vient de terminer ses réflexions pour la prochaine saison, voit ses demandes de subventions dormir sur les bureaux des fonctionnaires. Ces demandes couvrent maintenant les trois compagnies qu'elle dirige : les GB, l'Académie et l'École supérieure. Comme elle est responsable du gagne-pain de beaucoup de gens, elle essaie d'obtenir des fonds de programmes qui touchent la jeunesse, peu importe le palier de gouvernement qui les offre et peu importe que ces programmes soient conçus ou non pour le milieu de la danse. Elle trouve toujours une façon de monter ses dossiers en conséquence. Mais encore faut-il que les fonctionnaires soient là pour les analyser et les recommander au ministre concerné! La grève ne semblant pas devoir se régler rapidement, le gouvernement Bourassa vote une loi de retour au travail que tous les syndicats défient. Le Front commun, né d'événements antérieurs, manifeste son opposition et l'on emprisonne les chefs Laberge, Charbonneau et Pépin à Orsainville.

Sur le plan de la famille, il semble qu'Uriel ait accepté la situation, comme Ludmilla l'écrit à sa belle-mère : « [...] tout est relativement calme à la maison, Uriel ayant acquis une sorte de paix qui lui permet de rencontrer les grands de temps à autre sans énervement mais par contre sans grand enthousiasme pour le moment. » La vieille dame qui s'occupait des plus jeunes vient d'accepter « de rester avec nous encore un an [...] elle nous est très utile et précieuse à cause de sa merveilleuse attitude envers les deux petites[604]». Ludmilla ne pourrait se permettre de se mettre à la recherche d'une « nounou » pour ses filles à ce moment où ses activités professionnelles prennent toute son énergie. Elle est souvent à bout de souffle, au propre comme au figuré.

Pendant les quinze jours de la danse au Québec, *Le Devoir* publie un cahier spécial. Dans un texte qu'elle signe, Ludmilla rappelle que la télévision a provoqué « l'explosion culturelle du Québec », qu'elle aime à qualifier de « Sacre du printemps », que sont alors nés toutes sortes de groupes et que « le moment est venu [...] de faire de l'ordre dans cette profusion d'initiatives ». C'est à cela qu'elle va s'attacher comme présidente de la FLDQ. Le fondateur de l'organisme, Grégoire (Greg) Marcil, prône un front commun de la danse et soutient que la « priorité de l'heure se concentre autour de la compétence, de l'accréditation et de l'intégrité des diffuseurs des diverses techniques de danse[605]». Ce qui plaît à Ludmilla. Quand j'ai rencontré Grégoire Marcil, il m'a dit : « Moi, j'ai participé à une révolution tranquille de la danse et elle aussi. On a une certaine affinité de tempérament, de gens qui sont un peu pionniers[606]. »

Dès le mois de juin, Ludmilla expédie au MEQ des recommandations « concernant les qualifications nécessaires des professeurs de danse classique enseignant dans les écoles privées ou dans le secteur public ». Dans l'immédiat, elle suggère que soient reconnus comme qualifiés, et reçoivent un permis d'enseignement, ceux qui sont diplômés d'institutions ou d'associations reconnues. À plus long terme, elle recommande la formation d'un Conseil de l'enseignement de la danse classique et elle détaille ce que seraient le rôle et les pouvoirs de ce conseil[607]. Et comme elle le fait souvent, Ludmilla n'écrit pas sur le bon papier. Cette lettre est signée par la présidente de la FLDQ, sur du papier à en-tête des GB. Le lendemain, elle écrit à Gilles Morel, de la FLDQ, sur du papier à en-tête de la FLDQ, mais cette fois en sa qualité de fondatrice et directrice artistique de l'Académie et de l'ESDGBC pour lui « soumettre [ses] recommandations quant aux normes les plus propices à garantir la qualité et le bon fonctionnement d'une école ou d'un studio de ballet ».

Pendant que se déroulent ces journées de la danse, *Tommy* s'installe au New York City Centre pour la quatrième fois. Mannie Rowe y tient le rôle-titre. Son père était l'entraîneur-chef de l'équipe des Dodgers. Selon Marie Kinal, « tous les joueurs de baseball de l'équipe sont allés à une représentation. Ils n'avaient jamais pensé que le fils d'un entraîneur pouvait faire ça. Je me souviens aussi que le père était venu au studio dans une grande limousine. Très américain. » Les GB feront salle comble tout le mois de mai, présentant en même temps que *Tommy* soit *Hip and Straight*, soit *Cérémonie*, en alternance. Soirée entièrement Nault, faut-il le rappeler. Il faut aussi se souvenir que Fernand Nault a passé vingt et un ans de sa vie à New York, et que cette ville est le fief de Balanchine. « Nous aurions pu faire deux ans, selon Fernand Nault. [...] Nous avons su nous arrêter à temps et avons continué à faire des GB un lieu de création[608]. » Ce mois d'ovations debout n'apporte plus grand plaisir aux danseurs et la compagnie décide donc que *Tommy* a fait son temps. Il sera bien dansé encore ici et là, mais à Montréal, le 29 juillet sera la dernière, à l'Expo Théâtre.

Ludmilla ne sera pas de cette soirée. Elle a accepté de faire partie du jury, au sixième Concours international de ballet, à Varna. Elle sera l'une des vingt-sept juges appelés à statuer sur la qualité de soixante-quatorze danseurs venus de vingt et un pays. Elle retrouvera là avec plaisir Alicia Alonso et Galina Oulanova, cette dernière agissant comme présidente de la prestigieuse assemblée. Le Festival se tient à Varna même, dans le parc, près de la mer, mais Ludmilla loge à vingt-deux kilomètres de là. Uriel, les petites et Hadu, qui est venue les retrouver, y sont aussi. Hadu rentrera d'ailleurs à Montréal avec eux, pour une visite de quelques mois. En route pour la Bulgarie, les Luft ont fait un arrêt à Madrid, pour embrasser l'oncle Serge. Au retour, ils seront deux jours à Cannes, où Ludmilla rencontrera Rosella Hightower. Durant leur absence, c'est Guy Lamarre qui est chargé de l'administration. Ludmilla lui a laissé de nombreux mémos sur ce qui doit être fait, jusqu'à la couleur de la peinture : « Les studios de Reine-Marie doivent être ivoire. Il ne faudrait pas introduire d'autre couleur, sauf le jaune-œuf qui a déjà été employé pour le mur d'entrée. Toujours selon ma propre conception, c'est le seul mur qui devrait avoir une couleur différente de l'ivoire que je propose pour tout le reste de nos salles ; le vert n'est ni beau ni agréable. » Ils rentrent à Montréal le 5 août.

Ludmilla n'étant pas bien, c'est Uriel qui va à la rencontre organisée par le CAC. En réunissant les principales compagnies et associations de danse, le CAC veut discuter de l'avenir de la danse au Canada. Uriel fera partie du comité qui sera formé à l'issue de cette journée de discussion. Le travail du comité débouchera sur Dance Canada, une association de services qui déterminera les besoins et réglera les problèmes communs aux troupes de danse.

Mais le plus important des problèmes est et restera le financement. Les GB se débattent à nouveau avec cette question, même si le CAC vient de leur allouer trois cent mille dollars. Du Québec, ils ne savent pas ce qui viendra. Comme Ludmilla l'écrit à Rose Finkel : « Je prévois donc la possibilité d'une autre crise financière d'ici quelques mois [...] et tout en préparant fiévreusement la saison prochaine qui sera nettement réduite, je ne cesserai de mener la lutte [...] afin d'obtenir de notre gouvernement une politique culturelle définie, sans quoi tout cela devra s'arrêter cette fois-ci[609]. » Il y a certes de quoi désespérer : en 1969, les subventions des trois paliers de gouvernement représentaient quarante-neuf virgule deux pour cent du budget ; elles ne sont plus que de vingt-neuf pour cent, cette année-ci. La saison prochaine, elle ne sait. Malgré l'incertitude, elle a tout de même commandé une œuvre à John Butler : *Sinfonia*. Pour l'heure, elle se préoccupe du plus long terme.

Elle essaie de nouveau d'obtenir l'emplacement de l'Expo Théâtre pour y installer en permanence les GB, mais cette fois avec résidence pour les danseurs. Rien de moins ! Cette demande sera rejetée, mais Ludmilla continuera de faire la promotion d'une Maison de la danse, que Luft appellera parfois Maison de la culture. Peu importe comment on nomme ce lieu, c'est un besoin. Il faut regrouper sous un même toit les GB, l'Académie et l'École supérieure mais aussi les ateliers et l'entrepôt des costumes. Ludmilla voudrait aussi offrir un Festival annuel de la danse dans ce lieu. À Jacques Thériault, elle raconte qu'une quarantaine d'années plus tôt, il n'y avait pratiquement rien sur le plan culturel en Bulgarie et que maintenant « ce petit pays pauvre compte six troupes de ballet et autant de compagnies d'opéra en permanence [...] Ça m'a laissée bouche bée... Et je ne vois pas pourquoi un pays comme le Québec n'arrive pas à s'en sortir rapidement[610]. » Elle intervient auprès du MAC, de qui la compagnie loue l'Expo Théâtre chaque été, et réitère l'intention des GB d'acheter ou de louer à long terme cet édifice mais sa demande est rejetée[611]. Il faut dire que rendre l'édifice habitable en hiver, et y ajouter une résidence pour les élèves, commanderait des investissements de plusieurs millions de dollars que le gouvernement n'est pas prêt à envisager.

À la fin de l'été est inaugurée la Maison de Radio-Canada. Cet imposant édifice de vingt-cinq étages regroupe maintenant les services de la société d'État qui étaient jusque-là dispersés dans une vingtaine d'immeubles. Dès la fin des années 1950, Radio-Canada a cherché à relocaliser ses services. Selon l'historien Rumilly, le maire de l'époque avait informé la Société que la Ville était prête à céder les terrains nécessaires à « prix de sacrifice ». La Ville aurait même offert une formule location-vente. « Radio-Canada, simple locataire jusqu'à parfait paiement, évitera les taxes scolaires pendant bon nombre d'années. Et la Ville ne perdra rien puisque ses propriétés sont exemptes de taxes scolaires. Dans ces circonstances, Radio-Canada décide de s'installer dans le quadrilatère Amherst-Dorchester-Papineau-Craig[612]. » Tout un quartier est démoli pour y loger la société d'État. Cette relocalisation entraîne aussi la disparition de commerces qui vivaient autour de Dorchester-Guy-Sainte-Catherine, dans l'ouest. Les cicatrices de toutes natures mettront des années à disparaître. Les déplacés du « faubourg à mélasse », eux, auront perdu à tout jamais leur passé.

En septembre, Fernand Nault demande à Ludmilla la permission de s'absenter pour un an. Il a besoin de se ressourcer. Ludmilla ne peut pas le lui refuser, mais ça tombe mal. Déjà que « deux de mes danseurs importants ont également décidé de s'éloigner de la troupe pour une saison et je vous assure, écrit-elle à sa belle-mère, que ces changements m'ont causé énormément de peine, de problèmes et de bouleversements émotifs. Je suis jour et nuit au travail et je ne sais pas si je me sortirai vivante de cette saison qui vient seulement de commencer[613]. » Parce que, depuis son retour de Varna, Ludmilla n'est vraiment pas bien. Elle a vu son médecin, qui veut l'hospitaliser, mais pour elle ce n'est jamais le moment d'arrêter. À l'oncle Serge, elle écrit en octobre qu'une « réparation du système s'avère indispensable mais [qu']il n'y a rien d'alarmant ». Elle devra toutefois subir « une petite opération[614] ». Elle écrit aussi à Hadu qu'elle va se « cacher à l'hôpital », ce qu'elle n'a pas pu « faire au mois d'août [...] pour simplement des traitements pour m'aider à mieux passer à travers les tempêtes de travail et les tempêtes à la maison qui malheureusement ont fait une nouvelle apparition ». À sa belle-mère, elle raconte qu'après « une période de calme avec Nastia sous notre toit, il y a eu une nuit de tempête qui nous a bien bouleversées, Nastia et moi [...]. Je sais que je surmonterai encore des moments semblables mais je sais que cela éloigne [...] de plus en plus les trois grands[615]. » Quand elle sort de l'hôpital, Gleb l'avise qu'il ne mettra plus les pieds à la maison.

> J'en avais assez des chicanes qui duraient parfois toute la nuit. Ils appelaient cela des « break through ». Il n'était pas rare que ma mère ne se couche qu'à cinq heures du matin et à sept heures, elle était au travail. Elle était épuisée mentalement, physiquement, émotivement. Mais elle préférait le croire, lui. Pendant longtemps, je ne suis plus venu qu'une fois de temps à autre.

Dans le rapport qu'elle dépose à l'assemblée annuelle des GB, Ludmilla écrit que trois cent vingt et un mille huit cents spectateurs ont assisté à cent quarante-sept représentations durant la dernière saison, *Tommy* ayant été vu par deux cent soixante-douze mille deux cents personnes au Canada et aux États-Unis. Par ailleurs, son œuvre d'enseignement est assurée par quatorze professeurs dans vingt et un centres à mille six cents élèves de niveau élémentaire, et huit cents élèves sont inscrits à l'Académie, à Montréal et à Québec. Quant à l'École supérieure, treize professeurs s'y occupent de cent quatre-vingt-un élèves, dont quatre-vingts garçons. Ludmilla rappelle que « il y a une vingtaine d'années, [elle a] eu le privilège de planter un petit grain qui est devenu un arbre, embellissant notre paysage [...] et portant des fruits[616] ». L'arbre a porté des fruits de divers types. Non seulement ce que Ludmilla a construit, mais ce que ses élèves ou ses danseurs ont créé. D'autres aussi, venus d'ailleurs, ont mis sur pied des groupes ou le feront avant la fin de la décennie, chacun bénéficiant de l'intérêt pour la danse suscité par l'action de Ludmilla[617]. À la fin de l'année, le journaliste du *Montreal Star* écrira d'ailleurs : « De temps en temps, une personne extraordinaire apparaît dont le leadership, la détermination et le style marquent une époque. Ludmilla Chiriaeff est l'une de celles-là[618*]. »

Certains jours, Ludmilla est tellement fatiguée de se battre pour obtenir des fonds qu'elle est tentée de baisser les bras. Malgré les succès des GB, ici et à l'étranger, les gouvernements réduisent les subventions. De cent quatre-vingt-dix mille dollars qu'elle était en 1967-1968, la subvention du MAC n'a été que de cent dix mille la saison dernière. Cette situation a obligé Ludmilla à réduire les semaines de répétitions, même si le nombre de semaines de spectacles augmentait. De même, elle recycle la Trilogie de Carl Orff et *Symphonie des Psaumes. Casse-Noisette* ressuscite chaque Noël, parce qu'elle ne voit pas comment elle pourrait mettre en chantier de nouvelles œuvres. Cette année, elle ressort même *Les Noces,* ballet qui n'a pas été dansé depuis 1956. Comme elle l'affirme au CAC : « Il n'est de vie culturelle vraiment dynamique et progressive dans un pays, que dans la mesure où l'activité artistique passe par les trois maillons d'une même chaîne, soit : la formation, la création et la production, chacun étant facteur de l'autre[619]. » En ce moment, il manque un maillon à sa chaîne : la création.

La situation est aussi critique qu'elle l'était en 1963 quand le juge Vadeboncœur annonçait la fermeture des GB à moins d'une aide d'urgence. À cette époque, il était minuit moins cinq. Cette fois, les GB l'annoncent au MAC plus tôt, mais la date est fixée : 6 août 1973. « Nous laissons au gouvernement du Québec le soin de décider du sort et du bien-fondé de l'existence de cette troupe et des organismes qui la complètent car après vingt et un ans, les personnes concernées croient avoir fait leur part[620]. » Une seule question semble être sur le point de se régler : le conflit entre la Ville de Montréal et l'Union des musiciens. La

Ville devrait donc verser le solde de trente mille dollars promis pour la saison précédente et il y a bon espoir que soixante-quinze mille dollars seront aussi accordés pour la saison 1973-1974[621]. Si l'administration est évidemment au courant des difficultés, Ludmilla tient à garder les danseurs en dehors de cela pour éviter de les perturber... et d'en perdre – ce qui aurait pour effet de précipiter une fermeture qu'elle espère encore éviter.

C'est dans ce climat que la saison commence avec une apparition à la télévision de Radio-Canada, le dimanche 26 janvier, dans le cadre des *Beaux Dimanches*. Cette émission marque le retour de Brian Macdonald aux GB. Pour les spectacles à la PDA, Ludmilla ramène *Les Noces*, d'abord chorégraphié pour *L'Heure du concert*, en 1956, et repris aux Festivals de Montréal, quelques mois plus tard, avec un grand succès. Ce ballet ne sera pas présenté dans la version d'alors, les décors ayant été détruits. À cause du manque de fonds, Ludmilla décide que toute la chorégraphie se fera dans un seul décor au lieu des quatre de la version de 1956. En outre, «vous devez travailler avec les danseurs dont vous disposez[622]». Elle n'a plus vraiment chorégraphié depuis 1967 et Stravinski lui donne du fil à retordre. À Monique Schlumberger-Luft, elle écrit : «Je répète toute la journée et le soir j'écoute la musique pour les répétitions du lendemain. La partition de Stravinski est si difficile et il ne me reste que seize jours pour monter ce ballet[623].»

Ludmilla ne dort que quelques heures par nuit et le climat demeure tendu à la maison, bien qu'une trêve ait permis que les grands soient présents pour son anniversaire de naissance. Puis Nastia est partie pour un tour en Europe chez Hadu, et Mishka est de nouveau victime de troubles de l'estomac que l'oncle d'Uriel, médecin à New York, attribue au stress scolaire. Uriel, lui, s'interroge sur son avenir. Il a remis sa démission aux GB. «On ne savait pas du jour au lendemain où on s'en allait», raconte Luft. «J'ai donné ma démission et j'ai dit qu'il était temps que quelqu'un d'autre prenne la relève. Ç'a été un immense problème pour ma femme quand j'ai décidé de quitter les GB, mais pour moi, c'était impensable de me sacrifier... Le sacrifice est un mot que je déteste. Et pour ma femme, ç'a été une catastrophe.» Même si Ludmilla convient que cette décision est son privilège à lui, cela lui cause à elle quelques soucis. Deux ou trois ans plus tard, c'eût été préférable, car il lui est difficile de tout réorganiser en ce moment. Et pour elle, les GB, ça n'a jamais été du travail «mais une mission», comme elle l'écrit à sa belle-mère, «ce qui veut dire qu'on ne la quitte que lorsqu'elle est terminée. Donc, à moins d'une catastrophe, d'une maladie ou d'un cataclysme, je n'abandonnerai pas ma mission et je n'oblige pas les autres à voir la vie de la même façon[624].» Ludmilla continue de souffrir de difficultés respiratoires et finit par accepter de recourir à un équipement que le Service d'oxygène médical lui laisse à la maison. Elle l'utilisera quelques mois.

Comme si la crise financière n'était pas suffisante, Ludmilla doit trouver un local pour l'Académie et l'École supérieure. L'édifice du 4848, boulevard Saint-Laurent venant d'être vendu, il faut déménager. Même si elle devait se partager entre le boulevard Saint-Laurent et le chemin Queen-Mary, Ludmilla s'était attachée à ces locaux qui ont aussi logé la compagnie jusqu'en 1967. C'est là qu'ont été créés *Carmina Burana*, *L'Oiseau de feu*, *La Corriveau* et plein d'autres ballets. C'est là aussi qu'ont été montés *Giselle* et *Les Sylphides*, et combien encore. C'est finalement la CECM qui la dépannera. À la mi-septembre, l'Académie s'installera au dernier étage de l'école Saint-Antonin, angle Coolbrook et chemin Queen-Mary, à deux pas des studios de la compagnie. Les cours de l'École supérieure se donneront dans les studios de la compagnie. Et à partir de l'automne, la CECM accordera à l'Académie des locaux pour ses niveaux préparatoire et élémentaire, afin d'accommoder les élèves provenant de l'est de Montréal. Il s'agit de l'école Champagnat, située sur la rue Saint-Hubert, près du métro Laurier. Cet arrangement vaudra jusqu'au 17 juin 1974. Le reste des cours de l'Académie continuera de se donner chemin Queen-Mary.

Ludmilla doit aussi voir à remplacer temporairement Brydon Paige, chez les Compagnons. En pleine tournée, Brydon a souffert de troubles cardiaques qui ont nécessité une chirurgie. Puis, durant la même tournée, elle a dû remercier Roger Rochon – ce qui laisse les Compagnons sans directeur ni maître de ballet. Pour finir, Uriel décide de mettre la maison en vente. Ludmilla est « épouvantée à la pensée d'être obligée de déménager[625] ». Entre-temps, les filles partent pour New York avec leur père, chez Hella, la sœur de ce dernier. Ludmilla ira les rejoindre après les auditions qu'elle accordera au Broadway Studio le 16 avril. Ce sera Pâques et elle compte passer trois ou quatre jours chez sa belle-sœur avec les siens. Elle écrit à Hadu, pour lui donner les dernières nouvelles de la famille et de la compagnie. « Le Conseil des Arts nous a fait savoir qu'ils nous donneront cent soixante-quinze mille dollars de moins qu'il nous fallait pour la saison prochaine, ce qui bouleverse tous mes plans. Si l'on pense que je dois préparer une saison en mai pour Toronto et la saison à l'Expo Théâtre, tout en m'occupant de tous les examens, je me demande comment je passerai par cette période bien difficile[626]. »

Dans les entrevues qu'elle accorde à cette époque, Ludmilla communique son message :

> Je crains que certaines personnes au gouvernement nous prennent pour acquis, des gens qui vont continuer de toute façon. Je ne suis pas obligée de continuer. J'ai cinq enfants et je peux rester à la maison. Mais ils savent que des gens comme moi se sentent une responsabilité envers ce qu'ils font. Ce qui m'inquiète, c'est que, lorsque nous allons arrêter, personne ne sera là pour assumer la même responsabilité[627]*.

Jean-Claude Delorme et Uriel Luft finissent par obtenir une rencontre avec le premier ministre Bourassa. « Quelques minutes », rapporte *La Presse*, et pour se faire dire « Peut-être[628] ». Ils étaient allés exposer la situation au premier ministre et lui demander trois cent soixante-treize mille dollars, faute de quoi ce serait la fin de la compagnie de danse, que les Québécois venaient applaudir de plus en plus nombreux et de plus en plus souvent. Le président du conseil d'administration a fait remarquer au premier ministre que la somme demandée ne permettrait pas d'offrir un programme aussi élaboré que d'habitude et que les danseurs seraient mis « en vacances » (entendre « en chômage ») pour au moins dix semaines. Ce montant ne couvrait pas non plus les Compagnons ni l'École supérieure, qui n'a pas vu sa subvention augmentée depuis 1968. Il conclut que sans politique culturelle à long terme, ce sera la même chose chaque année. La situation pour les GB est grave, mais elle l'est aussi pour l'OSM qui a dû annuler une partie de sa programmation. Le Rideau Vert et l'Opéra du Québec ont fait de même.

Aidée du conseil d'administration, Ludmilla entreprend une vaste campagne auprès d'une quantité de gens susceptibles de faire pression sur les gouvernements, incluant les ministres du cabinet Bourassa – dont certains lui répondent qu'ils vont soutenir le dossier quand il leur sera présenté. En juin et juillet, de nombreux articles dans les médias reprennent les arguments des GB. Les titres parlent d'eux-mêmes : « Dancing in the Dark » ; « Les Grands Ballets canadiens n'existeront plus le 6 août » ; « Pas d'argent pour la culture ». Des lettres ouvertes, adressées au premier ministre, sont aussi publiées durant cette période. Des parents écrivent directement à Monsieur Bourassa et font parvenir une copie de leur lettre à Ludmilla et aux journaux. La page éditoriale de *The Gazette*, dans un article non signé, rappelle que « une grande entreprise artistique est une organisation très complexe qui doit être capable de planifier si l'on doit s'attendre à un rendement de l'investissement[629]* ». Planifier à long terme, oui, ils voudraient bien le faire, mais les dirigeants des organismes artistiques sont tout occupés à récupérer les maigres fonds promis pour la saison qui se termine. La programmation qu'ils annoncent pour la saison suivante n'est jamais certaine, les contrats avec les artistes doivent tout de même être signés et, dans le cas des GB, il faut commander chorégraphies, décors, costumes, partitions musicales, et ce, parfois deux ans à l'avance.

Et puis Ludmilla apprend que le maire a mis son *veto* sur le versement de la subvention de soixante-quinze mille que le CARMM a voté pour les GB. Le comité exécutif de la Ville a ainsi refusé que des subventions aillent aux organismes qui emploient des musiciens d'orchestre, tant et aussi longtemps que persiste le conflit entre l'Union des musiciens et la Ville de Montréal. Ce conflit est né du fait que l'Union (The American Federation of Musicians) a mis la ville sur une liste noire comme moyen de pression, alors que se poursuivent les négociations pour établir sa juridiction sur Terre des Hommes. Ludmilla n'en revient pas : son ami le maire Drapeau lui a fait cela ! En fait, cette décision affecte tous les organismes culturels, mais dans les circonstances, cela ne rend que plus critique la situation des GB. Comme elle croit encore que quelque miracle puisse se produire, Ludmilla refuse d'annuler les représentations prévues à l'Expo Théâtre.

La campagne de presse va bon train. Marcel Adam exprime son étonnement de voir « un gouvernement qui se dit le gardien et le promoteur de la culture au Québec [...] au point d'en faire une priorité égale à celle de l'économie [...] durant la deuxième demie de son mandat », se montrer aussi pingre. Cela, ajouté à « la mesquinerie du gouvernement Drapeau, a dangereusement compliqué l'affaire[630] ». Les entrevues que donnent Uriel Luft et Jean-Claude Delorme sont largement rapportées et finissent par trouver un écho à l'Assemblée nationale, ce qui amène le Ministre à dire qu'il a assuré les GB que les dispositions nécessaires seraient prises pour assurer leur avenir.

Finalement, le 27 juillet, le sous-ministre Frégault écrit au président Delorme et l'assure d'une subvention de deux cent mille dollars pour l'exercice 1973-1974, tout en reconnaissant la nécessité de renouveler le répertoire des GB. Le MAC ne prend pas d'engagement à long terme si ce n'est, à certaines conditions, d'assumer jusqu'à cent cinquante mille dollars du déficit encouru au cours de la saison présente, mais il faut :

a) l'approbation du Conseil du trésor ;

b) qu'un vérificateur mandaté par le gouvernement puisse avoir accès en tout temps à la comptabilité des GB ;

c) que toute preuve justifiant le déficit ait été communiquée au gouvernement en temps opportun ;

d) que le MAC puisse déléguer un observateur de son choix aux réunions du conseil d'administration des GB.

Le sous-ministre termine en rappelant qu'il s'agit là d'une procédure d'exception et que cela ne saurait constituer un précédent pour l'exercice financier 1974-1975.

Ce n'est pas la tutelle, mais c'est tout comme. Pourtant, Ludmilla se déclare heureuse de voir un membre du gouvernement siéger au conseil d'administration : « Maintenant, ils vont réaliser dans quelles conditions nous devons travailler[631]*. » Le 2 août, le conseil accepte les conditions du MAC et met en congé sans solde, après l'Expo Théâtre, une cinquantaine de danseurs de même qu'une vingtaine d'autres personnes pour neuf semaines. Ce même jour, avec les autres organismes visés par le conflit entre la Ville et l'Union des musiciens, les GB rencontrent la Ville. Le maire Drapeau devrait être vu peu après. Par mesure de pression, les GB retiennent la taxe d'amusement perçue à la billetterie, sauf celle de l'Expo Théâtre où ils ne la perçoivent pas.

Malgré cette période difficile, Ludmilla supervise les cours d'été durant les trois dernières semaines d'août. Elle prendrait bien un temps de repos, mais il lui faut s'assurer que la réorganisation des activités soit faite sans trop pénaliser qui que ce soit. Il a fallu remercier quatre personnes à l'administration, et celles qui restent se partagent leur tâche. Le programme des Compagnons sera ramené de trente-deux à dix-sept semaines, et celui de la compagnie sera amputé d'un spectacle à l'automne. Cinq danseurs se voient signifier que leur contrat ne sera pas renouvelé, et il n'y aura que la soirée-hommage à Pierre Mercure qui comportera des créations. Ludmilla voudrait espérer que l'année suivante tout ira mieux, mais elle sait déjà que le budget du CAC n'augmentera que de cinq pour cent et que le montant que le gouvernement du Québec verse cette année ne servira pas de base de négociation pour la prochaine saison. Il ne s'agit donc que d'un sursis. « Lorsqu'un enfant grandit, comment peut-on l'en empêcher? [...] Faut-il couper la tête ou les jambes? Faut-il le laisser lentement mourir de faim? [...] Certes, le problème émane du fait que l'enfant a grandi plus vite que prévu et que d'autres comme lui réclament la même attention et le même droit d'être. Mais s'ils sont là, c'est que nous avions tous souhaité leur existence![632]»

Si les GB sont dans cette situation, comme le dira Jean-Claude Delorme, c'est qu'ils sont victimes de « l'intérêt croissant du public [...]. Les GBC doivent constamment se renouveler, étendre leur répertoire et, en même temps, maintenir la qualité de leurs spectacles[633]. » Cela coûte cher. Voilà pourquoi le président du conseil fait appel au public pour une large campagne de souscription et d'abonnement pour la future saison. Parlant du prix des billets, Monsieur Delorme rappelle que les GB « ont à cœur de maintenir le prix au niveau le plus bas possible, de façon à rendre ces spectacles accessibles à la grande majorité de la population[634]».

Bourassa, qui avait déclenché des élections, est reporté au pouvoir le 29 octobre. Au moins, Ludmilla n'aura pas à recommencer ses démarches auprès d'un nouveau gouvernement.

Uriel part pour l'Europe et, à son retour, il rend publique sa décision de quitter la direction générale des GB. Dans la lettre qu'il adresse au président du conseil d'administration, il écrit : « Je sens profondément que pour pouvoir grandir et, je l'espère, pour permettre à la compagnie de progresser davantage, il est essentiel qu'il y ait un renouvellement de part et d'autre[635]. » Cette démission sera en vigueur le 1er juillet 1974. D'ici là, il s'engage à aider son remplaçant à se familiariser avec les nombreuses tâches que commande sa fonction. En fait, depuis un certain temps, Uriel est usé par les démarches interminables et toujours renouvelées pour assurer le financement de la compagnie. Mais il a aussi besoin de prendre ses distances avec le milieu de la danse. Peut-être même avec Ludmilla. « Ç'a été très dur, dira-t-il. Il y a des raisons privées à cela. Ç'a finalement été le début de notre... » il ne spécifiera pas quoi.

À la fin de l'année, les Éditions du Jour présentent à la presse *Les Grands Ballets Canadiens ou cette femme qui nous fit danser*. Ludmilla ne recevra même pas une copie du livre à ce « buffet-presse » convoqué pour un échange entre l'auteur, Roland Lorrain, et des journalistes concernés par le sujet.

Chapitre 15
Le chassé-croisé

L'année 1974 commence plutôt mal. Ludmilla s'inquiète pour la santé de ses filles ; elle est aussi préoccupée par l'avenir de son mari et de la compagnie. À Éva Marsden, elle écrit :

> Je n'ai aucune idée de ce que fera Uriel. Je suis déchirée entre mes obligations comme femme et celles de fondatrice d'une institution qui requiert entièrement ma présence. Je ne me plains pas très souvent, comme vous le savez, mais c'est un des moments plus plus durs de ma carrière[636]*.

Elle ne parle pas de ses grands enfants, mais ils sont aussi un sujet d'inquiétude.

L'avenir de la compagnie n'étant assuré que pour quelques mois, le président du conseil se rend au MAC. Il explique au sous-ministre Frégault et à ses fonctionnaires que l'État doit en venir à une budgétisation triennale pour permettre aux GB mais aussi à l'OSM, à l'OSQ et à l'Opéra du Québec de planifier leur programmation sur une période acceptable. Il réalise alors que le MAC questionne la pertinence des Compagnons de la danse et que même si « on ne semble pas mettre en doute la nécessité d'une école [supérieure], on hésite à s'aventurer plus loin tant et aussi longtemps qu'une politique sur l'enseignement de la danse[637] » n'aura pas été arrêtée au Ministère. Au cours de cette rencontre, Monsieur Delorme apprend aussi qu'un groupe de travail[638] sera incessamment formé pour se pencher sur les arts d'interprétation, après quoi le MAC accouchera d'une politique culturelle globale. Bien que le président soit revenu de sa rencontre avec l'assurance du sous-ministre que « les fonctionnaires et les hommes politiques du Québec sont plus conscients des besoins culturels qu'auparavant », Ludmilla se rend compte qu'un grand coup de barre s'impose rapidement pour sauver ce qui peut l'être. D'ici peu, Uriel sera parti et elle a déjà décidé qu'elle prendra en charge les GB : une mère n'abandonne pas son enfant quand il est en difficulté. Pour le reste, elle verra. Sans doute faudra-t-il fermer les Compagnons, mais elle ne veut rien précipiter, de crainte de perdre les meilleurs éléments dans toute son organisation.

Bien qu'elle soit malade, elle procède à la révision des plans de cours de l'Académie. Quoi qu'il arrive, elle entend la maintenir ouverte : il faut continuer de former des danseurs. Il faut continuer de manger, aussi, et l'Académie tire des revenus de chaque heure de cours donné. Puis elle se rend à New York auditionner des danseurs masculins. Même si depuis *Tommy* des dizaines de garçons suivent des cours, il faudra encore quelques années avant qu'elle puisse en intégrer un seul à la compagnie. Est-il besoin de le rappeler, il faut de six à huit ans pour former un danseur. Et elle prépare la troupe pour l'Europe : les GB doivent être à Paris en juin. Le premier avril, elle est à Lisbonne pour une dizaine de jours. Avant de partir, elle écrit à ses amis en Suisse pour les inviter à l'y rencontrer ou, à défaut, à lui téléphoner.

Alors que les GB sont à Québec, Ludmilla rencontre le ministre Denis Hardy, responsable des Affaires culturelles. Elle tente, elle aussi, de convaincre le gouvernement de l'aider à conserver son organisation intacte. Elle rappelle au ministre le contenu d'une lettre qu'elle lui a adressée le 6 février à propos de l'École supérieure de danse, laquelle a été créée à l'instigation du Ministère en attendant d'être convertie en Conservatoire – ce qui n'est toujours pas fait. Elle rappelle aussi que les subventions plafonnent, alors que les besoins augmentent. Puis elle ramène la question de l'Expo Théâtre. Cet édifice qui appartient au gouvernement se dégrade, et les GB veulent l'acheter depuis l'Expo 67 pour l'utiliser de façon permanente et louer la scène à d'autres groupes quand ils ne s'en serviraient pas. Comme il y aura bientôt les Olympiques, ce lieu pourrait jouer un rôle de première importance dans le cadre du Festival culturel déjà envisagé pour l'été 1976. Pour mémoire, depuis l'été 1971, les GB ont été l'animateur le plus important de ce lieu, en termes d'occupation et d'assistance. Mais le ministre n'a pas d'avis là-dessus.

Si les fonds n'arrivent pas comme elle le souhaite, le public, lui, ne fait pas défaut. Il est heureux de revoir *Giselle*, même si, comme l'écrit Jacob Siskind «*Giselle* a toujours été difficilement reçu par les amateurs de danse moderne[639*] ». *Au-delà du temps*, de Brian Macdonald, est aussi salué parce qu'il intègre « à l'intérieur de la danse, un départ prudent du classicisme des pointes jusqu'aux envols les plus vertigineux[640]».

Mais voilà que d'autres tuiles attendent Ludmilla. Monsieur Nault, après s'être éloigné un temps, comme elle l'écrit à Odette LeBorgne, « ne se sent plus la force de continuer à garder son poste auprès de moi et nous quittera à la fin de cette saison ». Puis, « la seule personne qui m'était restée comme appui principal était le président, Monsieur Delorme, mais celui-ci m'a été tout simplement enlevé, il y a quelques jours, par Monsieur Bourassa, qui l'a nommé président de la Régie de la Place des Arts. Je ne peux vous dire combien je suis inquiète de rester seule pour continuer cette œuvre qui a tant grandi et a un besoin urgent d'êtres brillants et dévoués. Vu que cette œuvre est mon enfant, je ne le quitterai pas, mais pour la première fois, je sens que je n'ai plus tellement la force de mener à bien les réalisations artistiques en même temps que de me battre pour assurer l'avenir de la danse des jeunes Québécois de talent[641]. »

Alors, dans une longue lettre, Ludmilla avise le ministre des Affaires culturelles que son équipe de direction se désintègre.

> Mon angoisse est telle que je me dois, avec vous, de faire notre bilan moral et de savoir si l'arbre que j'ai planté, qu'avec des collaborateurs émérites nous avons fait grandir, non seulement va porter fruit mais si l'ignorance, l'indécision, l'inaction ou le vouloir vont le déchoir de ses feuilles, le tronquer de ses branches et saigner son tronc jusqu'à ce mort s'ensuive. [...] Qui voudra aujourd'hui lier son sort personnel à la destinée incertaine des Grands Ballets Canadiens, qui aura l'abnégation de soi pour faire vivre cette compagnie que *(sic)* personne ne semble vouloir décider de sa vie ou de sa mort ? [...] Si je me sens angoissée, écrit-elle en conclusion, j'ai la certitude toutefois d'avoir en quelque sorte dressé mon testament et d'en avoir prévu les modalités d'application pour que mes pensées et mes actes, non parce qu'ils sont les miens, mais parce qu'ils sont issus d'une collectivité, soient le facteur, pour l'exécuteur, d'une renaissance[642].

Après Uriel, c'est son adjoint Guy Lamarre qui annonce sa démission. Mais avec le départ de Fernand, ce que Ludmilla craint le plus, c'est un départ massif de danseurs.

Le 28 mai, au cours d'une conférence de presse, le président Delorme annonce la démission de la haute direction des GB. Uriel Luft et Guy Lamarre assument l'intérim jusqu'à ce que leur remplaçant soit là. Fernand Nault deviendra chorégraphe attitré de la compagnie et Ludmilla consacrera ses énergies à l'orientation générale de la compagnie qui comprend, outre les GB et les Compagnons, l'Académie et l'École supérieure. Brian Macdonald deviendra directeur artistique dès la saison suivante. Ludmilla rappelle que du temps des Ballets Chiriaeff, Brian était venu la rencontrer «en quête d'emploi [...] et [je] lui avais trouvé à cette époque un poste de professeur puis celui de chorégraphe pour certaines émissions de télévision[643]». Elle profite de cette conférence de presse pour rendre hommage à Fernand Nault, qui a mis plusieurs œuvres importantes au répertoire de la compagnie, laquelle lui est redevable des grands succès que sont *Carmina Burana*, *Tommy* et *Cérémonie*, sans oublier *Casse-Noisette*.

Ludmilla a toujours souhaité que les artistes d'ici puissent produire et vivre ici, et elle s'est fait fort de les relancer partout dans le monde. Quand Macdonald a accepté de chorégraphier des ballets pour la compagnie, elle était contente de son coup. Maintenant, c'est à lui qu'elle confie la direction artistique de sa compagnie. Pas seulement la moitié, comme du temps de Fernand Nault, mais toute la direction. Il aura, lui aussi, à batailler pour secouer l'indifférence des gouvernements « qui ont, semble-t-il, détruit l'esprit de ceux qui ont consacré tellement d'années de leur vie à bâtir cette compagnie et à l'amener là où elle est maintenant[644*] ».

On chuchote aussi que Ludmilla pourrait partir. À ce propos, Dave Billington écrit que : « Ses connaissances, son flair, son ouverture ont fait la compagnie telle qu'elle est. Le respect de la tradition, héritage de son passé européen, a donné à la compagnie la discipline alors que sa facilité à penser " moderne " a permis à cette compagnie d'emprunter de nouvelles voies[645*]. » Par ailleurs, partout l'arrivée de Brian Macdonald est saluée comme une bonne nouvelle, la plupart le voyant comme le *perfect match* pour les GB. Lui aussi pense qu'une compagnie de danse « qu'elle vienne de Kiev, de Winnipeg ou de Montréal, reflète l'environnement dans lequel elle évolue, ou à tout le moins le devrait, même si certains de ses danseurs ne sont pas natifs de la province ou du pays[646*] ». Quand Ludmilla est arrivée, « il n'y avait ni base ni tradition [...] elle a créé les deux et son influence demeurera pour encore un certain temps[647*] ».

Mais cela ne règle pas les problèmes à long terme, et Ludmilla se demande s'il faut continuer à ramer contre le courant. Le premier ministre parle d'autonomie culturelle dans ses discours, mais il ne donne même pas les moyens au MAC d'aider les industries culturelles en place. Il parle de création d'emplois, mais il n'applique pas à ceux créés par le milieu artistique les mêmes normes, c'est-à-dire des subventions pouvant aller jusqu'à trente mille dollars par emploi créé[648]. Pour Québec, c'est comme si ce milieu n'ajoutait rien à l'économie de la province.

Pour le moment, Ludmilla consacre son énergie à la saison des GB qui se termine. Elle tient à éviter tout faux pas. Elle ne suivra pas la compagnie à Paris, où celle-ci doit se produire au Théâtre des Champs-Élysées, dans le cadre du Festival du Marais. Elle « garde le fort ». Puis elle propose qu'Andrée Millaire la remplace comme membre du jury au Concours international de Varna. Au retour de Paris, la compagnie sera à l'Expo Théâtre et au Festival international de la jeunesse, à Québec ; il faut que tout soit prêt.

Du 10 au 29 juin, donc, les GB présentent *Tommy* aux Français. Ce ballet, pourtant acclamé partout, reçoit un accueil glacial le soir de la première. Il faut dire qu'une panne de projecteurs, aux trois quarts de la représentation, a failli tourner à la catastrophe, mais les danseurs, en professionnels qu'ils sont, ont continué à danser. C'est Uriel qui a dû les réconforter avant de les amener à la réception donnée au Centre culturel canadien, où l'on n'a rien trouvé d'autre à leur servir que quelques biscuits et du champagne. Or, on sait que les danseurs ne mangent pas avant une représentation. Les critiques parlent d'une présentation irréprochable, d'une troupe jeune et bien entraînée, mais peu vont au-delà. *Tommy*, qui dure quatre-vingts minutes, était présenté pour la première fois ailleurs qu'en Amérique du Nord et ne le sera plus par la suite. Ludmilla est la seule à en avoir obtenu les droits. Sur l'attitude du public parisien ce soir-là, une des danseuses dira que «quand nous avons terminé et que les lumières se sont allumées, c'était choquant de voir toutes ces chaises vides et d'entendre quelques timides applaudissements[649]* ». À la fin de la troisième semaine, les jeunes sont finalement venus. Il faut dire que les Champs-Élysées n'était pas le bon théâtre pour présenter *Tommy*, son public étant plutôt du style marquis de Cuevas.

Malgré ce qu'elle doit affronter quotidiennement, Ludmilla continue d'être impliquée dans le milieu de la danse, bien qu'elle refuse plusieurs apparitions pour de courtes présentations. Pendant que sa compagnie est à Paris, elle prononce la conférence d'ouverture de Dance Canada, organisée au Collège Loyola. Elle exprime le souhait que cette deuxième rencontre «permettra [...] de prouver à nos gouvernements combien la danse est importante, non seulement sur le plan culturel, mais aussi social, et à quel point il devient urgent que les gouvernements trouvent, eux aussi, un équilibre en établissant des politiques culturelles conformes aux besoins de l'homme d'aujourd'hui et même de l'homme de demain[650]».

Puis, alors que la compagnie est encore à Paris, le CAC envoie « une commission étrangère pour examiner notre École supérieure, comme elle l'écrit à Roland Lorrain. Je sais aujourd'hui par certaines personnes de Toronto, que le Ballet National avait espoir d'ouvrir des succursales de son école dans toutes les grandes villes à travers le Canada. Il fallait donc une preuve que la nôtre n'était pas assez professionnelle (ni celle du Royal Winnipeg, qui, elle aussi, a reçu la visite de cette commission) pour pouvoir agir[651]. » Le Ballet National, encore et toujours. Mais là non plus, ça ne va pas aussi bien qu'on veut le laisser croire. Et ce, malgré le fait que les subventions du CAC sont le double de celles que reçoivent les GB. Après vingt-deux ans à la tête de l'organisation, Celia Franca a dû céder sa place à David Haber, avec qui elle partageait la direction artistique depuis un an.

C'est la mort dans l'âme que Ludmilla doit fermer les Compagnons[652]. Son effort de démocratisation de la danse, son souhait de continuer de la faire voir même dans les lieux les plus humbles et les plus lointains, elle doit le mettre en veilleuse, faute de moyens. Elle espère ainsi sauver le reste de l'organisation, mais rien n'est moins sûr. Son conseil a un président intérimaire. Le directeur général attend son remplaçant et doit retourner aux études. Le directeur artistique s'installe pour la saison d'automne, mais on ne sait avec quel argent il pourra préparer de nouvelles créations. Dans sa correspondance avec le chef d'orchestre, Macdonald écrit : « L'Atelier de septembre se tiendra peut-être [...]. Le programme de novembre sera peut-être [...]. En janvier, nous ferons peut-être [...][653]» Tout est un peut-être, et Ludmilla décide de prendre quelques jours de vacances à Rawdon.

À l'assemblée générale des GB, Yves Ménard, vice-président chez Air Canada, succède à Monsieur Mendels à la présidence du conseil. Dans son dernier rapport comme directeur général, Uriel Luft écrit : « La collaboration qui a existé entre l'administration et la direction artistique a permis, malgré des conditions financières précaires, d'éviter les dissensions et l'éclatement des cadres au sein d'une équipe où chacun, investi de ses responsabilités, a assuré les préoccupations communes[654]. » C'est cette collaboration que Ludmilla souhaite voir s'installer entre les nouveaux collaborateurs. À cette assemblée, Richard d'Anjou est présenté à la presse. Il agira comme chargé d'administration. Il arrive de New York où il était directeur de la Fondation des arts, un organisme distribuant des subventions.

Plus tard, quand un journaliste demande à Ludmilla pourquoi elle démissionne, elle répond que son « travail de missionnaire, si on veut l'appeler ainsi, est terminé. Être artiste, ce n'est pas un métier, c'est une mission. » Mais, en fait, elle part parce qu'elle n'en peut plus d'avoir à toujours recommencer les mêmes démarches. Justifiant l'arrivée de Macdonald, elle soutient que « si nous voulons avoir des chorégraphes canadiens originaux, nous devons leur permettre de développer et de créer. Autrement, nous devrons toujours importer le talent des autres pays[655]. »

Comme elle est maintenant la seule à gagner la vie de la famille, Ludmilla négocie avec les GB, de qui elle n'a jamais rien reçu. Elle ne demande pas d'honoraires mais une allocation pour frais de déplacements. Elle a toujours vécu de ce que lui rapportait son école, jusqu'à l'incorporation de cette dernière. Depuis celle-ci, elle en est une salariée. Une entente, signée avec les GB le 26 novembre, confirme qu'elle recevra huit mille dollars par année pour les dépenses encourues dans l'exercice des responsabilités qu'elle assume en collaboration avec Brian Macdonald et tout particulièrement avec Richard d'Anjou[656].

La saison 1974-1975 s'ouvre à la PDA sous la direction de Brian Macdonald. Il présente *Tam di Delam*, sur une musique de Gilles Vigneault. L'auditoire lève. « Les spectateurs tapaient du pied et des mains tout au long[657]. » Cette chorégraphie est aussi largement applaudie à Ottawa. Tellement que, à l'encontre des règlements du Centre national des arts, la compagnie est revenue pour un « encore » après plusieurs rideaux[658]. À la fin de l'année, Ludmilla expédie deux mémos à Brian, le premier sur le début de la saison à la PDA. Après avoir passé en revue le programme présenté, elle écrit :

> Je voudrais revoir avec toi la question du chef d'orchestre et tout l'aspect musical de la troupe. Je voudrais m'entretenir avec toi au sujet des classes données par Brydon [...] et du grand besoin de nommer un chef parmi les répétiteurs et maîtres de ballet afin que l'un deux (Linda ?) ait la responsabilité totale de l'ensemble des activités quotidiennes et puisse avoir le droit de décision en ton ou en mon absence. Restent mille autres choses à discuter et à faire, mais j'attendrai ton retour pour t'en parler[659].

Le second mémo porte sur *Casse-Noisette*. Elle y déplore le fait que l'ensemble ait l'air d'un

> événement local et [...] non d'un niveau international. Conclusion : il y a peut-être lieu de relever tout le niveau de la production en ajoutant au corps de ballet que des danseuses réellement professionnelles en permettant aux pré-professionnels d'apprendre toutes ces danses sans leur permettre d'aller sur scène – et en demandant à M. Nault (je l'ai déjà fait auparavant) d'ajouter un divertissement nouveau pour qu'il y ait un numéro supplémentaire dans notre production permettant à ces jeunes talents de se produire sur scène sans pour autant endommager l'aspect professionnel de la troupe. Si tu es d'accord avec mon raisonnement, je pense qu'il sera bon – dès à présent – d'en avertir l'administration (pour des questions budgétaires) ainsi que M. Nault pour lui permettre de faire le choix d'une musique additionnelle appropriée.

Ainsi, sans être formellement à la direction artistique, Ludmilla a encore un mot à dire à ce sujet, mais cela va compliquer singulièrement les choses. Même si elle voulait vraiment partir, les mois qui viennent vont constamment la ramener dans tous les dossiers. Depuis l'entrée en fonction du chargé d'administration, Monsieur d'Anjou, les problèmes s'accumulent aux GB. À l'évidence, cet homme ne connaît rien à la direction d'un organisme qui gère des artistes et produit des spectacles. Et il veut tout contrôler. Quand il daigne déléguer, il le fait à n'importe qui dans la structure sans même s'assurer d'un suivi. Ce qui fait qu'à la veille de la tournée de l'Ouest, tous les préparatifs accusent des retards considérables, et l'on a commis des erreurs qui seront dommageables pour la réputation et les finances de la compagnie.

Dès la première ville où les GB doivent se produire, Ludmilla reçoit des appels angoissés de Colin McIntyre et de Brian, qui lui demandent de l'aide pour sauver cette tournée pendant qu'il est encore possible de le faire. Ils veulent Guy Lamarre ou Uriel avec eux. Le premier n'est pas disponible, et Ludmilla explique à Brian qu'il serait préférable que ce soit lui qui fasse les démarches auprès de Monsieur d'Anjou, mais elle l'assure que son mari se rendra disponible, même s'il vient de commencer des études à l'Université Concordia. D'ailleurs, dès sept heures le lendemain matin, Uriel partira pour Regina.

Au retour de la tournée, tout un chacun exprime son mécontentement et se tourne vers Ludmilla pour qu'elle solutionne les problèmes. Mais elle n'en a pas le pouvoir. Elle a beau alerter le président du conseil, ce dernier croit qu'il faut donner du temps à Monsieur d'Anjou. Quand celui-ci finit par avouer « n'avoir ni la motivation ni les connaissances nécessaires pour mener à bien les multiples démarches qui se rattachent à ce poste[660] », Ludmilla se dit que maintenant le président du conseil va la croire. Il lui demande de préparer des organigrammes pour le conseil. Ce qu'elle fait. Elle est alors informée que le président proposera le remerciement de Monsieur d'Anjou, mais au lieu de cela, ce dernier est confirmé dans ses fonctions, et c'est à elle qu'incombe la tâche d'en informer Brian et Colin. Ludmilla ne comprend pas. La compagnie n'a pas de tête, administrativement, et la direction artistique ne peut pas envisager de planifier la prochaine saison dans cette atmosphère, d'autant que les erreurs continuent de s'accumuler. Mais il y a pire. C'est comme si on voulait se débarrasser d'elle. Elle n'est pas invitée à des réunions, non plus qu'aux rencontres avec le MAC, où elle est pourtant attendue. Jean Vallerand est surpris, lui qui connaît Ludmilla de longue date. Il ne comprend pas les réponses que Monsieur d'Anjou donne à propos de l'Académie et de l'École supérieure. Les personnes présentes n'en reviennent pas d'entendre le chargé d'administration mousser une contribution qui pourrait venir du gouvernement fédéral. Julien Poirier, dans le rapport qu'il fait de cette rencontre, note que « Monsieur d'Anjou aurait dû connaître l'attitude du gouvernement provincial en matière de culture et surtout qu'il en avait été question quasiment juste avant cette réunion[661] ».

Ludmilla est atterrée. Et ce qui est le plus grave pour elle, c'est que toute cette histoire a faussé ses relations avec ceux qui avaient placé leur confiance en elle. Elle se sent trahie par le conseil d'administration, et certains de ses collaborateurs croient qu'elle les a trahis pour garder le contrôle des GB. Pendant ce temps, à Toronto, le Ballet national aussi vit une crise. Betty Oliphant laisse la direction artistique, qu'elle partageait avec David Haber depuis le départ de Celia Franca. Les divergences s'accroissant avec lui, elle n'a pas eu le choix. « Puisque je ne peux rien pour régler la situation, je peux au moins démissionner et dire pourquoi je le fais[662*]. » Ce que Ludmilla ne peut pas faire : dire publiquement ce qui ne va pas avec la direction des GB. Mais elle songe sérieusement, comme Betty Oliphant le fera, à se consacrer uniquement à la formation des futurs danseurs et professeurs. Depuis la mi-janvier, déjà, elle a inclus des cours de culture générale dans le programme de l'École supérieure. Ludmilla veut enrichir les connaissances des élèves et familiariser ceux-ci avec d'autres disciplines. Reste qu'il faut s'assurer que la saison se poursuive et elle aide le mieux qu'elle peut Brian Macdonald. « Je suis là pour veiller à la direction, mais je n'ai pas à m'inquiéter quant au ton et à la texture que prendra la Compagnie, car on s'entend très bien sur le plan artistique[663]. »

Le 17 avril, une foule ébahie assiste à un duel entre des représentants des familles Capulet et Montaigus, sur la place Jacques-Cartier. À l'heure du lunch, des danseurs des GB offrent une performance digne d'un film de cape et d'épée. Ce spectacle veut donner un avant goût de *Roméo et Juliette*, chorégraphié par Brian Macdonald, qui sera dansé à la PDA la semaine suivante. Les danseurs ont été initiés à l'escrime par Robert Desjarlais, longtemps titulaire de ce cours au Conservatoire d'art dramatique. Monsieur Desjarlais est un membre fondateur des GB et sa fille, France, y a suivi des cours et s'est illustrée dans l'émission *La Boîte à surprise*.

En mai, Ludmilla se voit décerner par le Gouverneur général, Jules Léger, un diplôme d'honneur pour son importante contribution à la vie artistique canadienne. Oscar Peterson reçoit le même hommage à cette occasion. C'est la vingt et unième année que la Conférence canadienne des arts remet cette distinction. En 1975, Ludmilla sera aussi reçue membre honoraire de la Société du Bon Parler Français, déclarée *Woman of Achievement* par le YWCA, et le Rotary Club reconnaîtra les services qu'elle a rendus à la communauté. S'ils lui confirment qu'elle ne s'est pas tout à fait trompée avec ce qu'elle considère comme sa mission, les honneurs ne lui sont d'aucun secours pour le quotidien de la compagnie. Le 25 avril, elle avait remis sa démission à Monsieur Mendels, qui n'avait pas voulu prendre la lettre. Elle comptait rester jusqu'au 15 mai. Elle avait prévu se rendre ensuite à Cape Cod pour quelques jours de réflexion. Elle en a assez de se faire « traiter d'artiste, c'est-à-dire d'irresponsable, et de se voir imposer une surveillance de borgne[664] ». Il est évident pour elle que Monsieur d'Anjou doit partir. « Tantôt ce dernier venait me voir pour m'avertir du fait que Monsieur Macdonald était un malade, un homme mentalement dérangé, tantôt il décidait des choses qui avaient des conséquences irréparables pour la troupe[665]. » Comme rien ne bougeait, le 30 avril, elle a expédié sa lettre de démission au conseil des GB. « Je regrette d'avoir dû prendre cette décision, mais vous comprendrez que je ne peux rester insensible face à cette situation qui se détériore de jour en jour et sur laquelle je n'ai aucun contrôle. Il faut que l'atmosphère de travail soit rétablie, sinon je devrai couper mes liens avec la troupe. » On finit par lui demander de rester un temps comme conseillère spéciale auprès du comité exécutif. « Pour faire preuve de bonne foi », elle veut bien accepter « à titre d'essai [parce que] beaucoup d'eau a coulé sous les ponts mais [elle] n'a plus aucune garantie de réussir à recréer des relations de travail efficaces[666] ». D'autres personnes, parmi le personnel de soutien, s'en vont aussi.

Le gouvernement du Québec n'attend pas le rapport Jeannotte pour disposer de l'École supérieure[667]. Le MEQ demande à Ludmilla d'organiser pour septembre un cours concentration-ballet pour les années du secondaire. Rien de moins !

Ludmilla devrait se réjouir, mais elle est plutôt embêtée. D'abord, l'École supérieure, c'est deux choses : la formation des danseurs et la formation des maîtres. Puis, comment mettre en place les cours du secondaire et trouver où loger les candidats qui viendront de l'extérieur de Montréal en si peu de temps ? Pourquoi le gouvernement a-t-il fini par céder à ses nombreuses démarches ? Il semble bien que la législation permette de verser une allocation de subsistance à un étudiant qui doit être inscrit dans une Commission scolaire autre que la Commission scolaire de son lieu de résidence quand la première est la seule à offrir un programme spécialisé, et qu'il y ait compensation entre les deux institutions. Cela règle quelques problèmes administratifs. D'abord prévue pour les étudiants en pêcherie puis en hôtellerie, les fonctionnaires ont pensé utiliser cette mesure pour l'appliquer à la Commission scolaire qui s'est déclarée prête à offrir un programme concentration-ballet.

Pendant que Ludmilla jongle avec cela, à Edmonton, c'est l'Assemblée annuelle de Dance Canada[668] et ce que Timothy Porteous y dit ne lui plaît qu'à demi. Le CAC pense que « l'avenir de la danse en ce pays repose pour une bonne part sur de plus petites compagnies... ». Par contre, parlant des recommandations du rapport Brinson, il reconnaît que, pour avoir une grande compagnie de ballet, il faut « une grande école et que, dans un pays comme le Canada, si nous voulons développer nos propres standards en danse, il faudra fondre nos diversités régionales dans un même contenu[669]* ». Cela veut dire que pour la première fois les écoles rattachées au Royal Winnipeg et aux GB recevront un peu d'argent du CAC pour la formation des futurs danseurs.

Durant l'été, Ludmilla tient des auditions dans huit régions du Québec. Aidée par Fernand, elle sélectionne ceux qui suivront les cours de première secondaire à l'école Pierre-Laporte, dès le 3 septembre. Au début d'août, trente-trois garçons et filles de onze et douze ans apprendront qu'ils seront les premiers à suivre des cours de danse en même temps que les matières académiques et ce, dans le même lieu. Restera le problème du logement pour ceux qui viennent de l'extérieur de Montréal. L'école Pierre-Laporte n'a pas de pensionnat, et l'entente entre le MEQ, la Commission scolaire Sainte-Croix et l'École supérieure ne comprend pas le logement des élèves. Certains seront reçus dans des familles ; six logeront chez Ludmilla. « Les parents sont arrivés le jour de l'inscription, et je leur ai demandé de les amener chez moi. Ils les ont laissés dans ma maison. Ils ne me connaissaient pas du tout[670]. » Et Ludmilla parle de Marie Pedneault, dont la mère disait en pleurant : « Je ne sais pas pourquoi je vous laisse ma petite. » Marie a vécu quelques saisons chez Ludmilla.

Pendant que les filles sont dans un camp de vacances pour deux semaines, Ludmilla, qui espère partir après cela pour Cape Cod, note ce qu'il faudra y apporter. Fidèle à son habitude, elle dresse des listes de choses à faire sur ce qu'elle a à portée de la main. Il arrive que ce soit au dos d'enveloppes, de lettres, de factures ou dans son agenda. Elle est impatiente de partir. Elle en a d'ailleurs tellement assez que, le 14 juillet, elle écrit à Yves Ménard qu'elle ne veut plus de responsabilités en ce qui concerne la troupe. Elle entend toutefois demeurer « à l'Académie et à l'École supérieure pour coordonner leur action avec le nouveau programme de danse à l'école Pierre-Laporte. [...] ma décision, irré-versible, est prise [...] pour retrouver une paix à laquelle j'aspire depuis plusieurs mois déjà ». Elle écrit en post-scriptum : « Vous pouvez vous abstenir d'en aviser la presse si vous le désirez ainsi. » Ménard lui répondra :

> Je respecte entièrement votre décision de démissionner de toute res-ponsabilité face à la troupe. [...]
>
> Je voudrais réaffirmer ici qu'il n'est jamais entré dans l'esprit du Comité exécutif de vous utiliser comme bouc émissaire face à monsieur d'Anjou [...] Le Comité exécutif a essayé des formules pour tenter de corriger les failles. Ce fut en vain.
>
> Je regrette sincèrement que vous jugiez nécessaire le geste que vous avez posé. Je n'ose vous demander de reconsidérer votre décision mais je l'espère néanmoins[671].

Comme elle l'écrit à Gro Southam, « j'ai passé par des moments très pénibles dus aux injustices que j'ai eu à subir de la part de notre président et de quelques membres de notre *board*[672] ». Marie Kinal se souvient que Ludmilla venait au bureau avec des « lunettes fumées. Elle s'assoyait dans son bureau et regardait sans enlever ses lunettes. Elle ne parlait pas. Elle fumait et regardait dehors. »

En même temps que cette crise, Ludmilla vit une réorganisation de sa vie privée. Depuis treize ans, Uriel était directeur général des GB. Il est maintenant étudiant et sans revenus. « La vie est beaucoup plus détendue et agréable à la maison », selon ce qu'elle écrit à Hadu. Et elle ajoute des nouvelles concernant les enfants. Avdeij et Gleb ont quitté leur fiancée. Nastia travaille et vit en appartement. N'était de son autre enfant, les GB, Ludmilla serait plus sereine. Certains jours, elle se demande si elle ne devrait pas tout laisser. Elle dit que parfois elle a « l'impression d'avoir vécu deux cents ans ». Pour Cécile Brosseau, qui dresse des portraits de femmes remarquables en cette Année de la femme, « Ludmilla Chiriaeff incarne la grâce et le courage, une grâce sans fragilité, un courage sans faille. Ceux qui l'ont vue danser, ceux qui ont partagé son quotidien, ceux qui l'ont aperçue un soir de fête peuvent témoigner de cette grâce[673]. »

La grâce même dans l'adversité.

Au retour des vacances, c'est la course pour trouver des familles qui accepte-ront de prendre des pensionnaires afin d'aider les parents qui n'ont pas encore déniché de lieu où laisser leur enfant pour l'année scolaire. Pour ceux qui viennent de l'extérieur de la région métropolitaine de Montréal, une allocation annuelle de subsistance de huit cent vingt-quatre dollars sera versée aux parents, de même que quatre-vingts dollars pour couvrir une partie des frais de transport. Ce cours, unique au Québec, constitue pour Ludmilla l'aboutissement d'efforts soutenus déployés depuis plus d'une décennie. Ce n'est pas le conservatoire dont elle a rêvé, dès le milieu des années cinquante, et dont elle discutait de l'implantation avec Jean Vallerand. Mais elle a au moins gagné la gratuité scolaire et la reconnaissance de leurs études pour ceux qui ont le talent, d'où qu'ils viennent dans la province de Québec.

Quand la saison des GB 1975-1976 s'ouvre en novembre, les critiques trouvent que la compagnie est en perte de vitesse et qu'elle a besoin d'une transition. C'est pourtant ce qu'ils vivent, la transition. Et plutôt mal. Mais il ne saurait être question que Ludmilla les reprenne en charge. « On ne revient jamais en arrière, écrit-elle au président Ménard. Jusqu'à Noël, je dois aider Monsieur Nault à monter *Casse-Noisette* pour Québec et Montréal, puis je me retire vers les problèmes de l'Académie et de l'École supérieure de danse qui m'accapareront pleinement, car les événements nous obligent à une remise en question des objectifs à poursuivre et des stratégies à entreprendre[674]. »

Aux fêtes, Ludmilla est malade, mais elle accepte quand même de recevoir Sylvie Pinard, une de ses ex-élèves qui étudie maintenant à l'Université Ann Arbour (Michigan). Elle est venue discuter avec Ludmilla de l'opportunité d'y faire une maîtrise en danse. Ludmilla lui préparera une lettre de recommandation. Elle signera aussi des formulaires de demande de bourse au MEQ. « Une fois revenue ici, dira Sylvie Pinard, c'est ce qui m'a permis d'enseigner à l'Université du Québec. Madame Chiriaeff, c'est quelqu'un que je respecte. J'ai beaucoup d'amour pour elle. » Ludmilla était toujours disposée à aider ceux de ses anciens élèves qui voulaient se perfectionner.

Chapitre 16
Former la relève en danse

Quel triste début d'année! Le corps d'une des danseuses de Ludmilla a été retrouvé, calciné, dans les décombres de l'édifice qu'elle habitait. Lucie Desnoyers faisait partie des Compagnons, que Ludmilla a dû fermer, en 1974, faute de ressources pour en assurer le fonctionnement. Certains danseurs des Compagnons, comme Manon Hotte, se joindront aux danseurs des GB. « Les Américains passaient beaucoup avant nous, et ce n'était pas apprécié. On nous gardait quelques-uns pour avoir des subventions, mais on n'avait pas les premiers rôles[675]. » Après avoir dansé chez Eddy Toussaint, Manon Hotte s'est installée à Genève, où elle a fondé une école de ballet. Les premiers temps, elle occupait le studio qu'avait Ludmilla avant de venir au Canada.

Ludmilla enregistre la série d'émissions *Propos et confidences*. Elle n'est pas dans la meilleure des formes et doit même annuler certains engagements. Selon elle, le fait que le résultat ne réponde pas aux attentes est dû au format de l'émission. Au réalisateur, elle écrit :

> J'avais beaucoup de choses à dire, mais je regrette de ne pas avoir été à la hauteur de la situation, car, sans animateur, il était vraiment très difficile de raconter ma vie et de me sentir, à la fois, à l'aise et naturelle[676].

Ludmilla garde un mauvais souvenir de ces enregistrements. « Le réalisateur Faucher est arrivé à sept heures et demie, un matin, avec sa scripte. Il n'y avait pas d'entrevue : je devais simplement parler. C'est le supplice chinois. J'ai vraiment commencé plusieurs fois, mais j'étais incapable de me raconter. » Pourtant, qui connaît Ludmilla sait qu'elle peut parler des heures durant si on ne l'interrompt pas[677]!

Ludmilla est très préoccupée par l'attitude du CAC quant à l'enseignement de la danse au Canada. S'appuyant sur les recommandations du rapport de Peter Brinson, en octobre, le CAC a offert dix mille dollars à l'École supérieure, mais la subvention du Conseil est destinée à vous permettre d'engager un professeur invité au cours de l'année 1975-1976 et dès que vous aurez arrêté votre choix, vous voudrez bien nous en faire part afin que nous puissions soumettre les candidatures au sous-comité de la danse de notre Commission consultative des arts. Pour l'occasion, Madame Betty Oliphant se joindra au sous-comité.

Si vous ne comptez pas pouvoir utiliser notre subvention pour les fins pour lesquelles elle a été accordée, le Conseil a prévu qu'elle pourrait également servir à couvrir les frais d'une année de cours de formation à l'École nationale de ballet[678].

Ludmilla considère cette offre comme un pas vers une mise en tutelle de son École par l'École du Ballet national. Après consultation avec le MAC, elle répond : «[...] il a été décidé, avec l'approbation des fonctionnaires du ministère des Affaires culturelles, de vous informer que nous ne pouvons, dans les termes de l'offre que vous nous avez faite, accepter la subvention offerte, les implications étant trop importantes[679].»

Le rapport Brinson et surtout l'utilisation qu'en fait le CAC enflamment le milieu de la danse dès qu'il est connu que l'École du Ballet national recevra six cent mille dollars, presque le double de l'année précédente. Dance Canada écrit à Timothy Porteous.

Le milieu de la danse savait que les subventions aux écoles du RW et des Grands Ballets Canadiens seraient minimes mais personne n'avait imaginé que de si petites subventions seraient assujetties à ce genre de conditions [...]

Nous avons l'impression que ce rapport reflète une attitude colonialiste [...]

Nous soupçonnons que le Conseil des Arts du Canada utilise ce rapport comme une justification à l'implantation d'une politique déjà planifiée plutôt que comme une analyse philosophique, historique et esthétique [...][680*].

Plusieurs ont soutenu que Ludmilla était paranoïaque parce qu'elle répétait que l'objectif du CAC était de ne reconnaître vraiment qu'une seule compagnie de ballet au Canada et que toutes ses politiques étaient élaborées en conséquence. Mais le milieu de la danse le pense aussi. Par exemple, quand le directeur exécutif de Dance Canada demande une copie du rapport Brinson, il se fait répondre que ce n'est pas la pratique du Conseil de rendre publics de tels rapports «parce que nous croyons que, dans certaines circonstances, ils peuvent être dommageables aux institutions concernées[681*]». Chaque compagnie a toutefois reçu la partie du rapport qui la concerne. La petite histoire veut plutôt qu'il y ait eu erreur dans les envois et que ce qui devait parvenir aux GB soit allé au Ballet national et vice versa!

Comme depuis longtemps déjà, l'École du Ballet national tient des auditions dans la ville de Québec en vue de recruter des enfants de dix à douze ans qui se verront offrir de suivre des cours à Toronto. Ces jeunes, au surplus, pourront obtenir une bourse du gouvernement québécois pour payer une partie de leurs études, ce qui a toujours horrifié Ludmilla. « On ne voulait pas m'accorder de pensionnat; on subventionnait les petits Québécois qu'on envoyait à Toronto et après ça on m'engueulait parce qu'il n'y avait pas assez de Canadiens français dans ma troupe[682] ! » Maintenant, Ludmilla a Pierre-Laporte. À partir du 1er mars, elle auditionnera, avec Fernand Nault, des enfants de onze à treize ans, qui auront entre deux et quatre ans d'étude de ballet. Quarante nouveaux élèves pourront être admis et recevoir gratuitement une formation académique et professionnelle. L'allocation pour la pension et le transport est portée à mille dollars pour ceux qui viennent de l'extérieur de la région métropolitaine.

Des débrayages dans le système scolaire l'inquiètent. C'est la première année de Pierre-Laporte et elle ne veut pas que l'expérience dérape par suite d'événements hors de son contrôle. Tout l'automne, elle est très présente et s'assure que la professeur de danse, Vanda Intini, a la situation bien en main. Pour septembre suivant, un nouveau studio sera aménagé afin de permettre une meilleure organisation des horaires. Ils seront alors soixante-quinze jeunes à suivre des cours.

Au début de février, Colin McIntyre, maintenant directeur général, annonce un Hommage à Pierre Mercure auquel Ludmilla travaille depuis un certain temps. Cela n'est pas étranger à sa fatigue. Si elle est heureuse de retrouver des collaborateurs de la défunte *Heure du concert*, elle retrouve aussi la fébrilité des jours de création. Gabriel Charpentier lui a proposé un poème et une musique qu'il a terminée le 20 novembre pour qu'elle mette ses mots et ses notes en danse. Elle a passé quelques jours à écouter la musique puis s'est mise à travailler avec Vincent Warren, l'unique danseur de *Artère*, chorégraphie qui dure onze minutes. Elle assure aussi la mise en scène pour Roland Richard, le chanteur de cette œuvre. Cet Hommage, qui souligne le dixième anniversaire de la mort tragique du jeune compositeur montréalais, comprendra cinq nouveaux ballets, dont trois sur des œuvres de Mercure. Outre Ludmilla, Fernand Nault, Brian Macdonald et Brydon Paige régleront les pas des danseurs des GB auxquels se joindront, en finale, des élèves de l'Académie et de l'École supérieure. Les GB profitent de cet Hommage pour lancer la campagne « Cent mille prétextes pour danser ». Il faut trouver trois cent vingt-huit mille dollars pour compléter le budget. Une centaine d'artistes québécois ont accepté d'écrire, et de signer, un texte qui sera numéroté et reproduit à tirage limité pour être vendu entre le 18 février et le 20 mars. Les originaux seront ensuite confiés aux Archives nationales du Québec (ANQ).

Le soir de la première, le vendredi 19 mars, Ludmilla est aussi fébrile que lorsqu'elle dirigeait les GB. La soirée commence par un montage d'extraits filmés et de diapositives projetés sur trois écrans, sur la musique du pas de deux de *Casse-Noisette*, qui était l'indicatif de *L'Heure du concert*. « Les Grands Ballets Canadiens se sont vraiment surpassés[683*] », selon Jacob Siskind. Pour Suzanne Asselin, le programme « reflète à la fois souvenance et projection. La souvenance d'une œuvre, d'une époque maintenant révolue [...] la naissance de la musique et de la danse au Québec. Et une projection [...] dans ce que nous sommes maintenant et dans ce vers quoi nous nous dirigeons[684]. »

La vidéo prise lors de cette soirée est d'une qualité

> <u>déplorable</u> hélas [...] selon Gabriel Charpentier. Notre ARTÈRE était <u>vraiment</u> très émouvant : quant à OFFRANDE, de voir tous ces danseurs en scène donnait un bon coup de nostalgie ! Je crois bien que nous avions admirablement eu de plaisir à mettre au point ce magnifique programme. Dommage qu'il reste peu de ce moment de patrimoine[685].

Au printemps, Sylvie Kinal-Chevalier a été acceptée par le Comité de sélection bulgare comme concurrente au huitième Concours international de ballet, à Varna. Ludmilla sera de nouveau membre du jury. Il faut maintenant régler les questions d'intendance concernant la participation de Sylvie : quarante paires de chaussons de pointe, entre autres, et les costumes. Le MAC couvrira une partie des frais, les GB et l'École verront au reste, sauf pour une dizaine de paires de chaussons dont les Kinal assumeront le coût. À Varna, Ludmilla doit être logée aux frais de l'organisation du Festival. Sylvie Kinal a commencé ses études vers l'âge de six ans avec Eric Hyrst. Quand elle est arrivée à l'Académie, elle avait dix ans. Selon sa mère, « C'est Monsieur Nault qui l'a auditionnée et ensuite elle a fait un progrès incroyable. Elle a tout de suite commencé à faire des choses avancées. C'était facile pour elle, la danse, et Madame l'a amenée en Bulgarie, au concours de Varna. Elle avait quinze ans[686]. »

Avant de se rendre à Varna, Ludmilla doit encore veiller à ce que les élèves de Pierre-Laporte aient tous un endroit où habiter en septembre ; à ce que les auditions dans les écoles en région aient lieu, donc que des examinateurs y soient assignés ; à ce que les budgets de l'Académie et de l'École soient votés ; à ce que l'incorporation de l'École soit faite et que la compagnie n'ait pas besoin d'elle. Même si elle essaie de ne plus intervenir, il lui est difficile de ne pas voir ce qui se passe et de ne pas entendre ce qui se dit, Ludmilla ayant toujours son bureau sur place – où les danseurs continuent de venir « se confesser ». Ludmilla sait tout de tout le monde. Elle en sait trop, en fait, ce qui lui assure un contrôle complet sur tout. Selon Marie Kinal, Ludmilla savait tout de chacun. « Elle connaissait leur vie privée. Elle pouvait les appeler à n'importe quelle heure et personne ne disait rien. Des fois, elle entrait tellement dans leur vie que ça a cassé des couples. » Le « confessionnal » continuant de fonctionner, il est certain que la tentation est forte pour Ludmilla de s'impliquer dans les opérations de la compagnie.

Montréal est en effervescence et besogne ardemment depuis des mois pour que soient terminées à temps les installations olympiques pour les jeux qui se tiendront en juillet. Ludmilla n'est pas dans le coup, alors qu'elle l'était en 1967 pour Terre des Hommes. Il y aura bien sûr des événements culturels, mais ce ne sera pas du même ordre. Elle n'a pas participé à l'élaboration de la programmation et, qui plus est, elle ne sera pas là.

> Mon très cher Brian,
>
> Voici pour la toute première fois que je ne serai pas présente à une première donnée par notre troupe. Néanmoins, c'est avec joie et le cœur tranquille que je vous quitte, car d'une part je suis certaine que sous tes ordres toute la saison estivale olympique se déroulera avec succès, et d'autre part, je sais aussi que ma présence à Varna et celle de Sylvie sera un très grand apport au prestige de notre école et de la compagnie[687].

Avant de partir, Ludmilla doit aussi changer ses petites d'école. En septembre, Katia ira à l'Académie Michèle-Provost. Elle abandonne le ballet. « J'étais pas assez bonne. Ma mère disait toujours que c'était difficile. Il fallait un corps parfait et énormément de talent. Quand j'allais aux cours, on me disait toujours : surtout ne fatigue pas ta mère. Je pense qu'il y a un côté de nous où on aurait tous voulu danser. » Mishka aussi abandonne. « J'ai trouvé ça difficile d'être sa fille, de ne pas être bonne. Mes ligaments étaient trop courts. Ma mère m'a dit que je ne pourrais pas être première danseuse. Je l'ai crue. Plus tard, je me suis demandé pourquoi elle ne m'a pas encouragée à faire de la danse moderne. » En fait, Ludmilla n'encourage aucun de ses enfants à continuer. La seule qui en ait fait un peu plus, c'est Nastia. Elle a même enseigné, à l'occasion. « J'ai passé vingt-cinq ans de ma vie dans ce milieu pour me rapprocher de ma mère », confiera-t-elle.

Ludmilla part pour l'Europe le 5 juillet avec Katia. Elles passent d'abord par la Suisse, où Ludmilla compte aller saluer Monique, la belle-mère d'Uriel. Elle a aussi demandé à Hadu de retenir des places sur le même vol depuis Genève jusqu'à Varna pour qu'elles puissent voyager ensemble.

Les compétitions ont lieu en plein air, dans un parc magnifique. Hadu se souvient que c'était très beau, que tout le monde en ville, même les femmes de ménage, savaient que l'on donnait *Roméo et Juliette* et *Le Lac des cygnes*. Un soir, « une jeune ballerine danse quelque chose du *Lac des cygnes* et tout à coup, ça fait coin, coin, coin. On était mille deux cents personnes. La musique allait : la, lalalala, coin, coin, coin. La ballerine était figée. »

Le soir suivant, Hadu se rend dans les coulisses et elle trouve Ludmilla malade. « J'ai été avec elle à l'hôpital. » Je ne sais si c'est au cours de ce voyage ou pendant celui de 1972, mais Ludmilla m'a conté qu'elle était sortie tôt sur la plage avec

Katia pour lui montrer les palmiers. « Et j'ai entendu l'accent berlinois. J'étais paralysée. Je n'étais plus capable de marcher. Cet accent était celui de la terreur, de la persécution, de la torture morale, l'accent de ceux qui m'ont interrogée, qui... Il y a une mémoire de la douleur qui a surgi. Je vis avec la cicatrice. » Tout ce que le corps garde en mémoire ! Ainsi, cet accent la ramenait dans le Berlin du temps de la guerre, et des sueurs froides lui ont coulé sur la nuque. Comme au temps de la Gestapo. Quand elle m'en parle, ses yeux prennent une couleur de tempête.

À Varna, il y a toutes sortes de difficultés. Le coût des chambres d'hôtel devait être assumé par l'organisation du concours, mais Hadu se retrouve obligée de prêter de l'argent à Ludmilla « et jusqu'au dernier jour, raconte-t-elle, il a fallu se battre pour recevoir le remboursement ». Les concurrents viennent de vingt-cinq pays et ceux qui reçoivent des prix ne peuvent pas les emporter avec eux. Il faut se rappeler que la Bulgarie est un État communiste. Parmi les gagnants, il y a Patrick Dupond, danseur français de dix-sept ans, et Sylvie Kinal-Chevalier, âgée de seize ans. « Elle a gagné la médaille d'argent, mais elle a trouvé ça extrêmement dur, raconte sa mère. C'était avec les meilleurs du monde. Gregorievitch voulait qu'elle aille en Russie. Il l'avait trouvée très lyrique et il disait que c'était la méthode avec laquelle on formait les danseurs à Moscou. Mais elle n'avait que seize ans et c'était la guerre froide alors, il n'en était pas question. » Avec la médaille d'argent venaient cinq cents leva (cinq cents dollars canadiens) « dont elle ne pouvait transférer que trente pour cent en devises canadiennes [...] elle a tout dépensé[688] ». À de ce concours, Fernand Nault a reçu le prix de meilleur chorégraphe pour *Incohérence* sur une musique de Pierre Flynn, du groupe Octobre. Le Canada avait la plus petite délégation : Sylvie et son ex-professeur, Andrée Millaire, alors que les Russes étaient une douzaine. Ludmilla étant juge, les contacts avec Sylvie ou Andrée lui étaient interdits.

Au retour, Brian Macdonald inclura *Incohérence* dans le répertoire et Sylvie Kinal-Chevalier dansera à l'Expo Théâtre pour la clôture de leur saison, le 31 juillet. Interviewée sur son expérience, elle dira que les juges « lui ont fait des suggestions pour le développement de sa carrière. Ils m'ont dit que Tchaïkovski était tout indiqué pour moi et que mon interprétation d'*Aurore* était la plus poétique qu'ils aient jamais vue*. » À propos des Japonais, elle dit : « Ils sont plus forts techniquement, mais il leur manque quelque chose sur le plan artistique*. » Quant aux Russes : « Ils choisissent maintenant de grandes et minces ballerines. Les Français étaient très très bons mais pas les Britanniques[689]*. » Sylvie aussi a dû surmonter des problèmes techniques à Varna. C'est Ludmilla qui raconte : « Quand Sylvie a pris position pour commencer, les techniciens ont mis la musique et l'éclairage prévus pour un autre danseur, mais Sylvie n'a jamais perdu sa concentration. Elle a fait preuve d'un grand contrôle. Et quand elle a dansé, c'était avec cette présence raffinée qui la caractérise. [...] C'était tellement musical et poétique ! Chaque mouvement voulait dire quelque chose[690]*. »

À Varna, Ludmilla est très fière que tous ces grands noms de la danse (Ulanova, Alonso, Lifar, Bruhn, Darsonval, Gregorievitch, Dolin) reconnaissent Sylvie et Fernand comme des artistes de niveau international. C'est bien que cela se passe maintenant, alors qu'elle n'a quitté les GB que depuis peu. Le mérite lui revient donc totalement.

Pendant qu'elle est en Bulgarie s'ouvrent à Montréal les XXIes olympiades dans le grand stade où soixante-dix mille personnes se sont entassées pour assister aux cérémonies inaugurées par la reine Elizabeth. Même si les jeux ne commencent que le 17 juillet, des activités culturelles sont prévues durant tout le mois. Uriel Luft agit comme impresario pour le volet danse de la programmation[691]. Christian Thibault travaille avec lui à cette occasion. « Mais ça n'a vraiment pas fonctionné[692] », dira-t-il.

Quand Ludmilla revient à Montréal, après les rencontres avec la presse, elle règle quelques questions en suspens, dont les sommes dues par les GB. Elle demande que ces montants soient versés à son nom à la Corporation Antimex. Il semble que pour tout ce qui ne concerne pas l'École supérieure, dont elle est salariée, c'est par la compagnie de gestion d'Uriel que transitent les fonds. « J'étais l'adjoint direct de Chiriaeff, se souvient Christian Thibault. J'étais payé par elle, à travers Antimex. » Cet arrangement avec l'École vaudra jusqu'au début des années 1980. Ludmilla prend ensuite quelques jours de vacances durant lesquels elle expédie sa correspondance. Guy Beaulne l'avise qu'il vient d'être muté à la Délégation générale du Québec à Paris et qu'il est intervenu comme convenu pour placer Uriel, à Québec. « Je ne peux intervenir davantage. À vous deux de jouer si le poste et Québec vous intéressent toujours[693]. »

Puis, Ludmilla révise *Pour une politique en matière de danse au Québec*, en réaction au livre vert produit par le MAC. Selon le journaliste du *Montreal Star*, « Le message politique du Livre Vert est clair : l'Histoire et la situation actuelle demandent que la politique culturelle du gouvernement du Québec soit nationaliste [...] Cela n'a jamais été aussi clairement écrit et surtout, jamais par un membre du gouvernement Bourassa[694]*. » Dans le document qu'elle dépose en main propre au ministre Jean-Paul L'Allier, la dernière semaine de septembre, Ludmilla reprend essentiellement ce qu'elle défend sur toutes les tribunes depuis vingt ans et qu'elle résume à cette chaîne : formation, création, production. Dans les recommandations qu'elle soumet, certaines sont nouvelles et portent sur la formation du personnel de scène, d'administrateurs, de critiques et d'historiens du milieu de la danse. Comme convenu, elle fait ensuite parvenir au ministre une copie de sa correspondance avec Ninon Gauthier à propos de l'établissement d'un programme de baccalauréat spécialisé en danse à l'UQAM.

Le Ballet national a vingt-cinq ans et, pour souligner cet anniversaire, il organise une conférence internationale sur la danse, à Toronto, les 15 et 16 novembre.

Ludmilla y prononcera une allocution le 15. « J'ai la croyance, dit-elle alors, que l'on ne peut parler d'art sans parler de culture et comment parler de culture sans parler de nation[695] ? » Pendant ce temps, les Québécois votent. Robert Bourassa a déclenché des élections avant terme. Sa loi 22, l'année précédente, a indisposé tout le monde. Puis le climat des relations de travail s'est détérioré, ce qui a entraîné une augmentation exponentielle des coûts des installations olympiques, et le projet de rapatriement de la Constitution canadienne, poussé par Trudeau, a rendu la situation de Bourassa intenable. S'opposant au premier ministre canadien, Bourassa a demandé aux Québécois de lui donner un mandat. S'il perd, Trudeau fera face au PQ, avec son projet d'indépendance.

Le soir du 15 novembre, à vingt heures quarante, Bernard Derome annonce sur les ondes de la télévision d'État que « si la tendance se maintient, le PQ formera le prochain gouvernement du Québec et [qu']il sera majoritaire ». Au centre Paul-Sauvé, ce soir-là, six mille personnes s'entassent pour ovationner les députés élus en attendant l'arrivée de René Lévesque. L'annonce de certains résultats entraîne plus de cris de joie que d'autres. Ainsi, quand on confirme que Gérald Godin a défait Robert Bourassa, c'est un tonnerre d'applaudissements... Et quand, vers vingt-trois heures trente, René Lévesque vient dire, avec cette moue qui lui est caractéristique : « Je n'ai jamais été aussi fier d'être Québécois », la foule scande « le Québec aux Québécois ». Quand il arrive à faire taire la foule, il continue : « On n'est pas un petit peuple ; on est peut-être quelque chose comme un grand peuple » ; c'est alors le délire. Un peu partout au Québec, c'est la fête. Sauf dans les comtés anglophones, qui ont l'impression que le ciel vient de leur tomber sur la tête – même si René Lévesque a réitéré l'engagement de son parti : « Arriver, en amitié avec nos concitoyens du Canada, à nous donner le pays qui est le Québec[696]. »

Ludmilla écrit à René.

> Je ne puis aujourd'hui vous regarder à la télévision sans me remémorer votre longue et dure marche passée, votre courage et votre endurance. Comment ne pas vous féliciter pour une victoire bien méritée. Comme malheureusement le présent et l'avenir immédiat ne s'avèreront pas faciles, je me permets de vous joindre également mes meilleurs vœux dans la réalisation de votre lourde tâche.
>
> [...]
>
> vous prier de me recevoir quelques instants (quelle que soit l'heure, même tardivement), soit lors de mon séjour à Québec entre le 15 et le 19 décembre [...] ou à un autre moment qui vous conviendra[697].

Revoyant cette année, Ludmilla est satisfaite de l'expérience à Pierre-Laporte. Les élèves se classent parmi les dix premiers dans toutes les matières et le directeur de cette école, le père Marcel Lauzon, constate que la discipline du ballet a un effet positif sur le secteur académique. Il aimerait d'ailleurs ajouter la musique, sur le même modèle, pour éviter aux élèves d'avoir à se rendre à Vincent d'Indy[698]. Cela lui permettrait aussi de remplir les classes – faute de quoi le gouvernement sera tenté de fermer Pierre-Laporte ou d'ajouter des élèves du secteur anglophone.

La première semaine de janvier, Ludmilla la passe à l'Estérel avec Uriel et les petites. Ils font même du ski de fond. C'est un endroit où elle aime aller pour deux ou trois jours. Uriel vient de laisser ses études en gestion. Sous peu, il travaillera au MAC. Il avait postulé un emploi à la direction des arts et des lettres. «Comme je m'étais beaucoup battu contre le ministère, je voulais faire en sorte que ça marche autrement, me confie-t-il. On m'a plutôt offert la direction des conservatoires. Je suis entré là et je me suis cogné à la politique.»

Le mardi 11 janvier, c'est le début de la télédiffusion de *Propos et confidences*. Cette série, que le réalisateur Jean Faucher a consacrée «à la grande dame de la danse qui allait devenir la fondatrice, l'inspiratrice, l'âme des Grands Ballets Canadiens», sera très suivie. Le bulletin *Ici Radio-Canada* rappelle que : «La vie quotidienne est souvent l'ennemie de l'idéal artistique mais chez la ballerine qui se fait de l'art la plus haute idée, rien ne peut détruire l'inspiration ou l'élan créateur. Il est une poésie de l'action, du mouvement.» Après la télédiffusion de cette série, Ludmilla recevra de nombreux témoignages. De gens émus, admiratifs de son parcours et reconnaissants pour ce qu'elle a construit au Québec. Certains la remercient d'avoir évoqué le souvenir du père Bradet, d'autres lui font des commentaires sur des ballets qu'ils ont vus et revus avec plaisir. Le journaliste Jean-Paul Brousseau, lui, exilé à Toronto pour encore quelques mois, lui écrit une longue lettre.

> [...] ce soir, sur ce pauvre papier, je voudrais te dire que je t'aime et que je t'admire de n'avoir pas décidé bonnement et simplement de quitter les rustres que nous étions – que nous sommes encore à trop d'égards – pour des lieux plus hospitaliers et moins mesquins.
>
> Un jour, quelqu'un fera l'histoire du développement de la culture au Québec – de la culture bien comprise, celle qui permet au cœur et à l'esprit plus de richesse et d'humanité – et alors, tu auras dans cette histoire la place que moi, pour un *(sic)*, je commence à vouloir te donner, et qui est celle d'un géant dont la ténacité, la bienveillance et l'idéal nous sont maintenant aussi indispensables que l'eau potable ! Denis de Rougemont [...] que j'interviewais un jour m'a dit quelque chose que je n'oublie pas : «Le monde dure par le nombre, il n'avance que par les meilleurs» c'est à ceux-là que tu appartiens.
>
> En t'écoutant, ce soir, je pensais que nous, qui n'avons jamais eu la guerre, la famine, nous arrivons de loin. [...] Ma foi ! tu appartiens au

Québec autant sinon plus que Claude-Henri Grignon. Tu es l'anti-Grignon ! Puisses-tu vivre parmi nous jusqu'à cent ans.

Ludmilla consacre beaucoup de temps à ses « petits », comme elle appelle les élèves de Pierre-Laporte. Avec la responsable de l'enseignement, elle organise des sorties culturelles, les fins de semaine, pour ceux qui souvent ne peuvent pas retourner dans leur famille. Elle veut éviter qu'ils ne s'ennuient trop et qu'ils ne décident de lâcher. « L'année dernière, elle en a même gardé trois chez elle un temps, la Commission scolaire n'ayant pu trouver de foyer pour les héberger dès septembre. Il y a dix ans, une chose pareille aurait été impensable. Les parents seraient repartis avec leurs enfants[699]. » Quand les enfants ne s'adaptent pas, Ludmilla en avise les parents. Elle fait de même quand l'enfant ne démontre pas d'aptitudes physiques. Le métier de danseur est trop dur pour qu'elle entretienne de faux espoirs. Certains lui en voudront d'avoir été écartés, mais il ne suffit pas de vouloir et de vouloir encore : il faut que le corps soit parfait ou alors perfectible – entendre « remodelable ». Et que l'adolescence ne vienne pas tout changer.

En 1979, les élèves entrés en septembre 1975 seront en cinquième secondaire. D'ici là, Ludmilla espère réussir à conclure une entente avec le collégial pour permettre à ses « petits » de poursuivre leur formation professionnelle sur le même modèle, c'est-à-dire la danse intégrée au programme académique.

C'est Pâques. Ludmilla essaie de regrouper la famille. Durant la semaine, Uriel est à Québec. Il arrive qu'elle y emmène les petites pour une fin de semaine, mais lorsqu'il s'agit d'une fête, elle tient à être à Montréal. Elle espère toujours qu'il sera possible de rétablir les relations entre ses grands enfants et son mari. « Lui, sa phrase, raconte Gleb, c'était : " J'en ai marre, c'est comme ça parce que c'est comme ça. "» Mais si Gleb ne vient pas souvent chez sa mère, c'est qu'il en a assez « du mensonge et de l'hypocrisie. Tout anniversaire, toute fête, tout départ pour Cape Cod était un excellent prétexte. Nous, on payait pour cela. La chicane commençait entre eux. Ensuite, ça tombait sur nous. Il n'y a pas d'amour dans cette histoire. Il était interdit d'être heureux. »

À la fin de mai, Ludmilla participe au Colloque Québec Danse 1977. Il y est encore et toujours question de l'accessibilité aux études en danse, de la formation professionnelle et de la qualité de l'enseignement professionnel de la danse, et finalement des liens entre le MAC et les compagnies de danse. C'est comme si tout était toujours à recommencer.

Alors que la compagnie est en tournée en Amérique latine, Brian écrit à Ludmilla depuis Buenos Aires. Bien qu'elle ne soit plus à la direction artistique, elle est demeurée « conseillère ». Après avoir donné des nouvelles des représentations et des danseurs, il lui demande de lui envoyer des « relèves » et de voir si Jacques Drapeau sera disponible l'année suivante. Il s'informe des décisions prises par le conseil d'administration au sujet de Colin McIntyre, qui aurait remis sa démission.

> S'il quitte, il faudra agir rapidement pour la préparation de la prochaine saison.

Et il lui demande de les rejoindre durant la tournée.

> Cela vous donnera de l'inspiration et vous sortira un peu des problèmes qui vous occupent : colloques, déficits et examens. Vous vous rendrez compte de ce que vous avez accompli.

> Je ne m'attends pas à ce que le reste de la tournée soit facile, mais je crois que vous serez fière de nous[700]*.

Ludmilla n'ira pas. C'est plutôt Brian qui fera un aller-retour à Montréal parce qu'une mutinerie se dessine parmi les danseurs alors qu'ils sont à Mexico.

Ludmilla réfléchit à ce rôle qu'elle joue encore aux GB et se demande si elle ne devrait pas couper toute relation. Le conseil d'administration la tient éloignée. Elle ne veut pas se retrouver à faire le lien entre les administrateurs et la direction de la compagnie où il y a encore tellement de frictions. Jusqu'au départ de maître Delorme, Ludmilla a toujours été membre du conseil de la compagnie qu'elle a fondée. Elle a toujours été invitée à toutes les réunions de tous les comités et l'on a toujours tenu compte de ses commentaires. Elle a toujours pu joindre les présidents qui se sont succédé à la tête du conseil, pour les informer mais aussi pour obtenir leur avis sur mille et une questions qui la préoccupaient – même celles qui concernaient sa vie privée, à l'occasion. Depuis l'arrivée de Monsieur Ménard, elle n'obtient pas de réponses à ses lettres et rarement à ses appels téléphoniques. Elle voudrait croire que ce n'est que passager, mais la rumeur veut même que le président du conseil se permette des commentaires fort désagréables à son endroit.

Ludmilla est lasse de toutes ces tractations, manigances, magouillages. Elle ne sait plus qui dit vrai. De son bureau, elle observe les allées et venues de tout un chacun pour tenter de comprendre, mais elle n'y arrive pas. Alors, elle fait venir sa secrétaire et lui dicte ceci :

> Monsieur le président,

> La présente période en est une de réflexion et de la décision pour moi aussi ! Ayant longuement observé le cheminement de la troupe sur tous les plans, et après m'être entretenue avec des personnes clefs, désignées par vous, pour être membre du futur comité de direction artistique, j'en suis arrivée à la décision de mettre fin à mes activités de directeur au sein de la troupe des Grands Ballets Canadiens.

Je tiens à me consacrer pleinement à tout ce qui touche mes écoles et particulièrement au projet Pierre-Laporte, lequel requiert de plus en plus d'attention à mesure que le nombre d'élèves et de classes augmente et que l'étape suivante, soit le niveau collégial, demande à être conçue et établie.

Mener de front tant de responsabilités accaparantes avec celles de la troupe est devenue une tâche surhumaine. D'autant plus, je considère le besoin de former des danseurs québécois comme une priorité urgente à laquelle je dois enfin pouvoir m'adonner complètement, alors que mes énergies sont d'un moindre secours pour la troupe, surtout dans le cadre présent des structures et conditions de travail.

Cependant, pour maintenir le lien qui doit forcément exister entre la troupe et les écoles, je désire conserver ma place au sein du conseil d'administration, et c'est là que je pourrai être le plus utile à la troupe également.

J'espère que ce départ vous agrée et que les membres du conseil verront, comme vous, le bien-fondé de cette décision[701].

Le climat aux GB déteint aussi sur les écoles, où il faut également panser les plaies. Même Blanche, qui est revenue travailler pour Ludmilla, est frustrée. Elle se plaint de ne pas être considérée à sa juste valeur. Après tant d'années à son service, elle aurait voulu une promotion à un poste «plus élevé et plus intéressant». Elle fait remarquer à Ludmilla que Nastia a touché «une augmentation de trente pour cent (ce qui est au-dessus de la normale)[702]». Qui plus est, Blanche n'a même plus de vrais contacts avec les élèves, sauf quand Nastia n'y est pas. Elle se sent dévalorisée.

Avant d'aller passer quelques jours à Cape Cod, Ludmilla reçoit Madame Liliana Dragouleva, de l'École d'État et du Ballet national de Bulgarie. Elle l'a connue à Varna et l'a invitée pour les examens de fin d'année des élèves de Pierre-Laporte. Aux professeurs, Madame Dragouleva donnera un cours intensif sur la méthode du Kirov de Leningrad. Selon *La Presse*, Madame Dragouleva «a été très impressionnée par la qualité et la maturité des élèves qui se rapprochent de celles observées à Leningrad».

Ludmilla part avec les petites respirer l'air de la mer. Selon Gleb, «C'était pour régénérer les tissus et alléger son asthme», mais elle continuait de fumer. Elle utilisait un fume-cigarette qui absorbait le goudron. Uriel les rejoindra à Cape Cod. Il a quitté son emploi au Conservatoire et fondé sa compagnie. Au dire de Ludmilla, il se prenait pour le ministre. Ce sont ses décisions qui ont entraîné son départ.

À la rentrée, Ludmilla accueille cent deux élèves à Pierre-Laporte, répartis dans les trois premières années du secondaire. Andrée Millaire se joint à Vanda Intini et Marie-Rose Chammah comme professeur. Ludmilla est très fière de ces jeunes, la crème des espoirs québécois en danse professionnelle classique. Ce qu'elle espère le plus, c'est que les garçons ne décrochent pas. Il y a toujours un manque chronique de danseurs masculins.

La réflexion qu'elle poursuit sur son avenir l'amène aussi à se demander ce qu'elle fera à l'Académie et à l'École supérieure. À la fin de septembre, elle écrit au directeur administratif de ces institutions :

> Cher monsieur Poirier,
>
> Étant donné que mon contrat prévoit deux options alternatives dès l'année 1978 [...], je me permets de vous prier de signifier au conseil d'administration de l'Académie et de l'École supérieure des Grands Ballets Canadiens (corporations séparées depuis quelque temps) qu'avant de prendre une décision à ce sujet, je désire être informée des voies que les conseils entendent suivre dans le développement de chacune des écoles et du rôle que les membres des mêmes conseils voudraient m'y voir jouer[703].

Puis, en vue de la réunion du conseil d'administration des GB, Uriel lui prépare une longue note :

> Mon cher amour,
>
> Je comprends très bien que tu passes par une période difficile où l'incompétence des personnes en place, de même que le remous causé par cette situation, t'entraîne dans son sillon et te ballotte de droite à gauche.
>
> Cette situation est aggravée encore par une difficulté de communication entre toi et les divers intervenants.
>
> Je crois que la seule solution est :
> 1) décider de la place que tu veux encore occuper aux GBC et respectivement aux écoles
> 2) annoncer cette décision au conseil du ? oct.
> 3) définir par la même occasion les conditions que tu poses pour faire ce travail :
>   A) juridiction et responsabilité
>   B) organigramme
>   C) définir les personnes
>   D) financières ?
>
> Il est cependant démontré que de faire, comme tu l'as fait ces derniers mois, la navette dans un problème aussi complexe que le rôle d'un directeur artistique entre les conseils, les présidents, les comités, les

danseurs, l'administration et Brian ne peut que te demander des énergies considérables et donner des résultats décevants.

C'est-à-dire soit on te donne les moyens pour régler le problème, c'est-à-dire si tu es prête à assumer la direction de Brian et de la compagnie, ou alors tu laisses cette responsabilité à d'autres et tu ne t'en <u>mêles</u> <u>plus</u> – Ni d'un côté ni de l'autre.

Quant aux « il m'a dit qu'il avait dit » – les racontars, inutile de s'énerver à ce sujet : même Me Allain n'en mérite pas tant[704].

Quand elle aura pris une décision sur les points ci-dessus, il lui propose une marche à suivre pour la réunion du conseil, à l'élément « Suites à donner aux articles du procès-verbal ». Après avoir rappelé qu'elle n'a pas reçu de réponse à sa lettre de démission, il lui recommande de demander que sa démission soit acceptée et que soient définies les lignes d'autorité et de responsabilité et, vu le rôle qu'elle a joué autrefois, qu'elle puisse voir avec eux « le rôle (qu'elle) croit encore pouvoir jouer aux GBC ». Il lui suggère les points suivants : qu'elle soit membre à part entière de l'exécutif ; que le conseil des GB et les employés ne s'ingèrent pas dans les affaires de l'École supérieure ; qu'un comité lui soit désigné pour l'Académie... et sans doute autre chose. Il manque la fin de cette note qui s'étend sur six pages manuscrites, non datées. Dans cette note, et dans les autres documents qui y sont attachés[705], sont résumés les problèmes de fonctionnement des GB depuis le départ d'Uriel. C'est la version de Ludmilla, mais elle est corroborée par la correspondance et des documents administratifs.

Le mandat de Monsieur Ménard, comme président du conseil, a été nuisible aux GB. Ludmilla était habituée à travailler étroitement avec les présidents. Celui-ci n'a pas de temps et, au surplus, il n'existe manifestement aucune chimie entre eux. Il semble en outre qu'il n'ait pas compris le fonctionnement et la complexité de la compagnie. Des artistes, ça ne se gère pas comme une entreprise manufacturière, non plus que comme une société de la Couronne.

Peu après l'arrivée de Richard d'Anjou, tout est en place pour que le pire arrive : personne ne sait exactement de quoi il est responsable, mais la compagnie doit quand même livrer les spectacles qui sont annoncés. Une équipe nouvelle est en train de se constituer, à qui on ne fait pas confiance, et, vu le climat de tension, des danseurs veulent quitter la compagnie. Sauf Ménard et d'Anjou, tous se tournent vers Ludmilla pour lui demander de résoudre les problèmes qui s'accumulent. Même si elle hésite un moment à vraiment s'en mêler, elle ne peut se résigner à voir SON enfant péricliter. C'est toute sa mission qui risque d'être alors réduite à néant. Elle s'essaie à la médiation entre d'Anjou, Macdonald et McIntyre. Sans succès. Elle demande à être entendue par le conseil, ce qu'on lui refuse. On négocie le départ de Richard d'Anjou et l'on exprime le souhait que Ludmilla serve de conseiller spécial auprès de l'exécutif. Ce qu'elle accepte. Sauf que ce qu'elle appelle « la crise d'Anjou » a épuisé tout le monde et laissé la compagnie financièrement plus fragile. Il faut rétablir le climat de travail entre l'administratif et l'artistique. Il faut aussi intéresser de nouveaux chorégraphes à créer pour les GB, engager d'autres professeurs et maîtres de ballet et tenter de faire revenir ceux des danseurs qui sont partis.

Un temps, les frictions sont devenues tellement fréquentes entre Macdonald et McIntyre que ce dernier a donné sa démission pour cause d'incompatibilité avec le premier. Là non plus le conseil ne veut pas entendre Ludmilla expliquer comment la situation se vit de l'intérieur. Alors, quand lui arrivent les appels de Brian ou de Colin, durant la tournée en Amérique latine, elle ne peut rien dire. Mais quand les danseurs lui expédient depuis Mexico une lettre dans laquelle ils lui annoncent ne pas vouloir renouveler leur contrat si Brian demeure à la direction artistique, alors Ludmilla se marche sur le cœur et téléphone à Ménard jusqu'à ce qu'elle puisse lui parler. Elle lui demande alors de se rendre en Amérique latine, ou d'y déléguer un membre de l'exécutif, pour régler la situation. C'est maître Guy Allain qui ira rencontrer les danseurs. À son retour, maître Allain informera Ludmilla que les danseurs ont commencé à renégocier leur contrat.

Ludmilla se remet à ses écoles. « La vie passe, dira-t-elle. Il faut aller avec la vie. En tout cas, ne pas perdre ses valeurs, ses convictions, son idéal. » Elle procède aux auditions des candidats à Pierre-Laporte. Elle écrit à ceux qui ont été retenus pour septembre.

> [...] j'étais fière de vous pour avoir eu le courage d'affronter, pour la première ou la deuxième fois, une telle expérience... Il faut donc non seulement pour notre métier mais pour notre vie même apprendre à faire face à l'échec autant qu'à la réussite et c'est en somme dans cette balance que se trouve le stimulant de la vie. Toujours réussir devient monotone, toujours faillir devient écrasant. Il faut donc apprendre à respirer la vie en acceptant les hauts et les bas comme des choses non seulement naturelles, mais indispensables[706].

C'est en spectatrice, cette fois, que Ludmilla assiste à l'ouverture de la saison 1977-1978. Sauf pour *La Scouine*, les critiques ne sont pas bonnes. *La Scouine*, dont Monseigneur Bruchési écrivait en 1910 que c'était « de l'ignoble pornographie[707] », est chorégraphié par Fernand Nault. « Toute l'équipe de production [...] est Québécoise, du thème initial jusqu'aux moindres développements, écrit la journaliste du *Devoir*. Ça fait longtemps qu'on attendait ça, de faire remarquer Madame Chiriaeff, qui a toujours été grande partisane des réalisations d'équipe impliquant des artistes du milieu québécois[708]. » Mais les problèmes sont graves aux GB et les insatisfactions si grandes que le 14 novembre, le *Montreal Star* rend publiques les difficultés qui font que, pour la vingtième saison, « Il est difficile de croire qu'il s'agisse de la même compagnie. [...] Si l'on en juge par le programme présenté, les Grands Ballets Canadiens sont dans un état pitoyable*.» La majorité des meilleurs danseurs sont partis et la compagnie n'a pas renouvelé le contrat de quelques solistes et membres du corps de ballet. «Des rumeurs ont circulé dans tout le pays et même au-delà des frontières, à propos de la rébellion des danseurs durant la tournée sud-américaine de l'été dernier...» Mais la compagnie continue de nier le tout, de même que le fait qu'un changement de nom soit à l'étude. «Les Grands Ballets Canadiens *is in trouble – Serious trouble*[709].»

Finalement, brillante idée, un comité de neuf personnes va maintenant diriger la compagnie. Rien de moins! Cette nouvelle façon de procéder est annoncée aux médias le 22 décembre, quoique le *Montreal Star* y ait fait allusion dans son article du 14 novembre. Colin McIntyre retire sa démission. Brian démissionne mais reste en tant que chorégraphe résident avec Fernand Nault. Sasha Belinsky se souvient de cette période «où on se battait contre Brian, à cause de son *ego*. Quand il a été nommé directeur, il voulait continuer ce que Madame avait fait. Petit à petit, il a mis ses ballets, puis rien que ses ballets. Et sa femme dansait les premiers rôles. Je me souviens de lui en avoir parlé.» Après les fêtes du vingtième anniversaire, Sasha quittera la compagnie. Il ne sera pas le seul à le faire : Sonia Vartanian, David La Hay, Mannie Rowe et Manyia Barredo partiront aussi. «Brian pouvait être très dur et très manipulateur», se souvient Nastia. Au retour de la tournée en Amérique latine, les danseurs qui l'avaient critiqué n'ont plus jamais dansé dans ses chorégraphies. C'est un triumvirat qui prendra la tête des GB : Colin McIntyre à la direction générale, Linda Stearns comme maîtresse de ballet et Daniel Jackson comme répétiteur et assistant à la production.

Chapitre 17
«Cette compagnie a creusé des rides
sur mon visage»

L'année 1978 sera celle du vingtième anniversaire des GB. Un comité, présidé par Jean-Jules Guilbault, travaille à l'organisation de cet événement qui commémore la première saison de la compagnie, mais Ludmilla n'a pas le cœur aux réjouissances. Elle n'est pas du tout convaincue que la compagnie va survivre. Même si on arrivait à éponger complètement le déficit accumulé trois cent trente-cinq mille deux cent trente-six dollars et même si les gouvernements accordaient toutes les subventions demandées, cela ne suffirait pas. La compagnie a perdu une grande partie de ses abonnements et le support de Du Maurier. Elle s'est vidée de ceux qui la portaient. Les GB n'ont plus d'âme.

De Paris, Guy Beaulne écrit à Ludmilla :

> Combien je regrette de vous voir souffrir encore une fois. Combien j'en veux à ceux qui vous font du mal. Les moments de joie profonde et de tranquillité n'auront pas été fréquents pour vous dans l'histoire merveilleuse des Grands Ballets Canadiens. J'aime à croire, cependant, que l'École va bien et que l'enseignement vous apporte une compensation d'équilibre[710].

Ludmilla ne peut s'ouvrir de ses angoisses à presque personne. Tout se retourne contre elle. En public, elle continue de sourire, d'afficher un port de reine, d'entretenir la conversation comme si de rien n'était, mais sa tête est ailleurs. Son cœur aussi. Mishka se souvient que «il y avait toujours de la tension à la maison. C'était toujours compliqué, toujours désagréable. Je voulais partir. Je ne voulais pas rester près d'eux.»

Dans la foulée des activités prévues pour le vingtième, Ludmilla donne un cours aux élèves de l'École supérieure et de Pierre-Laporte, devant le public du complexe Desjardins, le jeudi 23 février à treize heures. En soirée, au même endroit, elle assiste au spectacle des GB qui présentent : *Concerto Barocco* et *La*

Scouine. Ces représentations sont données gratuitement en guise de remerciement au public montréalais qui a toujours soutenu la compagnie. Ce même jeudi, à l'heure du lunch, Anton Dolin raconte l'histoire du *Pas de quatre*, accompagné des interprètes canadiennes de cette chorégraphie. Les Midis de la Place n'ont jamais été aussi courus. Le foyer supérieur de la PDA de même que les escaliers grouillent de monde.

La fébrilité a aussi envahi les studios, chemin Queen-Mary. Les répétitions et les essayages se succèdent. Les muscles sont endoloris et les pieds n'en peuvent plus. Mais rien ne doit paraître. La journée a commencé vers neuf heures par une séance de réchauffement d'un peu plus d'une heure. Les répétitions ont été entrecoupées de pauses de quelques minutes. L'heure du lunch a servi à quelques ajustements de costumes et les répétitions ont repris jusqu'à dix-huit heures, avec dix minutes de pause aux heures. C'est toujours comme cela les jours précédant les premières.

Le vendredi 3 mars, c'est la grande soirée à la PDA. Alicia Alonso est parmi les invités. Ludmilla fait un retour sur scène en interprétant le rôle de la mère dans *La Fille mal gardée*. Plus tard dans le mois, elle sera la princesse Bathilde, aux côtés d'Anton Dolin en prince de Courlande, dans *Giselle*. Ludmilla n'a pas dansé depuis *Les Noces*, en 1956.

Comme toujours à un gala, un dîner dansant suivra la représentation, dans les foyers de la salle Wilfrid-Pelletier. On y attend six cents personnes et on espère ramasser trente mille dollars net au cours de cette soirée. Ludmilla viendra sur scène, entourée d'Alicia Alonso, Anton Dolin, Brian Macdonald, Fernand et les danseurs. Les bras chargés de fleurs, elle recevra les applaudissements avec émotion. Uriel est là pour la réception. Mais pour Ludmilla, c'est la fin de quelque chose, même si, du 16 au 19 mars, un de ses rêves s'est réalisé. En 1963, pour l'ouverture de la PDA, elle voulait que le *Pas de quatre* soit dansé par des étoiles à la fois du Ballet National (BN), du Royal Winnipeg (RW) et des GB. Le BN ayant refusé, ce ballet avait été monté avec des solistes de la compagnie. Cette fois, les autres compagnies ont accepté, et Veronica Tennant (BN) et Marina Eglevsky (RW) danseront avec Annette Paul et Louise Doré.

À cette occasion, «Anton Dolin a vanté les mérites de [Ludmilla] d'avoir pu monter cette chorégraphie avec des danseuses de différentes compagnies canadiennes car, de façon générale, les ballerines sont difficiles à convaincre ou, plutôt, elles veulent toutes danser la quatrième variation, celle dévolue autrefois à Maria Taglioni, la plus célèbre d'entre toutes[711]». Peut-être fallait-il que Celia et Ludmilla ne soient plus à la tête de leur compagnie respective pour que cela devînt possible.

Dans le programme souvenir, Ludmilla écrit :

Les Grands Ballets Canadiens ont vingt ans. Cet âge est lourd de signification [...] Me faut-il d'un geste large, esquisser l'avenir et dois-je du
passé ne retenir que mes joies. Cette compagnie que j'ai bâtie a creusé
des rides sur mon visage et certains souvenirs blessent mon cœur.

[...]

C'est à mon âge que je sais le bonheur de dire merci ; sachant la lourde
tâche accomplie jusque-là ; ayant assumé alors tant de joies et souffert
tant de craintes, c'est maintenant que je sais le privilège d'avoir à offrir
sa reconnaissance.

Ce que Ludmilla n'écrit pas dans ce programme, mais qu'elle rappelle aux journalistes, c'est que, si elle a réussi à faire danser au Québec, elle a aussi fait naître
d'autres troupes «par inspiration ou contestation ! Je suis ravie de n'avoir plus
à apprivoiser, initier, créer, enseigner, former toute seule comme il y a vingt
ans[712].»

Après les festivités du vingtième, Ludmilla est bien consciente qu'il faudra
revoir le fonctionnement de la compagnie. Une direction à neuf personnes,
ça ne peut tenir longtemps. Bien qu'elle ait annoncé vouloir partir, Ludmilla
est toujours là. Mais ce qui va surtout l'occuper, ce sont les négociations avec
le MEQ afin d'obtenir que ses finissants de cinquième secondaire, en 1980,
puissent continuer leur formation à l'enseignement collégial public. On ne le
répétera jamais assez, le modèle de Pierre-Laporte est unique. «L'intérêt suscité
par cette initiative a des retombées sur toute la communauté scolaire de Pierre-
Laporte [...] Au début, les élèves de l'école trouvaient bizarres ces élèves qui
passaient la moitié de leur journée en collants et maillots de pratique, mais petit
à petit ils se sont intéressés à ce qu'ils faisaient et maintenant ont une certaine
admiration et surtout beaucoup de respect envers leurs collègues[713]».

Pour la Saint-Jean, les GB donnent un spectacle au complexe Desjardins,
l'après-midi du 24 juin. Du haut du basilaire, Ludmilla suit la représentation
parmi les spectateurs qui se sont entassés près de la rampe. Selon la rédactrice
d'une lettre ouverte, personne n'a semblé la reconnaître[714]. Ludmilla a remis ses
projets de voyage en Europe où l'attendait Guy Beaulne «tant les problèmes
immédiats sont devenus nombreux et urgents. [...] J'espère d'être brave et aussi
forte que possible[715].»

Au début de juillet, Ludmilla est à Cape Cod, mais elle n'en continue pas moins
à travailler. Entre autres, elle prépare une Matinée des jeunes à la demande de
l'OSM : «La danse à travers les âges.» Comme l'OSM ne peut lui verser que
mille dollars, Ludmilla recycle un texte qui lui a servi bien longtemps auparavant. Et au lieu de présenter des élèves pré-professionnels, elle utilisera ceux
de Pierre-Laporte. Ludmilla sera de retour pour le début des cours d'été, le
1er août. Ils seront donnés par Madame Dragouleva, de Sofia, et Vincent Warren.

Il est à souhaiter qu'elle soit bien reposée, parce que la situation administrative aux GB ne s'améliore pas. Sur son bureau, des lettres de gens qui la connaissent depuis longtemps et qui la mettent en garde contre un tel ou des notes demandant qu'elle rappelle telle ou telle personne qui tiennent absolument à lui parler personnellement.

Cela ne finira donc jamais! Dès après la rentrée scolaire, sa décision est prise. La compagnie est un adolescent trop turbulent avec lequel elle va rompre tous les liens. Tous. Elle a relu les procès-verbaux du conseil et des comités des GB. Elle n'attendra pas qu'on lui retire l'enfant qu'elle a mis au monde. Qu'ils le prennent. Qu'ils s'en occupent. Elle laisse «à d'autres la tâche de mener à bien les destinées de cette troupe qui a pris naissance et grandi en sol québécois[716]». Le 29 septembre, elle expédie quantité de lettres dans les ministères et à des collaborateurs de longue date pour les aviser de son départ des GB. Elle y joint le communiqué qui a été rendu public après l'assemblée annuelle de la compagnie. Maître Guy Allain avait alors annoncé la décision de Ludmilla «de se consacrer entièrement aux activités des écoles et à la formation des danseurs». Dans ce communiqué, Ludmilla dit croire «avoir gagné le droit de ne s'occuper que des écoles [...] et surtout des cours concentration-ballet à l'école Pierre-Laporte dont l'évolution est d'une importance capitale pour l'avenir de la danse au Québec».

La plupart des personnes qui m'ont parlé de cette époque affirment que Ludmilla s'est fait mettre à la porte des GB. Les archives nous montrent qu'elle-même ne voulait plus tout à fait y être. Elle voulait garder un lien mais envoyait des lettres de démission. Selon Mishka, «Elle est partie parce qu'elle voulait qu'on vienne la chercher. Elle n'est pas partie parce qu'elle voulait partir.» Il est certain que l'on aurait dû la traiter avec plus d'égards. Après tout, elle a fondé et dirigé les GB pendant vingt ans. Personne de ceux qui sont là n'y serait sans cela. Même ceux qui se sont essayés à monter des compagnies, à l'époque ou encore il y a quinze ou même dix ans, n'ont pas continué. Elle seule a eu la ténacité, la vision et le sens de la mission nécessaires à ce genre d'entreprise.

Voici ce qu'on lui propose, maintenant: le titre de fondatrice, mais qui d'autre pourrait s'en réclamer? Le titre de présidente honoraire; la fonction de conseiller auprès de l'exécutif – ce qu'elle fait depuis 1975; un siège au conseil d'administration, ce qu'elle a toujours eu, et un rôle au sein du comité de planification. Ludmilla va tenter de se négocier une forme de *veto* au conseil et à l'exécutif. Elle veut aussi être porte-parole et que personne ne se mette le nez dans l'administration des écoles. Quoi comprendre de tout cela? Elle part ou elle ne part pas?

Finalement, elle part «confiante et l'esprit en paix», dit le communiqué. Elle l'écrit aussi à Colin McIntyre qui s'inquiète[717]. Dans une entrevue qu'elle accorde à la revue *Châtelaine,* Ludmilla dit : « J'ai la paix depuis que j'ai compris que la vie est un combat. Si tout était à un même niveau, ce ne serait pas vivre mais exister. J'accepte de plus en plus les moments difficiles. Parce que s'il n'y avait pas d'obstacles, il n'y aurait pas de vie. Vivre, c'est combattre. Depuis que je l'accepte, j'ai beaucoup plus de maturité et de sérénité[718]. »

Le communiqué annonce aussi un voyage d'études que Ludmilla entreprendra le 4 octobre. Elle se rendra à Sofia, à l'École de ballet d'État, puis à l'Opéra de Paris et, à la fin du mois, au Festival de ballet de Cuba, où elle visitera l'école de la troupe nationale de ballet que dirige Alicia Alonso. À Paris, Ludmilla sera rejointe par Uriel. Ils seront reçus à dîner chez Guy Beaulne.

> On a parlé de tous nos malheurs et de tous nos espoirs, raconte celui-ci, qui a une grande estime pour elle. Quand on a travaillé avec Ludmilla, on marche par coup d'admiration pour la femme qui est séduisante et d'une force exceptionnelle. Coup d'admiration et d'appréciation pour cette personne qui a des moments de tendresse remarquables. Il y a ce côté généreux chez elle qui fait qu'elle se blesse à donner.

En novembre, Ludmilla est de nouveau honorée. L'hôtel Reine-Elizabeth a décidé de souligner son vingtième anniversaire, en sacrant Grands Montréalais les vingt personnalités ayant le plus marqué la vie montréalaise au cours des vingt dernières années. Ludmilla en est une à double titre : pour sa contribution significative à son pays d'adoption et pour sa contribution essentielle au développement de la danse à Montréal, le jury rappelant que « Si elle n'avait pas été là, Montréal n'aurait jamais réalisé que la danse est un art qui doit être développé[719]*. » Au cours du dîner où ces titres sont distribués, les élèves de Pierre-Laporte dansent pour Ludmilla devant le millier de convives et les autres lauréats, Gilles Carle, Armand Frappier, Alfred Pellan, Michel Tremblay et Jean Drapeau.

En décembre, Ludmilla revient à la charge auprès du directeur administratif de l'Académie et de l'École supérieure pour clarifier sa situation. Elle confirme son intention de renouveler le contrat du 2 juillet 1969 qui vient à échéance.

> Une fois la restructuration des deux écoles effectuée, je vous soumettrai une demande de révision de cette entente, compte tenu de mon engagement global face à tout ce qui touche l'ensemble des activités des deux écoles que vous administrez [...], et ceci également en fonction des conditions financières plus avantageuses, étant donné que depuis 1969 je n'ai reçu d'autre augmentation salariale que celle résultant de la majoration du coût de la vie[720].

Ludmilla commence l'année malade. Les médecins ont beau lui interdire de fumer, elle continue. Depuis la guerre, la cigarette l'a toujours réconfortée.

«Quand on n'avait rien à manger, brûler de l'herbe ou quelque chose, ça tuait ce trou. Quand je suis seule, la nuit, c'est comme un copain. J'écris des trucs et mon copain est toujours là. J'avais tellement de volonté pour ceci ou cela, mais même malade, je n'arrivais pas à m'en défaire. Maintenant je cherche l'air pur comme je cherchais jadis la cigarette.»

Ce sera une bien curieuse année, semble-t-il. Aux GB, le triumvirat veut augmenter le répertoire en mêlant le classique et le contemporain. Mais pour Ludmilla, ce n'est plus de son ressort. Elle n'est plus maintenant que la «fondatrice», dans les documents de la compagnie. Par ailleurs, son bureau se trouve dans les mêmes locaux. Elle ne peut faire autrement que voir et entendre. Certains viennent encore se «confesser». Selon Grégoire Marcil, «Même si, à un moment donné, elle a donné sa démission, elle continuait de contrôler par en arrière. Elle a toujours donné sa démission de quelque chose pour contrôler par en arrière.» Pour Vincent, c'est plutôt qu'elle n'arrivait pas à déléguer. «Quand elle a quitté la compagnie, elle a toujours voulu avoir quelque chose à dire sur la distribution ou sur la direction artistique. Un jour, Colin avait mis ses meubles dans le corridor. Il voulait débarrasser son bureau parce que, de ce bureau, elle dirigeait toujours la compagnie.»

Elle est invitée aux représentations, bien sûr, et c'est avec beaucoup de nostalgie que, le 8 avril, elle assiste aux adieux de Vincent Warren à la danse, à la PDA. Elle le revoit dansant à New York, en 1960. Beau comme un dieu, romantique à souhait, doué d'une grande sensibilité, avec une technique et des sauts mémorables. Quand on projette le *Pas de deux* qu'elle a chorégraphié pour lui et Margaret Mercier pour le film de McLaren, Ludmilla essuie une larme.

Vincent se consacrera maintenant à l'enseignement. Il donne d'ailleurs déjà un séminaire sur l'Histoire de la danse aux élèves de l'École supérieure. Lui aussi se souvient des premiers moments. «Je suis tombé en amour avec Madame. Elle était merveilleuse dans le studio, un répétiteur fantastique, et elle a aussi créé de très bons ballets. Elle avait une vitalité artistique qui inspirait chacun. Durant les premières années, la compagnie devait tout à Madame[721*].» Vincent est un des danseurs qui a beaucoup dansé à l'étranger durant les dix-sept années qu'il a passées avec les GB. «Même si, dans ma tête, c'était temporaire, je revenais, me confie-t-il. Ma loyauté a toujours été aux Grands Ballets. Il y avait là un esprit de groupe, un esprit de famille[722].» C'est le dernier des anciens à quitter la compagnie. L'esprit de famille, c'est Ludmilla qui l'a créé, qui l'a maintenu. Les danseurs le répètent : «on était comme une famille». Ils ont d'ailleurs créé une Amicale des anciens et ils se rencontrent au moins une fois chaque année. Et maintenant, de plus en plus à l'occasion de décès de danseurs.

Au printemps, Ludmilla prépare la saison d'été pour ses étudiants et essaie d'obtenir des auditions et des bourses pour certains d'entre eux. Elle aimerait en envoyer étudier à Toronto, à Winnipeg, aux États-Unis et même en Europe. Elle prévoit aussi faire un saut au Domaine Forget, dans Charlevoix, où ses professeurs donneront des cours d'été du 15 au 29 juillet. Puis une nouvelle la réjouit : elle pourra ouvrir une première classe dans un cégep, en septembre[723]. Pendant qu'on règle les derniers détails avec le MEQ, elle envoie Vincent étudier à Paris, auprès de Madame Grantseva. Comme elle veut offrir à celui-ci la direction du département au collégial, elle tient à ce qu'il acquière des notions de pédagogie le plus vite possible.

Pour que Ludmilla ait pu faire inscrire ses finissants de cinquième secondaire au Cégep du Vieux-Montréal, il a aussi fallu trouver des professeurs et revoir la méthode d'enseignement. Le MEQ a des exigences que les professeurs de Ludmilla devront dorénavant satisfaire. Elle-même est liée par contrat, avec la Commission scolaire Sainte-Croix, pour « veiller à la qualité de l'enseignement [...]. C'est donc à [elle] qu'incombe le rôle de décider si oui ou non les professeurs méritent un engagement permanent [...] par rapport à leur rendement technique et pédagogique ballettique[724]. » À la différence de la formation au secondaire, qui se donne dans les locaux de Pierre-Laporte, l'entraînement intensif pour les vingt étudiants du cégep se donnera dans les locaux de l'École supérieure. Quand ils auront terminé les six sessions académiques avec ballet-danse, les étudiants recevront un Diplôme d'études collégiales (DEC technique). Ce DEC a pour objectif de faciliter et d'accélérer la formation de danseurs professionnels de grand calibre et d'assurer une relève aux compagnies de danse d'ici. Ceux de ses étudiants qui préfèrent se diriger vers l'enseignement pourront s'inscrire à l'UQAM, où un bac en danse vient d'accueillir ses premiers étudiants. Christine Clair y sera professeur de ballet classique et Iro Tembeck, de danse moderne. C'est Françoise Riopelle qui est responsable de ce nouveau programme.

Alors que la compagnie part pour l'Europe, Ludmilla prévient Hadu qu'elle ne sera pas de la tournée qui s'arrêtera en Suisse.

> J'ai une vie très difficile – à cause du fait que Uriel n'est pas encore réorganisé après avoir quitté son emploi au gouvernement – et parce que les deux jeunes demoiselles passent par une période [...] extrêmement difficile.
>
> Aussi ma santé n'est pas très bonne – mais mon école – depuis que j'ai laissé la troupe va très très bien et c'est merveilleux[725].

La période de vacances se résume à quelques jours à Cape Cod. Ludmilla aurait aimé avoir Hadu avec elle, mais la perspective de discussions sans fin lui enlève d'avance tout le plaisir qu'elle pourrait avoir à entrer dans l'eau froide avec elle, à marcher sur la plage et à s'emplir les poumons de l'air du large. Avdeij se souvient d'avoir vu sa mère, même en octobre, entrer dans l'eau. « T'as l'impression qu'elle est encore à la mer Baltique et qu'elle a quinze

ans. Il faisait très frais ; nous on pouvait même pas mettre le pied dans l'eau.
Elle, elle nage dans les vagues. »

L'Académie et l'École supérieure partagent leurs locaux avec ceux des GB et
la promiscuité crée certains problèmes ; le manque d'espace aussi. D'autant
que la propreté y laisse à désirer. Au point que, à la fin de novembre, les professeurs et le personnel administratif signent une pétition qu'ils remettent à leur
direction respective. Ludmilla est tellement soulagée de ne plus avoir à traiter
de questions de cette sorte. Mais elle a entendu les doléances de tout un chacun
dans son «confessionnal» ! Elle a peut-être même suggéré qu'une pétition soit
signée...

Une des ex-collaboratrices de Ludmilla décède. Jacqueline Lemieux, d'abord
aux GB puis aux Compagnons, avait créé sa compagnie avec Lawrence Gradus,
après la fermeture des Compagnons. Entre-Six a accueilli certains des élèves
de Ludmilla. Selon Marie Beaulieu, «Jacqueline n'acceptait pas du tout la façon
de travailler de Ludmilla, qui était très centralisatrice [...] Durant sa courte vie,
elle a travaillé très fort pour éviter que Ludmilla ait un monopole. Jacqueline
voulait qu'il y ait de la variété, la possibilité de choix. Elle est morte à quarante
ans[726]. » Quand Ludmilla me parle de cette période, elle fait un lien entre
Monique Michaud, du CAC, et celle qui fut son bras droit. Ce que me confirme
Marie Beaulieu. «Jacqueline s'était acoquinée avec les gens du CAC. Elle avait
de généreuses subventions. C'était une amie personnelle de Monique Michaud. »
Se sachant malade, Jacqueline Lemieux avait dit à Ludmilla : «J'en ai pour
sept ans. En sept ans, j'aurai le temps de prendre votre place. »

Alors que se termine l'année parlementaire, le PQ dépose à l'Assemblée nationale sa question référendaire demandant aux Québécois «le mandat de négocier
l'entente proposée entre le Québec et le Canada». On en discutera longuement
dans les familles, au temps des fêtes. Mais pour Ludmilla, ce qui fait plutôt
l'objet de discussions, c'est le mariage de son fils. D'abord prévu pour octobre,
ce mariage a été remis au 29 décembre. Ce samedi-là, il fait nuageux et froid.
À quinze heures trente, à l'Église catholique de Notre-Dame-de-Grâce, Gleb
épouse Judith Ouimet, une ex-élève de Ludmilla. Nastia se souvient que c'était
différent d'un mariage chez les orthodoxes et que la meilleure amie de Judith,
Thérèse Cadrin-Petit, était là. Il est venu plus d'invités que prévu à la réception.
«On avait passé quatre jours à organiser la maison, raconte Gleb. Quand on
est arrivés de l'église, il n'y avait pas suffisamment de place. » Ce sont les amis
de Mishka qui se sont occupés de la musique.

Chapitre 18
La Maison de la danse

L a vie professionnelle de Ludmilla a complètement changé. Elle accorde encore quelques entrevues ou participe à l'occasion à des émissions de télévision, mais elle n'est plus à l'avant-scène. Elle est membre de comités ministériels qui s'activent à l'élaboration de politiques en matière de danse et, plus généralement, de culture au Québec. Elle réagit aux diverses analyses que fait le MEQ sur l'expérience de Pierre-Laporte. Un rapport du comité conjoint MEQ/CSSC recommande de conférer un statut de permanence à l'option ballet classique qui n'est encore reconnue que comme expérimentale.

> Constituant une innovation, elle a présenté des difficultés administratives nombreuses. Plusieurs de ces difficultés ont été aplanies. Quelques-unes restent à surmonter. Les objectifs du présent rapport sont donc d'analyser la situation actuelle de cette option et de définir les conditions qui lui permettent de lui conférer un statut de permanence [...]

> Suite à son approbation définitive par le Ministère, le programme révisé de ballet classique devra figurer parmi les programmes officiels du ministère de l'Éducation[727].

À la lecture de ce rapport, il devient évident que Ludmilla n'aura plus grand-chose à dire dans l'organisation des cours, ni même pour les auditions ou le choix des professeurs. Les auditions seront coordonnées par la CSSC, avec le MEQ et l'École supérieure. Et la nouvelle convention collective rend difficile le maintien en poste de professeurs de ballet : ce sont eux qui ont le moins d'ancienneté à la Commission scolaire. En outre, dès que l'enseignement du ballet classique obtiendra un statut de permanence qui tiendra compte de la spécialisation et du nombre d'enseignants, de la certification des élèves, de la place occupée par les cours dans la grille des horaires, Ludmilla devra se soumettre aux règles édictées par le MEQ. Or elle a toujours été réfractaire aux règles qu'elle n'avait pas elle-même fixées. Elle a d'ailleurs toujours tenté de les adapter à ses façons de faire. Mais là, ce ne sera vraiment plus possible.

Les médias parlent de la transformation de Pierre-Laporte «en mini-conservatoire artistique de luxe pour élèves privilégiés». Selon Lise Bissonnette, cette transformation «en école d'art n'a rien à voir avec la démocratisation de l'enseignement artistique au Québec». Il s'agit plutôt d'amener «la Commission scolaire Sainte-Croix à renoncer à son projet de cohabitation linguistique pour l'école secondaire Pierre-Laporte, cette école française sous-peuplée[728]». Pour la journaliste, les élèves seront choisis «parmi ceux qui ont déjà une formation artistique. [...] Ainsi en sera-t-il bientôt pour la musique, et probablement pour la danse contemporaine.» Cette année-là, effectivement, Pierre-Laporte, en collaboration avec Vincent d'Indy, offre un programme d'enseignement de la musique conçu sur le modèle développé par Ludmilla pour la danse classique. À l'automne, sur les trois cents élèves fréquentant cette école secondaire, près de la moitié seront inscrits en danse ou en musique. Et ceux venant de l'extérieur vivront dans une famille «d'accueil» que leur déniche Carole Tanguay, responsable de trouver pour chaque enfant la famille d'adoption idéale.

Puis Ludmilla est malade. Gravement. Elle respire difficilement et douloureusement. Il lui faut renoncer à se rendre à Varna. Elle devrait aussi renoncer à fumer, mais elle n'y arrive pas. Elle se cache dans les toilettes pour que les siens ne la surprennent pas. «J'entendais ma mère tousser, cracher, raconte Mishka. Je lui disais que j'étais inquiète pour elle, qu'elle devrait arrêter de fumer. Elle me répondait qu'elle avait arrêté. Je sentais qu'elle mentait. Elle mentait toujours beaucoup par rapport à ses besoins. À la façon d'organiser sa vie. Il y avait toujours Madame Chiriaeff, pas loin, pas Madame Luft. Pas ma mère.» Ludmilla n'a jamais voulu dire aux siens à quel point elle était malade. Pour ne pas les inquiéter? Ou plutôt pour qu'ils conservent d'elle l'image d'invincibilité qu'elle avait toujours affichée? Ils avaient pourtant tous l'âge et la maturité pour réaliser que quelque chose n'allait pas. Et pas juste quant à sa santé. Uriel était moins souvent là et c'était mieux ainsi : il y avait moins d'engueulades. Mais Ludmilla n'en était pas moins blessée et de cette blessure, elle n'allait pas guérir. «Je crois que la souffrance avec mon père avait commencé avant le divorce, me dit Mishka. Mon père avait quitté les GB. Il avait ses aventures et voulait être seul. Ma mère le ramenait constamment et plus elle le faisait, plus il la rejetait. Plus elle souffrait.»

Sur le front politique, c'est la campagne référendaire au Québec. Les clans du Oui et du Non tiennent de nombreuses assemblées et des regroupements divers se prononcent en faveur de la question ou contre elle. C'est au cours d'une de ces assemblées, à l'auditorium du Plateau, le 9 mars, que Lise Payette, alors ministre de la Condition féminine, compare Madeleine Ryan, l'épouse du chef de l'opposition, à une Yvette, «cette petite fille modèle des manuels scolaires de l'époque qui la cantonnent aux tâches ménagères. Voter Non, ce serait refuser la libération du Québec de la même façon que les femmes soumises, les Yvette, refusent leur propre libération[729].» Ce fait, relevé par la journaliste Renée Rowan, est repris en éditorial par Lise Bissonnette le 11 mars. Il n'en fallait pas davantage pour que des militantes libérales organisent des rassemblements « d'Yvette pour le Non », en nolisant des autocars jusque dans les milieux ruraux pour amener les Yvette aux grands rassemblements de Montréal et de Québec.

Solange Chaput-Rolland tente de convaincre Ludmilla de se joindre aux Yvette et de se prononcer pour le Non, à la soirée du 7 avril, au Forum. Quinze mille femmes y sont rassemblées pour écouter les Michelle Tisseyre, Madeleine Ryan, Monique Bégin, Jeanne Sauvé, Thérèse Casgrain et Solange Chaput-Rolland, entre autres. Dans un autre contexte, Eddy Toussaint a lui aussi été approché. Ces « gens venus d'ailleurs » font l'objet d'une intimidation à peine voilée ; on ne se gêne pas pour leur rappeler que le Canada les a accueillis et qu'une citoyenneté, ça peut aussi se perdre. « Mais j'ai dit non, raconte Ludmilla. Ce sont les seules qui m'ont poussée dans le dos, ces Yvette. Moi, je représentais une institution et tant que je représentais une institution, je ne pouvais pas me permettre d'afficher mes tendances politiques. Je n'ai jamais eu de pressions de qui que ce soit dans l'entourage de Monsieur Lévesque et je l'en remercie. » Ludmilla a toujours répété qu'elle était reconnaissante au Québec de l'avoir adoptée.

C'est le printemps et Ludmilla espère avoir un peu de temps pour aller à la mer quand les examens seront corrigés, juste après la fin des classes. Mais pour l'heure, elle a bien hâte de voir la chorégraphie qu'elle a demandée à Brian Macdonald pour marquer la fin du cycle secondaire à Pierre-Laporte. Elle ne sera pas déçue quand à l'Expo Théâtre, le 19 juin, les finissants se produiront, avec quelques élèves de quatrième secondaire, dans un programme entièrement composé pour eux. Il y aura aussi *Souffle du printemps*, de Brian, puis un film produit par Radio-Québec, sur l'expérience unique qu'est Pierre-Laporte, et un ballet que les élèves ont eux-mêmes chorégraphié en hommage à Ludmilla.

Ludmilla a touché quantité de gens durant sa carrière et, de temps à autre, elle reçoit des lettres qui lui rappellent ce que le pays lui doit. En juillet, un technicien de la radio, qui a assisté à plusieurs conférences de presse qu'elle a données depuis 1952, lui écrit :

> [...] Je n'oublierai jamais non plus cette délicate attention que vous m'avez manifestée, alors que, à Radio-Canada où je travaille maintenant, vous êtes venue me saluer à la salle d'enregistrement magnétoscopique rue Dorchester Ouest[730].

De tels témoignages sont un baume pour Ludmilla, dont la vie personnelle est de plus en plus difficile même si, comme toujours, rien ne doit paraître. Sauf que, lorsqu'en route vers l'aéroport où il doit prendre l'avion pour Toronto, Uriel l'avise qu'il entretient une relation avec un jeune homme et qu'il a droit à sa vie privée, elle ne sait comment elle a pu éviter d'enfoncer la voiture qui les précède.

Ses mains tremblent sur le volant, elle serre les dents pour ne pas l'abreuver d'injures. Elle sait que c'est la fin de son mariage. Elle ne le retiendra pas.

Quand elle rentre à l'Académie, elle garde ses verres fumés. « Je l'ai vue, se souvient Marie Kinal. Elle m'a raconté. Elle pleurait à toutes les deux phrases. Elle est restée dans son bureau pendant quelques jours, fumant cigarette sur cigarette. Elle était très élégante avec ses lunettes fumées. » Avdeij s'est senti responsable de la rupture. « Je ne sais plus exactement ce que j'avais dit quelque temps plus tôt, mais c'était par rapport à la façon dont je voyais les choses entre eux. Il y a beaucoup de gens qui mentent et se mentent. Qui ne sont pas capables de dire la vérité. Ils disent une chose mais font complètement autre chose. Je ne pensais pas qu'il allait dire à ma mère : écoute, je ne peux plus vivre avec toi. »

À l'été 1980, Ludmilla est dans un état indescriptible. Le choc est si douloureux et l'humiliation si grande qu'elle demande aux siens de la quitter ou leur dit qu'elle va partir. Elle ne veut pas mourir à petit feu, dans la même maison, pour sauvegarder les apparences. Puisque tout est mort, que Monsieur reprenne sa liberté et vive sa vie. Depuis le temps, comment n'a-t-elle pas réalisé ce qui se passait ? Comment a-t-il osé continuer à vivre près d'elle comme si de rien n'était ? Le voir lui donne la nausée. Elle ne veut plus entendre sa voix, ni le mot amour pas plus que le mot tendresse. En fait, pour un moment, elle veut mourir.

Ludmilla ne veut encore parler à personne de ce qui lui arrive, mais dès qu'elle se rend compte que tout le milieu le sait, elle perd ses moyens. À Hélène Stevens, elle dira : « C'est pire que d'être battue. C'est la pire humiliation qu'on puisse subir sur la place publique. Le monde entier est au courant. »

∼

Mais la vie autour d'elle continue et c'est ce qui la sauve. Elle travaille à la concrétisation d'un vieux rêve : un toit unique pour toutes ses compagnies. Elle consolide l'organisation de l'Académie, forme un conseil pédagogique et revoit le fonctionnement de l'Académie, à Québec. À l'École supérieure, qui s'appelle maintenant l'École supérieure de danse du Québec (ESDQ), elle récupère Daniel Seillier comme professeur, veille à la réussite du programme au Cégep du Vieux-Montréal et règle les problèmes d'intendance à Pierre-Laporte. Elle se rend à des rencontres à Ottawa, dont une à l'invitation de Francis Fox, alors ministre des Communications. Le gouvernement fédéral entend alors commencer une révision en profondeur de sa politique culturelle. Elle en profitera pour rappeler aux fonctionnaires qu'elle attend toujours des nouvelles du dossier de la Maison de la danse.

Puis en plein milieu de l'été, le ministre Denis Vaugeois l'informe du fait que le jury du prix Denise-Pelletier a recommandé que cette « haute distinction nationale » lui soit « octroyée pour l'ensemble de l'œuvre [qu'elle a] accompli dans le domaine des arts d'interprétation[731] ». Dans sa lettre d'acceptation, Ludmilla écrit que « être honorée par ma grande famille adoptive, le Québec, est pour moi une joie indescriptible. Le privilège même de pouvoir me vouer intensément au défi d'éveiller le Québec à la danse a été en soi pour moi une récompense et une expérience tout à fait extraordinaire que peu de personnes ont eu le bonheur de vivre[732]. »

C'est le 25 novembre qu'a lieu la cérémonie de remise des prix, à la salle Marie Gérin-Lajoie, à l'UQAM. Ludmilla y reçoit l'un des cinq grands prix décernés annuellement, depuis 1977, afin de souligner le dynamisme culturel, social et scientifique du Québec. Les gens de la danse sont nombreux dans le hall. À côté, gens de théâtre, de peinture, de littérature ou de science sont aussi de la fête pour souligner les mérites des Gérard Bessette, Claude Fortin, Guido Molinari et François-Albert Angers.

Selon Angèle Dagenais, du *Devoir*, recevoir ce prix « est une forme d'hommage à cet art difficile et exigeant entre tous. C'est reconnaître ici au Québec que la danse peut enfin être considérée comme un art d'interprétation à part entière digne de mention. Madame Chiriaeff accepte ce prix au nom de la danse davantage qu'en son nom propre[733]. » Jean-Paul Brousseau ajoutera :

> Peu de gens savent que vous étiez sincère en voulant partager le prix Denise-Pelletier avec amis, collaborateurs et famille, même, mais je vais leur révéler, au risque d'une indiscrétion, le cadeau d'une maquette de décor apportée par vous mercredi à l'UQAM pour Jeanne Renaud, elle aussi pionnière de la danse au Québec.
>
> Elle en était si étonnée qu'elle ne savait plus comment le dire[734].

C'est le chorégraphe Jean-Pierre Perrault qui présente Ludmilla. Il parle d'elle comme d'une bâtisseuse. « Ces êtres sont rares, ils ont une force extraordinaire, se dévouent sans compter, s'oublient et deviennent une cause. » Il rappelle que Ludmilla a su non seulement passer le « flambeau aux associés qu'elle avait préparés » mais qu'elle « a aussi généreusement tendu la main aux autres formes de danse, prêtant des danseurs, des studios et son expérience[735] ».

Au cours des entrevues qu'elle accorde à l'occasion de ce Prix, Ludmilla revient sur l'idée d'une Maison de la danse. *Le Devoir* titre même « Madame rêve d'un théâtre de la danse[736] ». Ludmilla remercie aussi René Lévesque, le premier ministre et l'ami. « Je ressens un besoin profond de partager avec vous ma joie et de vous dire combien je suis émue et reconnaissante d'être celle à qui votre gouvernement décerne le prix Denise-Pelletier[737]. »

Cette année, Seda Zaré est décédée. Malgré ce qu'elle a parfois raconté sur leurs retrouvailles au Québec, Ludmilla en est affectée. «[...] Même si elle s'est envolée maintenant vers l'infini – son message continue de vivre[738].»

C'est donc une fin d'année bien triste. Où Ludmilla passe-t-elle le temps des fêtes, et avec qui ? À Brian, elle écrit qu'elle est rentrée de voyage le 14 janvier. Et pour expliquer son absence au dîner-gala du Centre national des arts, elle commence par dire qu'elle n'a pas reçu d'invitation pour conclure : « D'ailleurs, puisque je suivais des traitements à l'hôpital durant la semaine en question, mon mari n'a commandé qu'un seul billet pour la représentation[739]. » En fait, Uriel ne vient plus tellement rue Vendôme et quand il y vient, Ludmilla préfère ne pas y être. Il a un bureau dans le Vieux-Montréal et un autre, Haber Artists, à Toronto. Le Centre national des arts répond à Ludmilla : « J'ai adressé l'invitation au bureau de Monsieur Luft [...] avec qui j'ai de fréquents contacts. Je n'ai pas pensé à vous adresser une invitation personnelle à Montréal, chose que j'aurais sans doute dû faire. Monsieur Luft m'ayant fait répondre du bureau de Toronto qu'il acceptait l'invitation pour deux personnes, j'en ai déduit que tout était pour le mieux[740]. » Des invitations seront encore adressées aux deux ; mais Ludmilla n'est pas prête à prendre l'initiative de dire qu'ils ne forment plus un couple.

Ludmilla n'était pas de celles que l'on quitte impunément. C'est elle qui partait, ou qui renvoyait les êtres quand ils ne lui étaient plus utiles, mais si elle sentait que l'un des siens (danseur ou autre) voulait s'affranchir, elle pouvait tout essayer pour le retenir, quitte à le laisser tomber une fois qu'il était bien attaché. Uriel, elle a déjà tenté de le retenir, mais cette fois, l'outrage est trop grand. Elle ne le savait pas, dira-t-elle, « mais j'aurais dû déduire de certaines situations... deux occasions où la vie me mettait en garde ». Pourtant, selon France Desjarlais, « dès 1975, je pense qu'elle avait saisi qu'il se passait des choses pas très agréables entre son mari et les danseurs ». Claude Berthiaume, qui était de toutes les tournées, voyait par ailleurs « la vie que menait Uriel ». Marie Kinal aussi. Pourquoi Ludmilla aurait été la seule à ne s'apercevoir de rien ? à ne pas avoir senti quelque chose, elle si intuitive ? « On fait des blocages pour des choses que l'on ne veut pas voir », pense Hélène Stevens. Ou, comme le dit Blanche Girard, « elle pensait peut-être qu'elle pouvait le réformer ».

Celia Franca profite du début de l'année pour demander un service à celle dont elle parle maintenant comme d'une amie. L'ambassade du Canada à Pékin voudrait la partition originale de *La Fille mal gardée* pour le ballet de Shanghaï. Le Ballet national n'utilisant pas la musique originale, Celia Franca s'est tournée vers Ludmilla.

Personne n'a besoin de savoir comment les Chinois l'ont obtenue mais ce serait bien que vous informiez le Ballet de Shanghaï que c'est une gracieuseté des Grands Ballets Canadiens. [...]

Mes amitiés et mes vœux pour une année en santé[741]*.

Ludmilla fera parvenir la version piano de ce ballet à Celia. Ces deux femmes ont longtemps entretenu des relations plutôt froides. En fait, durant toutes ces années où elles ont été à la tête de leur compagnie respective, elles étaient en concurrence pour les fonds et, tout en se respectant, elles n'avaient d'autres contacts que ceux qui étaient strictement requis. Mais depuis, elles ont commencé à se rencontrer, l'une allant à Ottawa, l'autre venant à Montréal.

Ludmilla et moi étions censées être des ennemies, dira-t-elle. Nous sommes devenues amies. Nous avons beaucoup en commun. Elle était un leader-né. Elle était suffisamment autoritaire pour faire en sorte de réussir. Vous devez faire aboutir vos idées et elle possédait la conviction pour y arriver. Elle était très fière de sa compagnie même lorsqu'elle pensait que la troupe ne faisait pas d'excellentes choses. Elle jouissait du respect de ceux qui travaillaient avec elle. *She was a giver.* Elle savait ce qu'elle voulait, ce qui se passait, en qui elle pouvait avoir confiance. Elle était *a pretty smart lady.* J'étais très fière de notre amitié*.

Comme le gouvernement du Québec ne semblait pas vouloir accéder à son souhait de faire entrer la danse au Conservatoire, Ludmilla a cherché d'autres avenues. En 1974, déjà, elle avait mentionné l'intérêt des GB pour occuper un espace dans une Maison de la culture qui serait érigée sur l'emplacement du Théâtre du Nouveau Monde (TNM). Une étude avait été commandée par les GB et le TNM mais n'avait pas eu de suites. En 1976 ou 1977, quelqu'un lui avait parlé d'un garage désaffecté rue Saint-Denis, au coin du boulevard Saint-Joseph. Monsieur Poirier, le directeur général de l'Académie et de l'École, était allé voir l'endroit et avait fait son rapport : il s'agissait d'une structure de béton, à laquelle il manquait une partie du toit, dont seulement les murs extérieurs étaient encore debout. Cet ancien garage, autrefois propriété de Charles Trudeau, père du premier ministre Trudeau, pourrait loger toutes les compagnies, les ateliers de fabrication et de conservation des costumes de même que l'équipement technique. «Trudeau m'a dit qu'il jouait là, quand il était jeune», raconte Ludmilla.

À ce moment-là, Ludmilla convainc Guy Lamarre de se charger du dossier. Maître Lamarre connaît les besoins des compagnies, les autorités gouvernementales, l'immobilier et la façon qu'a Ludmilla de mener ses dossiers. Il commence par s'assurer que le bâtiment convient. Il vérifie l'intention des propriétaires, la compagnie ESSO. Par sa filiale Les Immeubles Devon Ltée, ESSO pourrait louer l'édifice, y poserait un toit et permettrait les aménagements nécessaires aux activités de danse. Alors, maître Lamarre crée une corporation, dont Ludmilla est membre. Mais il faut de l'argent. Beaucoup d'argent. Et les gouvernements demandent à être convaincus des bénéfices d'installer sous le même toit toutes les activités des compagnies. On leur démontre que la dissémination des locaux entraîne une mauvaise utilisation des équipements et un dédoublement des services. Non seulement c'est inefficace, mais cela entraîne des coûts qui pourraient être évités. Le nouvel emplacement offre aussi un avantage non négligeable pour les élèves et les danseurs : il est à une trentaine de pas de la station de métro Laurier. « On manquait désespérément d'espace. Il n'y avait pas assez de douches, ni de toilettes. Notre salle de repos à tous, c'était le corridor [...] Et puis les accidents étaient nombreux à cause des planchers trop durs[742]. » Le mémoire souligne en outre que cette bâtisse permettrait l'inclusion « d'autres disciplines de danse, telle la danse moderne, tant du point de vue de la formation que du point de vue de la création[743] ». Avec l'arrivée de Jeanne Renaud au MAC, Ludmilla préfère accueillir cette option chez elle, plutôt que de la voir se développer chez de petites troupes qui pourraient lui faire concurrence.

En octobre 1980, le gouvernement du Québec accorde finalement une subvention spéciale pour la réalisation des travaux d'aménagement du vieux garage : quatre cent cinquante mille dollars. Mais il en faudra bien davantage : à lui seul, le coût des déménagements s'élève à cent mille dollars. Des demandes seront aussi adressées à la Ville et au gouvernement fédéral. La Ville n'offre pas de subventions pour la restauration d'édifices autres que résidentiels. Au secrétariat d'État, par ailleurs, le programme des investissements en capital pour les arts d'interprétation a été suspendu, mais maître Guy Lamarre continue ses démarches. Ludmilla raconte que « après la nuit des longs couteaux, le fédéral a débloqué l'argent. Il fallait ouvrir toute grande la porte sur Saint-Denis, hisser le drapeau canadien et faire la conférence de presse ». Mais avant cela, la Corporation de la Maison de la danse (CMD) signe un bail emphytéotique et les travaux commencent. Au début de 1981, ils sont assez avancés pour que Ludmilla pense pouvoir s'installer dans son nouveau bureau vers le mois de mai. Peu avant, elle apprendra qu'elle est grand-mère d'une petite Valérie née de l'union de Gleb et de Judith.

Entre-temps, les démarches se poursuivent afin d'intégrer la formation en danse moderne à la danse classique. Un budget est même déposé auprès de la directrice du Service de la danse au MAC, Madame Jeanne Renaud[744]. Ludmilla doit aussi faire avancer le dossier du cégep. Les étudiants, selon elle, devraient avoir accès à un stage « post-DEC » pour appliquer ce qu'ils ont appris. Par exemple, ceux qui choisissent l'enseignement pourraient être dirigés vers une école de la CECM ou un centre de loisirs. D'autres pourraient effectuer une tournée, donc être constitués en troupe de danse classique, et faire un stage sur scène. Et le MAC de commander des analyses pour vérifier la faisabilité des propositions de Ludmilla. À la fin de février, Ludmilla dépose un mémoire à la commission Applebaum. Elle y plaide encore la nécessité de respecter les particularités culturelles du Canada.

> Vouloir uniformiser l'expression d'un tel pays ou permettre l'ingérence de ces phénomènes intimes, surtout au Québec où le contexte est nettement différent, c'est étouffer l'évolution naturelle des cultures dont ce pays est fait. Par contre, répartir les ressources [...] voilà la tâche principale d'un gouvernement central qui a à cœur la réelle promotion des identités culturelles du pays[745].

Maintenant que l'on est assuré que les locaux du 4867, rue Saint-Denis, seront prêts pour mai, Ludmilla et Guy Lamarre s'affairent à préparer la cérémonie d'ouverture de ce lieu dont Fernand Nault souhaite qu'il apporte à Ludmilla « beaucoup de satisfaction et de bonheur à la hauteur de [son] grand amour et dévouement pour la danse[746] ». Il la remercie « pour tous les beaux moments [...] vécus et partagés ensemble pendant les années que la compagnie a résidé à 5415, chemin Queen-Mary ». C'est le 13 mai que Ludmilla coupe le traditionnel ruban en présence du nouveau ministre des Affaires culturelles, Clément Richard, des présidents des compagnies qu'elle a fondées et de quelque trois cents invités qui ont droit à un court ballet, tiré d'*Othello*. Des élèves et des danseurs font visiter les onze studios, les salles d'essayage, les douches-toilettes et les vestiaires, les salles de repos et l'atelier de confection des costumes. Pour ceux qui ont connu l'exigu studio de la rue Stanley, c'est le luxe. Ludmilla a toujours manqué d'espace pour loger convenablement ses compagnies. Et n'eût été de l'apport du gouvernement du Québec, ce « rêve-folie », comme elle le nomme, n'aurait pu se réaliser. Il est maintenant possible de travailler dans des conditions agréables, à la recherche de l'excellence dans la réalisation artistique. Non que l'excellence n'ait pas été son objectif dès le début, mais ce sera maintenant plus facile à ses successeurs d'y parvenir.

Dans le discours qu'elle adresse aux invités, après avoir fait l'historique des GB et des compagnies qui ont suivi, après avoir remercié quantité de gens, Ludmilla conclut :

> [...] à certains d'entre vous qui me connaissez je n'apprendrai rien en vous disant qu'il y a déjà un autre projet dans l'air – pas plus fou que celui que nous venons de réaliser – contrairement à ce qui peut paraître à première vue : construire un théâtre pour la danse sur le toit de cette maison[747].

Ce projet, Ludmilla y tient. Déjà, l'automne précédent, elle s'en ouvrait à Angèle Dagenais. « À la PDA, la compagnie est mal logée, perpétuellement bousculée par les horaires de l'orchestre, de l'Opéra, incapable de monter et de roder un spectacle sur scène parce que Wilfrid-Pelletier n'est jamais libre ou est d'un coût prohibitif [...] La scène doit être un lieu d'expérimentation et de travail que le studio ne peut pas remplacer[748]. » Voilà pourquoi Ludmilla rêve d'ajouter un étage à *sa* Maison de la danse pour en faire un théâtre de deux salles où les danseurs, même ceux d'autres compagnies, pourraient roder leurs spectacles. Dès le 22 juin, Ludmilla ouvre la Maison aux danseurs, d'où qu'ils viennent. Elle organise un stage spécial de danse, d'une durée de deux semaines, pour les participants de Danse Canada qui tiennent leur rencontre à Montréal. Il s'agit d'un stage intensif tant en danse moderne qu'en ballet classique. La visite de la Maison, par de nombreux danseurs et professeurs canadiens, au cours de ce colloque, aura un effet bénéfique sur les demandes d'admissions « provenant du reste du Canada et même de l'étranger[749] ».

Il n'y aura pas de vacances pour Ludmilla cet été-là. Elle doit préparer les horaires individualisés des élèves de l'École et du Cégep et cela ne peut être fait avant que les bulletins ne soient complétés. À la mi-juillet, le travail n'est pas terminé. En outre, le Syndicat du monde de la Danse du Québec (CSN) fait exercer des moyens de pression, et un jugement du commissaire du Travail est attendu incessamment, qui pourrait obliger à revoir l'organisation des cours. Mais il y a autre chose. Ludmilla a accepté de se soumettre à un traitement qui l'oblige à passer à l'hôpital « une ou deux heures par jour. [...] je fais tout le travail d'écriture des bulletins dans mon coin d'isolement et j'apporte quotidiennement le fruit de mon travail au bureau où je demeure deux ou trois heures pour régler d'autres problèmes[750] ».

Et il y a encore autre chose. Le soir du 13 juillet, toute la famille est au restaurant pour l'anniversaire de Mishka. Sauf Ludmilla. Après le dîner, les enfants vont dans une boîte de nuit et Uriel retrouve Ludmilla, sans doute à l'hôtel où elle s'est réfugiée. « Quand on est rentrés, Avdeij, Katia et moi, mon père était couché et lisait un livre, raconte Mishka. Il nous attendait pour nous dire qu'ils avaient décidé de se séparer. Ma mère n'était pas là. Elle est arrivée en taxi une heure plus tard. On était dans le salon et ç'a été la dernière fois qu'on était ensemble. » Selon Katia, « Après cela, ma mère a considéré mon père comme mort. C'était sa seule façon de survivre. »

La Maison de la danse n'est ouverte que depuis mai et il y a déjà des problèmes qui rendent les conditions de travail difficiles. En juillet, Guy Lamarre reçoit une plainte du personnel enseignant et administratif concernant la propreté des lieux[751]. Un mois plus tard, Virginia Cuke-Seely écrit au président du conseil que « le système d'aération de l'édifice est complètement inefficace », au point que « une étudiante a souffert de problèmes respiratoires et a dû être amenée à l'hôpital ». En outre, « les élèves souffrent de nausées et de maux de tête[752] ». Ce problème était connu lors des rénovations. Il aurait fallu dix mille dollars de plus pour élever à cent pour cent l'apport de nouvel air dans les studios. Compte tenu des budgets à respecter, il a été décidé de ne pas effectuer les changements proposés par les ingénieurs et de reporter le tout au moment de la construction du théâtre (Phase II)[753].

Puis, Ludmilla crée une Fondation qui porte son nom. L'objet de cette Fondation est de contribuer à l'épanouissement de la relève en offrant des bourses aux étudiants, danseurs ou chorégraphes de niveau pré-professionnel. Afin de ramasser des fonds, dix-huit artistes du Québec ont accepté d'exposer leurs œuvres à la Maison de la danse, dont Fernand Toupin, Claude Girard, Mariette Fortin-Ruiz et Stanley Cosgrove. La Fondation annonce que pour la saison 1981-1982, elle organisera une souscription publique, un spectacle-gala, des concerts-bénéfices et plusieurs autres événements.

Chapitre 19
La séparation

Ludmilla voudrait tenir tous les morceaux ensemble pour cette année du vingt-cinquième anniversaire de création des GB. Après, elle se dit qu'elle pourra baisser la garde. À Hadu qui lui expédie un télégramme pour son cinquante-huitième anniversaire de naissance, elle écrit :

> J'ai à nouveau passé des épreuves terribles... un petit moment d'espoir qui s'est détruit encore plus laidement qu'en été passé...

> Si je trouve force et argent, je viendrai me cacher chez toi pour quelque temps. Cette fois-ci, il me faut agir. Depuis notre dernière conversation, il s'est passé beaucoup de nouveau, et d'horrible. Je vis seule et amèrement au milieu de quelque chose de terrible[754].

Ce qu'elle craint par-dessus tout, en ce début d'année, c'est que soit rendu public ce qui circule sous le manteau. Non seulement Uriel l'a quittée pour un homme, mais il a trahi sa confiance pendant des années, abusé de sa situation. Elle parle de cette période et de son ex-mari en l'appelant Monsieur Luft, sur un ton qui ne laisse aucun doute quant à ses sentiments envers lui. « La vie a été bonne pour lui, dans les circonstances... Il n'a jamais été capable de dire pardon. »

Savait-elle ? Elle répétera que non. La plupart des personnes rencontrées pensent le contraire. France Desjarlais raconte que Ludmilla est arrivée chez elle un matin, livide. Elle tremblait. Elle avait passé la nuit en discussion. Elle avait besoin d'en parler avant de se rendre aux GB où elle avait un rendez-vous. Alors, oui, Ludmilla aimerait bien aller se cacher quelque part, mais la mission commande qu'elle soit au-dessus de ses problèmes personnels.

Bien qu'elle ne soit plus dans l'organisation des GB, la direction fait appel à elle pour des événements promotionnels pour la saison 1982-1983. Alors, elle se soumettra à toutes les entrevues radiophoniques et participera à toutes les émissions de télévision où on lui demande de parler des vingt-cinq ans des GB. Dans une entrevue qu'elle accordait durant l'été, Ludmilla disait :

> Quand j'ai quelque chose à faire, je le fais à fond, je ne m'arrête pas tant que ça n'est pas terminé. C'est une question de conscience professionnelle face à une mission, face à un devoir.
>
> Mon travail, c'est ma vie [...] Quand je me libère de mon travail, je donne tout mon temps aux enfants, surtout mes deux dernières.
>
> Je me suis réalisée en tant que femme et en tant que mère, j'ai eu les bonnes intuitions. J'ai sacrifié ma créativité de danseuse et de chorégraphe pour la gestion d'une entreprise pour me rendre compte que je faisais une autre sorte de chorégraphie et que le ballet ou la réalité de la vie étaient d'égale importance[755].

Ludmilla est revenue souvent sur son rôle de mère dans ses entrevues au cours de sa carrière, mais cette année-là, elle n'en parlera plus de la même façon.

Si l'année est difficile sur le plan personnel, elle l'est aussi au point de vue professionnel. À nouveau, il est question de fermeture, mais cette fois il s'agit de l'École supérieure. La banque ne veut plus allonger de crédits au-delà des quinze jours de salaire de la fin de février. Le président des Écoles, Grégoire Marcil, rencontre Clément Richard, le 2 mars, pour lui dresser un état de la situation. Dans le mémoire préparé pour cette occasion, il présente l'École comme

> [...] une entreprise hautement personnalisée en période de croissance très rapide qui l'amène à un statut de PME avant même que les personnes et les gestionnaires concernés aient pu digérer et modifier leurs attitudes en conséquence.
>
> [...]
>
> Il faut donc aujourd'hui analyser des mesures de survie à très court terme et provoquer dès aujourd'hui un mécanisme qui au plus tard, à trois mois de cette date, statuerait sur les modalités de l'École supérieure de danse du Québec.
>
> [...]
>
> Les faiseurs de miracles sont essoufflés[756]!...

Essoufflés, certes, mais pas encore tout à fait démoralisés. Le rapport du comité *ad hoc* sur l'enseignement collégial est attendu dans les semaines qui viennent. Ludmilla se réjouira de son contenu. Ce comité recommande, entre autres, que soit créée une école d'État, que le Cégep du Vieux-Montréal soit ouvert, après auditions, à d'autres élèves qu'aux seuls finissants de Pierre-Laporte, que la dernière session du Cégep soit considérée comme un stage d'interprétation (production de spectacles en milieu scolaire), que soit instauré un programme professionnel en danse contemporaine et que des bourses soient disponibles pour le perfectionnement, la subsistance et le séjour tant pour les danseurs que pour les créateurs et les enseignants. Si seulement cela se réalisait, Ludmilla pourrait songer à se retirer progressivement du milieu de la danse.

Les GB sont en tournée, mais Ludmilla ne se soucie plus tellement de ce qui leur arrive. D'autres s'occupent d'eux maintenant. Certes, elle lit avec plaisir les rapports qu'on lui fait des succès remportés et lit avec attention ce qui s'écrit à leur sujet, mais elle se consacre toute à la formation des futurs danseurs. Elle apprécie particulièrement les propos de Brian dans le numéro d'avril de *Dance Canada* : « Les Grands présentent des œuvres qui mettent en valeur la personnalité des danseurs. C'est bien caractéristique d'une attitude française à l'égard du théâtre [...] Les danseurs Canadiens français prennent le temps de discuter de la qualité de leur travail [...] Cette compagnie est consciente de son identité[757]*. »

À l'Académie, la situation financière n'est pas reluisante. Depuis l'ouverture des cours à Pierre-Laporte, cette compagnie s'est peu à peu vidée. « J'ai démoli mon école en vidant les meilleurs dans un système où je n'avais pas de contrôle. J'ai compris seulement après. » Ludmilla demande alors que son contrat soit transféré de l'Académie à l'École, avant le 31 mars 1982, avec effet rétroactif au 1er avril 1981. Elle demande aussi que soit préparé un nouveau contrat pour le 1er juillet. Ces contrats feront l'objet de litiges à la fin de sa vie.

Le ministre des Affaires culturelles fait une tournée de consultation des personnes du milieu culturel et c'est Ludmilla qui intervient au nom de l'École. Après avoir disserté sur le thème soumis par le MAC, « Le Québec, un enjeu culturel », et affirmé que «une des véritables richesses naturelles du Québec est spécifiquement sa culture», Ludmilla parle de la danse :

> dernière-née parmi les arts d'interprétation, la danse, dès son 1er jour d'existence – pour vivre et survivre – a dû apprendre à attendre – à comprendre – à se taire – à subir et quand même agir – bref à lutter et à se développer surtout par ses propres moyens, ceci en attendant d'être comprise, d'être acceptée[758].

Ludmilla rappelle les nombreux rapports de comités et de commissions qui dorment sur des tablettes depuis 1968. Et «la danse reste sans politique, sans gouvernail [...] Son sort ne (peut) plus dépendre du courage et du dévouement inlassables d'individus, les pionniers de la 1re heure. »

Le 9 juin, Ludmilla reçoit un doctorat ès lettres de l'Université McGill. Dans son discours de réception, elle dit :

> Ainsi, mon rêve de toute une vie est devenu réalité : me rendre utile en servant la danse selon les enseignements que j'ai reçus de Michel Fokine. C'est avec fierté et gratitude que je puis dire avoir consacré trente ans de ma vie à construire une compagnie et des écoles de

ballet au Québec, en ayant toujours à l'esprit l'importance de l'épanouissement de chacune des particules de la mosaïque culturelle canadienne[759].

Se rendre utile. Comme s'il lui fallait prouver qu'elle n'avait pas survécu pour
rien aux bombardements. Ses enfants auraient souhaité qu'elle soit d'abord
leur mère à eux, avant d'être celle de la danse. Qu'elle les protège contre tous
les maux dont ils ont souffert. Les rencontres chez l'avocat de leur mère, pour
préparer les procédures de divorce, sont loin d'être agréables. Quoi dire ? ne
pas dire ? « On n'a rien dit parce qu'on ne voulait pas être la cause d'un second
divorce », se confie Nastia. Ludmilla a probablement tout fait pour sauvegarder
l'image des GB. Encore une fois, la mission avant tout.

Ludmilla est fatiguée, émotivement défaite. « Je n'ai jamais autant souffert que
de ce que j'ai appris de Monsieur Luft, un soir. Je n'avais jamais su qu'on
pouvait souffrir moralement au point que le physique te fait mal. Je pouvais
juste gémir de douleur. J'étais de nouveau sous les bombardements. » Elle passe
quelques jours à l'Estérel. Elle écrit aux enfants qu'elle a adoré la vie en dépit
de toutes les laideurs qu'elle a rencontrées. Elle dit qu'elle les aime et que si
elle le leur dit maintenant, c'est qu'elle a l'impression que sa fin est proche.
« Comment survivre à cela, ne pas se suicider, ne pas détruire les autres… ? »

Pour quelques semaines, Ludmilla s'installe dans un hôtel-appartement sur le
boulevard de Maisonneuve, près de la rue Guy. C'est Christian Thibault qui
lui a trouvé cet endroit. Elle ne voulait pas rentrer rue Vendôme. « Cet été-là,
raconte Nastia, j'avais donné rendez-vous à mes sœurs à Cape Cod. Je ne les
voyais pas beaucoup à l'époque. On a passé peut-être une dizaine de jours
ensemble. On a beaucoup parlé de ce qui se passait à Montréal. On savait qu'il
y avait quelque chose de terrible qui se préparait. »

Cet été 1982, Ludmilla voit deux étapes de sa vie se terminer. Elle signe les
documents menant à une séparation de corps et se résigne à la fermeture de
l'Académie. C'est vingt-cinq ans de son existence qui disparaissent. Au début,
l'école privée de Ludmilla était très rentable et subventionnait les GB toujours
à court d'argent. Une fois acquise par la compagnie et, surtout, une fois Pierre-
Laporte en fonctionnement, la vocation de l'Académie n'était plus aussi claire.
D'autant que l'École supérieure s'y superposait par moments. L'Académie a
donc terminé sa mission, selon l'administration, qui en avise les parents le
3 août. Déjà, en 1980, la section de Québec avait été vendue aux deux professeurs qui y œuvraient, et Montréal avait cessé d'envoyer des professeurs dans
les diverses écoles des centres éloignés et n'offrait plus à ces écoles qu'un service
d'examens annuels.

L'École supérieure continuera d'accueillir aux auditions les élèves de talent qui
auront été formés par les professeurs utilisant la « méthode Chiriaeff » ou toute

autre méthode reconnue. L'École dispensera des cours aux candidats dès neuf ans et non plus douze ans comme par le passé. Maintenant, l'École est aussi en difficulté, d'où la nouvelle restructuration, pour laquelle Ludmilla sera plus ou moins consultée. En fait, plutôt moins. Alors qu'elle est à l'extérieur pour prendre soin de Mishka qui a été victime d'un accident de voiture, entre Montréal et Toronto, le Comité exécutif se réunit. Quand elle prend connaissance des documents soumis, puis approuvés en son absence, Ludmilla expédie à chacun des membres une lettre de dix pages[760]. Troublée par «l'élan de nettoyage», elle relève «Certaines remarques, le ton, les sous-entendus, les efforts non appréciés, bref un climat de non-confiance», le fait qu'on ne lui a jamais ouvertement soumis qu'une «réorganisation en profondeur de tout le contenu pédagogique [soit] à faire». Et quand elle pose des questions à Brodeur, il lui explique que pour eux «contenu» veut dire «programmation» et non «composition des cours». Pour Ludmilla, cela ne change rien. On attaque sa compétence professionnelle.

> [...] je me vois dans l'obligation de vous demander, dès à présent, des explications à ce sujet car si votre dévouement et votre compétence sont grands dans le domaine de l'administration (l'administration artistique étant toutefois très spécialisée et ne devrait jamais être comparée aux affaires purement commerciales), je considère que tout ce qui touche à l'art de la danse : la formation, le contenu, la programmation, etc., appartient uniquement au monde des <u>experts en danse</u> et s'il y a lieu de faire une analyse de ce qui se fait ou se fera à l'École, c'est uniquement par des experts de grande classe connaissant le milieu de la danse tant au Québec qu'au Canada et à travers le monde que je m'entourerai.

Depuis le départ de maître Jean-Claude Delorme de la présidence du conseil des GB, Ludmilla n'a plus de respect pour les conseils d'administration. On peut la comprendre. Alors même que, chez elle, elle termine cette longue lettre, SODEM inc. lui fait livrer une lettre d'affaires (adressée à Ludmina *(sic)* Chiriaeff). «Même si mon estime envers SODEM est grande, ce n'était pas son rôle, mais celui du comité de restructuration, de m'approcher pour m'aviser des buts et des besoins d'une telle consultation. [...] Que voulez-vous faire avec l'École supérieure dorénavant? [...] Je haïrais de nous montrer en désaccord face aux autorités qui nous subventionnent.»

Quand Nastia a été remerciée, elle en a été peinée mais elle s'est dit qu'il s'agissait d'un «ménage» aux GB et qu'elle ne devait pas s'en mêler. Nastia est partie pour l'Alberta où Brydon Paige, qui dirige l'Alberta Ballet, prépare le quinzième anniversaire de cette compagnie. Mais le départ de Nastia n'est qu'un parmi d'autres et certains administrateurs des GB sont aussi au conseil de l'École, alors... Ludmilla réalise que le grand ménage la vise aussi. Toutefois, si les administrateurs croient avoir raison d'elle parce qu'elle traverse une période très difficile sur le plan personnel, c'est mal la connaître. Quelques jours plus tard, elle soumet une *Étude de la situation présente et de l'évolution possible de l'École de Danse du Québec*[761]. Comme dans la légende, l'oiseau phénix renaît !

Parallèlement, elle fait des démarches à Québec, mais privément. Elle a toujours eu ses entrées dans les ministères et quand ça n'allait pas assez vite, elle téléphonait aux épouses de certains ministres ou même du premier ministre en fonction. Dans ce cas, est-ce Alice Parizeau, au cours d'une marche dans le parc, en grillant quelques cigarettes, ou est-ce le bureau même du ministre des Finances qui a été saisi de l'urgence en premier ? En tout cas, Jacques Parizeau fera le nécessaire pour que soit réglée la dette de l'École supérieure. Ludmilla lui en sera toujours reconnaissante. « Parizeau m'a dit : je pense que c'est une dette du Québec envers vous. C'est une dette historique que le Gouvernement du Québec va combler. » Les administrateurs seraient mal venus de la mettre à la porte maintenant.

Le 1er novembre, Ludmilla dénonce le contrat qui la lie à Antimex depuis 1975 et avise l'École que tout paiement doit dorénavant lui être adressé personnellement[762]. Le 21 décembre, elle signifie son intention de prolonger l'entente signée avec l'École supérieure et soumet, comme convenu, les modifications qu'elle veut y voir apporter. Elle tient entre autres à ce que la couverture d'assurances soit maintenue ; que les prestations de retraite soient indexées annuellement ; qu'en cas de maladie/incapacité, sa rémunération soit de soixante-quinze pour cent du salaire et que, advenant un changement de statut juridique de l'École, cette dernière se porte garante du transfert de son contrat[763].

Ludmilla passera le réveillon de fin d'année seule avec France Desjarlais et son mari, Gilles Tocco. « C'était tellement étrange, raconte France, dans la salle à manger de cette grande maison, seulement nous trois. »

Le 31 janvier, Ludmilla est légalement séparée d'Uriel et les mesures accessoires ont un effet rétroactif au 14 août précédent. Contre une série d'obligations dont Uriel s'engage à s'acquitter, Ludmilla renonce à toute pension pour elle-même ainsi qu'à tous les droits qu'elle détenait dans Antimex ou dans toute autre corporation. Et la propriété de Cape Cod lui reste, mais elle devra indemniser Monsieur Luft au moment de la vente de la maison de la rue Vendôme.

Ludmilla devrait être soulagée, le jugement ayant été prononcé par défaut, mais Uriel est partout dans le monde artistique. C'est un impresario en demande et en particulier dans le milieu de la danse. Où qu'elle aille, Ludmilla est susceptible de le rencontrer, alors, elle se fait une raison et elle confirme qu'elle sera du concours Dansons Montréal, pour remettre le premier prix au gagnant. Le jury est composé de Barbara Boudot, Martine Époque, Iro Tembeck, Eva von Gencsy et Vincent Warren.

En tant que directrice pédagogique, elle dépose le rapport annuel de l'École supérieure pour les derniers dix-huit mois. Elle y parle d'orage d'une force impressionnante. Outre les difficultés financières, qui ont emporté l'Académie, elle rappelle les difficultés d'ajustement nées du chambardement des structures et du développement de nouveaux programmes. « Les vents ont soufflé fort et dans l'affolement général, on écartait les uns, heurtant et bousculant les autres, de sorte que tout par moments semblait vouloir sombrer. » Elle remercie ceux qui sont partis « heurtés, chassés ou fatigués par l'orage » et elle souhaite bonne chance et offre sa collaboration à la nouvelle équipe.

Même si elle soutient que l'orage est passé, c'est loin d'être le cas. L'insatisfaction est généralisée et la restructuration n'est pas terminée. Après le départ de Julien Poirier, c'est le consultant Pierre Brodeur qui assume la direction générale par intérim. C'est avec lui que Ludmilla essaie de régler quelques problèmes non résolus, comme elle le lui écrit. Par exemple, les examens, à Pierre-Laporte, doivent être effectués par un jury. Elle a choisi Christine Clair et Daniel Seillier, deux professeurs du Cégep, pour qui il faut prévoir des remplaçants – donc une rémunération. Par ailleurs, plusieurs professeurs n'ont pas été payés depuis plus d'un mois. Comme elle aura besoin d'eux pour le spectacle de fin d'année et les cours d'été, elle tient à ce que Christine, Fernand et Vincent, entre autres, soient payés. S'ajoute la planification de la saison 1983-1984. Avec «les décisions à analyser et à prendre quant à l'ensemble pédagogique de toute l'École, il me semble indispensable qu'une journée entière de travail puisse être planifiée pour vous et moi (ou des soirées si vous le préférez)[764]».

C'est la saison du vingt-cinquième anniversaire des GB et Ludmilla est fière de ses Grands Ballets, dont le répertoire est à soixante-quinze pour cent composé de créations, la plupart puisant leur inspiration dans les contes et légendes d'ici. Ce que confirme une étude de l'Université de Waterloo – que les GB «font régulièrement appel à des chorégraphes, décorateurs, scénographes, costumiers et éclairagistes canadiens» dans une proportion beaucoup plus grande que les deux autres compagnies nationales[765]. Des trente-huit danseurs, près de la moitié ont été formés à l'Académie et à l'École supérieure.

Les fêtes s'étalent sur trois semaines et les médias reprennent l'histoire de cette jeune femme sans papiers, arrivée à Montréal au lendemain d'une tempête de neige un soir de janvier 1952. Retraçant son parcours ici, Ludmilla confie à John Fitzgerald qu'il n'y a rien « et je le souligne, rien, comme le défi de créer quelque chose à partir de rien. Quand j'ai commencé, on pouvait compter sur les doigts d'une main le nombre de Canadiens qui dansaient profession- nellement. [...] Avec foi, nous avons fait arriver les choses[766]*. » Ludmilla, la bâtisseuse. Et à *Madame au foyer*, elle explique que «Quand un enfant arrivait à l'école de danse en me disant " moé chu pas capable " et que je le voyais danser quelques mois plus tard, c'était merveilleux! Cet enfant venait de découvrir une autre dimension de la vie où je n'avais plus rien à faire sinon le laisser s'ouvrir à l'infini[767]. » Au même mensuel, Ludmilla confessait : «Je ne suis pas une gestionnaire. Mais j'ai dû devenir aussi un administrateur [...] Pas une seule fois en vingt-cinq ans, je n'ai eu à remplir du temps, à " passer le temps ", comme on dit. Il y avait toujours à faire. » Et il y a encore à faire. Il faut consolider les structures – et voir ce que le gouvernement va produire comme politique en danse. Après, qui sait, «J'aimerais voir l'École s'asseoir dans un cadre où elle pourra évoluer sans moi, tout comme la troupe marche maintenant sans moi. Ce sera à la génération suivante d'en faire quelque chose à son image, selon sa vision, sa force. Là, je deviendrais une grand-maman qui regarde les autres avec tendresse. » Mais son dernier projet, c'est le théâtre de la danse, au-dessus de la Maison où elle a regroupé ses compagnies. Ce projet commande beaucoup d'argent, elle le sait. C'est comme un rêve en couleurs, qui restera un rêve.

Parlant de la compagnie, Ludmilla dit : «Parfois, je suis un peu effarée de ce que je vois, mais c'est comme avec les enfants. Une compagnie, c'est comme un être humain. Il lui faut rejeter la mère pour trouver une identité qui lui soit propre[768*]. » Et c'est bien ce qui se passe depuis quelque temps, autant dans sa vie privée que dans sa vie professionnelle. C'est une chose de le dire, c'en est une autre de le vivre.

Les GB profitent de cet anniversaire pour ouvrir les portes de la Maison de la danse au public, qui peut ainsi voir travailler les danseurs et visiter l'exposition de photos et de costumes montée pour cette occasion par Nicole Martinet. Il viendra près de deux mille cinq cents personnes le 13 février. Les fêtes, que l'on appelle Célébration, et que Brian veut offrir comme un cadeau d'anniversaire pour Ludmilla, présentent deux heures et demie de rétrospective du répertoire de la compagnie. Les premières chorégraphies dansées remontent aux années 1950, du temps des Ballets Chiriaeff. Puis viendront les grands classiques, comme *Giselle*, et finalement, des œuvres nouvelles dont *Astaire*, créé par Brydon pour souligner le talent de danseur de caractère de John Stanzel. Stanzel, qui est venu à la danse par les claquettes, considère Fred Astaire comme un modèle depuis son enfance. Tenir ce rôle est pour lui *a labor of love*[769]. Un rêve devenu réalité.

Des danseurs du temps des Ballets Chiriaeff tiennent à rendre hommage à Ludmilla, dont Jean Stoneham Orr, première danseuse du Royal Winnipeg au début des années 1950.

J'ai rencontré Ludmilla Chiriaeff en 1953. Je l'ai aimée dès le départ. Elle était séduisante, intelligente, connaissante. Et quel style et quelle classe! Nous avons fait des émissions de télévision dont certaines avec le regretté Pierre Mercure pour *L'Heure du concert*. C'est là que j'ai reconnu son grand talent. Mais depuis trente ans, ce qui m'a le plus impressionnée chez cette belle femme, c'est le cœur : elle se préoccupe des autres. Quand elle avait si peu pour elle-même et ses jeunes enfants, elle arrivait au studio avec des sacs de nourriture pour les danseurs pauvres et affamés. Ce cœur, c'est celui de celle que nous appelons tous affectueusement Madame[770]*.

Après le dernier rideau, Ludmilla rentre seule dans sa grande maison vide.

Durant ces vingt-cinq années, Ludmilla, Fernand Nault et Brian Macdonald ont laissé leur empreinte non seulement sur la compagnie mais aussi sur plusieurs danseurs, dont certains ont créé leur propre compagnie ou dirigent d'autres compagnies au Canada et à l'étranger. Cet anniversaire, c'est aussi l'occasion de souligner le travail de création de ceux qui sont rarement à l'avant-scène : décorateurs, costumiers, dessinateurs, éclairagistes, compositeurs de musique.

Après McGill, c'est maintenant l'Université de Montréal qui décerne un doc-torat *honoris causa* à Ludmilla, aux côtés de Claire L'Heureux Dubé, juge à la Cour suprême, Hubert Reeves, physicien, et Hugh MacLennan, écrivain et pédagogue. Thérèse Gouin Décarie, qui parraine la candidature de Ludmilla, écrit que

> Peut être faut-il être une femme pour, non pas savoir mais imaginer ce qu'il a fallu de courage, d'énergie physique et psychique et même de témérité à cette jeune femme de vingt-huit ans de faire ce qu'elle a fait alors. Nous sommes dix ans avant la révolution tranquille, la danse, même classique, n'est pas bien vue au Québec [...]

> Serge Lifar a écrit que la danse, comme la jeunesse, est en perpétuel devenir [...] je crois que comme la danse elle-même, Madame Chiriaeff reste en perpétuel devenir...

En juillet, Ludmilla prépare un long rapport qu'elle remet à Pierre Brodeur, devenu directeur général en titre. Si ce rapport est manuscrit, c'est qu'il n'y a personne pour le «taper», comme elle l'écrit : tout le monde est en vacances. Mais on a aussi réduit le personnel et en particulier ceux qui travaillaient avec Ludmilla se sont vu signifier leur mise à pied à tour de rôle depuis un an. Ce rapport est une marche à suivre de ce qui doit être fait et inclut qui doit être avisé à quelle date, et à quel numéro de téléphone telle personne peut être jointe. Tout y passe : de la publicité pour les auditions jusqu'à la modification des horaires de cours à Pierre-Laporte en passant par la révision des programmes d'études, pour laquelle quinze mille dollars ont été versés sans que l'École ait jamais vu ne serait-ce que la table des matières. Elle revoit aussi l'organisation des cours d'été de même que le dossier Cégep et souligne l'urgence de préparer les budgets et les demandes de subventions pour la saison 1983-1984.

Puis elle demande encore un peu de temps pour analyser avec ses conseillers financiers «la nouvelle offre de contrat que vous m'avez remise il y a quelques semaines. Je n'avais ni le temps, ni la tête pour m'en occuper de façon sérieuse jusqu'à maintenant[771].» En *post-scriptum*, Ludmilla ajoute :

> Vous faire comprendre et vous faire vivre nos dossiers pour vous laisser ensuite les ramener à la réalité administrative, voilà comment je vise réussir notre collaboration et ceci pour le grand bien de tous les concernés. C'est alors seulement que je commencerai à pouvoir prendre des vacances et à voir à ma santé – car je ne serai plus ni inquiète ni en retard – ni surchargée vous sachant à mes écoles en pleine connaissance de toutes nos causes.

Ludmilla ne pouvant partir à l'extérieur, elle s'enferme à l'hôtel pour dormir. Elle ne veut voir personne, ne parler à personne. Elle ne veut même pas rentrer chez elle. «Elle m'appelait parfois, en panique, raconte Christian Thibault. Deux fois, j'ai dormi chez elle. Je me souviens qu'il faisait froid. Ce devait être novembre.» Il y a aussi qu'elle ne peut supporter d'être confinée à sa chambre pendant les parties qu'organise Katia. Alors, elle songe à mettre la maison en vente. À quoi sert-elle, maintenant, de toute façon? Mishka veut s'installer aux États-Unis, Katia veut voyager, et les grands vivent leur vie sans trop s'inquiéter de la sienne. Il y a bien Gleb qui revient chez elle de temps en temps, mais cette grande maison recèle trop de souvenirs dont elle ne veut plus.

Au début de l'automne, Ludmilla passe quelques jours chez Celia Franca, à Ottawa. Selon la lettre de remerciements qu'elle lui adresse, on peut déduire qu'elles ont longuement parlé de la possibilité de créer une

> [...] Super compagnie avec deux sièges sociaux [...] Plus je pense et plus je réalise que vous et moi pensions uniquement aux bénéfices de la danse elle-même, la séparant des besoins de croissance et d'affirmation de soi des milieux qui ont fait naître nos deux troupes et, qui les font vivre [...] Il me semble que le projet est né en vous avant son temps [...]
>
> Je vous embrasse, en m'excusant de vous avoir imposé ma lettre en français mais que voulez-vous, je m'exprime mieux dans cette langue et vous la comprenez si bien[772].

Plus tard, Celia Franca niera avoir eu quelque projet que ce soit avec Ludmilla. Elle parlera plutôt des journées qu'elles ont passées ensemble. Ludmilla s'était rendue à Ottawa en voiture et avait apporté à Célia une plante que celle-ci a longtemps conservée. «Je me rappelle, Ludmilla fumait encore et nous sommes sorties lui acheter des cigarettes. Elle était fragile et pas tellement bien. *People were mean with her.* Ils ne l'ont jamais bien traitée. »[773] Ludmilla est certaine que Celia Franca la respecte et qu'elle n'est pour rien dans toutes les difficultés qu'elle a vécues. C'est plutôt à cause de Betty Oliphant et « ça fait partie de la politique. C'est une réalité que beaucoup de personnes ne vont pas oser vous dire. J'ai découvert à la longue que la politique fédérale... J'ai été bafouée par Ottawa, c'est pas possible. Celia me respecte parce que j'ai survécu. »

À la fin de l'année, Ludmilla écrit au Comité exécutif des GB :

> Ayant « sauvé » à maintes reprises des boîtes remplies d'archives, pour lesquelles la Troupe n'avait pas suffisamment de place pour les entre-poser, j'ai accumulé chez moi des documents « historiques » des Ballets Chiriaeff et des GBC que je désire voir trier, identifier et donner aux Archives nationales du Québec.

Elle demande à être autorisée par résolution à :

> disposer des différentes boîtes d'archives qui remplissent le vestiaire du sous-sol de la Maison de la Danse ; classer le tout et donner ce matériel aux Archives nationales du Québec (incluant mes documents per-sonnels et ceux des GBC)[774].

Et sauver est bien le mot. Claude Berthiaume dira avoir « récupéré à plusieurs reprises de vieilles boîtes de documents divers au moment où elles étaient sur le point d'être mises au rebut. Un jour, j'ai ramassé les archives des GB dans les vidanges. J'ai emporté les boîtes chez moi et je les ai transportées plus tard chez Madame. » C'était une fois que Ludmilla n'était plus là. Anik Bissonnette disait que ce qui rendait Ludmilla triste, durant les dernières années de sa vie, « c'est qu'aux GB, ils ont jeté plein de choses. Toute la documentation a été brûlée. Pour elle, ç'a été épouvantable[775]. »

Et selon Nicole Martinet, les GB ont aussi donné des costumes. Vincent Warren affirme qu'ils « en ont jeté. La compagnie n'avait pas d'argent. Elle n'en a pas pris soin. C'est moi qui ai demandé à Madame de sortir ses choses. » La plupart des ballets n'ont jamais été redansés, mais certains costumes et décors avaient une valeur historique certaine. En outre, ils avaient été confectionnés grâce à des fonds publics et faisaient en quelque sorte partie du patrimoine québécois. « La compagnie n'avait pas d'argent pour les entreposer, pour les assurer et le gouvernement ne voulait pas investir là-dedans », conclura Vincent.

Le conseil d'administration autorise Ludmilla « à négocier avec les Archives nationales du Québec la garde des archives de la compagnie, pour autant que celles-ci soient accessibles en tout temps pour consultation[776]». Alors Ludmilla se met en frais d'obtenir des subventions pour assurer la sauvegarde des archives de son œuvre. Clément Richard lui accordera près de dix mille dollars sur deux ans, ce qui ne lui permettra même pas de terminer l'archivage des Ballets Chiriaeff.

Toujours dans cet esprit de conserver les archives du début de la danse, sous sa direction, elle obtient de Radio-Canada de visionner des bobines d'émissions télévisées et se prévaut de l'offre de Radio-Canada pour obtenir une copie de dix d'entre elles. Au passage, elle demande que des corrections soient faites dans le cas de deux émissions qui lui sont attribuées, alors qu'il s'agit du Ballet national dans un cas et d'un ballet de Françoise Sullivan dans l'autre. Elle demande en sus une copie de *Les Noces;* il y en avait deux qui n'ont jamais été retrouvées[777].

Avant de laisser le bureau pour le temps des fêtes, Ludmilla expédie à quelques privilégiés une sérigraphie, avec ses bons vœux. Le premier ministre Lévesque la remercie en rappelant « quel travail remarquable vous accomplissez pour garantir à la danse sa juste place, dans l'ensemble de notre vie culturelle. Et nous bénéficions tous largement de votre réussite [...] qui prolonge cette tradition d'excellence à laquelle vous demeurez si magnifiquement fidèle. Amicalement, toujours[778]. »

Ludmilla est de nouveau malade et doit s'arrêter un temps. Chaque respiration lui est pénible. Elle a des tremblements des mains qu'elle ne peut contrôler. Et elle ne sait plus comment lutter contre cette immense fatigue qui, de plus en plus, l'envahit. Dormir a toujours été pour elle une perte de temps. Elle ne sait plus comment y parvenir. Tous ces médicaments, qu'elle ingurgite depuis si longtemps, ne font plus grand effet. Nastia, rentrée de l'Alberta Ballet Company, vient vivre un temps avec sa mère. « Elle était toute seule dans cette grande maison vide et j'ai commencé à faire le trait d'union entre l'École et ma mère. »

Ludmilla reçoit des témoignages d'un peu partout. Quand Clément Richard lui télégraphie « Connaissant votre vivacité et votre amour pour la danse, je suis convaincu que vous serez vite remise sur pied[779] », elle s'autorise à lui écrire cinq pages pour le remercier mais surtout pour lui rappeler la question toujours non résolue : « Seule la danse n'a pas son école nationale qui offre un programme complet sous le même toit et de façon suivie ! » En attendant les solutions promises depuis les années 1950, « [...] je m'aperçois que j'ai à enrichir davantage les programmes scolaires [...] la danse est au service de l'École Pierre-Laporte – au lieu d'être servie par cette dernière[780] ».

Ludmilla est à bout de souffle et fatiguée de se battre contre les structures de toutes sortes, mais cela n'entame pas sa foi en la mission dont elle se sent investie. « Rien au monde ne pourrait m'empêcher de poursuivre mon but », comme elle l'écrit au ministre Richard. « Bien que ces temps-ci », lui avoue-t-elle, « [sa] capacité d'être patiente semble faiblir. » C'est que Ludmilla est sérieusement malade. Elle est usée. Si pendant toutes ces années tout devait paraître beau, lisse, propre – le monument mis en place commence à vaciller, elle n'est plus capable de retisser sa toile comme autrefois. « J'avais presque envie de me laisser mourir. Et alors, j'ai pensé que c'était février et qu'il fallait faire les horaires pour l'été. J'ai commencé à le faire sur de petits bouts de papier. »

À la fin de mars, le MAC présente une « Politique de la danse ». Le ministre annonce par la même occasion que les fonds attribués à la danse seront de deux millions et demi pour le prochain exercice. Il reconnaît que c'est peu, mais c'est déjà une bonne augmentation quand on sait que cinq ou six ans plus tôt, le budget n'était que de six cent mille dollars. Le ministre annonce aussi une première subvention pour établir une école de danse moderne. Un texte distribué aux journalistes précise que cette école serait progressivement intégrée à l'École nationale de danse[781]. Sur le moment et la manière dont ce sera fait, rien. Ludmilla devra encore exercer des pressions.

Le dimanche 25, durant le Salon de la danse, au Palais des Congrès, le milieu rend hommage à Ludmilla « pour son extraordinaire contribution à la danse[782*] ». Ludmilla y est mais à grand-peine. Elle est si mal en point qu'elle décide de prendre quelques semaines de repos et demande à Hadu si elle peut la recevoir. Juste avant de la retrouver, elle visite le Conservatoire de musique de Genève, plus particulièrement la section danse, et en rapporte de la documentation. Puis elle se rend chez Hadu, qui vit alors sur une ferme.

> Elle est venue chez moi se reposer, raconte Hadu. Elle ne pouvait pas respirer. Je l'ai fait voir par mon médecin, spécialiste des poumons. Nous sommes allées prendre les eaux à Yverdon. Les premiers jours, elle ne pouvait même pas se promener. Petit à petit, elle pouvait aller au jardin zoologique, parce qu'on s'arrêtait devant les animaux, on bavardait, on faisait gentiment une petite heure. Et elle respirait mieux. Alors, elle a pris le train pour Paris. Là, elle me téléphone : je n'en peux plus, le souffle court. Évidemment, trois semaines ce n'était pas suffisant. Mais c'était magnifique ensemble.

Sûrement pas suffisant, mais Ludmilla devait être à Paris le 29 avril, pour commencer « une tournée des centres importants de danse en ballet classique[783] », avec le président du conseil et le directeur général de l'École supérieure, Messieurs Fortin et Brodeur. Ce voyage en France et en Grande-Bretagne s'inscrit dans le processus de restructuration de l'École supérieure et veut aussi jeter « les bases pour de futurs échanges d'étudiants et de professeurs ». Après leur rencontre avec Madame Claude Bessy, et la visite de l'Opéra de Paris, Brodeur écrit :

> Nous nous sommes rendu compte que les pas que nous avons faits (i.e. l'ESDQ sous la gouverne de Madame Chiriaeff) sont certainement dans la bonne direction. Il ne s'agit que d'améliorer nos programmes, nous n'avons certes pas à faire de changement de cap, tout est bien engagé, il faut continuer[784].

Ludmilla aurait pu leur dire tout cela, mais il était sans doute plus utile et plus convaincant qu'ils le voient par eux-mêmes. Peut-être aussi sent-elle qu'elle devra bientôt arrêter pour de bon et qu'il faut que ceux qui prendront les rênes aient noué des contacts dans les milieux internationaux de la danse. Il est aussi question d'établir des liens avec l'Union soviétique et de préserver ceux créés avec Cuba. Comme retombées directes de ce voyage, l'ESDQ accueillera trois élèves de l'Opéra de Paris et deux du Conservatoire de Genève pour la session d'été. « En outre, l'organisme FIFA offre le financement d'un stage d'études à deux de nos élèves en France et enverra deux étudiants français à notre école durant l'année scolaire 1984-1985[785]. »

Ludmilla rentre de voyage complètement épuisée, mais elle ne peut se soustraire aux spectacles de fin d'année de l'École. Elle se rendra aussi à Québec, les 23 et 24 juin, à l'invitation du premier ministre Lévesque, pour les célébrations officielles de la Saint-Jean. Puis elle rédigera un rapport à l'intention du directeur général. Elle y fera état d'une conversation qu'elle a eue à Québec, avec le ministre Clément Richard, en présence de Christian Thibault. « Monsieur le ministre m'a à nouveau longuement parlé de la formation d'une jeune troupe pour l'" éducation ". Il a dit espérer recevoir bientôt des mains de notre président Monsieur Fortin – une sorte de description du projet afin d'essayer de trouver un peu d'argent pour la préparation d'un tel projet – et pour inscrire le projet pour l'année – saison 1985-1986. Il a mentionné que leur programme " Innovation " pourrait éventuellement recevoir ce projet[786]. »

La fin de semaine suivante, Ludmilla est à Toronto afin de représenter le Québec à une conférence. Ces deux déplacements, coup sur coup, sont trop pour elle. Rentrée à Montréal, elle rédige son rapport en deux temps. Puis elle demande que l'on accélère les négociations au sujet de son contrat. Elle s'enquiert de sa banque de congés de maladie et met en ordre ses comptes avec l'École. Dans le rapport numéro 2, elle règle des questions concernant l'organisation des cours et des horaires. Après avoir suggéré d'inviter « Madame Jeanne Renaud comme conseillère pour tout ce qui touche l'enseignement de la danse moderne », elle relève les irritants dans l'organisation. Puis elle termine ainsi :

> Je me sens seule car je reste toujours avec les devoirs que d'autres ne veulent ou ne peuvent pas considérer comme étant importants [...] Je dois vous exprimer ma profonde gratitude pour m'avoir tant aidée – durant cette année si difficile pour moi. Peut-être que c'est ma faiblesse et la fatigue après ma maladie qui est la cause de ma sensation de solitude[787].

Le 3 octobre, à la résidence du gouverneur général, Ludmilla devient compagnon de l'Ordre du Canada, le plus haut grade parmi les détenteurs de cette distinction.

Ludmilla avait accepté de siéger au comité formé par le conseil d'administration des GB pour trouver un directeur artistique, mais en décembre, elle démissionne. Elle est la seule personne provenant du milieu de la danse, voire du milieu artistique en général. Après la première rencontre, elle écrit à Pierre Després, président du conseil : « J'ai vite compris que je ne devais plus faire partie de ce comité [...] je ne me sens réellement pas à ma place. » Elle offre toutefois d'agir comme consultante « après que le tour de toutes les personnes candidats (*sic*) ait eu lieu[788] ».

Chapitre 20
« Je n'ai pas senti le temps passer »

Au début de l'année 1985, Ludmilla réussit à faire clarifier des questions encore en suspens concernant les changements à apporter au contrat qu'elle a signé le 20 janvier. Il est décidé que lui sera payée une prime pour une assurance-vie de cinquante mille dollars avec couverture jusqu'au 22 juin 1986. L'*addenda* ne sera signé que l'automne suivant, avec effet rétroactif au 1er juillet 1984, en ce qui concerne le fonds de retraite que l'École s'engage à constituer pour elle.

En février, Ludmilla est hospitalisée au Centre thoracique, rue Saint-Urbain. Les médecins prévoient la garder une dizaine de jours ; elle y restera près d'un mois puis commencera une longue période de convalescence, à Catherine Booth. « J'ai vraiment pensé que j'allais mourir[789]. » C'est à ce moment-là que Ludmilla cesse de fumer. « J'entendais un jeune homme de vingt ans tousser à se cracher les poumons. Quand j'ai appris qu'il était mort, je n'ai plus jamais pensé à une cigarette. » Ludmilla avait essayé avant cela toutes sortes de méthodes pour arrêter. Selon Avdeij, elle a longtemps pris de la gomme anti-tabac, mais sans succès. Rapidement, sa chambre est transformée en bureau. Nastia lui apporte la correspondance et Ludmilla rédige des réponses qui sont ensuite reproduites par une secrétaire. Madame Kinal vient réviser avec elle les noms des personnes impliquées dans les auditions à venir et Ludmilla s'assure de la disponibilité de ceux qui la remplaceront pour les examens de fin d'année.

Elle répond aux nombreux vœux de prompt rétablissement, à l'envoi de fleurs, de fruits et annonce à chacun qu'elle doit rester à l'écart des activités, et au repos complet ! pour encore un bon moment. Au fil des semaines, Nastia annule les engagements pris précédemment par sa mère, tandis qu'à la Maison de la danse, les corridors se remplissent de rumeurs, de grenouillages et que d'aucuns préparent son départ.

Elle continue tout de même à travailler, de sa chambre. Au directeur adjoint de Pierre-Laporte, elle trace déjà l'agenda des travaux à effectuer quand elle sortira et, entre autres, la confection des horaires pour septembre et

> [...] le problème des garçons.
>
> À mon avis, l'école ne peut tout simplement pas refuser leur admission cette année (à moins que les bulletins académiques soient trop faibles) car l'École Pierre-Laporte dans ses annonces n'a pas énoncé aucune restriction à ce sujet, et c'est une très mauvaise chose de changer de « politique » sans en avertir les candidats et surtout les parents[790].

Le 26 juin, le gouvernement du Québec décerne pour la première fois l'Ordre national du Québec. Félix Leclerc, Armand Frappier, le cardinal Léger, Alfred Rouleau et Ludmilla sont les premiers à être honorés. Mais Ludmilla est hospitalisée. Qu'à cela ne tienne ! Une voiture spéciale viendra la chercher pour l'amener à Québec. « Presque une ambulance, raconte Ludmilla. Je ne pouvais pas marcher. C'était vraiment terrible. Je savais que j'étais pas belle, tout enflée à cause de la cortisone. Mais j'avais vraiment envie d'être là. » Elle explique à quel point, pour l'Ordre du Canada, c'était protocolaire, rigide, et comment, à Québec, René Lévesque a procédé. « Il a fait, alors, je vais à droite ou à gauche ? Il m'a pris la main puis il a essayé d'accrocher la médaille sur ma poitrine. »

Quand elle rentre à Catherine Booth, en fin de soirée, ceux des patients qui le pouvaient l'ont attendue. À l'étage, « quand je suis arrivée avec mes fleurs, j'oublierai jamais. Nastia m'en parle tout le temps. Tout à coup, toutes les portes s'ouvrent avec les malades sur leur chaise. Bravo ! qu'ils ont fait. » Quand elle raconte son équipée, elle rit en se souvenant de s'être retrouvée assise à côté du cardinal Léger. L'Église avait tellement lutté, au début, contre Ludmilla et ses ballets. « J'ai pris sa main. J'ai senti qu'il était mal à l'aise. » Ils auront la chance de s'expliquer au cours des ans, puisque les premiers récipiendaires de l'Ordre en forment aussi le premier conseil d'administration. Ludmilla y sera très active. Même quand elle n'en sera plus membre, elle proposera la candidature de plusieurs personnes qui, la plupart, recevront cet honneur.

Elle écrira à René Lévesque pour le remercier

> d'avoir eu le privilège de vivre en votre présence, les moments inoubliables [...] et émouvants puisque remplis de souvenirs devenus aujourd'hui historiques [...] En me retournant en arrière vers les années cinquante, je dois avouer aujourd'hui que je n'ai pas senti le temps passer ! J'ai tout simplement vécu avec toute mon intensité, toute mon attention ; j'ai vécu, je n'ai fait que cela d'ailleurs[791].

Le premier ministre lui expédiera des photos prises à cette occasion et y ajoutera : « Avec mon bon souvenir. Et à bientôt, j'y compte[792]. » René Lévesque lui-même n'est pas très en forme à cette époque et les grenouillages dans son parti ne sont pas étrangers à cela. À l'automne, il aura d'ailleurs démissionné.

Dans un petit mot adressé à Hadu, et rédigé sur des feuilles de bloc à sténographie, Ludmilla explique qu'elle doit rester encore un mois à l'hôpital pour des traitements ; que Mishka et Katia ont définitivement quitté Montréal pour New York et qu'elle a mis sa maison en vente.

> [...] j'ai utilisé tout mon argent – j'ai vendu tous mes tableaux [...] Mais où aller vivre, comment m'organiser sans savoir si « les ballets » m'accepteront à cinquante pour cent de travail [...] La banque m'a avancé un peu d'argent [...]
>
> Je m'excuse donc de ne pas avoir su quoi te dire jusqu'à présent – mais j'ai terriblement envie que tu viennes passer un temps avec moi car entourée comme je suis – je me sens désespérément seule[793].

Quand Ludmilla rentre chez elle, Gleb est là, mais il n'est pas d'un grand secours, lui-même traversant une période difficile. Puis elle va passer quelque temps à Cape Cod, avec Nastia.

> Nous sommes parties dans ma Renault 5 avec tout son équipement pulmonaire, ses boîtes de médicaments. Il fallait arrêter en route pour lui permettre de faire ses traitements. Une fois sur place, elle a trempé ses pieds dans la mer, comme pour se faire bénir. Les nuits n'étaient pas reposantes parce qu'elle étouffait, couchée. Par contre, le jour, nous allions dans les « outlets » où elle s'est acheté quantité de paires de souliers – ou dans d'autres magasins pour acheter des centaines de petits cadeaux qu'elle distribuerait à Noël. À la plage, elle s'assoyait sur une énorme roche, les pieds dans l'eau, et se laissait dorer au soleil, les yeux fermés. Elle adorait lancer des croûtons aux goélands qui l'entouraient et je l'entendais ricaner comme une enfant quand les oiseaux piaillaient.
>
> Nous sommes rentrées à Montréal à regret mais je la sentais heureuse. Je l'étais aussi d'avoir partagé ces moments avec elle.

Ludmilla le voudrait-elle, elle ne pourrait reprendre le travail autrement qu'une journée par semaine. Selon le médecin qui l'a suivie au Centre thoracique : « *She has severe chronic lung disease which makes her breathless on mild exertion*[794]. » Ce n'est finalement qu'en octobre que Ludmilla recommence ses activités d'une façon un peu plus soutenue. De l'hôpital, elle avait salué l'arrivée de Jeanne Renaud comme codirectrice des GB et l'avait assurée de son appui. Elle avait en même temps écrit au président du conseil pour le prévenir que cette décision d'une codirection

> place inévitablement notre amie Jeanne dans une situation extrêmement difficile [...] elle se trouve seule, sans collaborateur de son calibre,

de son niveau culturel et intellectuel, tel par exemple un directeur général d'envergure [...] la troupe et ses activités méritent depuis longtemps de posséder une nouvelle équipe d'excellence.

Il faut y arriver à tout prix mais plus jamais à n'importe quel prix[795].

Alors qu'elle était encore hospitalisée, Ludmilla avait finalement accepté de rédiger un texte sur le vieillissement. «Je n'ai jamais pensé que j'étais vieille. Petit à petit, phrase par phrase, j'ai écrit ce que je ressentais. J'ai compris que je n'avais pas vraiment envie de mourir. Que je vais mourir quand ce sera le temps.» Ce texte, on lui offrira ensuite de le faire dire par une comédienne puisqu'elle-même ne peut se rendre au congrès de l'Association canadienne de soins à long terme, durant lequel elle devait le lire. «Mais je voulais le lire, même si ça m'était difficile. Alors, quelqu'un est venu et j'ai enregistré. À la phrase "Quand on est jeune, le corps s'élance, le bras s'étend", j'ai vu Margaret et Vincent passer dans l'air.» Ainsi est née l'idée de graver ce texte sur *Pas de deux*, le magnifique film de Norman McLaren. Quand elle sera un peu remise, la vidéo sera officiellement lancée, à l'École, le 18 octobre, en présence de Guy Chevrette, ministre des Affaires sociales. L'ONF, qui a enregistré le témoignage de Ludmilla, assure la distribution de cette vidéo. Ludmilla a aussi fait l'enregistrement pour la version anglaise. «Non, je n'ai vraiment pas senti le temps passer, commence le texte de Ludmilla. J'ai vécu avec toute mon intensité, avec toute mon attention. J'ai vécu; je n'ai fait que cela d'ailleurs.»

La mise en vente de sa maison a soulevé un tollé rue Vendôme. Dès que certains voisins ont appris que le Montreal Children et le Shawbridge Youth Centre voulaient se porter acquéreur de l'édifice pour y installer des jeunes souffrant de problèmes «émotifs ou médicaux», une pétition a été déposée à l'hôtel de ville pour contrer l'émission d'un permis. Ce même groupe a requis une injonction. Débouté aux deux endroits, il s'est adressé au ministre des Affaires sociales. Les résidents se sont partout fait répondre qu'un propriétaire a le droit absolu de disposer de sa propriété comme il l'entend. Finalement, les administrateurs du Shawbridge Youth Centre ont préféré demander à Ludmilla de considérer cette vente comme non avenue, vu l'hostilité des voisins. Elle se retrouve avec la maison sur les bras, alors qu'elle peine à s'occuper d'elle-même. Et qu'elle est sans le sou. Il faudra plusieurs mois avant que cette vente ait lieu.

Un peu avant les fêtes, Norman McLaren lui écrit :

Avec en arrière-plan le travail que nous avions réalisé ensemble par plaisir en 1966, vous avez exprimé vos pensées, vos sentiments et votre vision. Depuis votre lit de douleur, vous nous avez offert une image éloquente de l'existence humaine, d'une manière profondément émouvante et édifiante [...]

Cela représente beaucoup à mes yeux, car j'ai pris ma retraite il y a un an et demi et je cherche mon chemin à tâtons vers une nouvelle lumière et une nouvelle vie.

En tant qu'homme de soixante et onze ans encore en processus de recherche, je vous dis merci, merci, merci infiniment pour votre philosophie si magnifiquement exprimée sur cette cassette vidéo.

Très affectueusement, Norman[796]*.

Ludmilla avait joint à ses vœux de Noël une copie de la vidéo. Elle l'avait aussi expédiée en Suisse, chez son amie Hadu qu'elle aurait aimé avoir avec elle pour le temps des fêtes, mais Hadu ne peut voyager en cette période de l'année.

Ludmilla se remet à ses archives. Chez elle, des boîtes encombrent les pièces, tout comme à l'École. Il y a tellement de documents à classer ! Christian Thibault se souvient que « dans l'antichambre, il y avait des documents qu'il ne fallait pas jeter, mais elle ne permettait à personne de les classer. Sur chaque pile, il y avait aussi des bouquets de fleurs qui avaient séché encore enveloppés dans le cellophane. Par terre aussi, dans son bureau, il y avait des piles. Il fallait se faufiler entre elles pour s'asseoir. » Il faut dire qu'à cette époque son bureau était minuscule. Mais Ludmilla a toujours travaillé ainsi. Du temps où elle était secrétaire aux GB, Jacqueline Martineau se souvient d'avoir été travailler maintes fois chez Ludmilla les fins de semaine. « Il y avait des dossiers dans le salon, la salle à manger, dans les chambres en haut, partout. »

Pendant qu'elle fait ce classement, Ludmilla trouve des documents concernant Jean Drapeau. Elle lui en fait parvenir quelques-uns – ce qui touche le maire de Montréal, hospitalisé depuis le 15 décembre à la suite d'un accident. Après avoir signalé à Ludmilla que « les médias semblent avoir été plus discrets au sujet de votre état de santé », il la remercie et l'assure qu'il communiquera avec elle si la revue de ses propres archives lui « permet de trouver des choses qui vous intéresseraient[797] ». Après trente ans de vie politique, Jean Drapeau avait été nommé ambassadeur du Canada auprès de l'Unesco, à Paris.

Le Comité d'implantation de l'École nationale de danse continue de siéger mais Ludmilla n'en fait pas partie. Tout au plus reçoit-elle les procès-verbaux des réunions. C'est Donald Fortin qui représente l'École, dorénavant. Elle n'est pratiquement plus consultée. Tout ce qu'elle a créé lui échappe mais pas les succès de ses élèves, dont certaines deviennent solistes aux GB ou sont admises à l'American Ballet Theatre, dirigé par Mikhaïl Barychnikov. Cette année, la vingtième, Ludmilla a placé ses finissants au Québec (GB, Ballet de Montréal Eddy Toussaint, Ballet Jazz, Danse Partout et LaLaLa), au Canada (Toronto, Ottawa, Calgary, Edmonton, Regina et Vancouver) et à l'étranger (France, Belgique, Suisse, Italie, Portugal, Venezuela, É.-U.). Il faut croire que la formation donnée par l'École est de qualité au moins comparable à ce qui se fait ailleurs, autrement aucun de ceux qui y ont étudié ne trouverait d'emploi en danse.

Même s'il est recommandé à Lise Bacon, alors ministre des Affaires culturelles, de transformer l'ESDQ en une École nationale de danse, Ludmilla n'y croit plus. Elle réalise que pour que ce soit efficace, il faudrait que cette école jouisse d'une autonomie sur le plan de la gérance, qu'elle ait des contenus et un mode de gestion plus proches de l'entreprise privée que du système d'enseignement public[798]. Pour cela, il faudrait créer cette école par législation et Ludmilla ne se sent plus la force d'entreprendre cette croisade. Elle va plutôt s'attacher à ouvrir une brèche à la CECM en implantant un cours à l'école Laurier, pour les élèves de la dernière année du primaire et ceux du secondaire. Les cours seront donnés à l'ESDQ dans les locaux de la Maison de la danse, située à deux pas.

Ludmilla doit encore s'arrêter. Elle écrit à Hadu : «Ne pouvant pas aller toute seule à Cape Cod – et puisque très très fatiguée – j'irai me reposer dans un hôtel dans les montagnes du 11 au 26 octobre. J'espère sincèrement que tu iras bientôt assez mieux pour pouvoir passer novembre et décembre avec moi – qu'en penses-tu?[799]» La fidèle Hadu lui promet de venir au printemps. Christian Thibault croit se souvenir que c'est à Sainte-Agathe que se réfugie alors Ludmilla. «Je lui avais trouvé la pension Girard où elle est allée quelques fois. Je me souviens qu'une fois, il faisait froid. Elle n'en pouvait plus.»

Peu après son anniversaire de naissance, les élèves et les professeurs de l'École soulignent le trente-cinquième de l'arrivée de Ludmilla au Québec. Daniel Seillier et Pierre Brodeur lui présentent un gâteau avec des bougies qu'il faudra l'aider à souffler. Mais Ludmilla est rayonnante sur les photos, quoique son visage montre les effets de la cortisone dont elle ne peut se passer.

Si l'École est en démarche de restructuration, la compagnie l'est aussi. Ludmilla souhaite une rencontre entre les deux institutions en vue

> d'en arriver à des actions mieux équilibrées. Le rôle de l'École a été et, j'espère restera encore, celui d'enrichir de talents nouveaux d'abord les GBC puis les autres troupes [...] étant donné les décisions de restructuration qui doivent se prendre incessamment, je vous saurais gré d'accéder le plus rapidement possible à cette proposition de rencontre[800].

Ludmilla est préoccupée par le fait que le répertoire des GB est de plus en plus composé de danses modernes, ce qui laisse peu d'occasions aux finissants de l'École de danser ici du classique. Il existe un schisme entre l'École et les GB, au dire même de la codirectrice, Jeanne Renaud[801]. «Ces quelques lignes, écrit Ludmilla, pour dire que votre silence étonne et que certains gestes blessent par moments [...] Je trouve de plus en plus étrange qu'il n'existe même plus de " bonjour " par téléphone ou en personne lors d'un passage vers votre étage supérieur! [...] les affaires... les carrières... est-ce tout cela qui déforme l'amitié...?[802]»

Ludmilla s'attriste de voir les talents classiques à nouveau s'expatrier. Elle s'étonne que le prochain programme des GB ne présente que du ballet moderne. «Est-ce leur mission? Nous avons des compagnies néo-classiques, modernes et post-modernes qui remplissent ce rôle.» Pourquoi les GB n'invitent-ils plus Béjart ou Karen Kain et Frank Augustyn à se produire ici? Pourquoi ne forment-ils plus d'étoiles? Pourquoi les danseurs dansent-ils si peu dans une saison? Les remaniements fréquents qu'a connus la compagnie depuis le départ de Ludmilla et l'arrivée récente de Jeanne Renaud expliquent le glissement actuel vers le moderne. Le public ne s'y reconnaît plus et le nombre d'abonnements fond dangereusement.

La préoccupation du gouvernement est autre. La ministre Lise Bacon supporte le concept d'une École nationale de danse. «Il importe de mettre sur pied une institution pour voir à la qualité de la formation à travers toute la province [...] Il y a nécessité d'un " noyau ", d'une maison mère. À Montréal, forcément. [...] On pourra ainsi surveiller et uniformiser l'enseignement sur tout le territoire. Ce noyau assurerait la formation de professionnels compétents qui iraient ensuite dans les régions.» La ministre est bien consciente que depuis que Ludmilla a laissé la supervision des écoles en région, «dans plusieurs écoles, l'enseignement est inadéquat : les enfants sont mal formés, gaspillés...» C'est du moins ce qu'elle confie au quotidien *Le Soleil*, le 17 janvier.[803]

En mars et avril, l'École commence la troisième tournée de certaines écoles. Il s'agit d'un programme éducatif, <u>Le Ballet à travers les siècles,</u> confectionné sur la base de ce qu'était Initiation à la danse à la fin des années 1950. Le 5 mars, Ludmilla sera à l'école primaire Barclay, à Outremont. Elle ne fera pas toute la tournée, sa santé ne le lui permettant pas. Dernièrement, elle a perdu connaissance en se rendant à la Maison de la danse. Elle est très sensible aux changements de température trop brusques et aux effets de la pollution. C'est pour cela qu'elle va rarement à la PDA, par exemple. Et quand elle y est, elle «cherche l'intimité de la loge numéro 10 pour ne pas incommoder par [son] état[804]». Il y a peut-être aussi qu'elle ne veut pas croiser Monsieur Luft – qui fréquente souvent ces lieux. En mars aussi, elle est l'invitée de l'émission *Le Temps de vivre*, à la télévision de Radio-Canada. Un extrait de son témoignage enregistré sur *Pas de deux* est alors présenté. De la mi-avril au 2 mai, six de ses élèves sont de la distribution de *Il Puritani*, de l'Opéra de Montréal. Quant aux spectacles de fin d'année, elle s'y rendra. D'abord à l'Auditorium du Plateau pour l'École Laurier. Devant un parterre de dirigeants régionaux et de directeurs d'écoles de la CECM, les élèves danseront une chorégraphie de Ludmilla. L'École supérieure, elle, présentera son spectacle au Théâtre Félix-Leclerc. Pierre

Leroux, du *Journal de Montréal*, le qualifiera de «l'un des plus grands spectacles de ballet de la saison. À tel point qu'on avait le sentiment d'assister à la présentation d'une véritable compagnie...[805]»

En préparation des cours d'été, Ludmilla retient les services d'Eric Hyrst, à qui elle fait une avance sur ses fonds personnels. L'été précédent, c'est un professeur du Ballet nacional de Cuba qui était invité. En mai, les GB veulent faire réaliser une sculpture de Ludmilla. Tout en s'inquiétant de la qualité du sculpteur, elle écrit que «le plus beau cadeau serait le développement au niveau d'une renommée internationale d'un ou de talents issus de notre École et accueillis par les GBC. [...] Ainsi, s'il faut chercher de l'argent pour une sculpture... pourquoi ne pas le chercher pour la promotion [...] d'une ou des étoiles futures des GBC[806]?»

Au cours de l'été 1987, Hadu vient enfin passer du temps avec Ludmilla. Nastia croit se souvenir qu'elles sont allées à Cape Cod avec sœurette Pedneault, la mère de Marie. Au Québec, Nastia fait office de chauffeur pour les deux amies. «Merci d'être venue... je te dirai quand mon nouveau chemin sera davantage visible...[807]» Dès la rentrée, les visites médicales recommencent. Son emphysème lui rend la respiration quasi impossible. Elle ne sait toujours pas si on lui permettra de partir pour l'Europe en novembre. Il fut un temps où elle serait partie quand même mais là, elle a peur d'étouffer, de tomber...

Alors que les GB préparent leur trentième anniversaire, Ludmilla décline les invitations. Elle s'en explique aux codirectrices. N'ayant été impliquée d'aucune façon dans la compagnie depuis au moins deux ans, elle ne se voit pas devenir la porte-parole de l'événement.

> [...] depuis le début de votre «règne», une ère nouvelle s'est installée, [...] reflétant singulièrement les aspirations artistiques spécifiquement vôtres [...] La troupe semble donc devenue indépendante et en chemin vers des rives nouvelles. [...] Voici donc pourquoi la parole ne peut présentement être qu'à vous. C'est une réalité que j'ai appris à accepter; il faudra tout simplement apprendre à l'admettre[808].

En octobre, peu avant que ne commence la saison du trentième, les médias rapportent que les GB sont au bord du gouffre. Les difficultés financières sont à nouveau telles que, selon Jeanne Renaud, «tout le monde se demande si on doit continuer ou non. [...] Les responsables de la compagnie ne peuvent plus penser à long terme. [...] L'une de nos difficultés actuelles est de bâtir un nouveau public et de le garder[809].»

S'il y a quelque chose que Ludmilla a toujours fait, même sans pouvoir planifier à long terme, même sans augmentation de revenus, c'est de soigner son public et de constamment en amener un nouveau en dosant la programmation de chaque saison – en confectionnant des menus, comme elle appelait ses soirées, pour s'assurer que le public reparte satisfait tout en ayant appris quelque chose de neuf. «[...] la troupe meurt, une mort lente mais inévitable – sans moi, écrit-elle à Hadu. Si Dieu me donne la force, j'essaierai peut-être de donner un très grand coup pour éventuellement sauver le tout... Mais Dieu me guidera, pour le Bien pour le Mal[810].»

La solution, pour Brian Macdonald, c'est de revenir à la vision originale de Ludmilla. Absolument. «[...] une compagnie de ballet canadienne-française dans une métropole canadienne qui doit composer avec les classiques du passé, les classiques contemporains et l'expérimentation[811]».

Le 16 octobre, Ludmilla assiste au bal masqué qui marque le lancement officiel des festivités du trentième anniversaire de la fondation des GB, mais les célébrations commencent dans une drôle d'atmosphère. Le directeur administratif, en poste depuis seulement onze mois, vient d'être remercié. Les codirectrices ont décidé de rajeunir *Casse-Noisette* avec comme effet une ponction de cinq cent mille dollars sur les fonds de la compagnie. Les budgets sont gelés et aucune assurance n'est encore donnée quant aux subventions à venir. Le programme de la saison fait si peu de place à la reconnaissance de ce que la compagnie et le monde du ballet doivent à Ludmilla que Véronique Landory écrit à *The Gazette*. Se référant à une entrevue donnée par Linda Stearns, Madame Landory souligne le fait que :

> [...] cette heureuse occasion n'est possible que parce que de solides bases ont été construites durant les années précédant la création de la compagnie.
>
> Même si d'autres personnes y ont contribué par leur talent et leur dévotion, la personne sans l'extraordinaire dévouement de qui les Grands Ballets Canadiens n'existeraient même pas, c'est Ludmilla Chiriaeff.
>
> [...]
>
> Il est impossible d'envisager l'avenir sans reconnaître la dette durable que l'on a envers le passé. Et parce que les Grands doivent leur existence au leadership avisé de Ludmilla Chiriaeff durant ses nombreuses années de créativité, je crois qu'elle mérite que cela soit reconnu lors de chacune des célébrations de cette compagnie[812]*.

Quand, interviewée à son tour, Ludmilla parle plutôt des GB comme d'un enfant «qui s'est marié avec quelqu'un d'autre. C'est fascinant et parfois cela fait peur. Mais comme chaque mère, j'aime mon enfant et je dois savoir quand intervenir[813].»

Ludmilla a finalement décidé de déposer une requête en divorce. Elle est séparée depuis 1982 et Monsieur Luft n'a jamais respecté les engagements prévus à l'époque ; aussi bien en finir. Avec le jugement de divorce, il devra «payer à l'avenir à Madame Ludmilla Chiriaeff, un montant forfaitaire de sept cent trente dollars (730 $) par mois sur le coût de son loyer», rétroactivement au 1er mai 1986. Cela non plus, il ne le respectera pas. «Je n'ai jamais créé une sécurité pour Madame Chiriaeff. C'était mon rôle. J'aurais dû le faire. Quand j'étais là, je ne lui ai pas établi... j'ai rien fait pour elle», admet Uriel Luft.

Depuis 1984, le journal *La Presse* souligne chaque semaine les réalisations d'une personnalité et, à la fin de l'année, décerne à l'une d'entre elles le titre de personnalité de l'année au moment du Gala Excellence. Pour cette année 1987, *La Presse* a voulu rendre un hommage particulier à deux artistes québécois : Léonard Cohen et Ludmilla. Un journaliste rapportera que «la partie la plus intéressante [du Gala] fut l'hommage à Ludmilla Chiriaeff, grâce aux films d'archives, on l'a vue danser dans des émissions depuis longtemps disparues, comme *L'Heure du concert*[814]». Des extraits de *Carrousel* et des *Éphémères*, entre autres, ont été montrés ; ces deux chorégraphies dans lesquelles Ludmilla danse sont de 1953. Parmi les nombreux témoignages qu'elle reçoit, à la suite du Gala, ces mots du premier ministre Robert Bourassa : «*La Presse* a récemment rendu un hommage particulier et bien mérité pour votre contribution à la vie culturelle et artistique du Québec et du Canada. En vous honorant ainsi, le grand public vous témoigne encore une fois son admiration et son estime[815].» Bourassa se rappelle-t-il seulement que dix-sept ans auparavant, il a empêché Ludmilla d'aller avec ses danseurs représenter le Québec à Osaka ? Ludmilla, elle, n'a pas oublié. Et n'a toujours pas compris. Quelque temps avant de mourir, elle en cherchera encore la raison.

Le 2 novembre, les Québécois apprennent le décès de René Lévesque, survenu dans la nuit de dimanche à lundi. Ludmilla, qui était très proche de lui, écrit à sa femme Corinne.

> [...] mon sentiment d'être devenue orpheline depuis hier soir – dimanche le 1er novembre... Tant qu'il était parmi nous – je ressentais l'âme «de chez nous» vibrer autour de nous... Aujourd'hui, le vide semble si profond – si réel que la douleur paraît trop insurmontable... Pourtant je sais déjà qu'à partir d'une dimension nouvelle sa présence se retrouvera. [...] se perpétuera [...] sa flamme demeurera vivante[816].

Et Ludmilla part pour la France. Elle y sera près de trois semaines avec Hadu venue la rejoindre depuis Lausanne. Elles assisteront au vingt-cinquième Festival international de danse de Paris. Une fois sur place, elle visitera aussi la nouvelle École de ballet de l'Opéra de Paris et profitera des prestations du London Festival Ballet du Kirov pour s'enquérir des développements en danse et en formation des danseurs, en Russie. Elle aurait aimé se rendre à Londres, mais ses médecins ne le lui ont pas permis, à cause des risques de pollution et du stress occasionné par plusieurs déplacements. Au retour, une lettre de Victor Melnikoff l'attend.

> Ce qui manque à la compagnie, c'est vous, Ludmilla. Quand vous étiez là, vous donniez à cette compagnie toute son inspiration. Cette *special grace*... qui a maintenant été tarie par la bureaucratie (qui ironiquement n'est même pas efficace!) [...] La fonction d'un conseil d'administration est de préserver et protéger et nourrir financièrement la compagnie [...] Vous devez retourner à la tête de la compagnie [...] J'espère qu'ils vous permettront de le faire[817]*.

Plusieurs se plaignent de l'ingérence du conseil d'administration dans les affaires artistiques. Ce Conseil mettra d'ailleurs prématurément fin au contrat de Jeanne Renaud. Linda Stearns se retrouve alors seule à la direction artistique des GB, dont le directeur administratif ne sera pas remplacé à brève échéance. « Les conseils d'administration ne doivent pas mener les compagnies de ballet, seuls les directeurs artistiques le peuvent », dira James Kudelka[818]*. Jeanne Renaud avait signalé le même problème au *Devoir*, « la direction artistique est souvent mise de côté par le conseil d'administration[819] ». Jusqu'aux danseurs qui questionnent ces départs. Pierre Lapointe et Edward Hillyer, entre autres, accusent le président du conseil lui-même, François Lebrun, d'être le responsable de décisions néfastes pour la compagnie.

> Si nous discutons de questions de droit ou d'opérations comptables, je respecterais votre jugement parce que vous vous spécialisez dans ces domaines. Mais pour ce qui est de la danse et de la direction artistique, je questionne et votre autorité et votre expérience [...] Nous travaillons parmi des Raspoutines qui savent toujours tout mieux que nous sur notre art malgré notre formation, notre dévotion et nos sacrifices[820]*.

Malgré les lettres, les appels, les confidences, les pressions, Ludmilla ne retournera pas aux GB. Elle ne créera pas non plus une autre compagnie, comme le lui suggèrent certains[821]. Elle prend toujours de la cortisone et dès qu'elle oublie de se reposer, ne fût-ce qu'un tant soit peu, les tremblements augmentent; le souffle lui manque au bout de trois marches. Alors, elle se retire et poursuit une démarche spirituelle en vue de trouver l'équilibre qui lui permette de tenir encore un peu. Elle n'assiste même pas aux représentations du nouveau *Casse-Noisette*. Fernand lui écrit un mot pour lui dire comme il regrette de ne pas la voir et lui offre ses meilleurs vœux.

Chapitre 21
Des cadenas sur les jambes

Le 20 janvier, après avoir participé à l'émission *Au jour le jour*, à la télévision de Radio-Canada, Ludmilla rend visite à son médecin. L'emphysème continue de la faire souffrir et elle doit apprendre à vivre avec cette maladie chronique. Sauf qu'admettre la maladie, c'est lui donner prise sur sa vie et Ludmilla s'y refuse. Elle sait qu'elle ne peut plus monter les marches aussi vite, et que tout emballement la laisse sans voix, mais elle n'est pas encore résignée à vivre à moitié. Si «la maladie [l'oblige] à baisser pavillon pour un temps», il n'est pas question pour elle d'envisager «d'être parquée dans ces cages pour vieillards aussi dorées et confortables soient-elles[822]». Tout un chacun lui parle d'une méthode X ou d'un gourou Y susceptible de lui faire entreprendre une démarche qui l'amènerait à sublimer son corps et la maladie qui l'habite. Elle commence à prêter l'oreille à ces théories et lit les livres et les revues qu'on lui apporte ou qu'on lui recommande. Elle s'essaie aussi à certaines diètes, aux produits naturels de toutes sortes. Sans succès.

Elle accepte l'invitation du ministère des Relations internationales, qui reçoit le ministre de la Culture de l'URSS, le 5 février. Ce dernier est accompagné d'une délégation d'une trentaine de personnes avec qui Ludmilla conversera dans sa langue maternelle. Cela lui permettra de s'enquérir des derniers développements en danse et de parler de possibilités d'échanges de professeurs entre le Québec et la Russie. Le 14, elle est de nouveau à la télévision, cette fois à l'émission *La Grande Visite*. Elle y parlera de l'importance de former la jeunesse et de son souci de créer une tradition en danse, ici. Des extraits de *Caucasienne*, produit en 1953, et de son témoignage sur *Pas de Deux* seront présentés à cette occasion.

Peu après, elle est en consultation au Centre thoracique de Montréal. C'est pendant cette consultation qu'elle accepte de participer à un projet de recherche sur le repos des muscles inspiratoires chez les malades pulmonaires obstructifs chroniques. Il s'agit de voir si l'utilisation d'un respirateur, la nuit, peut reposer les muscles de la respiration chez des malades comme elle. Ce projet de recherche dure quelques semaines.

Les honneurs continuent de lui être attribués. Ainsi, le 22 mars, Ludmilla se rend à Québec pour recevoir un autre doctorat, cette fois de l'Université du Québec. Devant quelque trois cents invités, réunis dans les salons de l'hôtel Delta International, le président de cette université lui rend hommage.

> Cette Russe de cœur mais Canadienne par mutuelle adoption [...] demeure l'une des plus étonnantes figures du monde des arts à travers le pays [...] Son œuvre est le fruit d'une passion, à la fois impétueuse et spirituelle [...] Madame, pour votre contribution au monde de l'art et pour votre sens de l'humain, pour votre apport culturel à notre société, [...] j'ai l'honneur de vous décerner [...] le titre de docteur *honoris causa*[823].

Dans son discours d'acceptation, Ludmilla associe

> ceux et elles qui ont partagé [sa] passion et servi des années durant la « cause » et l'art de la danse [...] Quand la vie me fait un cadeau comme celui d'aujourd'hui, je ne peux m'empêcher de regarder un peu en arrière pour mesurer le chemin parcouru [...] Depuis trente-six ans, je crois avoir fait de la recherche d'une qualité toujours accrue l'un de mes leitmotiv principaux et j'ose croire que l'honneur qui m'est fait aujourd'hui n'est pas étranger à cette démarche[824].

Puis, le 29 avril, le Salon de la femme lui remet un trophée comme couronnement de sa carrière. En 1970, elle avait été choisie Femme de l'année par la même organisation.

Ce printemps sera de courte durée pour Ludmilla. À la mi-mai, elle est de nouveau hospitalisée. Six heures par jour, elle sera enfermée dans un poumon d'acier. Elle écrira que ce traitement lui a fait du tort[825]. Ses enfants soutiennent que c'est à partir de ce traitement que son état de santé s'est vraiment détérioré. « À la mi-août, je l'ai amenée à Cape Cod, me confie Nastia. Elle participait à une recherche au Centre thoracique. Elle devait porter une combinaison gonflable, le jour. Cette combinaison devait l'aider à mieux respirer, mais cela lui a affaibli les muscles et son état a empiré. »

Plusieurs personnes continuent de se préoccuper de son état de santé et lui téléphonent, comme Andrée Bourassa, ou lui envoient un mot, comme Reine Johnson, qui vient elle-même de sortir de l'hôpital. Jeanne Renaud lui laisse son adresse en Italie. Elle est allée au spectacle de l'École. « On sent le potentiel [...] une qualité s'en dégage et c'est là le mérite – je crois qu'il faut tenir bon[826].

Avec l'automne, Ludmilla se remet à ses archives. Radio-Canada a retrouvé les cassettes de *Suite canadienne* et de *La Fille mal gardée* et lui en envoie une copie. Ludmilla remercie pour ces précieuses cassettes « parce que d'une part le souvenir des temps héroïques les rend émouvantes et d'autre part parce qu'elles sont si indispensables pour que les jeunes finissants de l'École supérieure puissent faire revivre ces œuvres " anciennes " (celles qui ont su donner le grand élan à l'art de la danse au Québec)[827]». À la fin de septembre, elle fait don, pour l'usage de la bibliothèque de l'École, de tous les documents dont elle est propriétaire et qui sont alors dans les locaux de l'École ; cela inclut ceux qui lui furent donnés personnellement par feu Marcel Valois et par feu Ken Johnson, à la suite du décès de son épouse, Elizabeth Leese. Donald Fortin, alors directeur général de l'École, s'engage à faire accepter cette donation par le conseil[828].

Donald Fortin a remplacé Pierre Brodeur, que le gouvernement du Québec a nommé à la direction de l'ITHQ. Ludmilla sait qu'elle perd au change, mais elle n'y peut rien. Fortin est un moindre mal ; il fraie avec le milieu de la danse depuis quelques années. Il a présidé le conseil de l'École, puis fait partie de comités gouvernementaux. Elle espère qu'il pourra l'aider, mais la chimie n'y est pas.

Par contre, une décision de Lise Bacon la réjouit au plus haut point. Le MAC accepte le Plan de développement déposé par l'École le 29 août. Depuis le milieu des années 1960, Ludmilla demande aux gouvernements de lui donner la possibilité de planifier pour quelques années. Il aura fallu tout ce temps pour que se réalise son souhait. Bien qu'elle ne soit pas signataire du contrat entre l'École et le gouvernement, le contenu la rassure. Un des attendus affirme que « la Ministre considère l'École comme l'organisme majeur en formation professionnelle en danse classique » et l'article trois fixe les subventions annuelles pour 1989-1990 à un million vingt-quatre mille cinq cents dollars et pour chacune des deux années suivantes, à un montant qui ne peut être moindre que la subvention accordée la première année[829].

En décembre, Ludmilla rédige un nouveau testament. Une vilaine grippe qui ne la lâche pas finit par se compliquer de telle sorte qu'au temps des fêtes, Ludmilla est à nouveau mal en point. Elle tient le coup pour les représentations de *Casse-Noisette*. Elle a des frissons et des tremblements. Ce qu'elle croit être une vilaine grippe est peut-être une pneumonie. La fièvre ne la lâche pas. Ses oreilles bourdonnent. « Mon corps me brûlait. » Elle fait du zona et son état général se détériore aussi. C'est encore une fois l'hospitalisation.

Nastia maintient le lien entre sa mère, l'École où elle travaille à plein temps et la compagnie. Chacun s'inquiète de Ludmilla : la ministre Bacon, Linda Stearns, Fernand, qui lui envoie un petit mot par Donald Fortin. D'après les enfants, il est toujours là. Il répond lui-même à certaines lettres adressées à Ludmilla. Elle aussi rédige des lettres dont certaines sont signées par la secrétaire de direction. Dès que son état le permet, elle est transférée à la Villa Médica pour sa convalescence.

Pendant ce temps, les GB terminent les répétitions pour « Hommage à Diaghilev ». Ludmilla ne pourra pas assister aux représentations. À Linda, Ludmilla fait porter une plante.

> Il s'avère que cette soirée de Gala devient pour toi probablement le dernier important événement de ton cheminement à travers le sentier historique des GBC (surtout de ton « règne » comme directrice artistique)... et je tenais à être là à tes côtés avec cette plante [...] car après avoir vécu moi-même de multiples, rudes et souvent cruels moments durant la longue période de transfert de la troupe [...] je sais que toi aussi tu auras par moments besoin de « chaleur humaine » [...] Ainsi ma tendresse est et sera avec toi...[830]

Linda Stearns a remis sa démission au président des GB pour le 1er mai, mais comme dans le cas de Ludmilla quinze ans auparavant, les membres du conseil n'en ont pas été avisés tout de suite. Ludmilla a de l'affection pour cette fille qu'elle a embauchée comme danseuse, en 1961, et qui termine sa carrière comme directrice artistique. Et comme elle ne peut assister à la soirée de départ de Linda, elle lui envoie un dessin d'Alexis représentant *Les Clowns* et *Jeux d'Arlequin*. Linda est particulièrement touchée parce qu'elle conserve « d'heureux souvenirs de ce ballet et de l'opportunité que vous m'avez donnée d'y danser avec Vincent. Je vais chérir ce cadeau, ces souvenirs et vos mots à jamais[831]* ».

L'état de Ludmilla continue de se détériorer. Une amie de Gleb, la docteure Ghislaine Roederer, la prend en charge et lui fait passer une série de tests à l'Hôtel-Dieu. Le vendredi 3 mars, Ludmilla est aux soins intensifs. Ses pieds enflent, ses jambes paralysent, elle a des bourdonnements dans les oreilles et elle étouffe. On lui fait une ponction lombaire puis une biopsie des nerfs. On finira par diagnostiquer le syndrome Guillain-Barré qui se manifeste par une inflammation du système nerveux, et qui provoque une paralysie musculaire, y compris des muscles respiratoires, durant plusieurs mois. La réadaptation sera longue. « On ne peut guérir [de cela] mais avec le temps, on arrive à contrôler la douleur », affirmera Ludmilla[832]. Au début, la médication offre peu de répit et elle doit trouver d'autres façons de maîtriser la douleur. Des lectures sur l'autoguérison, des exercices de visualisation, de la méditation. « Quand on a eu la chance d'être plus fort que la mort, on ne va tout de même pas se laisser dominer par une adversité minable[833]. » Quand Ludmilla fait un retour sur les vingt dernières années, elle commence à admettre que tout n'est pas comme elle veut le dire ou le croire. « Je me suis permis de penser que j'étais tellement spéciale, mais tout était mensonge. Je me leurrais. » Il lui faut lâcher prise si elle veut vivre encore un peu sans étouffer. « La vie passe. Dans la rivière, l'eau n'est jamais la même. Elle a ramassé les branches, les feuilles, tout ce que l'eau peut ramasser. Tu dois respirer les choses comme elles te viennent. »

À la mi-mars, Mishka et Katia viennent de New York rendre visite à leur mère. Il y a un moment que la famille ne s'est pas retrouvée ensemble. En fait, depuis la séparation, chacun vit sa vie de son côté. Mishka s'est mariée et vit à New York depuis cinq ans. Katia a aussi décidé d'y faire sa vie après avoir voyagé en Europe. Cependant, les uns et les autres tentent de se rassembler chez elle. Elle hébergera ses enfants, à tour de rôle, quand ils en auront besoin. Ils fêteront Noël, Pâques et les anniversaires chaque fois que ce sera possible. Au premier mariage de Mishka, Ludmilla est trop faible pour accueillir la famille, qui se rencontre alors chez Avdeij. « Mon frère habitait un troisième étage sans ascenseur, se souvient Nastia. Les hommes ont porté maman sur une chaise jusqu'à l'appartement. Elle était heureuse entourée des siens. »

Ludmilla est transférée à l'Institut de réadaptation où elle réapprend à ses muscles à se mouvoir. « Parce que le mouvement, c'est la vie », comme elle le dit si souvent. Ses pieds sont endormis ; elle se déplace en fauteuil roulant mais entend faire suffisamment de progrès pour assister aux représentations de fin d'année des élèves de l'École. Dans le programme souvenir de cette soirée, soulignant les dix ans de cours au Cégep du Vieux-Montréal, Ludmilla écrit : « De rêves fous en rêves réalisés, ma vie a pris son sens et sa richesse au rythme de la danse [...] Oui, la vie est un cycle parfait : nous donnons à des êtres qui donneront à d'autres après eux et ainsi de suite... pour que la flamme demeure. » Et c'est ce qui a toujours préoccupé Ludmilla. Que l'œuvre demeure. « C'est plus facile de bâtir que de maintenir quelque chose de déjà bâti. »

Le samedi 27 mai, Ludmilla obtient un court congé afin de se rendre au Cégep pour ce gala sous la présidence de la ministre Lise Bacon. Cette dernière en profite pour annoncer que l'École supérieure de danse sera la plaque tournante de la formation en danse classique au Québec ; qu'un comité pédagogique consultatif permanent sera rattaché au conseil ; que ce dernier devra accueillir une représentation régionale ; qu'une compagnie est créée, le Jeune Ballet du Québec, formée de finissants de l'École, et que, désormais, l'édifice de la rue Saint-Denis portera le nom de Maison de la Danse Ludmilla Chiriaeff. « Et c'est avec grand plaisir que je dévoile alors la plaque commémorative qu'arborera l'immeuble à compter d'aujourd'hui. Nous avons voulu faire en sorte que l'apport de Madame Chiriaeff se manifeste longtemps encore dans la vie quotidienne des danseurs et danseuses formés à l'École supérieure de danse et qu'il soit évoqué à tous les visiteurs de cette institution[834]. » Cette plaque est maintenant apposée à l'intérieur de l'édifice.

Comme pour faire mentir les rumeurs qui, à nouveau, envahissent les corridors de la Maison de la danse, la chambre de Ludmilla à l'Institut de la rue Darlington devient rapidement son bureau. Entre les sessions de physiothérapie et d'ergo-thérapie, Ludmilla téléphone, écrit, commence à recevoir d'autres personnes que ses enfants et se plonge dans ses archives. Elle accueille aussi les journa-listes. «Enlevez-moi la possibilité de bouger et mon moteur est immobilisé, raconte-t-elle. Il faut faire revivre ce qui est endormi [...] retrouver à tout prix le mouvement [...] Arrêter le mouvement, c'est vieillir et se préparer à la non-vie[835].» Et Ludmilla n'est pas prête pour cela. Mais cette maladie est un signe. Son fils Gleb le lui a dit: «C'était la seule façon qu'avait la vie pour la freiner, lui apprendre à s'occuper d'elle même.» L'empêcher de marcher, de courir ici et là. Même si elle a souvent été malade, «c'est la première fois que la maladie m'a mis des serrures, des cadenas sur les jambes[836]». Mais elle travaille très fort à la rééducation de ses pieds et la danse lui sert en cela. Elle s'est inventé une chorégraphie pour réapprendre à ses orteils à se mouvoir. «Ça fait très mal, mais je peux les bouger alors qu'en entrant à l'Institut, je ne bougeais rien du tout[837].»

Elle espère bien pouvoir rentrer chez elle sous peu, mais il lui sera d'abord permis de sortir une journée à la fois. Elle se rendra alors à l'École, quelques heures, mais logera à l'Institut où elle suivra chaque matin des traitements. Il faut tout réapprendre et, selon Nastia, «elle avait peur d'être amputée. Pour elle, ses jambes étaient tout. Ça, c'est la danseuse. Elle a vraiment de toutes pièces réappris à marcher. Quand les pieds sont engourdis, c'est très difficile de marcher. Son équilibre est visuel, comme chez les danseurs.» En août, invitée à rencontrer le nouveau directeur artistique des GB, Lawrence Rhodes, Ludmilla refuse, «ne circul[ant] pas encore de façon suffisante, surtout quand il s'agit de monter à l'étage supérieur d'un édifice sans ascenseur[838]».

À la rentrée, *L'Actualité médicale* lui réserve deux pages d'entrevue. Elle parle de la médecine et du médecin – celui-ci devant «pouvoir non seulement guérir dans sa spécialité mais aussi rechercher la maladie de l'âme qui peut parfois être cause du désordre physique[839]». Dieu sait si elle en a connu des médecins depuis le docteur Roudneff et les médecins SS jusqu'à celui qui s'occupe d'elle maintenant, en passant par le docteur Smith et quantité d'autres, au fil de ses hospitalisations. «Aujourd'hui, je suis entre les mains d'un médecin [...] qui essaie de me mettre dans un état de pensée susceptible de me séparer de la douleur [...] qui me soigne tout en mettant l'accent sur ce que je peux encore faire[840].» Deux médecins de l'Institut la suivront d'ailleurs presque jusqu'à ses derniers jours.

Le 27 octobre, Ludmilla est officiellement reçue à la Société royale du Canada. Elle en est membre depuis trois ans, mais la cérémonie officielle n'a pas pu avoir lieu avant, Ludmilla étant toujours malade aux moments où les cérémonies d'intronisation avaient lieu. Le président lui a remis un certificat en présence de quelques membres de la Société, des membres de la famille et d'amis. La veille, le Musée McCord rendait hommage à la designer et couturière Marie-Paule Nolin. Ludmilla, qui a souvent porté ses créations mais qui ne pouvait assister au Gala, a fait remettre un texte, lu par Albert Millaire. « Au même titre qu'un architecte tu savais bâtir [...] J'ai souvent vu tes plans frémir dans ton esprit puis... prendre forme ! Oui, Marie-Paule, tu as été dans cette ville bâtisseur de rêves réalisables ! »

En novembre, l'École reçoit Claude Bessy, directrice de l'École de danse de l'Opéra de Paris. Elle vient pour une évaluation de l'École et de son fonctionnement. Ludmilla passera une partie de certaines journées avec elle. Ce qu'elle a vu de l'École et des élèves incite Ludmilla à écrire aux professeurs, après le départ de Madame Bessy.

> Je tiens à exprimer, une fois de plus, un vœu qui m'est très cher pour l'avenir : c'est de trouver le moyen d'obliger nos élèves à se présenter en classe *vêtus d'habits propres et selon les règlements de l'école* [...]
>
> Souvenez-vous lorsque l'école était « l'école Chiriaeff » donc mon école privée, les réceptionnistes (Mesdames Kashkaroff et Malashenko) et moi-même, nous appliquions des mesures sévères, soit des amendes pour cheveux mal coiffés, pour chaussons ou costumes oubliés et pour des retards (en effet après quinze minutes de retard, la classe était interdite aux retardataires). Ces règles correspondent « en miniature » aux exigences professionnelles de toute compagnie.
>
> Faudra-t-il reprendre ce genre de contrôle...

Vingt-cinq ans plus tôt, pour la première fois, les GB montaient *Casse-Noisette* avec Fernand Nault, alors à l'American Ballet Theatre, à New York. « Peut-être étions-nous fous, en ce temps-là, se souvient Fernand. Madame était enceinte et elle travaillait douze heures par jour, coordonnant les pratiques. J'ai pensé qu'elle allait perdre son bébé[841]. » À cette époque, la production coûtait vingt-cinq mille dollars. Aujourd'hui, neuf personnes travaillent dix semaines à faire répéter les enfants ; s'ajoutent à cela trois semaines de répétitions avec toute la distribution. On doit prévoir une doublure pour chacun des danseurs, dont les enfants, des chaussons et des costumes en conséquence. Une production coûteuse mais qui fait chaque fois la joie des familles.

Chapitre 22
La dernière bataille

Le Jeune Ballet du Québec naît, légalement, le 12 janvier 1990 avec comme président Donald Fortin, et Anastasie Chiriaeff comme secrétaire. En attendant l'obtention de subventions, c'est l'École qui se chargera de cette nouvelle compagnie. Mais les fonds sont rares partout. En février, l'École nationale de ballet de Toronto fait face à un déficit de deux millions de dollars. Betty Oliphant déclare aux journalistes que si le gouvernement ne l'aide pas, elle devra fermer son École. « Mais l'école ne peut fermer, c'est le travail de toute ma vie. Ce seraient trente ans qui disparaîtraient[842*]. » Malgré le passé, Ludmilla a de la sympathie pour elle, car elle a vécu des moments semblables plusieurs fois, pour les GB et pour l'École. Pour l'instant, elle est aux prises avec une autre restructuration qui risque aussi d'acculer son École à la fermeture.

Elle révise le projet d'organigramme dont une note, à la fin, la concerne spécialement.

> Le poste de coordination de la formation professionnelle ne serait pas requis en temps normal. Il est conçu comme une assistance temporaire à Madame Chiriaeff dont l'état de santé ne lui permet pas d'assumer pleinement ses fonctions.

Cet organigramme doit entrer en vigueur en juillet, par affichage de poste. Ludmilla rature, corrige, commente le document qui la place sous l'autorité du directeur général. Ça, elle ne le prend pas! La nouvelle description du poste de directeur des services pégagogiques ferait d'elle un commis glorifié sous le contrôle absolu du directeur général. Elle veut bien travailler avec ou en concertation, mais elle ne prendra pas d'ordres du directeur général quant à la direction artistique ou à la formation des élèves. Elle est peut-être encore chancelante sur ses pieds, mais elle a toute sa tête et comprend qu'encore une fois, l'administration tente de mettre la main sur un domaine qui doit rester sous l'autorité des professionnels en la matière. Ainsi, Fortin, dont elle disait du bien aux journalistes l'année d'avant, commence à montrer un autre visage.

En mars, les professeurs les plus anciens de l'École se réunissent et produisent un compte-rendu à l'intention du conseil. Ils refusent l'ingérence et la prise de contrôle de l'administration sur les décisions qui sont strictement de leur ressort et ils exigent la reconnaissance officielle des responsabilités que seule peut assumer une direction artistique et pédagogique. Entre autres, les professeurs en ont contre le fait que les décisions du comité pédagogique sont renversées par le directeur général et que ce soit lui qui établisse les dossiers pédagogiques.

Ludmilla fait suivre au comité exécutif ses recommandations.

> Je ne veux pas que cette entreprise à laquelle j'ai consacré ma vie soit en crise parce que les administrateurs et membres du conseil n'ont pas compris la dynamique du fonctionnement d'une organisation qui est d'abord et avant tout une école de danse, et de danse classique.
>
> [...]
>
> l'expérience m'a appris que la manière dont les choses doivent être organisées dépend d'abord de la nature même de ces choses et qu'il y a bien plus de valeur et de leçons à tirer de l'expérience d'organisation d'écoles de ballet à travers l'histoire et dans différents pays que de théories développées par des administrateurs d'affaires.

Ludmilla traite ensuite d'une série de points et conclut :

> Si ces questions ne sont pas correctement traitées, parce que les équilibres sont changés, cela entraînera des conflits qui pourront devenir des crises et sans doute même amener la destruction de l'École[843].

Ludmilla a toujours été la directrice de l'École et un directeur administratif était sous son autorité. «Même quand le pouvoir administratif est rehaussé au poste de directeur général, l'organisme [ne] fonctionne bien que si le pouvoir artistique est clairement indiqué comme étant le plus important[844]. » Elle donne l'exemple de l'OSM, où le directeur ne vient pas décider en lieu et place de Charles Dutoit. Alors que Fortin met tout sous lui : Ludmilla, les professeurs, le Jeune Ballet du Québec, les chorégraphes et maîtres de ballet, l'administration générale. Tout relève de lui. Ludmilla veut bien que l'on revoie l'organisation, si cela peut régler certains problèmes dont tous se plaignent, mais cela ne peut se faire sans tenir compte d'un nécessaire et fragile équilibre entre la vision artistique et l'administration, entre les impératifs de la formation et la saine administration des fonds publics.

Ludmilla va se battre avec l'énergie qu'on lui a toujours connue. Aux GB, elle avait décidé de passer la main et elle a pris ses distances, même quand on la suppliait de reprendre du service. Mais l'École, il n'est pas question qu'elle la quitte et n'entend pas qu'on l'évince si facilement en vidant son poste de toute signification. D'autant que cette démarche s'effectue pendant qu'elle ne peut être quotidiennement au bureau. Elle vit encore à l'Institut de réadaptation, où il ne lui est permis de prendre qu'un ou deux jours consécutifs de congé. Alors, de sa chambre, elle continue la bataille. Fortin vient la voir à l'Institut et cela agace souverainement les enfants. « Mon souvenir, raconte Gleb, c'est qu'il était souvent à l'hôpital, chaque fois que maman a été hospitalisée. » C'est durant la longue période de réadaptation que les enfants apprennent à quel point la santé de leur mère est fragile. « Jusque-là, maman ne nous a pas dit la vérité. Elle a toujours tenu les problèmes loin de nous. C'est le médecin qui s'occupait de maman qui nous a informés », précise Avdeij. Les enfants auront beau essayer de convaincre leur mère de fermer sa porte à tous ceux qui viennent lui parler des problèmes de l'École, Ludmilla continuera de tenir bureau dans sa chambre. Personne ne la convaincra de laisser aller l'École tant et aussi longtemps qu'elle n'aura pas la conviction que son œuvre perdurera. Sa mission n'est pas terminée. Encore et toujours la mission !

En mars, les GB rendent hommage à Fernand Nault, au cours d'une soirée de gala sous la présidence de la ministre des Affaires culturelles, Lucienne Robillard. Juste avant le lever du rideau, se tenant debout à l'aide d'une canne, Ludmilla s'adresse aux personnes qui remplissent la salle Wilfrid-Pelletier. Elle rappelle d'abord les débuts des GB et l'arrivée de Monsieur Nault vingt-cinq ans auparavant.

> Il ne manquait plus que vous parmi nous. Ce qui m'a été et m'est encore le plus cher et le plus important, c'est le souvenir des jours, des nuits passées ensemble à rêver tantôt à la conception des costumes et des décors pour *Carmina Burana, Les Sylphides, Cérémonie...*, tantôt à oser prendre la décision du ballet *Tommy !* Et que dire des moments passés à frémir de joie à l'idée d'offrir aux Montréalais le tout premier *Casse-Noisette*, ou encore à jubiler de voir *Symphonie des Psaumes* se produire au cœur même de l'oratoire Saint-Joseph. Dieu que cette époque fut étincelante !
>
> [...]
>
> Merci à vous, cher Fernand, pour tant de dévouement et pour toutes vos œuvres !
>
> [...]
>
> Que votre exemple inspire les jeunes Québécois pour les générations à venir[845].

Accompagnée de Nastia, Ludmilla est retournée à l'Institut fourbue mais heureuse. Elle n'aurait pour rien au monde manqué cette soirée en l'honneur de son collaborateur et ami Fernand. Pendant quelques jours, comme chaque fois qu'elle assiste à une représentation ou à une cérémonie quelconque, Ludmilla devra s'abstenir de toute activité extérieure. Mais elle n'aime pas beaucoup ce que les médias rapportent au sujet de la compagnie : le directeur,

Lawrence Rhodes, aurait décidé de remplacer deux Canadiens et sept Québécois par des danseurs américains. « Tensions ethniques », titre *Le Devoir*[846]. Comment se tenir à l'écart quand l'identité culturelle de la compagnie qu'elle a créée est menacée ? D'autant que cela restreint encore la possiblité pour les finissantes de l'École d'entrer aux GB.

À la fin du mois, elle rencontre le président du conseil de l'École. Elle lui écrit par la suite.

> Il m'était difficile de croire aux récits qui me parvenaient à l'hôpital. [...]
>
> Comment y croire puisque ma relation avec Monsieur Fortin était jusque-là si limpide que cela m'avait même incitée à en faire mention dans des entrevues avec certains journaux.
>
> Mais en arrivant moi-même sur place, j'ai été obligée de reconnaître...
>
> [...]
>
> Je suis parfaitement consciente du fait que face aux situations politiques et culturelles présentes le dévoilement d'un malaise interne de l'École serait chose néfaste.
>
> [...]
>
> Un faux pas, quel qu'il soit, risque de nous faire perdre les meilleurs professeurs, quand nous ne pouvons nous permettre d'en perdre un seul.
>
> [Et Ludmilla d'offrir sa collaboration, même si elle n'est pas encore rétablie] jusqu'à la mise sur pied de la structure finale de l'École et l'arrivée de mon successeur[847].

C'est la première fois que Ludmilla mentionne son départ, événement qu'elle souhaite voir coïncider avec le quarantième anniversaire de son arrivée au pays. Si jusque-là elle était de moins en moins informée par l'administration des décisions qui se prenaient à l'École, maintenant, elle ne le sera plus du tout. Ce qu'elle apprendra, ce sera par les appels des professeurs. Et parfois par Nastia.

Au début de mai, Ludmilla réintègre son appartement mais avec l'obligation d'aller deux fois par semaine continuer ses traitements. Elle doit aussi réduire au strict minimum ses activités professionnelles et sociales pour une période indéterminée[848]. Ludmilla se sent enfin libre. Certes, elle marche lentement, avec une canne, et la douleur est toujours là pour lui rappeler qu'elle doit s'occuper d'elle, mais il n'y a plus la contrainte des heures de repas et de coucher. Décrivant ses douleurs à Michelle Coudé-Lord, elle dit : « Je me sens les jambes serrées très fort dans des bottes de caoutchouc, un gonflement constant au bout de mes ongles, comme s'ils étaient en train d'éclater, sans compter tous ces chocs électriques qui me font passer des nuits d'horreur[849]. » Mais cela ne l'empêche pas d'avoir l'œil sur la préparation du spectacle de fin d'année de ses élèves et de se plonger dans la campagne de financement de l'Institut de réadaptation. Quelle meilleure porte-parole, même si chaque phrase l'essouffle ! Pourtant, le 31 mars, son médecin écrivait : « Il n'est pas recommandé à Madame Chiriaeff d'être soumise à aucun stress quel qu'il soit et en particulier de se soumettre à des entrevues pour campagnes publicitaires ou pour émissions de télévision, ceci pour une période d'au moins six mois. » Mais Ludmilla n'a pas pu dire non. Elle n'a toujours fait que ce que son cœur lui commandait de faire. Et puis, elle ne peut vivre sans cause. Ayant déjà décidé de laisser l'École au moment choisi par elle, elle fait comme toujours : elle s'embarque dans autre chose. Le Centre thoracique aussi va l'approcher pour sa prochaine campagne. On lui signale qu'il ne s'agit que d'une fonction honoraire, mais quand donc Ludmilla s'est-elle contentée d'être « honoraire » ?

Il lui sera très difficile de décrocher, même si la docteure Anne Pelletier continue avec elle une démarche pour l'amener à réaliser qu'elle doit s'occuper d'elle-même. Elle donne des devoirs à Ludmilla. Par exemple : dresser une liste de moyens pratiques de se protéger ou trouver dix moyens physiques et dix du côté affectif ; ou, encore, déterminer son horaire idéal pour les deux premières semaines où elle sera chez elle. Il y a au Fonds d'archives Ludmilla Chiriaeff (FALC) plusieurs feuilles sur lesquelles Ludmilla a ainsi rédigé ses devoirs hebdomadaires. Le 25 mai, Ludmilla n'est pas peu fière d'assister au spectacle de fin d'année des finissants de l'École auxquels s'est joint le Jeune Ballet du Québec. À en croire les critiques, cette représentation toute en grâce, en fraîcheur et en maîtrise a été boudée par les dirigeants des GB. « Cette jeune troupe, selon Pierre Leroux, est promise aux plus belles réussites[850]. » Il est dommage que ces danseurs ne soient pas les bienvenus aux GB et doivent aller vers l'extérieur pour se perfectionner et danser. Mais, qui sait, le Jeune Ballet du Québec prendra peut-être son envol...

Puis l'administration déclare Ludmilla temporairement invalide[851] et, sans l'en informer, crée un jury de nomination pour la remplacer. Quand elle l'apprend, elle demande à y être représentée par Jeanne Renaud. Madame Renaud est pour le moins surprise de la procédure qu'entend suivre ce groupe de personnes majoritairement composé d'administrateurs. Cette procédure ne permettant pas d'évaluer les qualités administratives et pédagogiques, Madame Renaud écrit au président Phaneuf : « Nulle part ailleurs dans toute ma carrière, ni au CAC, ni au MAC, ni dans aucun concours où j'ai siégé, le choix d'un candidat de cette envergure n'a été retenu de cette façon. » Elle partage l'avis de Ludmilla et de Fernand selon qui il faut un candidat « dont la vision artistique sur le milieu de la danse transcende les qualités purement techniques ». Jeanne Renaud s'insurge aussi contre le fait qu'on lui interdit de tenir Ludmilla informée. « Je conteste donc le résultat du concours et exige une réouverture des délibérations[852]. »

Les hostilités sont officiellement ouvertes. On a réduit à trois fois rien l'espace occupé par Ludmilla. Même qu'un jour, elle arrivera à la Maison de la danse et elle n'aura plus de bureau. Le personnel administratif des GB ayant aussi été remplacé, Ludmilla se fait refuser la moindre demande – même la liste des membres du conseil. Quand finalement elle en obtient une, c'est pour réaliser que son nom n'y figure même plus. L'entreprise d'exclusion continue.

À la mi-décembre, au petit matin, la sonnerie du téléphone réveille Ludmilla. Elle se lève pour aller répondre, perd pied et tombe sur le bras d'une chaise, près de son lit. La douleur lui coupe le souffle et, de peine et de misère, elle regagne son lit. Après quelques heures, elle entreprend sa journée, avec la routine habituelle, même si les exercices matinaux lui sont plus douloureux que de coutume. « Je crois que cela s'est passé la fin de semaine, mais notre mère ne nous en a pas parlé », raconte Nastia. C'est la période de répétition de *Casse-Noisette* et elle se rend encourager ses jeunes élèves. « Quand je la vois à son bureau, le lundi, poursuit Nastia, elle me dit : " J'ai tellement mal. Je suis tombée. " Et elle me montre : c'était jaune, bleu, mauve. J'ai appelé son médecin. On a diagnostiqué des côtes cassées mais elle a continué à venir à l'École – à monter péniblement les escaliers, jusqu'à ce qu'apparaissent des douleurs abdominales. »

Sur l'insistance de Gleb, Ludmilla voit l'amie de son fils, la docteure Ghislaine Roederer. Cette dernière hospitalise Ludmilla à l'Hôtel-Dieu. Les examens révèlent une hémorragie interne et une rupture du côlon. C'est la catastrophe. Il doit y avoir une intervention chirurgicale d'urgence. « Mes poumons ne peuvent supporter une opération, mais il n'y a pas d'autres solutions que de prendre une chance et d'ouvrir mon abdomen[853*]. » Vu la gravité de la situation, Ludmilla consulte ses enfants. On craignait qu'elle ne survive pas à l'opération, qui a duré plusieurs heures et durant laquelle, au surplus, la rate a été touchée. Branchée à des appareils de survie, Ludmilla passe six jours aux soins intensifs, alors que surviennent des complications qui exigent une autre opération. Cette fois, la famille demande des consultations supplémentaires et l'on remet la chirurgie. « Il n'y avait aucune façon de fermer cette large incision, ma peau étant devenue trop mince après cinq ans de traitement au Pregnisan (*sic*)[854*]. »

Avdeij rédige une lettre à l'intention de l'École et demande à France Desjarlais de l'y porter.

> [...] Je crois que ce serait la volonté de ma mère que vous sachiez ce qui se passe. [...] Par contre, je voudrais bien que vous compreniez qu'un des grands soucis de ma mère, c'est son travail. Et c'est justement pour cette raison que j'ai décidé de rester seul auprès d'elle car ça lui est très difficile de se permettre de parler de travail avec moi qui en ignore le fin mot[855].

Avdeij veut éviter à tout prix que Fortin se précipite à l'hôpital. Il veut éviter aussi que Nastia soit prise entre sa mère et l'École. De toute façon, l'état de Ludmilla est des plus sérieux.

Une fois sortie des soins intensifs, la vie de Ludmilla va changer radicalement. Elle doit maintenant apprendre à vivre avec cette plaie qui refuse de se refermer. Et un sac : on a dû pratiquer une colostomie. Apprendre à vivre également avec une nouvelle série de traitements pour que ses poumons et sa peau supportent une prochaine chirurgie visant à fermer la plaie. Elle sera encore un temps à l'Hôtel-Dieu. Sur la photocopie d'un article tiré d'*Échos-Vedettes*, elle écrit à Hadu : « Pour la première fois, j'ai pensé mourir. Et l'avenir est incertain ! j'ai fait des progrès – mais je dois avoir d'autres interventions chirurgicales. Tout le ventre est ouvert, cousu – recousu. Je te prie de me garder dans tes prières. » Ludmilla sera transférée au Mont-Sinaï, où l'on doit la préparer à l'opération et aussi traiter une surinfection bronchique qui s'est déclarée. Le chirurgien reporte en septembre l'évaluation de sa condition générale avant de décider s'il y aura chirurgie de reconstruction[856].

Au Mont-Sinaï, « c'était comme à l'hôtel », se souvient Nastia. Ludmilla ne met pas de temps à se reconstituer un « bureau », même si ses enfants interdisent encore toute visite. Nastia lit à sa mère la correspondance d'amis et d'administrateurs. Pendant ce temps, Fortin et quelques autres organisent son remplacement définitif. À sa réunion du 21 janvier, le comité exécutif a décidé de ne plus lui verser que cinquante pour cent de sa rémunération, mais cela sur la base de l'exercice 1988-1989. Nous sommes en 1991[857]! En février, sont votés de nouveaux règlements excluant les employés du conseil d'administration et plaçant toute l'École sous l'autorité du directeur général. Puis en mars, Avdeij est avisé que : « L'organigramme de l'École sera revu pour affecter Madame Chiriaeff à des fonctions honorifiques rattachées à l'École qui seront conformes à son statut de fondatrice de l'École et dont les exigences tiendront compte de ses capacités physiques et intellectuelles[858]. »

Des clans se forment. L'atmosphère devient irrespirable et le travail difficile. Nastia reste au poste mais, elle qui est dans le milieu depuis longtemps, elle sent bien que quelque chose tire à sa fin et qu'il se pourrait que l'œuvre de sa mère ne lui survive pas. Elle ne veut surtout pas lui en parler. « Je savais que ça pouvait l'achever d'apprendre que l'École se désagrégeait. Juste à me voir, elle aurait compris. Je lui disais que j'étais malade, pour ne pas aller la voir. »

À l'occasion de Pâques, Ludmilla dicte une lettre « à tous », à l'École, et envoie des sucreries. « Dorénavant, je dois absolument pouvoir rebâtir au plus vite mes forces pour pouvoir faire face à d'autres interventions chirurgicales [...] Je suis donc sincèrement désolée du fait que dans de telles circonstances la continuation des négociations administratives doive dorénavant se faire sans moi[859].» Sans elle, vraiment ? Ludmilla est encore au courant de tout. Un jour que Nastia arrive à l'hôpital pour la voir, sa mère ne lui dit pas bonjour et ne lui laisse même pas le temps de s'informer de sa santé. « Qu'est-ce que Fortin a fait ? » lui demande-t-elle. « J'ai pris sa main et je lui ai dit que j'étais contente de voir que cela allait mieux. Je ne suis pas restée : il ne fallait pas que je lui raconte ce qui se passait. Alors, elle a fait venir Christine (Clair). »

Un concours pour remplacer Ludmilla est annoncé – et pas tenu. Un deuxième concours est ouvert, même si Ludmilla a désigné Christine comme sa remplaçante. Entre les deux concours, les professeurs s'insurgent contre la « prise de contrôle par Monsieur Fortin de tout ce qui relève de la direction artistique et pédagogique[860] ». Fortin répond aux professeurs que la « décision a été prise de confier à Madame Chiriaeff des fonctions honorifiques [...] et de combler le poste d'ici le 1er juillet[861] ». Le même jour, Jean Lanoue télécopie une lettre à Donald Fortin, au nom de la famille :

> À titre de porte-parole de Madame Chiriaeff... nous sommes très surpris pour ne pas dire offusqués des propos que vous tenez à son endroit [...] particulièrement eu égard à sa démission, de ses capacités physiques et intellectuelles et des démarches pour combler son poste de directrice pédagogique.
>
> À ce propos, nous vous rappelons que Madame Chiriaeff est toujours la directrice pédagogique et entend le demeurer jusqu'à nouvel ordre. Malgré l'état de sa santé au cours de ces dernières années, Madame Chiriaeff n'a jamais cessé d'assumer entièrement ses responsabilités de directrice pédagogique, même de son lit d'hôpital, et vous le savez très bien. En conséquence, nous nous opposons à toute démarche, sous forme de concours public ou autrement, visant à remplacer Madame Chiriaeff, tant que n'aurons pas convenu, à la satisfaction de Madame Chiriaeff, des conditions d'une prochaine retraite, effectuée dans la dignité[862].

Si Fortin croyait pouvoir écarter définitivement Ludmilla, il lui a donné ici ce qu'il fallait pour reprendre ses forces. Et si l'administration pense avoir le dessus, elle devra compter avec cette femme plus grande que nature, espèce de phénix qui renaît, chaque fois qu'on la croit morte ou sur le point de l'être. Elle sait que les professeurs sont derrière elle. Les médias aussi, si elle les avise. Et plusieurs membres des gouvernements. Alors, Ludmilla entreprend la dernière grande bataille de sa vie professionnelle.

Pendant que les professeurs signent une lettre à l'intention du conseil, qu'ils en convoquent les membres à une réunion parce que « le présent directeur général [n'est] plus un interlocuteur crédible à [leurs yeux][863] », Ludmilla écrit à la ministre des Affaires culturelles. Elle lui annonce qu'elle avait l'intention de prendre sa retraite au printemps 1992 mais que la situation actuelle à l'École ne lui permet pas d'attendre jusque-là.

> [...]

> Il faut comprendre que pour mieux régner [...] les administrateurs en question ont pris toutes les cartes importantes en main de façon telle qu'il m'est devenu impossible, ainsi qu'à mon équipe de professeurs, de défendre et de maintenir l'atmosphère artistique, la qualité et l'excellence de l'enseignement tel que déjà si solidement établi pour et par l'École.

> [...]

> Il est évident que je n'abandonnerai jamais mon œuvre et que ma disponibilité sera toujours acquise [...] J'ai donné ma vie pour établir la danse classique au Québec et rien ne m'empêchera de lui demeurer fidèle jusqu'à la fin de mes jours.

> Je vous décris ma situation présente parce que l'École nous appartient à nous tous ensemble au Québec. Pour le moment ma décision précitée demeure confidentielle et non officielle [...][864]

Le même jour, elle expédie un message de dix pages aux professeurs. Elle leur annonce qu'elle prendra sa retraite

> uniquement lorsque les considérations contractuelles avec l'École seront dûment complétées [...] M'appuyant sur les droits et prérogatives de fondatrice [...] j'ai pris la décision de léguer la succession de mon poste de directrice artistique (et pédagogique) [...] à Christine Clair. Après avoir indiqué mon choix, j'ai ajouté dans ma lettre au Conseil que c'est bien chez elle que j'ai trouvé les preuves de compétence [...] Par ce geste, il m'est permis de quitter mes fonctions [...] sachant que tout le travail et la planification que j'y ai mis se perpétueront visant l'évolution constante de la qualité tant artistique que pédagogique pour l'École dans son ensemble.

Le 25 avril, encore, elle télécopie une lettre à Fortin.

> Ayant enfin pu prendre connaissance de vos diverses démarches écrites et orales, et ainsi réalisé la dimension et gravité du contexte dans lequel vous m'avez placée depuis plusieurs mois déjà, je m'empresse de vous aviser que je désire prendre ma retraite de l'École dès à présent. Me dégageant des responsabilités de directrice artistique et pédagogique.

Elle lui dit nommer Christine Clair pour lui succéder et continue : « Ainsi, il faudra considérer, Monsieur Fortin, mes propos comme étant mes dernières volontés [...] Mes représentants communiqueront avec vous sous peu afin de régler les conditions financières de mon départ et afin de confirmer officiellement ma retraite seulement lorsque ces considérations pécunières seront dûment complétées[865]. »

Ludmilla ne fait jamais rien comme les autres. Quand Jean Lanoue soumet, en son nom, les considérations financières qui devraient mener à sa retraite, le document commence par rappeler ce qu'elle a fait, les événements plus récents, puis ses souffrances :

> [...] Madame désire également vous exprimer la douleur de quelques blessures qui lui ont été infligées au cours des dernières années.
>
> [...]
>
> Devant toutes les démarches entreprises à son insu, au cours des dernières années par la direction administrative pour contraindre Madame à se retirer et le climat nettement hostile qui s'est installé à son égard et qui aura sans doute contribué à aggraver son état déjà précaire, Madame Chiriaeff et ses médecins ont convenu qu'une nouvelle lutte serait trop angoissante et dangereuse pour sa vie.
>
> Il aurait sans doute été plus élégant et surtout plus respectueux de son œuvre de lui permettre une retraite volontaire sans la bafouer par une série de mesures et de décisions qui ont remis en question, sans fondement, son autorité et la valeur de sa contribution[866].

Suit une énumération de certaines de ces mesures, dont des décisions aussi mesquines que celle d'utiliser les frais de représentation de Ludmilla pour régler des problèmes de trésorerie, à l'École. Bien sûr que Ludmilla ne les utilisera pas, mais Fortin pouvait attendre avant de faire disparaître cet article du budget. Déjà qu'il avait réduit de moitié le salaire de Ludmilla, sans que la famille ait jamais pu voir le procès-verbal du conseil ou de l'exécutif qui sanctionnait cette décision. Le salaire de Ludmilla a toujours été inférieur à celui des gens placés à la tête des institutions qu'elle a créées. Qui plus est, depuis un bon moment, Ludmilla devait assumer elle-même les services de secrétariat, ceux de l'École lui étant inaccessibles – ou refusés.

> Madame aurait préféré se retirer en 1992 [...] Une fête à la hauteur de ses réalisations aurait pu couronner toutes ces années de dévouement, de travail, de ténacité et de générosité, et en même temps, faire honneur à tous ceux et celles qui ont contribué à l'évolution des Institutions créées par elle[867].

Le 29 mai, Fortin congédie Nastia.

Pendant ce temps, Jean Lanoue s'active à établir les conditions financières du départ de Ludmilla. Elle, de son côté, travaille avec les professeurs à convaincre le conseil de l'erreur qu'il s'apprête à commettre en confiant tous les pouvoirs de l'École à la direction générale. Du 24 au 27 mai, des lettres proviennent du Royal Winnipg Ballet, de l'Opéra de Paris, de directeurs artistiques de grandes troupes de ballet ou d'ex-directeurs de troupes, un peu partout dans le monde, ou encore de danseurs comme Fernand Nault, Linda Rabin, Linda Stearns, Véronica Tenant, Karen Kain. Cette dernière, du Ballet national du Canada, résume bien ce que les autres correspondants expriment :

> C'est une forme d'art qui se transmet, pas un business, même si la connaissance des affaires est importante pour ce genre d'institution. Il n'y a aucune école de ballet dans le monde qui existe sans l'expertise et la gouverne d'une direction artistique. [...] Aucune école profession-nelle de grand calibre ne peut exister sans cela[868]*.

Le 30 mai, Fortin écrit à Ludmilla que le conseil a poursuivi la veille son travail d'analyse « sur la base de vos précieuses recommandations et de celles d'un groupe de professeurs ». Il l'informe que de nouveaux règlements ont été adoptés en ce qui concerne le directeur artistique et pédagogique « de sorte à assurer à cette direction l'envergure et les responsabilités que vous souhaitiez qu'elle ait ». Lors de cette réunion, une Commission de sélection pour nommer le remplaçant de Ludmilla a été créée. Ludmilla ou son représentant en est membre. Ludmilla est de plus invitée à suggérer le nom d'un autre expert en danse pour en faire partie.

Ludmilla propose Jeanne Renaud, pour la représenter, et Fernand Nault comme autre membre expert. Une fois les entrevues effectuées et le choix arrêté, Fernand émet « beaucoup de réserve concernant le choix final [...] Je ne peux donc me relier *(sic)* à la décision finale[869] ». Jeanne Renaud se voit interdire de faire un rapport à Ludmilla, dont elle est pourtant la mandataire. « Face à ce nouveau coup de théâtre », Ludmilla écrit que « c'est avec beaucoup de décep-tion, issue du sentiment d'avoir été trompée, que je reviens à ma première proposition me réservant le droit, à titre de Fondatrice, de contester la recom-mandation de la Commission, s'il y a lieu[870] ». Les candidatures de Christine Clair et de Brydon Paige ont été écartées du revers de la main. Il faut dire que Christine n'avait aucune chance depuis qu'avec Daniel Seillier elle représentait les professeurs et défendait la nécessité d'une direction artistique à l'École. Le 25 mars, Fortin avait laissé à Christine une lettre manuscrite dans laquelle il lui intimait l'ordre de cesser ses contestations ou il aurait à prendre une grave décision.

Selon une personne présente à la réunion du 27 juin, le conseil refuse l'auto-risation au représentant de Ludmilla, maître Guy Lamarre, d'être entendu, puis se ravise et lui permet d'assister à une partie des délibérations. Le conseil fait ensuite fi des protestations de Jeanne Renaud et de Fernand Nault quant au processus de sélection qui a mené à la nomination de Thérèse Cadrin-Petit.

On ne sait pas si elle a une vision artistique. Elle n'a pas l'envergure qu'il faut pour une école nationale. Elle n'est pas reconnue dans le milieu de la danse classique. Elle n'est même pas professeur de danse classique ! Elle « manque d'expérience et de connaissances appropriées à ce genre de responsabilités », comme l'écrira Jeanne Renaud aux membres du Conseil de médiation[871].

Le 29 juin, Ludmilla reçoit une lettre manuscrite de Thérèse Cadrin-Petit qui lui demande une rencontre « aujourd'hui ou demain ». La direction n'a pas jugé bon d'aviser Ludmilla de l'entrée en fonction de sa remplaçante. Il faudra une lettre d'un membre du conseil, au président Phaneuf, pour que cela soit fait.

Plus d'une semaine après le conseil d'administration, Madame Chiriaeff n'a donc pas été informée des décisions qui y ont été prises.

Je trouve cela consternant.

Par trois fois déjà, au conseil, je suis intervenu pour déplorer le manque de tact dont cette École et son directeur font preuve envers elle. Manque de tact, ce n'est évidemment là qu'un euphémisme, car l'accumulation de tels gestes confine à la grossièreté, sinon à la provocation.

Cette École a des problèmes. Mais je suis de plus en plus convaincu que son principal problème est son directeur général[872].

Puis des lettres à la Ministre réclament une enquête et, en juillet, les professeurs transmettent aux médias une copie de la lettre adressée à cette dernière. Ils demandent publiquement la démission de Donald Fortin. Ils exigent aussi le départ de Thérèse Cadrin-Petit. Le couvercle vient de sauter et les avocats de chacun entrent en scène : ceux de l'École et ceux de Fortin et ensuite de Cadrin-Petit. Christine Clair se fait signifier de vider son bureau et de prendre bonne note que son contrat se terminera le 30 août ; et Daniel Seillier reçoit l'avis suivant : « J'attends de votre part que vous nous communiquiez par écrit l'attitude que vous entendez adopter à l'avenir au sein de l'École en regard des structures et des personnes en autorité ainsi que la nature de la collaboration que vous serez à même d'offrir[873]. » Vincent, lui, considéré comme l'espion de Madame, est mis à la porte, mais il ne veut pas laisser la bibliothèque où il se rendra bénévolement. Alors, Ludmilla convoque la presse et tient une conférence de son lit d'hôpital – pour appuyer les professeurs dans leurs revendications. Ce que voyant, l'École avise Jean Lanoue qu'elle met fin « aux discussions, puisque de toute évidence, il nous apparaît inacceptable de tenir des négociations alors qu'une campagne de contestation politique fait rage, et que cette campagne est l'œuvre de votre cliente[874] ».

Ludmilla écrit au premier ministre et le même jour fait publier une lettre ouverte dans les quotidiens du Québec. La semaine précédente, au nom des danseurs, Vincent Warren a requis du MAC « la mise en place d'un conseil de médiation[875]», ce qui sera fait le 19 août. Ce Conseil devra aussi compter avec le mécontentement des parents qui se sont vu convoquer, à quelques heures d'avis, pour se faire dire par la direction « que leurs enfants étaient suspendus de l'école, en raison d'une apparente mutinerie[876] ».

Malgré les manœuvres de dernière minute de Fortin, l'esquive du président du conseil et la démission de six membres de ce conseil, les recommandations du Conseil de médiation sont acceptées par l'École, comme elles l'ont d'abord été par les professeurs et par Ludmilla. M. Boudreau, le président du Conseil de médiation, s'est rendu au Mont-Sinaï discuter avec Ludmilla du rapport qu'il entendait déposer auprès de la Ministre.

Ce rapport recommande que les professeurs soient réintégrés dès janvier; que le poste de directeur général soit aboli, Fortin remercié et remplacé par un administrateur; qu'un concours soit ouvert pour remplacer Cadrin-Petit; que l'École conclue des ententes avec Ludmilla pour régler les points encore en litige quant à son départ à la retraite[877].

Ludmilla se remet au travail, cette fois pour la révision des horaires – comme si elle n'avait jamais été absente de l'École –, comme si tout ce grenouillage n'avait jamais existé. L'administrateur intérimaire, Pierre Shooner, lui apporte des documents au Mont-Sinaï et ils s'attellent aux problèmes en suspens. Si Fortin négocie ses conditions de départ, Cadrin-Petit intente une poursuite pour bris de contrat. Et Ludmilla, qui se croyait au bout de ses peines, apprend que l'École a mis fin à sa couverture d'assurance avec la Croix-Bleue.

> [...] ce geste [...] sans ni m'aviser ni m'avertir m'a blessée sur le plan
> humain et sur le plan pratique; c'est une insulte personnelle étant
> donné mon hospitalisation et surtout après 40 ans à construire l'entre-
> prise qui vous emploie...[878]

Puis elle dépose son dernier rapport en tant que directrice pédagogique et artis-tique à l'École. Trente-deux pages avec annexes. « Le Bâtisseur a fait son œuvre! » écrit-elle en conclusion[879]. Selon Marie Beaulieu, « la communauté artistique s'est révoltée quand Madame Chiriaeff a été remerciée de l'École supérieure. Au-delà des différends, peu importe comment elle était, elle avait le mérite d'avoir fait ce qu'elle avait fait. Son renvoi a été fait de façon tellement cavalière, avec un manque de respect total. Après ce qu'elle avait fait, c'était inacceptable. »

Ludmilla accepte finalement l'offre soumise par l'École pour régler son départ à la retraite et laisse tomber sa demande de compensation additionnelle de cent soixante-quinze mille dollars qu'elle aurait voulu voir s'ajouter à sa rente. Elle est lasse de tous les conflits qui semblent ne jamais devoir prendre fin. Elle doit maintenant penser à elle uniquement pour que l'on puisse enfin refermer cette plaie et contrôler les infections qui la rongent. Elle continue d'être essoufflée au moindre effort physique et le stress aggrave cette condition. Certains jours, elle souhaiterait qu'on la tienne à l'écart de ce qui se passe à l'École, mais dès qu'elle n'en a plus de nouvelles, elle se remet au téléphone, « confesse » et distribue ses conseils.

Ludmilla aura souhaité se retirer en 1992, cette date marquant pour elle une série d'événements, dont le trois cent cinquantième anniversaire de la fondation de Montréal. Cette ville est son port d'attache depuis qu'un soir de janvier elle y est arrivée avec Alexis, ses valises et deux enfants. Une tempête avait laissé quantité de bancs de neige dans les rues et les trottoirs étaient encombrés et glacés. Mais cette ville allait bientôt lui permettre d'asseoir ici la danse classique malgré les diktats de certains ecclésiastiques et au grand dam de quelques âmes bien pensantes. Elle n'a jamais eu beaucoup de temps pour y flâner, mais longtemps elle l'a traversée en autobus « avec ses grandes sacoches pleines de documents », raconte Gleb. Pour souligner l'anniversaire de Montréal, elle rédige un long texte qu'elle soumet à Lise Bissonnette, alors directrice du *Devoir*, et que ce quotidien publiera le 6 juin.

> Ma ville [...] Des rues que l'on découvre sans jamais se lasser – sous la neige ou en été, alors que les bouleaux se croient à la campagne, et que les érables étalent leur supériorité.
>
> Quelque part... Un pas... des pas... des mots... des rencontres... des visages inconnus...
>
> [...]
>
> La ville. Des arbres qui se dressent au crépuscule. Des lampadaires qui s'allument sous des néons clignotants.
>
> Quelque part... Une affiche... Une invitation !
>
> [...]
>
> Montréal [...] C'est chez toi que j'ai su grandir – m'épanouir... entre l'alsphalte et le béton[880] !

Le 18 juin, Ludmilla quitte l'Hôtel-Dieu pour le Mont-Sinaï, en attendant de trouver un lieu propice à sa condition. Elle ne peut plus monter ou descendre les escaliers et doit s'aider d'une canne pour marcher. Il lui faut abandonner son appartement de la rue Jean-Brillant. La première lettre qu'elle reçoit est de Celia Franca. « J'espère que vous êtes bien rentrée à la maison. Je sui simpatiente de recevoir de vos nouvelles[881*]. » Ludmilla n'est pas encore chez elle et il n'est pas certain qu'elle trouve un lieu où elle pourra vivre hors des contraintes hospitalières.

À la fin du mois, l'École annonce que, à la suite de sa retraite, Ludmilla a été nommée présidente honoraire à vie de l'École et conseillère du président du conseil[882]. Cette nouvelle est d'ailleurs publiée dans les médias – comme si on avait peur que Ludmilla change encore d'idée. De son côté, elle veut maintenant s'assurer que les documents et autres objets qu'elle a laissés à l'École ne soient pas éparpillés ni détruits. Elle ravive le dossier de ses archives. Dès qu'on lui accorde quelques heures de congé, elle se rend à la Maison de la danse, aidée de Christian Thibault. Elle veut inventorier ce qu'elle entend léguer à l'École. En présence de Christian, de Luce-Anne Courchesne et de Vincent Warren, une liste est dressée pour établir ce qui appartient à l'École[883], ce qui appartient aux GB[884] et ce qui est à Ludmilla en propre[885]. Ces documents et objets se trouvent à l'étage même de l'École.

Ludmilla avait déjà donné à l'École, par lettre, une toile de Céline E. Barrette, de même que le contenu d'un classeur contenant des coupures de journaux. Elle a fait don de sa collection de films, achetés d'Anne-Marie et David Holmes. Il s'agit de films tournés pendant des cours au Kirov, à Léningrad, durant les années 1960. Elle avait aussi cédé des maquettes qui ont été retrouvées chez un encanteur par Linda Stearns, après enquête à la suite d'un vol, il y a quelques années.

Lors de son passage à l'École, Ludmilla a laissé la copie en plâtre du buste que le sculpteur Bordeleau avait fait d'elle, dans les années 1960. Elle le fera transporter en même temps que quantité de boîtes de documents qui lui appartiennent et qui sont entreposées dans la cave, à côté du vestiaire des garçons. Tous ces dons sont faits sous condition :

> En cas de fermeture de l'École, ou si cette dernière ne fait plus partie de la tradition historique des GBC et de son école, Madame Chiriaeff tient à souligner que ces objets devront aller à ses héritiers[886].

Alors qu'elle vient d'effectuer ces legs, Ludmilla apprend que l'École n'a pas d'argent pour payer Vincent comme archiviste, mais qu'elle trouvera « un ou deux classeurs afin de vous aider. [...] Nous comprenons très bien la nécessité d'avoir " un jour " des archives qui rassembleraient dans un lieu propice tout ce qui est VOUS, votre École et les souvenirs des Grands Ballets Canadiens[887]. » Ludmilla avait demandé que Vincent obtienne un mandat pour travailler aux archives de l'École. Non seulement c'est non pour cela, mais on a retiré à Vincent sa charge de cours de même que son titre de conservateur de la bibliothèque.

C'est au Gala des Étoiles qu'un hommage sera rendu à Ludmilla pour souligner ses quarante ans au Québec. Victor Melnikoff et sa femme Nathalie organisent ce Gala depuis sept ans, offrant au public montréalais des étoiles de la danse reconnues internationalement. Le Bolshoï, le Kirov, l'Opéra de Paris, le Ballet de Hongrie, le Ballet de Marseille, le Ballet national du Canada, le Boston Ballet ainsi qu'Anik Bissonnette et Louis Robitaille, le couple vedette des GB, seront à la PDA le soir du 29 août. Le programme souvenir rappelle que Madame Chiriaeff est celle par qui « la danse arriva chez nous [...] Sa vision, son talent, son énergie, ont triomphé de toutes les embûches et opposition [...] Sa vision constitue d'ores et déjà un patrimoine qu'on veuille transmettre de génération en génération. C'est ainsi que les grandes traditions naissent[888]. »

Ludmilla reçoit plus tard un autre hommage, la prestigieuse médaille Nijinski. La réception a lieu le 4 décembre, au consultat de Pologne, en présence de quelque deux cents invités. Ce prix a été créé par le ministère de la Culture de la Pologne, à l'occasion du centenaire de la naissance du célèbre danseur et chorégraphe. Ludmilla rejoint ainsi les Maurice Béjart, Rudolf Noureïev, Mikhaïl Barychnikov et Ninette de Valois. Comme Nijinski, Ludmilla se réclame à la fois de l'héritage polonais par sa mère et de l'héritage russe par son père, comme l'ont souligné la consule générale de Pologne, Madame Dziednszycka, et celui de la Fédération de Russie, monsieur Kotchetkov.

Dans son discours d'acceptation, Ludmilla rappelle que si les peintres, les compositeurs de musique, les écrivains lèguent des toiles, des partitions musicales, des livres, « les danseurs, telles des étoiles filantes, ne peuvent laisser derrière eux que quelques souvenirs lumineux [...] Comme c'est étrange et comme c'est beau ! Ne dit-on pas qu'il n'y a pas de hasards, mais que des rendez-vous ? Alors, celui-ci n'est-il pas spécial, inattendu [...] puisqu'aujourd'hui, ici à Montréal [...] dans mon pays d'adoption, mon sang me rejoint par cet honneur[889]. » Les félicitations viendront de partout et les médias d'aussi loin que Vancouver souligneront l'événement. Lawrence Rhodes, à la Presse canadienne, dira : « Nous sommes fiers de saluer Madame Chiriaeff comme notre mère à tous et c'est avec notre plus profonde gratitude que nous la félicitons pour cet honneur[890]. »

Le mardi 15 décembre, Radio-Québec télédiffuse une émission enregistrée en mars, au Mont-Sinaï. Ludmilla y repasse sa vie. Parlant de la guerre, elle disait : « C'est étrange, je pense que quand on est très proche de la mort, on a des antennes, comme des animaux. On entend des choses. Vivre, vous voyez, ça veut dire aller jusqu'au bout de soi-même mais avec du respect, l'un pour l'autre. » Et elle explique ses batailles. « Lentement [...] c'est l'administration qui est devenue de plus en plus forte, de plus en plus contrôlant l'artiste [...] C'est très important que deux et deux fassent quatre [...] Mais pour moi, il faut qu'il y ait quatre plus le miracle. » Et le miracle pour elle, c'est l'inconnu, le monde de la création, le monde de l'artiste. « Tu ne peux pas le tuer avec le DDT ou le faire disparaître parce que ça arrange l'administrateur. »

Vers la fin de l'entrevue, elle explique qu'il « fallait que j'enlève mon nom pour que la danse continue sans moi [...] Ce n'est pas mon école, ce n'est pas ma troupe, ça appartient au Québec. » Mais elle a beaucoup de difficultés à agir en conséquence. Sans doute parce que, comme elle le dit en conclusion, « le jour où on n'est plus de l'engrenage on s'arrête [...] c'est là qu'on commence à mourir ». Et la mort, ce n'est pas pour elle. Du moins, elle ne veut pas l'envisager. En ce moment, elle essaie plutôt de vivre pour elle-même, de se protéger davantage, comme le montrent ses devoirs dont elle discute encore avec la docteure Pelletier. Elle a « créé [ses] tempêtes, [ses] ouragans grands et petits tout en rencontrant les orages des autres qui ont ébranlé [son] équilibre ». Elle cherche l'équilibre et une nouvelle respiration.

Elle assistera à la fête de Noël des élèves de l'École le 18 décembre.

Chapitre 23
«Vivre, je n'ai fait que cela»

En ce début d'année, Ludmilla s'entretient avec quelques journalistes pour lancer sa Fondation. En fait, la première n'a pas vraiment fonctionné et a dû être fermée lors de sa première hospitalisation. Alors, elle recommence. Entourée de quelques boîtes de documents et d'albums de photos, elle travaille à reconstituer les années qu'elle a consacrées à la danse pour léguer un fonds qui pourra servir aux générations futures. Selon Francine Pelletier, «Seules la douleur au fond des yeux, et sa respiration haletante, indiquent que la vie, en effet, ne fait pas de cadeau[891]. »

Ludmilla continue ses exercices de visualisation et de méditation. Katia raconte qu'il fallait à sa mère «deux heures pour simplement se préparer à la journée avant de faire n'importe quoi d'autre. Une fois qu'elle avait réussi à faire tout cela, elle était toujours de bonne humeur et prête pour avoir une conversation intéressante. » Elle ne cesse d'exercer ses jambes et ses pieds tout en ajustant sa respiration. Elle évite le froid parce qu'alors la douleur aux pieds s'intensifie. Elle se réserve des moments durant la journée, pour faire baisser le stress, qu'elle apprend à reconnaître et à contrôler. «On ne peut pas éviter les faits de la vie, mais je sais que le moment est venu où je dois me protéger. »

La fidèle Hadu vient passer trois semaines avec Ludmilla. Ce sont des journées précieuses pour les deux, chacune sentant qu'il n'y aura pas de prochaine fois. «Là, je l'ai vue pour la dernière fois. On avait tellement le vague à l'âme », se souvient Hadu. Ludmilla a beau philosopher, elle sait que le jour vient où le souffle lui sera enlevé. Elle accorde maintenant beaucoup de temps à la «discussion avec Dieu», comme elle nomme ses moments de prière. «Elle était mystique, me dira Hadu. Oui, mais d'une façon naïve. »

Pauline Julien, son amie Pauline, lui envoie un CD avec un mot. Elle part pour le Burkina Faso, «ayant fait une croix sur ma carrière de chanteuse, je m'en détache plus aisément au loin[892] ». Ludmilla, elle, est encore prise par son rôle de mère de la danse, même si elle n'est plus physiquement au cœur de l'action. Le téléphone, la correspondance, les visites quelles qu'elles soient finissent par tout lui apprendre de ce qui se passe et à l'École et aux GB. Ces derniers, d'ailleurs, lui rendront hommage à l'occasion du spectacle de clôture du trente-cinquième anniversaire de fondation de la compagnie, le 6 mai. Ludmilla n'y sera pas, bien que l'on ait annoncé sa présence. Elle n'était pas non plus au spectacle annuel de l'École, la semaine précédente, son état ne le lui permettant pas.

Après de longues recherches, les enfants croient avoir trouvé un lieu qui convienne à leur mère. Sur le boulevard Gouin Est, la résidence Au Fil de l'eau offre des appartements et des services de gardiennage et d'infirmerie, si nécessaire. Mais il n'y a rien de disponible avant l'automne et l'appartement sera petit. Où Ludmilla rangera-t-elle toutes ses boîtes d'archives, auxquelles elle veut continuer de travailler? Les propriétaires lui offriront gracieusement un local, au rez-de-chaussée, où seront entreposées plus de cent vingt-cinq boîtes de documents divers, des affiches et de nombreux tableaux.

Au début de septembre, Katia se marie. La bénédiction aura lieu à Montréal, Ludmilla ne pouvant se rendre à New York pour la cérémonie officielle. Il y a plus d'une centaine d'invités à l'église. Le chef de chœur est le fils d'amis de la famille Otzup du temps de Berlin. Le souffle lui a bien manqué un peu, mais Ludmilla est fière de voir sa plus jeune se marier. Lors du repas qui a suivi, elle lui a remis un collier qu'elle avait reçu de sa mère et elle, de la sienne. Au-delà de l'impossibilité pour Ludmilla de se rendre à New York, il y avait aussi qu'elle ne voulait pas se retrouver devant Monsieur Luft.

Le 26 novembre, à Rideau Hall, Nastia pousse le fauteuil roulant de sa mère vers le Gouverneur général Ramon Hnatyshin. Ce dernier remet à Ludmilla le Prix du Gouverneur général pour les arts de la scène. Créé deux ans plus tôt, ce prix s'accompagne d'un médaillon commémoratif et d'une bourse de dix mille dollars. Avec Ludmilla, trois autres Québécois : Monique Mercure, Leonard Cohen et Gilles Vigneault.

Pendant le dîner qui suit, Ludmilla est assise à côté du Gouverneur général, qui lui parle de son dernier voyage en Ukraine. À gauche, Pierre Elliot Trudeau. « Il m'a dit : " je vous félicite, Ludmilla ". Il y a très peu de personnes qui m'appellent Ludmilla. Il m'a laissé parler. Pour la première fois, il a écouté. Je lui ai parlé du Québec, des grands hommes que j'y ai côtoyés. De la danse, aussi. Et je n'en reviens pas, il s'est excusé de ne pas pouvoir être là le lendemain. » Ludmilla n'aimait pas beaucoup Trudeau. « Il est très machiavélique. Je ne peux pas le souffrir, mais je peux dire que je respecte son génie. Il avait une vision, mais je ne suis absolument pas d'accord avec ce qu'il a fait. »

Le lendemain, au Centre national des arts, Ludmilla assiste à une soirée qui sera retransmise par la télévision de Radio-Canada. En son honneur, Anik Bissonnette et Louis Robitaille interprètent un pas de deux créé spécialement pour l'occasion par Fernand Nault, sur une partition de Gustave Mahler. Juste avant, Brian Macdonald, en présentant Ludmilla, a rappelé qu'il lui arrivait d'acheter de la nourriture pour les danseurs peu fortunés[893]. Ludmilla accepte le prix « au nom de tous ceux qui ont partagé ma passion pour la danse et qui m'ont aidée à donner au Québec une troupe professionnelle de danse et une école pour former les danseurs. Il nous fallait une troupe qui exprime notre héritage culturel et nos traditions[894*].» Elle invitera Nastia, Avdeij et sa femme, Monique Huberdeau, à partager avec elle cet événement. Quelques semaines plus tard, Mishka et Igor lui annonceront la naissance d'Ines, leur deuxième fille.

C'est après avoir vu Madame Chiriaeff à la télévision, lors de la remise de ce prix, que j'ai décidé d'écrire cette biographie. Je me suis dit qu'elle allait mourir et qu'on allait oublier ce qu'elle avait fait pour la danse ici. Par un ami, Christian Thibault, j'ai obtenu un rendez-vous et je suis allée la rencontrer, le 15 décembre, dans son appartement de la résidence Au Fil de l'eau, au quatorzième étage du 7015, boulevard Gouin Est, à Montréal. Elle nous reçoit dans cet appartement qui donne sur la rivière des Prairies, toute recouverte de glace à cette époque de l'année. Christian prépare le thé et nous parlons de tout et de rien. Une façon de me jauger. Puis elle me dit qu'elle travaille avec une anglophone et qu'il faut d'abord qu'elle discute avec son avocat. Je lui explique que je pourrais écrire sur elle, sans jamais l'avoir rencontrée, mais que ce n'est pas mon intention. Et nous convenons de nous revoir au début de janvier. Sur le chemin du retour, je me dis que cette femme ne sera pas facile à cerner, mais que c'est là un beau défi.

En fin d'année, Ludmilla reprend sa correspondance du temps des fêtes et son habitude de donner un petit cadeau à quelques-uns.

Plusieurs personnes, qui ont vu Ludmilla à la télévision lors de la présentation des Prix du Gouverneur général, lui écrivent, et elle répond ou fait répondre en son nom par ses proches. Puis des amis lui offrent des vœux d'anniversaire ou lui expédient des paniers de fruits ou de douceurs, comme les GB. Ludmilla a soixante-dix ans le 10 janvier 1994. Elle répond à ces marques d'affection par «soixante-dix fois grand merci [...] soixante-dix mille bonnes pensées». Hamilton Southam la remercie pour la copie de la vidéo *Pas de Deux and the Dance of Time*:

> Vos mots bien choisis sur ce fameux film que vous avez fait avec Norman McLaren il y a longtemps, étaient très émouvants d'autant plus pour ceux d'entre nous qui connaissons les difficiles années que vous venez de vivre.

Votre passion pour la danse a immensément enrichi ce pays et les Canadiens ont fait ce qu'il fallait pour vous manifester leur admiration[895]*.

Ludmilla reprend contact avec Ambroise Lafortune. Du temps où les deux travaillaient à la télévision, ils se voyaient souvent. Les deux sont maintenant malades et doivent apprendre à vivre autrement. Le père Ambroise se plaint de l'hiver – et de l'âge.

> J'ai dû m'encabaner même si ce n'était pas toujours facile. Il faut bien aller aux médecins et affronter les assauts de notre pays Boréal !

> Je comprends vos fatigues [...] Mes soixante-seize ans m'enseignent aussi que le temps passe vite.

> [...]

> Il ne faut pas trop s'inquiéter. [...] la médecine s'occupe de moi. La vérité c'est qu'il me faut prendre un autre rythme de vie... et je n'y suis pas du tout habitué ! Je vais accepter d'entrer dans le troisième âge[896] !

Ludmilla ne se sent pas vieille, mais la maladie la force à marquer le pas. À prendre soin de toutes ses cicatrices, au propre comme au figuré. Et celles faites par Monsieur Luft sont encore à vif. « Je prie le bon Dieu de ne jamais avoir une réaction... pour que, quoi qu'il arrive, j'agisse dignement. Parce que ce qu'il a laissé est tellement énorme que d'arriver à une indifférence est impossible. » Si elle s'emploie à faire la paix avec plein de gens, avec lui, elle n'y arrivera pas. Elle m'en parlera jusqu'à notre avant-dernière rencontre.

Dès le printemps, Ludmilla se remet à ses archives. Claude Berthiaume lui a parlé de sa fille Marie-Claude qui vient de terminer des études en archivistique, à l'UQAM. Ludmilla la convoque, et se développe entre elles une collaboration qui lui permettra de commencer l'archivage de ses documents. Ludmilla obtiendra d'ailleurs une subvention de deux mille dollars de la Fondation Robert Bourassa, à cet effet. Durant cette période, France Desjarlais travaille aussi avec Ludmilla. Elles identifient des photos dans le but d'en constituer des albums.

Ludmilla est à nouveau sollicitée pour quantité d'activités, ou d'organisations, mais elle refuse tout ce qui demande autre chose que de prêter son nom. Par contre, elle essaie d'obtenir des activités artistiques à la Résidence où elle habite. Elle contacte l'OSM, qui ne peut déplacer tous ses musiciens en raison des coûts. Ludmilla joint alors des musiciens qui ont travaillé avec elle, du temps des GB, et peut annoncer avec fierté deux ou trois concerts pour les cinq cents locataires d'Au Fil de l'eau[897].

Même si elle est mise en nomination pour les titres de Femme de mérite, au Gala du YWCA, et de Femme exceptionnelle, pour le vingt-cinquième anniversaire du Salon de la femme, Ludmilla ne se présentera pas pour recevoir les hommages qui lui sont rendus. C'est Nastia qui la représente, comme pour bien d'autres événements. La seule apparition publique que fera Ludmilla, c'est pour le spectacle des élèves de l'École. Il s'agit d'une soirée-hommage donnée en son honneur, au Monument-National, suivie d'une réception au Salon rouge de ce théâtre. Son médecin le lui a pourtant formellement interdit, lui rappelant comment

> toute sortie à l'extérieur qui se prolonge le moindrement s'est soldée par une grave rechute (célébration du trente-cinquième des Grands Ballets) ou une altération significative et dangereuse de votre état (remise des Prix du Gouverneur général à Ottawa).

> Je pense que vous n'avez ni la tolérance physique ni la réserve pulmonaire suffisante pour participer à une telle soirée sans risque de décompensation[898].

À l'occasion de cette soirée, c'est le sous-ministre adjoint des milieux culturels qui lit l'allocution, la Ministre ne pouvant être là.

> Votre œuvre, Madame, est un témoignage éloquent de ce que la beauté, l'Art et la création peuvent apporter sur cette terre aux hommes et aux femmes qui y cheminent. Votre œuvre est un précieux héritage pour le Québec et toute sa population.

> Votre travail est également une source d'inspiration constante pour tous les jeunes danseurs puisque, contre vents et marées, votre foi et votre courage ont su déplacer les montagnes et repousser les frontières du possible jusqu'à la réalisation de vos rêves, légitimes et vastes comme le nouveau monde.

> Notre mémoire collective ne saurait désormais faire abstraction du nom de **Ludmilla Chiriaeff**, femme de passion et de vision.

> Les Québécoises et les Québécois vous en sont reconnaissants.

Ludmilla est particulièrement émue par ce message – d'autant qu'il est lu par Pierre Lafleur. C'est le fils de Gérald Lafleur, premier gérant du Manoir Notre-Dame-de-Grâce, avec qui elle a discuté des cours et des spectacles donnés au Manoir, durant les années 1950. Ce soir de mai, les GB ont offert des roses à Ludmilla. Dans le mot de remerciements qu'elle télécopie à la directrice de la compagnie, Ludmilla se dit soulagée « que tout s'est bien passé – c'est-à-dire que mon corps ne m'a pas laissée tomber en plein milieu du récital[899] ». Parce qu'il lui faut d'immenses efforts pour se rendre dans ces lieux, parler à tout un chacun, sourire, supporter la pollution. Chez elle, l'environnement est contrôlé pour éviter d'aggraver ses problèmes respiratoires. À l'extérieur, elle est en plus susceptible d'attraper une infection qui pourrait lui être fatale. Mais Ludmilla a besoin d'une vie sociale qui ne peut se limiter à recevoir des gens chez elle. Alors, de temps à autre, elle accepte une soirée. Parfois aussi, elle va manger au restaurant avec les docteurs Pelletier et Fleury. Ou, encore, avec Nastia.

À l'École, un comité d'évaluateurs externes a conclu que neuf professeurs, dont Christine Clair, n'ont pas su atteindre les objectifs que le directeur artistique avait fixés. En conséquence, ils sont remerciés, certains après trente ans de service dans les compagnies créées par Ludmilla. « Ceci me fait souffrir, car je ne suis pas en place pour leur venir en aide », comme l'écrit Ludmilla à Hadu. Mais ce qui est le plus choquant pour elle, c'est que cette évaluation est faite par des professeurs de l'École nationale de Ballet de Toronto. « Le jeune directeur a été élève à Toronto, ainsi, il veut remplir l'École par les siens alors que j'ai tant lutté pour garder en place les nôtres ! C'est terriblement injuste et humiliant pour tous[900] !! » Brian Macdonald, qui apprend la nouvelle, expédie quelques lignes à Ludmilla, depuis Banff où il travaille. « Nous pensons souvent à vous spécialement depuis que nous avons appris à quelle entreprise de destruction Luc s'est attelé[901]*. » Le conseil a placé Luc Amyot à la tête de l'École, et pour Ludmilla c'est le comble. D'autant qu'il est allé chercher Oliphant pour le conseiller. « Que Ludmilla en soit affligée, me confie Hélène Stevens, je la comprends, mais je ne pense pas qu'il (Luc) soit nocif pour l'École. » Que Ludmilla en soit affligée, c'est peu dire. « J'ai envie de pleurer. J'ai tellement lutté. Pleure, mon École bien-aimée. »

Même si elle s'en défend, et si elle n'en a plus la force, Ludmilla repart en campagne. Elle écrit des lettres, aide les professeurs congédiés à constituer un dossier, bref, oublie les conseils des médecins. Alors, malgré l'air conditionné, et les ventilateurs dont les bruits emplissent chacune des pièces de son appartement, la chaleur de cet été et le stress aidant, les problèmes de respiration de Ludmilla s'aggravent et, le 14 juillet, elle est de nouveau au Mont-Sinaï.

> Le soudain changement de température avec ses grandes chaleurs et surtout cette présence d'humidité constante m'a obligée [...] de rester tranquille. Hélas, chez moi, le cœur et les poumons réagissent très mal à une telle pression, d'où une crise assez sérieuse[902].

Le lendemain, elle répond à la lettre de Brian : « La chaleur, la faiblesse, la brutalité de certains gestes ont fait qu'à nouveau j'ai craqué. » Ludmilla se remet à la méditation. Il lui faut se recentrer sur ses besoins, sauvegarder sa « flamme, comme elle le dit. Si j'étais là, je lutterais. Je serais malheureuse parce que je serais incapable de changer quelque chose. » L'hôpital devient en quelque sorte un cocon qui la protège contre elle-même. Alors qu'elle est au Mont-Sinaï, Ludmilla me téléphone. Elle me parle des poussées de fièvre qui l'envahissent. Et elle s'enquiert de mes travaux. Elle m'assure que nous reprendrons nos rencontres dès son retour à la résidence.

De l'hôpital, Ludmilla continue de s'occuper de ses archives. Elle avait délégué Serge Quévillon, au nom de sa Fondation, pour siéger au Comité des archives des GB/ESDQ. À sa réunion du 5 mai, le comité avait recommandé à Monsieur Quévillon «d'instruire Madame Chiriaeff que son rôle le plus important, car elle est la seule à pouvoir l'accomplir, est l'identification de ses documents. Madame Chiriaeff devrait se concentrer sur cette tâche unique sans s'embarrasser de préoccupations archivistiques[903].» Ludmilla ne se souciera pas de cette recommandation. Elle continuera la démarche qu'elle a entreprise, à son rythme et selon ses coups de cœur. Dans les documents qu'elle a conservés, il y a aussi ceux du temps de l'Allemagne et de la Suisse. Même de la Russie, dans le cas des écrits de son père. Avec l'accord de sa sœur Valia, Ludmilla donne à sa fille Katia l'entière collection des œuvres de son père Sergeï Gorny, «[...] pour qu'un jour tu puisses les faire publier bien que l'impossibilité de le faire n'affectera en rien ce transfert. En outre, les originaux qui sont en mauvais état devraient être déposés aux archives d'une bibliothèque qui peut s'en occuper et les rendre disponibles aux étudiants. Je tiens cependant à ce qu'une photocopie de tous ces documents demeure en la possession d'un membre de la famille[904].»

C'est déjà novembre quand Ludmilla rentre chez elle.

«Il y a un monde dans mon corps qui combat, s'entretue, qui veille, qui donne des messages. Mon corps me fait trembler. Il a des angoisses, des douleurs. La maladie, c'est le défi de vivre avec l'âme.» C'est ce à quoi s'applique dorénavant Ludmilla. Les conversations que nous avons, certains jours, tournent autour d'un être supérieur, de l'origine de la responsabilité, de la nécessité du pardon. «Même Christ a tout basé sur le pardon. C'est intéressant, le pardon. Dans mon dernier drame, c'est très difficile d'aller au pardon.» Certains jours, elle croit que Monsieur Luft est entré dans sa vie «pour que je vive cet horrible cauchemar pour grandir spirituellement». Le croit-elle vraiment ou essaie-t-elle de se disculper?

Puis elle se hâte de constituer des albums de photos, pour chacun des enfants, afin de leur dire qu'elle les aime. «J'ai juste la grâce des dernières minutes de ma vie pour leur donner ça.» Mais peut-être était-ce trop peu? Ludmilla voulait vraiment leur faire plaisir. Cet album regroupe des photos des ancêtres, de Berlin, de la Suisse. C'était une façon de leur dire d'où elle venait. De se rapprocher d'eux au sens où son âme aurait voulu rejoindre la leur. Mais le fossé était si grand, les blessures si profondes et le non-dit si lourd... Quand ils me parlent de leur mère, leur souffrance est palpable sous leur admiration, qu'ils soient nés Chiriaeff ou Luft.

Alors que Ludmilla est plongée dans l'écriture d'un texte à être publié à l'automne, l'École a tout à coup besoin d'elle. On lui écrit que «les bourrasques annoncées pourraient infliger un tort irréparable à l'ESDQ » ; et « vous ne cessez d'être citée à l'appui d'une position ou d'une autre. Une chose par contre demeure, votre position dans ce dossier sera déterminante tant pour la communauté artistique que pour les décideurs politiques. Il est donc essentiel que votre véritable opinion soit connue[905]. » Dans une longue lettre, Ludmilla répond qu'elle ne peut s'impliquer dans le dossier. « Certes, la survie de l'École me tient énormément à cœur tout comme à vous-même qui dites vouloir y consacrer votre vie. Toutefois, l'École que je connaissais n'est plus du tout celle qui est entre vos mains et que vous connaissez si bien...[906] »

Ludmilla travaille à un texte intitulé *Fleur de patate*. « J'avais besoin de dire d'où m'est venue ma vision sur la vie, l'importance de la vie avec un V majuscule. » Il sera publié dans un recueil[907], avec les textes de Diane Dufresne, Monseigneur Jacques Gaillot, Miguel Angel Estrella et Théodore Monod.

Quand je la rencontre, le 14 décembre, elle me dit « j'arrive pas à avaler, aujourd'hui ». Elle me parlera tout de même de ses archives. Elle est préoccupée du sort de tous les documents qu'elle conserve amoureusement depuis des années. « À quelques reprises, j'ai ramassé la correspondance et les coupures de journaux qui étaient dans les poubelles. J'ai tout fait sécher pendant des jours. Ils me disaient qu'ils n'avaient pas de place. J'ai pas très envie que ça retourne là-bas. » Je lui ai alors proposé de songer à une formule qui rendrait certaines personnes fiduciaires de ses archives. L'idée lui souriant, j'ai promis de lui apporter un projet dont nous pourrions discuter au début de l'année suivante. « Je veux protéger ce Fonds des indifférents, me dit-elle, des personnes pour qui ce Fonds ne représente pas un trésor du patrimoine. Je veux que le matériel reste le plus accessible... au plus grand nombre de personnes possible. »

À partir de maintenant, Ludmilla vivra avec une angoisse dont elle me parlera souvent. « J'ai recommencé à avoir des angoisses. Et maintenant, avec ce que j'ai dans les poumons... » Elle ne veut pas mettre de nom sur cela. Le mot lui fait peur. « Elle a un cancer, me raconte Nastia. Elle ne se sent pas capable de combattre cela. Elle a peur de la souffrance, d'avoir mal, mais pas de mourir. » Alors, Nastia essaie de faire venir sa tante Valia à Montréal. Elle aimerait bien que, pour une dernière fois, les sœurs puissent se parler, s'embrasser, que sa mère puisse gagner l'amour de sa sœur. Cela ne se pourra pas, l'état de santé de chacune faisant obstacle au voyage.

Ludmilla voudrait être complètement au-dessus de ce qui lui arrive, dans l'absolu, mais « quelque part, j'ai des bouffées de cris. J'ai probablement besoin de tout dire. De lâcher d'être si courageuse. » Elle n'arrive pas à crier. Il lui aurait fallu le faire dès le milieu des années 1970. Il y a juste, par moments, un tremblotement dans sa voix qui trahit l'indignation, la colère rentrée. Hadu me dit qu'elle sentait, lors de ses conversations téléphoniques avec elle, en 1996, que Ludmilla avait décidé de ne plus lutter.

Le jour de la Saint-Valentin, je lui apporte une fleur de bananier, avec de petites bananes sur la tige. L'émerveillement dans ses yeux – comme une enfant. Nous prenons le thé et elle me parle de sa crainte de ne pas avoir le temps de mettre ses choses en ordre, de sa peur de cette grosse tache noire sur l'autre poumon. Sa voix casse, s'éteint complètement, et l'œil s'embue.

La semaine suivante, Ludmilla me convoque chez elle avec Marie-Claude Berthiaume, France Desjarlais, Nastia et Christian Thibault. Elle veut que nous discutions du projet de Fiducie que j'ai préparé, puis elle nous demande d'être les premiers fiduciaires. D'ici à ce qu'un document soit signé devant notaire, elle rédigera un texte[908] qui rendra Nastia gardienne du Fonds. L'acte de fiducie sera signé devant le notaire Chapleau, le 2 mai 1996. Dans les échanges que les fiduciaires ont eus avec Ludmilla à propos du lieu où elle souhaitait que nous déposions, un jour, ses archives, Ludmilla disait «si je veux que ce soit dans un lieu qui vénère l'histoire de la danse au Québec, c'est parce que je ne crois pas que ce matériel devrait aller quelque part s'asseoir dans des boîtes et simplement mort [...] Ce devrait être une denrée vivante[909].»

Ludmilla est pressée d'agir. Chaque fois que je la vois, elle me dit qu'elle a de la peine à respirer. «C'est très pénible de ne pas respirer. Marcher, c'est pas grave. Mon ventre, c'est très désagréable, mais je l'accepte.» Parfois, elle porte la main à son estomac et fait un mouvement de massage. Le 23 avril, alors que je la quitte, elle me retient pour me dire combien il lui est pénible de se lever le matin, combien chaque geste est difficile. Elle se demande à quoi bon continuer à faire des efforts, mais me fait promettre de revenir. Quand je reviens, elle est très perturbée par le diagnostic. Elle pleure. J'aurais le goût de la serrer dans mes bras, mais je ne m'en sens pas autorisée. Je lui prends les mains et lui dis qu'elle a le droit d'être triste et de pleurer. Qu'il ne faut plus qu'elle s'en empêche. Il lui reste à faire venir chacun de ses enfants pour leur apprendre de vive voix son état.

Dès qu'elle apprend le décès d'Eric Hyrst, elle organise une petite cérémonie dans les locaux de la Résidence où elle habite. Dorothy Rossetti, chez qui Eric était descendu, et d'où il était parti pour l'hôpital, se souvient de cette cérémonie. «Elle a fait quelque chose de bien. Il y avait des fleurs partout. C'est la dernière fois que j'ai vu Ludmilla.» Ludmilla organisera aussi les funérailles de Roger Rochon. Quand j'arrive chez elle, le 24 juillet, elle est au téléphone à ce sujet. Même malade, Ludmilla ne peut s'empêcher de rassembler les «enfants» de la danse.

Je la reverrai encore quelques fois. À chacune de mes visites, elle me précise des points sur lesquels je lui avais posé des questions plus pointues. Il arrive aussi qu'elle me téléphone pour continuer une conversation que nous avions commencée. Elle me répète qu'elle est pressée par le temps, qu'elle se sent si fatiguée. Elle retravaille aussi son testament, dont elle me lit des parties. «J'aimerais être juste», me confie-t-elle.

En juillet, elle me demande si j'accepterais de participer à une rencontre, chez elle, avec Hélène Stevens. En plus de vouloir informer les GB, par l'intermédiaire de Madame Stevens, de l'existence de la Fiducie, Ludmilla voulait aussi que des efforts soient faits pour retrouver les costumes qui avaient été distribués, ici et là, au cours des ans. Pour elle, il s'agit d'un patrimoine qui appartient à tous les Québécois et ne doit pas servir des intérêts privés. Le 13 août dans l'après-midi, quand j'arrive chez elle, elle a très mal. Mais dès que Madame Stevens est là, elle se donne une contenance. «Elle avait l'air vraiment bien, Ludmilla», me dit Hélène Stevens quand nous sortons. Pendant une heure, Ludmilla avait été en représentation. Il le fallait. Jusqu'à la fin, elle contrôlera son image. Il y avait un temps, déjà, qu'elle ne se maquillait plus pour me recevoir. J'ai pris cela comme une grande marque de confiance. Elle avait fini par accepter d'être Ludmilla, devant moi, et non plus Madame.

Je ne la reverrai pas.

Le lendemain soir, Ludmilla sera transportée d'urgence à l'hôpital Santa Cabrini. On l'intubera, ce qu'elle redoutait tant. Puis on patiquera une trachéotomie. Selon Nastia, Ludmilla «avait davantage peur de la maladie que de mourir. Elle était plus prête à mourir que nous ne l'étions à la laisser aller.» C'est par quelques mots, griffonnés sur les feuilles d'un bloc-notes, qu'elle essaiera de dire à ses enfants qu'elle les aime. «Ses yeux s'arrêtaient longuement sur chacun de nous», dira Nastia. «Quand j'ai déposé ma petite Sonya près d'elle, raconte Mishka, tout son corps s'est mis à trembler. C'était son dernier cadeau.»

Et le dimanche 22 septembre, son âme profitera du grand vent qu'il fait pour rejoindre la lune qui est pleine, ce soir-là. Ludmilla allait dorénavant mettre des pas sur des musiques nouvelles dans un pays dont on ne sait rien. Parce que pour elle, la vie ne s'arrête jamais.

Épilogue

C omme si Ludmilla avait chorégraphié son dernier tour de piste, c'est sous les applaudissements et les bravos que, le 26 septembre, elle descendra les marches de la cathédrale orthodoxe russe Saint-Pierre et Saint-Paul, face à la Maison de Radio-Canada.

Des policiers en motocyclette l'accompagneront jusqu'aux limites de la ville de Montréal et la salueront avant que de laisser filer le cortège vers Rawdon, où elle repose dans le cimetière russe, à côté de sa mère.

Notes de fin de partie

1. Lettre de Ludmilla à Katerina, 24 janvier 1952, depuis le port d'Halifax.
2. Fonds d'archives Ludmilla Chiriaeff (FALC).
3. Document estampillé par Canadian Customs, 25 janvier 1952. AFC.
4. Lettre de Ludmilla à sa mère, 27 janvier 1952.
5. Lettre de Ludmilla à Katerina, 27 janvier 1952.
6. Lettre à Alexis et Ludmilla, 2 février 1952.
7. Le 13 septembre 1759, l'armée britannique a défait l'armée française, sur les plaines d'Abraham, à Québec.
8. Linteau *et al.* rapportent qu'en 1941, il y avait au Québec, 1 religieux, homme ou femme, pour 87 fidèles catholiques. Et Léon Dion écrit que l'Église est un grand propriétaire foncier et dispose en sus d'une grande richesse mobilière, dans *Québec, 1945-2000*, Tome II, *Les intellectuels et le temps de Duplessis*, Québec, PUL, 1993, p. 67.
9. En 1950, seulement 3 % de Canadiens français fréquentaient les collèges et 1 % se rendaient à l'université. Léon Dion, *op. cit.*, p. 169.
10. Voir Nicolle Forget, Francine Harel Giasson, Francine Séguin, *Justine Lacoste-Beaubien et l'Hôpital Sainte-Justine*, Québec, PUQ/Presses HEC, 1995.
11. Raymond Hudon et Réjean Pelletier, *L'engagement intellectuel, Mélanges en l'honneur de Léon Dion*, Québec, PUL, 1991, p. 418.
12. Rome a établi un Index des ouvrages interdits à la grandeur de l'Église catholique. Chaque évêque pouvait aussi ajouter à la liste. Ainsi, le vicaire général, Mgr Valois, a interdit toute manifestation pour souligner le centenaire de la mort de Balzac. Il n'y eut qu'Henri Tranquille pour faire trôner dans sa vitrine une tête du célèbre écrivain, sculptée par Robert Roussil. *L'actualité*, 18 septembre 1996, p. 128.
13. Louis Caron, *La vie d'artiste, Le cinquantenaire de l'Union des Artistes*, Montréal, Boréal, 1987, p. 33.
14. D'abord nommé le Val d'Or, on raconte que ce cabaret était contrôlé par la pègre. Il portera le nom de Faisan Doré moins de deux ans et deviendra par la suite le Montmartre.
15. *Le Feuilleton de Montréal*, Tome 3, *1893-1992*, Montréal, Stanké, 1997, p. 243-244.
16. Plus tard connu sous le nom de Orchestre symphonique de Montréal (OSM).

17. Les signataires de ce manifeste étaient : Madeleine Arbour, Marcel Barbeau, Paul-Émile Borduas, Bruno Cormier, Claude Gauvreau, Pierre Gauvreau, Muriel Guilbault, Marcelle Ferron, Fernand Leduc, Thérèse Leduc, Jean-Paul Mousseau, Maurice Perron, Louise Renaud, Françoise Riopelle, Jean-Paul Riopelle, Françoise Sullivan.

18. Pierre Vennat, *La Presse*, 9 février 1999.

19. Transcription du deuxième épisode d'une série qui en comporte cinq sur Ludmilla Chiriaeff. Réalisateur Jean Faucher, 1977.

20. Journal *La Presse*.

21. Alida de Jager à Alexis et Ludmilla, 26 février 1952.

22. Lettre à Alexis et Ludmilla, 2 février 1952.

23. Le His Majesty's deviendra le Her Majesty's quelque temps après l'accession au trône de la Reine Elizabeth II.

24. Monsieur Caron, propriétaire de Caron Libraire, 10 juillet 1995. J'étais entrée dans sa librairie à la recherche de livres sur la danse. Quand je lui ai expliqué mes besoins, il m'a fait le commentaire rapporté ici.

25. Carton d'invitation sur lequel Ludmilla a noté : Première rencontre avec Emma Hutchison *(sic)* puis Jean Boisvert à partir de cette exposition. Agnès Lefort avait ouvert sa galerie en 1950. Elle se spécialisait dans les œuvres d'avant-garde.

26. Alexis au journaliste Rémy Le Poittevin, *Journal des Vedettes*, 21 août 1955, p. 10.

27. Je n'ai pas retrouvé la date de cette lettre.

28. Groupe de femmes de la bourgeoisie qui s'occupaient surtout d'amasser des fonds pour leurs œuvres de prédilection.

29. Entrevue avec Avdeij Chiriaeff, 15 septembre 2003. À moins d'indications contraires, toutes les références proviennent de cette entrevue ou des multiples échanges que j'ai eus avec lui depuis 1997.

30. May Johnson Associates, 27 juin 1952. May Johnson avait des bureaux à Montréal et à New York. Sans doute une intime de Lady Davis puisque, au début de sa lettre, elle écrit à Ludmilla avoir discuté de toute cela avec Lady Davis et que c'est à sa suggestion qu'elle lui écrit.

31. Lettre de Murray Ballantyne, dont je n'ai pas retrouvé la date.

32. Voir par exemple la copie à Ludmilla d'une note manuscrite qu'il expédie le même jour à un certain John, 29 décembre, 1953, pour le périodique *Weekend*.

33. Selon un livre de comptes, en 1952, Ludmilla recueille 151,50 $ en septembre ; 242,00 $ en octobre, 302,00 $ en novembre et 255,00 $ en décembre.

34. Dawn McGlaughlin.

35. 1er mai 1952.

36. 16 juillet 1952.

37. Entrevue téléphonique, 29 février 2004.

38. *Idem.*

39. Entrevue avec Dorothy Rossetti, 23 avril 2004. À moins d'indications contraires, toutes les références proviennent de cette entrevue.

40. L'orthographe varie selon les documents : Leduc ou Le Duc.

41. Entrevue avec Sheila Pearce, 9 avril 2003. À moins d'indications contraires, toutes les références proviennent de cette entrevue.

42. Notes en réponse aux « devoirs » que lui prescrit la docteure Anne Pelletier, printemps 1990.

43. Selon Sheila Pearce, il sera ensuite le médecin attitré des danseurs.

44. L'incapacité juridique de la femme mariée ne sera levée que le 1er juillet 1964, avec la modification du Code civil du Bas-Canada.

45. Ces deux lettres ne portent pas de date, la seconde n'étant identifiée que par vendredi.

46. Entrevue ave Gleb Chiriaeff, 7 juin 2005. À moins d'indications contraires, toutes les références proviennent de cette rencontre et des échanges par courriel que j'ai eus avec lui.

47. 6 octobre 1952.

48. 28 octobre 1952.

49. Alida de Jager, 31 octobre 1952.

50. Lettre de l'attaché G. J. Dick, Berne, 7 novembre 1952.

51. Lettre du 3 novembre 1952.

52. Entrevue avec Charles Reiner, 23 juin 1998. À moins d'indications contraires, toutes les références proviennent de cette entrevue.

53. Lettre de Danielle Dragon, datée du 9 janvier 1953. Cette lettre est postée de Montréal, écrite sur le papier à en-tête du Lloyd's Hotel. Danielle Dragon est alors danseuse dans un des ballets que monte Ludmilla. Dans cette même lettre, Mademoiselle Dragon annonce à Ludmilla qu'elle arrête de danser.

54. Information provenant d'une lettre de M. Ballantyne à Ludmilla à laquelle est joint un chèque de 100,00 $ pour aider à l'arrivée de Katerina. Il en profite pour conseiller à Alexis d'être «*compliant with his present employer*», 18 novembre 1952.

55. Claude Jasmin, courriel du 20 octobre 2003.

56. Relations des Jésuites, dans Pierre Guillemette, *Bibliographie de la Danse Théâtrale au Canada*, Ottawa, 1970, p. 7.

57. Pierre Guillemette, dans *Tout sur la Danse*, vol. 2, n° 4, février 1976, p. 4.

58. Territoire du Québec d'aujourd'hui.

59. *Dictionnaire de la danse*, Larousse-Bordas, Paris 1999, p. 81.

60. *La Fille mal gardée*, au Théâtre du marché à foin de Québec, le 23 janvier 1816, et un extrait de *La Bayadère*, de Tagliani, à Montréal, le 29 juillet 1835. Peut-être même un extrait de *La Sylphide*, en 1836. Rapporté par Pierre Guillemette, *op. cit.*, p. 12 et 13.

61. *La Presse*, 18 novembre 2001, p. B 13.

62. Pierre Guillemette, *op. cit.*, p. 14.

63. Entrevue avec Vincent Warren, 13 novembre 1996. Toutes les références proviennent de cette entrevue.

64. Serge Lifar, en 1933, les Ballets russes de Monte Carlo en 1934, Mary Wigman en 1930-1931, Léonide Massine en 1934, Martha Graham, Kurt Jooss, en octobre 1946.

65. *Danser à Montréal, Germination d'une histoire chorégraphique*, Montréal, PUQ, 1992, p. 41, 42.

66. Iro Tembeck, *op. cit.*, p. 54.

67. Anne-Marie Sicotte, *Gratien Gélinas, la ferveur et le doute*, Tome 1, Montréal, Québec-Amérique, 1995.

68. Iro Tembeck, *op. cit.*, p. 66.

69. Pierre Guillemette, *op. cit.*, p. 19.

70. *International Encyclopedia of Dance*. Il s'agirait en fait de trois Torontoises : Sydney Mulqeen, Aileen Woods et Pearl Whitehead.

71. Ken Bell et Celia Franca, *The National Ballet of Canada, A Celebration*, Toronto, University of Toronto Press, 1978, p. 12.

72. *La Semaine à Radio-Canada*, semaine du 17 au 23 février 1952, p. 4.

73. « La technique de la télévision, cela s'apprend en 30 heures de cours complétés par un stage de trois mois », Yvette Pard, entrevue de Céline Légaré dans *La Patrie*, semaine du 16 juin 1968.

74. Numéro d'octobre 1953.

75. *Idem.*

76. Entrevue avec Denise Marsan, 31 mai 2004. À moins d'indications contraires, toutes les références proviennent de cette entrevue.

77. Voilà comment l'on nommait la tête d'Indien qui apparaissait à l'écran lorsqu'il n'y avait pas d'émission ou quand survenait un problème technique.

78. Rapporté par Paul Cauchon dans *Le Devoir*, 31 août/1er septembre 2002, p. C7.

79. Louis Caron, *op. cit.*, p. 77. L'allocution du premier ministre, M. Saint-Laurent, était préenregistrée, des engagements dans l'ouest du pays le retenant ailleurs.

80. Rapporté par Pierre Vennat, dans *La Presse*, septembre 2002.

81. Vol. II, n° 48, p. 3.

82. 4 janvier 1953.

83. 16 février 1953. Quand Pignolo parle des ballets du film, il se réfère à *Danse solitaire.*

84. 26 juin 1953.

85. Roland Lorrain, *Les Grands Ballets Canadiens ou Cette femme qui nous fit danser*, Montréal, Éditions du Jour, 1973, p. 19.

86. Dans une lettre adressée au directeur régional des programmes à Radio-Canada, en 1954, parlant des élèves de Yolande Leduc, Ludmilla écrit qu'elle les a acceptés comme élèves après que – chacun ou leur parent – eut confirmé par écrit que « jamais je ne leur avais demandé de venir, ni fait sur eux aucune pression d'aucune sorte ».

87. Alors grand patron de Radio-Canada.

88. Coupure de presse non identifiée, non datée.

89. Lettre de Thelma Gerstman, Womens&Girls Work Sec'y.

90. Ce texte est écrit sur des cartons et non daté.

91. Roland Lorrain, *op. cit.*, p. 22.

92. *Idem*, p. 22.

93. Numéro du 23-29 août, 1953.

94. Sur papier à en-tête du Royal Winnipeg Ballet of Canada, datée du 17 septembre 1953.

95. Léo Ménard à Ludmilla, 24 septembre 1953.

96. Article non daté, sous la signature de C. W., p. 15.

97. Sans doute Francis Coleman. Il travaillait comme réalisateur à Radio-Canada. Le télégramme est daté du 3 octobre 1953.

98. Entrevue avec Gabriel Charpentier, 23 janvier 1997. À moins d'indications contraires, toutes les références proviennent de cette entrevue.

99. Entrevue avec Henri Bergeron, 7 octobre 1996. À moins d'indications contraires, toutes les références proviennent de cette entrevue.

100. Entrevue avec Roger Racine, 5 février 2004. À moins d'indications contraires, toutes les références proviennent de cette entrevue.

101. Entrevue avec Pierre Morin, 19 octobre 2003. À moins d'indications contraires, toutes les références proviennent de cette entrevue.
102. Selon Henri Bergeron, le grand chef d'orchestre jurait en italien quand quelque chose n'allait pas à son goût.
103. Entrevue avec Guy Beaulne, 16 juillet 1996. À moins d'indications contraires, toutes les références proviennent de cette entrevue.
104. France Malouin-Gélinas, dans *Renée Maheu, Pierrette Alarie, Léopold Simoneau, deux voix, un art*, Montréal, Libre Expression, 1988, p. 192.
105. Entrevue avec Brydon Paige, 27 juillet 2004. À moins d'indications contraires, toutes les références proviennent de cette entrevue.
106. À partir de janvier 1954, CBMT diffusera une programmation entièrement anglaise. Depuis septembre 1952, CBFT offrait aux Canadiens une programmation bilingue produite dans ses studios de Montréal.
107. Iro Tembeck, *op. cit.*
108. Note à Messieurs les Conseillers, non datée – isolée d'un formulaire du Conseil des Arts du Canada que je n'ai pas retrouvé.
109. Lettre de Ludmilla à la Princesse, 16 mai 1963.
110. Lettre du 27 janvier 1954 à Monsieur et Madame Chiriaeff.
111. Semaine du 20 au 26 décembre 1953.
112. *Idem.*
113. Propos rapporté par Michel Servant, *Photo-Journal*, 17 avril 1954.
114. Fonds d'Archives Ludmilla Chiriaeff (FALC).
115. Samedi 30 octobre 1954. Article non signé.
116. Entrevue avec Christine Clair, 13 juin 1996. À moins d'indications contraires, toutes les références proviennent de cette entrevue.
117. Voir Gérard Brady, *Rawdon Mon village*, Ed. Village de Rawdon, 1995, p. 103.
118. *La Semaine à Radio-Canada*, 2 au 8 mai 1954, p. 8.
119. Sans date, document manuscrit.
120. Lettre dont la date est seulement mai 1954.
121. Entrevue avec Eva von Gencsy, 20 novembre 1996. À moins d'indications contraires, toutes les références proviennent de cette entrevue.
122. Souligné dans le texte. Lettre signée Arsène Ménard au secrétaire particulier du Secrétaire de la Province.
123. Jean Boisvert, 18 juin 1954.
124. Numéro de juin 1954, p. 9.
125. Lettre du 15 septembre 1954.
126. Entrevue avec Gérard Lamarche, 4 mai 1994. À moins d'indications contraires, toutes les références proviennent de cette entrevue.
127. Entrevue avec Michel Martin, 5 mars 2004. À moins d'indications contraires, toutes les références proviennent de cette entrevue.
128. Entrevue avec Véronique Landory, 14 mars 2003. À moins d'indications contraires, toutes les références proviennent de cette entrevue.
129. Lettre du 9 décembre 1954.
130. Émission *Propos et confidences*, Troisième épisode : *La danse et la télévision*. Réalisateur Jean Faucher, Radio-Canada, 1977.
131. Article de Mireille Lemelin, *Châtelaine*, octobre 1978, p. 64.
132. Samedi 5 février 1955.
133. Samedi 12 février 1955.

134. Dimanche 6 février 1955.
135. Article non signé, 5 mars 1955.
136. Il fut l'avocat des requérants pour cette enquête sur la moralité. Commencée à l'automne 1950, elle se terminera le 2 avril 1953. Elle était présidée par l'Honorable François Caron, juge à la Cour supérieure.
137. Entrevue avec Jean Drapeau, 11 mai 1994. À moins d'indications contraires, toutes les références proviennent de cette entrevue.
138. Propos rapporté par *La Presse*, 7 mars 1955.
139. *Le Petit Journal*, 6 mars 1955.
140. *La Presse*, 9 avril 1955.
141. Avril 1955, « Television in Montreal », p. 10. Article non signé.
142. Ballet présenté le vendredi 11 février dans le cadre de l'émission *Trente secondes*.
143. Jean-Claude Germain, *op. cit.*, p. 260.
144. Voir Léon Dion, *op. cit.*
145. Article non signé, p. 4.
146. Édition du 4 juin 1955.
147. Lettre à Ludmilla, 21 avril 1955.
148. Entrevue avec Jacqueline Bouchereau-Martineau, 18 mars 2003. À moins d'indications contraires, toutes les références proviennent de cette entrevue.
149. Entrevue avec Daniel Seillier, 16 mai 2003. À moins d'indications contraires, les références proviennent toutes de cette entrevue.
150. Lettre à Guy Darcy, 14 juin 1955.
151. Lettre de Ludmilla au Directeur des Programmes à Radio-Canada, 14 juin 1955.
152. Lettre à Jean Drapeau, 25 juillet 1955.
153. Lettre à Ludmilla, 2 août 1955.
154. *Forum des lecteurs*, 1er octobre 1955, p. 14.
155. *Propos et confidences*, Quatrième épisode, 8 février 1977.
156. *Radiomonde* et *Télémonde*, 7 mai 1955, p. 3.
157. 20 juin 1955.
158. 21 août 1955, article signé Rémy Le Poittevin.
159. *Idem*, p. 11.
160. Entrevue avec Victor Melnikoff, 11 octobre 1996. À moins d'indications contraires, toutes les références proviennent de cette entrevue.
161. *Idem*.
162. Gustave-Nicolas Fischer, *Le Ressort invisible, Vivre l'extrême*, Paris, Seuil, 1994, p. 13.
163. Dans le *Herald*, 17 septembre 1955.
164. *La Presse*, samedi 4 juin 1955.
165. *The Gazette*, 22 septembre 1955.
166. 22 septembre 1955.
167. R. de R., 22 septembre 1955.
168. Dimanche 1er octobre 1955, sous la signature de Roland Lorrain.
169. Sigle de la télévision francophone à Montréal à cette époque.
170. Pierre Lamy avisant Ludmilla le 12 juin 1957 que toutes les émissions de la série *La lanterne magique* qui devait être à l'horaire pour la saison d'été sont annulées.
171. *Les Grands Ballets Canadiens ou Cette dame qui nous fit danser*, Montréal, Éditions du Jour, 1973.
172. 5 novembre 1955.

173. Lettre à Mlle Michèle Duquette, 13 octobre 1955.

174. Numéro du 19-25 novembre 1955, p. 8.

175. Dans *Reportages*, vol. 1, n° 6, semaine finissant le 20 novembre 1955.

176. Abbé Fx. Bélanger, Montréal, 19 décembre 1955.

177. Lettre de Ludmilla au maire de Montréal, 16 janvier 1956.

178. Certificat d'enregistrement, timbré le 6 juin 1956.

179. Lettre du 6 février 1956.

180. Lettre du 27 janvier 1956.

181. Selon un relevé des talons de chèques émis par Radio-Canada et que j'ai retrouvés.

182. Pour alléger le texte, à partir de maintenant, l'auteure fait référence aux Grands Ballets Canadiens en écrivant GB.

183. En provenance de Joliette, lettre du 7 février 1956.

184. Samedi, 10 mars 1956.

185. 12 mars 1956.

186. 13 mars 1956. Selon Gérard Filion, les parents de Laurendeau lui avaient fait suivre des cours de ballet pour lui faire du muscle. « Ce rappel froisse sa vanité, mais il en garde l'élégante souplesse ». Dans *Fais ce que peux*, Montréal, Boréal, 1989, p. 241.

187. Lettre à M. F. Guérard, 30 janvier 1956.

188. J-L. Laporte, 17 mars 1956.

189. Manuscrit d'Alexis, non daté, sans titre, p. 2. Il existe deux versions de ce texte, l'une à l'encre noire et l'autre augmentée, au stylo-bille rouge. La présente citation provient de la version à l'encre noire.

190. *Idem*, p. 1, mais version au stylo-bille rouge.

191. Comme on nommait ceux qui adhéraient à l'Union nationale.

192. Linteau *et al.*, *op. cit.*, p. 370.

193. Iro Tembeck, *op. cit.*, p. 86.

194. Lettre manuscrite, datée du 25 avril 1956, signée Mme Trottier, 2975, rue Rita, Montréal. Cette lettre est reproduite avec les soulignés et l'orthographe de la signataire.

195. Michelle Tisseyre, *Mémoires ultimes*, Montréal, Éditions P. Tisseyre, 1998, p. 200.

196. *Idem*, p. 201.

197. Rapporté par Gérard Brady, *op. cit.*, p. 78.

198. Quotidien publié dans la ville de Trois-Rivières, article non signé, jeudi 3 mai 1956.

199. Anne-Marie Villeneuve et Jean Faucher, *Françoise Faucher*, Montréal, Québec-Amérique, 2000, p. 170.

200. Lettre sous la signature de T. D. Leggett, 31 janvier 1956.

201. Émission *Propos et confidences*, Premier épisode : *L'enfance et la guerre*. Jean Faucher, Radio-Canada, 1977.

202. Brouillon dactylographié, daté du 17 août 1956.

203. Tomas Archer, lundi 3 septembre 1956.

204. *Le Devoir*, mercredi 5 septembre 1956.

205. Session chez Ludmilla, le 10 mai 1996.

206. Entrevue avec France Desjarlais, 6 juillet 2004. À moins d'indications contraires, toutes les références proviennent de cette entrevue.

207. Entrevue avec Blanche Harwood-Girard, 17 février 2003. À moins d'indications contraires, toutes les références proviennent de cette entrevue.

208. Entrevue avec Léa X, 10 février 2003. À moins d'indications contraires, toutes les références proviennent de cette entrevue.
209. Entrevue avec Andrée Millaire, 25 février 2003. À moins d'indications contraires, toutes les références proviennent de cette entrevue.
210. Elle préparait alors un document audiovisuel sur le studio de la rue Stanley.
211. Entrevue avec Nicole Martinet, 17 mars 2003. À moins d'indications contraires, toutes les références proviennent de cette entrevue.
212. Lettre de Robert Letendre à Maître Gaston Pouliot, 22 février 1957.
213. Lettre du 30 mai 1957.
214. 26 février 1957.
215. Colette a écrit une féerie pour le ballet qui portait le titre *Divertissement pour ma fille* et qui deviendra *L'Enfant et les Sortilèges*.
216. Entrevue avec Gérald Lafleur, 24 octobre 1994. À moins d'indications contraires, toutes les références proviennent de cette entrevue.
217. Denyse Boucher Saint-Pierre, *op, cit.*, p. 97.
218. Revue fondée et dirigée par le père Bradet jusqu'à ce qu'on l'en évince, en juillet 1965.
219. Marcel Adam, dans *La Presse* du 13 décembre 1970, *in* Boucher Saint-Pierre, *op. cit.*, p. 149.
220. *Op. cit.*, p. 197.
221. *Mémoire des Grands Ballets Canadiens*, 12 octobre 1972. Ce Mémoire a été présenté au ministère des Affaires culturelles.
222. Lettre de C.R. Matheson, Manager, Licensing Department.
223. Lettre de Édouardo Borovansky, du Borovansky Australian Ballet, 13 août 1957.
224. *Le Congrès de la Refrancisation*, Québec, Les éditions Ferland, 1957, p. 9.
225. *Idem*, p. 9.
226. 25 juin 1957.
227. Lettre du 22 mai 1957.
228. Voir Georges-Émile Lapalme, *Le vent de l'oubli*, mémoires, Montréal, Leméac, 1970, p. 282.
229. « Étude du Ballet au Canada français », 8 pages. Conférence publiée dans un recueil avec le texte des autres conférenciers par les Éditions Ferland, Québec, 1959.
230. Lettre du 26 juillet 1957. Cette lettre est envoyée au nom du Conseil Canadien du Ballet.
231. Lettre du 26 juillet 1957.
232. Lettre de Jacques Landry, Directeur adjoint des Programmes CBFT-Montréal, 14 août 1957.
233. Lettre de Pierre Lamy, Administrateur d'unités, Programmes pour enfants, 12 juin 1957.
234. Prévisions budgétaires du 1er septembre 1957 au 31 août 1958.
235. Contrat de donation entre vifs de Dame Ludmilla Chiriaeff à la Compagnie Les Grands Ballets Canadiens.
236. Lettre de Natan Karczmar, directeur administratif, à Paul-Marcel Raymond, Administrateur des programmes à Radio-Canada, 13 septembre 1957.
237. Paul-Marcel Raymond, 1er octobre 1957.
238. Roger Castonguay, Officier du Contrôle budgétaire TV, 18 octobre 1957.
239. Lettre de Charles Goulet, Secrétaire du Conseil, 4 octobre 1957.

240. Lettre de Ludmilla au Secrétaire du Conseil des arts de la région métropolitaine de Montréal, 30 octobre 1957.

241. Lettre du directeur A. W. Trueman, 15 octobre 1957.

242. Entrevue avec le père Georges-Henri Lévesque, le 29 mars 1994. À moins d'indications contraires, toutes les références proviennent de cette entrevue.

243. Jacques Lacoursière, *Histoire populaire du Québec, 1860 à 1960,* Tome IV, Québec, Septentrion, 1997, p. 373.

244. Léon Dion, *op. cit.,* p. 248.

245. Robert Fulford, *The Canadian Council at Twenty-Five,* p. 34.

246. *Idem, ib.*

247. *Idem,* p. 36.

248. Bulletin de service, Radio-Canada, Denys Gagnon, réalisateur, 9 octobre 1957.

249. Lettre de Jean-Claude Derney à Anatole Chujoy, 3 novembre, 1957.

250. Lettre de Marcel Deschamps, Admnistrateur d'UnitéVariétés, 19 octobre 1957.

251. Contrat signé le 2 décembre 1957.

252. *The Montreal Star,* décembre 1957, article de Walter Poronovich.

253. Document non daté, signé La Direction, Manoir Notre-Dame-de-Grâce.

254. Texte non daté mais qui fait référence à la « réalisation d'une Académie de ballet qui a été discutée et décidée » au Manoir.

255. Lettre de Gratien Gélinas à Ludmilla, 15 janvier 1958.

256. Lettre de Jacques Derney à Charles Renaud, 15 février 1958.

257. Jacques Derney à Ed Sullivan, 23 mai 1958.

258. Lettre de Jacques Derney, 28 avril 1958.

259. Sollicitation pour constituer un membership 1956-1957.

260. Lettre de Jacques Deslauriers, csv, à Ludmilla, 3 février 1958.

261. Quatrième épisode, *Les Grands Ballets Canadiens,* 8 février 1977.

262. *Initiation à la danse,* copie carbone d'un document non daté, p. 1.

263. Michel Pierre, avril 1958.

264. Lundi 14 avril 1958.

265. Alexis, au Bureau des directeurs des Grands Ballets Canadiens, 14 avril 1958. Lettre manuscrite.

266. Ludmilla à Mrs. Jacqueline Darwin, Business Manager, 13 mai 1958.

267. Lettre du 22 août 1958.

268. Lettre du 7 novembre 1958.

269. Lettre de Ludmilla à Edward Caton, 22 septembre 1958.

270. Lettre de Yves Prévost, Secrétaire de la Province, à Ludmilla, 25 novembre 1958. Le chèque est joint à la lettre.

271. P. M. Dwyer, conseiller artistique, 23 octobre 1958.

272. 29 octobre 1958.

273. Lettre à Paul Gérin-Lajoie, 12 août 1960.

274. Lettre à Miss Ann Lendman, 12 décembre 1958.

275. Louis Caron, *op. cit.,* p. 97.

276. Daniel Lemay, *La Presse,* 9 mars 1994.

277. *Idem.*

278. Linteau - Durocher - Robert - Ricard, *Histoire du Québec contemporain, Le Québec depuis 1930,* Tome II, Montréal, Boréal, 1989, p. 392.

279. Sam Andes à Alexis Chiriaeff, 30 janvier, 1959.

280. 3 février 1959.

281. Lettre à Monsieur Julien, gérant, 9 avril 1959.

282. *Le Devoir*, coupure de presse non datée et non signée mais, de par le contexte, se situant en avril 1959.

283. Clell Bryant, mardi 26 mars 1959.

284. Entrevue avec Uriel Luft, 7 août 1996. À moins d'indications contraires, toutes les références proviennent de cette entrevue.

285. *Châtelaine*, octobre 1978, p. 65.

286. *La Semaine à Radio-Canada*, du 5 au 11 décembre 1959, vol X, n° 10, p. 2.

287. *Le Devoir*, 18 avril 1959.

288. Article tiré d'un journal montréalais non identifié et non daté mais, d'après le contexte, paru peu de temps avant le Jacob's Pillow.

289. Peter Hoos, *The Montreal Star*, mercredi 13 mai 1959.

290. Charles Goulet, lettre non datée mais signée, à laquelle est attachée la réponse de Ludmilla (2 juillet 1959) qui promet de s'y conformer.

291. Ludmilla à Yves Prévost, 8 juillet 1959.

292. Ludmilla à Yves Prévost, 20 juillet 1959.

293. Lettre à Jean Vallerand, secrétaire du Conservatoire de Musique de la province, 25 février 1960.

294. Entrevue avec Marcel Caron, 30 septembre 1996. À moins d'indications contraires, toutes les références proviennent de cette entrevue.

295. *Le Petit Journal*, 15 mars 1959, p. 98, 99.

296. *The Gazette*, jeudi 26 mars 1959.

297. Article signé J. V. (Sans doute Jean Vallerand) Coupure de presse non identifiée et non datée mais, d'après le contexte, probablement autour du 18 avril 1959.

298. Tiré d'une transcription de l'enregistrement de l'intervention de Ted Shawn au Jacob's Pillow, août 1959.

299. Quatrième épisode, *Les Grands Ballets Canadiens*, 8 février 1977.

300. Non daté mais fin août, début septembre 1959. Coupure d'un journal non identifié.

301. Wayne C. Smith, *The Springfield Sunday Republican*, non daté mais fin août, début septembre 1959.

302. P. W. Manchester, dans *Dance News*, octobre 1959, p. 9.

303. Lettre à Gérald Lafleur, 3 septembre 1959.

304. 3 septembre 1959.

305. Julian Braunsweg, *Ballet Scandals, The Life of an Impresario and the Story of the Festival Ballet*, London, George Allen & Unwin Ltd, 1973, p. 46.

306. John A. Dickinson, Brian Young, *Brève histoire socio-économique du Québec*, Québec, Septentrion, 1995, p. 305.

307. Commentaires de Duplessis, à la Gare du Palais, à Québec, au retour d'une rencontre fédérale-provinciale au printemps de 1946, dans Jacques Lacoursière, *Histoire populaire du Québec 1896-1960*, Tome 4, Québec, Septentrion, 1997, p. 331.

308. Georges-Émile Lapalme, *Le vent de l'oubli*, Mémoires, tome II, Montréal, Leméac, 1970, p. 18. Lapalme fut chef de l'opposition libérale à Québec de 1950 à l'arrivée de Jean Lesage.

309. Affilié à Columbia Artists Management Inc.

310. Entrevue avec Claude Berthiaume, 14 janvier 2003. À moins d'indications contraires, toutes les références proviennent de cette entrevue.

311. 16 janvier 1960, p. 22.
312. Tiré d'un document non daté des GB, sous le titre *Tournée Canadienne*, 1959.
313. *Idem.*
314. *Idem.*
315. Léon Dion, *op. cit.*, p. 315.
316. Georges-Émile Lapalme, *op. cit.*, p. 277.
317. Pierre Godin, *Daniel Johnson, 1946-1964, la passion du pouvoir*, Montréal, Éditions de l'Homme, 1980, p. 156.
318. Linteau *et al., op. cit.*, p. 422.
319. André Marcil, vice-président, National Ballet Guild of Canada, dans une lettre à l'éditeur, 22 novembre 1960, *The Montreal Star*.
320. Roland Lorrain, *op. cit.*, p. 67.
321. *Idem*, p. 67.
322. 5 mai 1960.
323. Samedi 7 mai, 1960.
324. Claudette Turcotte à Louise Fournier (*L'actualité*), 16 février 1960.
325. Lettre à Raymond Douville, sous-secrétaire de la province, 9 juin 1960.
326. Lettre du 25 juin 1960.
327. Lettre du 12 août 1960.
328. Non signé, *The Montreal Star*, septembre 1960.
329. Tiré d'un document non daté des GB, sous le titre *Tournée américaine*, 1960.
330. *Idem.*
331. Lettre du 16 novembre 1960.
332. Lettre du 28 novembre 1960.
333. Lettre du 19 février 1959.
334. Lettre du 9 juin 1960.
335. Lettre à Katerina, 27 janvier 1961.
336. Lettre à la famille H. Tolkmith, 16 janvier 1961.
337. Correspondance avec Pierre Castonguay, réalisateur de la *Boîte à surprise*, 30 septembre 1960.
338. Diane Dagenais, Boucherville, 20 avril 1960.
339. Isabelle Nadeau, Montréal, 29 avril 1960.
340. Carole Grisé, Montréal, mai 1960.
341. Sœur Sainte Marie Mercedes, lettre non datée, sur papier à en-tête de la Congrégation.
342. Lettre à Jean Vallerand, 24 septembre 1960.
343. *Le Devoir*, 15 août 1961.
344. 13 mars 1969.
345. 16 novembre 1961.
346. Signature illisible, mais le nom de famille semble être Cage, 24 novembre, 1961.
347. Entrevue avec Dorothy Rossetti, 23 avril 2004. À moins d'indications contraires, toutes les références proviennent de cette entrevue.
348. Entrevue avec Hélène Stevens, 17 septembre 1996. À moins d'indications contraires, toutes les citations proviennent de cette entrevue.
349. Kenneth M. Carter, *Report on Ballet*, 28 janvier 1959.
350. Jacques Vadeboncœur à Peter Dwyer, brouillon d'une lettre non daté.
351. Entrevue avec Catherine (Katia) Luft, 18 juillet 1996. À moins d'indications contraires, toutes les citations proviennent de cette entrevue.

352. *Nouvelles illustrées*, 11 avril 1970. Article signé Michèle Thibault.
353. *Lire*, novembre 2003, n° 320, p. 106.
354. Lettre à Georges-Émile Lapalme, 13 janvier 1962.
355. *The Gazette*, vendredi 19 janvier 1962.
356. *Le Nouveau Journal*, vendredi 19 janvier 1962.
357. Communiqué de presse, CAC, 1er février 1962.
358. *Idem.*
359. 1er mars 1962.
360. Lettre de Jacques Vadeboncœur au CAC, 27 avril 1962.
361. *The Calgary Herald*, 10 mars 1962.
362. P. M. Dwyer, conseiller artistique, 8 mars 1962.
363. 18 avril 1962.
364. 16 mars 1962.
365. D. C. Thompson, *Jean Lesage et la Révolution Tranquille*, Saint-Laurent, Éditions du Trécarré, 1984, p. 392.
366. Procès-verbal de l'Assemblée du Conseil artistique des Grands Ballets Canadiens, mardi 8 mai 1962, p. 1.
367. Lettre de Jacques Vadeboncœur au CARMM, 19 juillet 1962.
368. Peter M. Dwyer à Jacques Vadeboncœur, 17 mai 1962.
369. Lettre à M. et Mme Paul Bellehumeur, 22 mai 1962.
370. Robert Rumilly, *Histoire de Montréal 1939-1967*, Tome V, Montréal, Fides, 1974, p. 246.
371. 9 août 1962.
372. 19 octobre 1962.
373. 17 janvier 1963.
374. 24 janvier 1963.
375. Ludmilla à Celia Franca, 28 juin 1963.
376. Uriel Luft à Gabriel Drouin, 31 janvier 1963.
377. 22 février 1963.
378. Lettre à la Révérende mère Saint-Bernard, 4 février 1963.
379. Léon Dion, *Le Bill 60 et la Société Québécoise*, Montréal, Éditions HMH Ltée, 1967, p. 128.
380. 18 juin 1963.
381. 26 septembre 1963.
382. *The Montreal Star*, mercredi 9 octobre 1963.
383. *Le Devoir*, 15 octobre 1963.
384. Ed. H. Keiss, *The Toronto Daily Star*, 23 octobre 1963.
385. 6 décembre 1963.
386. Lettre au ministre des Affaires culturelles, 5 décembre 1963.
387. Lettre à Pierre de Bellefeuille, alors journaliste au *MacLean*, 25 novembre 1963.
388. *The Gazette*, 30 décembre, 1963.
389. *La Presse*, 30 décembre 1963.
390. *Le Devoir*, 31 décembre 1963.
391. *La Presse*, 11 décembre 1963.
392. Télégramme reçu à 10 h 35, le 22 janvier 1964.
393. 24 février 1964.
394. 5 mars 1964.
395. 30 décembre 1963.

396. Lettre à Mme J. B., 9 mars 1964.
397. Lettre à XYZ, 9 mars 1964 (XYZ, pour protéger l'identité de cette personne que je ne peux joindre).
398. Guy Frégault, sous-ministre, MAC, 25 mai 1964.
399. The Senate of Canada, 26th Parliament, *13 Elizabeth II*, 1964.
400. 14 juin 1965.
401. Lettre de Jean Drapeau à Ludmilla, 27 juillet 1964.
402. Lettre à Jean Drapeau, 9 octobre 1964.
403. Entrevue avec Fernand Nault, 12 mars 1996. À moins d'indications contraires, toutes les références proviennent de cette entrevue.
404. Texte dactylographié, sans titre, daté October 12.
405. Pierre Godin, *Daniel Johnson 1964-1968, La difficile recherche de l'égalité*, Montréal, Éditions de l'Homme, 1980, p. 61.
406. Pierre Bourgault, *Écrits polémiques, 1960-1981, La politique*, Montréal, vlb éditeur, 1982, p. 60, 62 et 63.
407. D.C. Thomson, *op. cit.*, p. 239.
408. *Idem*, p. 240.
409. Harold Whitehead, *The Gazette*, mardi 12 novembre 1964.
410. Ralph Hicklin, *The Globe and Mail*, 19 novembre 1964.
411. 27 novembre 1964.
412. Entrevue avec Daniel Seillier, 16 mai 2003. À moins d'indications contraires, toutes les références proviennent de cette entrevue.
413. 22 décembre 1964.
414. Procès-verbal de l'assemblée des administrateurs des Grands Ballets Canadiens, 7 janvier1965, p. 1.
415. Selon une note à l'agenda de Guy Beaulne, le 11 décembre 1964, il doit informer Uriel Luft que les GB ne peuvent espérer une nouvelle tranche de subvention avant janvier 1965.
416. Lettre à Anton Dolin, 28 juin 1965.
417. 21 avril 1965.
418. Lettre à Anton Dolin, 28 juin 1965.
419. Lettre du 12 mai 1965.
420. *Idem*.
421. Lettre à Uriel Luft, 1er septembre 1965.
422. 25 novembre 1965.
423. Uriel Luft remerciant Germain Cadieux, administrateur de l'équipe française, 26 octobre 1965.
424. Vol. 7, n° 43, 23 octobre 1965, p. 9.
425. Extrait du procès-verbal de l'assemblée annuelle des GB, 30 septembre 1965, p. 2.
426. *The Gazette*, lundi 20 décembre 1965.
427. 12 mai 1965.
428. Lettre d'Uriel à Robin Green, 20 janvier 1966.
429. Article non signé, vol. 7, n° 43, 23 octobre 1965, p. 22.
430. Louise Baril, Maryvonne Kendergi, *La musique en partage*, Montréal, Éditions HMH, Cahiers du Québec, 2002, p. 301.
431. Lettre à Ludmilla, 23 novembre 1966.
432. 24 mars 1966.
433. 20 mai 1966.

434. *Herald Examiner*, 21 février 1966.

435. Pierre Godin, *op. cit.*, 1964-1968, p. 80.

436. Contrat signé le 21 juin 1966 pour la somme de 1 650,00 $.

437. Daniel Carrière, *Norman McLaren*, Montréal, Lidec, 1991, p. 50, 51.

438. *L'Action*, mercredi 28 septembre 1966, p. 8.

439. Lundi 17 octobre 1966.

440. Texte dactylographié, avec corrections manuscrites et note pour la secrétaire pour expédition à Beaulne, Juge, Fernand.

441. Lettre du 14 octobre 1966.

442. Lettre du 20 octobre 1966.

443. *La Presse*, 14 novembre 1966.

444. *The Montreal Star*, 14 novembre 1966.

445. Raconté à Suzanne Asselin, 23 octobre 1966.

446. Ludmilla à Hella, sœur d'Uriel, 10 mars 1967.

447. Maurice Dumas, *La Tribune*, vendredi 10 février 1967, p. 3.

448. *Le Soleil*, samedi 11 février 1967, p. 29.

449. Lettre à Barbara Wilderman, 23 mars 1967.

450. Entrevue avec Ludmilla (Mishka) Luft, 21 avril 2004. À moins d'indications contraires, toutes les références proviennent de cette entrevue.

451. Lettre de Guy Lamarre à André Fortier, 3 janvier 1968.

452. *The Montreal Star*, 28 octobre.

453. *The Toronto Daily Star*, 26 juin 1967.

454. Sydney Johnson, *The Montreal Star*, 26 juin 1967.

455. Michel Dupuy, *Expo 67 ou la découverte de la fierté*, Montréal, Éditions La Presse, 1972, p. 217, 218.

456. Gilles Lesage, *Le Devoir*, 24 et 25 juillet 2004.

457. 2 août 1967.

458. Lettre du 6 octobre 1967.

459. *Le Devoir*, lundi 13 novembre 1967.

460. Lettre à Aubert Brillant, 18 décembre 1967.

461. Lettre de Jacques Vadeboncœur à Peter Dwyer, CAC, accompagnant une demande de subvention pour 1967-1968, 28 février 1967.

462. 19 décembre 1967.

463. 24 janvier 1968.

464. 10 mars 1968.

465. 2 février 1968.

466. Lettre à Ted Shawn, 15 février 1968.

467. Jacques Vadeboncœur à Me Jean Martineau, président du CAC, 6 mars 1968.

468. Extrait que m'a lu Guy Beaulne, le 16 juillet 1996.

469. *La Presse*.

470. Lettre de Daniel Johnson, 12 mars 1968.

471. Cécile Brosseau, *La Presse*, 12 mars 1968.

472. Samedi 9 mars 1968.

473. Lettre à Monique Schlumberger-Luft, 9 avril 1968.

474. Marcel H. Caron, CA, au juge Jacques Vadeboncœur, 25 novembre 1965.

475. Marcel H. Caron, CA, au juge Jacques Vadeboncœur, 2 novembre 1965.

476. Marcel H. Caron, CA, *idem*.

477. 30 avril 1968.

478. 9 août 1966.
479. Lettre d'Uriel Luft à Jean Boucher, directeur du CAC, 21 mars 1968.
450. Uriel à Guy Beaulne, 4 juillet 1968, à la suite d'une rencontre avec Viateur Ravary, directeur des études à la CECM.
481. *Le Devoir*, le jeudi 1er août 1968.
482. Le CAC versera les cent soixante-dix mille dollars promis « en raison de circonstances exceptionnelles [...] pour un programme comprenant dix semaines de spectacles et vingt-huit semaines de répétitions », lettre de Peter Dwyer, 8 janvier 1969.
483. Léon Lortie, président, à Uriel, 29 mars 1968.
484. Lettre à Jean DuPasquier, 7 octobre 1968.
485. Hélène Pilotte, *Châtelaine*, février 1969.
486. Lettre à Monique Schlumberger-Luft.
487. Bulletin hebdomadaire, UGEQ, vol. 3, n° 9, semaine du 10 au 17 décembre 1968.
488. Simon Langlois, *et al., op.cit.*, p. 2.
489. *Le Devoir*, 15 février 1969.
490. 19 décembre 1967.
491. Guy Beaulne, Directeur général du théâtre, à Raymond David, Directeur de la radio et télévision française, Radio-Canada, 23 décembre 1968.
492. Lettre du 10 janvier 1969.
493. Lettre à Guy Beaulne, 10 janvier 1969.
494. Lettre à Ludmilla, 14 janvier 1969.
495. Lettre à Jean-Noël Tremblay, ministre des Affaires culturelles du Québec, 4 février 1969.
496. *La Presse*, 22 février 1969.
497. Cécile Brosseau, *La Presse*, 22 février 1969.
498. Lettre à Guy Beaulne, 21 mars 1969.
499. Anthony Diamantidi, 14 avril 1969.
500. Marianne Vouga, *Feuille d'Avis*, Lausanne, 10 mai 1969.
501. *Idem.*
502. Lettre adressée à « Chers tous », non datée mais relatant le passage à Lausanne.
503. A. Pichon, Lyon, 13 mai 1969.
504. Lettre manuscrite de Ludmilla à Françoise Bellehumeur, non datée.
505. Ellen Mouraviev-Apostol à Ludmilla, 19 mai 1969.
506. Lettre manuscrite de Ludmilla à Françoise Bellehumeur, non datée.
507. Max Vandermaesbrugge, *La Dernière Heure*, Bruxelles, 17 mai 1969.
508. Paris, 9 juin 1969.
509. Lettre manuscrite à Françoise Bellehumeur, non datée.
510. *The Times*, mercredi 28 mai 1969.
511. *Guardian*, mercredi 28 mai 1969.
512. *Morning Star*, 29 mai 1969.
513. *Sunday Times*, 1er juin 1969.
514. Lettre à Blanche Girard, sa secrétaire, sur papier à en-tête du Savoy Hotel London, non autrement daté que Samedi nuit.
515. Georges Hirsch, *Carrefour*, 18 juin 1969.
516. Paris, 7 juillet 1969.
517. Rapport sur la tournée européenne 1970 *(sic)*, document non daté mais signé par Ludmilla, p. 13.

518. Texte de Ludmilla Chiriaeff, Conférence de presse, Pour publication 16 juillet 1969, p. 3 et 4.
519. André Dufresne, 17 juillet 1969.
520. Doris-Louise Héneault, *La Presse*, jeudi 17 juillet 1969.
521. 9 août 1966.
522. Rapport sur la tournée européenne, p. 14.
523. Peter Dwyer à Jacques Vadeboncœur, 8 juillet 1968.
524. Jean Roberts, CAC, à Uriel, 19 septembre 1969.
525. Charles Goulet, secrétaire du CARMM, à Uriel, 28 novembre 1969.
526. Lettre à Raymond Morissette, sous-ministre des Affaires culturelles, 4 septembre 1969.
527. 26 septembre 1969.
528. Mémorandum d'Uriel à Jacques Vadeboncœur, Fernand Picard, Marcel Caron et Gerald Fisch, 3 octobre 1969.
529. Coupure de presse, non datée mais se rapportant au passage de cette compagnie, en novembre 1969, au Théâtre Maisonneuve.
530. Thérèse Chartrand, présidente, dans une lettre à Ludmilla, 11 août 1969.
531. *La Presse*, samedi 27 septembre 1969.
532. Lettre à Thérèse Chartrand, 17 octobre 1969.
533. *La Presse*, 6 novembre 1969.
534. 18 décembre 1969.
535. Lettre de Jacques Vadeboncœur à Léon Lortie, président du CARMM, 1er décembre 1969.
536. Document sans titre, p. 1.
537. *Idem*, p. 4.
538. 6 mars 1970.
539. 10 novembre 1969. Ludmilla a fait encadrer cette lettre et l'avait accrochée au mur de la salle de bain, parmi quantité de photos, dans l'appartement qu'elle occupait à la résidence Au Fil de l'eau, à Rivière-des-Prairies.
540. Lettre à Monseigneur André-Marie Cimichella, 17 novembre 1969.
541. Non daté, mais mars 1970.
542. Christiane Berthiaume, coupure de presse, non datée mais au début de mars 1970.
543. Gertrude Lapointe, 13 mars 1970.
544. *The Montreal Star*, 26 mars 1970.
545. *La Presse*, 26 mars 1970.
546. Communiqué de presse, GB, annonçant les spectacles à l'oratoire Saint-Joseph, non daté.
547. 10 mars 1970.
548. Mireille Lemelin, *Châtelaine*, octobre 1978, p. 64.
549. Michel Vastel, *Trudeau le Québécois... mais la colombe avait des griffes de faucon*, Montréal, Éditions de l'Homme, 1989, p. 194.
550. 6 mai 1970.
551. Mémo de Ludmilla aux membres du conseil d'administration des GB depuis Chicoutimi où elle préside un jury.
552. Jean Basile, *Le Devoir*, 7 mai 1970.
553. Gilles Lesage, *La Presse*, 6 mai 1970.
554. Coupure de presse non datée.
555. Jean Basile, *Le Devoir*, 7 mai 1970.

556. Charles Lazarres, coupure de presse non datée mais au début de mai 1970.
557. Mémo aux membres du conseil d'administration des GB.
558. 20 mai 1970.
559. 7 mai 1970.
560. Cinquième épisode, *La danse au Québec*, 15 février 1977.
561. *Idem.*
562. Conversation du 13 décembre 2004 avec Madame Michèle Pilon. Luc Plamondon aurait des notes là-dessus dans ses archives.
563. *Op. cit.*, p. 182.
564. L'armée sera à Montréal jusqu'au 4 janvier 1971.
565. *Propos et confidences*, cinquième épisode, *La danse au Québec*, 15 février 1977.
566. *La Presse*, 17 octobre 1970.
567. Roland Lorrain, *op. cit.*, p. 186.
568. *Journal des Vedettes*, 8 décembre 1957.
569. *La Presse*, 17 octobre 1970.
570. Helen Worthington, *Toronto Star*, 17 novembre 1971.
571. 26 octobre 1970, p. 2.
572. Il s'agit d'un projet du MEQ.
573. Anne-Marie Alonzo, *L'Envol de la danse*, vol. 3, n° 1, janvier-février-mars 1975, p. 9.
574. *La danse et son rôle dans l'éducation nouvelle*, 20 mars 1971.
575. John Anderson, 29 avril 1971.
576. Article non signé, 5 mai 1971.
577. 25 mai 1971.
578. Luc Benoît, *Le Devoir*, 19 avril 1972.
579. *Globe and Mail*, 4 mai 1971, cité par Roland Lorrain, *op. cit.*, p. 209.
580. À Monique Schlumberger-Luft, 20 mai 1971.
581. 21 mai 1971.
582. 22 juin 1971.
583. 22 juillet 1971.
584. 28 juillet 1971.
585. Vol. 2, n° 3, janvier 1972, p. 1.
586. Son ancêtre, la Fédération folklorique du Québec, est née en 1959. En 1963, cette Fédération intègre d'autres formes de danse et devient la Fédération des loisirs-danse du Québec.
587. Sans titre, trois pages signées par Ludmilla, 8 novembre 1971.
588. Danielle De Bellefeuille, administrateur, FLDQ, 28 novembre 1971.
589. Jacob Siskind, *The Gazette*, 6 novembre 1971.
590. Barbara Gail Rowes, 6 novembre 1971.
591. Lettre du 13 septembre 1971.
592. 12 octobre 1971.
593. Lettre à Monique Schlumberger-Luft, 30 novembre 1971.
594. 3 décembre 1971. Le docteur Smith est aussi le médecin attitré des danseurs.
595. *Tout sur la Danse*, vol. 2, n° 3, janvier 1972, p. 1.
596. Lettre à Louise Vadeboncœur, 23 février 1972.
597. Roland Lorrain, *op. cit.*, p. 194.
598. Dave Billington *The Gazette*, 13 mars 1972.
599. Zelda Heller, *The Montreal Star*, 13 mars 1972.

600. Coupure de presse non autrement identifiée que janvier 1972.
601. Marci McDonald, *The Toronto Star*, 25 mars 1972.
602. Adrian Waller, 1er août 1973.
603. William Littler, *The Toronto Daily Star*, 20 mars 1972.
604. 16 mars 1972.
605. *Le Devoir*, 29 avril 1972.
606. Entrevue avec Grégoire Marcil, 16 septembre 1995. À moins d'indications contraires, les citations proviennent toutes de cette entrevue.
607. 8 juin 1972.
608. Guy Patenaude, *Le Courrier médical*, 7 décembre 1982.
609. 13 août 1972. Madame Finkel est la mère de la danseuse Nina Valeri.
610. *Le Devoir*, 18 août 1972.
611. *Le Devoir*, 11 novembre 1972.
612. Robert Rumilly, *Histoire de Montréal, 1939-1967*, Tome V, Montréal, Fides, 1974, p. 212.
613. 13 septembre 1972.
614. Lettres du 25 octobre et du 10 novembre 1972.
615. 25 octobre 1972.
616. *L'Envol de la danse*, n° 2, décembre 1972.
617. En 1967, Nouvelle Aire (Martine Époque) ; 1971, Les Ballets Jazz contemporains (Eva von Gencsy et Eddy Toussaint) ; 1973, Ballet Eddy Toussaint de Montréal ; 1974, Entre-Six (Jacqueline Lemieux et Lawrence Gradus) ; 1976, Pointé piénu (Louise Latreille), Danse Partout (Chantal Bellehumeur) et Axis Danse (Iro Tembeck), 1977.
618. 29 décembre 1972.
619. Demande de subvention, Conseil des Arts du Canada, Supplément, feuillet 5, 18 janvier 1973.
620. Exposé de certains problèmes des Affaires culturelles au Québec et leurs Consé-quences sur le sort des Grands Ballets Canadiens, non daté mais faisant partie du dossier de demande de subventions 1973-1974.
621. Selon un extrait du procès-verbal de la réunion du conseil d'administration des GB du 11 février 1973.
622. Jacob Siskind, *The Gazette*, 3 février 1973.
623. 19 janvier 1973.
624. 28 février 1973.
625. À Hadu, 5 avril 1973.
626. 5 avril 1973.
627. William Littler, *The Toronto Star*, 12 mai 1973.
628. Jean-Pierre Brosseau, 16 juin 1973.
629. 26 juin 1973.
630. *La Presse*, « On ne cultive pas la culture chez nous », 2 juillet 1973.
631. John Fraser, *The Globe and Mail*, 11 août 1973.
632. Rapport de Ludmilla, Assemblée générale annuelle des Grands Ballets Canadiens, 4 octobre 1973, p. 3.
633. *Le Devoir*, 30 octobre 1973.
634. Assemblée générale annuelle des Grands Ballets Canadiens, 4 octobre 1973.
635. Lettre du 20 novembre 1973.
636. Lettre à Éva Marsden, 14 janvier 1974.

637. Mémo de Jean-Claude Delorme, 25 janvier 1974.

638. Présidé par Jean-Paul Jeannotte.

639. *The Gazette*, 9 février 1974.

640. Jean-Paul Brousseau, *La Presse*, 9 février 1974.

641. 7 mars 1974.

642. 1er mai 1974, p 2-4.

643. *L'Envol de la danse*, vol. 2, n° 3, p. 8.

644. Myron Galloway, 29 mai 1974.

645. *The Gazette*, 29 mai 1974.

646. *The Gazette*, 29 mai 1974.

647. John Fraser, *The Globe and Mail*, 30 mai 1974.

648. Maître Marcel Piché, O.C., C.R., devant le Club Richelieu, Montréal, 24 janvier 1974.

649. Dave Billington, *The Gazette*, 12 juin 1974.

650. 29 juin 1974. Les soulignements sont dans le texte. Le comité organisateur de cette conférence était composé de Iro Tembeck, Eva von Gencsy, Martine Époque Poulin, Jacqueline Lemieux et Lawrence Gradus.

651. 4 juillet 1974. Il s'agit, en fait, de Peter Brinson, qui est le directeur de la Calouste Gulbenkien Foundation. Il a auparavant travaillé deux saisons avec le Ballet National de Toronto.

652. Créés en mars 1971, les Compagnons auront offert au public des régions quelque trois cents représentations jusqu'à mai 1974, date à laquelle la compagnie cessera toute activité.

653. Lettre à Vladimir Jelinek, 6 août 1974.

654. *Le Journal de Montréal*, 26 septembre 1974.

655. Presse canadienne, *Montréal-Matin*, 25 novembre 1974.

656. Ce montant devra être ajusté annuellement au coût de la vie et ce, dès le 1er avril 1975.

657. Myron Galloway, *The Montreal Star*, 19 novembre 1974.

658. *The Globe and Mail*, 23 novembre 1974.

659. Les soulignements sont dans le texte.

660. *Suite des événements*, p. 7. Document non daté auquel sont jointes de nombreuses annexes et portant sur la réorganisation et les conflits qui s'ensuivent.

661. 28 mai 1975, p. 2.

662. John Fraser, *The Globe and Mail*, 4 mars 1975.

663. Yolande Rivard, «La deuxième génération : Les Grands Ballets Canadiens», *Dance in Canada*, Hiver 1974.

664. *Suite des événements* (2e partie), 12 juin 1975, p. 3.

665. *Suite des événements* (2e partie), 12 juin 1975, p. 1.

666. Lettre au président et aux membres du comité exécutif, 21 mai 1975.

667. À la fin de juin, ce rapport du MAC proposera la création d'un Conseil des arts d'interprétation et une école d'État ou un conservatoire pour remplacer l'actuelle École supérieure de danse des GBC.

668. Danse Canada, Danse au Canada, Dance Canada Association, Dance in Canada sont plusieurs appellations pour désigner le même organisme qui publie *Dance in Canada Magazine*. En 1974, Danse Canada a changé de nom pour celui de Association de la danse au Canada.

669. William Littler, *Toronto Star*, 28 juin 1975.

670. Aline Gélinas, *La Presse*, 7 décembre 1986.

671. Yves Ménard à Ludmilla, 25 juillet 1975.

672. 21 juillet 1975.

673. *La Presse*, 6 août 1975.

674. Brouillon non daté.

675. Entrevue avec Manon Hotte, 28 octobre 1997. À moins d'indications contraires, toutes les citations proviennent de cette entrevue.

676. Lettre à Jean Faucher, réalisateur de *Propos et confidences*.

677. J'aurais aimé avoir une rencontre avec Monsieur Faucher, mais il ne voyait pas ce qu'il pourrait me dire. J'ai toutefois échangé au téléphone avec sa femme Françoise.

678. Monique Michaud, Chef du service de la danse, 3 octobre 1975.

679. Lettre à Monique Michaud, 4 décembre 1975.

680. James Plaxton, directeur exécutif, 19 décembre 1975.

681. Timothy Porteous, 5 janvier 1976.

682. Raymonde Bergeron, *Perspectives-Dimanche*, 27 juin 1976, p. 3.

683. *The Gazette*, 22 mars 1976.

684. *Le Jour*, 24 mars 1976.

685. Lettre à Ludmilla, 22 juillet 1994. Les soulignés et les majuscules sont de l'auteur de la lettre.

686. Entrevue avec Marie Kinal, mercredi 19 janvier 2005. À moins d'indications contraires, toutes les citations proviennent de cette entrevue.

687. Lettre à Brian Macdonald, 30 juin 1976.

688. Angèle Dagenais, *Le Devoir*, 31 juillet 1976.

689. Linde Howe-Beck, *The Gazette*, 31 juillet 1976.

690. *The Montreal Star*, 1er octobre 1976.

691. Selon Eric McLean, du *Montreal Star*, Uriel aurait touché dix mille dollars d'honoraires pour cela; 31 juillet 1976.

692. Entrevue avec Christian Thibault, 17 février 2005. À moins d'indications contraires, toutes les citations proviennent de cette entrevue.

693. Lettre à Ludmilla, 27 juillet 1976.

694. Georges Bogardi, 21 juillet 1976.

695. *Hier et Demain*, texte de la conférence de Ludmilla, p. 3.

696. François Barbeau, *Le Devoir*, 16 novembre 1976.

697. 30 novembre 1976.

698. Flavia Morrison, *The Montreal Star*, 30 octobre 1976.

699. Angèle Dagenais, *Le Devoir*, 18 février 1977.

700. 31 mai 1977.

701. 2 août 1977.

702. Lettre du 22 juin 1977.

703. 28 septembre 1977.

704. Les soulignements sont dans le texte, de même que le point d'interrogation au point 2.

705. Deux longs textes manuscrits de Ludmilla, l'un intitulé «Chers membres du Conseil» et l'autre «Il y a 25 ans». Ils sont faits en prévision de la réunion du conseil d'administration des GB devant avoir lieu le 12 octobre 1977.

706. Les soulignements sont dans le texte. 19 octobre 1977.

707. Angèle Dagenais, *Le Devoir*, non daté.

708. Angèle Dagenais, 5 novembre 1977.
709. Myron Galloway.
710. Janvier 1978. Guy Beaulne est alors conseiller culturel à la Délégation générale du Québec à Paris.
711. Non signé, *Le Devoir*, 24 février 1977.
712. Angèle Dagenais, *Le Devoir*, 25 février 1978.
713. Angèle Dagenais, *Le Devoir*, 4 mars 1977.
714. Katia Tokarchuk, étudiante, Yellowknife, 24 juillet 1978.
715. Lettre à Guy Beaulne, 19 mai 1978.
716. Communiqué non daté.
717. Note manuscrite, non datée, mais confirmant une visite que Ludmilla fera aux nouveaux bureaux, le 29 septembre au soir.
718. Mireille Lemelin, octobre 1978.
719. Non signé, *The Gazette*, 2 novembre 1978.
720. À Julien Poirier, 11 décembre 1978.
721. Cité par Graham Jackson, *Performing Arts in Canada*, été 1979, vol. XVI, nº 2, p. 21.
722. *Idem.*
723. Lettre de Jacques Girard, sous-ministre au MEQ, 12 mars 1979.
724. Lettre de Ludmilla à Jean-Guy Therrien, directeur de l'École Pierre-Laporte, 7 décembre 1979.
725. 24 juin 1979. Les soulignements sont dans le texte.
726. Entrevue avec Marie Beaulieu, 26 août 2003. À moins d'indications contraires, les citations proviennent toutes de cette entrevue.
727. 15 février 1980, p. 1.
728. *Le Devoir*, 20 mars 1980.
729. Louis Cornellier, *Le Devoir*, 5 et 6 février 2005.
730. Yvon Rousseau, technicien, 10 juillet 1980.
731. 31 juillet 1980.
732. 7 août 1980.
733. Angèle Dagenais, *Le Devoir*, 29 novembre 1980.
734. *La Presse*, 29 novembre 1980.
735. Présentation de la lauréate du prix Denise-Pelletier 1980.
736. Angèle Dagenais, *Le Devoir*, 29 novembre 1980.
737. 26 novembre 1980.
738. Tiré d'une note signée mais non datée, intitulée « Hommage à Seda Zaré ».
739. 19 février 1981.
740. Don Stephenson, 2 mars 1981.
741. 7 janvier 1981.
742. Michèle Thibault, coupure de presse non identifiée, octobre 1980.
743. Projet Maison de la danse, mai 1980, p. 15.
744. 27 janvier 1981.
745. Mémoire adressé aux membres de la commission Applebaum, 23 février 1981, p. 1 et 2.
746. 22 mars 1981, depuis Denver où il monte une de ses chorégraphies.
747. Discours de Madame Ludmilla Chiriaeff, à l'occasion de l'ouverture de la Maison de la danse, non daté, p. 4.
748. *Le Devoir*, 29 novembre 1980.

749. Ludmilla Chiriaeff. Rapport de la directrice pédagogique, 22 janvier 1982.
750. Lettre à Julien Poirier, directeur général des Écoles, 10 juillet 1981.
751. R. Williams, 30 juillet 1981.
752. Lettre à maître Guy Allain, 28 septembre 1981.
753. Procès-verbal de la Corporation, 16 décembre 1980.
754. 1er février 1982.
755. Nathalie Petrowski, *En route*, janvier 1982, p. 77.
756. Document de travail confidentiel pour la rencontre du mardi 2 mars 1982 avec maître Clément Richard, ministre des Affaires culturelles, 1er mars 1982.
757. Paula Citron, *The French Canadian Experience, Montreal's Les Grands Ballets Canadiens*, p. 65.
758. 10 mai 1982, p. 1, 2, 5. Les soulignements et les tirets sont dans le texte.
759. Suzanne Asselin, *RÉ-Flex*, vol. 3, n° 2, 1983, p. 9.
760. 1er octobre 1982.
761. Document de seize pages, format légal, avec tableaux.
762. Lettre à Pierre Brodeur, directeur général par intérim de l'ESDQ.
763. Lettre à Pierre Brodeur, 5 janvier 1983.
764. 29 avril 1983. Les soulignements sont dans le texte.
765. Suzanne Asselin, *Le Devoir*, 5 mars 1983.
766. *The Gazette*, 8 janvier, 1983.
767. Non signé, numéro de juin 1983, p. 23.
768. John Fitzgerald, *The Gazette*, 8 janvier 1983.
769. Roger Peace, *The Downtowner*, 20 avril 1983.
770. Margaret Flemming, *Vandance*, non daté, p. 3.
771. Samedi 9 juillet 1983. Vingt-quatre pages manuscrites.
772. 11 octobre 1983.
773. Entrevue avec Celia Franca, 23 août 2004. À moins d'indications contraires, toutes les références proviennent de cette entrevue.
774. 30 novembre 1983.
775. Entrevue avec Anik Bissonnette, 15 août 2003. À moins d'indications contraires, toutes les citations proviennent de cette entrevue.
776. Procès-verbal du 10 janvier 1984.
777. Lettre à Armand Landry, Radio-Canada, 21 septembre 1983.
778. René Lévesque, 9 janvier 1984.
779. 3 février 1984.
780. 9 février 1984. Les soulignements sont dans le texte.
781. Presse canadienne, 23 mars 1984.
782. Eloïse Morin, *The Gazette*, 21 mars, 1984.
783. Rapport, Pierre D. Brodeur, août 1984.
784. *Idem*, p. 6.
785. Rapport de Ludmilla, 29 mai 1984, p. 3.
786. Rapport n° 1. Texte manuscrit, 3 juillet 1984, p. 9. Le soulignement et les tirets sont dans le texte.
787. Rapport n° 2. Texte manuscrit p. 7 et 8.
788. 3 décembre 1984.
789. Harriet Fels, *The Senior Times*, vol. 1, n° 9, juin 1987, p. 17.
790. Lettre à Jean-Guy Therrien, 2 avril 1985. Les soulignements sont dans le texte.
791. 19 juillet 1985.

792. 20 août 1985.
793. 15 juillet 1985.
794. Sharyn Mannix, M.D., 3 juin 1985.
795. Lettre à Pierre Després, 22 juillet 1985.
796. 4 décembre 1985.
797. 21 février 1986.
798. Mémoire à Lise Bacon, juin 1986, p. 8.
899. À Hadu, 30 septembre 1986.
800. Lettre à Jeanne Renaud, 2 mai 1987.
801. Pierre Leroux, *Journal de Montréal*, 14 mars 1987.
802. Lettre à Jeanne Renaud, 7 octobre 1987.
803. Régis Tremblay, *Le Soleil*, 27 janvier 1987.
804. À Léo Vanasse, directeur administratif des GB, 11 mai 1987.
805. Cité dans un texte que Ludmilla a livré pour ses tente-cinq ans ici.
806. À Léo Vanasse, directeur administratif des GB, 11 mai 1987.
807. 14 juillet 1987.
808. 3 août 1987.
809. Serge Drouin, *Journal de Québec*, 1er octobre 1987.
810. 8 octobre 1987.
811. Heather Hill, *The Gazette*, 31 octobre 1987.
812. 9 octobre 1987.
813. Heather Hill, *The Gazette*, 31 octobre 1987.
814. *La Presse*, non signé, 14 octobre 1987.
815. 28 octobre 1987.
816. 2 novembre 1987.
817. 15 novembre 1987.
818. Deirdre Kelly, *The Globe & Mail*, 28 novembre 1987.
819. Mathieu Albert, 21 novembre 1987.
820. Edward Hillyer, 23 novembre 1987.
821. Victor Melnikoff prépare un plan qu'il lui expédie le jour de Noël 1987. Victor et Ludmilla connaissent à eux deux pas moins de vingt-cinq danseurs étoiles de par le monde qui viendraient danser si on leur en faisait la demande.
822. Extrait de Hommage, gravé sur *Pas de Deux*.
823. Gilles Boulet, Brochure commémorative de la cérémonie de remise de doctorats *honoris causa*, 22 mars 1988, p. 5, 7.
824. Extrait du texte lu par Ludmilla, Québec, 22 mars 1988, p. 2, 5.
825. Lettre à Antoine Livio, 30 septembre 1988.
826. Lettre de Jeanne Renaud, 31 mai 1988.
827. Lettre à Camille Roy, Radio-Canada, 21 septembre 1988.
828. Acte de donation, 28 septembre 1988.
829. Convention entre la ministre des Affaires culturelles et l'ESDQ.
830. 3 février 1989. Les soulignements sont dans le texte.
831. 19 avril 1989.
832. Article non signé, *Échos-Vedettes*, 19 juillet au 4 août 1989.
833. Boris Cyrulnik, *Un merveilleux malheur*, Paris, Odile Jacob, 1999.
834. Notes pour l'allocution de Madame Lise Bacon, vice-première ministre et ministre des Affaires culturelles, à l'occasion du Gala Hommage, 27 mai 1989.
835. Article non signé, *Échos-Vedettes*, 19 juillet au 4 août 1989.

836. Claude-B. Fortin, *La Presse*, 9 juillet 1987.
837. *Idem.*
838. Lettre à Madame la présidente du conseil et au directeur général de Les Grands Ballets Canadiens, 4 août 1989.
839. Michel Dongois, 13 septembre 1989, p. 17.
840. *Idem.*
841. Kathryn Greenaway, *The Gazette*, 21 décembre, 1989.
842. Deirdre Kelly, *The Globe & Mail*, 17 février, 1990.
843. Contre-proposition sous forme de recommandations pour l'orientation de l'École en réponse à l'organigramme administratif soumis par le directeur général, Monsieur Donald Fortin, 18 juin 1990. Les soulignements sont dans le texte.
844. *Idem*, p. 5.
845. 16 mars 1990.
846. Mathieu Albert, 26 mars 1990.
847. Lettre à Paul Phaneuf, 23 avril 1990.
848. Docteur Jean Fleury, 1er mai 1990.
849. *Échos-Vedettes*, 12 au 18 mai 1990.
850. *Journal de Montréal*, 28 mai 1990.
851. Lettre de Donald Fortin à Jean Lanoue, 16 janvier 1991.
852. Avec copie aux membres du conseil d'administration et à Donald Fortin, 13 juin 1990.
853. Lettre à Yuri (nom de famille illisible), 4 juin 1991.
854. *Idem.*
855. 28 janvier 1991.
856. Docteur Jacques Heppell, Hôtel-Dieu, 13 août 1991.
857. Jean Lanoue à Donald Fortin, 5 mars 1991.
858. Donald Fortin, 26 mars 1991.
859. 28 mars 1991.
860. Les professeurs de l'ESDQ, aux membres du conseil d'administration, 2 avril 1991.
861. Note de service à tout le personnel.
862. 4 avril 1991.
863. 17 avril 1991.
864. Lettre à Liza Frulla Hébert, 25 avril 1991.
865. Avec copie aux membres du conseil. Les soulignements sont dans le texte.
866. 21 mai 1991. Copie aux membres du comité exécutif.
867. *Idem.*
868. 27 mai 1991.
869. Lettre aux membres du conseil, 13 juin 1991.
870. Lettre à Donald Fortin, 14 juin 1991, avec copie aux membres du conseil.
871. Lettre à Thomas Boudreault, David Moroni, Stephen Turcotte, 12 septembre 1991.
872. Paul Inchauspé, 8 juillet 1991.
873. Donald Fortin, 1er août 1991.
874. Daniel Chénard, avocat, 6 août 1991.
875. 8 août 1991.
876. Document et recommandation des parents au Conseil de médiation, 20 septembre 1991.

877. Linda Gauthier, vice-présidente du conseil d'administration, à Lizza Frulla Hébert, 17 octobre 1991.
878. À qui de droit, lettre manuscrite, non datée.
879. Saison 1990-1991 et demi-saison 1991-1992.
880. « Montréal, ma ville, mon art ».
881. 19 juin 1992.
882. Avis de nomination. *La Presse*, 27 juin 1992. Cela faisait partie des conditions de sa mise à la retraite.
883. Il s'agit de dix-neuf articles (photos-collage, photos, carrousel de diapositives, affiches, tableau donné par Ludmilla).
884. Dix-neuf articles (photos, ballet *Tommy*, propriété des GB).
885. Huit articles (photos-collage, photos, scène de *Cérémonie*, affiches, tableau).
886. Copie dactylographiée de l'inventaire, août 1992, p. 9.
887. Véronique Geoffrion, directeur administratif et financier, 5 août 1992.
888. Victor Melnikoff, 28 août 1993, p. 2.
889. Discours prononcé en français, en anglais, en russe et en polonais, p. 1.
890. *Vancouver Sun*, 5 décembre 1992.
891. *Le Devoir*, 25 janvier 1993.
892. 29 janvier 1993.
893. Steven Mazey, *The Ottawa Citizen*, 28 novembre 1993.
894. Paul Delean, *The Gazette*, 6 octobre 1993.
895. 31 janvier 1994.
896. Ambroise, prêtre, 18 février 1994.
897. Lettre à Andrée Fortin, assistante du Directeur général de l'OSM, 17 juin 1994.
898. Docteur Jean Fleury, 7 avril 1994.
899. À Wendy Reid, 14 mai 1994.
900. 17 juin 1994.
901. 1er juillet 1994.
902. À Monsieur et Madame Bernard Lamarre, 12 juillet 1994.
903. Extrait du procès-verbal de la réunion.
904. 1er septembre 1994.
905. Lettre de Véronique Geoffrion, directrice des services administratifs, 26 mai 1995.
906. Lettre de Ludmilla, 2 juin 1995.
907. Ouvrage en collaboration, *Comme un cri du cœur II*, Montréal, Éditions L'essentiel, 1995.
908. Le manuscrit original, signé le 4 mars 1996, est conservé chez Avdeij Chiriaeff.
909. Discussion du 22 février 1996.

Sigles utilisés

AGBC	Académie des Grands Ballets Canadiens
AFC	Archives de la famille Chiriaeff
ANQ	Archives nationales du Québec
BN	Ballet National du Canada
BBC	British Broadcasting Corporation
CAC	Conseil des Arts du Canada
CARMM	Conseil des arts de la région métropolitaine de Montréal
CBC	Canadian Broadcasting Corporation
CBFT	
CBMT	
CÉGEP	Collège d'enseignement général et professionnel
CECM	Commission des écoles catholiques de Montréal
CECQ	Commission des écoles catholiques de Québec
CERME	Cercle d'études et de recherches en mouvement expressif
CKAC	
CMD	Corporation de la Maison de la danse
CSSC	Comission scolaire Sainte-Croix
CSN	Confédération des syndicats nationaux
DP	Displaced Person
DEC	Diplôme d'enseignement collégial
ESDGBC	École supérieure de danse des Grands Ballets Canadiens
ESDQ	École supérieure de danse du Québec

FALC   Fonds d'archives Ludmilla Chiriaeff
FLQ   Front de libération du Québec
FLDQ   Fédération des loisirs-danse du Québec
FTQ   Fédération des travailleurs du Québec

GB/GBC   Grands Ballets Canadiens

IRC   International Rescue Committee
ITHQ   Institut de techniques hôtelières du Québec

JMC   Jeunesse musicales du Canada

Ka De We   Kafahous des Westens

LSD

MAC   Ministère des Affaires culturelles

MEQ   Ministère des l'Éducation du Québec
MSA   Mouvement souveraineté-association

NBC   National Broadcasting Corporation

ONF   Office national du film
ONU   Organisation des Nations Unies
OSM   Orchestre symphonique de Montréal
OSQ   Orchestre symphonique de Québec

PDA   Place des Arts
PLQ   Parti libéral du Québec
PQ   Parti québécois

RAF   Royal Air Force
RAQ   Régie des alcools du Québec
RC   Radio-Canada
RIN   Rassemblement pour l'indépendance nationale
RWB   Royal Winnipeg Ballet
RFK   Reichsfilmkammer
RKK   Reichskulturkammer

STO   Service du travail obligatoire

TNM   Théâtre du Nouveau Monde

UDA   Union des artistes
UFA   Universum Film Aktiengesellschaft
UGEQ   Union générale des étudiants du Québec
UN   Union nationale
UQ   Université du Québec
UQAM   Université du Québec à Montréal

YWCA   Young Women Christian Association

Quelques repères chronologiques

1924   Naissance de Ludmilla, à Berlin.

1939   Ludmilla danse dans un film musical tourné à Berlin :
Wir tanzen um die Welt (Danse autour du monde).

1940   Permis de danser. Ludmilla entre au Nollenderftheater.

1941   Ludmilla danse dans un film tourné en Hongrie :
Der Tanz mit dem Kaiser (La danse avec l'empereur).

1945   Ludmilla épouse Frans van der Spek.

1946   Ludmilla quitte l'Allemagne. Elle obtient un premier contrat en
Suisse et danse au Théâtre municipal de Lausanne.

1947   Ludmilla épouse Alexis Chiriaeff. À la fin de l'année, ils s'installent
à Genève.

1948   Naissance d'Anastasie (Nastia) Chiriaeff.

1950   Ludmilla fonde le Ballet du Théâtre des Arts, à Genève.

Elle danse dans *Danse Solitaire* dont elle a aussi réglé la chorégraphie.

Naissance d'Avdeij Chiriaeff.

1952   Janvier, Ludmilla arrive au Canada avec Alexis et leurs deux enfants.

Naissance de Gleb Chiriaeff.

Le 1er septembre, elle danse en circuit fermé pour la télévision qui
doit entrer en ondes le 6 septembre.

1953   Début d'une longue collaboration entre la Société Radio-Canada et
les Ballets Chiriaeff.

1955 Les Ballets Chiriaeff dansent au Chalet de la Montagne.

Ludmilla reçoit le prix Gérard Frigon.

1956 Ouverture du studio de la rue Stanley.
Cours au Manoir Notre-Dame-de-Grâce.

Création de *Les Noces* à la télévision. Cette chorégraphie de Ludmilla sera aussi présentée au Théâtre Saint-Denis, la même année.

1957 Ludmilla devient citoyenne canadienne de même qu'Alexis et ses deux enfants nés en Suisse. Les Grands Ballets Canadiens reçoivent leurs Lettres Patentes. Ludmilla est conférencière au Congrès de la Refrancisation, à Québec.

1958 Création de l'Académie des Grands Ballets Canadiens.

1959 1ère prestation des Grands Ballets Canadiens à Jacob's Pillow.

1ère tournée dans les Maritimes et au Québec.

1960 Les Grands Ballets Canadiens à la Comédie Canadienne.

1ère tournée des Grands Ballets Canadiens aux États-Unis.

1961 Uriel Luft devient directeur général des Grands Ballets Canadiens.

1963 Naissance de Ludmilla (Mishka) Luft.

Ouverture officielle de la Place des Arts.

1964 Ludmilla épouse Uriel Luft.

1ère représentation de *Casse-Noisette* à la Place des Arts.

1965 Naissance de Catherine (Katia) Luft.

1966 1ère représentation de *Carmina Burana*.

1967 Ludmilla reçoit la Médaille du Centenaire de la Confédération.

1969 1ère tournée européenne.

Ludmilla reçoit un parchemin honorifique de l'ACCORD.

Ludmilla devient membre de l'Ordre du Canada.

Ludmilla vend l'Académie et l'École des Grands Ballets Canadiens aux Grands Ballets Canadiens.

1970 *Symphonie des Psaumes* présenté à l'Oratoire Saint-Joseph.

Ludmilla est choisie Femme de l'année au Salon de la Femme.

Ludmilla reçoit un parchemin honorifique de la Société des concerts du Jewish People's Schools.

1ère représentation de *Tommy*.

1971 Création des Compagnons de la danse

Ludmilla élue présidente de la Fédération Loisirs-Danse du Québec.

1972 Ludmilla devient Officier de l'Ordre du Canada.

Ludmilla est juge au concours international de danse à Varna, en Bulgarie.

1974 Démissions annoncées aux Grands Ballets Canadiens : Uriel Luft, Guy Lamarre et Fernand Nault.

Fermeture des Compagnons de la danse.

1975 Démission de Ludmilla comme directrice artistique des Grands Ballets Canadiens.

Sociétaire d'honneur du Bon parler français.

Ludmilla reçoit le prix de la Conférence canadienne des arts.

Ludmilla est déclarée Femme de mérite du YWCA.

Début des cours Concentration-danse à l'École secondaire Pierre-Laporte.

1976 Ludmilla est juge au concours international de danse à Varna, en Bulgarie.

1978 Ludmilla sacrée Grande Montréalaise.

1979 Ouverture du programme concentration-danse au CÉGEP du Vieux-Montréal.

1980 Ludmilla reçoit le prix Denise-Pelletier.

L'École supérieure des Grands Ballets Canadiens devient l'École supérieure du Québec.

1981 Ouverture de la Maison de la Danse.

1982 Ludmilla reçoit un doctorat ès lettres de l'Université McGill.

1983   Ludmilla reçoit un doctorat *honoris causa* de l'Université de Montréal.

1984   Le Salon de la danse rend hommage à Ludmilla.

Ludmilla est faite Compagnon de l'Ordre du Canada.

1985   Ludmilla est hospitalisée plusieurs mois.

Elle est faite Grand Officier de l'Ordre national du Québec et devient membre du conseil de l'Ordre.

1986   Ludmilla est nommée Grand Bâtisseur par le Cercle des Bâtisseurs Molson.

Ludmilla devient membre de la Société royale du Canada.

Ouverture du programme concentration-danse à l'École Laurier.

1987   Au Gala Excellence, *La Presse* désigne Ludmilla Personnalité de l'année.

1988   Le Salon de la Femme souligne la carrière de la Ludmilla.

L'Université du Québec lui décerne un doctorat.

1989   Le syndrome Guillain-Barré terrasse Ludmilla.

Le Ministère des affaires culturelles décrète que la Maison de la Danse portera le nom de Maison de la Danse Ludmilla Chiriaeff.

1990   Création du Jeune Ballet du Québec.

1991   Ludmilla quitte la direction artistique et pédagogique de l'École supérieure de danse du Québec.

1992   Ludmilla est forcée de prendre sa retraite.

Le Ministère de la Culture du Gouvernement de la Pologne lui décerne la Médaille Nijinski.

1993   Ludmilla reçoit le prix du Gouverneur Général pour les arts de la scène.

1994   Le YWCA décerne le titre de Femme de mérite à Ludmilla.

Le Salon de la Femme la reconnaît comme Femme exceptionnelle.

1996   Mise sur pied d'une Fiducie pour la préservation du Fonds d'archives Ludmilla Chiriaeff.

Le 22 septembre, Ludmilla décède.

Personnes rencontrées
ou avec qui j'ai correspondu

Marie Beaulieu
Guy Beaulne
Chantal Bellehumeur
Alexandre (Sasha) Belinsky
Henri Bergeron
Claude Berthiaume
Marie-Claude Berthiaume
Anik Bissonnette
Jean Bissonnette
Sylvain Bleau
Joséphine Boss
Jacqueline Bouchereau-Martineau
Galina Brunot
Marcel Caron
Gabriel Charpentier
Anastasie Chiriaeff
Avdeij Chiriaeff
Gleb Chiriaeff
Christine Clair

France Desjarlais
Pierre Després
Me Jean Drapeau

Françoise Faucher
Nina (Valeri) Finkel
Cassandre Fournier
Celia Franca

Eva von Gencsy
Blanche Girard
Tania Gouliaeva
Jean-Jules Guilbault

Conrad H. Harrington
Huguette Hirsig
Manon Hotte
Monique Huberdeau

Claude Jasmin

Marie Kinal

Gérard Lafleur
Gérard Lamanche
Hedwige (Hadu) Lämmler
Véronique Landory

Sheila Lawrence Pearce
Odette LeBorgne
Maurice Lemay
Georges-Henri Lévesque
Catherine Luft
Ludmilla Luft
Uriel Luft

Grégoire Marcil
Denise Marsan
Michel Chiarelli Martin
Nicole Martinet
Victor Melnikoff
Andrée Millaire
Pierre Morin

Fernand Nault

Brydon Paige
Sylvie Pinard

Roger Racine
Charles Reiner

Daniel Seillier
Hélène Stevens

Simone Prior Tcheremissinov
Iro Tembeck
Christian Thibault
John (Jonathan) E. Torres
Nancy E. Torres

Vaira Vikis-Freigers

Vincent Warren

Kim Yarochevskaïa

Bibliographie générale

1. LES SOURCES

Archives d'État, République et canton de Genève
Archives de la Cinémathèque québécoise
Archives de la Confédération suisse
Archives de la famille Chiriaeff (AFC)
Archives de la ville d'Apeldoorn
Archives de la ville de Lausanne
Archives de la ville de Riga
Archives de la ville de Rotterdam
Archives de la ville de Wassenaar
Archives nationales du Québec
Fonds d'Archives Ludmilla Chiriaeff (FALC)
Office de l'État de la ville de Goslar
Régistre de l'État civil de la ville de Nice

2. ATLAS, DICTIONNAIRES, ENCYCLOPÉDIES

BORDAS, *Nouvelle encyclopédie*, Paris, 1985.

LAROUSSE-BORDAS, *Dictionnaire de la danse*, Paris, 1999.

LAROUSSE, Pierre, *Grand dictionnaire universel du XIXᵉ siècle*, Paris, 1991.

LAROUSSE, Pierre, *Grand dictionnaire universel du XXᵉ siècle*, Paris, 1990.

LAROUSSE, *La Suisse*, coll. Mondes et voyages, Paris, 1965.

LE ROBERT, *Dictionnaire universel des noms propres*, Paris, éd. 1974 et 1976.

LINVAL, Edmond, *Traité moderne de danse classique*, 3 tomes, Édition Chiron, Paris, 1986.

MACPHERSON, Susan, *Encyclopédie de la Danse Théâtrale au Canada*, Toronto, Arts Inter-média, 1994.

ROBERT, Jean-Claude, *Atlas historique de Montréal*, Montréal, Art Global/Libre Expression, 1994.

SOCIÉTÉ DE GÉOGRAPHIE DU GENÈVE, *Études géographiques, Genève, le Pays et les Hommes*, 1958.

THE CAMBRIDGE ENCYCLOPEDIA OF RUSSIA AND THE FORMER SOVIET UNION, Cambridge, Cambridge University Press, 1994.

THE NEW ENCYCLOPEDIA BRITANNICA, Chicago, 1993.

TIME-LIFE BOOKS, *Atlas de la Russie et de l'Union soviétique*, Virginia, 1990.

TIME-LIFE BOOKS, *The Third Reich*, 10 volumes, Virginia, 1988 à 1991.

VIDAL de la BACHE, P. et L. Gallois, *Géographie universelle, Tome V*, Amand Colin, Paris.

3. LES DOCUMENTS

AEGERLER, Emmanuel, *Lénine ou l'Avènement du matérialisme*, Paris, L'Édition littéraire internationale, 1935.

ANISSIMOV, Myriam, *Primo Levi, ou la tragédie d'un optimiste*, Paris, J C Lattès, 1996.

ARENDT, Hannah, *Le système totalitaire*, Paris, France loisirs, 1972.

AUGER, Geneviève et Raymond Lamothe, *De la poêle à frire à la ligne de feu. La vie quotidienne des Québécoises pendant la guerre '39-'45*, Montréal, Boréal Express, 1981.

AUTREMENT, n° 10, Série Mémoires, Paris, 1991.

AUTREMENT, Hors série, n° 25, Paris, 1987.

AYÇOBERRY, Pierre, *La société allemande sous le IIIᵉ Reich, 1933-1945*, coll. Points Histoire, Paris, Éditions du Seuil, 1998.

BAIL, Louise, *Maryvonne Kendergi, La musique en partage*, Montréal, HMH, (Cahiers du Québec), 2002.

BALANCHINE, Georges an Francis MASON, *101 Stories of the Great Ballets*, New York, Double Day, 1989.

BARRAS, Henri, *Ginette Laurin, Profession : chorégraphe*, Montréal, Éditions Mnémosyne, 1995.

BARRÈS, Philippe, *Sous la vague hitlérienne, octobre 1932-juin 1933*, Paris, Plon, 1933.

BEEVOR, Antony, *La chute de Berlin*, Paris, Éditions de Fallois, 2002.

BÉJART, Maurice, *Un instant dans la vie d'autrui*, Paris, Flammarion, 1979.

BÉLANGER, Y., R. COMEAU et C. MÉTIVIER, *La Révolution tranquille 40 ans plus tard : un bilan*, Montréal, VLB éditeur, 2000.

BERBEROVA, Nina, *C'est moi qui souligne*, Arles, Actes Sud, 1995.

BERNADAC, Christian, *L'ordre SS.*, Paris, Éditions France-Empire, 1982.

BERNADAC, Christian, *Les médecins de l'impossible*, Montréal, Éditions Le Nordais, 1981.

BERTRAND, Honorable Lionel, *40 ans de souvenirs politiques (suite de Mémoires)*, Sainte-Thérèse, Éditions Lionel Bertrand, 1976.

BIELY, Andreï, *Pertersburg*, Lausanne, Éditions L'Âge d'homme, 1967.

BLACK, Conrad, *Duplessis*, Tomes I et II, Montréal, Éditions l'Homme, 1977.

BOURGAULT, Pierre, *Écrits polémiques 1960-1981, La politique*, Montréal, VLB éditeur, 1982.

BOYD, Briand, *Vladimir Nabokov*, Paris, Gallimard, 1990.

BRADY, Gérard, *Une bien belle histoire, Paroisse Marie-Reine-du-Monde et Saint-Patrice de Rawdon 1837-1987*, à compte d'auteur, 1987.

BRAUNSWEG, Julian, *Braunsweg's Ballet Scandals, The life of an Impresario and the Story of Fertival Ballet*, London, George Allan & Unwin Ltd, 1973.

BUBER-NEUMAN, Margarete, *Milena*, Paris, Seuil, 1986.

BUBER-NEUMAN, Margarete, *Déportée à Ravensbrück*, Paris, Seuil, 1985.

BUFFET, Cyril, *Berlin*, Paris, Fayard, 1993.

BUTOR, Michel, *Genève, Un guide intime*, Paris, Éditions Autrement, 1986.

CARON, Louis, *La vie d'artiste, Le cinquantenaire de l'Union des Artistes*, Montréal, Boréal, 1987.

CARRÈRE D'ENCAUSSE, Hélène, *Lénine*, Paris, Fayard, 1995.

CASTELLAN, G. *L'Allemagne de Weimar, 1918-1939*, Paris, Armand Collin, 1969.

CHAGOLL, Lydia, *Précis de la danse classique*, Belgique, Imprimerie Érasme Ledeberg/ Gand, non daté.

CHESSEX, Jacques, *Portrait des Vaudois*, Lausanne, Éditions De l'Aire, 1982.

CHEVALLAZ, G. A., *Histoire générale, de 1789 à nos jours*, Lausanne, Éditions Payot, 1966.

CHOLOKOV, Mikhaïl, *Le Don paisible*, Paris, Seuil, 1940.

CITATI, Pietro, *Tolstoï*, Paris, Denoël, 1987.

CLARK, Gerald, *Montréal, ses citoyens, son establishment*, Montréal, Éditions de l'Homme, 1982.

COLLECTIF CLIO, *L'Histoire des femmes du Québec depuis quatre siècles*, Montréal, Éditions Quinze, 1982.

CRABB, Michael, *Visions, Ballet and its Future*, Toronto, Simon & Pierre, 1976.

CREW, David F., *Nazisme and German Society, 1933-1945*, Routledge, 1994.

DEMCHINSKY, Bryan, *Montréal hier et aujourd'hui, L'évolution d'une ville sous l'œil de la caméra*, Montréal, The Gazette, 1985.

DE MILLE, Agnès, *Martha, The Life & Work of Martha Graham*, New York, Vintage, 1992.

DENES, Magda, *Castles Burning, A Child's Life in War*, New York, Simon & Schuster, 1998.

DENIKINE, Général A. L., *La décomposition de l'armée et du pouvoir, février-septembre 1917*, Paris, Éditions I. Povolozky et Cie, 1921.

DESBIENS, Jean-Paul, *Les insolences du Frère Untel* (texte annoté par l'auteur), Montréal, Éditions de l'Homme, 1988.

DESSARRE, Ève, *Les sacrifices*, Paris, Éditions Olivier Orban, 1978.

DICKINSON, Johana, Brian YOUNG, *A Short History of Quebec*, Montréal, McGill-Queen's University Press, 2003.

DION, Léon, *Québec 1945-2000, Les intellectuels et le temps de Duplessis, Tome II*, Laval, PUL, 1993.

DION, Léon, *Le Bill 60 et la Société québécoise*, Montréal, Éditions HMH Ltée, 1967.

D'IVERNOIS, Roger, *La Genève disparue*, Genève, Éditions Statkine, 1993.

DÖBLIN, Alfred, *Berlin Alexanderplatz*, New York, Continuum, 1996.

DOLLINGER, Hans, *The Decline and Fall of Nazi Germany & Imperial Japan, A Pictural History of the final Days of World Warr II*, Chancellor Press, 1968.

DUPUY, Michel, *Expo 67 ou la découverte de la fierté*, Montréal, Éditions La Presse, 1972.

DUTTE, Prof. A., *De la peinture et du peintre Alexis Chiriaeff*, non daté.

DWORK, Deborah, Robert Jan von PELT, *Auschwitz, 1270 to the Present*, New York, 1996.

EIBEL, Alfred, « Ravissements d'un Promeneur solitaire », *Autrement*, Hors série n° 25, 1987.

ÉPOQUE, Martine, *Les coulisses de la nouvelle danse au Québec, Le Groupe Nouvelle Aire en mémoire 1968-1982*, Montréal, PUQ, 1999.

FABRE, Dominique, *Suisse*, Petite Planète, 1955.

FERNANDEZ, Dominique, *La perle et le croissant*, Paris, Plon, 1995.

FERRO, Marc, avec la collaboration de Marie-Hélène Mandrillon, *L'État de toutes les Russies*, Éditions la Découverte, Paris, IMSECO, 1933.

FILION, Gérard, *Fais ce que peux, En guise de mémoire*, Montréal, Boréal, 1989.

FISHER, Gustave-Nicolas, *Le ressort invisible, Vivre l'extrême*, Paris, Seuil, 1994.

FISHER, Louis, *La vie de Lénine*, Paris, Union générale d'éditions, 1966.

FORGET, Nicolle, Francine HAREL GIASSON, Francine SÉGUIN, *Justine Lacoste Beaubien et l'Hôpital Sainte-Justine*, Montréal, PUQ/PHEC, 1995.

FORNEROD, Françoise, *Lausanne, Le temps des audaces, Les idées, les lettres et les arts, de 1945 à 1955*, Lausanne, Éditions Payot, 1933.

FRIEDRICH, Otto, *Before the Deluge, A Portrait of Berliners in the 1920's*, New York, Harpers, 1972.

GARCIA-MARQUEZ, Vincente, *Massine, a Biography*, New York, Alfred A. Knoff, 1995.

GAUTHIER, Robert, *Jacques Normand, l'enfant terrible*, Montréal, Éditions de l'Homme, 1998.

GAY, Peter, *Le suicide d'une république*, Weimar 1918-1933, Paris, Calmann-Léry, 1968.

GERMAIN, Jean-Claude, *Le Feuilleton de Montréal, Tome III*, 1893-1992, Montréal, Stanké, 1997.

GETZ, Lesley, *Dancers and choregraphers, A Selected Bibliography*, London, Asphodel Presse, 1995.

GILL, Anton, *A Dance Between Flames, Berlin Between the Wars*, London, Abacus, 1995.

GORDON, E. J., *E. J. Looking Back*, Montréal, Price-Patterson Ltd, 1993.

GORKI, Maxime, *Pensée intempestives*, Lausanne, Éditions L'Âge d'homme, 1975.

GORNY, Sergeï, *Fsyakoïe Bivalo*, Berlin, Éditions des Écrivains de Berlin, 1927.

GORNY, Sergeï, *Ranneïïviesnoï*, Berlin, Éditions Parabola, Maison du livre étranger, 1933.

GRAGGEN, Yvette Z., *Les années silencieuses*, Éditions de l'Aire, 1982.

GRASS, Günter, *Mon siècle*, Paris, Seuil, 1999.

GRIMBERG, Carl et Ragnar SVANSTRÖM, *Histoire universelle, De la Belle époque à la première guerre mondiale*, vol. 11, Belgique, Marabout université, 1965.

GRIMBERG, Carl et Georges-H. DUMONT, *Histoire universelle, De la faillite de la paix à la conquête de l'espace*, vol. 12, Belgique, Marabout université, 1965.

GUILMETTE, Pierre, *Bibliographie de la danse théâtrale au Canada*, Ottawa, Bibliothèque nationale du Canada, 1970.

HALDAS, Georges, *Gens qui soupirent, Quartier qui meurent*, Neufchatel, Éditions À la Baconnière, 1963.

HÄSLER, Alfred A., *L'Aventure Migros*, Fédération des coopératives Migros, Lausanne, Éditions de la Presse Migros, 1992.

HAYES, Peter, *Industry and Ideology, IG Farben in the Nazi Era*, Cambridge, Cambridge University Press, 2001.

HILBERG, Paul, *La destruction des Juifs d'Europe*, Paris, Folio, 1988.

HILL, Polly and Richard KEYNES, *Lydia and Maynard, The letters of Lydia Lopokova and John Maynard Keynes*, London, André Deutch Limited, 1989.

HITLER, Adolf, *Mein Kampf, Mon combat*, Paris, Nouvelle éditions latines, 1934.

HOFFNER, Sebastian, *Histoire d'un Allemand, 1914-1933*, Arles, Actes-Sud, 2001.

HUGGER, Paul, *Les Suisses, Modes de vie, traditions, neutralité*, Lausanne, Éditions Payot, 1992.

HUGUES, H. Stuart, *Histoire de l'Europe contemporaine, De la guerre 14-18 au Front populaire*, Belgique, Marabout université, 1961.

IGNATIEFF, Michael, *L'Album Russe*, Montréal, Boréal, 1990.

IRVING, David, *Goering, Tome 1, Le complice d'Hitler, 1933-1939*, Paris, Albin Michel, 1991.

IRVING, David, *Goering, Tome II, La maréchal du Reich, 1939-1946*, Paris, Albin Michel, 1991.

ISHERWOOD, Christopher, *Adieu à Berlin*, Points, Paris, Hachette, 1980.

KENEALLY, Thomas, *Shindler's List*, New York, Simon & Shuster, 1933.

KENNAN, George F., *Stetches From A Life*, New York, Pantheon Books, 1989.

KERJENTSEV, P., *Vie de Lénine*, Éditions sociales internationales, 1937.

KIRSTEIN, Lincoln, *Dance, A Short History of Classic Theatrical Dancing*, New York, Putnam's Sons, 1935.

KLEMPERER, Victor, *I wil bear witness, 1933-1941, Tome I*, New York, Modern Library, 1999.

KLEMPERER, Victor, *I will bear witness, Tome II*, New York, Modern Library, 2001.

KOCHAN, Lionel, *Russia and the Weimar Republic*, Cambridge, Bowes & Bowes, 1954.

KOESTLER, Arthur, *Hiéroglyphes, Tome I*, Paris, Calmann-Lévy, 1955 (poche 1978)

KREBS, Gilbert, *Carrefour des années vingt et trente*, Paris, Institut d'Allemagne et d'Asnières, Sorbonne nouvelle, 1992.

LANGLOIS, Simon, Jean-Paul BAILLARGEON, Gary CALDWELL, Guy FRÉCHET, Madeleine GAUTHIER, Jean-Pierre SIMARD, *La société québécoise en tendances 1960-1990*, Québec, IORC, 1990.

LAPALME, Georges-Émile, *Mémoire (3 tomes)*, Montréal, Leméac, 1969, 1971, 1973.

LAPLANTE, Louise, *Compositeurs contemporains*, Montréal, PUQ, 1977.

LARRUE, Jean-Marc, *Le Monument inattendu, Le Monument national, 1893-1993*, Montréal, HMH, 1993.

LE BOR, Adam, *Les Banquiers secrets d'Hitler*, Monaco, Éditions du Rocher, 1997.

LE BORGNE, Odette, *Un pas vers les autres*, Montréal, Éditions du Jour, 1976.

LEVER, Maurice, *Isadora*, Paris, Presses de la Renaissance, 1987.

LÉVESQUE, René, *Attendez que je me rapelle...*, Montréal, Québec-Amérique, 1986.

LEVI, Primo, *Si c'est un homme*, Paris, Julliard, 1987.

LIFAR, Serge, *La danse*, Genève, Éditions Gonthier, 1965.

LIFAR, Serge, *Les mémoires d'Icare*, Monaco, Éditions Sauret, 1993.

LINTEAU, Paul-André, *Histoire de Montréal depuis la Confédération*, Montréal, Boréal, 2000.

LINTEAU, DUROCHER, ROBERT, RICARD, *Histoire du Québec contemporain, Le Québec depuis 1930*, Tome II, Montréal, Boréal, 1989.

LINTEAU, DUROCHER, ROBERT, *Histoire du Québec contemporain, Le Québec depuis 1930*, Tome III, Montréal, Boréal, 1989.

LORRAIN, Roland, *Les Grands Ballets Canadiens ou Cette femme qui nous fit danser*, Montréal, Éditions du Jour, 1973.

MAKINE, Andreï, *Le testament français*, Paris, Mercure de France, 1995.

MANDELSTRAM, Nadejda, *Contre tout espoir, Souvenirs*, Tome I, Paris, Gallimard, 1972.

MANN, Erika and Klaus, *The Other Germany*, New York, Modern Age Books Inc., 1940.

MANN, Klaus, *Le tournant*, Paris, Éditions 10/18, 2001.

MARABINI, Jean, *La vie quotidienne à Berlin sous Hitler*, Paris, Hachette, 1985.

MCCANN, Colum, *Danseur*, Paris, Belfond, 2000.

MICHENER, James A., *Pologne*, Paris, Éditions Seuil, 1984.

MOREHEAD, Caroline, *Dunant's Dream, War, Switzerland and the History of the Red Cross*, London, Harper Collins, 1999.

NABOKOV, Vladimir, *Autres rivages*, Paris, Gallimard, 1989.

NIJINSKY, *Cahiers*, (version non expurgées), Arles/Montréal, Actes Sud/Leméac, 1995.

OLÉPHANT, Betty, *Misso : My life in Dance*, Winnipeg, Turnstone Press, 1996.

PASTORI, Jean-Pierre, *Le Théâtre de Lausanne, De la scène à la ville 1869-1989*, Lausanne, Payot, 1989.

PELLETIER, Gérard, *Les Années d'impatience 1950-1960*, Montréal, Stanké, 1983.

PENKERT, Detlev J. K., *La république de Weimar, Années de crise de la modernité*, Éditions Aubier, 1995.

PERSICO, Joseph E., *Nuremberg*, New York, Éditions Penguin, 2000.

PLEAU, Jean-Christian, *La Révolution québécoise, Hubert Aquin et Gaston Miron au tournant des années soixante*, Montréal, Fides, 2002.

PRÉVOST, Robert, *Montréal, La folle entreprise, chronique d'une ville*, Stanké, Montréal, 1991.

RABINOVITCH, Alexander, *The Bolcheviks Come to Power, The Revolution of 1917 in Petrograd*, New York, 1976.

RAUSCHNING, Hermann, *Hitler m'a dit*, Paris, Librairie Générale Française, 1979.

READ, Anthony & David FISHER, *The Fall of Berlin*, New York, Da Capo Press, 1995.

REED, John, *Dix jours qui ébranlèrent le monde*, Éditions sociales, 1927.

REEDER, Roberta, *Anna Akhmatova, Poet and Prophet*, New York, Picador USA, 1995.

REES, Laurence, *The Naszis, A Warning from History*, New York, The New Press, 1997.

REIMAN, Viktor, *Joseph Goebbles*, Paris, Flammarion, 1973.

REVAL, Annie et Bernard, *Aznavour, le Roi de cœur*, France Empire, 2000.

RICARD, François, *La génération lyrique, Essai sur la vie et l'œuvre des premiers-nés du baby-boom*, Montréal, Boréal, 1992.

RICHARD, Lionel, *La vie quotidienne sous la République de Weimar*, Paris, Hachette, 1983.

RICHARD, Lionel, « Une identité contradictioire, Berlin, 1919-1933 », *Autrement*, n° 10, 1991.

RIESS, Curt, *Goebbels*, Paris, Fayard, 1956.

ROUGEMONT, Denis de, *Journal d'une époque, 1926-1946*, Paris, Galliamard, 1968.

ROUSSEAU, François Olivier, *La Gare de Wannsee*, Paris, Grasset, 1988.

RUMILLY, Robert, *Histoire de Montréal*, Tome IV et V, Montréal, Fides, 1974.

RUTHERFURD, Edward, *Russka, The Novel of Russia*, New York, Ivey Books, 1992.

SAFRANSKI, Rüdiger, *Heidegger et son temps*, Paris, Grasset, 1996.

SAINT-BRIS, Gonzagues, Vladimir FEDOROVSKI, *Les égéries russes*, Paris, JC Lattès, 1994.

SALKED, Audrey, *A Portrait of Leni Riefenstahl*, London, Pimlico, 1997.

SARRAUTE, Nathalie, *Enfance*, Paris, Gallimard, 1995.

SCHEBERA, Jürgen, « Exposition artistique et contestation, in Berlin 1919-1933 », *Autrement*, n° 10, 1991.

SCHNEIDER, Roland, *Histoire du cinéma allemand*, Paris, Éditions du Cerf, 1990.

SEMPRUN, Jorge, *L'écriture ou la vie*, Paris, Gallimard, 1994.

SERENY, Gritta, *Albert Speer, Son combat avec la vérité*, Paris, Seuil, 1997.

SICOTTE, Anne-Marie, *Gratien Gélinas, la ferveur et le doute*, Montréal, Québec Amérique, tomes I et II, 1995.

SIEGFRIED, André, *La Suisse démocratie-témoin*, Neufchatel, Éditions de la Baconnière, 1956.

SMITH, Howard K., *Last from Berlin*, London, The Crescent Press, 1942.

SMITH, MICHAEL, FOLEY, *The spy who saved 10,000 Jews*, London, Hodder & Stoughton, 1999.

SOLJENITSYNE, Alexandre, *La roue rouge, Premier nœud, Août 14*, Paris, Fayard, 1983.

SOLJENITSYNE, Alexandre, *Deuxième nœud*, Paris, Fayard/Seuil, 1985.

STRUVE, Nikita, *Soixante-dix ans d'émigration russe, 1919-1989*, Paris, Fayard, 1996.

STYRON, William, *Le choix de Sophie*, Paris, Gallimard, 1981.

TAYLOR, Kressmann, *Jour sans retour*, Paris, Autrement, 2002.

TCHEKOV, Anton, *L'Île de Sakhaline*, Paris, Éditions Français réunis, 1971.

TEMBECK, Iro, *Danser à Montréal*, Germination d'une histoire chorégraphique, Montréal, PUQ, 1992.

THALMANN, Rita, Emmanuel FEINERMANN, *La nuit de cristal, 9-10 novembre 1938*, Paris, Robert Laffont, 1972.

THÉÂTRE DU JORAT, *75 ans d'image*, Denges, Éditions du Verseau, 1983.

THOMPSON, D. C., *Jean Lesage et la Révolution Tranquille*, Saint-Laurent, Éditions du Trécarré, 1984.

TISSEYRE, Michelle, *Mémoire intimes*, Montréal, Éditions Pierre Tysseyre, 1998.

VAILLAT, Léandre, *Histoire de la danse*, Paris, Plon, 1942.

VALLIÈRES, Pierre, *Nègres blancs d'Amérique*, nouvelle édition revue et corrigée, Montréal, Parti pris, 1969.

VARAULT, Jean-Marc, *Le possible et l'interdit*, Paris, La Table ronde, 1989.

VASTEL, Michel, *Trudeau le Québécois... mais la colombe avait des griffes de faucons*, Montréal, Éditions de l'Homme, 1989.

VICHNEVSKAÏA, Galina, *Galina*, Paris, Fayard, 1985.

VILLENEUVE, Anne-Marie et Jean FAUCHER, *Françoise Faucher*, Montréal, Québec Amérique, 2000.

VOLKOGONOV, Dimitri, *Le vrai Lénine*, Paris, Robert Laffont, 1995.

VOLKOV, Solomon, *Blanchine's Tchaikovsky*, New York, Simon & Schuster, 1985.

VOLKOV, Solomon, *St-Persburg, A Cultural History*, New York, The Free Press, 1995.

von MOLTKE, Helmuth James, *Lettres to Freya, 1939-1945*, New York, Vintage Books, 1995.

WATSON, Peter, *Noureev*, Paris, Édition 1, 1995.

WEINMANN, Heinz, *Du Canada au Québec, Généalogie d'une histoire*, Montréal, l'Hexagone, 1987.

WHAL, Alfred, *L'Allemagne de 1918-1945*, Paris, Armand Collin, 1993.

WHALIN, Alfred, *Culture et mentalité en Allemagne 1918-1960*, Paris, Sedes, 1988.

WIESEL, Elie, *Tous les fleuves vont à la mer*, Mémoires 1, Paris, Seuil, 1994.

WILLET, John, *L'esprit de Weimar, Avant-gardes et politiques 1917-1933*, Paris, Seuil, 1991.

WILLIAMS, Robert C., *Culture in Exile : Russian Emigres in Germany, 1881-1941*, London, Cornell University Press, 1972.

ZIEGLER, Jean, *Le bonheur d'être Suisse*, Paris, Seuil/Fayard, 1993.

Index des noms

Index des ballets

---

* Aussi connu sous le nom de « Caucasienne » ou « Nuit caucasienne » dans les
archives de la Société Radio-Canada.

Table des matières

Première partie
L'Europe

Deuxième partie
L'Amérique

Cahier photos

Ludmilla avec son père à Berlin aux alentours de 1930.
Archives famille Chiriaeff

Photo de Ludmilla en jeune ballerine au
début des années 1930.
Archives famille Chiriaeff

Une nouvelle étoile est née…
Milieu des années 1930.
Archives famille Chiriaeff

Permis de la Reichskulturkammer délivré en 1940.
Archives famille Chiriaeff

Photo d'un spectacle présenté à Berlin.
© Enkelman / Archives famille Chiriaeff

Permis de travail délivré en 1947
à Lausanne.
Archives famille Chiriaeff

Photos de Ludmilla au
Théâtre municipal de
Lausanne, été 1947.
© Photo Maxim' S.A.,
Lausanne / Archives famille
Chiriaeff

École de Danse du Kursaal

Prof. : Madame Ludmilla CHIRIAEFF-GORNY

Cours du soir pour débutants
Cours d'enfants, débutants et avancés

COURS SUPÉRIEURS :
Classique
Caractère
Moderne
Chorégraphie

Pour tous renseignements, s'adresser chez le concierge du Kursaal de Genève, rue de la Cloche
(entrée des artistes)

Publicité de l'école de danse du Kursaal.
Fonds d'archives Ludmilla Chiriaeff

Photo de Ludmilla à Genève avec Anastasie (Nastia) et Avdeij, 1951.
Archives famille Chiriaeff

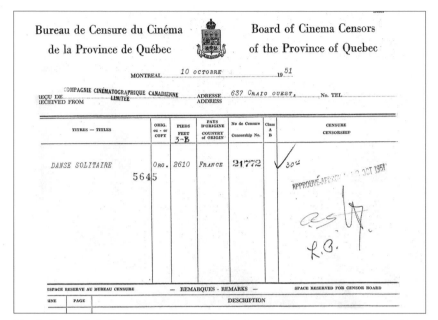

Bureau de Censure du Cinéma de la Province de Québec				Board of Cinema Censors of the Province of Quebec		

MONTREAL .... 10 OCTOBRE 19 51

REÇU DE / RECEIVED FROM ...COMPAGNIE CINÉMATOGRAPHIQUE CANADIENNE LIMITÉE ADRESSE / ADDRESS .... 637 CRAIG OUEST, ... No. TEL. ....

TITRES — TITLES	ORIG. ou - or COPY	PIEDS FEET 3-B	PAYS D'ORIGINE COUNTRY of ORIGIN	No de Censure Censorship No.	Class A B	CENSURE CENSORSHIP
DANSE SOLITAIRE	ORG.	2610	FRANCE	21772	✓ 30¢	
5645						APPROUVÉ-APP... 2 OCT 1951

ESPACE RESERVE AU BUREAU CENSURE	— REMARQUES - REMARKS —	SPACE RESERVED FOR CENSOR BOARD
UNE PAGE	DESCRIPTION	

Visa du Bureau de la Censure du Cinéma de la Province de Québec concernant le film *Danse Solitaire* dans lequel danse Ludmilla, 1951.
Archives nationales du Québec

Ludmilla dans *Suite caucasienne* présentée à Radio-Canada le dimanche 5 avril 1953. Il s'agit de sa première chorégraphie pour la télévision.
Fonds d'archives Ludmilla Chiriaeff

Pierrot de la lune, 1953.
Fonds d'archives Ludmilla Chiriaeff

Ludmilla dans *Cage d'or,* un spectacle présenté à Radio-Canada en 1953.
© Studio Orssagh / Fonds d'archives Ludmilla Chiriaeff

Photo de l'équipe de l'émission *Porte ouverte*, 1955.
© Henri Paul / Fonds d'archives Ludmilla Chiriaeff

Pierre Mercure en train de diriger *Kaléidoscope* dans le cadre de l'émission *L'Heure du concert*.
Au premier plan, Ludmilla et des danseurs des Ballets Chiriaeff, 1955.
© Henri Paul / Fonds d'archives Ludmilla Chiriaeff

Photo de la famille Chiriaeff, 1956.
© André Le Coz / Archives famille Chiriaeff

Voici celle qui, en deux ans, est devenue la plus célèbre
danseuse et chorégraphe de la télévision: Ludmilla Chiriaeff.
Entourée de ses trois enfants, elle sourit à la vie, à son
travail, à nos lecteurs... et au printemps !

Alexis et Ludmilla Chiriaeff.
© Varkony / Archives famille Chiriaeff

Journal des Vedettes, 15 mai 1955.
Fonds d'archives Ludmilla Chiriaeff

Ludmilla dans *Petrouchka*, un spectacle présenté à Radio-Canada en 1957.
© Varkony / Fonds d'archives Ludmilla Chiriaeff

Ludmilla, Jacques Claudel et les Ballets Chiriaeff dans *Petrouchka*, 1957.
Fonds d'archives Ludmilla Chiriaeff

Ludmilla, Éric Hyrst et les Ballets Chiriaeff dans *Les Noces* présenté à l'émission *L'Heure du concert* à Radio-Canada en mars 1956.
© Henri Paul / Fonds d'archives Ludmilla Chiriaeff

Émission *Par le trou de la serrure*, tournée au studio de la rue Stanley, 1956.
Fonds d'archives Ludmilla Chiriaeff

Première participation des Grands Ballets Canadiens au festival international de la danse à Jacob's Pillow, dans l'État du Massachusetts, août 1959.
Fonds d'archives Ludmilla Chiriaeff

Alexis Chiriaeff et Uriel Luft préparant la campagne de financement *Le Bal des oiseaux*, 1959.
© Henry Koro / Fonds d'archives Ludmilla Chiriaeff

Ludmilla et Fernand Nault au travail, vers 1965.
Fonds d'archives Ludmilla Chiriaeff

Leçon à la barre, 1966.
© Pierre Gaudard / Fonds d'archives Ludmilla Chiriaeff

Casse-Noisette, 1967. Chorégraphie de Fernand Nault.
Fonds d'archives Ludmilla Chiriaeff

Samson Candelaria, premier danseur, dans une des nombreuses représentations de *Carmina Burana*, 1967. Chorégraphie de Fernand Nault.
Fonds d'archives Ludmilla Chiriaeff

Dixième anniversaire des Grands Ballets Canadiens en présence du premier ministre du Québec, Daniel Johnson (à gauche de Ludmilla), et du président du conseil des Grands Ballets Canadiens, le juge Vadeboncœur (à l'avant-plan), 1967.
© Henry Koro / Fonds d'archives Ludmilla Chiriaeff

Ludmilla montrant une posture
à une élève, 1968.
© Pierre Gaudard / Fonds d'archives
Ludmilla Chiriaeff

Tommy, avec Vincent Warren, premier
danseur, 1971.
Fonds d'archives Ludmilla Chiriaeff

Distribution du spectacle *Catulli Carmina*, de gauche à droite : Véronique Landory, Vincent
Warren, Ghislaine Thesmar, Ludmilla, Armando Jorge, Richard Beatty et Erica Jayne, Paris, 1969.
© Colette Masson / Fonds d'archives Ludmilla Chiriaeff

Photo de famille avec Uriel Luft et les enfants (Anastasie, Avdeij et Gleb Chiriaeff, Ludmilla et Catherine Luft), 1969.
Archives famille Chiriaeff

Ludmilla dans son bureau, 1972.
© Pierre Gaudard / Fonds d'archives Ludmilla Chiriaeff

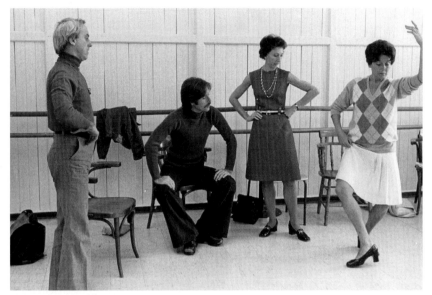

Ludmilla révise une chorégraphie avec ses collaborateurs. De gauche à droite : Fernand Nault, Claude Champoux et Andrée Millaire, 1972.
© André Le Coz / Fonds d'archives Ludmilla Chiriaeff

Au centre, Ludmilla et Maurice Béjart en répétition pour le spectacle *L'Oiseau de feu* en 1972, sur une chorégraphie de Maurice Béjart. À gauche de Ludmilla, Pierre Dobrievich, assistant de Béjart et à l'extrême droite, le danseur étoile Jorge Donn.
© Jacob Siskind / Fonds d'archives Ludmilla Chiriaeff

Ludmilla note une élève, 1976.
© Jan Westbury / Fonds d'archives Ludmilla Chiriaeff

Leçon à la barre, 1976.
© Jan Westbury / Fonds d'archives Ludmilla Chiriaeff

Ludmilla et les élèves de l'école Pierre-Laporte, 1976.
© Jan Westbury / Fonds d'archives Ludmilla Chiriaeff

Enregistrement de l'émission *Propos et confidences* avec Jean Faucher, 1977.
Fonds d'archives Ludmilla Chiriaeff

Ludmilla Chiriaeff à Montréal vers la fin des années 1970.
Fonds d'archives Ludmilla Chiriaeff

Élèves de l'Académie des Grands Ballets Canadiens et de l'École supérieure de la danse avec Liliana Dragouleva, vers 1978.
Fonds d'archives Ludmilla Chiriaeff

Monsieur le maire Jean Drapeau et Ludmilla Chiriaeff à l'hôtel de ville, vers la fin des années 1970.
Fonds d'archives Ludmilla Chiriaeff

Ludmilla rencontre René Lévesque et Corinne Côté-Lévesque, 1980.
© Gouvernement du Québec / Fonds d'archives Ludmilla Chiriaeff

Construction de la Maison de la danse, 1980.
Fonds d'archives Ludmilla Chiriaeff